COMENTÁRIO BÍBLICO
BEACON

Comentário Bíblico
Beacon

Isaías a Daniel

4

8ª impressão

CPAD

Rio de Janeiro
2024

Todos os direitos reservados. Copyright © 2005 para a língua portuguesa da Casa Publicadora das Assembleias de Deus. Aprovado pelo Conselho de Doutrina.

É proibida a duplicação ou reprodução deste volume, no todo ou em parte, sob quaisquer formas ou meios (eletrônico, mecânico, gravação, fotocópia, distribuição na web e outros), sem permissão expressa da Editora.

Beacon Bible Commentary 10 Volume Set
Copyright © 1969. Publicado pela Beacon Hill Press of Kansas City, uma divisão da Nazarene Publishing House, Kansas City, Missouri 64109, EUA.

Edição brasileira publicada sob acordo com a Nazarene Publishing House.

Tradução deste volume: Valdemar Kroker e Haroldo Janzen
Preparação de originais e revisão: Reginaldo de Souza
Capa e projeto gráfico: Rafael Paixão
Editoração: Joede Bezerra

CDD: 220 - Bíblia
ISBN: 978-85-263-1143-5 (Brochura)
ISBN: 978-85-263-1482-5 (Capa Dura)

Para maiores informações sobre livros, revistas, periódicos e os últimos lançamentos da CPAD, visite nosso site: https://www.cpad.com.br

Casa Publicadora das Assembleias de Deus
Av. Brasil, 34.401, Bangu, Rio de Janeiro – RJ
CEP 21.852-002

8ª impressão 2024- Tiragem: 2.000 (Brochura)
8ª impressão: 2022 - Tiragem: 1.000 (Capa Dura)
Impresso no Brasil

BEACON HILL PRESS

COMISSÃO EDITORIAL

A. F. Harper, Ph.D., D.D.
Presidente

W. M. Greathouse, M.A., D.D.
Secretário

W. T. Purkiser, Ph.D., D.D.
Editor do Antigo Testamento

Ralph Earle, B.D., M.A., Th.D.
Editor do Novo Testamento

CORPO CONSULTIVO

G. B. Williamson
Superintendente

E. S. Phillips
Presidente

J. Fred Parker
Secretário

A. F. Harper
Norman R. Oke
M. A. Lunn

EDIÇÃO BRASILEIRA

DIREÇÃO-GERAL
Ronaldo Rodrigues de Souza
Diretor-Executivo da CPAD

SUPERVISÃO EDITORIAL
Claudionor de Andrade
Gerente de Publicações

COORDENAÇÃO EDITORIAL
Isael de Araujo
*Chefe do Setor de Bíblias
e Obras Especiais*

Prefácio

"Toda Escritura divinamente inspirada é proveitosa para ensinar, para redargüir, para corrigir, para instruir em justiça, para que o homem de Deus seja perfeito e perfeitamente instruído para toda boa obra" (2 Tm 3.16,17).

Cremos na inspiração plenária da Bíblia. Deus fala com os homens pela Palavra. Ele fala conosco pelo Filho. Mas sem a palavra escrita como saberíamos que o Verbo (ou Palavra) se fez carne? Ele fala conosco pelo Espírito, mas o Espírito usa a Palavra escrita como veículo de revelação, pois Ele é o verdadeiro Autor das Santas Escrituras. O que o Espírito revela está de acordo com a Palavra.

A fé cristã deriva da Bíblia. Esta é o fundamento da fé, da salvação e da santificação. É o guia do caráter e conduta cristãos. "Lâmpada para os meus pés é tua palavra e luz, para o meu caminho" (Sl 119.105).

A revelação de Deus e sua vontade para os homens são adequadas e completas na Bíblia. A grande tarefa da igreja é comunicar o conhecimento da Palavra, iluminar os olhos do entendimento e despertar e aclarar a consciência para que os homens aprendam a viver "neste presente século sóbria, justa e piamente". Este processo conduz à posse da "herança [que é] incorruptível, incontaminável e que se não pode murchar, guardada nos céus" (Tt 2.12; 1 Pe 1.4).

Quando consideramos a tradução e a interpretação da Bíblia, admitimos que somos guiados por homens que não são inspirados. A limitação humana, como também o fato inconteste de que nenhuma escritura é de particular interpretação, ou seja, não tem uma única interpretação, permite variação na exegese e exposição da Bíblia.

O *Comentário Bíblico Beacon* (CBB) é oferecido em dez volumes com a apropriada modéstia. Não suplanta outros. Nem pretende ser exaustivo ou conclusivo. O empreendimento é colossal. Quarenta dos escritores mais capazes foram incumbidos dessa tarefa. São pessoas treinadas com propósito sério, dedicação sincera e devoção suprema. Os patrocinadores e editores, bem como todos os colaboradores, oram com fervor para que esta nova contribuição entre os comentários da Bíblia seja útil a pregadores, professores e leigos na descoberta do significado mais profundo da Palavra de Deus e na revelação de sua mensagem a todos que a ouvirem.

— G. B. Williamson

Agradecimentos

Somos gratos pela permissão para citar material protegido por direitos autorais, cuja relação apresentamos a seguir:

- Abindon Press; Henry Sloane Coffin e James Muilenberg in Volume V, *The Interpreter's Bible*.
- Bible House of Los Angeles: W. C. Stevens, *The Book of Daniel*.
- Wm. B. Eerdmans Publishing Co.: E. J. Young, *The Messianic prophecies of Daniel*.
- Fleming H. Revell: G. Campbell Morgan, *Studies in the Prophecy of Jeremiah*.
- Westminster Press and Epworth Press (London): James D. Smart, *History and Theology in Second Isaiah*.

O *Comentário Bíblico de Beacon* (CBB) cita as seguintes versões bíblicas protegidas por direitos autorais:

- *The Amplified Old Testament*. Copyright 1964, Zondervan Publishing House.
- *The Berkeley Version in Modern English*. Copyright 1958, 1959, Zondervan Publishing House.
- *The Bible: A New Translation*, James Moffatt. Copyright 1950, 1952, 1953, 1954 de James A. R. Moffatt. Usado com a permissão de Harper & Row.
- *The Bible: An American Translation*, J. M. Powis Smith, Edgar J. Goodspeed. Copyright 1923, 1927, 1948 de The University of Chicago Press.
- *Revised Standard Version of the Holy Bible*. Copyright 1946 e 1952 pela Division of Christian Education of the National Council of Churches.
- *The Basic Bible: Containing the Old and New Testaments in Basic English*. Copyright 1950 de E. P. Dutton & Company, Incorporated.
- *Knox Version of the Holy Bible*, por Msgr. Ronald Knox. Copyright 1960 por The Macmillan Co.
- *The Holy Bible from the Peshita*, traduzido por George M. Lamsa. Copyright 1933, 1939, 1940, por A. J. Holman Co.
- *Four Prophets: A Modern Translation from the Hebrew*, por John B. Phillips. Copyright 1963 por Macmillan Co.

Citações e Referências

O tipo negrito na exposição de todo este comentário indica a citação bíblica extraída da versão feita por João Ferreira de Almeida, edição de 1995, Revista e Corrigida (RC). Referências a outras versões bíblicas são colocadas entre aspas seguidas pela indicação da versão.

Nas referências bíblicas, uma letra (a, b, c, etc.) designa parte de frase dentro do versículo. Quando nenhum livro é citado, compreende-se que se refere ao livro sob análise.

Dados bibliográficos sobre uma obra citada por um escritor podem ser encontrados consultando-se a primeira referência que o autor fez à obra ou reportando-se à bibliografia.

As bibliografias não têm a pretensão de ser exaustivas, mas são incluídas para fornecer dados de publicação completos para os volumes citados no texto.

Referências a autores no texto, ou a inclusão de seus livros na bibliografia não, constituem endosso de suas opiniões. Toda leitura no campo da interpretação bíblica deve ter característica discriminadora e ser feita de modo reflexivo.

Como Usar o Comentário Bíblico Beacon

A Bíblia é um livro para ser lido, entendido, obedecido e compartilhado com as pessoas. O *Comentário Bíblico Beacon* (CBB) foi planejado para auxiliar dois destes quatro itens: o entendimento e o compartilhamento.

Na maioria dos casos, a Bíblia é sua melhor intérprete. Quem a lê com a mente aberta e espírito receptivo se conscientiza de que, por suas páginas, Deus está falando com *o indivíduo* que a lê. Um comentário serve como valioso recurso quando o significado de uma passagem não está claro sequer para o leitor atento. Mesmo depois de a pessoa ter visto seu particular significado em determinada passagem da Bíblia, é recompensador descobrir que outros estudiosos chegaram a interpretações diferentes no mesmo texto. Por vezes, esta prática corrige possíveis concepções errôneas que o leitor tenha formado.

O *Comentário Bíblico Beacon* (CBB) foi escrito para ser usado com a Bíblia em mãos. Muitos comentários importantes imprimem o texto bíblico ao longo das suas páginas. Os editores se posicionaram contra esta prática, acreditando que o usuário comum tem sua compreensão pessoal da Bíblia e, por conseguinte, traz em mente a passagem na qual está interessado. Outrossim, ele tem a Bíblia ao alcance para checar qualquer referência citada nos comentários. Imprimir o texto integral da Bíblia em uma obra deste porte teria ocupado aproximadamente um terço do espaço. Os editores resolveram dedicar este espaço a recursos adicionais para o leitor. Ao mesmo tempo, os escritores enriqueceram seus comentários com tantas citações das passagens em debate que o leitor mantém contato mental fácil e constante com as palavras da Bíblia. Estas palavras citadas estão impressas em tipo negrito para pronta identificação.

ESCLARECIMENTO DE PASSAGENS RELACIONADAS

A Bíblia é sua melhor intérprete quando determinado capítulo ou trecho mais longo é lido para descobrir-se o seu significado. Este livro também é seu melhor intérprete quando o leitor souber o que a Bíblia diz em outros lugares sobre o assunto em consideração. Os escritores e editores do *Comentário Bíblico Beacon* (CBB) se esforçaram continuamente para proporcionar o máximo de ajuda nesse campo. Referências cruzadas, relacionadas e cuidadosamente selecionadas, foram incluídas para que o leitor encontre a Bíblia interpretada e ilustrada pela própria Bíblia.

TRATAMENTO DOS PARÁGRAFOS

A verdade da Bíblia é melhor compreendida quando seguimos o pensamento do escritor em sua seqüência e conexões. As divisões em versículos com que estamos familiarizados foram introduzidas tardiamente na Bíblia (no século XVI, para o Novo Testamento, e no século XVII, para o Antigo Testamento). As divisões foram feitas às pressas e, por vezes, não acompanham o padrão de pensamento dos escritores inspirados. O mesmo é verdadeiro acerca das divisões em capítulos. A maioria das traduções de hoje organiza as palavras dos escritores bíblicos de acordo com a estrutura de parágrafo conhecida pelos usuários da língua portuguesa.

Os escritores deste comentário consideraram a tarefa de comentar de acordo com este arranjo de parágrafo. Sempre tentaram responder a pergunta: O que o escritor inspirado estava dizendo nesta passagem? Os números dos versículos foram mantidos para facilitar a identificação, mas os significados básicos foram esboçados e interpretados nas formas mais amplas e mais completas de pensamento.

Introdução dos Livros da Bíblia

A Bíblia é um livro aberto para quem a lê refletidamente. Mas é entendida com mais facilidade quando obtemos um maior entendimento de suas origens humanas. Quem escreveu este livro? Onde foi escrito? Quando viveu o escritor? Quais foram as circunstâncias que o levaram a escrever? Respostas a estas perguntas sempre acrescentam mais compreensão às palavras das Escrituras.

Estas respostas são encontradas nas introduções. Nesta parte há um esboço de cada livro. A Introdução foi escrita para dar-lhe uma visão geral do livro em estudo, fornecer-lhe um roteiro seguro antes de você enfronhar-se no texto comentado e proporcionar-lhe um ponto de referência quando você estiver indeciso quanto a que caminho tomar. Não ignore o sinal de advertência: "Ver Introdução". Ao final do comentário de cada livro há uma bibliografia para aprofundamento do estudo.

Mapas, Diagramas e Ilustrações

A Bíblia trata de pessoas que viveram em terras distantes e estranhas para a maioria dos leitores dos dias atuais. Entender melhor a Bíblia depende, muitas vezes, de conhecer melhor a geografia bíblica. Quando aparecer o sinal: "Ver Mapa", você deve consultar o mapa indicado para entender melhor os locais, as distâncias e a coordenação de tempo relacionados com a época das experiências das pessoas com quem Deus estava lidando.

Este conhecimento da geografia bíblica o ajudará a ser um melhor pregador e professor da Bíblia. Até na apresentação mais formal de um sermão é importante a congregação saber que a fuga para o Egito era "uma viagem a pé, de uns 320 quilômetros, em direção sudoeste". Nos grupos informais e menores, como classes de escola dominical e estudos bíblicos em reuniões de oração, um grande mapa em sala de aula permite o grupo ver os lugares tanto quanto ouvi-los ser mencionados. Quando vir estes lugares nos mapas deste comentário, você estará mais bem preparado para compartilhar a informação com os integrantes da sua classe de estudo bíblico.

Diagramas que listam fatos bíblicos em forma de tabela e ilustrações lançam luz sobre as relações históricas da mesma forma que os mapas ajudam com o entendimento geográfico. Ver uma lista ordenada dos reis de Judá ou das aparições pós-ressurreição de Jesus proporciona maior entendimento de um item em particular dentro de uma série. Estes diagramas fazem parte dos recursos oferecidos nesta coleção de comentários.

O *Comentário Bíblico Beacon* (CBB) foi escrito tanto para o recém-chegado ao estudo da Bíblia como para quem há muito está familiarizado com a Palavra escrita. Os escritores e editores examinaram cada um dos capítulos, versículos, frases, parágrafos e palavras da Bíblia. O exame foi feito com a pergunta em mente: O que significam estas palavras? Se a resposta não é evidente por si mesma, incumbimo-nos de dar a melhor explicação conhecida por nós. Como nos saímos o leitor julgará, mas o convidamos a ler a explanação dessas palavras ou passagens que podem confundi-lo em sua leitura da Palavra escrita de Deus.

EXEGESE E EXPOSIÇÃO

Os comentaristas bíblicos usam estas palavras para descrever dois modos de elucidar o significado de uma passagem da Bíblia. *Exegese* é o estudo do original hebraico ou grego para entender que significados tinham as palavras quando foram usadas pelos homens e mulheres dos tempos bíblicos. Saber o significado das palavras isoladas, como também a relação gramatical que mantinham umas com as outras, serve para compreender melhor o que o escritor inspirado quis dizer. Você encontrará neste comentário esse tipo de ajuda enriquecedora. Mas só o estudo da palavra nem sempre revela o verdadeiro significado do texto bíblico.

Exposição é o esforço do comentarista em mostrar o significado de uma passagem na medida em que é afetado por qualquer um dos diversos fatos familiares ao escritor, mas, talvez, pouco conhecidos pelo leitor. Estes fatos podem ser: 1) O contexto (os versículos ou capítulos adjacentes), 2) o pano de fundo histórico, 3) o ensino relacionado com outras partes da Bíblia, 4) a significação destas mensagens de Deus conforme se relacionam com os fatos universais da vida humana, 5) a relevância destas verdades para as situações humanas exclusivas à nossa contemporaneidade. O comentarista busca explicar o significado pleno da passagem bíblica sob a luz do que melhor compreende a respeito de Deus, do homem e do mundo atual.

Certos comentários separam a exegese desta base mais ampla de explicação. No *Comentário Bíblico Beacon* (CBB) os escritores combinaram a exegese e a exposição. Estudos cuidadosos das palavras são indispensáveis para uma compreensão correta da Bíblia. Mas hoje, tais estudos minuciosos estão tão completamente refletidos em várias traduções atuais que, muitas vezes, não são necessários, exceto para aumentar o entendimento do significado teológico de certa passagem. Os escritores e editores desta obra procuraram espelhar uma exegese verdadeira e precisa em cada ponto, mas discussões exegéticas específicas são introduzidas primariamente para proporcionar maior esclarecimento no significado de determinada passagem, em vez de servir para engajar-se em discussão erudita.

A Bíblia é um livro prático. Cremos que Deus inspirou os homens santos de antigamente a declarar estas verdades, para que os leitores melhor entendessem e fizessem a vontade de Deus. O *Comentário Bíblico Beacon* (CBB) tem a incumbência primordial de ajudar as pessoas a serem mais bem-sucedidas em encontrar a vontade de Deus conforme revelada nas Escrituras — descobrir esta vontade e agir de acordo com este conhecimento.

AJUDAS PARA A PREGAÇÃO E O ENSINO DA BÍBLIA

Já dissemos que a Bíblia é um livro para ser compartilhado. Desde o século I, os pregadores e professores cristãos buscam transmitir a mensagem do evangelho lendo e explicando passagens seletas da Bíblia. O *Comentário Bíblico Beacon* (CBB) procura incentivar este tipo de pregação e ensino expositivos. Esta coleção de comentários contém mais de mil sumários de esboços expositivos que foram usados por excelentes pregadores e mestres da Bíblia. Escritores e editores contribuíram ou selecionaram estas sugestões homiléticas. Esperamos que os esboços indiquem modos nos quais o leitor deseje expor a Palavra de Deus à classe bíblica ou à congregação. Algumas destas análises de passagens para pregação são contribuições de nossos contemporâneos. Quando há esboços em forma impressa, dão-se os autores e referências para que o leitor vá à fonte original em busca de mais ajuda.

Na Bíblia encontramos a verdade absoluta. Ela nos apresenta, por inspiração divina, a vontade de Deus para nossa vida. Oferece-nos orientação segura em todas as coisas necessárias para nossa relação com Deus e, segundo sua orientação, para com nosso semelhante. Pelo fato de estas verdades eternas nos terem chegado em língua humana e por mentes humanas, elas precisam ser colocadas em palavras atuais de acordo com a mudança da língua e segundo a modificação dos padrões de pensamento. No *Comentário Bíblico Beacon* (CBB) nos empenhamos em tornar a Bíblia uma lâmpada mais eficiente para os caminhos das pessoas que vivem no presente século.

A. F. HARPER

Abreviações Usadas Nestes Comentários

ARA — Almeida, Revista e Atualizada
ASV — American Standard Revised Version*
ATA — Antigo Testamento Amplificado*
BA — Bíblia Amplificada*
BBE — The Basic Bible Containing the Old and New Testaments in Basic English*
CBB — Comentário Bíblico de Beacon
HDB — Hastings' Dictionary of the Bible
IB — Interpreter's Bible*
IDB — The Interpreter's Dictionary of the Bible*
ISBE — International Standard Bible Encyclopedia
Knox — *The Holy Bible*, por Ronald A. Knox
LP — *Living Prophets*, por Kenneth N. Taylor
LXX — Septuaginta
NASB — New American Standard Bible
NBC — The New Bible Commentary*
NBD — The New Bible Dictionary*
NEB — New English Bible
NTLH — Nova Tradução na Linguagem de Hoje
NVI — Nova Versão Internacional
Phillips — *Four Prophets*, por John B. Phillips
RSV — Revised Standard Version*
VBB — Versão Bíblica de Berkeley*
Von Orelli — *The Prophecies of Isaiah*, por C. von Orelli
Vulg. — Vulgata

* Neste caso, a tradução do conteúdo destas obras foi feita pelo tradutor deste comentário. (N. do T.)

a.C. — antes de Cristo
cap. — capítulo
caps. — capítulos
cf. — confira, compare
d.C. — depois de Cristo
e.g. — por exemplo
ed. cit. — edição citada
esp. — especialmente, sobretudo
et al. — e outros
gr. — grego
hb. — hebraico
i.e. — isto é

ib. — na mesma obra, capítulo ou página
lit. — literalmente
N. do E. — Nota do Editor
N. do T. — Nota do Tradutor
op. cit. — obra citada
p. — página
pp. — páginas
s. — e o seguinte (versículo ou página)
ss. — e os seguintes (versículos ou páginas)
tb. — também
v. — versículo

Sumário

VOLUME 4

ISAÍAS — 19
Introdução — 21
Comentário — 31
Notas — 218
Bibliografia — 241

JEREMIAS — 245
Introdução — 247
Comentário — 257
Notas — 387
Bibliografia — 397

LAMENTAÇÕES — 399
Introdução — 401
Comentário — 406
Notas — 424
Bibliografia — 424

EZEQUIEL — 427
Introdução — 429
Comentário — 432
Notas — 490
Bibliografia — 493

DANIEL — 495
Introdução — 497
Comentário — 502
Notas — 546
Bibliografia — 548

MAPAS, DIAGRAMAS E ILUSTRAÇÕES — 551

Autores deste Volume — 557

O Livro de
ISAÍAS

Ross E. Price

Introdução

A. Importância

O livro de Isaías faz parte dos chamados "Profetas Maiores". Ele é o rei entre todos os famosos mensageiros de Israel. Os escritos que levam seu nome estão entre os mais profundos de toda a literatura, e sua profecia é incomparável no que diz respeito à excelência e distinção. Isaías, portanto, não encontra paralelos e se sobressai em relação aos outros profetas pela força da sua personalidade, sabedoria e habilidade de estadista, pelo poder da sua oratória e pela clareza de suas idéias. Seu ministério foi oportuno e de grande influência. Os últimos quarenta anos do oitavo século a.c. produziram grandes homens, mas o maior de todos foi o profeta Isaías. Seu nome significa "o SENHOR é salvação", e ele freqüentemente faz uso de jogos de palavras com seu próprio nome, ou de seus cognatos, para ressaltar seu tema central: "Salvação pela fé".

B. O Mundo nos Dias de Isaías

O pano de fundo histórico do livro de Isaías está em 2 Reis 15—20 e 2 Crônicas 26—32.

1) *Politicamente*, forças mundiais estavam em conflito por supremacia. A Assíria, o colosso do nordeste, dominava a cena. A vigésima terceira dinastia ocupava o poder no Egito no início do ministério de Isaías, e as vigésima quarta e vigésima quinta a seguiram antes de sua morte. A cidade de Roma foi fundada somente alguns anos depois do seu nascimento. A era micênica estava com os dias contados na Grécia com o surgimento das famosas cidades-estado. Na época do nascimento de Isaías, o Reino do Norte de Israel, com sua capital em Samaria, estava a apenas um quarto de século da sua queda. A Síria conheceria a sua ruína durante os últimos anos de Isaías.

De acordo com o início do seu livro, Isaías profetizou em Jerusalém durante os reinados de Uzias, Jotão, Acaz e Ezequias. A tradição diz que ele enfrentou a morte nas mãos do rei ímpio Manassés. Sabemos que sua grande experiência no Templo (cap. 6) ocorreu no ano da morte de Uzias, e ele ainda estava ativo durante o cerco de Jerusalém causada pelo rei da Assíria, Senaqueribe, em 701 a.C.

Ainda jovem, Isaías testemunhou o desenvolvimento rápido de Judá em um forte estado comercial e militar. Sob o reinado de Uzias, Judá alcançou um grau de prosperidade e poder que não havia desfrutado desde os dias de Salomão. Judá tinha cidades fortificadas, torres e fortalezas, um grande exército e um porto comercial no mar Vermelho. Seu comércio interior havia crescido, impostos eram pagos a Judá pelos amonitas e guerras bem-sucedidas eram promovidas contra os filisteus e os árabes. Esse era o quadro durante os longos 52 anos do próspero reinado de Uzias.

No reinado de Jotão, os assírios voltaram seus exércitos para o lado oeste e sul visando a conquista mundial. Cidade após cidade, incluindo finalmente Damasco, na Síria, foram reduzidas a entulho ou então obrigadas a pagar impostos à Assíria. Esse fato levou Rezim, da Síria, e Peca, de Israel, a formar uma aliança para resistir ao agressor. Eles chegaram à conclusão que era imperativo recrutar a ajuda de Judá na oposição deles ao avanço assírio. Assim, o rei Acaz foi intimado a participar dessa aliança. Quando recusou-se a fazê-lo, Rezim e Peca declararam guerra a Judá, para forçá-lo a participar do seu pacto ou para destroná-lo e colocar o filho de Tabeal no trono de Davi (2 Rs 16.5; Is 7.6). A batalha que se sucedeu é conhecida como a guerra siro-efraimita (734 a.C.).

Ezequias sucedeu Acaz, e embora herdasse uma carga pesada de tributos estrangeiros do reinado de seu pai, ele instituiu reformas ao derrubar os postes-ídolos e remover os lugares altos com seus altares (2 Rs 18.4,22). Ele ordenou a adoração diante do verdadeiro altar em Jerusalém e chegou a convidar aqueles que ficaram no Reino do Norte para celebrar a Páscoa com Judá em Jerusalém (2 Cr 30.1).

A queda do Reino do Norte ocorreu em janeiro de 721 a.C., diante de Sargão II da Assíria. Ele levou mais de 27.000 cativos e trouxe colonizadores da Babilônia para assentá-los no lugar deles nas cidades adjacentes a Samaria (2 Rs 17.6, 24). Judá somente escapou por se dispor a pagar uma elevada carga tributária.

Quando Ezequias faleceu, seu filho Manassés o sucedeu no trono de Judá. Ele imediatamente abandonou as reformas do pai, enfrentando, dessa forma, a oposição do profeta. Manassés derramou muito sangue (2 Rs 21.2-16) e, de acordo com Epifânio,[1] serrou Isaías ao meio — no entanto, não antes de o profeta ter nos deixado algumas das maiores profecias messiânicas das Escrituras Sagradas.

2) *Socialmente*, havia as classes pobre e rica no tempo de Isaías, com o costumeiro abismo entre ambas. Prevaleciam abusos, ressentimentos, mal-estar, exploração, roubo de terras, extorsão e despejo. Governos de cidades corruptos e juízes que aceitavam suborno tornaram a vida miserável para os pobres. Luxúria e ociosidade unidos à indiferença para com o sofrimento dos outros caracterizavam aqueles que eram prósperos. A embriaguês seguia sua trilha costumeira e aumentava a pobreza, tristeza e aflição.

3) As *condições religiosas* estavam longe do ideal. O baalismo havia se infiltrado na adoração, tanto nas classes mais elevadas como nas baixas. Costumes supersticiosos do Oriente e a adoração horripilante a Moloque haviam poluído a religião pura. Faltava fibra moral e os padrões éticos eram baixos. Os profetas comuns estavam ocupados demais com bebidas fortes para dar atenção ao bem-estar das pessoas. E mesmo se tivessem disposição em ajudá-las, careciam de qualquer mensagem verdadeira e de poder. As mulheres eram vulgares, sensuais, bêbadas, mimadas e negligentes.

Os impostos do Templo haviam sido aumentados, mas podia se ver um divórcio crescente entre religião e vida. A devoção religiosa era somente uma atividade formal imitada por aqueles que careciam da verdadeira compreensão de Deus e suas ordenanças. Cultos a Deus destituídos de ânimo eram poluídos com a adoração de outros deuses e a terra estava cheia de ídolos diante dos quais ricos e pobres se curvavam. Adivinhos e feiticeiros tinham muitos clientes. Percebia-se em toda parte orgulho e auto-satisfação, o que levava o povo a esquecer-se de qualquer dependência de Deus. Isaías lamentou o ritual meramente mecânico e convocou o povo a retornar a uma adoração sincera e espontânea.

C. O Homem

1) *Seu nascimento*. Isaías nasceu em torno de 760 a.C., embora alguns estudiosos da Bíblia entendam que seu nascimento ocorreu em 770 a.C.[2] Ele era nativo de Jerusalém, no

Reino do Sul. Pelo que tudo indica pertencia a uma família de certa posição, porque tinha acesso fácil ao rei e intimidade com o sumo sacerdote. A tradição diz que Isaías era primo do rei Uzias. Ele estava familiarizado com a cidade de Jerusalém. Suas imagens derivam de cenas daquela cidade, e seu interesse parece basicamente voltado a essa cidade. As metáforas urbanas do livro estão relacionadas a ele da mesma forma que as símiles pastorais estão ligadas a Amós. Ele estava familiarizado com o Templo e seus rituais, e parece ter trabalhado na maior parte da sua longa vida como um pregador da corte para a cidade e a nação.

2) *Sua família*. Isaías casou-se provavelmente em 735 a.C. e teve dois filhos, a quem deu nomes simbólicos e proféticos. O mais velho foi chamado de *Sear-Jasube*, "um remanescente deve retornar". Ele provavelmente nasceu em torno de 734 a.C., pouco depois da grande visão de Isaías no Templo descrita no capítulo 6. O mais jovem, *Maher-shalal-hash-baz*, "apressando-se sobre a presa" ou "precipitando-se sobre a rapina", foi nomeado dessa forma como predição do iminente saque de Damasco e Samaria pelo exército dos assírios. Isaías refere-se à sua esposa como "a profetisa" (8.3), mas não devemos concluir dessa designação que ela compartilhava o dom de profecia do seu marido. Em vez disso, o título parece ter sido dado a ela devido à função do seu marido.

3) *Sua santificação e chamado*. É muito provável que Isaías tenha sido influenciado pelos contatos com Amós, Oséias e Miquéias. Seu contemporâneo imediato foi Miquéias. Mas a grande influência espiritual em sua vida foi a crise que experimentou no Templo no ano em que o rei Uzias faleceu. Alguns estudiosos bíblicos acreditam que essa foi a sua primeira visão, mas ela lhe veio depois de alguns anos de experiência na pregação. Essa visão serviu definitivamente para aprofundar sua espiritualidade e esclarecer suas percepções a respeito do caráter de Deus e da natureza do seu próprio chamado.

Podemos notar que a experiência foi súbita, visual e audível. Nela o Deus transcendente se revelou em majestade e glória à sua criatura que o adorava. Isaías teve a visão e ouviu o cântico dos serafins e a voz do Deus Eterno. Em contraste com o Deus santo ele viu sua própria impureza, e quando a convicção tocou sua alma ele expressou sua confissão em alta voz. O resultado foi uma limpeza e purificação dos lábios que o qualificou a levar a cabo a sua comissão divina.

Tendo ouvido o chamado do Eterno para ser embaixador, Isaías atendeu imediatamente. Como homem transformado por Deus ele agora estava preparado para a sua tarefa. Ele foi incumbido de ser o porta-voz de Deus, um conselheiro político e religioso em Jerusalém, até que cidades fossem devastadas e ficassem desabitadas. Lá no vale do exílio e deportação ele deveria se tornar um confortador, crítico e conselheiro do seu povo. Ele tinha, portanto, a função de ministrar, sabendo que muitos não estariam dispostos a ouvi-lo, e que somente um remanescente seria salvo para tornar-se o núcleo da nova Sião e a substância da semente sagrada.

4) *Suas características pessoais*. Isaías foi uma das maiores personalidades de todos os tempos, um homem de fé com uma visão otimista do resultado final da causa do Senhor. Ele transmitiu a mensagem de Deus a homens do seu tempo, e os séculos o têm reconhecido como um homem de percepção política aguçada e habilidade de estadista.

Isaías foi tanto um poeta como um orador — um artista com as palavras; sua expressão límpida é insuperável. Além do mais, ele sempre tinha seus olhos voltados para o futuro; por isso, o elemento de predição era forte na sua profecia. Seu caráter e gênio têm sido resumidos sob quatro caracterizações, ou seja, como estadista, reformador, teólogo e poeta.³ Certamente ele foi tudo isso. Sua visão era clara, consistente e completa. Ele tinha uma grande preocupação com a justiça social e a retidão nacional. Seus oráculos mostram que seu horizonte era mundial. Ele possuía uma verdadeira visão missionária. Se ele foi aristocrata por nascimento, também o foi em caráter e espírito.

D. Seu Ministério

O ministério de Isaías durou uma vida inteira, desde que era jovem até se tornar um senhor de idade avançada. Esse ministério foi todo realizado em sua própria comunidade: uma vida ocupada com a pregação, predição, argumentando com reis, sacerdotes e pessoas, e escrevendo profecias. Se a tradição está correta, ele viu a passagem de quatro reis antes do seu próprio martírio. Como estadista não há outro semelhante a ele entre os profetas. Nem mesmo Elias enfrentou tempos tão graves e difíceis. Reis foram salvos de políticas suicidas devido ao seu discernimento. Sua fé foi a fonte de encorajamento para muitos em Jerusalém e a salvação de Judá repetidas vezes.

Como pregador da justiça social não há paralelo, a não ser o profeta Amós. Reis, juízes, príncipes e mercadores foram todos repreendidos por ele. Isaías gastou sua vida tentando ajudar pessoas a ver Deus como ele o conhecia. Ele destacou-se como um gigante espiritual dos seus dias — um visionário meticuloso e um prognosticador de destinos.

E. Sua Mensagem

O que se destaca na profecia de Isaías é seu rico conceito acerca do *Deus eterno*.⁴ Para o profeta, Deus se eleva acima de todas as coisas terrenas. Ele é "o Senhor dos exércitos", "o Alto e Sublime que habitou a eternidade", "o Poderoso de Israel", "Criador" de todas as coisas e o Eterno que fez todas as coisas. Deus dirige o curso da história; não há outro Deus além dele e Ele não tem nenhuma intenção de repartir sua divindade com qualquer rival humano. Ele é o Deus de sabedoria e poder. Além disso, Ele é apaixonadamente ético — o Santo. A respeito dele os serafins cantaram: "Santo, Santo, Santo" (6.2-3).

Essa santidade significa mais para Isaías do que mera divindade; ela também significa pureza. O seu Deus requer arrependimento e fé, e somente o Eterno é Salvação. Por esta razão, deve haver um retorno a Deus e um cessar de fazer o mal (1.16), além de uma espera silenciosa em Deus por meio de uma fé prática de que Ele proverá livremente. Se o povo de Deus sofre opressão, é por causa dos seus pecados. No entanto, chegará o tempo do perdão e conforto de Deus. Assim, na profecia de Isaías Deus fala de si mesmo como: "teu Redentor", "teu Deus", "o Santo de Israel", "teu Salvador", "teu Criador", "Aquele que te formou" e "teu marido".

O povo de Israel é precioso para Ele, mais do que as outras nações. Ele não os esqueceu. Ele se compadece dos seus sofrimentos e fraquezas e está preocupado com as suas necessidades. Como Pastor, Ele vai alimentá-los e guiá-los a lugares de abençoada abundância. Aquele que os carregou desde o nascimento vai cuidar deles mesmo em idade avançada. Tendo o Eterno como seu Deus eles podem estar seguros de que terão um tempo de exaltação e bênção futura.

Isaías tem muito a dizer a respeito do *remanescente justo*, que ele entende como a minoria grandiosa de Deus, a semente de um início novo e puro surgindo de cada crise devastadora. Aqui está o núcleo da doutrina promulgada mais tarde por Paulo; é este remanescente espiritual, e não as entidades políticas de Israel e Judá, que é o reino de Deus. À luz do fato de que um remanescente sempre sobreviveria, Isaías nunca podia falar de julgamento como um estado de destruição total. Sempre haverá uma minoria sobrevivente que, no tempo oportuno, será o núcleo santo. Desse remanescente virá o estado ideal sobre o qual o Messias, o Davi ideal, será o Senhor. A esperança de Judá é, portanto, projetada além da nação existente. Nesse tempo, o Messias reinará sobre um Israel redimido e espiritual. Seu futuro será Jerusalém, purificada das impurezas, como o "monte santo" do Eterno. Os homens então crerão e dependerão somente de Deus. Por esta razão, esse novo e justo remanescente não é somente a minoria grandiosa mas uma verdadeira "comunhão de fé".

Duas passagens famosas nos apresentam o núcleo do ensino de Isaías referente ao *Messias* — 9.6-7 e 11.1-10. Nesta última é introduzida a pessoa de um Rei maravilhoso por meio de quem virá a nova ordem das coisas. Da raiz de Jessé, depois que a catástrofe cortou a árvore da monarquia davídica (11.1-10), deverá brotar um *rebento*. Sobre Ele o Espírito do Eterno descerá em plenitude. Isso se desenvolverá em discernimento perspicaz, eqüidade de decisão, proclamação justa e fidelidade permanente. Sob sua disciplina e governo os animais selvagens vão perder sua natureza predatória e tornar-se mansos. Então a paz será universal por causa do amplo conhecimento do Eterno.

A outra passagem (9.6-7) atribui a esse Rei vindouro características sobre-humanas. Nascido como uma criança, o domínio estará sobre os seus ombros em dignidade real, e o nome quádruplo que Ele leva é: "Maravilhoso Conselheiro", "Deus Forte", "Pai da Eternidade" e "Príncipe da Paz".

Messias significa "Deus conosco", um Rei justo, um Esconderijo da tempestade, um Córrego no deserto e uma grande Rocha que proverá sombra em uma terra cansada. Sua salvação terá integralidade cósmica, e a redenção deverá incluir restauração da ordem material e animal bem como social e moral.

Mas o Messias também é o Servo Sofredor do Senhor, sofrendo vicariamente pela salvação das pessoas (52.13—53.12). Veja os três outros "cânticos do servo" precedentes, conforme enumerados na nota 10 dos comentários em Isaías 53.

Em resumo, os ensinos de Isaías acerca da *salvação* mostram que o próprio Deus eterno inicia a salvação (49.8; 59.16; 61.10; 63.5). O homem se apropria dela por meio da fé e espera em Deus com reverência (12.2; 33.2, 6). A salvação de Deus é eterna (45.17; 51.6, 8). Sua salvação é universal — é para Sião e para os confins da terra, mesmo para os gentios (46.13; 49.6; 52.10; 62.11). Sua salvação está à porta (46.13; 56.1). É algo para se alegrar e proclamar (12.2-3; 25.9; 60.18). Além disso, o mundo será salvo por meio do Servo Sofredor.

Finalmente, Isaías tem algo a dizer a respeito da *adoração espiritual*. Mero ritualismo exterior não pode satisfazer a Deus. A retidão é mais do que uma mera participação no templo. Tanto o ritualismo quanto o sensualismo são igualmente falsos. O formalismo e o viver carnal são pura estupidez. Ninguém pode escapar do "foro judicial" da consciência diante do qual Deus chama a juízo todos os homens. Assim, uma mudança genuína do coração é mais importante do que a conformidade ao ritual. A visão que Isaías teve de Deus nos mostra que a verdadeira adoração é, em primeiro lugar, um encontro entre o divino e o humano. Ela se move da contemplação reverente à revelação e percepção morais, e então avança para o estado de comunicação real, que, por sua vez, leva ao fruir em compromisso e serviço.[5] A visão de Deus sempre provocou em nós um sentimento da nossa própria indignidade, e o primeiro impulso de um coração limpo é a tentativa de levar outros a Deus.

A contribuição de Isaías à fé judaico-cristã é grande e duradoura. Das suas percepções proféticas nos vieram as sementes que ao longo dos séculos geraram os conceitos mais definidos de expiação e salvação. Porque todos nós, como ovelhas, andávamos desgarrados, e o Senhor havia colocado sobre Cristo a iniqüidade de todos nós, para que por meio das suas pisaduras pudéssemos ser curados. Somente com esse tipo de convicção poderemos voltar ao nosso Deus, que terá misericórdia de nós, com a certeza de que Ele também nos perdoará abundantemente.

F. A Unidade e Autenticidade do Livro

A questão "Quantos Isaías existem?" tem dado muita dor de cabeça aos críticos. E, semelhantemente a Manassés, eles serraram esse autor em *Proto*, *Deutero* e *Trito* Isaías, declarando que seus postulados são fatos inquestionáveis. Mas a tradição está unanimemente a favor da unidade do Livro de Isaías. Fotografias de descobertas mais recentes do pergaminho de Isaías da comunidade de Qumrã, perto do mar Morto, mostram que não há uma "quebra" nos escritos entre os capítulos 39 e 40. Nenhum manuscrito nem evidências tradicionais descartam a unidade desse livro.

Inúmeros estudiosos renomados podem ser citados de ambos os lados da controvérsia acerca da unidade da profecia de Isaías e sua unicidade quanto à autoria. O autor deste comentário está disposto a se unir a estudiosos como George L. Robinson, C. W. E. Naegelsbach, Oswald T. Allis, entre outros, ao argumentar a favor de um único Isaías.[6] Seu argumento é que, quando começamos a dividir a profecia e atribuí-la a vários autores, não há limites. A aplicação consistente do princípio dessas divisões requereria, não três Isaías, mas pelo menos seis, e, mais logicamente, uma escola completa de Isaías. Nesse caso, quem vai poder dizer com certeza o que foi escrito pelo profeta original e o que não? Desta forma, a lógica do princípio é auto-invalidada. Esse argumento deveria, portanto, se tornar suspeito. Se lermos com uma mente aberta o capítulo 35 e, em seguida, o capítulo 40, teremos de, no mínimo, admitir que ambas as passagens poderiam facilmente ter vindo da mesma "caneta", da mesma mente e da mesma mão. Também precisamos admitir que se não adotarmos *a priori* os princípios que excluirão o elemento sobrenatural e profético dos escritos de Isaías, existem poucos motivos para dividir esse livro em diversos autores. A visão prévia e a predição do Cativeiro ou Exílio são tão possíveis quanto a retrospectiva de um relato contemporâneo, se a participação de um Deus onisciente não for excluída. Que Isaías acreditava que seu livro incorporava predições é evidente (30.8), e o Deus de Isaías desafia os opositores a predizer o futuro e declarar as coisas que ocorreriam depois como somente Ele podia fazer (41.21-24). No entanto, como é verdadeiro que quando uma razão ardilosa enche o coração de um intérprete, muitos argumentos "honestos" se alinham com ela!

Esboço

Parte Um: JULGAMENTO, Capítulos 1—33

I. Profecias Introdutórias, 1.1—6.13

    A. A Grande Denúncia, 1.1-31
    B. Percepções Proféticas — a Nação e sua Capital, 2.1—4.6
    C. O Cântico da Vinha, 5.1-30
    D. A Visão Transformadora, 6.1-13

II. O Livro de Emanuel, 7.1—12.6

    A. A Conspiração Siro-Efraimita, 7.1—9.1
    B. O Príncipe com o Nome Quádruplo, 9.2-7
    C. O Apelo do Eterno, 9.8—10.4
    D. A Vara da Ira de Deus, 10.5-34
    E. O Renovo do Tronco de Jessé, 11.1-10
    F. O Remanescente Restaurado e Jubiloso, 11.11—12.6

III. Oráculos contra Nações Estrangeiras, 13.1—23.18

    A. Contra a Babilônia, 13.1—14.27
    B. Contra a Filístia, 14.28-32
    C. Contra Moabe, 15.1—16.14
    D. Contra Damasco e Efraim, 17.1-14
    E. Contra a Etiópia, 18.1-7
    F. Contra o Egito, 19.1—20.6
    G. Contra o "Deserto do Mar", 21.1-10
    H. Contra Dumá (Edom), 21.11-12
    I. Contra a Arábia, 21.13-17
    J. Aclamação Solene do Vale da Visão, 22.1-25
    K. Contra Tiro, 23.1-18

IV. Julgamento Mundial e Redenção de Israel, 24.1—27.13

    A. Desolações na Terra, 24.1-23
    B. Os Cânticos dos Redimidos, 25.1-12
    C. O Cântico da nossa Cidade de Refúgio, 26.1—27.1
    D. A Preocupação Redentora do Senhor pelo seu Povo, 27.2-13

V. Seis Ais de Advertência, 28.1—33.24

    A. Ai aos Políticos, 28.1-29
    B. Ai aos Formalistas Orgulhosos, 29.1-14
    C. Ai aos Perversos e Insubordinados, 29.15-24
    D. Ai aos Partidários pró-Egito, 30.1-33

    E. Ai daqueles que Confiam na Carne, 31.1-9
    F. Três Homilias para Jerusalém, 32.1-20
    G. Ai ao Destruidor Assírio, 33.1-24

    Interlúdio: Capítulos 34—39

VI. Retrospectiva e Perspectiva: Indignação e Salvação, 34.1—35.10

    A. Quando Deus Traz Julgamento, 34.1-17
    B. Promessas para o Povo Santo, 35.1-10

VII. Interlúdio Histórico: Isaías e Ezequias, 36.1—39.8

    A. A Invasão de Senaqueribe, 36.1—37.38
    B. A Enfermidade de Ezequias, 38.1—39.8

    Parte Dois: CONSOLAÇÃO, Capítulos 40—66

VIII. A Divindade Incomparável, 40.1—48.22

    A. O Conforto e a Majestade de Deus, 40.1-31
    B. Garantia de Ajuda a Israel, 41.1-29
    C. Deus Introduz seu "Servo" Escolhido, 42.1-25
    D. "Tu És meu": Eu Sou o vosso "Santo", 43.1—44.5
    E. "Fora de mim não Há Deus", 44.6-23
    F. Deus Comissiona Ciro e Promete Livramento a Israel, 44.24—45.25
    G. O Deus de Israel é Capaz, 46.1-13
    H. A Queda da Babilônia, 47.1-15
    I. A Convocação ao Novo Êxodo, 48.1-22

IX. O Servo do Eterno, 49.1—57.21

    A. A Garantia do Eterno a Sião, 49.1—50.3
    B. O Eterno Defende os seus, 50.4-11
    C. A Promessa de Libertação do Eterno, 51.1-23
    D. A Redenção da "Cativa Filha de Sião", 52.1-12
    E. "O Servo Sofredor do Senhor", 52.13—53.12
    F. O Amor da Aliança do Senhor por Sião, 54.1-17
    G. O Convite para a Misericórdia Oferecida por Deus, 55.1-13
    H. A Observância do Sábado e Adoração, 56.1-8
    I. A Ruína da Apostasia e Idolatria, 56.9—57.21

X. A Glória Futura, 58.1—66.24

    A. A Verdadeira e a Falsa Piedade, 58.1-14
    B. Realização e Redenção, 59.1-21
    C. A Descrição da Sião Glorificada, 60.1-22
    D. O Arauto e o Programa de Salvação, 61.1-11

E. A Aliança do Eterno, 62.1-12
F. O Drama da Vingança Divina, 63.1-6
G. O Povo de Deus em Oração, 63.7—64.12
H. A Resposta de Deus para as Súplicas do seu Povo, 65.1-25
I. A Retribuição do Senhor e sua Recompensa, 66.1-24

ISAÍAS: "O DEUS ETERNO É SALVAÇÃO"

UMA ANÁLISE DA PROFECIA DE ISAÍAS EM FORMA DE DIAGRAMA

O PROPÓSITO DA PAZ	O PRÍNCIPE DA PAZ	O PROGRAMA DA PAZ		
CONFORTO E LIBERTAÇÃO PARA O OPRIMIDO	O SERVO-REDENTOR SOFREDOR	A GLÓRIA FUTURA DOS FILHOS DE DEUS	CONSOLAÇÃO	
40—48 Primeiro Grupo de Nove	49—57 Segundo Grupo de Nove	58—66 Terceiro Grupo de Nove		
ENTRADA DA BABILÔNIA	A CONFIANÇA DE ISAÍAS VS. O MEDO DE EZEQUIAS	36—39	INTERLÚDIO HISTÓRICO	
SAÍDA DA ASSÍRIA				
O GRANDE FINAL E O NOVO ÊXODO	INDIGNAÇÃO E SALVAÇÃO	34—35	PERSPECTIVA E RETROSPECTIVA	
ADVERTÊNCIA CONTRA ALIANÇAS PROFANAS	SEIS AIS DE ADVERTÊNCIA	28—33		
EPINÍCIO*	JULGAMENTO MUNDIAL E A REDENÇÃO DE ISRAEL	24—27	JULGAMENTO	
CARGA: "MENSAGENS DE SIGNIFICAÇÃO SOLENE"	ORÁCULOS CONTRA NAÇÕES ESTRANGEIRAS	13—23		
CONSPIRAÇÃO VS. GARANTIA	O LIVRO DE EMANUEL	7—12		
ORÁCULO	PROFECIAS INTRODUTÓRIAS	1—6		
PARÁBOLA				
JUDÁ E JERUSALÉM				
PRÓLOGO				

*Um cântico de triunfo ou coral em honra de um vitorioso

PARTE UM
JULGAMENTO
Isaías 1—33

SEÇÃO I

PROFECIAS INTRODUTÓRIAS

Isaías 1.1—6.13

A. A GRANDE DENÚNCIA, 1.1-31

1. *Título* (1.1)

A declaração de abertura: **Visão de Isaías, filho de Amós** (1), identifica o profeta e revela a natureza da sua inspiração. O nome *Isaías* significa "o Deus eterno é Salvação". A palavra *visão* indica simplesmente "uma revelação divina" ou "uma visão de Deus a respeito de eventos futuros". Conseqüentemente, pode-se dizer que era uma percepção divina (cf. 2 Cr 32.32 e 1 Sm 9.9; também Nm 12.6). Esta visão envolvia Judá e Jerusalém, o Reino do Sul e sua capital. Ela foi recebida durante os reinados de quatro dos seus grandes reis — Uzias, Jotão, Acaz e Ezequias (veja Gráfico A). Não temos mais nenhuma informação a respeito do pai do profeta. Ele não pode ser confundido com o profeta Amós, porque a grafia dos nomes é diferente.

2. *Estupidez Moral* (1.2-9)

Aqui o Deus eterno protesta diante de todo o universo contra seu povo estúpido e desobediente. Os **céus** e a **terra** (2) são convocados a ouvir enquanto a ação jurídica divina está sendo anunciada. O pecado tem sua implicação cósmica; e a natureza está debaixo de maldição por causa do pecado. No entanto, Isaías não é o primeiro a convocar céus e terra para testemunhar enquanto Deus argumenta com os pecadores (cf. Dt 30.19; 32.1; Sl 50.1-6; Mq 1.2; 6.1-2).

Isaías descreve Deus como um pai cujos **filhos** [...] **prevaricaram contra** seu próprio pai (2). Israel, por outro lado, é contrastado com os animais tolos de carga que pelo menos sabem de onde vem seu alimento e como voltar para **a manjedoura do seu dono**. A falta de discernimento das pessoas é tamanha que Deus se queixa: **Israel não tem conhecimento** (3).[1]

Ai da nação pecadora (4)! Eles, como animais de carga, estão carregados de iniqüidade e se tornaram uma verdadeira "semente de malignos". Designados para serem uma semente sagrada, eles não somente têm se tornado filhos sem lei mas corruptores de outros. Eles deixaram o SENHOR, trataram-no com desprezo e tornaram-se completamente alheios. Os homens na sua decadência primeiro *abandonaram*, depois *rejeitaram*, e, finalmente, *apostataram* da verdade.

No sistema mosaico, açoites aguardavam o transgressor da lei, mas aqui é retratada uma pessoa que já não tem lugar no corpo para ser castigado (5), tantos são os seus pecados. Repleto de feridas [...] e chagas (6) não tratadas, não há lugar para novos açoites. Mesmo assim, a sua rebeldia continua.

Isaías visualiza o castigo pelo pecado que finalmente virá sobre Judá. A vossa terra está assolada (7) por causa das invasões estrangeiras, as cidades, abrasadas pelo fogo e os campos devorados diante deles. A cidade permanente seria reduzida a uma habitação temporária, como uma cabana na vinha (8) ou uma choupana numa plantação de pepinos.[2] Exceto pelo fato de que o Deus das hostes angelicais manteve vivos alguns sobreviventes (9), destruição completa seria o destino deles, como ocorreu com Sodoma e Gomorra. De maneira significativa, esse pequeno remanescente constitui a grandiosa minoria de Deus e torna-se a semente de um novo começo (cf. Int., "Sua mensagem").

3. *Hipocrisia Piedosa* (1.10-17)

Isaías dirige-se aos líderes e ao povo de Jerusalém como se fossem os príncipes de Sodoma e o povo de Gomorra (10). Ele então aponta o sacrilégio dos sacrifícios desacompanhados de obediência de coração e vida (11). A gordura e o sangue eram separados para a adoração a Deus nesse tipo de sacrifício de animais. Mas o Eterno declara seu aborrecimento e náusea com essas formas, pelo fato de virem de adoradores insinceros. Verdadeira adoração é mais do que mera "participação no templo", e para contemplar a face de Deus requer-se mais do que um presente qualquer (12). Iniqüidade e ajuntamento solene não combinam (13); incenso e invocação são abomináveis quando desprovidos de verdadeira sinceridade. Por isso, Deus expressa repugnância pelas suas Festas da Lua Nova e as solenidades na devida estação (14).

Quando vamos adorar, Deus recorda o que nossas mãos têm feito quando não estão orando. Ele se recusa a observar as mãos levantadas ou ouvir as petições piedosas de homens cujas mãos estão cheias de sangue (15). Assim eram as mãos estendidas no Templo — vermelhas com o sangue dos animais que haviam sido sacrificados por ganância, lascívia e desejo de vingança. Isaías, como Paulo, clama pelo levantar de mãos santas em oração (1 Tm 2.8). E, semelhantemente ao salmista, ele sabe que somente pessoas com as mãos limpas e o coração puro poderão estar diante da presença santa de Deus (Sl 24.3-4). Para todos que têm as mãos manchadas a ordem divina é a seguinte: Lavai-vos, purificai-vos (16). "Parem com sua maldade" (Sam Jones). Isso requer a ação do Espírito Santo. O povo de Deus deve praticar o que é reto (17), i.e., tornar-se defensor da justiça e confrontador de toda opressão.

4. *Perdão Oferecido* (1.18-20)

Deus exige a ação judicial divina. Vinde, então e vamos julgar a causa (18; lit.). Mas o ultimato divino é de graça e misericórdia — "Arrependa-se e seja perdoado!" Escarlata e **carmesim** eram as cores das vestes usadas pelos príncipes a quem Isaías pregava. A promessa é que, mesmo que nossos pecados sejam profundamente impregnados e tão irremovíveis como a mancha de sangue, a graça pode restaurar o caráter à brancura moral e à pureza. Assim, João se refere àqueles cujas vestes foram lavadas no sangue da "lavagem da regeneração" e no batismo purificador com o Cordeiro de Deus (Ap 3.4-5; 7.14).

"Pecados como a Escarlate que se tornam Brancos como a Neve" é o tema de 1.4-18, em que notamos: 1) a condenação do pecado por Deus, vv. 4-6; 2) o convite de Deus aos pecadores, v. 18a; e 3) a promessa de salvação por Deus, v. 18b (G. B. Williamson).

O grande **se** do versículo 19 deixa claro que Deus tem honrado a alma do homem ao dar a ele uma parcela da sua própria salvação. Ele não pode perdoar uma pessoa não arrependida. Mas no caso de verdadeiro arrependimento, a bênção acompanha o perdão espiritual. **Mas, se recusardes** [...] **sereis devorados** (20); Isaías coloca diante dos seus ouvintes a alternativa de "comer" ou ser "comido" — a salvação ou a espada.

5. *Corrupção Cívica* (1.21-23)

Isaías lamenta com tristeza: **Como** (21), assim como a palavra de abertura de cada um dos quatro capítulos de Lamentações, é uma expressão de pesar, assombro e angústia, tudo em um suspiro significativo. **Como se fez prostituta a cidade fiel!** Tal é a figura gráfica da infidelidade de Jerusalém. A cidade que já fora a habitação da **retidão** e **justiça**, a amada cidade se tornou a fortaleza de opressão e assassinos. A prostituição atual também penetrou amplamente no ritual de muitas das formas de idolatria que os israelitas foram tentados a adotar (Nm 25.1-2). A **prata** (22) do caráter genuíno foi misturada com chumbo, e o **vinho** da verdade diluído em falsidade. **Príncipes** rebeldes se unem com **ladrões** (23), e a maldade prevalece nos lugares altos. **Cada um deles ama os subornos** e a corrupção da nação começa com seus governantes. Nessa situação, nada pode ser realizado sem dar um *baksheesh* (gratificação ou suborno). E visto que cada um pede por ele, a causa das **viúvas** e do **órfão** não recebe a devida atenção, porque "presentes de paz" são mais desejados do que a própria paz.

6. *Justiça Redentora* (1.24-31)

Portanto, Deus, que é conhecido como **o Senhor Deus dos Exércitos, o Forte de Israel** (24), fala em indignação: "Ai! Com vingança vou liberar meu ofendido senso de justiça" (paráfrase). Mas, embora a paciência se torne em castigo, é para que haja salvação. Deus castiga para que possa salvar, e pune para poder curar. A promessa de restauração para a santidade (25-26) envolve uma depuração espiritual que resulta em fidelidade e **justiça**. A cidade infiel pode então ser chamada de cidade fiel. **E voltarei contra ti a minha mão** (25) indica uma parte do processo de refinamento com o objetivo de tirar todas as impurezas da superfície. Quando o "Refinador" divino tirar toda a "escória", permanecerá apenas o metal puro. O julgamento de Deus nunca é apenas punitivo; ele sempre é redentor e culmina em limpeza. Assim, **Sião será remida com juízo** (justiça) **e os que se voltam para ela, com justiça** (27). No entanto, a apostasia traz destruição (28), "porque o nosso Deus é um fogo consumidor" (Hb 12.29).

Uma vez que esse processo de refinamento tenha seu início, o povo de Deus para sempre se envergonhará daqueles postes-ídolos de **carvalhos** onde praticavam suas idolatrias perversas e também dos **jardins** que os circundavam (29). Essas cenas de cerimônias impuras, escolhidas em vez do santuário do Senhor, deveriam se tornar uma parte sórdida das suas memórias. Eles se lembrariam delas não como lugares agradáveis, mas como jardins sem água, com folhas murchas e solo ressequido (30). Aqui há perigo de fogo em tempos de seca — como **estopa**[3] e a **faísca**. Eles são altamente combustíveis (31). O pecado é o instrumento de destruição, e todo aquele que for enganado por ele, mostra que não é sábio. Os poderosos e orgulhosos que praticam a idolatria com freqüência morrem com o ídolo que eles mesmos fizeram; **ambos arderão juntamente, e não haverá quem os apague**.

B. Percepções Proféticas — a Nação e sua Capital, 2.1—4.6

1. *Título* (2.1)
Visão (ou **Palavra**) **que teve Isaías,** [...] **a respeito de Judá e de Jerusalém** (1) deve ser entendido como uma mera repetição da sua introdução mais geral no versículo de abertura do capítulo 1. O profeta agora expõe o tema, não somente acerca dos seus pensamentos para os próximos três capítulos, mas sua preocupação principal ao longo da sua profecia, porque analisa as diversas questões do ponto de vista do povo escolhido. Nessa seção do seu livro, Isaías coloca a situação de Jerusalém e Judá dos seus dias em claro contraste com o dia da paz de Deus e o dia dos julgamentos de Deus. Ele descreve a sua visão da nação e sua capital como ela realmente é, e de que maneira as intervenções divinas de julgamento e redenção vão certamente moldá-la. Dessa forma, sua **palavra** delineia o que ele viu[4] pelas percepções divinamente inspiradas como verdadeiras em relação a Judá e Jerusalém. A Septuaginta diz: "A palavra que veio do Senhor a Isaías [...] concernente a Judá e Jerusalém".

2. *Contrastes Divino-Humanos* (2.2-22)
Aqui Isaías coloca diante de nós o ideal, o atual e o iminente: o dia da justiça, o dia da idolatria e o dia do castigo.

a) *O dia ideal de paz e justiça* (2.2-4). Aqui o idealismo do jovem profeta retrata para nós sua visão de esperança para **o monte da Casa do Senhor** (2; monte Sião) como um centro universal de adoração. Miquéias também tinha tido essa visão (Mq 4.1-5).[5] **Correrão a ele todas as nações** como uma correnteza constante de peregrinos e convertidos de todas as regiões da terra. Ele visualiza a casa de Deus como um ponto de encontro dos que buscam o Senhor e uma fortaleza da palavra da verdade (3). Lá eles podem conhecer as regras para uma vida reta em um plano mais elevado — tanto o princípio como suas aplicações. Tendo Deus como Árbitro soberano para questões internacionais, Isaías imagina um dia em que haverá a cessação universal de hostilidades. Os instrumentos de destruição deverão ser transformados em instrumentos de produção (4). **Espadas** serão convertidas em **enxadões**, e **lanças** em **foices**.

b) *O dia do orgulho idólatra* (2.5-9). O fracasso em andar **na luz do Senhor** (5) sempre resulta em escuridão moral e espiritual. Quando o homem repudia o ideal divino, ele degenera em egoísmo e auto-exaltação. Desamparado (6) por Deus, fica abandonado aos seus próprios recursos insignificantes. A **casa de Jacó** tinha se rendido à influência e à corrupção das seitas orientais com sua mania de adivinhação, associando-se com estrangeiros, em vez de seguir o ideal divino, ou seja, ser o povo de Deus peculiar e separado. **Encheram-se dos costumes do Oriente** ou "influenciados pelo Oriente" (Berkeley), por rituais e práticas pagãs. No seu orgulho e impiedade, eles adoraram **prata e ouro** (7), **cavalos** e **carros**, bem como **ídolos** [...] **a obra das suas mãos** (8), que "não são deuses".[6] A paixão por uma religião fácil, dinheiro fácil, segurança militar e a forma de vida promíscua havia se tornado tão universal que **o povo** [...] **e os nobres** (9) — todas as classes — foram cativados por ela. Assim, o homem rebaixa-se a ponto de adorar a criatura em vez do Criador, que é o único que pode perdoar.

c) *O iminente dia do poder e julgamento de Deus* (2.10-22). O insignificante dia de bravura do homem empalidece em comparação com o grande **dia do Senhor** (12). Isaías vê chegar o dia em que os idólatras deverão se esconder em terror diante da manifestação **do Senhor** (10), a quem eles desprezaram (cf. Ap 6.15-16). As **concavidades das rochas** (10, 19) refletem o fato de que a Palestina está cheia de cavernas calcárias que os homens têm usado como refúgio em tempos de terror. **A altivez dos varões será humilhada** (11) e sua arrogância abatida, porque o dia da exaltação de Deus é o dia da humilhação do homem. "O dia do Senhor dos Exércitos virá" (12, lit.). Esse é um dia no qual o homem orgulhoso se encontra nas mãos de um Poder Superior. O orgulho do homem é comparado com os grandes **cedros do Líbano** (13) e **os carvalhos de Basã**, símbolos de força e vigor. Também **os montes altos** (14) eram lugares de adoração pagã e sacrifícios idólatras.

Nem mesmo as melhores fortificações do homem, sua **torre alta** e seu **muro firme** (15), podem agüentar. Também os **navios de Társis** não são páreo para o Senhor (16). Esses navios eram embarcações capazes de fazer uma viagem pelo oceano desde a Palestina até os famosos fundidores de minério de Tartasso[7], na Espanha. Culturas orgulhosas com suas obras de arte e **pinturas desejadas,** com suas imagens sensuais (chame-as de "artes finas" se desejar) serão despedaçadas (cf. Ap 18.11-19). As tentativas soberbas do homem de autodeificação, sua grandiosidade e auto-suficiência e sua recusa em reconhecer sua própria finitude se desvanecerão, **e só o Senhor será exaltado naquele dia** (17). Deus é o Supremo "Esmagador de Ídolos" (Iconoclasta). O que o homem tem taxado de sobre-humano é "não-deus" e é reduzido ao pó diante do verdadeiro Deus (18; Mq 1.7).

A presença temível do Eterno e o esplendor da sua majestade farão com que pessoas arrogantes se escondam nas cavernas da terra quando Deus afligi-la com terror (19; Jl 3.16; Ag 2.6; Hb 12.26; Ap 5.15-16). O homem lançará **seus ídolos** [...] **às toupeiras e aos morcegos** (20), roedores cegos que habitam as trevas. Aqueles ídolos se mostrarão impotentes para salvar seus adoradores humanos pagãos. Em pânico indescritível os homens fugirão para as **fendas das rochas** e para as **cavernas das penhas** quando Deus se **levantar para assombrar a terra** (21; Lc 23.30). Nesse dia, Isaías aconselha: **Afastai-vos, pois, do homem** (22). Por que depender do homem **cujo fôlego** é tão passageiro e cuja coragem tão inútil? "Que valor ele tem?" (v. 22, NVI).

3. *Julgamentos de Líderes e Mulheres Orgulhosas* (3.1—4.1)

a) *Homens importantes de Judá substituídos* (3.1-12). Isaías adverte que **o Senhor Deus dos Exércitos** (1) está prestes a tirar o apoio e sustento **de Judá** (1-4). Como se diria hoje em dia: "Deus vai 'tirar as escoras de debaixo dos seus pés'". Que calamidade sobrevêm ao país quando os trabalhadores, os soldados, juízes, profetas, homens sábios e líderes maduros, os capitães, estadistas, conselheiros, artífices e oradores eloqüentes são todos substituídos por "crianças caprichosas" e "noviços insolentes"! **Capitão de cinqüenta** (3) é uma graduação militar (cf. Nm 31.14; Dt 1.15). Em tal situação, a anarquia reina por falta de liderança responsável; as pessoas são oprimidas e exploram umas às outras; a indiferença é mostrada aos homens de posição; e o respeito ao **ancião** é inexistente (5). Também não é possível ao homem de posses ou mesmo de pouca habilidade ser persuadido a tornar-se um **príncipe do povo** (7) ou um **médico** do corpo político. Porque quando mãos fracas seguram o leme da nação, o resultado é completa ilegalidade.

As causas da ruína de **Jerusalém** e da queda de **Judá** (8) estão à vista de todos. Eles provocam o Deus Todo-poderoso com sua prosa e conduta, e ostentam **os seus pecados como Sodoma**, desavergonhadamente (9). O vício não é escondido com um véu, mas desfila abertamente. **Para irritarem os olhos da sua glória** significa: "desafiando a sua presença gloriosa" (v. 8, NVI).

Mas Isaías nos lembra que colhemos aquilo que plantamos (10-11). Bem-estar sobrevém ao justo e aflição cai sobre o ímpio. Assim o profeta lamenta: **Ah! Meu povo! Os que te guiam te enganam** (12).

b) *O apelo do Eterno aos príncipes de Judá* (3.13-15). O Juiz-Advogado celestial **vem em juízo contra os anciãos** [...] **e contra os seus príncipes** (14) — os governantes do seu povo — protestando contra a sua ganância e denunciando a sua opressão moendo **as faces do pobre** (15).

c) *A denúncia de Deus contra as mulheres orgulhosas de Sião* (3.16—4.1). Isaías está confiante em que quando o braço de justiça do Senhor alcançar as altivas **filhas de Sião** (16), essas arrogantes "bonecas do estado" certamente serão humilhadas (16-17). Em seu andar de **pescoço erguido** e ações arrogantes, calculados para atrair a atenção dos homens, Isaías as acusa de um comportamento desavergonhado e imoderado. Seus **olhares** libertinos, passos delicados e os enfeites de prata tinindo em seus calcanhares eram repulsivos a Deus. A atitude "olhem para mim", que dizia: "Aproxime-se, meu amor!", enchia o profeta de desgosto. Ele profetizou contra elas uma praga de escorbuto e nudez (17; Lv 13.2; 14.56), calvície e esterilidade. Elas também sofreriam as indignidades das mulheres cativas, deixadas nuas com os corpos expostos, enquanto esperavam no mercado escravo.

Isaías promete a elas "cinzas em vez de beleza", quando a sua ostentosa parafernália será substituída pelo traje dos cativos (18-24). A contagem do profeta dos seus 21 artigos de ostentação de vaidade evidencia seu desdém. Ele menciona os enfeites com sinos nos calcanhares, **enfeite das ligas, redezinhas** para a cabeça (18), pendentes nas orelhas, **manilhas**, véus (19) e turbantes. Ele acrescenta as correntinhas de tornozelo (que iam de um pé até o outro como "coxeaduras" para forçar passos mais curtos), cintos brilhantes, **caixinhas de perfume** e **jóias** (corrente pendurada do pescoço e orelhas). A lista continua com **os anéis e as jóias pendentes do nariz** (ainda usados na Índia hoje; 21), vestes de festas noturnas, **mantos**, xales e cachecóis, bolsas (22), espelhos de cobre polido, capas de musselina, véus e toucas (23).[8]

Em lugar (24) desses itens de ornamento haverá o adorno de vergonha e humilhação. Isaías vê o **cheiro suave** do perfume sendo substituído pelo fedor das úlceras, o cinto caro substituído por um pedaço de corda (o cinto da pobreza). A cabeça raspada substitui o último enfeite de cabelo. A **veste larga** (um manto caro) é substituída por vestes de lamento; em vez de uma pele bem tratada, queimadura, e em vez de tratamento de beleza, cicatrizes horríveis.

O profeta então declara que por meio das guerras os homens de Jerusalém **cairão à espada** (25) — uma calamidade para essas mulheres vaidosas e apaixonadas. Dessa forma, as **portas** de Jerusalém (26), o lugar de ajuntamento, se tornarão centros de lamentação quando as mulheres cativas assoladas e desoladas se assentarão **no chão**.

O término do capítulo aqui é infeliz. Para completar o quadro o profeta declara que virá o tempo quando **sete mulheres** (4.1) vão procurar o mesmo marido por causa da escassez de homens após a guerra. Elas prometem cuidar do seu próprio sustento para poderem ser chamadas **pelo teu nome** e ser a esposa dele, tirando dessa maneira o **opróbrio** de não estarem casadas e não terem filhos. É oportuno lembrar que uma mulher sem um marido e filhos nos tempos do Antigo Testamento não tinha esperança de se tornar a mãe do Messias.

4. *O Dia das Misericórdias Messiânicas* (4.2-6)

a) *O Messias divino-humano* (4.2). **O Renovo do Senhor** é apresentado aqui como o Fundador de um Israel novo e redimido. Ele é **cheio de beleza e de glória**. Com um povo redimido e vitalizado, mesmo **o fruto da terra** será **excelente e formoso**. Como Plumptre lembra: "O profeta se volta da Jerusalém cheia de hipocrisias e crimes dos homens e da forma lasciva das suas mulheres para a visão de uma nova Jerusalém, que deverá realizar o ideal de Salmos 15 e 24. Ali todos deverão ser chamados de 'santos' (cf. 1 Co 1.2; 2 Co 1.1), e o nome não será de escárnio irreal (Is 32.5), mas expressará a autoconsagração e a pureza dos seus habitantes".[9]

b) *O remanescente santo e purificado* (4.3-4). Esse conceito é expresso pelas palavras de Isaías: **Aquele que ficar** [...] **e que permanecer** (3). O versículo 3 inclui aquele que escapou dos julgamentos divinos por acusação de corrupção. Ele será **chamado santo** (e Deus não chama as pessoas daquilo que elas não são). Esses são dignos de serem arrolados no "hall da fama de santidade". Eles constituem a "minoria grandiosa de Deus" (cf. Intr.) **em Sião** (o reino) e **Jerusalém** (a cidade).

O versículo 4 conta da transformação divina dupla dessas pessoas: o **lavar** da sua **imundícia** (limpeza exterior) e uma purificação das suas manchas (pureza interior; cf. Tito 3.5). Os dois meios divinos são: **o espírito de justiça** (trazendo justificação) e o **espírito de ardor** (trazendo santificação). Dessa forma, Isaías sugeriu que esta é a manifestação purificadora do sopro de Deus. (Em hb. "espírito" também significa "vento" ou "fôlego"). "Assopre sobre nós, fôlego de Deus" é uma oração apropriada para cada pessoa que deseja a capacitação e o dom divinos.

c) *A manifestação da presença, proteção e prazer divino em relação ao seu povo* (4.5-6). Isaías vê a antiga *Shekinah* e o pilar da presença de Deus como uma **nuvem de dia** e uma radiante e fluorescente luz **de noite** (5; cf. Êx 13.21; Nm 9.15; 10.34). Semelhantemente, **um tabernáculo**, ou tenda — o "abrigo da proteção do Eterno" — estende-se sobre todos como **refúgio e esconderijo** (5-6). Alegramo-nos que a expiação de Deus pelos nossos pecados é tanto uma proteção como uma tenda da graça. A *Shekinah* da presença divina é uma sombra para proteger do **calor do dia** e um **esconderijo** contra a chuva e tempestade (6). Esse milagre criativo da graça mostra a bênção de Deus em cada aspecto da vida do homem: suas **congregações** (5, a igreja), toda **habitação** (o lar), e **todo aquele que estiver inscrito entre os vivos** (3, o indivíduo). Cada relacionamento está debaixo da proteção do amor divino.

C. O CÂNTICO DA VINHA, 5.1-30

Esta bela passagem é similar à parábola que Jesus contou aos líderes em Jerusalém (cf. Mt 21.33-46). Ela é seguida por uma série de "ais" (cf . Mt 23.13-36). O salmista canta um hino de conteúdo semelhante (cf. Sl 80.8-13). O capítulo inteiro é escrito em forma de poesia, como pode ser observado em versões modernas. O seguinte esboço o trata como uma mensagem única, destacando três aspectos.

1. *A Vinha Digna* (5.1-7)

a) *A situação é favorável* (5.1-2). Isaías retrata Deus como o Amante do seu povo, e seu povo da aliança como vinha de Deus. Eles estão situados **em um outeiro fértil** (1) cuja terra é rica em minerais (como é o caso ainda hoje na Palestina). O lugar é notável pela sua localização (como é o caso da Terra Santa). Deus coloca seu povo num lugar de bênção para que possa testemunhar visivelmente da sua bondade (cf. Mt 5.14).

O versículo 2 retrata os aspectos essenciais básicos na preparação de qualquer vinha. Ela deve ser rodeada com uma cerca de **pedras** que são separadas na limpeza do terreno. As pedras maiores servem para construir uma **torre** de vigia no ponto mais alto do terreno. Também foi construído um lagar[10] onde as uvas eram pisadas e esmagadas. Após construir o lagar foram plantadas **excelentes vides** (lit., "vides de Sorek") de uvas saborosas com uma coloração de púrpura escura. Tudo isso o Eterno tinha feito por Judá e Jerusalém, protegendo-as pelas leis divinas e circunstâncias providenciais. Deus havia expulsado os idólatras diante deles, feito uma fortaleza para a dinastia de Davi e havia lhes dado o Templo como um centro do qual os frutos de justiça e adoração alegre pudessem fluir.

b) *Desapontamento quanto aos frutos* (5.2). **Deu uvas bravas**, azedas, duras e pequenas. Esta ilustração típica serve para representar os atos de injustiça e iniquidade que Isaías enumera nos versículos 8-23. Assim, em forte contraste, o profeta menciona o cuidado do Agricultor divino pela sua vinha e a falha dela em produzir fruto apropriado.

c) *O grande júri do Senhor* (5.3). Convocando os **moradores de Jerusalém e homens de Judá**, o divino Agricultor roga: "Por favor, julgue entre mim e minha vinha" (Berkeley). Deus tem um jeito de condenar pecadores usando suas próprias bocas.

d) *A súplica do demandante divino* (5.4). Há um aspecto patético aqui quando o Eterno pergunta: **Que mais se podia fazer à minha vinha? Por que veio a produzir uvas bravas?** O melhor de Deus parece ter trazido à tona o pior do povo (2 Rs 17.17-20; 2 Cr 36.15-16).

e) *O veredicto divino* (5.5-6). Mudando seu papel de demandante para Juiz, Deus declara: Vou tirar as providências protetoras da minha vinha (5); vou abandoná-la aos elementos da desintegração e declínio (6); vou tirar minhas bênçãos. Tirei **a sua sebe** (5; cerca) seria o mesmo que deixar a vinha à mercê de cabras errantes que se deliciam em comer os ramos tenros. Derribar **a sua parede** seria o mesmo que permitir que qualquer animal de casco fendido atravessasse a vinha ao seu bel-prazer. E Deus continua declarando: vou me tornar seu inimigo; **a tornarei em deserto** (6). A desolação que resulta da falta de cuidado divina é ruinosa; porque onde não há poda e cultivo, nada de real valor crescerá. Quando o Viticultor abandona sua vinha, **sarças e espinheiros** tomam conta dela, e nem mesmo o solo da vinha pode permanecer neutro. Sem chuva, somente plantas desérticas cobertas de espinhos podem sobreviver.

f) *As expectativas de Deus frustradas* (5.7). Como um pregador fiel, Isaías declara especificamente o que ele quer dizer. Como Natã, ele pode dizer para **a casa de Israel**: "Tu és este homem" (2 Sm 12.7). Deus "esperou ver justiça, mas, eis derramamento de sangue; Ele esperou ver justiça, mas, eis gritos dos oprimidos!" (lit.). Isaías muitas vezes fazia jogos de palavras, como nesse caso: Deus procurava *mishpat*, mas, eis *mispah*; procurava *sedakah*, mas, eis *se'akah*!

2. *As Uvas Bravas* (5.8-25)
Aqui Isaías aponta seis pecados dos quais Israel era culpado em provocar Deus e prediz certos castigos.

a) *Ai daqueles que ajuntam propriedades* (5.8-10). Quanta terra um homem precisa? A resposta parece a mesma em relação ao dinheiro: "Apenas um pouco mais do que ele já tem!" Por isso, a ganância para ajuntar **casa a casa** e **herdade a herdade** (8). Aqui vemos a ampliação do patrimônio que excluía os proprietários menores. Mas esse egoísmo do grande acúmulo, mesmo de maneira justa, era condenado pela lei judaica (Nm 27.1-11; 33.54; 1 Rs 21.3-4). A agricultura de grande escala pode ter algumas vantagens mas despovoa a terra. A agricultura intensiva sempre tem sido mais produtiva para uma economia rural próspera (observe a economia japonesa). Isaías registra ter ouvido um juramento divino de que **muitas casas ficarão desertas** (9), mansões serão desabitadas e a terra se tornará improdutiva. Embora **dez jeiras** (dez alqueires) sejam capazes de produzir cerca de 15.000 litros de suco de uva, eles produzirão apenas **um bato** (30 litros). Quanto à colheita de cereais, "um barril de semente só dará uma arroba de trigo" (v. 10, NVI).

Em algumas áreas do Oeste americano, nesses dias de agricultura de grande escala e mecanizada, dirigimos por quilômetros passando por construções nas fazendas desertas e vazias ou fazendas de trigo que foram compradas pelos magnatas de terras de agricultura em larga escala. Hoje, como nos dias de Isaías, a ganância sempre desenvolve um estado solitário: "e vocês habitarão sozinhos no meio da terra" (v. 8, RSV).

b) *Ai dos devotos do desperdício* (5.11-17). O profeta aqui descreve a indulgência irracional no apetite e prazer sensual que era tão predominante em sua terra natal. A constante **bebedice** de **manhã** até tarde da **noite** (11) e música ruidosa acompanhando orgias sem reverência ou reflexão acerca da **obra do Senhor** (12) geram uma personalidade sensual com uma consciência morta e insensibilidade espiritual.

Portanto: resultado número 1. O exílio segue à ignorância; **os nobres** morrem de fome; e a **multidão** (as pessoas comuns) morrem de **sede** (13). A morte é o grande nivelador de toda pompa circunstancial e orgulho. O vil e o poderoso são apenas meros mortais.

Portanto: resultado número 2. A **sepultura** (*sheol*; "inferno") colhe uma ceifa abundante (14-15), e os julgamentos de um Deus santo são manifestos (16-17). **Forasteiros** (talvez nômades beduínos) deverão ocupar os **lugares pisados pelos gordos** (ricos) enquanto seus rebanhos pastam no meio das ruínas de Israel (17).

c) *Ai dos cínicos provocadores* (5.18-19). No caso dos desprezadores e presunçosos, as pequenas **cordas** de falsidade logo se tornam cordas grossas de pecados provocadores (18; os rabinos comparavam o início de um pecado com uma corda do tamanho de um fio de cabelo, mas o seu final com a corda usada em carroças). A carga do pecado pode tornar-se tão grande que requer **cordas de carros** para puxá-lo. Céticos de quaisquer julgamentos impeditivos, eles desconsideram as advertências dos céus e no seu paraíso tolo desafiam Deus a apressar e acabar **a sua obra, para que** possam vê-la (19).

d) *Ai daqueles que pervertem valores morais* (5.20). Aqui encontramos falsos mestres que usam termos que parecem corretos para encobrir a verdadeira natureza do mal. Mas meramente mudar o nome da cobra não vai transformar a sua natureza. Pecado é pecado, não importa quão "nobre" seja o seu nome. O relativismo moderno insidiosamente mina a virtude ao pintar os encantos da licenciosidade por meio da poesia da paixão.

e) *Ai dos presunçosos e auto-suficientes* (5.21). As pessoas que são a lei para si mesmas não vêem a necessidade de ouvir o conselho de Isaías ou a palavra de Deus. Julgando-se sábios e astutos, dizem: "Não preciso de Cristo".

f) *Ai dos juízes que são beberrões intrépidos* (5.22-25). Este ai escolhe a classe dos magistrados que se orgulha em ser capaz de "segurar com firmeza o seu licor" (i.e., beber pesadamente e não ficar bêbado; 22). No entanto, para cometer suborno eles pervertem a justiça nos tribunais, deixando de lado as reivindicações justas daqueles que apresentam uma causa reta (23).

Portanto: resultado número 3. O **fogo** consumidor e a podridão decadente virão como julgamento contra todas essas formas de impiedade (24). **Raiz** e **flores** são vitais para a frutificação. Quando uma planta se torna podre na raiz e as flores se transformam em pó, ela está condenada. Assim, quando as fontes secretas e as manifestações exteriores de prosperidade e produtividade são corrompidas, o fim para ambas está próximo. Isaías traça a razão dessa decadência devido à rejeição da nação pela **lei do Senhor** (lei escrita) e **a palavra do Santo** (o oráculo falado). Quando as pessoas não estimam as Escrituras ou os sermões, a sua resistência teimosa sempre traz conseqüências terríveis.

Portanto: resultado número 4. **Pelo que se acendeu a ira do Senhor contra o seu povo** (25). A ira de Deus foi revelada nos julgamentos que já tinham sobrevindo ao seu povo. O terremoto nos dias de Uzias (Am 1.1) foi, na verdade, um presságio de julgamentos mais duros que estavam por vir. **Seus cadáveres** eram como lixo nas **ruas** nos dias de pestilência e fome. Apesar de tudo isso, a ira de Deus não havia diminuído, porque a sua **mão** estendeu-se **contra eles** para ferir. A frase final desse versículo é um refrão repetido com freqüência na profecia de Isaías (cf. 9.12, 17, 21; 10.4; 23.11; cf. Lv 26.14-39).

3. *A Desolação* (5.26-30)
Isaías agora volta seu rosto para o nordeste em direção aos instrumentos dos castigos de Deus. A hostil nação assíria será convocada e responderá com a desolação mais eficiente, devastando a terra e seu povo.

a) *Uma nação hostil é convocada* (5.26). **O estandarte ante as nações de longe** foi uma convocação para a batalha. Às vezes esse estandarte era simplesmente uma bandeira, às vezes um outro símbolo ou emblema. Isaías diz que Deus **lhes assobiará**. Conta-se que o assobio era usado pelos apicultores para chamar as abelhas para fora da colméia ou para reunir o enxame. Assim, Deus reunirá as nações hostis que responderão prontamente.

b. *As devastações do invasor* (5.27-30). O versículo 27 retrata um ataque certo e rápido de um inimigo tão seguramente vestido que nem mesmo a correia dos seus sapatos se romperia, e tão implacável que não separaria tempo para descansar. Plenamente preparados e "apressando-se em direção à vítima" vêm os arqueiros e carros (28). Visto que os antigos não colocavam ferradura nos seus cavalos, aqueles com os cascos mais duros eram escolhidos para a guerra. O redemoinho de pó do seu assalto furioso se parecia com os redemoinhos do deserto. **O seu rugido** (29) era semelhante ao de uma leoa (o mais feroz da família do leão), e **como filhos de leão** rugindo e dilacerando a sua rapina, ou arrastando-a sem que alguém tentasse impedi-los.[11] **Como o bramido do mar** (30) em tempos de tempestade, com onda após onda se lançando ao ataque, assim seria a vinda do inimigo. A perspectiva era de escuridão e desespero, e a Palestina estava prestes a enfrentar sua ruína.

Em resumo, os julgamentos divinos serão como o fogo devorador, como o terrível terremoto, como a invasão de um exército devastador, como o rugir de um bando de leões pulando sobre a rapina, como a maré espumosa quando suas ondas quebram sobre as rochas e como uma terra sobre a qual a escuridão do Egito havia caído. Tudo isso ocorreu com Judá durante o tempo de Isaías.

D. A Visão Transformadora, 6.1-13

Esse não é o início da obra de Isaías como profeta. Em 1.1 ele declara que profetizou durante o reinado de Uzias. Essa visão transformadora veio a ele como algo que aprofundou sua vida e percepção espirituais. Foi uma experiência purificadora centrada em torno de uma crise de confissão e consagração.[12]

O capítulo é um bom exemplo dos quatro estágios da "Adoração Criativa": 1) Contemplação (visão), vv. 1-4; 2) Revelação (auto-avaliação), v. 5; 3) Comunhão (encontro divino-humano), vv. 6-7; e 4) Realização no serviço (comissão e compromisso), vv. 8-13. Ou, se pensarmos no capítulo como um exemplo de "A Formação de um Profeta", então os seguintes pontos se tornam evidentes: 1) uma crise social, 2) uma visão celestial, 3) uma confissão humilde, 4) uma limpeza pessoal, 5) um chamado para o serviço e 6) um compromisso irrevogável. Certo número de comentaristas tem chamado a nossa atenção para: 1) o **Ai** de condenação e confissão, v. 5; 2) o **Eis** da purificação, v. 7; e 3) o **Vai** da comissão, v. 9.

1. O Tempo da Tragédia (6.1a)

O **rei Uzias** estava sentenciado à morte em decorrência da lepra, que veio como julgamento divino devido à sua presunção (2 Cr 26.16-21). Assim, o trono de Judá estava vago, embora Jotão, o filho do rei, agisse como regente durante a enfermidade de seu pai. Era um tempo de crise e transição para Judá. A morte de Uzias veio como uma decepção para o jovem profeta em relação às suas esperanças para a nação, e acabou se tornando uma crise no seu ministério.

Isaías tinha vivido durante os últimos vinte anos do reinado de Uzias. Havia uma aparente prosperidade material exterior, mas muita corrupção interior. O rei, tendo profanado a santidade do Templo, estava suportando a sua vida leprosa em reclusão (2 Cr 26.21). A pergunta em relação ao futuro do seu povo deve ter incomodado grandemente o profeta. O terremoto havia apavorado Jerusalém e deixado na mente do jovem Isaías um sentimento obscuro de julgamento iminente. E, mesmo assim, acima do naufrágio das suas esperanças terrenas, rompe em sua alma a visão de Deus e do mundo invisível, onde doravante ele poderia esperar a realização dos seus sonhos terrenos despedaçados.

2. A Visão da Glória Celestial (6.1b-4)

a) *A visão de seres exaltados* (6.1b-2). Numa época em que o trono de Judá estava desocupado pela morte do rei, Isaías declarou: **Eu vi ao Senhor**, o verdadeiro Rei Eterno, o único que é imortal, **assentado sobre um alto e sublime trono; e o seu séquito enchia o templo** (1). A visão veio a Isaías enquanto participava como profeta da corte oficial nas cerimônias do Templo. Estando parado com os sacerdotes "entre o pórtico e o altar", ele olhava fixamente através das portas abertas do santuário, enquanto a fumaça do incenso do altar dourado elevava-se diante do véu do Templo. A palavra hebraica usada como o título divino é *Adonai* ("Senhor" impresso com *S* maiúsculo e *enhor* em minúsculo para diferenciá-la de *Yahweh*, também traduzido "Senhor", mas impresso em letras maiúsculas na maioria das versões bíblicas). João entendeu que a glória que o profeta viu referia-se a Jesus Cristo (Jo 12.41). Entronizado e exaltado, sua veste enchia o Templo com a glória do esplendor da transfiguração.

Ao redor dessa Pessoa real pairavam os serafins ("seres ardentes"; não devem ser confundidos ou identificados com querubins, "seres brilhantes").[13] Indignos de olhar para a Deidade, eles cobriram seus rostos e seus pés diante da sua santidade majestosa.

b) *O padrão celestial de serviço* (6.3-4). Além dos seus rostos e pés reverentemente cobertos, as asas e vozes dos serafins estavam em perfeita prontidão para cumprir a sua missão e cantar em um antifônico coro sua tríplice expressão de santidade ao Senhor dos Exércitos.[14] O padrão de serviço deles é de reverência, prontidão e júbilo; e é o que mais apropriadamente condiz com Aquele cujo "majestoso esplendor enche toda terra!" (Moffat). Não é de estranhar que os fundamentos dos umbrais das portas do Templo vibraram enquanto o cântico de santidade ressoava e o Templo começava a encher-se com a **fumaça** da *Shekinah* celestial!

3. *A Visão da Deficiência Humana* (6.5)

a) *A vileza do "eu"* (6.5a). Somente os santos vêem a Deus e vivem (Êx 33.20; Mt 5.8); assim, torna-se imperativo àquele que mais tarde vai dizer: "Ai!", para Jerusalém, primeiro clamar: **ai de mim!** Qualquer homem na presença do Eterno está profundamente consciente da sua própria insignificância, mas um homem de lábios impuros diante de tal Presença só pode repugnar sua pequenez. Bem, por isso, Isaías só pode exclamar: "Só posso emudecer" (como diz no hebraico), "indigno de cantar louvores a Deus ou proclamar a mensagem de Deus". **Um homem de lábios impuros** não pode dizer sinceramente: "Santo, santo, santo". Visto que os lábios expressam o que se passa na alma, sua impureza é uma evidência clara de um coração impuro. Se Isaías fosse viver em nossa época, ele nos advertiria que o "dom de tagarelice" pode não ser um dom, mas um perigo. Certamente, um homem desbocado não é um embaixador apropriado ou um mensageiro de um Deus santo. A carnalidade geralmente se concentra em uma expressão característica em cada vida. Com Isaías ela violou seus lábios. Qualquer pessoa impura logo estará arruinada.

b) *A vileza da sociedade* (6.5b). Isaías percebeu que as pessoas no meio das quais ele vivia eram **um povo de impuros lábios**. Como a doença de uma planta geralmente se torna evidente na sua florescência, assim qualquer falta no homem é geralmente manifesta em seu falar (Tg 3.2). Tendo observado a adoração celestial, o profeta estava dolorosamente consciente dos defeitos na devoção do seu povo. A condição leprosa do seu rei não era nada em comparação com o próprio falar leproso do povo, com suas palavras amargas e precipitadas, suas orações formais e insinceras, suas conversas duras contra a providência divina (Jd 15b). No entanto, mesmo quando os lábios são impuros, ainda podemos regozijar-nos se nossa visão é capaz de ver a Deus, porque o Espírito divino pode usar esse portal da alma para operar uma transformação. Olhos que **viram o rei, o Senhor dos Exércitos**, devem levar o coração a clamar por purificação.

4. *A Brasa da Purificação* (6.6-7)

a) *Do altar da expiação* (6.6). O **altar** do qual a **brasa** foi tirada sugere o sacrifício que acabara de ser consumido pelo fogo do altar. E por trás do fogo e do óleo está o derramar do sangue com sua expiação pela alma (Lc 17.11).[15]

43

b) *Para a purificação da iniqüidade* (6.7). Um dos serafins com uma brasa viva tocou o profeta no local de sua maior necessidade. O Calvário proveu um Pentecostes para cada crente impuro. "Perdão e impureza são as condições similares da obra do profeta e da inteireza da sua própria vida espiritual".[16] O ministrante celestial chamou atenção aos dois elementos de grande mudança: **tua iniqüidade** (oscilação)[17] **foi tirada, e purificado** (expiado)[18] **o teu pecado** (maldade).[19] Assim, pelo fogo do amor divino[20] toda a impureza pecaminosa foi queimada da boca e coração do profeta.

5. *O Chamado para o Serviço* (6.8-9a)

a) *O programa divino* (6.8a). Para o Senhor redimir ou mesmo advertir a humanidade, Ele precisa de um instrumento. Somente um homem entre os homens será adequado (59.16; Ez 22.30). Isaías teve permissão para "ouvir" a reunião do conselho deliberativo dos seres celestiais quando a voz do Senhor pediu os serviços de um obreiro e mensageiro: **A quem enviarei, e quem há de ir por nós?**

b) *A permissão divina* (6.8b-9a). "Isaías, cuja ansiedade para servir o Senhor já não era mais suprimida pela consciência da sua própria pecaminosidade, quando ouviu a voz do Senhor, exclamou: 'Eis-me aqui, envia-me a mim'".[21] O verdadeiro servo de Deus vai porque seu coração o move em amor santo para a tarefa. Em tal caso o chamado para o serviço assume a natureza de permissão divina. Esse **Vai** da comissão divina não é um comando mas a aceitação de um voluntário. O verdadeiro chamado é o grito de um coração que ouviu a mensagem celestial e anseia ir e contar ao mundo a respeito do amor de Deus.

Em Isaías 6.1-8 aprendemos acerca da "Visão Salvadora". 1) Isaías viu Deus, vv. 1-4; 2) Isaías viu sua própria pecaminosidade, v. 5; 3) Isaías viu a graça de Deus, v. 7; 4) Isaías viu a obra atribuída a ele, v. 8 (G. B. Williamson).

6. *A Comissão Solene* (6.9-13)

O serviço de Isaías foi aceito, e Deus disse: **Vai e dize a este povo** (9). A comissão do profeta era uma comissão difícil. Ele não seria admirado nem amado, mimado e lisonjeado, mas cumpriria a função de um servo sofredor do Eterno. Frustrado com a aparente inutilidade da sua tarefa, ele clama: "Quem deu crédito à nossa pregação?" (53.1). "Estendi as mãos todo o dia a um povo rebelde" (65.2). Ele não só teria uma vida crucificada, mas um ministério crucificado, à medida que observava sua amada nação submeter-se ao julgamento divino. Por causa da obstinação e falta de arrependimento dessa nação, não sobrou nada além da raiz da árvore. Isaías seria o mensageiro de condenação a um povo teimoso. Somente um remanescente daria ouvidos e seria salvo como pelo fogo, como um tição tirado do fogo. E ele foi, testemunhou, repreendeu, sofreu e morreu. Mas a semente que espalhou em lágrimas continua dando frutos.

a) *Denúncia constante* (6.9-11). Aqui a tradução de Delitzsch merece nossa atenção: "Ele disse: Vai, e dize a este povo: Ouçam e não entendam; vejam e não percebam. Torna gorduroso o coração deste povo, e os seus ouvidos pesados, e os seus olhos obscurecidos; para que não vejam com seus olhos e ouçam com seus ouvidos e seu coração entenda, e sejam convertidos e sarados".²² Isaías percebeu que os corações da maioria dos seus ouvintes apenas seriam endurecidos pela sua pregação, porque o que *somos* determina o que *vemos* e *ouvimos*. Nas coisas espirituais vemos com o coração e o entendimento. Se Isaías tivesse vivido em nossa época, teria falado de "cabeças gordurosas" (ou "cabeças insensíveis") em vez de corações gordurosos (10), mas para a psicologia hebraica **o coração** era o termo mais compreensivo. Coisas divinas devem ser amadas para serem compreendidas. Um coração preguiçoso falha em se converter. Um olhar rápido, um ouvido aberto e um coração responsivo gera conversão (mudança de vida). A cura vinda de Deus aguarda a pessoa que exercita responsabilidade pela compreensão espiritual dos seus sentidos. A expressão de Isaías: **este povo** (9-10) designa uma sociedade infestada com insensibilidade espiritual. Mas a oferta de salvação que um homem recebe necessariamente serve para "encher" a medida dos seus pecados. Existe um endurecimento judicial, uma insanidade da vontade, que ocorre com aquele que rejeita as ofertas de Deus.

O protesto de Isaías para uma tarefa tão severa vem por meio de uma pergunta: **Até quando?** (11). Mas a pergunta do **até quando** é problema de Deus; "quão fielmente" é a questão mais importante para os seus ministros. A resposta divina é: **Até que se assolem as cidades, [...] e nas casas não fique morador e a terra seja assolada de todo**. Até a ruína completa que a rebelião teimosa provocou durante o longo ministério em Jerusalém — esta era a duração da comissão de Isaías.

b. *O exílio e deportação vindouros* (6.12). **E o Senhor afaste dela os homens** é a forma hebraica de olhar além das causas secundárias, atribuindo as deportações em massa pelos assírios e babilônios, em última análise, ao castigo de Deus. O cativeiro é a resultado da insensibilidade. E se o povo de Judá não aprender a lição explicada nos mínimos detalhes em um hebraico claro, então Deus vai ser forçado a lhes ensinar na língua assíria (28.9-13).

E, no meio da terra, seja grande o desamparo (12) não se refere à apostasia espiritual mas aos lugares abandonados deixados em Judá (cf. ASV: "E os lugares abandonados serão muitos no meio da terra").

c) *Sobreviveu somente um remanescente muito pequeno* (6.13). **Se ainda a décima parte** da nação restar, mesmo essa parte deve ser destruída, como o toco de um terebinto ou **carvalho** quando é derrubado (paráfrase). Mas, não obstante, desse toco surgirá um renovo santo. O povo de Deus se tornará a **santa semente** e a esperança do futuro.²³ Por isso, a porta da esperança é deixada entreaberta.

Seção **II**

O LIVRO DE EMANUEL

Isaías 7.1—12.6

A. A Conspiração Siro-Efraimita, 7.1—9.1

1. *As Alternativas Divinas e Humanas* (7.1-25)
A guerra siro-efraimita de 734 a.C. é uma das grandes crises no ministério de Isaías. Lado a lado estavam o jovem profeta de talvez trinta anos e o rei ainda mais jovem de não mais de vinte e um anos, com princípios políticos diametralmente opostos. Isaías, leal ao seu nome, insistia em que a salvação da nação ocorreria se confiassem em Deus para libertação e segurança. Acaz procurou jogar o jogo dos políticos em princípios puramente humanos ao apoiar a Assíria, a maior nação da sua época. Veja Introdução: "O Mundo nos Dias de Isaías", acerca de um pano de fundo histórico.

a) *A consternação de um rei* (7.1-2). **Rezim** e **Peca** fizeram uma aliança para guerrear contra **Jerusalém** (1), mas não puderam tomar a cidade. A estremecida **casa de Davi** (2; o rei e seus conselheiros) tremeu quando ouviram que esses dois inimigos crônicos haviam se tornado amigos com o propósito de destronar Acaz (veja Gráfico A) e colocar um rei pró-Síria no trono.

b) *Um conselheiro do rei* (7.3-9).
1) *O conselho de calma e coragem* (3-4). Deus falou a Isaías: **Agora, tu e teu filho** [...] **saí ao encontro de Acaz** (3). Acaz estava superintendendo o projeto de desvio do suprimento de água da cidade de fora dos muros, por meio de um aqueduto, para dentro da cidade, a fim de impedir que fosse tomado pelo inimigo, um projeto completado por Ezequias (2 Rs 18.17; 2 Cr 32.3-4,30; Is 22.9,11). Isaías o encontrou num lugar amplo usado pelos homens que cuidavam da pública lavagem de roupa. Esse local ser-

via para secar as roupas lavadas.¹ Se o rei estava desesperado quanto à defesa, Isaías lhe mostrou onde poderia encontrar a verdadeira defesa para a nação. Acaz não deveria entrar em pânico com a aproximação desses dois "restos de lenha fumegantes" (4, NVI). O comportamento certo para um tempo como esse é manter a calma e ter coragem e esperar no Senhor (30.15).

2) *A conspiração dos filhos dos homens* (5-9a). Rezim da **Síria** e Peca, **o filho de Remalias**,² da terra de **Efraim** (5, principal tribo do Reino do Norte), estava planejando um golpe para estabelecer um novo governo. O Senhor assegurou a Acaz que o plano deles de "dividir e conquistar" não seria bem-sucedido (7). O decreto de Deus anula as tramas do homem. Esses reis e seu povo eram meros homens, que logo desapareceriam de cena (8-9).³

3) *A desconfiança significa aflição* (9b). Isaías faz um jogo de palavras aqui, advertindo Acaz que se ele não quiser *afirmar* sua fé no verdadeiro Deus, seu reino não será *confirmado*.⁴

c) *O sinal de Emanuel* (7.10-17).

1) *A prova oferecida pelo Eterno* (10-13) veio quando Deus deixou que Acaz escolhesse qualquer tipo de **sinal** (11) que ele desejasse, no céu, na terra, ou no mundo invisível, como uma confirmação miraculosa de sua fé. Se tivesse aceitado essa oferta, isso o deixaria debaixo da obrigação do programa divino, porque Deus nos dá motivos suficientes para confiar nos seus conselhos. *A recusa de testar ou confiar* (12) é expressa na forma de piedade simulada quando o rei cita (talvez com sarcasmo) Êxodo 17.2 e Deuteronômio 6.16. Acaz já havia decidido pedir a ajuda da Assíria e não desejava ser persuadido de que Deus e Isaías estivessem certos. O que prova a paciência de Deus (13) é a descrença inveterada do homem. Acaz não desejava testar nem confiar no Deus de Isaías, mas estava pronto a desdenhar, ignorar e afadigá-lo.

2) *Sem fé? Então sem Messias* (14-17)! Isaías agora declara na presença do rei e sua corte ("casa de Davi") que, antes que os breves anos de uma infância passem, as terras da Síria, Efraim, e mesmo Judá, estariam todas devastadas pelos exércitos assírios. O nome Emanuel (14) que uma virgem⁵ ia dar ao seu primeiro filho, representaria a "presença de Deus". Contudo, antes que a curta idade da inocência da criança tivesse passado, eles conheceriam os castigos de Deus. Isaías viu que qualquer realização das esperanças da nação messiânica em sua geração haviam agora sofrido um adiamento indefinido. Ao rejeitar o programa "Deus conosco", Judá agora conheceria o "Deus contra nós". Mais uma vez vieram aquelas alternativas inescapáveis para Acaz: Confie em Deus e aceite o significado de *Isaías* ("Deus é salvação") ou confie no homem e conheça o significado de *Sear-Jasube* ("somente um remanescente deverá escapar").⁶

"Emanuel" em 7.14 revela 1) Deus manifestado ao homem; 2) Deus identificado com o homem; 3) Deus associado com o homem, "o eterno Contemporâneo" (G. B. Williamson).

Manteiga e mel (15), mais corretamente "coalhada e mel" (NVI), não é apenas uma boa fórmula para a criança não desmamada, mas é igualmente a única comida disponível em tempo de devastação e invasão.⁷ A expressão **antes que este menino saiba rejeitar o mal e escolher o bem** (1) especifica pelo menos uma infância de três anos. Naquela época **a terra de que te enfadas** (16) — as terras dos dois reis que estavam criando tanto pânico em Judá — seriam abandonadas e a própria Judá estaria em piores dificuldades do que quando as dez tribos se separaram **de Judá** (17).

d) *Quando a paciência de Deus se esgota* (7.18-25). **Naquele dia** (18) é uma expressão de grande importância que Isaías deve ter trombeteado nos ouvidos do jovem rei. Ele a repetiu quatro vezes nesses oito versículos.

As "moscas do Egito" e os "abelhões da Assíria" (18-19) serão agora chamados para infestar as colinas altas e os vales profundos de Judá. Além disso, Isaías informa ao rei: Com **uma navalha alugada** (20) alguém o rapará completamente. **Cabeça** [...] **cabelos dos pés** descreve a totalidade do desastre futuro. Somente uma dieta simples e mínima será possível de rebanhos e manadas muito pequenos (21-22). O cultivo cessará. **Todo lugar em que houver mil vides do valor de mil moedas de prata** (23) haverá somente **sarças** e **espinheiros**. Numa terra que já fora cultivada somente o caçador perambulará (24). "E às colinas antes lavradas com enxada você não irá mais, porque terá medo das roseiras bravas e dos espinheiros; nesses lugares os bois ficarão à solta e as ovelhas correrão livremente" (25; NVI). Assim o Senhor falou por meio do seu profeta ao rei que não tinha fé.

2. *O Temor do Senhor é Sabedoria* (8.1—9.1)

Tendo advertido o rei, Isaías voltou-se ao povo de Judá. O capítulo 8 dá prosseguimento ao tema geral do capítulo 7.

a) *O sinal do futuro filho do profeta* (8.1-4). **Um grande volume** (1) é melhor traduzido como "uma grande tabuleta", e **escreve nele em estilo de homem**, ou seja, em "letras hebraicas grandes". Pessoas dos tempos antigos escreviam sobre tabuletas de argila, depois sobre madeira, metal ou pedra cobertos com cera. A inscrição era para ser o nome do filho de Isaías ainda por nascer: **Maer-Salal-Hás-Baz** ("rapidamente até os despojos, agilmente até a pilhagem" — NVI). Em hebraico isso formaria um sinal impressionante. O nome da criança era para ser profético no que se refere ao iminente saque da Síria, Samaria, e até de Judá, realizado pelos assírios.

Para provar que o sinal era uma predição divina, Isaías convocou **fiéis testemunhas** (2). **Urias** era provavelmente o sumo sacerdote daquela época (2 Rs 16.10-16) e, assim, um colaborador e instrumento do rei. Dessa forma, ele provavelmente não favoreceria o profeta. **Zacarias** foi provavelmente o pai da rainha de Acaz (2 Rs 18.2; 2 Cr 29.1). A assinatura desses dois cidadãos notáveis acerca da data da predição a validaria e também lhe traria a atenção pública.

O título **a profetisa** (3) para a esposa de Isaías é semelhante ao que foi dado às esposas dos atuais oficiais do Exército de Salvação. A esposa está numa posição de igualdade em relação ao seu marido, mesmo que ela tenha estado numa posição acima ou abaixo antes do casamento.

Isaías estava certo de que antes que a criança aprendesse a dizer **meu pai** (Abi) e **minha mãe** (Immi), **Damasco** e **Samaria** (4, as duas capitais) deveriam se tornar o espólio dos assírios. Tiglate-Pileser confirma o cumprimento dessa profecia em seus registros relacionados à sua conquista.

b) *Siloé versus Eufrates* (8.5-8). **E continuou o Senhor a falar** (5) sugere a forma que Isaías empilhava os oráculos divinos um em cima do outro. O instrumento de julgamento de Deus agora é retratado pelas águas impetuosas, um desastre irresistível. O tanque de **Siloé** (6; veja Ne 3.15) é um grande reservatório no vale de Tiro, a sudoeste do monte Sião, em Jerusalém. Ele é abastecido com água pelo túnel de Ezequias, um canal estreito cortado na rocha calcária, numa distância de 600 metros. Esse tanque, por sua vez, é alimentado pelas águas que brotavam debaixo da área do Templo. O fluir suave dessas **águas** é contrastado com o mover intenso e transbordante do **rio** (Eufrates, 7), que nasce nas montanhas da Turquia e desce pelo Iraque moderno até o Golfo Pérsico (veja mapa 1).

Deus declara, por meio do profeta, que alegrar-se (6) com a política de Rezim é tomar parte na sua ruína (5-7). Judá também será devastada pelos exércitos assírios, e a inundação alcançará sua capital. **Judá** é a terra de **Emanuel** (8) e Jerusalém é o seu **pescoço** (cabeça).

c) *Tema a Deus acima de qualquer conspiração humana* (8.9-15). Aqueles que se cingem (9) contra o Senhor certamente enfrentarão a consternação. Mesmo o plano mais engenhoso contra a causa de Deus **será dissipado** (10). O Senhor falou a Isaías firmemente, instruindo-o para que não **andasse pelo caminho deste povo** (11). Um mandamento antigo proibia seguir uma multidão no exercício do mal (Êx 23.2). Portanto, o servo de Deus sincero deve tomar cuidado com o tom e teor de uma sociedade perversa. Deus aconselhou Isaías a não temer a acusação de traição (**conjuração**, no versículo 12, é melhor traduzido por "traição"). Aquele que coloca a vontade de Deus para a nação em primeiro lugar é um verdadeiro patriota.[8] Opiniões populares podem se revelar uma armadilha no final.

Somente quando Deus está conosco estamos salvos dos nossos inimigos (Nm 14.9). O Deus dos Exércitos deveria ser o objeto adequado de temor do homem, não qualquer conspiração humana. Assim, Isaías advertiu contra o pânico decorrente de medos familiares. Deus será nosso **santuário** (14) ou nossa **pedra de tropeço**. Israel e Jerusalém tropeçarão e cairão por causa dos seus medos mal dirigidos. Eles vão ficar presos em armadilhas e levados como um animal em um laço (15).

d) *O homem de Deus pode esperar* (8.16-18). Isaías ordenou que **o testemunho** (oráculo) fosse escrito e selado entre os seus **discípulos** (16). Ele então expressou sua disposição de esperar a vindicação de sua profecia (17). No versículo 18, ele lembrou a todos que ele e sua família constituíam **sinais** a Israel, cada um deles com um nome significativo e simbólico.

e) *Adivinhação versus palavra de Deus* (8.19-22). **Não recorrerá um povo ao seu Deus?** (19). Com essa pergunta Isaías adverte seus discípulos a que não procurem conselhos com médiuns espíritas que sussurram e **murmuram**. Consultar os mortos com a finalidade de viver é trocar o alvorecer pela escuridão. Que os homens consultem a **lei e o testemunho** (20) — a mensagem e conselho de Deus! Trocar a revelação divina pela adivinhação trará somente fome e blasfêmia (enfurecendo-se a si mesmo, ao governo e a Deus). Neste caso, pode-se esperar **angústia e escuridão** (22).

f) *O plano de Deus não é trevas no final* (9.1). Este é o último versículo (8.23) na Bíblia hebraica, e, assim, parte do capítulo anterior. Isaías toca uma nota de esperança ao voltar

49

seus olhos para o futuro. Embora **Zebulom** e **Naftali** (Galiléia alta e baixa) viessem a ser devastados pelo invasor (2 Rs 15.29), um tempo de glória estava reservado para o futuro, excedendo qualquer coisa que Israel havia conhecido (cf. a tradução de Moffatt).

Ao caminho do mar era a rota da caravana de antigamente — de Damasco ao Mediterrâneo, da terra **além do Jordão** através da **Galiléia dos gentios**.

B. O Príncipe com o Nome Quádruplo, 9.2-7

A esperança real de Isaías estava no Deus que é Salvação. Ele expressa, portanto, a convicção de que há uma promessa para um avivamento por meio do nascimento e reino do messiânico **Príncipe da Paz**. Aqui encontramos um dos mais belos poemas do profeta, anunciando a audaciosa visão de uma nação inteira remida onde é estabelecida a paz sob um Rei divino. Este poema pode ter sido transformado em música e cantado pelos seus discípulos.[9] Aqui ele projeta o grande livramento de Deus na tela do futuro. Ele sugere a nova ordem de salvação que nosso Salvador introduziu na Galiléia.

1. *A Luz da Aurora* (9.2)

Quando Isaías agora se refere ao **povo**, vê a nação reduzida a um mero remanescente. Mas quanto mais escura a nuvem, tanto mais claro o arco-íris. A **grande luz** primeiro brilhou na Galiléia quando Jesus começou seu ministério lá. Sua pessoa e mensagem eram como uma grande aurora sobre viajantes abandonados e fatigados na **região da sombra da morte** (2 Co 4.6).

2. *A Alegria Crescente* (9.3)

É característico da herança judaica e cristã que a "idade áurea" nunca é o passado, mas sempre o futuro. O retrato de Isaías desse futuro é exuberante e cheio de alegria. Alegria **na ceifa** é um provérbio para um grande deleite. Homens recentemente vitoriosos na batalha nunca estão mais felizes do que quando **repartem os despojos**.

3. *Libertação da Opressão* (9.4)

O Jugo que pesava sobre ele é uma linguagem simbólica referente à tirania e opressão. A servidão egípcia era prontamente lembrada sempre que os hebreus ficavam debaixo do jugo de um tirano estrangeiro. Um trabalhador no Oriente Médio hoje procura descanso da **vara que lhe feria os ombros**. Dois homens carregam cargas pesadas tendo uma canga (vara) nos seus ombros. **O cetro do seu opressor** açoitava o escravo na sua tarefa sempre que fosse tentado a diminuir o ritmo do seu trabalho. Na descrição de Isaías, tanto a carga como os açoites são abolidos por meio de uma grande libertação, tal como Deus realizou pela "espada do SENHOR e de Gideão" contra os **midianitas** (Jz 7.20-21).

4. *Da Luta para a Paz* (9.5)

Nem toda a armadura é mencionada aqui, mas ela foca na bota do soldado e sua veste exterior. Isaías parece ouvir o **ruído** confuso das botas e ver as **vestes que rolavam no sangue**. Sua certeza é que, depois das batalhas, mesmo esses itens serão coletados e queimados. Que vitória fantástica ocorre quando a paz queima como uma tocha debaixo dos implementos de guerra amontoados!

5. A Criança com uma Natureza Milagrosa (9.6)
Aqui temos a caracterização de Isaías de **um menino** de nascimento miraculoso, **um filho** como um presente maravilhoso, porque **sobre os seus ombros** Ele veste o símbolo da verdadeira autoridade! O uso profético de Isaías do tempo perfeito hebraico (falando de eventos como se já tivessem ocorrido) para expressar essa manifestação do infante Rei anuncia o maior Menino da humanidade. O tão esperado Messias é nascido e é visto crescendo no meio da mesma Galiléia que conheceu uma escuridão tão profunda.

O nome do Menino expressa sua natureza maravilhosa. Da mesma forma que Isaías tinha dado a seus próprios filhos nomes simbólicos, assim ele dá a esse Menino quatro títulos compostos que são ricos em simbolismo divino.

Maravilhoso Conselheiro deveria ser hifenizado.[10] O quadro, deste modo, é de uma prudência plena e extraordinária, Um Conselheiro Maravilhoso — "um anjo de grande conselho" (LXX). Isso se torna mais significativo quando nos lembramos que a palavra "anjo" significa mensageiro divino. Jesus foi uma Maravilha pessoal. Ele foi alguém Maravilhoso que deu conselhos maravilhosos. Isaías está expressando aqui o atributo divino do Onisciente, mas exprimindo-o em uma forma verdadeiramente hebraica.

Deus Forte sugere o Guerreiro Divino, ou um "Herói Divino". Ele tem valor sobre-humano, não simplesmente porque o Espírito do Deus Todo-poderoso está sobre Ele com unção, mas porque a natureza da deidade essencial habita nele. A palavra hebraica *El* "sempre significa divino no sentido específico ou absoluto" (Naegelsbach). Aqui encontramos o atributo divino da onipotência. Nenhum filho de Davi preenche esse atributo, exceto Jesus de Nazaré (Rm 1.4).

Pai da Eternidade é melhor entendido sob o conceito de "Pai Eterno", ou "Pai perpetuamente". Ele é o Pai cujo atributo temporal é a eternidade e cujo atributo espacial é a onipresença ou ubiqüidade, visto que o Deus-Pai está em toda parte em todo o universo. Designar alguém como "o pai de" é uma maneira hebraica e arábica de dizer que ele é propriamente a fonte da coisa designada como seu atributo. Visto que Cristo subsiste como um Sacerdote para sempre segundo a ordem de Melquisedeque, não há ponto no tempo e no espaço onde Ele não esteja presente. Aqui vemos o terceiro atributo, sua onipresença.[11]

Príncipe da Paz é um nome que indica um governo bem-sucedido com prosperidade abençoada e verdadeira. Paz pertence ao Reino ideal. Mas R. B. Y. Scott está certo em sugerir "Príncipe Beneficente"[12] como um significado mais correto. O termo hebraico *shalom* indica não somente a ausência de guerra, mas uma condição de bem-estar rica, harmoniosa e positiva. É isso que entendemos acerca do quarto atributo: ilimitado em generosidade criativa.

6. Administrador de Paz e Governo Justo (9.7)
Um Governante divino como esse experimentará um governo cada vez mais amplo com uma paz interminável. Sob o seu governo haverá uma justiça estável e ordenada. **O zelo do Senhor dos Exércitos fará isto**. Com **juízo e em justiça** — i.e. "com justiça e retidão" (NVI).

Em 9.6-7, "Um Filho é Dado" significa: 1) o Conselheiro onisciente; 2) o Libertador onipotente; 3) o Confortador onipresente; 4) o Governante beneficente (G. B. Williamson).

C. O APELO DO ETERNO, 9.8—10.4

Temos aqui um poema de quatro estrofes, cada um concluindo com um refrão ameaçador, **mas ainda está estendida a sua mão** (9.12,17,21; 10.4) — um refrão que primeiro aparece em 5.25. O poema é dirigido contra o otimismo cego e arrogante do Reino do Norte, tendo Samaria como sua principal cidade.

1. *Estrofe um: Arrogância de Efraim* (9.8-12)
Esta estrofe expressa a ira de Deus e o julgamento iminente devido ao orgulho e iniqüidade de Israel. Isaías sugere que o orgulho e a presunção somente apressam a ruína.
Deus **enviou uma palavra [...] e ela caiu em Israel** (8). Há um paralelismo de contraste aqui, uma expressão idiomática hebraica freqüente. A palavra de Deus é enviada ao Reino do Sul, mas ela está focada para o Reino do Norte como o objeto de sua ira e julgamento iminente.
Visto que Efraim representa as dez tribos do norte, a declaração é: **E todo este povo saberá, Efraim...** (9). Eles perceberão a palavra que Deus enviou e entenderão que ela é dirigida a eles. Com orgulho e arrogância eles se vangloriam que embora os **ladrilhos** (ou tijolos) das suas construções **caíram** (10), eles as reconstruirão com "pedras lavradas" (NVI); e embora os pilares de **figueiras bravas** dessas construções tenham sido cortadas, elas serão substituídas por **cedros**, que são mais caros e firmes. Os tijolos de barro e a armação com madeira da figueira brava são os materiais de construção usados nas cabanas simples dos lavradores no Egito até hoje.[13] As pedras lavradas e o madeiramento de **cedro** são materiais de construção de nobres ricos. Assim, Israel arrogantemente ignorou as advertências de invasão. Eles expressaram sua determinação de reconstruir em uma escala ainda maior após as devastações assírias.
No entanto, Isaías diz: **o SENHOR suscitará contra ele os adversários de Rezim** (rei da Síria; 11). E assim, de fato, ocorreu, porque depois que a Síria foi conquistada pelos assírios ela foi obrigada a tomar parte no ataque contra Samaria. Deus controla a História. Com os **siros** pela **frente**, e os **filisteus** por **detrás** (12; veja mapa 1), Israel viu-se cercado e obrigado a empreender uma batalha defensiva em duas frentes. **E nem com tudo isto se apartou a sua ira, mas ainda está estendida a sua mão** para ferir.

2. *Estrofe dois: Ilusões Fatais* (9.13-17)
Isaías relata que os próprios líderes de Israel, que procuram guiar o povo, estão perdidos por causa do seu desprezo para com as disciplinas de Deus: **este povo não se voltou para quem o feria** (13). Os julgamentos de Deus procuram produzir arrependimento e conversão, mas a arrogância não é sinal de nenhum dos dois. A correção desprezada somente insensibiliza e se transforma em perversidade. **Pelo que o SENHOR cortará [...] a cabeça e a cauda, o ramo e o junco, em um mesmo dia** (14). O versículo 15 explica esses símbolos. A nobreza é representada pelos ramos de palmeira e os homens

ordinários pela **cauda** ou junco. O ponto é: "tanto grandes como pequenos cairão em um dia". **O ancião e o varão** são **a cabeça**, mas um falso **profeta** é desprezível e ordinário — ele **é a cauda**. O egoísmo desses supostos guias espirituais induz o povo ao desastre. **Os que por eles são guiados são devorados** (16; "deixam-se induzir ao erro", NVI). Guias falsos são uma contradição básica — escolhidos para liderar, eles apenas desviam as pessoas do caminho certo. Visto que toda a nação está no erro, o Senhor não tem prazer nos **seus jovens** (17) — a flor da nação — e não tem **misericórdia** mesmo pelas **viúvas e órfãos**. Esta nação se tornou perversa em que **todos eles são hipócritas e malfazejos, e toda boca profere doidices**. A estrofe termina com o mesmo refrão de advertência, como na estrofe um, três e quatro: **mas ainda está estendida a sua mão**.

3. *Estrofe três: Anarquia Ardente* (9.18-21)

No meio da **impiedade** crescente, uma rivalidade amarga havia se erguido entre **Manassés** e **Efraim** (21), as duas tribos descendentes de José, e ambas voltadas contra **Judá**. A guerra civil coloca um homem contra o seu próximo. O retrato de Isaías é de incredulidade que queima como **fogo** que **devora** toda plantação de Israel (18). **Por causa da ira do SENHOR dos Exércitos** (19) a terra está escurecida. O combustível para o fogo não é nada mais do que as pessoas que brigam, como se cada um comesse **a carne do seu** próprio **braço** (20), i.e., destruísse sua própria carne e sangue. A fúria das facções não deixa espaço para piedade entre os homens quando a ganância insaciável toma conta. A inveja tribal serve apenas para devorar a unidade de uma nação.

O pecado traz seu próprio castigo (cf. 33.11-12; Hb 6.8; Tg 3.5). Caos e confusão permeiam toda ordem da sociedade quando a anarquia moral prevalece. Filhos dos mesmos pais em briga cumprem a profecia de que "os inimigos do homem serão os seus familiares" (Mt 10.21, 36; Mc 13.12). Sob essas condições **a mão** de Deus **ainda está estendida** (21), não com misericórdia, mas com julgamento.

4. *Estrofe quatro: Opressão Legislada* (10.1-4)

Esta estrofe denuncia os legisladores e juízes que **escrevem perversidades** (1), i.e., leis e decretos para defraudar o fraco e o pobre. No dia da visitação de Deus, eles também rastejarão entre os prisioneiros. Sempre que as leis e as cortes despojam as **viúvas** e roubam os **órfãos** (2), enquanto todas as formalidades da justiça estão sendo meticulosamente observadas, a jurisprudência alcança seu nível mais baixo. Isaías pergunta: **Mas que fareis vós outros no dia da visitação** (3), quando o Supremo Juiz do universo vos chamar para prestar contas? Que aliado pode protegê-los da ira do Eterno? **Onde deixareis a vossa glória**, i.e., esconderiam seu ganho adquirido desonestamente? Sem Deus como Aliado, o exílio e a morte tornam-se a sua única expectativa. Na quarta estrofe, **ainda está estendida a sua mão** (4). Isaías "toca" o final da triste música de condenação.

D. A VARA DA IRA DE DEUS, 10.5-34

Nosso profeta agora volta sua atenção para a importância e destino da Assíria (veja mapa 1). Sua mensagem para essa orgulhosa nação sedenta de sangue está expressa em um lembrete de sete partes.

1. *A Assíria é apenas um Instrumento de Deus* (10.5-11)
Ai da Assíria, a vara da ira de Deus (5). Ela não é nada mais do que um instrumento da ira do Senhor. Sua paixão por conquistas vai finalmente levá-la à sua destruição. Enviada **contra uma nação hipócrita** (6; Israel), a intenção da Assíria é diferente do propósito divino. Sua vanglória ignora o fato de que ela é apenas o meio de Deus para disciplinar as nações e as cidades que ela enumerou, e em cuja queda ela tão vaidosamente exulta. **Carquemis**, **Arpade** e **Damasco** (9) foram cidades devastadas ou destruídas pelos assírios. Visto que seus **ídolos** (10) haviam mostrado que não havia defesa contra os exércitos assírios, esses pagãos orgulhosos não esperavam resistência eficaz das cidades israelitas de **Calno**, **Hamate** e **Samaria**. Eles também esperavam conquistar **Jerusalém** e **seus ídolos** (11).

2. *Deus tanto Propõe como Dispõe* (10.12-14)
Quando Deus concluir o seu julgamento por meio da Assíria, então o castigo será fatal contra ela. Ela tolamente pensa que suas próprias mãos ganharam essas vitórias, mas **havendo o Senhor acabado toda a sua obra**, então punirá o **arrogante coração do rei da Assíria** (12). A ostentação da Assíria é vividamente descrita nos versículos 13-14.

3. *O Fogo Divino Consumirá Tudo* (10.15-19)
Que **o machado** não pense que é maior do que o lenhador ou **a serra** maior do que o serrador (15). O rabo não abana o cachorro. O Senhor enviará **um incêndio, como incêndio de fogo** (16) sobre a Assíria. A **Luz de Israel** (17) **consumirá a glória** (fama) **da sua floresta** (18; a própria nação). Assim, as pessoas sobreviventes serão tão poucas **que um menino as poderá contar** (19).

4. *Deus deixa um Remanescente* (10.20-23)
Isaías aqui deixa de falar da Assíria, para dirigir-se ao "remanescente" (NVI) **de Israel e [...] Jacó** (20). Deus sempre tem sua minoria que confia no Senhor. Para o remanescente da Assíria não há até agora nenhuma palavra de esperança, mas para Israel o profeta lembra o nome do seu próprio filho Sear-Jasube, cujo nome significa: **Os resíduos se converterão** (21; cf. 7.3; ou, "Um remanescente voltará", NVI) e prediz um futuro promissor. O invasor era o rei da Assíria, cuja ajuda e proteção Acaz e seus conselheiros haviam cortejado em vez de confiar em Deus. Quando a confiança no braço do homem falha, percebe-se (muitas vezes tarde demais) que a fé em Deus é a sabedoria de maior confiança. Foi assim em Israel. Embora o povo naquela época fosse **como a areia do mar** em número, somente **um resto dele se converterá** (22). Quando a obra acabada de Deus transborda em **justiça**, seu caráter é tanto punitivo como corretivo. Acerca da **destruição** já decretada (22) e da **destruição** já **determinada** (23) leia: "Deus já decidiu destruir o seu povo [...] o país inteiro, e ele fará o que decidiu fazer" (NTLH).

5. *O Jugo do Opressor Será Quebrado* (10.24-27)
Nesta mensagem ao seu povo, Deus lembra os assírios que Ele tem mais do que uma vara. **O Senhor dos Exércitos suscitará [...] um flagelo** (26) contra os assírios. Assim, Deus assegura a Sião que, quando seu castigo contra ela estiver concluído, Ele certamente lidará com a Assíria. Portanto, a consolação divina é: **Não temas** (24). **Por-**

que daqui a bem pouco (25) [...] **o jugo será despedaçado por causa da unção** (27), que era o selo da aliança e a garantia do seu cumprimento. A destruição da Assíria será **como a matança de Midiã junto à rocha de Orebe** (26; cf. Jz 7.25).

6. O Opressor Vacilante (10.28-32)

A essa altura os assírios chegaram até as portas de Jerusalém, despojando os arredores da cidade, mas é preciso mais do que ameaças e a agitação do punho cerrado para derrotar e despojar Sião. O povo de Deus ainda está sob a proteção divina. O progresso do invasor é rastreado através de **Aiate** (28; perto de Hesbom, em Moabe); **Migrom** ficava ao sul de Aiate. **Micmás** ficava a nordeste de Jerusalém. Percebe-se aqui um movimento circundando a cidade de Jerusalém. **Geba** (29), **Ramá, Gibeá de Saul, Galim** (30), **Laís, Anatote** (30), **Madmena** (31) e **Gebim**, até onde se sabe sobre a localização delas, eram vilarejos que circundavam Jerusalém ao norte. **Nobe** (32) era um vilarejo ao norte da cidade que podia ser vista de Jerusalém. "Até aqui e não mais" o inimigo avançaria. Ele apenas podia acenar **com a sua mão ao monte da filha de Sião, o outeiro de Jerusalém**.

7. O Arrogante a Ser Humilhado (10.33-34)

Quando Deus diz: "Até aqui", Ele também quer dizer: "Não mais". Não importa a altura que a árvore do orgulho possa crescer, o divino Madeireiro vai cortá-la. Deus vai cortar o arrogante desbastando-o como um cedro do **Líbano**. A lição é que quando um instrumento serviu a seu propósito pode então ser descartado. A História é dirigida por um Deus todo-sábio e todo-poderoso, que faz o que achar melhor, usando exércitos e habitantes da terra, independentemente dos planos dos homens. Esta profecia foi cumprida quando em uma simples noite, debaixo da espada de um anjo destruidor, a Assíria com seu vasto exército foi vencida. Os 185.000 soldados assírios caíram pela praga, e Senaqueribe foi assassinado por dois dos seus filhos (37.36-38; 2 Rs 19.35-37). Dessa forma, Deus humilha mortais arrogantes e blasfemos como Senaqueribe, Napoleão e Hitler.

E. O Rebento do Tronco de Jessé, 11-1-10

Este é o terceiro retrato messiânico no Livro de Isaías. O primeiro foi uma profecia acerca do Emanuel no capítulo 7; o segundo, o Conselheiro Maravilhoso no capítulo 9. Agora vem o grande antítipo de Melquisedeque, o Rei da Justiça e Paz. Ele representa a Vara da Justiça em contraste com a Assíria que representa a vara da ira do Eterno.

1. A Personalidade do Messias (11.1-3a)

a) *Sua origem* (11.1). Isaías vê o Messias como um Rebento do **tronco** (toco) **de Jessé**, e **um renovo** das **raízes** da família de Jessé. Ele surge como um rebento com nova força e vigor alcançando a vida a partir da morte. Nosso Senhor não só emergiu da dinastia davídica, mas, e de forma mais significativa, de uma humanidade decaída e pecaminosa. Ele tornou-se a Árvore da Vida para milhões de mortais e o Fundador de uma nova humanidade. A palavra **renovo** vem da mesma raiz hebraica de um dos nomes do nosso Senhor, o "Nazareno".

b) *Seus dotes* (11.2-3a). Isaías vê o futuro Messias dotado de um caráter sobrenatural e ungido pelos sete Espíritos do Senhor (cf. Ap 3.1b). Um tipo disso era o candelabro de sete braços no Tabernáculo. Essas sete operações do Espírito Santo são manifestas no Messias.

O Espírito de sabedoria (2). Esta é a qualidade que nos capacita a usar os meios certos para o fim em vista, trazendo sucesso e eficiência na vida.

O **Espírito de inteligência** ("entendimento", NVI) indica não somente conhecimento em geral, mas discernimento em particular. É a arte de distinguir uma diferença e aprovar o que é excelente.

O **Espírito de conselho** mostra a habilidade de comunicar sabedoria a outros e guiá-los de forma correta. **Fortaleza** indica não somente força de propósito, mas uma habilidade de fazer as coisas acontecerem. Na Septuaginta o termo grego indica não somente força física, mas também poder mental e espiritual. Jesus manifestou-a em sua autoridade sobre os demônios, doenças, natureza e morte.

O **Espírito de conhecimento e de temor do Senhor** é uma unidade, com dois aspectos — conhecimento e reverência por Deus. Por meio do **Espírito de conhecimento** coisas divinas e o Ser divino tornam-se intensamente reais. O Espírito Santo é o Agente da comunhão entre o Pai e o Filho. Ele é Aquele que traz à humanidade redimida um conhecimento íntimo dos dois. O **temor do Senhor** é a reverência pelos mandamentos divinos. Ele envolve verdadeira piedade, devoção e uma consideração sensível pela autoridade e vontade de Deus.

A sétima qualidade da dotação do Messias era deleitar-se **no temor do Senhor** (3a). O hebraico sugere uma agudeza do sentido do olfato. Alguns têm traduzido esse texto da seguinte forma: "Ele tirará seu fôlego no temor do Senhor". Delitzsch traduz o texto da seguinte maneira: "E o temor de Javé é fragrância para Ele". Mas o conceito mais preciso parece especificar uma sutileza de percepção, um discernimento agudo de todos os fatos e relacionamentos. Jesus claramente percebia tanto os pensamentos como o caráter daqueles que estavam com Ele e não precisava que alguém lhe contasse o que havia no homem (Jo 2.25).

2. *Os Princípios do Reino do Messias* (11.3b-5)

O Rei da justiça não julga pela mera aparência, ou reprova com base em meros boatos (3). Suas decisões são tomadas com justiça e **eqüidade,** mesmo para os pobres e para os mansos. Sua palavra é tão poderosa quanto **a vara** (4) em trazer julgamento aos impiedosos e perversos. **Justiça** e fidelidade são **o cinto** (o princípio circundante) da sua compaixão e força (5).

3. *A Paz do Domínio do Messias* (11.6-9)

Aqui vemos o caráter predatório da natureza transformado em uma índole pacífica abençoada. Ela é essencialmente uma visão de um período idílico e edênico. Quer estejam descansando (6), se alimentando (7) ou brincando (8), **não se fará mal nem dano algum** (9). O animal carnívoro torna-se vegetariano; a serpente venenosa uma companheira de diversão inofensiva. Animais antes opostos em natureza podem agora ser reunidos em um grupo por uma **criança**. E **a terra se encherá do conhecimento do Senhor como as águas cobrem o mar**. A desconfiança entre o homem e suas criaturas companheiras faz parte da maldição que veio por causa do pecado e deverá acabar somente com a redenção final do homem.

4. O Ponto da Reunião Messiânica (11.10)
Naquele dia, a **raiz de Jessé** será **posta por pendão** e um lugar de encontro de multidões. As nações deverão vir a Ele para buscar orientação e instrução. Acerca de **pendão,** veja comentário em 5.36.

5. O Lugar do Repouso do Messias (11.10d)
Seu repouso será glorioso, i.e., Ele deverá morar para sempre na glória eterna. O lugar de moradia do Messias é com o Eterno. Assim, quando Ele vem para habitar entre os homens, a profecia do "Deus conosco" será cumprida. O seu lugar de moradia também será famoso, como ponto de permanência de Deus entre seu povo. "Coisas gloriosas são faladas de ti, Sião, cidade de Deus".

F. O Remanescente Restaurado e Jubiloso, 11.11—12.6

1. A Recuperação do Remanescente (11.11-12)
Naquele dia (11) o Senhor **tornará a estender a mão para adquirir** os sobreviventes do seu povo em um retorno da dispersão. Estes são **os dispersos de Judá** (12). Eles retornarão de **Patros** e **Sinar,** duas regiões da bacia dos rios Tigres e Eufrates; e **das ilhas do mar** (Mediterrâneo). Estes são representantes simbólicos dos **quatro confins da terra**: sul, leste, norte e oeste.

2. O Remanescente Reconciliado (11.13-14)
Cessará a inveja e a desavença entre **Efraim** e **Judá** (13) e eles se unirão contra seus inimigos comuns. **Os ombros dos filisteus** (14) provavelmente se refere aos contrafortes (*Shefela*), quando se desce em direção à planície no oeste na Filístia (a faixa de Gaza); **Edom, Moabe** e **Amom** são as regiões altas ao sul e leste do rio Jordão (leste do mar Morto).

3. O Caminho para o Remanescente (11.15-16)
Aqui o profeta parece estar dizendo que **o braço do mar do Egito** (15; o golfo de Suez) ficará seco e **o rio** (o Eufrates ou talvez o Nilo) será dividido em **sete correntes** (leitos secos) por onde muitos homens atravessarão **com sapatos** (enxutos). Além disso, haverá um **caminho plano** (16) estendendo-se pelas grandes planícies da Mesopotâmia para a volta do povo messiânico. Isaías compara esse retorno à provisão de Deus a Israel no êxodo **da terra do Egito.**

4. O Regozijo do Remanescente (12.1-6)
Este breve capítulo nos apresenta dois hinos de libertação que deveriam ser cantados durante o novo êxodo. Cada hino é introduzido com a expressão **naquele dia**. Desta forma, o capítulo constitui uma grande doxologia que conclui o Livro de Emanuel.

a) *O hino de gratidão pela libertação* (12.1-3). Este primeiro hino expressa a gratidão de Israel. Embora o Eterno tivesse estado irado, sua ira agora havia se afastado, e Ele confortara seu povo, libertando-o e recolocando-o na sua terra. Aqui no versículo 2, Isaías introduz seu próprio nome, que significa **Jeová é a minha força**. Como tal, Deus é tanto a Fonte da nossa salvação como o Tema do nosso hino. Tirar **águas das fontes da salvação** (3) lembra a cerimônia na qual os sacerdotes desciam até o tanque de Siloé e traziam água para a corte do Templo, onde era derramada em libação diante do Senhor (cf. o cenário de João 7.37-39).

b) *O cântico de gratidão pelos feitos de Deus* (12.4-6). Este poema é um chamado para o louvor, oração, proclamação e exaltação do **nome do Senhor** (4). Em canções de louvor, seus feitos gloriosos deverão ser conhecidos **em toda a terra** (5). Os habitantes **de Sião** são exortados a cantar e exultar a grandeza do **Santo de Israel** (6), cuja presença e majestade estão no meio deles. Quando a presença gloriosa de Deus é manifestada no meio do seu povo, a exultação e o cântico, com freqüência, irrompem na congregação dos santos. Infelizmente, muitas congregações hoje são desleixadas nesse ponto.

Este breve capítulo concentra-se no tema "Deus em nosso Meio". 1) Deus é grande, v. 6, como Criador, Redentor e Conquistador; 2) Deus está no meio do seu povo, v. 6b, sempre e em qualquer lugar; por essa razão 3) anuncie em voz alta a grandeza de Deus, v. 4, que é a nossa Força, v. 2; a nossa Salvação, v. 2; e a nossa Canção, vv. 2, 5 (G. B. Williamson).

SEÇÃO III

ORÁCULOS CONTRA AS NAÇÕES ESTRANGEIRAS

Isaías 13.1—23.18

A. CONTRA A BABILÔNIA, 13.1—14.27

O título da seção que inclui os capítulos 13—14 é dado no versículo 1. É um **peso**, uma profecia de significação dolorosa, claramente recebido em uma visão por **Isaías, filho de Amoz**, concernente à destruição e desolação da **Babilônia**. A palavra hebraica para **peso** sugere "um oráculo de destruição". A **Babilônia** nos dias de Isaías era a principal província da Assíria (veja mapa 1). Sargão, o assírio, deu-se o título de "representante dos deuses na Babilônia".

1. *Um Diálogo de Destino* (13.2-22)

a) *O anúncio divino* (13.2-3). Nesse anúncio divino, temos a convocação do "monte da bandeira". Os invasores estrangeiros eram vistos como armas da indignação de Deus. Assim, quando Deus deu ordens aos seus **santificados**, a referência era às tribos ferozes do destruidor, nomeadas para uma tarefa especial.

b) *A descrição do profeta* (13.4-10). A primeira cena é o tumulto da multidão de soldados reunidos para a revista (4-5), em que **o SENHOR dos Exércitos** convoca um exército para a batalha. O profeta anuncia: **o dia do SENHOR está perto; vem do Todo-poderoso como assolação** (6).[1] Portanto, a convocação é para *lamentar-se* e *angustiar-se* (6, 8). As mãos se tornarão debilitadas e os corações desanimados, enquanto cada um olha para o outro aterrorizado, com **o seu rosto [...] flamejante**, corado de pavor (8). Desolação, destruição e escuridão (9-10) serão características daquele dia. Haverá desolação na terra e destruição dos **pecadores dela** (9). Isso será acompanhado por transtornos astronômicos[2], tais como fazer **as estrelas** deixarem de brilhar, **o sol** deixar de nascer, e **a lua** deixar de **resplandecer** (10).

c) *Deus fala de retribuição* (13.11-12). A declaração divina é: "Castigarei e colocarei um fim nos pecadores orgulhosos. Tiranos morderão o pó e os mortais se tornarão mais escassos do que ouro".

d) *O oráculo continua* (13.13-16). O retrato de Isaías daquele dia descreve os **céus** que estremecem e a **terra** que se move (13). Haverá uma fuga frenética dos estrangeiros da Babilônia **para a sua terra** (14). Semelhantemente a animais caçados ou ovelhas sem pastor, os estrangeiros fugirão para casa a fim de encontrar segurança; mas aquele que **for achado cairá à espada** (15). As crianças **serão despedaçadas** (16) **perante os olhos** dos pais; **casas serão saqueadas** e as mulheres violadas. Diante de um quadro como esse, Deus fala novamente.

e) *O papel dos Medos* (13.17-18). Os **medos** (17) destruirão a Babilônia na Assíria. Essa terrível nação não poderá ser subornada com **prata** ou **ouro**. Seus **arcos** (18) e flechas afiadas **despedaçarão os jovens**; eles não se **compadecerão** dos filhos ainda não nascidos, nem pouparão **os filhos** (18). Os medos eram arqueiros talentosos e foram destinados para destruir as cidades de Nínive e Babilônia (cf. Int. do Livro de Daniel, neste volume).

f) *Desolação da Babilônia* (13.19-22). A **Babilônia**, o orgulho de todos os caldeus, se parecerá com **Sodoma** e **Gomorra** (19) no dia da sua ruína. Ela deixará de ser habitada por gerações, e **nem o árabe armará ali a sua tenda** (20). Beduínos vão acampar lá com seus rebanhos.[3] Será o abrigo de pássaros selvagens e feras uivantes. **Avestruzes** pode ser traduzido por "corujas"; **sátiros** significa "feras peludas" — talvez bodes (21, 22). O tempo acabou e os dias da Babilônia estão contados.

2. *A Restauração de Israel* (14.1-4a)

A restauração de Israel e Jacó à sua terra natal está associada à destruição da Babilônia. Como o cativeiro babilônico foi uma rejeição de Israel como povo peculiar de Deus, assim a restauração evidencia a renovada escolha dessa nação por Deus. A profecia, em resumo, proclama compaixão a **Jacó** (1), eleição de **Israel**, com **estranhos** (estrangeiros) como seus vizinhos e amigos. Seus antigos capatazes serão seus **servos e servas** (2); seus captores serão agora seus cativos. O **trabalho** ("sofrimento", NVI, **tremor** e **servidão** ("cruel escravidão", NVI; 3) do cativeiro serão substituídos por um hino de triunfo.

3. *Hino da Queda do Tirano* (14.4b-23)

As traduções mais recentes entendem que essa passagem é um "hino de escárnio" — uma elocução zombeteira em linguagem poética e figurada.

a) *A alegria da libertação do terror* (14.4b-8). Este provérbio de paz inclui a primeira de cinco estrofes do hino acerca da destruição da Babilônia. O tirano e sua **cidade dou-**

rada (4) já não existem. Seu **bastão** de impiedade está quebrado e seu **cetro** (5) de autoridade que ordenava incessantes assaltos de perseguição sobre as nações está em silêncio. **Está sossegada toda a terra** e seu povo exclama **com júbilo** (7). Os reis assírios tinham como costume cortar as florestas por onde passavam. Por isso, as árvores **se alegram** (8) porque o tirano caiu e há descanso do machado do lenhador. **Faias** seriam um tipo de pinheiro.

b) *O submundo é bem-vindo* (14.9-11). O **inferno** (neste caso, o lugar dos mortos) se apressa **para sair ao encontro** do antigo rei da Babilônia. Convocando os espíritos dos outrora **príncipes da terra**, o submundo lhe deseja as boas-vindas com um cântico de escárnio: "Quer dizer que tu também perdeste as forças como o restante de nós? (10). Tua pompa desce até a cova com o som das tuas harpas fúnebres. Um colchão de larvas está debaixo de ti, uma coberta de vermes te cobre, enquanto fantasmas gigantes[4] te visitam (11)". A morte coloca todos no mesmo nível, e o homem orgulhoso é comido pelos vermes no final da glória terrena.

c) *O fim de uma ambição falsa* (14.12-15). Visto que esta estrofe começa com uma mensagem direcionada a Lúcifer,[5] alguns entendem que se refere à descrição da queda de Satanás. Uma exegese válida poderia argumentar que, na melhor das hipóteses, este texto apenas é uma tipificação satânica, porque o assunto do cântico de escárnio continua sendo o rei da Babilônia. Resumindo, ele diz:

> *Ah, como caíste,*
> *Ó filho resplandecente da manhã!*
> *Tu que derrubavas todas as nações*
> *Estás agora derrubado no chão.*
> *Lembra-te das tuas ostentações!*
> *Tu que subias acima das estrelas,*
> *E te sentavas entre os deuses lá longe, no Norte,*
> *Foste levado agora ao fundo do abismo!* (Lit.)

Naquela época os nomes divinos eram usados por reis de várias nações, mas eles continuavam, mesmo assim, humanos e lamentavelmente mortais. Aquele que era o mais ilustre de todos agora serve como lição de retribuição e castigo. Num passado não muito remoto temos ouvido de *kaisers* derrotados e ditadores morrerem vencidos e desgraçados. O século passado testemunhou o imperador de uma nação orgulhosa renunciar sua deidade em cadeia nacional de rádio.

d) *Um rei sem túmulo* (14.16-20a). Nesta estrofe, a palavra profética declara: Reis têm enterros honrosos, mas tu serás pisado como uma coisa **abominável** (19). Sua humilhação final está próxima. Os espectadores **te contemplarão** (16; "vão olhar espantados", NTLH), admirando-se da situação. **É este o varão** que fazia estremecer reinos, transformava a terra em deserto, **assolava** as cidades e as deixava em montões de entulho e nunca soltava **seus cativos** (17)? Diferentemente de outros

reis das nações (18) que recebem um enterro **com honra**, o rei da Babilônia será atirado fora do seu túmulo e ficará desenterrado entre os mortos, **como corpo morto e pisado** (19), não se unindo aos seus ancestrais na morte (20a).

e) *A vassoura não deixa nada para trás* (14.20b-23). Esta estrofe final descreve o destino da posteridade do rei. A influência nociva nunca se restringe à própria pessoa. Quando uma grande árvore é cortada na floresta, ela acaba derrubando árvores menores na sua queda. O rei perverso havia destruído, não só a si mesmo, mas também o seu país, seu povo e sua posteridade. A última parte da frase do versículo 20 é mais apropriadamente entendida como uma imprecação: "Que os descendentes dos malfeitores não sejam mencionados para sempre" (Berkeley). O profeta reconhece que os **filhos** (herdeiros reais) devem morrer, para que não se revoltem e reconstruam **cidades**, procurando tornar a possuir a terra (21). A promessa solene do Eterno é destruir a **Babilônia** completamente, não deixando nem mesmo um **filho** ou **neto** (22; sobrinho). Brejos e **corujas** (23; aves aquáticas) tomarão conta do território, e a **vassoura da perdição** do Senhor varrerá a cidade.

4. *O Juramento da Destruição da Assíria* (14.24-27)

Aqui segue um segundo e mais breve oráculo contra a Assíria, da qual a Babilônia era a principal província. O propósito ajuramentado do **Senhor dos Exércitos** (24) é a completa destruição da **Assíria** (25). Assim, Isaías oferece nova garantia a Israel em relação ao seu inimigo presente. Será **na minha terra [e] nas minhas montanhas** (as montanhas da Palestina) que a Assíria deverá ser devastada. O peso da opressão dos assírios será tirado dos ombros do povo de Deus. A **mão** estendida do Senhor garantirá o resultado que ninguém **invalidará** (26-27).

B. Contra a Filístia, 14.28-32

Este oráculo de advertência foi dirigido à **Filístia** (29; o nome Palestina vem de Filístia). Ele foi datado no **ano em que morreu o rei Acaz** (28) e adverte contra o orgulho falso. É difícil determinar a data exata para esse período da cronologia do AT. A data para a morte de Acaz varia entre 727 e 716 a.C.[6] O pano de fundo histórico é encontrado em 2Crônicas 28.18-27.

1. *Exultação Prematura* (14.28-30)

Isaías lembra os filisteus que, embora Tiglate-Pileser fosse a vara disciplinadora deles e houvesse sido quebrada pela morte, a alegria deles e a invasão de Judá eram ambas prematuras. Os sucessores desse opressor serão mais destrutivos do que ele foi. **Da raiz da cobra** (29) sairá uma ainda mais venenosa. Sargão foi pior que Tiglate-Pileser, e Senaqueribe foi como uma **serpente voadora** do deserto em seu ataque. Foi dito à Filístia que **os primogênitos dos pobres** de Judá (30), aqueles que herdaram uma porção dobrada de pobreza, encontrarão alimento e refúgio, mas a **raiz** e os **resíduos** ("remanescentes") da Filístia morrerão de **fome** e pela espada.

2. O Terror Avança (14.31)

Lamentações agonizantes sobrevêm à **cidade** e sua **porta** (governo). Do **Norte** pode ser vista a **fumaça** de cidades queimadas[7] e os sinais de fumaça de um lugar marcado para outro ataque. **Ninguém ficará solitário**, i.e., entre os inimigos ninguém andará errante. A cidade de Asdode da Filístia seria a porta de entrada para a nação quando um exército invasor se aproximasse do norte ao longo da estrada costeira, descendo a planície de Sarom em direção à faixa de Gaza (veja mapa 2).

3. O Único Refúgio Seguro (14.32)

Aqui Isaías parece estar pensativo acerca de sua resposta à embaixada dos filisteus indagando a respeito do destino deles. Sua resposta é que mesmo **os opressos do seu povo** terão um destino melhor do que a Filístia. O Senhor fundou Sião, e ela permanece firme debaixo da sua proteção. Nela os aflitos encontrarão refúgio.

C. CONTRA MOABE, 15.1—16.14

Este oráculo a respeito da destruição de Moabe[8] toma principalmente a forma de uma elegia (pequeno poema consagrado ao luto).[9] Devido à incerteza do texto e à variedade das traduções feitas pelos estudiosos,[10] este é evidentemente um texto difícil. Aqui o expositor encontra pouca ajuda dos exegetas. Isaías pode ter trabalhado com uma elegia antiga, e agora anônima, que lamentava a grande calamidade sofrida por Moabe nas mãos do invasor do norte antes dos seus dias. O versículo 13 do capítulo 16 parece indicar essa possibilidade. Se esse for o caso, Isaías vê a elegia como aplicação ao destino de Moabe (que ele profetiza) em apenas três anos (16.14).

1. A Devastação de Moabe (15.1-9)

a) *Moabe é destruído* (15.1-4). Por causa da queda das suas duas principais cidades[11] em uma única noite, **Ar de Moabe** foi **destruída** e **desfeita** (1). Conseqüentemente, Moabe geme em voz alta (2-4) com cabeças calvas e barbas rapadas. Cingido de **panos de saco**, o povo sobe para os santuários sagrados[12] e **nos seus terraços** para fazer oração. Quando o povo se encontra nos cruzamentos das suas ruas, eles choram. **Hesbom** e **Eleale** (4) eram cidades moabitas separadas por cerca de três quilômetros, entre os rios Jaboque e Arnom, a nordeste do mar Morto.

b) *O profeta pranteia por Moabe* (15.5-9). **O meu coração clama por causa de Moabe** (5) é a maneira de o profeta dizer que ele também participa dessa dor. As calamidades que ele precisa anunciar o deixam triste e não alegre.[13] A fuga dos fugitivos de Moabe (5) e o destino daqueles que escaparam do destruidor (9) não são ocasiões para regozijo por parte do profeta. Das **águas de Ninrim** (6; o uádi Shaib), perto da cidade moderna de Es Salt no norte, até **Zoar** (5), através do **ribeiro dos salgueiros**[14] no sul, os fugitivos perceberam o que já havia sido uma terra bonita transformar-se em uma devastação completa (cf. 2 Rs 3.19). **A novilha de três anos** (5) é provavelmente o nome de uma cidade que deveria se chamar "Eglate-Selísia" (NVI). Assim, os seus gritos soavam por toda Moabe, chegando até **Eglaim** (tanques gêmeos, 8) e **Beer-Elim** (fonte da princesa). Mesmo os córregos estão vermelhos do **sangue** (9) da matança, enquanto o destruidor os persegue como um leão persegue a sua presa.

2. *Moabe Procura o Santuário* (16.1-7)

a) *Uma súplica e uma oferta de paz para Sião* (16.1-5). Um tributo de cordeiros (1) parece ter sido o imposto para Moabe. Era assim nos dias de Acaz (2 Rs 3.4), que cobrava um tributo pesado do seu povo. Os comandantes dos moabitas haviam fugido para **Sela** (Petra),[15] e deliberando em sua angústia, dirigiram sua petição a **Sião** (1) para encontrar refúgio para os seus fugitivos. O conselho profético é que a submissão à casa de Davi é a única e real esperança de Moabe. Senão haveria confusão nos **vaus** do rio **Arnom** (2; veja mapa 2) quando o povo procurasse escapar, ao ser forçado a sair das suas casas pelo invasor. O terreno íngreme e os declives estreitos criariam um congestionamento ao longo dessas rotas de escape. A figura é de aves agitadas que se espalham de um **ninho** saqueado. O apelo é que os **desterrados** moabitas (3-4a) possam encontrar em Sião um refúgio do destruidor. Em resposta a esse ato de misericórdia, Deus dá a Judá uma promessa de amor misericordioso (4b.5); **um trono se firmará** e ele será caracterizado pela fidelidade e justiça da dinastia de Davi.

b) *Mas, e quanto à sinceridade de Moabe?* (16.6-7). Moabe tem uma reputação de **soberba** e **altivez** (6). Será que sua sinceridade é confiável agora? Sua soberba e ostentação falsa, coloridas pela insolência e engano, exigem uma retribuição de lamúria e miséria (7). **Quir-Haresete** ou "Quir-Heres" (11) é provavelmente "Quir de Moabe" (15.1), a sudeste do mar Morto.

3. *A Condição Enfraquecida de Moabe* (16.8-12)

a) *Fracasso da vinha e colheita* (16.8). Uvas e pequenos grãos eram as colheitas principais dessa parte das terras altas transjordanianas. Ambos seriam destruídos.

b) *O grito de batalha substituiu o grito da safra de vinho* (16.9-10). Já não se ouve o hino dos ceifeiros da vindima, mas sim, o grito do inimigo enquanto pisam os campos e destroem as vinhas. Acerca de **Hesbom e Eleade** (9), veja comentário em 15.4.

c) *O profeta lamenta pelas orações infrutíferas de Moabe* (16.11-12). As petições infrutíferas de Moabe nos lugares altos em sua adoração a Quemos trazem à tona os sentimentos de piedade no profeta. A oração a deuses falsos sempre é inútil.

4. *Um Oráculo Antigo e o Cumprimento Presente* (16.13-14)

A **Palavra** do **Senhor** (13) era o julgamento prometido a Moabe por Balaão (Nm 24.17) e Moisés (Dt 23.3-4). A glória de Moabe logo deverá se tornar mera zombaria. Apesar das multidões atuais, seus foragidos deverão ser poucos e insignificantes. **Três anos** (14) são, na verdade, um breve intervalo, mas eles parecem longos para alguém que é empregado de outra pessoa. Ou a expressão **tais quais os anos de**

assalariado pode indicar a exatidão da predição, como um empregado é cuidadoso para não trabalhar além do tempo pelo qual ele está sendo pago.

B. Contra Damasco e Efraim, 17.1-14

Nesse oráculo, Isaías expressa a destruição da aliança siro-efraimita (veja Int.). Ele apresenta os assuntos inevitáveis de uma aliança baseada em rejeição prática do verdadeiro Deus e na adoção de idolatrias estrangeiras. A data é anterior à conquista assíria de Damasco, talvez em torno de 735 a.C.[16]

1. A Ruína de Damasco (17.1-3)

Damasco (1) foi destruída mais vezes do que qualquer outra cidade, mesmo assim ela se vangloria de ser a cidade mais antiga continuamente habitada do mundo. Ela nunca deixou de ser uma cidade de forma permanente, embora tenha se tornado mais de uma vez **um montão de ruínas**. Havia duas **cidades de Aroer** (2) a leste do rio Jordão, uma na terra de Rúben e outra na terra de Gade.[17] Esse nome significa "despido, nu", como um agouro de completa ruína. E uma cidade *está* em ruínas quando se torna um mero lugar para **rebanhos** (2). **Efraim** (3) está prestes a perder suas defesas, e **Damasco**, o seu domínio. O profeta retrata sua queda por meio do símbolo da passageira **glória dos filhos de Israel**.

2. O Destino de Efraim (17.4-6)

Isaías retrata o destino do Reino do Norte sob o símbolo de um **Jacó** enfraquecido (4). Ele está certo de que Israel está tão maduro para o julgamento quanto o momento em que **o segador** colhe **o trigo** (5). O grande Ceifeiro deixará somente tantos talos de trigo quantos alguém pode levar **com o seu braço** (5). Será como alguém que **colhe espigas no vale dos Refains**,[18] onde batalhas eram freqüentemente combatidas na época da colheita. Ou, semelhantemente a uma **oliveira** cujas azeitonas foram sacudidas, sobrando apenas algumas poucas na parte mais alta e nos **ramos mais exteriores** da árvore (6).[19] Somente um pequeno remanescente seria deixado no Reino do Norte.

3. A Futilidade de Deuses Fabricados (17.7-8)

Nessa hora de calamidade, aqueles poucos que foram transformados pelos desapontamentos amargos de uma idolatria inútil reconhecerão seu **Criador** como a verdadeira Fonte da sua força (7). Um homem já não **atentará para os altares, obra das suas mãos, nem olhará para o que fizeram seus dedos** (8). Os **bosques** e **imagens** para a prática da idolatria parecem se ajustar apenas para a alma que perdeu seu Deus e necessita de um substituto visível na forma de um ídolo.

4. O Fruto da Apostasia (17.9-11)

As **cidades fortes** (fortificadas) de Israel serão como **lugares abandonados** na floresta, como foram, em certa época, pelos cananeus no tempo em que os **filhos de Israel** invadiram a Palestina (9). O fato de a nação abandonar o **Deus da [...] salvação** (10), ao oferecer homenagem a **sarmentos estranhos** (cultos estrangeiros) sobre o seu solo, com suas plantas **formosas** e cercadas (em estufa),[20] resulta numa colheita sofrível. O pecado, no primeiro momento, parece promissor; no entanto, seu resultado final não será de grande sucesso, mas de **tribulação** e **dores insofríveis** (10-11). Tendo introduzido deuses pagãos em sua adoração, eles colherão o abandono do Senhor da nação para os seus inimigos.[21]

5. O Fim da Assíria (17.12-14)

Nessa estrofe, Isaías retrata os sons de multidões confusas do exército assírio como o bramar dos **mares** (12). Mas Deus **repreendê-las-á**, e fugirão para longe [...] **como a pragana dos montes diante do vento** (13),[22] e semelhantemente ao "pó que a ventania espalha" (13, NTLH).[23] Dessa forma, de um dia para o outro, a situação irá se modificar por completo com as hordas assírias sendo subjugadas entre o **anoitecer** e o amanhecer (14). Isaías com freqüência acrescenta o motivo depois de descrever o acontecimento. **Esta**, então, **é a parte** (14) dos despojadores de Judá **e a sorte** daqueles que saqueiam sua riqueza. Deus estabelece o ponto extremo além do qual o instrumento do seu julgamento não pode ir. A noite pode espalhar dificuldade e consternação, mas o amanhecer rompe desolado e sereno.

E. Contra a Etiópia, 18.1-7

Este discurso parece ter sido a resposta do profeta na chegada dos embaixadores da Etiópia em Jerusalém para deliberar com Judá acerca da ameaça assíria. Seu povo parece estar agitado devido às notícias do avanço assírio, mas Isaías os lembra de que o Senhor está olhando silenciosamente, aguardando seu tempo de agir — até que a Assíria esteja madura para a destruição. Naquele tempo, Deus agirá com o seu instrumento de poda do destino. Quando os etíopes virem seu milagre repentino enviarão um presente ao Senhor no monte Sião. Fica difícil saber a qual marcha da Assíria em direção ao sul essa profecia se refere — à de Sargão ou à de Senaqueribe — porque no reinado de ambos um etíope governava o Egito.

1. Apóstrofe à Etiópia (18.1-2)

A exclamação **Ai** (1), é usada aqui como uma expressão de compaixão em vez de raiva; também pode ser traduzida como: "ah" ou "meu Deus!". Os poderosos etíopes estão apavorados com a aproximação dos supostamente mais poderosos assírios. A frase **terra que ensombra com as suas asas** tem sido uma dificuldade para os tradutores. A Septuaginta traduz: "terra de barcos com asas"; e George Adam Smith traduz: "terra com muitas velas".[24] As embarcações usadas pelo Egito e Etiópia para navegar nos rios eram tanto a vela como a remo, e uma viagem com um barco a vela no rio Nilo é um dos deleites dos turistas modernos que visitam o Egito. Os **rios da Etiópia** são o Nilo Azul e o Nilo Branco,[25] com seus afluentes dividindo o país. O termo hebraico é *Cush*, que incluiria o país árabe do Sudão bem como a Etiópia atual. Quando Isaías fala de **embaixadores por mar** (2), precisa ficar claro que os nativos se referem à parte superior do Nilo como um "mar" por causa da sua grande extensão. A melhor tradução para **navios de junco** seria "navios de papiro" (ASV, RSV), ou "barcos de papiro" (NVI). Eram barcos leves cobertos de papel.²⁶ **Ide** pode muito bem significar: "Retornai", quando Isaías se despede dos enviados etíopes. Judá não pode aceitar a aliança que eles vieram oferecer. **Uma nação alta e polida** significa "muito alta e de pele bronzeada". Heródoto descreve os etíopes como "os maiores e mais belos de todos os homens". Isaías parece ter ficado impressionado com a aparência desses guerreiros bronzeados.²⁷

Uma nação de medidas e de vexames no hebraico significa: "fileira, fileira e esmagar com os pés". Provavelmente a referência é aos guerreiros da Etiópia, marchando fileira após fileira e batendo o pé com a batida dos tambores enquanto avançavam passo a passo, de modo uníssono.²⁸

2. Uma Mensagem para a Etiópia (18.3-6)

Visto que o ímpeto do ataque assírio deve cair sobre Jerusalém, **todos os habitantes do mundo** devem estar alertas para o sinal de alarme da batalha que se travará. Isaías diz: **Vós** [...] **vereis** [...] **ouvireis** (3). Dois sinais: a **bandeira** (estandarte) e o tocar de uma **trombeta** indicarão o momento decisivo.

Em seguida, Isaías retrata em poesia cheia de vida a tranqüilidade e deliberação dos julgamentos divinos. O Senhor aguarda o resultado com uma força serena, olhando o tempo todo do assento celestial da sua gloriosa presença, como o **ardor do sol resplandecente** e o **orvalho** silencioso da noite (4). Sereno como a nuvem de verão, ele espera seu tempo, não negligentemente, mas com uma determinação bem ordenada. Então, no momento crítico, **antes da sega** (5), quando a floração termina e a flor se transforma em uva, vem a faca do destino. A "podadeira" corta os ramos e a esperada safra de vinho nunca é colhida. As **aves** do verão e os **animais** do inverno devastarão as uvas não maduras (6).

Essa é a forma de o profeta dizer que o homem propõe, mas Deus dispõe. Os assírios foram arruinados no auge do seu poder, e as aves de carniça e as feras de rapina se alimentaram dos corpos dos seus guerreiros mortos (cf. 37.36).

3. O Tributo da Etiópia (18.7)

Aqui Isaías vê os etíopes oferecendo-se a si mesmos para o Deus eterno como uma oferta voluntária, em razão da profunda impressão que eles tiveram dos poderosos atos da providência divina. Desses homens altos, bronzeados e temidos virão presentes para o **monte Sião**, o **lugar do nome do SENHOR dos Exércitos** (veja os comentários do v. 2).

F. CONTRA O EGITO, 19.1—20.6

Isaías foi um estadista com uma visão internacional baseada no conhecimento dos caminhos de Deus. Aqui podemos observar o seu diagnóstico das causas da ruína nacional e seu esboço da solução. Em 19.1-17, vemos uma nação descendo passo a passo, de castigo em castigo; nos versículos 18-25, vemos essa mesma nação subindo passo a passo, de salvação em salvação. No capítulo 20, Isaías nos lembra que os que são sentenciados para o cativeiro não podem realmente salvar outros dele. Sua parábola prática adverte contra a futilidade de uma política pró-egípcia para Judá.

1. Confundindo o Excessivamente Confiante (19.1-17)

a) *Quando se perde a disposição de ânimo* (19.1-4). O início da visitação divina a essa nação auto-confiante é a vinda do Senhor **cavalgando em uma nuvem ligeira** (1) para instituir o julgamento. Ezequiel também teve uma visão dessa carruagem nas nuvens quando Deus veio lidar com os homens (Ez 1.4). Com a sua presença, Isaías nota que os **ídolos** egípcios (falsos deuses) vão tremer **e o coração dos egípcios se derreterá** à medida que a coragem definhar. Passando por todas as causas secundárias, o profeta ouve Deus dizer: **Farei com que os egípcios se levantem**[...] **cada um pelejará contra o seu irmão** (2). Não há verdadeira unidade em uma nação que tem muitos deuses. Guerras civis estavam crescendo rapidamente no Egito pouco antes de 712 a.C. Não havia um governo central forte, e a terra estava repleta de discórdia interna. Carecendo de um propósito harmonioso para um programa nacional forte, o **conselho** (3) foi destruído, e a nação tornou-se tola e perplexa. "Antes de os deuses destruí-los, eles os tornavam dementes". Quando a diplomacia fracassa, as artes mágicas se tornam um substituto medíocre. Mas o Egito tinha (e tem) uma reputação para se apegar a essas artes (Êx 7.22; 8.7). **Ídolos** [...] **encantadores**[29] [...] **adivinhos e mágicos** são conselheiros ineficientes em qualquer crise nacional. Esse tipo de situação favorece o surgimento de ditadores, porque um dos castigos de Deus para a anarquia é **um senhor duro** e **um rei rigoroso** (4) — um déspota. Aqueles que não tiverem um governo responsável, abrem a porta para a demagogia irresponsável.

b) *Quando os recursos naturais minguam* (19.5-10). Se não fossem as águas do Nilo, o Egito seria parte do deserto. O Nilo é o único conquistador do Saara. Este rio é a única fonte de vida e a artéria principal para as pessoas das terras que ele atravessa.

O **mar** (5) é uma expressão nativa para esse longo e importante rio durante a época das enchentes (normalmente de agosto a outubro). **O rio** especifica seu canal principal. **Os rios** (6) poderiam se referir aos muitos canais de irrigação a partir do Nilo, ou, talvez, aos braços do Nilo no seu delta. **Os canais**, da mesma forma, indicam cursos de água menores. Acerca desses **canais** veja 2 Reis 19.24. Se o Nilo fracassasse, **tudo o que foi semeado** secaria (7), e **os pescadores** gemeriam (8). O versículo 7 pode ser traduzido da seguinte forma: "Haverá lugares secos ao longo do Nilo" (NVI). Visto que muito linho é plantado no Egito para a produção da fibra de linho, **os que trabalham em linho fino** serão envergonhados (9). **Os que tecem pano branco** refere-se à produção do tecido de algodão pelo que o Egito é famoso. Uma tradução parecida para o versículo 10 seria: "E os pilares do Egito serão despedaçados; e todos os que trabalham por salário ficarão com tristeza na alma" (ASV). Os empregadores abrirão falência, e, por conseguinte, todo aquele que trabalha por salário ficará desanimado em decorrência do desemprego. As classes principais, ou os pilares de uma economia (empresários), são os esteios do estado junto com suas classes trabalhadoras. Quando a gerência "afunda", o desemprego aumenta.

c) *Quando falta sabedoria* (19.11-15). **Zoã** (11) é Tanis (a atual San el Hagar), situada numa extremidade a nordeste do delta do Nilo. Por este motivo, ela era, entre as grandes cidades do Egito, uma das cidades mais próximas de Judá. Era a residência dos reis do Egito já na época de Ramessés II (século XIII a.C.) e foi provavelmente a residência da dinastia etíope dos reis egípcios. Sempre que o **conselho** de **sábios conselheiros** [...] se embrutece, eles se tornam os planos mais tolos. Qualquer um dos conselheiros de Faraó reivindicava ser o **filho de sábios, filho de antigos reis**. Mas a todos esses conselheiros Isaías apresenta esta pergunta: "Sendo destituídos de sabedoria, como vocês podem reivindicar ser sábios por meio da descendência familiar?". Profissões eram hereditárias entre os egípcios, mas hereditariedade não garante inteligência ou eficiência. Por isso, Isaías desafia: **Anunciem-te, agora,** [...] **do que o Senhor** [...] **determinou contra o Egito** (12; cf. 1 Co 1.20).

Nofe (13) era o antigo local de Mênfis, capital do Baixo Egito, quinze quilômetros a sudeste do Cairo. Seus **príncipes** haviam se unido aos de **Zoã** e haviam seduzido o **Egito**, quando deveriam, na verdade, ser seu suporte. **Um perverso espírito** (14) fez mais do que seduzir o Egito ao erro. Mentes pervertidas e decisões deturpadas somente concebem distorções. Não é de estranhar que levaram o Egito a cambalear **como bêbado quando se revolve no seu vômito**. Sem qualquer habilidade para caminhar e pensar direito, nem a classe alta nem a baixa alcançarão coisa alguma para o Egito (15). Um exemplo moderno seria qualquer nação achar que pode beber, brigar e se esgotar nisso, e ainda viver em segurança.

d) *Quando a fraqueza prevalece* (19.16-17). A frase de Isaías **como mulheres** (16) descreve uma situação de terror e fraqueza (cf. Jr 48.41). A **mão** julgadora **do Senhor dos Exércitos** se move repetidas vezes sobre o **Egito** com ataques fulminantes. Se o Deus de Judá propõe punir o Egito, a mera menção de **Judá** é **um espanto** (17) para aqueles que estão conscientes do decreto divino. No entanto, "o temor do Senhor é o princípio da sabedoria" e do arrependimento. Aqui, então, trata-se do ponto de transição lógico para a conversão do Egito.[30]

2. *Colonização para a Conversão* (19.18-25)

a) *Uma cabeça de ponte espiritual* (19.18). **Cinco cidades** com uma língua comum, um Senhor comum, e uma capital de justiça, poderiam fazer muito para redimir o país. Mas, será que um programa benevolente de difusão realmente foi tentado em uma escala nacional? Isto requereria um grande número de missionários leigos em todos o caminhos da vida. Isaías parece ter sentido que tanto nações como indivíduos poderiam ser missionários. Os profetas hebreus estavam certos de que a missão de Judá entre as nações era de liderança espiritual em vez de conquista imperial.[31] Falando **a língua de Canaã** indica o uso do hebraico por Judá ou como sua língua nativa ou, pelo menos, como sua língua sagrada de adoração. Jurar **ao Senhor dos Exércitos** seria um reconhecimento de Deus. Que uma dessas cinco cidades se chamaria **Cidade da Destruição**[32] não faz muito sentido. A Septuaginta traduz: "Cidade de Justiça". Esse parece um nome melhor para a capital de uma aliança de cinco cidades redentoras.

b)*Alternativas para a desolação* (19.19-22). Isaías enumera essas alternativas como: a) **Um altar no meio** [...] **e um monumento** (testemunho) [...] **na sua fronteira** (19). **Um altar** para a adoração do verdadeiro Deus e um obelisco[33] erguido em sua homenagem constituiriam um **testemunho** [...] **na terra do Egito** (20); b) Um pedido a Deus por um Salvador para libertar (20b), **porque ao SENHOR clamarão** [...] **e ele lhes enviará um Redentor**. Isso sinaliza a conversão do Egito e a adoração ao verdadeiro Deus.³⁴ Se uma nação em situação desesperadora começa a reconhecer a mão de Deus em sua calamidade, ela está em condições de arrepender-se e encontrar misericórdia; c) O conhecimento do Senhor e uma prova da conversão (21). O Deus eterno **se dará a conhecer** agora. Ofertas de animais e vegetais se tornam aceitáveis quando promessas feitas a Deus são mantidas; d) Correção do Senhor com seu ministério de cura (22). Ele **ferirá** [...] **e os curará**; porque quando Deus corrige, Ele tem como finalidade a cura (cf. Os 6.1).

c) *A vizinhança de nações* (19.23-25). Para Isaías, esta vizinhança incluirá: a) estradas para comunicação e comércio (23) e b) alianças para bênçãos e benefícios mútuos (24-25). Essa **estrada** conectando dois antigos inimigos e passando pela Palestina seria algo ideal no Oriente Médio. Aqui o profeta vê **Israel** como o terceiro membro dessa aliança messiânica, funcionando como **uma bênção no meio da terra** (24). Cada um dos três leva um dos afetuosos títulos do Senhor — **Egito, meu povo,** [...] **Assíria, obra de minhas mãos, e Israel, minha herança** (25).³⁵

3. *O Sinal do Cativeiro Vindouro* (20.1-6)
Aqui o profeta desafia o partido pró-Egito em Jerusalém com a pergunta: **Como, pois, escaparemos nós** (6) se o inimigo capturar nossos refugiados? Ele está bastante convicto de que o Egito e a Etiópia sofrerão o destino de Asdode pelas mãos da Assíria. Essa nota histórica conclui a mensagem de advertência de Isaías ao Egito e Etiópia.

a) *Tartã toma Asdode* (20.1). Isso ocorreu em 711 a.C. **Sargão** foi um dos maiores monarcas da Assíria. O título **Tartã** é uma palavra assíria para "chefe supremo". **Asdode** foi a "cidade-portão" da Filístia. Azuri, rei de Asdode, recusou-se a pagar impostos e se rebelou. Sargão o destituiu e colocou seu irmão Akhismit no trono. O povo, por sua vez, se rebelou contra Akhismit e escolheu Yaman como seu rei. Sargão então marchou contra a cidade, a tomou, e levou seus deuses e tesouros como despojo. À luz desse acontecimento, Judá considerou a idéia de fazer uma aliança com o Egito por motivos de segurança. Isaías se opôs à política pró-egípcia.

b) *A ordem de Deus a Isaías* (20.2). A ordem: **solta o cilício** [...] **descalça os sapatos**, é um chamado para tirar o pano de saco, veste exterior de ordem profética (2 Rs 1.8) e para remover as suas sandálias.

c) *Um sinal e um símbolo* (20.3-4). Caminhando pelas ruas de Jerusalém **nu e descalço**, coberto somente com uma longa túnica de linho, por **três anos**, Isaías tornou-se uma profecia em ação. Essa parábola prática, ao se comportar como se já fosse um cativo, servia como uma mensagem silenciosa mas solene para o povo de Jerusalém (cf. At 21.11). Ela os advertia contra uma aliança egípcio-etíope.

d) *Vergonha e desânimo* (20.5). Aqui está um retrato do tratamento de prisioneiros na sua marcha para o cativeiro. **Esperança** e **glória** se transformam agora em medo e vergonha. Qual é o valor de uma aliança com o Egito se esse será o seu destino? Não foi Sargão, nem Senaqueribe, mas Esar-Hadom que cumpriu essa profecia.

e) *O clamor das regiões costeiras* (20.6). **Desta ilha** é melhor traduzido por "desta região" (ARA), ou "região costeira". O termo incluiria Filístia, Fenícia e Tiro. A costa marítima como um todo não encontraria capacidade para resistir ao conquistador mesmo com a ajuda da Etiópia e do Egito.

Isaías, portanto, pregou por meio das suas ações que é melhor confiar no Senhor para prover livramento. Os cativos não podem salvar alguém do cativeiro. Assim, uma aliança com o Egito não tem valor para Judá.

G. Contra o "Deserto do Mar", 21.1-10

Este oráculo acerca da ruína da Babilônia se associa melhor à reconquista da Babilônia pelos assírios após a revolta de Merodaque-Baladã em 710 a.C.[36] Esse patriota tinha procurado incansavelmente libertar sua cidade natal da sua condição de relutante submissão à Assíria. Cerca de doze anos antes ele havia enviado embaixadores procurando encorajar outras nações a se unir a ele na sua rebelião. Isaías estava convencido de que a Babilônia, como o Egito, certamente cairiam antes da Assíria. Se o partido pró-Egito em Jerusalém pensava em se unir ao Egito e, dessa forma, socorrer a Babilônia, o profeta lhes assegura de que isso de nada valerá. Tão certo quanto a cavalaria de Sargão marchou contra a Babilônia, assim a notícia voltará: **Caída é Babilônia** (9).

1. *A Visão Apavorante* (21.1-5)

Nas inscrições cuneiformes, o sul da Babilônia foi chamado de "terra do mar". Xenofonte descreve toda a planície do Eufrates, que é dividida por pântanos e lagos, como um mar. As palavras desse oráculo parecem ter vindo ao profeta como **tufões** ("redemoinhos", NVI) no Neguebe (região desértica ao sul). Terras desérticas são tempestuosas com suas correntes de ar ascendente e ciclones, como pilotos de pequenas aeronaves (que voam baixo) no deserto bem podem testificar. Mas como um vento quente **da terra horrível** (1), uma **visão dura se manifesta** ao profeta (2). Moffatt a denomina de "uma revelação repugnante". O **pérfido** ("traidor", NVI) continua traindo, e **o destruidor** ("saqueador", NVI) procura seu espólio. A Assíria atacou repentinamente, caindo sobre seus inimigos antes que pudessem se preparar para a batalha. Pelas suas palavras as nações se movem — **Sobe, ó Elão, sitia, ó medo**.

A agitação do profeta é graficamente demonstrada como as angústias **da que dá à luz**. Angustiado mentalmente, ele está atordoado com o que ouve e desfalece (3) com o que vê. Onde uma pessoa dos nossos dias diria: "Minha mente está chocada", o hebraico diz: **O meu coração está anelante** (4; ou "O meu coração se estremece", cf. NVI). O crepúsculo, que é um tempo agradável, já não é mais um tempo de paz mas de pânico. Em sua visão, o profeta vê os babilônios banqueteando com a **mesa** posta. Eles **comem e bebem** (5) quando deveriam estar vigilantes e preparados para a batalha. Bem no meio da festança vem a convocação: **levantai-vos, príncipes**, e untai vossos escudos![37] O banquete termina abruptamente em confusão, porque o inimigo está às portas.

2. *O Profeta como uma Sentinela* (21.6-9)
Nesse momento, Deus fala ao seu mensageiro para fazer da sua própria alma **uma sentinela** (6) e relatar tudo que vê. Ele discerniu um bando **com cavaleiros** em pares, seguido por um bando de **jumentos** e **camelos** (8).[38] Tendo os seus ouvidos bem aguçados, ele ouviu **atentamente com grande cuidado**.[39]

A frase: **E clamou como um leão** (8) tem dado muita dor de cabeça aos tradutores. Phillips acredita que ela representa uma admoestação para "observar atentamente como um leão observa a sua presa". Plumptre entende que o autor se refere a um grito, como um leão, com uma impaciência ansiosa durante **o dia** todo e **noites inteiras** de espera e estando atento para a percepção profética que o possibilitará a proclamar seu resultado. Finalmente, a visão se tornou vocal, e ele mais uma vez viu um **bando de homens e cavaleiros aos pares** e ouviu sons de uma cidade capturada. Assim, ele foi capaz de anunciar: **Caída é Babilônia** [...] **E todas as imagens** [...] **seus deuses se quebraram** (9).[40] O sistema idólatra era incapaz de salvar seus devotos.

3. *Apóstrofe ao Aflito* (21.10)
Isaías agora se volta para o seu povo e, falando em nome do Senhor, ele clama: **Ah! Malhada minha, e trigo da minha eira**. Há uma profunda compaixão nessa símile de sofrimento. A expressão: "meu povo malhado na eira" (NVI) é uma expressão idiomática para um povo aflito. Isaías teria preferido falar de outra forma, mas tudo — mesmo a Babilônia — deve cair diante dos assírios. Tão certamente quanto os batalhões de Sargão foram contra ela, tão certamente virá o anúncio: "A Babilônia caiu".[41] Judá não pode ainda esperar descanso da ameaça assíria pelo qual tão intensamente anela. O profeta conclui: **O que ouvi** [...] **isso vos anunciei**.

H. Contra Dumá (Edom),[42] 21.11-12

O profeta ouve alguém chamando-o repetidas vezes do monte **Seir,** na terra dos edomitas: "Guarda,[43] quanto ainda falta para acabar a **noite**?" (NVI). E a ronda noturna responde: "Logo chega o dia, mas a noite também vem. Se vocês quiserem perguntar de novo, voltem e perguntem" (NVI). A palavra **Dumá** significa "silêncio". Mas o tradutor da Septuaginta, sabendo que **Seir** estava localizado na terra de Edom, usou o termo grego para *Idumea*. Isaías estava provavelmente fazendo um trocadilho nessa referência a Edom. Em Petra, capital de Edom, ficava a fortaleza vermelho-rosa e a necrópole.[44] Os túmulos e tesouros eram cavados com segurança no arenito vermelho. Perguntamo-nos se Isaías achava que Edom era "a cidade silenciosa dos mortos" da qual uma voz quebrou o silêncio da noite escura da opressão assíria perguntando: "Quanto falta?". A resposta para o monte **Seir** do monte **Sião** é: "Uma mudança está chegando, mas não está certo se ela vai trazer algum alívio permanente".

Edom havia ofendido a Sargão ao se associar com Asdode dos filisteus, e agora sentia que sua noite de opressão debaixo daquele tirano era longa. Isaías responde: "Mesmo que chegue a manhã, a noite seguinte logo vem". E a história valida a profecia. O conquistador assírio foi seguido pelos caldeus, pelos gregos e pelos romanos. Isaías não era um pregador provinciano; ele era um estadista com reputação internacional e uma visão internacional. Ele enxergava a História nas mãos do Eterno. Somente quem de fato reconhece Deus agindo dentro da arena da História tem uma verdadeira esperança para o alvorecer eterno.

I. Contra a Arábia, 21.13-17

Ampliando a sua visão um pouco mais para o sul e leste, o profeta discerne o que está reservado para a Arábia (veja mapa 1). Durante o ministério de Isaías, o norte da Arábia sentiu o peso da opressão assíria e pagou tributo. Dois fatos são ressaltados na mente do profeta: o perigo e fuga das caravanas comerciais e a conquista de Quedar pelos assírios.

1. *Calamidade para as Caravanas* (21.13-15)
Alguns comentaristas acreditam que Isaías está fazendo mais um jogo de palavras e mudando a segunda ocorrência da palavra **Arábia** para *'Ereb*, o que então significaria "da noite". Eles acreditam que o profeta estava advertindo os dedanitas que deveriam passar a noite em alguma mata. Whitehouse, no entanto, argumenta que o termo deveria ser traduzido por "estepe" e chama atenção para o fato de que esta parte da Arábia é uma terra cheia de estepes.[45] Os **viajantes dedanitas** (13) indicam caravanas. Esses dedanitas eram, em sua maioria, mercadores entre o golfo Pérsico e a Palestina. Devido ao perigo assírio eles foram forçados a deixar as suas rotas comuns com seus oásis e fugir para abrigos nas matas ou em cavernas ao sul de Edom.[46] Assim, o profeta exorta **os moradores [...] de Tema**[47] para saírem **com água ao encontro dos sedentos** e com **pão** para aqueles que fugiam (14)[48] dos seus perseguidores com a **espada nua** e com o **arco** armado (15).

2. *O Fim da Glória de Quedar* (21.16-17)
Novamente Isaías arrisca sua reputação como profeta ao determinar um tempo em que as tribos nômades do norte da Arábia serão completamente aniquiladas. Onde a ARC traduz **dentro de um ano** (16), os Manuscritos do Mar Morto de Isaías trazem: "dentro de três anos" (cf. 16.14); mas independentemente do número de anos, torna-se um teste da sua profecia em relação ao futuro. Pela autoridade do Deus eterno de Israel ele declara que **os restantes dos números** dos poderosos flecheiros de Quedar[49] serão grandemente **diminuídos** (17). Veja comentário acerca dos **anos de assalariados** (16) em 16.14.

Enquanto os **valentes**, armados com seus arcos mortais, podiam destruir e saquear os outros ao seu bel-prazer, "a aflição da guerra" não era sentida. Eles cantavam e se regozijavam pelos altos dos montes (cf. 42.11). Mas Isaías profetizou o dia em que a própria **Quedar** seria atacada e saqueada. A "espada nua" e o "arco armado" na mão dos assírios se voltariam contra eles. Eles perceberiam que a História muitas vezes mostra que se colhe aquilo que se planta.

J. Aclamação Solene do Vale da Visão, 22.1-25

Em vez de **vale da Visão** (1) a Septuaginta traduz: "vale de Sião". Mesmo assim, é difícil determinar qual dos vales próximos ao monte Sião se tem em mente. Os vales que circundam Jerusalém são Cedrom, Tiropeão e Hinom. Será que a casa de Isaías ficava num desses vales, motivo pelo qual esse oráculo recebe tal nome? Tanto o vale Tiropeão como o vale Hinom têm sido sugeridos.

A melhor visão do monte Sião é a partir do vale do Hinom, ao sul da cidade; assim Moffatt acredita ser esse o vale onde morava Isaías. O contraste maior de profundidade e o vale com suprimento de água, no entanto, é o Tiropeão. Parece mais provável que a casa de Isaías ficasse nesse vale. Ali ele recebia suas revelações e visões. Alguns intérpretes acreditam que o oráculo foi uma profecia do futuro, já outros entendem que se trata de uma situação contemporânea do profeta. O que foi mencionado em segundo lugar parece mais provável neste contexto.

1. Segurança Presunçosa (22.1-14)

a) *A cidade e o profeta* (22.1-4). Temos aqui um contraste claro entre um povo despreocupado, ocupado com festanças e um profeta aflito que vê quão inadequado esse tipo de exultação é à luz do perigo presente. O povo experimenta aquilo que o profeta sabe que, na verdade, é apenas um alívio temporário do perigo e não uma libertação permanente. Por outro lado, parece que alguns deles sentiram a insegurança presente e estavam determinados a abafar suas apreensões com vinho e festa.

A época desse oráculo deve ter sido 701 a.C., quando Senaqueribe temporariamente aliviou o cerco contra Jerusalém (2 Rs 18.13-16). Senaqueribe derrotou os etíopes em Elteque, então retornou para completar o cerco a Ecrom. Em vez de voltar a Jerusalém, ele enviou um destacamento em direção ao leste, até os desfiladeiros das montanhas, para assolar Judá e ameaçar a capital. Senaqueribe avançou para o sul perseguindo os egípcios que estavam fugindo. Essa decisão por parte de Senaqueribe bem pode ter sido o motivo das celebrações em Jerusalém (cf. Int.). Isaías não acreditava que a trégua presente fosse motivo de regozijo, ao lembrar os altos impostos que Ezequias havia pago para obter essa momentânea trégua. Isaías também sabia que logo o assírio Rabsaqué (oficial principal) estaria às portas exigindo uma rendição incondicional.

Telhados (1) eram usados não só para observar o inimigo que se retirava, mas para celebrações e festas. Isaías está certo de que **os mortos** (2) não morreram devido à espada, mas por causa da má política. Os **príncipes** (3) fugirão em massa e serão capturados antes mesmo que os **arqueiros** possam puxar os seus arcos. É no meio de tamanho fiasco e covardia que o profeta recusa qualquer tipo de conforto. Ele chora **amargamente** por causa da **destruição da filha do meu povo** (4).

b) *Um dia de tumulto* (22.5-8a). Aqui o profeta antevê um **dia** especial (5) — o cerco vindouro da cidade. Seria debaixo de dois importantes contingentes do exército assírio: **Elão** e **Quir** (6). **Elão**, o império ao leste da Babilônia, havia feito uma aliança com a Assíria. **Quir** neste contexto não pode ser localizado com precisão. O assalto seria feito com **escudos** desembainhados, com os **carros** avançando velozmente e seus arcos prontos para atirar. **Os cavaleiros se porão em ordem** (7) diante das portas da cidade, e "Judá não tinha nenhum meio de se defender" (8a; NTLH).

c) *Uma falsa avaliação das condições de defesa* (22.8b-11). A **casa do bosque** (8b) era a maior construção de Salomão, erguida com colunas de cedro trazidas do Líbano e servindo como arsenal ou fábrica de armas. Ezequias tinha reconstruído os muros da cidade (2 Cr 32.5) e cavado seu famoso túnel[50] para aproveitar **as águas do viveiro inferior** (Siloé; 9). **As casas de Jerusalém** (10) construídas de pedras nativas foram derrubadas para **fortalecer os muros**, e um **reservatório** para **as águas** (11) foi cavado **entre os dois muros**. Não se deu crédito ao Senhor, que tinha estabelecido sua cidade sobre um suprimento de água tão abundante, formado **desde a antigüidade**. Isaías sabia que instrumentos de defesa têm pouco proveito se desconsiderarmos a divina Fonte da verdadeira segurança.

d) *O perigo nacional exige um arrependimento nacional* (22.12-14).
"Quando Deus requer um jejum, vocês preparam uma festa", diz o profeta. "Cabeças raspadas, vestes de pano de saco, olhos cheios de lágrimas, e gemidos lutuosos devem fazer parte de uma nação à beira do desastre" (12). Mas alguns que ouviram as advertências do profeta responderam de forma leviana: **Comamos e bebamos, porque amanhã morreremos** (13). Chega um ponto em que a presunção impenitente ultrapassa os limites do perdão divino: **Certamente, esta maldade não será expiada até que morrais** (14). "Para um estado de mente como esse, Isaías não poderá anunciar nenhuma promessa; é o pecado contra o Espírito Santo, e para esse tipo de pecado não há perdão".[51]

2. *Perversão da Mordomia* (22.15-25)

a) *Um primeiro-ministro presunçoso* (22.15-19). Esta é a única crítica pessoal de Isaías contra um indivíduo. **Sebna** (1) era provavelmente um estrangeiro a serviço do rei, como mordomo do palácio. Com a derrota dos egípcios diante de Senaqueribe, o partido pró-Egito (que tinha o poder do governo sob o comando de Ezequias em Jerusalém) perdeu prestígio, e a influência do conselheiro real **Sebna** se reduziu. **Sebna** era um administrador intruso. Em seu desejo por *status* ele mandou cavar uma **sepultura** para si mesmo (16) entre os reis e rainhas de Judá, embora não fosse um cidadão nem um patriarca respeitável. O **Senhor** (17), que o cobriu com vestes esplêndidas, estava prestes a enrolá-lo em um fardo de escravidão e atirá-lo em uma terra estrangeira para que ali morresse. Para lá também deveriam ir os **carros de** sua **glória** (18), que trouxeram vergonha e **opróbrio à casa do seu senhor**. Não satisfeito em montar uma mula ou cavalo como um oficial comum (Jz 5.10; 10.4; 12.14; 2 Sm 17.23), ele achava que deveria ter carros imponentes sempre que aparecia em público. O veredicto do Senhor é: **Demitir-te-ei do teu ofício e te arrancarei do teu assento** (19).

b) *A ascensão e queda de Eliaquim* (22.20-25). A política tinha alcançado um nível tão baixo que uma mudança de ministério era a única ação sábia para a cidade. **Eliaquim** significa "Deus vai estabelecer", e Deus refere-se a ele como **meu servo** (20). A ele foram transferidos a **túnica** e o cinto de Sebna, e ele se tornaria um **pai** (benfeitor) **para os moradores de Jerusalém** (21). **A chave da casa de Davi** tornou-se seu símbolo de autoridade (22). Ele seria como um **prego em um lugar firme** (23) e teria uma posição de honra no meio da sua família. Mas embora trouxesse honra e respeito **para a casa de seu pai**, o preenchimento de posições importantes com **vasos menores** (24; parentes sem importância e incompetentes) o arruinaram. Qual o peso que um prego suporta? "O destino de um prego sobrecarregado é tão doloroso quanto de uma pedra rolante".[52] Que os homens que estão no poder público (ou da igreja) tomem cuidado com o nepotismo.

No caso da cidade presunçosa temos: 1) a tragédia dos inconscientes, versículos 1-14; no caso de Sebna, 2) a tragédia dos sem-vergonha, versículos 15-19; e no caso dos parentes de Eliaquim, 3) a tragédia dos que não merecem, versículos 24-25.

Quando consideramos a cidade tumultuosa e sensual, a precisão do título de Moffatt para esse oráculo como "a visão do vale Hinom" (Geena) parece evidente. *Geena* simboliza o destino de todo *epicurismo* (prazer, sensualidade) vil e presunçoso, quer nos tempos antigos, quer nos atuais.

K. Contra Tiro, 23.1-18

Este capítulo tem duas seções. Os versículos 1-14 falam da queda de Tiro, enquanto os versículos 15-18 falam da restauração da cidade. Basicamente, há quatro estrofes que tratam da calamidade de Tiro (1-5), da humilhação de Tiro (6-9), do reino de Tiro em desintegração (10-14) e da renovação e santificação de Tiro (15-18).

A melhor data para este oráculo é a época de Sargão (710 a.C.) ou Senaqueribe (702 a.C.),[53] embora seu cumprimento integral tenha ocorrido nos dias de Nabucodonosor, Alexandre, o Grande (332. a.C.), ou mesmo na conquista posterior de Tiro pelos muçulmanos no terceiro século d.C.[54]

1. *A Queda do Centro Comercial das Nações* (23.1-5)

Nos dias de Isaías, "Tiro [...] foi a pioneira no comércio, que deu origem às colônias, a mestra do mar".[55] Estrategicamente localizada, ela distava a cerca de 30 quilômetros ao sul de Sidom (veja mapa 2) e 35 quilômetros ao norte de Acre pela costa (na planície de Aser). Nos dias de Isaías, ela consistia de duas partes, uma costa rochosa de grande força em terra firme, e uma pequena cidade, bem fortificada sobre uma pequena ilha rochosa a menos de um quilômetro da costa. O rei Hirão tinha construído um quebra-mar para ela de cerca de 800 metros de comprimento e 8 metros de largura, tornando-a um dos melhores portos no Mediterrâneo. De acordo com Josefo, a cidade fora fundada cerca de 240 anos antes do reinado de Salomão, rei de Israel.[56]

Os famosos **navios de Társis** (1) eram embarcações fenícias velejando pelo Mediterrâneo e que viajavam até a colônia de Tártaso (Espanha). O profeta os adverte para gritar de dor por causa das notícias que haviam recebido, quando atracaram em **Quitim** (Chipre) na sua viagem para o leste. A **casa** (porto) **está assolada**.

Devido ao significado duplo do hebraico, **moradores da ilha** (2) pode se referir àqueles que moravam na pequena ilha de Tiro ou os "habitantes das regiões litorâneas" (NVI). **Os mercadores de Sidom** eram comerciantes da cidade-mãe, cujo comércio supria não somente Tiro mas outras cidades filiais. Eles velejavam sobre **muitas**

águas (3 "oceanos imensos", NTLH). O **Nilo** também era conhecido como "o rio escuro". O embarque da sua **semente** e **ceifa** produzia uma bela receita para estes mercadores das nações.[57]

Mas agora **Sidom** (4) é exortada a lamentar-se envergonhada, como uma mulher estéril, visto que ela foi privada das suas colônias e de Tiro — a "fortaleza do mar". Certamente, quando essas notícias forem ouvidas no **Egito**, a angústia vai prevalecer "com as novidades de Tiro" (5, NVI); não porque os egípcios tivessem uma grande afeição pelos estrangeiros, mas porque a queda de Tiro prognosticaria o mal para eles. Qualquer potência, grande o suficiente para capturar Tiro, deveria estar se preparando para tentar conquistar o vale do Nilo. Um motivo secundário seria a falta de transporte e comercialização dos bens egípcios.

2. *O Fracasso da Glória Humana* (23.6-9)

Isaías exorta os habitantes da região costeira fenícia a fugir para Társis, a última colônia do seu comércio, a fim de buscar segurança (6). Quando Alexandre, o Grande, cercou a cidade de Tiro em 332 a.C., seus homens velhos, mulheres e crianças foram enviados à sua colônia em Cartago. O profeta então faz a pergunta em forma de repreensão: **É esta a vossa cidade, que andava pulando de alegria? Cuja antiguidade vem de dias remotos?** (7). E embora não fosse tão antiga quanto Sidom, mesmo assim era muito antiga. Heródoto diz em 450 a.C. que seu templo de Melkart (Hércules) havia sido construído 2.300 anos antes.[58] Agora **levá-la-ão os seus próprios pés para longe andarem a peregrinar**. Ao referir-se às viagens longas dos mercadores e colonos de Tiro, a versão *Berkeley* traduz essa frase da seguinte maneira: "cujos pés a levaram a estabelecer-se em terras distantes".

Quem formou este desígnio contra Tiro (8), a cidade que distribuiu coroas aos governantes das suas colônias, e cujos **negociantes**[59] **eram os mais nobres da terra?** É o decreto de Deus, porque o SENHOR dos Exércitos formou este desígnio (9). Seu propósito é denegrir os templos dos quais os pagãos tanto se orgulham e humilhar todos os que a terra tão futilmente honra.

3. *O Desmoronar de um Império* (23.10-14)

Os colonos de **Társis** são agora chamados a exercer sua completa independência de Tiro, visto que "não há mais restrição" (10, ASV). Chipre se revoltou nessa época, e as colônias fenícias tomaram parte no ataque à cidade-mãe sob o comando de Senaqueribe, de acordo com Josefo.[60] Deus **estendeu a mão sobre o mar** (11) e fez tremer **os reinos**, mesmo o grande poder marítimo e todas as suas cidades costeiras e seu comércio. E o Eterno disse: **Nunca mais pularás de alegria, ó oprimida**[61] [...] **filha de Sidom** (12). Embora você fuja para **Quitim** (Chipre), o refúgio costumeiro dos reis fenícios, você não estará segura lá. Nos dias de Esar-Hadom, quando o rei de Sidom fugiu para Chipre, o monarca assírio perseguiu-o até lá e decepou a sua cabeça.

Em seguida, Isaías cita o exemplo da **terra dos caldeus** que **a Assíria** destruiu (13). Sargão conquistou a Babilônia em 710 a.C., tornando-se seu rei, mas em 705 a.C. ela se rebelou e reconquistou sua independência. Em 704 a.C., Senaqueribe reconquistou-a, e novamente em 700 a.C., quando seu filho mais velho se tornou vice-rei. Isaías parece estar dizendo que, se os assírios agirem como sempre fazem, Tiro, assim como a

Babilônia, ficará em ruínas e será um deserto desabitado. As **fortalezas** ("torres de vigia", NVI) eram erigidas pelos assírios contra a Babilônia; **Seus passos** ("cidadelas") foram destruídos (derrubados e demolidos) pelos assírios quando reduziram a cidade a ruínas.[62]

Essa estrofe chega ao ponto culminante com uma repreensão: "Chorem em voz alta com dor", **navios de Társis, porque é destruída a vossa força** (14); i.e., sua fortaleza foi naufragada, seu porto foi destruído.

4. Um Futuro de Mordomia Sagrada (23.15-18)

Setenta anos (15) é um número simbólico como ocorre com o número quarenta. Ele indica aqui um período indefinido de desastre. **Conforme os dias de um rei** poderia significar sem qualquer mudança de orientação política ou esperança de mudança. No final do tempo em que tinha sido esquecida por Deus, Tiro cantaria **a canção de uma prostituta**. "Tiro será como a prostituta na canção" (Berkeley). Isaías estava usando esse símbolo para a cidade comercial e seu comércio internacional. Ele, portanto, vê a cidade, após a visitação divina, mais uma vez saudando estrangeiros de todas as nações como seus amantes para seu benefício comercial. Mas agora como um centro restabelecido de comércio, seu negócio é transformado em uma mordomia santificada. **Toma a harpa [...] ó prostituta** (16) pode referir-se ao fato de que prostitutas antigas eram geralmente musicistas amadoras, e a harpa era um instrumento comum.

A promessa agora é: **O Senhor visitará a Tiro, e ela tornará à sua ganância** (17). Pela misericórdia de Deus, Tiro se tornará outra vez o centro de comércio e negociará mais uma vez com todos os reinos do mundo.[63] **E será consagrado ao Senhor o seu comércio** (18); i.e., o lucro do seu comércio será dedicado ao Senhor. "Não existe nada intrinsecamente errado ou degradante no comércio. Se for desempenhado da forma correta, e exercido com a visão de devotar os lucros para meios bons e piedosos, a vida comercial pode ser tão religiosa e aceitável a Deus como qualquer outra forma de obtenção de lucro. O mundo conheceu muitos comerciantes que foram cristãos, no mais elevado sentido da palavra. [...] Aplicado ao uso religioso [...] esse tipo de obtenção de lucro santifica o comércio e o torna uma coisa boa e abençoada".[64]

Seção **IV**

JULGAMENTO MUNDIAL E REDENÇÃO DE ISRAEL
("O PEQUENO APOCALIPSE")

Isaías 24.1—27.13

Estudiosos bíblicos discutem se esses capítulos contêm profecias ou se eles apresentam um teor "apocalíptico". Às vezes é difícil distinguir entre os dois. A profecia geralmente prediz um futuro definido. Informações apocalípticas dirigem a mente de forma mais abstrata e simbólica em direção ao futuro, em contraste com o presente. Como o material apocalíptico é geralmente repleto de visões, figuras simbólicas e nomes, ele pode ser compreendido mais corretamente como uma expressão da fé do autor e sua filosofia da história. O estudante dos textos apocalípticos deve aprender a não interpretar literalmente todo o simbolismo que encontra. Tentar aplicar cada item a uma época histórica específica significa envolver-se em uma alegoria extravagante.

Nesses capítulos, Isaías está nos dando uma declaração da sua fé e filosofia (ou teologia) da história. Ele nos relata em figuras generalizadas o que Deus está fazendo e ainda fará acerca do ambiente humano, que tem se corrompido pelo pecado. Essa seção apresenta uma unidade mais indefinida e toma a forma de um grande oratório escatológico. Alguns dos temas apocalípticos com os quais Isaías lida são: os julgamentos de Deus por causa do pecado e dos pecadores; tribulações como guerra, fome, pestilência; convulsões geológicas; desordens astronômicas; guerra moral no reino espiritual; o triunfo final do programa divino; o banquete escatológico em honra à vitória divina; a eliminação da morte; a ressurreição dos justos; a dor aguda de uma nova era. Esta seção devota um grande espaço a cânticos de louvor a Deus pelo livramento dos redimidos; refúgio da ira divina por um breve período de espera, enquanto a grande tribulação se espalha sobre a terra; a peneira divina e a separação dos diferentes tipos de caráter; o soar da última trombeta; e a convocação dos redimidos para adorar o Eterno.

Ao longo da história, tempos de grandes crises internacionais têm favorecido o renascimento de visões apocalípticas. Foi assim nos dias de Isaías. Certamente também encontramos aqui a profecia que prediz o futuro, mas, em geral, é um comentário espiritual a respeito da grande crise assíria que afligiu a terra durante o ministério de Isaías. Estes capítulos não só vêm imediatamente após os capítulos 13—23, mas estão intimamente associados com o mesmo tema geral.[1]

A. As Desolações na Terra, 24.1-23

Este capítulo descreve os julgamentos de Deus sobre o ambiente do homem, enquanto Ele prossegue em eliminar do cosmos a contaminação pelo pecado.[2]

1. A Proclamação da Desolação (24.1-3)

a) *A confusa terra* (24.1). **Eis** ("Vejam!", NVI)[3] **que o Senhor esvazia a terra e transtorna a sua superfície**. Sua ação de revirar e limpar o universo material é semelhante a lavar um prato sujo. "O homem não pode escapar dos julgamentos que devastam sua habitação material", porque "o pecado do homem torna necessária a destruição das suas circunstâncias materiais, e o julgamento divino inclui um universo quebrado e saqueado".[4] Quando trinta milhões de homens morrem em uma guerra mundial e seis milhões de judeus são cremados, e quando o homem segura em suas mãos o poder dos meios científicos de uma guerra atômica mundial, com a possibilidade certa do despovoamento da terra, a profecia de Isaías é mais do que uma especulação inútil. Precisamos estar certos de que uma civilização pecadora está arruinada.

b) *Sem distinção* (24.2). **E o que suceder ao povo sucederá ao sacerdote; ao servo, como ao seu senhor** etc. Este julgamento envolve todas as classes da sociedade em uma destruição comum. "E é uma destruição universal, não meramente por todo o território de Israel, mas em toda a terra".[5] Isaías concorda com o provérbio de Oséias (4.9) e nos assegura que as calamidades naturais não escolhem pessoas. Enchentes, fome, praga, terremoto instantaneamente anulam todas as nossas distinções humanas e artificiais, porque não conhecem classes favorecidas.

c) *Uma terra despovoada* (24.3). **De todo se esvaziará a terra e de todo será saqueada**.[6] O que o profeta observa aqui é um julgamento mundial iminente que despovoará a terra. O propósito do julgamento é o mundo global,[7] e, portanto, um julgamento cósmico. A autoridade de Isaías para essa profecia é: **o Senhor pronunciou esta palavra**. "Esta é a sentença do Eterno" (Moffatt).

2. Sintomas do Caos (24.4-12)

a) *O estado do meio em que vive o homem* (24.4-6). a) **A terra** está seca e **se murcha**. O mundo definha **e enfraquecem os mais altos do povo da terra** (4). b) **A terra** está **contaminada por causa dos seus moradores** (5); lit. "tornou-se impura". A profanação da terra pela conduta do seu povo através do derramamento de sangue, da prática da idolatria, do adultério, etc., é uma idéia comum no Antigo Testamento.[8] Os pecados que profanam a humanidade fazem o mesmo com seu ambiente. Em hebraico a expressão **as leis** (5) está no singular. Assim, isto indica algo ainda mais básico do que o código mosaico. O homem transgrediu a *Torá* da sua própria humanidade e consciência básicas. Ele transgrediu os **estatutos** divinos. Ele quebrou **a aliança eterna**. Delitzsch comenta: "Foi com toda a raça humana que Deus fez uma aliança na pessoa de Noé, na época em que nenhuma nação existia".[9] Especifica-se aqui o fato de que a humanidade violou a racionalidade da sua própria condição humana ao recusar viver como criatura sob o governo divino.[10] c) Com uma inferência gráfica proporcionada pela conjunção **por isso**, Isaías muda o holofote da sua profecia do pecado para o seu castigo. **Por isso, a maldição consome a terra, e os que habitam nela serão desolados** (6), i.e., eles carregam seu castigo e são tratados como culpados. **Serão queimados os moradores da terra** pelo fogo consumidor da ira divina. Lit., "são ressecados", enquanto a furiosa indignação de Deus os devora. **E poucos homens** restarão.[11] A guerra nuclear moderna mostra um grande potencial para o cumprimento dessa profecia, comparado com o costume antigo dos assírios de empilhar materiais candentes contra os muros de uma cidade fortificada para decompor suas rochas. Uma terra queimada e despovoada não está distante hoje em dia.

b) *O fim da alegria* (24.7-9). No versículo 7, Moffatt corretamente sugere que o "suco da videira" (seiva da videira) murcha, deixando uma situação em que "as videiras estão secas" e enfraquecidas. Neste caso, não há safra de vinho; conseqüentemente, **suspirarão** de tristeza **todos os alegres de coração**.

> *Acabou o barulho dos tamborins,*
> *Não se ouve a música alegre do alaúde,*
> *Nenhum som de festa;*
> *Já não se canta enquanto o vinho é tomado,*
> *Porque a bebida forte (licor) tem um gosto amargo* (8-9, Moffatt).

O vinho feito de uvas ainda não maduras e sem suco certamente é amargo.[12]

c) *A cidade vazia em ruínas* (24.10-12). Qualquer cidade é um caos quando suas construções são destruídas, suas casas obstruídas, suas ruas ecoam um clamor por comida e bebida, sua alegria já não existe mais e suas belas portas estão em completa ruína. **A cidade vazia** (10)[13] é uma frase que contrasta com a "cidade forte" da salvação em 26.1. A "cidade do caos" do homem (RSV) sempre é contrastada com a cidade de Deus. A Septuaginta diz no grego: "desolação em cada cidade". Esse era o caso dos dias de Isaías quando cidade após cidade na Palestina caíram diante do ataque e saques do exército assírio. **Todas as casas fecharam, ninguém já pode entrar**. "Os sobreviventes trancaram suas portas, desconfiados da intrusão de visitantes indesejados" (Skinner). Onde a ilegalidade cívica e o saque prevalecem existe razão suficiente para que haja uma barricada diante de cada porta, em que todos os habitantes sobreviventes estão apavorados.[14] **Há lastimoso clamor nas ruas por causa do vinho** (11). Podemos ver uma tradução melhor por Delitzsch: "Existe uma lamentação por causa da falta de vinho nos campos".¹⁵ **Toda a alegria se escureceu**. "O sol da alegria se pôs" (Delitzsch). Todo regozijo cessou, porque "mesmo a alegria artificial, que o vinho é capaz de produzir, foi negada agora aos habitantes da terra [...] de quem toda alegria se foi".¹⁶

Na cidade, só ficou a desolação (12), porque ela está em ruínas. Mesmo **a porta**, que geralmente é o orgulho de qualquer cidade do Oriente, está em pedaços — uma completa ruína.

3. Somente um Remanescente Permanece (24.13-16a)

a) *Como os restos das uvas* (24.13). **Porque será** é melhor traduzido como "porque assim será". Aqui, mais uma vez, vemos o pensamento característico do profeta acerca do "remanescente",¹⁷ porque ele sabe que poucos vão sobreviver ao julgamento que está prestes a atingir o mundo todo.

b) *Estes cantam de alegria* (24.14). Da ruína e escombros da terra vem um cântico do remanescente justo. Isaías exclama com visão profética: "Lá, os homens **alçarão** a sua voz; eles **cantarão com alegria** pela majestade do Eterno; eles clamarão mais alto que **o mar**".

c) *Louvor ao Deus de Israel* (24.15). **Por isso, glorificai ao Senhor nos vales**. Delitzsch traduz esta frase da seguinte maneira: Portanto, louvem a Javé nos países do sol, e nas ilhas do mar, o nome de Javé, o Deus de Israel". A palavra **vales** (*'urim*) se refere mais especificamente aos "países da luz, ou do nascer do sol", ou seja, o Leste. O **nome do Senhor, Deus de Israel**¹⁸ lembra o fato de que seu nome indica sua natureza (cf. 30.27), revelada tanto no julgamento como na misericórdia. **Nas ilhas do mar** deve referir-se à área do Mediterrâneo para o ocidente, visto que o profeta observava e falava de Jerusalém. Desta forma, o Ocidente chama o Oriente para cantar louvores ao Eterno.

d) *Glória ao Justo* (24.16a). **Dos confins da terra ouvimos cantar**. Delitzsch diz: "Louvor ao Justo!" Ele acredita que "a referência é à igreja dos justos, cuja fé sobreviveu ao fogo do julgamento da ira". Rawlinson comenta: "Os justos remanescentes percebem que as calamidades que sobrevieram à terra estão anunciando um tempo de honra e glória para si mesmos; e eles se consolam mutuamente ao tornar esse fato o peso de alguns dos seus hinos. Precisa ser lembrado que a honra deles está ligada à glória de Deus, que não brilhará por inteiro até que a sua salvação esteja completa e eles reinem com ele em glória (2 Tm 2.12)."¹⁹

Moffatt traduz:
Desde os confins da terra o coro soa:
Agora a glória irrompe sobre os justos.

4. Traição e Terror Enchem a Terra (24.16b-20)

a) *Um profeta emagrecido examina as ruínas* (24.16b). **Mas eu digo: emagreço, emagreço**. O hebraico diz: "magreza para mim". Muitas das traduções modernas trazem: "Sou consumido".

b) *Saques bárbaros* (24.16c). Os pensamentos de Isaías se voltam para os invasores assírios dos seus dias com suas atrocidades. **Os pérfidos tratam perfidamente** ("Os ladrões continuam a roubar", Smith-Goodspeed; "Os traidores agem traiçoeiramente", NVI).

c) *Cova e laço* (24.17). **O temor** [...] **a cova** [...] **o laço** é traduzido também como: "Pânico, armadilha e conspiração[20] vêm sobre ti, habitantes da terra" (Berkeley). "O homem será como um animal que está sendo caçado, fugindo da perseguição, e em perigo a cada passo de cair na cova ou ser apanhado no laço".[21] "As palavras descrevem a rápida sucessão de calamidades inevitáveis".[22]

d) *Sem escape* (24.18a). **Aquele que fugir** [...] **cairá** [...] **e o que subir** [...] **o laço prenderá**. A tradução de Moffatt é gráfica: "Quem fugir em pânico cairá na cova; se ele procurar se arrastar para fora da cova será apanhado no laço". Os caçadores na floresta executam seu jogo com gritos para que o animal fuja e caia na cova camuflada. Se o animal aprisionado procura pular para fora da cova, é fácil laçá-lo pelo pescoço.

e) *Cataclismos quebrantam a terra* (24.18b-20). **As janelas do alto se abriram** (18) lembra não somente os dias de Noé e o grande dilúvio, mas a antiga cosmologia que acreditava que os firmamentos dos céus seguravam as águas celestiais, exceto quando as janelas eram abertas para que as águas pudessem ser derramadas sobre a terra. **E os fundamentos da terra tremem**, como no caso do terremoto que ocorreu durante o reinado de Uzias, o qual tanto Amós (1.1) como Isaías (2.19) registram. **De todo será quebrantada a terra**.[23] Aqui Plumptre vê os três estágios de um terremoto: "o primeiro, a rachadura do solo; [em seguida] as grandes fendas; [e] o grande abalo final. O ritmo de toda a passagem é quase um eco dos estrondos".[24]

Vacilará a terra como o ébrio (20) cambaleante, e **como a choça**, ou mais corretamente: "como a rede de dormir".[25] **Sua transgressão se agravará sobre ela**. Isaías liga a causa de tais distúrbios terrestres aos pecados do homem e sua rebelião contra Deus. Por isso, o mundo cambaleia sob o peso da sua iniqüidade. **Cairá e nunca mais se levantará**. Alguns bêbados que caem são capazes de se levantar outra vez. Não será assim com a terra, que cambaleará para uma queda final sob o peso da iniqüidade humana.

5. *O Julgamento Alcança as Hostes Celestiais* (24.21-22)

a) *Anjos e governantes* (24.21). **Naquele dia, o Senhor visitará os exércitos do alto** [...] **e os reis** [...] **sobre a terra**. Aqui o julgamento divino cai sobre as "hostes espirituais da maldade, nos lugares celestiais" (cf. Mt 24.29; Ef 6.12) que são vistas como os "protetores" dos reis da terra e suas forças de inspiração e suporte sobrenatural.

Plumptre acha que Isaías está "identificando esses poderes espirituais do mal com os deuses que as nações adoravam, e esses por sua vez com as estrelas do firmamento. Isaías [assim] prevê um tempo quando a longa rebelião deles chegará ao fim, e toda autoridade e força serão colocadas debaixo do poder de Javé (1 Co 15.25)".[26] O mesmo pensamento é encontrado em um dizer rabínico: "Deus nunca destrói uma nação sem primeiro ter destruído seus príncipes".[27]

b) *Aprisionado e castigado* (24.22). **Amontoados** ("arrebanhados", NVI) **como presos em uma masmorra** sugere que serão encarcerados no abismo de *Tártaro* (2 Pe 2.4, "abismos tenebrosos", NVI; cf. Judas 6; Ap 20.2-3). **E serão visitados depois de muitos dias**. As visitações divinas no sentido bíblico podem significar uma concessão de graça ou de castigo. Por isso, a NVI traduz "castigados",[28] que está na mesma linha da analogia das representações escatológicas desta passagem. Soltos do seu confinamento no "corredor da morte", eles agora recebem o seu castigo.

6. O Eterno Reina no Monte Sião (24.23)

Quando o reino eterno de Deus tiver seu início, sua glória vai escurecer tanto o sol como a lua. **E a lua se envergonhará, e o sol se confundirá**. Uma tradução diz: "A lua ficará humilhada, e o sol empalidecerá" em comparação com o esplendor radiante do SENHOR **dos Exércitos** que reinará **no monte Sião e em Jerusalém; e, então, perante os seus anciãos haverá glória**. Quando a terra tiver sido destruída, entendemos que Isaías, semelhantemente a João, se põe à procura da nova Jerusalém. Hoffman acredita que **seus anciãos**, "como os vinte quatro *presbuteroi* do Apocalipse, são os espíritos sagrados, formando o conselho de Deus, a quem Ele torna conhecido de acordo com a sua vontade em relação ao mundo, antes que seja realizado pelos seus espíritos serventes — os anjos".[29] No entanto, Delitzsch acredita que aqui não se refira "a anjos mas a anciãos humanos que vivem segundo o coração de Deus". Na presença divina, tanto os anjos como os anciãos observam e refletem a *Shekinah* do Eterno.

B. OS CÂNTICOS DOS REDIMIDOS, 25.1-12

Aqui, como no Apocalipse de João, os cânticos dos redimidos são um aspecto importante. O primeiro cântico expressa a alegria pela destruição da cidade imperial e está cheio de ações de graças a Deus. O segundo preocupa-se com o banquete da vitória do Senhor, e o terceiro é um hino de adoração ao "nosso próprio Deus", ressaltando sua presença salvadora.

1. O Cântico da Fortaleza Sobrenatural (25.1-5)

a) *A fidelidade divina* (25.1). Isaías se identifica com a comunidade redimida e divulga esse hino em nome dela, expressando sua gratidão pelas misericórdias do Senhor para com ela. Deus é aquele que faz a aliança e a mantém. Ele realiza seus propósitos gloriosos, prova que é verdadeiro, e mostra que pode fazer acontecer o que parece incrível. A RSV traduz a última frase assim: "planos antigos, fiéis e seguros".

b) *Demolindo fortalezas terrenas* (25.2). Sob o poder de Deus, elevações se tornam montões, trincheiras se tornam ruínas, e palácios de estrangeiros se tornam montões de cinzas. A cidade opressora finalmente foi destruída.

c) *Os inimigos de Deus devem honrá-lo e temê-lo* (25.3). Mesmo os poderosos e **formidáveis** ("cruéis", NVI) devem reconhecer um poder maior. Os opressores agora reconhecem o poder de Deus.

d) *Deus é o refúgio dos pobres* (25.4). Ele foi um Abrigo para o **necessitado** quando a tempestade ameaçava varrê-los para longe. O **sopro dos opressores** encontrou um **muro** que não cairá. O Vencedor é tanto um Abrigo contra **a tempestade** como uma Sombra contra o **calor** do sol.

e) *O cântico dos cruéis é silenciado* (25.5). Como a nuvem **abranda o calor**, assim Deus aquieta o barulho dos inimigos estrangeiros. Ele é uma Sombra protetora contra a violência ardente dos **tiranos**.

2. *O Banquete da Vitória do Eterno* (25.6-8)

A expressão **neste monte** aparece duas vezes nesse parágrafo e mais uma vez no parágrafo seguinte. Ela se refere, sob o símbolo do monte Sião, à fortaleza espiritual dos redimidos. Um rico banquete escatológico de prazer material e espiritual é mais um símbolo-chave da literatura apocalíptica (Sl 36.8; 63.5; Mt 8.11; 26.29). "O Futuro de Deus para o Fiel" trará quatro libertações significativas:

a) *Libertação da fome e sede* (25.6). "Vinho envelhecido" (e, portanto, considerado melhor) e **tutanos gordos** (carne rica) representam o luxo de um banquete oriental.

b) *Libertação da ignorância* (25.7). **O véu** que agora cega os olhos dos homens para o verdadeiro discernimento e para uma compreensão intuitiva da verdade será removido (1 Co 13.12; 2 Co 3.15).

c) *Libertação da morte e tristeza* (25.8). **A morte** agora foi engolida pela **vitória** (1 Co 15.54-55). As **lágrimas** têm sido enxugadas pelo lenço divino, e os insultos dos perversos proferidos contra os justos nos seus dias de sofrimento são agora para sempre silenciados (Sl 79.10). Deus se importa e não nos deixou órfãos (Jo 14.18).

d) *Libertação das maldições* (25.8). **O opróbrio** (vergonha ou maldição) **do seu povo** foi tirado. Todo sofrimento, cuja causa básica é o pecado, o Eterno retirou. A causa se foi e a conseqüência já não existe. Esperança abençoada! A maldição está agora anulada, e a vergonha do homem desde o Éden é removida, **porque o Senhor o disse**.

3. *O Cântico da Vindicação da Fé* (25.9-12)

a) *A confirmação e a recompensa da fé* (25.9). O povo redimido agora declara sua fé e gratidão. **Eis que este é o nosso Deus [...] a quem aguardávamos; na sua salvação, exultaremos e nos alegraremos**. A salvação antecipada é agora realizada. O vivo e eterno Deus não é ilusão. Ele é o "nosso próprio Deus", diz em Hebreus.

b) *A humilhação do orgulho* (25.10-12). **A mão do Senhor** (10) traz julgamento bem como misericórdia. O altivo e arrogante perecerá no poço da iniqüidade. **Moabe** tipifica esse tipo de gente: nascido de incesto (Gn 9.30-38), pratica sedução (Nm 25.1) e perece na corrupção. O versículo 11 fica mais claro na versão Berkeley: "Embora Moabe estenda as mãos por entre eles, como as estende o nadador para nadar, Ele abaterá o seu orgulho, apesar da habilidade das suas mãos".

Isaías usa a própria fenda do vale do Jordão como símbolo do "grande abismo" (Lc 16.26) entre aqueles que confiam no Senhor e aqueles que são arrogantemente auto-suficientes, como se não necessitassem de Deus. Porque embora a terra de Moabe seja tão alta e exaltada, ela fica do lado de lá daquele mar assolado em que nada vive. E Deus **abaterá a sua altivez** junto com o espólio das suas mãos (11). **As altas fortalezas** (12) do mal finalmente serão esmigalhadas.

C. O Cântico da nossa Cidade de Refúgio, 26.1—27.1

Aqui Isaías descreve o sentimento do povo de Deus enquanto se gloriam na força da "cidade de Deus", não uma força de defesas materiais, mas na **salvação** com a paz e bem-aventurança resultantes. Aqui, também, o profeta declara com fé que a vida é mais poderosa do que a morte. A morte não é a palavra final para os heróis da fé — esta palavra é ressurreição.

1. *O Cântico das Duas Cidades*[30] (26.1-6)

a) *A cidade da nossa defesa* (26.1-4). **Uma forte cidade temos**. Seus **antemuros** ("trincheiras", NVI) são a nossa **salvação** (1); suas **portas** estão abertas para o justo (2). Lá a alma cuja mente está firme encontra a verdadeira **paz** (3), e **o Senhor Deus é a Rocha Eterna** (4).[31] Um compromisso integral com Deus assegura estabilidade e paz.

A cidade é poderosa por causa do seu invencível poder de ataque e defesa. Seus muros e fortificações não são pedras mortas, mas uma salvação dinâmica e inesgotável. Suas portas estão abertas para a nação justa (*goi tzaddik*), que mantém a promessa de fidelidade. Deus guarda com constante paz aquele que é firme em sua disposição. Porque quando a natureza mais íntima está livre de toda ambigüidade, então uma **paz** perfeita (*shalom*), profunda e constante habita na vida dessa pessoa.

Em 26.1-4, temos uma descrição da "Cidade Fortificada". 1) Ela é fortificada por **muros e antemuros** de **salvação**, versículo 1; 2) Suas **portas** estão abertas para o justo, versículo 2; 3) Seus habitantes experimentam a **paz** perfeita, versículos 3-4, confiando no Senhor em um mundo agitado (G. B. Williamson).

b) *A cidade derribada até ao pó* (26.5-6). Deus humilhará a **cidade exaltada** (5). Os **aflitos** e os **pobres** podem agora caminhar ali (6). A cidade opressiva está tão arrasada que aqueles que ela outrora oprimia podem agora viajar desimpedidos pelos seus arredores. O povo de Deus um dia julgará o mundo.

2. *O Cântico do Desejo da Alma* (26.7-10)

a) *"O caminho do justo é todo plano"* (26.7). Ele está livre dos obstáculos que levam à ruína dos ímpios (Jr 31.9; Pv 3.6; 11.5).

b) *O desejo da alma: A presença de Deus* (26.8). Durante um tempo de provação a alma fiel não se acomoda em seu amor e piedade a Deus. **Teu nome** é o que revela o caráter e a vontade de Deus. Também é o seu memorial (Êx 3.15). "Pai, glorifica o teu nome" (Jo 12.28).

c) *Anelando pela justiça de Deus* (26.9). É por meio dos **juízos** divinos que os homens aprendem o que é justo. Também é verdade que os homens avançam mais em virtude e piedade em dias de aflição do que em tempos de grande prosperidade exterior. A disciplina da orientação divina não garante nossos confortos como criaturas, mas se obedecermos, ela assegura progresso espiritual. "Antes de ser castigado, eu andava desviado, mas agora obedeço à tua palavra" (Sl 119.67, NVI).

d) *Os perversos nunca aprendem* (26.10). Os perversos, mesmo em uma terra boa, nunca aprendem a ser bons ou a ver a majestade de Deus. Os juízos de Deus têm o objetivo de trazer os pecadores à razão, mas os homens nem sempre respondem positivamente. Um homem engana-se a si mesmo quando pensa que por ser próspero deve estar vivendo de forma correta. A prosperidade não é nenhum sinal de retidão. A prosperidade de alguém pode ser devida à piedade e diligência das pessoas entre as quais ele habita.

3. *Oração para o nosso Senhor Vivo* (26.11-15)

a) *Que os negligentes vejam* (26.11). Os descrentes são relutantes em reconhecer as providências divinas. Mas o zelo de Deus pelo seu povo queima como um **fogo** consumidor. O original hebraico é bem ilustrativo! "SENHOR, tua mão está erguida, mas eles não a vêem. Eles verão, para vergonha deles, o teu zelo pelo teu povo; sim, o fogo consumirá os Teus adversários".

b) *Mantenha nosso bem-estar* (26.12). O pedido é para que o SENHOR ordene **paz** para os seus, visto que aquilo que fizeram é, em última análise, o cumprimento divino.

c) *Outros senhores têm nos governado, mas somente o Senhor deve ser lembrado* (26.13). É uma coisa terrível quando o povo de Deus decai a ponto de dizer: "Não temos rei, senão o César" (Jo 19.15). Porque César, ou qualquer outro nome pelo qual for conhecido, nunca é o tipo de governante que inspire exaltação. Nenhum outro senhor pode ser comparado com o verdadeiro Deus, diante de quem qualquer cidadão pode advogar sua causa. Além disso, o governo de qualquer outro rei sobre o povo de Israel era inconsistente com a teocracia ideal e impedia a realização da vontade divina na vida nacional do seu povo.

d) *A morte de governantes mundiais* (26.14). Ao morrerem, os reis terrenos não são mais do que espíritos[32] mortos que não retornam mais, e o Eterno elimina toda lembrança deles.

e) *O crescimento da nação* (26.15). "Tu aumentaste nossa nação, alargando as fronteiras dela". A frase seguinte está mais próxima do hebraico: "**A nação** cresce em número e suas fronteiras se alargam". Deus é glorificado somente quando seu povo alcança novos convertidos e estende as fronteiras do Reino de Cristo.

4. O Cântico dos Sofredores Castigados (26.16-19)

a) *Sob a correção do Senhor sussurramos nossa petição (26.16).* Aqui a palavra **oração** se refere a uma "conversa secreta", ou um "sussurro", de acordo com a NVI. "Aflitos, eles te buscaram e sussurraram uma oração" (Berkeley).

b) *Nossa labuta não trouxe nenhum proveito concernente à libertação ou conquista (26.17-18).* O símbolo de dores de parto é comum nas Escrituras para tempos de grande sofrimento. Aqui temos um quadro do esforço humano sem nenhum resultado. "A questão de toda sua labuta penosa era semelhante ao resultado de uma gravidez falsa, ou seja, como dar à luz vento" (Delitzsch).

c) *Somente Deus pode ressuscitar os mortos para cânticos de alegria e vida (26.19).* Aqui, a tradução de Moffatt faz mais sentido:

> Ó Eterno, teus mortos viverão novamente,
> acordando do pó com cânticos de alegria;
> porque o teu orvalho desce com luz e vida,
> até que espíritos mortos ressuscitem.

O **pó** é um símbolo natural da morte — o cativeiro do qual não há mais retorno. **O orvalho das ervas** é a umidade por meio da qual Deus dá vida às plantas. Deus, que decretou a morte como castigo pelo pecado do homem, é o nosso único Recurso para a sua remoção. A garantia de vida eterna está baseada em uma fé simples em Deus, que é o único Autor e Doador dela. "A doutrina da ressurreição do Antigo Testamento não é nada mais do que a convicção da suficiência do próprio Deus, uma convicção que Cristo tomou sobre si quando afirmou: *Eu sou a Ressurreição e a Vida. Porque eu vivo, vós vivereis*".[33]

5. O Cântico do Lugar de Refúgio da Fé (26.20-21)

a) *O chamado para segurança (26.20).* **Vai, pois, povo meu [...] esconde-te só por um momento, até que passe a ira.** Assim, com uma preocupação meiga, o eterno Deus convoca seu pequeno rebanho. Como na noite em que o anjo vingador passou pelo Egito, assim agora o Senhor adverte que haverá um momento em que a sua ira estará sobre a terra. Ele cobrará dos seus habitantes a punição pelas suas obras de sangue que a terra revelará. Durante esse momento de ira e castigo do mundo, os fiéis devem permanecer em suas casas com as portas fechadas, em espera confiante.

b) *Quando Deus sai (26.21).* Aqui Deus é representado por um monarca que deixa sua capital e sai para vingar-se dos seus inimigos. **O seu sangue** descoberto clama por vingança (Gn 4.11; Ez 24.7-8). Mesmo **a terra** agora se recusa a conspirar com os culpados ao não absorver sangue inocente. Em vez disso, ela expõe os corpos mortos como evidência contra os assassinos. Quando a ira de Deus se manifesta, é imperativo manter-se fora do seu caminho.

6. O Cântico da Espada do Senhor (27.1)

a) *Uma espada afiada e implacável* (27.1a). O termo hebraico aqui pode estar se referindo a uma **espada** ou qualquer outro instrumento de corte. O termo da Septuaginta *machaira* indica uma espada curta do soldado grego fortemente armado, utilizada em combate próximo e mortal. As três características desse instrumento de castigo divino são: **dura**[34] ("severa", NVI), **grande** (longa) e **forte**. Moffatt traduz: "uma espada grande, rígida e impiedosa".

b) *Duas serpentes e um dragão* (27.1b). Os comentaristas têm oferecido muitas sugestões para a aplicação desses termos, que vão desde figuras mitológicas e astronômicas até figuras políticas e nacionais. A explanação mais simples das figuras apresentadas por Isaías seria a de uma serpente "veloz" (víbora do deserto), uma serpente "enrolada", e o **dragão** do Nilo ou crocodilo. Essas figuras podem aplicar-se à Assíria (nas águas velozes do rio Tigre), Babilônia (no rio Eufrates cheio de curvas) e Egito (cujos rios eram chamados de mar). Figuras apocalípticas têm o objetivo de serem um pouco obscuras. Talvez seja suficiente dizer que esse texto indica três tipos de poderes mundiais perversos: o invasor, o sitiador e aquele que deporta. Alegoricamente, Satanás e seu reino são representados aqui.

D. A Preocupação Redentora do Senhor pelo seu Povo, 27.2-13

O grande discurso escatológico está se aproximando da conclusão. Um cântico acerca do cuidado de Deus pela sua vinha é seguido de uma interpretação dos sofrimentos de Israel, e a cena conclusiva é a última ceifa e a última trombeta que convoca os dispersos para a sua terra natal.

1. O Cântico do Senhor para sua Amável Vinha (27.2-6)

Contrastado com 5.1-7, onde deparamos com um hino fúnebre, aqui encontramos um cântico de regozijo.

a) *O Guardião eterno* (27.2-3). **Eu, o Senhor, a guardo [...] de noite e de dia**. Aqui está uma inversão clara da sentença de condenação transmitida à vinha em 5.1-7. Em vez de abandono, há um cuidado constante. Em vez de nuvens sendo ordenadas para não derramar chuva, a vinha é irrigada sempre que necessário. Para que nenhum saqueador a moleste, o Senhor a guarda de dia e de noite.

b) *O eterno Jardineiro* (27.4). Não há **indignação** no coração do divino Jardineiro em relação à sua vinha agora. Seu zelo e fogo consumidor são então direcionados para as **sarças e espinheiros**. Deus só odeia o pecado. Quando sua vinha é frutífera, sua própria preocupação é de limpá-la, para que possa dar mais fruto (Jo 15.2).

c) *O eterno Protetor do penitente* (27.5). **Faça paz comigo** e conheça a minha proteção. A entrega incondicional é a condição da sua paz. Deus prefere consumir o pecado em vez do pecador. Desta forma, seu constante convite para fazer paz é graciosamente estendido aos seus inimigos.

d) *A promessa de produtividade* (27.6). **Jacó lançará raízes, e florescerá e brotará [...] e encherão de fruto a face do mundo**. O Israel espiritual de Deus, como uma grande vinha, se espalhará por toda a terra, trazendo bênçãos para a humanidade.

2. *A Correção Expiatória* (27.7-11)

O profeta agora descreve o significado dos sofrimentos de Israel. Os sofrimentos do povo de Deus não têm a mesma intensidade nem o mesmo propósito que têm para os seus opressores. Quando o povo de Deus é atacado pelos ímpios, a vara do opressor é implacável e cheia de furor. O mesmo não ocorre com a vara de Deus. Há um ministério redentor em seu castigo.

a) *Quando a misericórdia tempera o juízo* (27.7-8). Os juízos de Deus sobre os inimigos do seu povo devem ser mais temidos do que o ataque desses inimigos ao povo de Deus. Sempre que o castigo de Deus recai sobre seu povo, ele ocorre na **medida** exata (8), nunca excedendo o poder deles de suportá-lo. O Senhor chega a moderar o **vento leste** (8) com seu escaldante calor do deserto. Em resumo, Deus estava irado com seu povo em certas ocasiões, mas nunca deixou de amá-lo. O castigo de Deus é uma forma de salvação.

b) *As condições para a expiação* (27.9). **Por isso, se expiará a iniqüidade de Jacó**, e isto se requer dele para que seja **tirado o seu pecado**: que ele esmigalhe **todas as pedras** dos seus altares idólatras, a ponto de se tornarem **pedras de cal**, e que ele cuide para que não haja mais **bosques** de ídolos nem **imagens**. Deus não pode curar uma pessoa do pecado se ela não está disposta a repudiar completamente seu pecado.

c) *A cidade-fortaleza desolada* (27.10-11). O homem que constrói suas defesas contra o procedimento divino conhecerá apenas a destruição destinada aos inimigos de Deus. Sua alma será como um **deserto** abandonado, onde **bezerros** de Satanás podem pastar, se deitar e devorar **os seus ramos** (10). Ou, onde **as mulheres** virão e juntarão seus **ramos** secos para servir de lenha (como continuam fazendo até hoje na Palestina). A alma que se recusar a se arrepender diante do castigo divino não tem **entendimento; por isso, aquele que o fez não se compadecerá dele e aquele que o formou não lhe mostrará nenhum favor** (11). Os castigos de Deus são planejados para nos curar da nossa idolatria e pecado; mas se resistirmos ao "cerco divino" como uma **cidade forte** e teimosa, o castigo redentor pode se tornar em juízo punitivo, em que restará somente a desolação. Neste caso, "não somos pessoas de discernimento" (como se lê no hebraico).

3. *O Retorno da Diáspora* (27.12-13)

Aqui Deus promete reunir os dispersos (*a Diáspora*, como eram chamados) de Israel de volta em sua terra natal.[35] Essa reunião divina do seu povo se concentra no monte Sião.

a) *O tempo oportuno do Senhor* (12a). **Padejará** é melhor traduzido como "debulhará" (NVI); por isso a Versão Berkeley diz: "O Senhor debulhará os grãos". Deus, portanto, separará cuidadosamente o trigo da palha. Em vez de catar algumas azeitonas dos ramos mais altos, haverá uma colheita abundante, e, mesmo assim, cada azeitona será inspecionada "uma por uma".

b) *Colheita individual* (27.12b). **E vós, ó filhos de Israel, sereis colhidos um a um**. Isaías vê aqui uma seleção com base no caráter individual feita pelo Ceifeiro divino. Ele não está falando aqui de imigração em massa para a Terra Santa, mas de uma seleção espiritual ("eleição", se desejar) com base em qualificações individuais. Esse é o caso da graça salvadora de Deus, e esse é o cuidado que o Senhor terá ao reunir seu povo.

c) *Um novo chamamento do exílio ao toque da trombeta* (27.13). ... **que se tocará uma grande trombeta** (cf. 18.3; Zc 9.14; Mt 24.13; 1 Co 15.52; 1 Ts 4.16), **e os que andavam perdidos pela terra da Assíria** (leste), **e os que foram desterrados para a terra do Egito** (oeste), virão e **adorarão ao Senhor no monte santo em Jerusalém**. Esta profecia da volta para o lar é uma perspectiva abençoada. Ela deve ser lembrada em cada geração. Entre as esperanças do coração humano nenhuma é mais preciosa que a perspectiva de voltar de um país distante para o amor e generosidade da presença do Pai. Embora na era presente estejamos cativos numa terra distante, estamos aguardando a gloriosa volta para casa dos santos.

Embora exilado de casa, mesmo assim cantarei:
"Toda glória a Deus, sou filho do Rei!".

Não se sabe se Isaías pretendia que o versículo 13 fosse entendido literalmente, porque uma trombeta tocada em Jerusalém dificilmente seria ouvida na Babilônia. Contudo, anos mais tarde, aqueles que estavam em terras babilônicas devem ter sido inspirados pela perspectiva do seu cumprimento, ocorrido quando os judeus receberam permissão para voltar ao seu próprio país sob o decreto de Ciro.

Há muitos elementos marcantes nessa profecia apocalíptica. Isaías nos impressiona com grande riqueza de imaginação e variedade de símbolos. As proclamações de juízo estão intercaladas com cânticos que revelam uma profunda e delicada vocação de sentimento e fé. Sustentado por uma fé viva, o olho do profeta vê além dos dias sombrios do flagelo assírio e do futuro cativeiro babilônico, enxergando a esplendorosa visão de esperança e o cumprimento abençoado do propósito eterno. Ele foi um verdadeiro profeta-pastor.

Seção V

SEIS AIS DE ADVERTÊNCIA

Isaías 28.1—33.24

Nosso estudo das profecias de Isaías agora nos leva ao que tem sido chamado de "O Livro dos Ais".[1] Assim como os capítulos 7—12 refletem a relação da nação com a Assíria no tempo de Acaz, os capítulos 28—33 refletem a relação da nação com a Assíria no tempo de Ezequias. A política de olhar em direção ao Egito é traçada passo a passo. Em suas denúncias, Isaías começa com Israel e sua capital Samaria, mas concentra-se em Judá e Jerusalém, e finalmente conclui com um ai contra a destruidora Assíria.

Ezequias foi um rei devoto, mas ele parece ter sido fraco o suficiente para ceder à influência dos seus nobres, dos sacerdotes corruptos e dos falsos profetas que infestavam sua corte. Assim, o encontramos permitindo, se não sancionando, a abominável aliança com o Egito que Isaías adverte ser contrária à vontade de Deus.

A. Ai aos Políticos, 28.1-19

Essa profecia deve ter sido anunciada antes da queda do Reino do Norte, que ocorreu em janeiro de 721 a.C. Samaria, florescendo em toda a sua pompa e paixões perversas, está madura para o juízo. Podemos datar esse discurso antes do cerco a Samaria, que durou cerca de três anos. Isso o colocaria no tempo em que Ezequias começou a reinar.

1. Quando a Embriaguez Prevalece (28.1-13)

Uma profecia de **ai** é própria para um povo dissoluto. Nenhuma nação chegou a construir uma sociedade duradoura por meio da embriaguez e da libertinagem. Uma nação escravizada pelo vinho não está em condições de governar-se a si mesma.

Seis Ais de Advertência

Isaías 28.1-13

a) *A coroa da vergonha* (28.1-4). Isaías ecoa aqui uma advertência à nobreza dissoluta de Samaria. A colina de Samaria, rodeada pelos seus muros, tinha a forma de uma **coroa** (1) e dava essa impressão a alguém que a observasse de longe. Também os participantes dos banquetes eram com freqüência coroados com uma coroa de grinalda com ramos verdes e flores, especialmente se eles fossem nobres. Isaías agora vê esse **glorioso ornamento** apenas como uma **flor que cai**. Com seus nobres **vencidos** pelo **vinho**, Isaías vê que a própria cidade logo seria vencida pelo invasor assírio. Há muitos vales férteis no caminho que vai de Jerusalém para a colina de Samaria.

O instrumento do juízo de Deus sobre Efraim será um **homem valente e poderoso** (2), uma **tormenta de destruição** e violência que o lançará ao chão com a mão. A **coroa** pisoteada (3), que chegou a ser o símbolo da glória de Efraim, vai se tornar o símbolo da sua vergonha. O primeiro a ser destruído, à medida que os assírios se dirigiam para o sul, seria esse Reino do Norte, que seria engolido como os primeiros figos maduros (**figo antes do verão**, 4).[2]

b) *A "coroa gloriosa"* (28.5-6). Isaías traça um forte contraste. A **grinalda formosa** ("belo diadema", NVI) para a minoria justa, leal a Deus, é **o Senhor dos Exércitos**. Ele é a sua Coroa enfeitada (5). O **espírito de juízo** (justiça) e valor é o próprio Deus (6), guiando aqueles que devem sentar-se no assento do juízo e tomar importantes decisões. Ele dará força àqueles que devem **recuar** da **peleja** até suas próprias portas. O Senhor é um Espírito inspirador, enquanto o vinho é inebriante e degradante (Ef 5.18).

c) *O destino do deboche* (28.7-13). Voltando sua atenção para o sul e focando-a sobre os líderes da sua nação, Isaías descreve uma cena revoltante de deboche e bebedeira. Os atores são:

1) *políticos contaminados* (7-8). Um grupo de sacerdotes cambaleantes e alguns profetas entorpecidos (7a), errando **na visão** e tropeçando em decisões (7b), completam o grupo. Rodeando suas **mesas** de conferências, eles estão tão dominados pelo vinho que **todas** as mesas **estão cheias** dos seus **vômitos** nojentos (8). Nos momentos importantes em que deveriam estar sob a influência do Espírito de Deus, estavam sob a influência do espírito do álcool.

2) *Escarnecedores da admoestação* (9-10). Os festeiros zombam do profeta, e ele responde ao seu escárnio. Isaías os intitula de grupo de escarnecedores (9) que reage às suas repreensões com a arrogante resposta: "Quem ele acha que está ensinando? Bebês recém-desmamados? Por que esse balbuciante **mandamento sobre mandamento**, [...] **regra sobre regra**, com **um pouco aqui, um pouco ali**?" (10). Com essa série de monossílabos[3] eles fazem pouco caso dos preceitos do profeta, taxando-o como um moralista intolerável. Eles, no entanto, se consideram crescidos e livres, e não precisam que ele lhes ensine conhecimento.

3) *Os juízos de Deus em uma língua estranha* (11-13). Para aqueles que rejeitaram seus monossílabos éticos, Isaías prediz um tempo em que eles estarão sob a disciplina de Deus através dos monossílabos assírios.[4] Ordens dadas em um discurso cruel e balbuciante interpretarão então para eles a vontade de Deus. Ao rejeitarem o verdadeiro Refúgio (12), eles ouvirão agora o juízo de Deus (13). Dessa forma, o conquistador pagão proferirá os preceitos do Senhor a um povo que não estava disposto

a ouvir as pregações do profeta. Caídos, quebrantados, enlaçados e presos — essa será a conseqüência do fiasco da embriaguez deles.

2. *Quando os Governantes Escarnecem* (28.14-22)
"Ninguém é bem-sucedido na hora de barganhar com a morte", insiste Isaías, "portanto, parem com seu escárnio e enfrentem a realidade!".

a) *A falsidade não prospera* (28.14-15). Os principais ministros de Ezequias são agora o alvo do seu discurso. Eles são **homens escarnecedores** que dominam **este povo** (14). Isaías está certo de que a **morte** (15) e o **inferno** (*sheol*, lugar dos mortos) vão fazer uma **aliança**. Os homens não podem escapar de nenhum dos dois por meio da barganha. **Mentiras** não constituem um lugar de refúgio, e a **falsidade** não é um repouso, embora esses homens confiassem nessas coisas.

b) *Somente a fé pode salvar* (28.16-17). Tão certo como uma aliança com a morte é ilusão, assim é certo que o único verdadeiro elemento de permanência **em Sião** é a **pedra** angular da fé (16). O hebraico diz literalmente: "Eis que coloquei a pedra angular em Sião". Desta forma, a **preciosa** e **firme pedra** angular é o divino e indestrutível propósito de Deus. Aquele cuja casa está construída sobre a rocha não teme a tempestade mais aterradora. Porque na pedra se encontra esta inscrição: "O crente não está ansioso" (16b).

O **juízo** é a **linha** de medir de Deus, e a **justiça** é o seu prumo (17; cf. a aplicação de Pedro em 1 Pe 2.6). A pedra angular eleita de Deus está à altura de qualquer padrão de perfeição arquitetônico. Sobre qualquer outro fundamento o desastre subjugará **o refúgio da mentira** ou **o esconderijo** do engano.

Com base em Isaías 28.14-18, Phineas F. Bresee pregou uma mensagem de temperança intitulada: "Santidade e Justiça cívica": 1) Os interessados pelo licor fizeram um **concerto com a morte e com o inferno**, versículo 15; 2) A nação ainda não viu o completo **dilúvio do açoite** que seguirá um comércio irrestrito de bebidas, versículo 15; 3) Nosso dever é reconhecer a terrível maldição com a qual temos de lidar, mas ao mesmo tempo pregar a Jesus Cristo — **a pedra preciosa de esquina**, o **firme** fundamento, versículo 16 (*Sermões em Isaías*).

c) *A calamidade anula pactos com a destruição* (28.18-19). O submundo não pode opor-se à vingança divina. O **açoite** (18) avassalador será um terror diário (19). "Cada vez que a invasão assíria varre a Palestina, diminui a sua população pela morte e cativeiro".[5] Uma aliança com o Egito, planejada de forma ardilosa e secretamente instituída, independentemente do seu aparente valor diplomático, mostrou-se não ser uma salvaguarda para essa morte constante. Porque escondida dentro dessa aliança amistosa com o Egito estava uma rejeição das obrigações assumidas previamente com a Assíria. Não foi um **concerto com a morte** e **inferno**, mas um "namoro" com eles. Isaías declara: "A compreensão desta mensagem trará pavor total" (19c, NVI).

d) *A inteligência humana é inadequada* (28.20). Aquele que "faz sua cama" sem Deus não encontra descanso nem conforto. Isaías cita um provérbio familiar. Ele está certo de que os conselheiros de Ezequias vão perceber que sua **cama** está curta demais e **o cobertor** estreito demais.

e) *O "estranho trabalho" do Senhor* (28.21-22). Esses escarnecedores fazem com que Deus se una com os estrangeiros para lutar contra seu próprio povo (21). Eles agravam sua própria escravidão e asseguram sua própria destruição (22). Sucederá com eles o que ocorreu com os filisteus quando Davi destruiu o exército deles como a enchente em Baal-**Perazim** (2 Sm 5.20; 1 Cr 14.11), e quando em uma outra oportunidade ele perseguiu os filisteus de **Gibeão** até Gezer (1 Cr 14.13-17). Qualquer tentativa de libertar-se do laço assírio através de uma crença superficial na ajuda do Egito significará escravidão ainda mais severa. Que eles não negligenciem a advertência, porque a destruição é inevitável. O profeta de Deus ouviu dos céus.

3. *Uma Parábola de Arar e Debulhar* (28.23-29)
O Todo-Poderoso adapta seu método, seu propósito e sua disciplina a cada pessoa. O profeta agora oferece conforto enquanto, ao mesmo tempo, responde à pergunta: "E daí?".
No versículo 23, como um professor leal, pede completa atenção dos seus ouvintes. Nos versículos 24-25, ele lembra o leitor que o arar é para semear. Isso ocorre no tempo certo e com o propósito definido. O método se adapta a cada semente. "Depois de nivelado o solo, ele não semeia o endro e não espalha as sementes do cominho? Não planta o trigo no lugar certo, a cevada no terreno próprio e o trigo duro nas bordas?" (25, NVI). O senso comum dado por Deus ordena como deve ocorrer a semeadura (26).
Nos versículos 27-29, vemos que os instrumentos de debulha devem ser apropriados e usados no tempo oportuno. O que é apropriado para um tipo de semente é danoso para outro. Mesmo os métodos mais severos são usados dentro dos limites da razão. O fato de o debulhador saber como usar a debulhadora (**instrumento de trilhar**), o casco (do cavalo), a **vara**, a **roda de carro** em sua debulha dos diversos tipos de grãos, mostra que o Senhor dos Exércitos é **maravilhoso em conselho e grande** em sabedoria (29).
Judá é a Lavoura de Deus (cf. 1 Co 3.9). Javé não ara, semeia, nem debulha perpetuamente. Ele também não pune todos com a mesma severidade. Tudo que Ele faz é com um propósito, porque os juízos divinos não são arbitrários mas disciplinares. Este é o ensino sério e uma mensagem graciosa de conforto descrito aqui em forma de uma parábola.

B. Ai aos Formalistas Orgulhosos, 29.1-14

Isaías agora deixa os políticos e nobres de lado e se volta para o populacho da sua própria cidade, dirigindo seu segundo "ai" aos formalistas orgulhosos com seus mandamentos humanos vazios aprendidos pela rotina. Ele apresenta seu tema nos primeiros dois versículos, anunciando para "a cidade de Deus" (*'ir-el*),[6] Jerusalém, que, não obstante o fato de ela ser **Ariel** (*'ari-el*), "o leão de Deus", na próxima aflição deverá ser reduzida a **Ariel** (*'ariel*), "o altar superior de Deus".[7] Desta forma, a cidade conhecida simbolicamente como o leão de Deus se tornará então o lugar do fogo consumidor do Senhor (fornalha de Deus).

1. Sacrifícios Formais Requerem Fogo Consumidor (29.1-8)

a) *Sacrifícios rotineiros se tornarão sacrifícios reais e retribuidores* (29.1-4). C. von Orelli apresenta a seguinte tradução desses versículos:

> 1. Ai de Ariel, Ariel, fortaleza onde Davi acampou! Acrescentem ano a ano; deixem que o ciclo das festas continue. 2. Então afligirei Ariel, e haverá lamento e suspiro, e ela se tornará para mim uma verdadeira Ariel. 3. E acamparei ao seu redor em um círculo, edificarei torres (rampas) bem próximas ao seu redor, e levantarei obras de cerco contra ti. 4. E falarás do fundo da terra, e tuas palavras soarão como um murmúrio do pó; e tua voz será como um fantasma da terra, e tuas palavras sussurrarão desde o pó.[8]

Acrescentai ano a ano (1) ou: "Que o ciclo das festas continue anualmente, ó Judá, o leão de Deus, e Jerusalém, cidade de Deus, onde Davi erigiu um altar" (2 Sm 24.25; cf. CBB, Vol. I, comentários acerca de Lv 16.1-34; 23.26-32). O próprio Deus propõe um sacrifício que transformará a cidade de Deus em um altar superior ("fornalha de altar", NVI) de Deus (2), onde se ouve o gemido moribundo das vítimas.[9]

O Senhor sitiará Jerusalém (3), levantando trincheiras contra seus muros e colocando suas armas de combate. Isaías declara que o julgamento começa "pela casa de Deus" (1 Pe 4.17). Começa em Jerusalém com o evangelho (Lc 24.47); também começa em Jerusalém com o juízo. A lição de Isaías parece dizer: "Se vocês carecem do fogo do verdadeiro ardor espiritual, sofrerão o fogo dos juízos de Deus".

O resultado será uma humilhação desprezível: "Do fundo do pó virão suas palavras" (4).[10] Os comentaristas aqui, incluindo Clarke, entendem ser uma referência a algum tipo de espiritismo ou adivinhação. Mas Isaías está provavelmente pensando na voz das vítimas moribundas enquanto sangram lentamente até a morte ao lado do altar em brasas. Suas vozes de luto se tornam mais fracas e doloridas quando finalmente caem e expressam seu gemido mortal do **pó**. Isaías parece ver Deus como um sacerdote que sacrifica o animal e seu povo como a primeira vítima sacrifical, seguida pelos inimigos que a sitiaram. Jerusalém não será apenas o ponto focal de um interminável ciclo anual de sacrifícios de animais, mas o altar de Deus sobre o qual as nações serão queimadas em sacrifício.

b) *A destruição dos inimigos de Jerusalém* (29.5-8). O fogo do Eterno vai subitamente consumir o sacrifício (5-6). A aflição de Jerusalém será severa, mas não durará muito. **A multidão dos teus inimigos** (estranhos, 5) será moída como **o pó miúdo**, e levada pelo vento como a **pragana** ("palha", NVI). Ocorrerá em **um momento repentino** como o estampido dos **trovões**, como um **terremoto**, um redemoinho de vento (**tufão de vento**), ou uma **tempestade** (6).

Os inimigos de Ariel (Jerusalém) desaparecem como um **sonho** (7-8). O súbito desaparecimento do exército de Senaqueribe foi como o sumiço de um pesadelo quando o sonhador acorda do seu sono atormentador. Uma noite foi suficiente para a ruína de 185.000 soldados (37.35-38; 2 Rs 19.32-37). Deus tem muito tempo, mas Ele também tem abundante poder. Seus livramentos são muitas vezes repentinos mas silenciosos.[11] **Seus muros** (7) seriam sua fortaleza ou defesas.

2. As Festas Carnais Culminam em Ignorância Espiritual (29.9-12)

A predição de Isaías sobre a maneira como o livramento de Deus ocorreria não parecia digno de crédito ou agradável aos seus ouvintes. Por isso, seu desafio para eles é: "Pasmem e fiquem atônitos! Ceguem-se a si mesmos e continuem cegos!" (9, NVI). Os verbos hebraicos de Isaías denotam assombro com o que é dito e uma indisposição em aceitá-lo. Uma letargia cega é o resultado de uma longa hipocrisia. O castigo de Deus para essas ofensas é, com freqüência, uma cegueira imparcial (10; cf. Rm 1.24, 26, 28). Por isso, Isaías continua: "Seus profetas deveriam ter sido seus olhos, mas eles não vêem. Seus videntes deveriam ter sido suas cabeças, mas eles carecem de um discernimento claro e correto" (paráfrase).

O profeta os enxerga como uma multidão de iletrados espirituais, com uma incapacidade da parte dos seus líderes para entender as revelações de Deus. **Lê isto** (11) [...]: **Não posso, porque está selado** [...] **Lê isto** (12). "Mas eu nem sei ler". Mentalmente bêbados (9), eles não vêem nem compreendem coisa alguma daquilo que realmente importa.

3. A Religião Rotineira Arruína o Verdadeiro Entendimento (29.13-14)

A formalidade vazia se torna apenas uma mera expressão de palavras sem coração e sem alma na sua adoração. Mera honra dos lábios evidencia um coração alienado. Deus fala a nós por meio de fatos, não por meio de formas vazias. Deus parece dizer: "Sua adoração a Mim não passa de um axioma humano sem qualquer significado". "Seu temor por mim não passa de regras ensinadas por homens aprendidas pela rotina" (13, RSV).

A piedade em lugar dos juízos divinos é o que constitui a **obra maravilhosa** do Senhor (14; cf. 28.12; Dt 28.58-59). Quando conselheiros espirituais ou políticos desviam o povo, a sabedoria, na verdade, já não existe.

C. Ai aos Perversos e Insubordinados, 29.15-24

1. Planos Secretos (29.15-16)

Ao fazer **suas obras às escuras**, os líderes supunham que o Senhor não podia vê-los (15). Dessa forma, se esqueceram da soberania de Deus. "Ah, sua perversidade", gritou Isaías, "como se a criatura fosse mais importante que o Criador!" Deveria um homem dizer ao seu Criador: **Não me fez** (16), ou criticar Aquele que o formou como sendo destituído de entendimento? Foi exatamente isso que Isaías procurou explicar quando disse que eles viravam as coisas pelo avesso! Na verdade, petulante é a pessoa que coloca o homem acima do seu Criador. "Isaías, por meio da imagem do oleiro, não dá a entender a idéia de uma soberania arbitrária, mas de um amor que, a longo prazo, vai cumprir-se".[12]

2. A Restauração Divina Traz Verdadeira Iluminação (29.17-24).

Se você deseja reformar a política de qualquer nação deve primeiro regenerar seu povo.

a) *As inversões de Deus são redentoras* (29.17-21). O **Líbano** (o nome significa "montanha branca"), agora uma floresta, **se converterá** [...] **em campo fértil** [...] **E o campo fértil** se tornará uma "floresta de árvores frutíferas" (17; Berkeley, nota de rodapé). **Os surdos** agora ouvem, [...] **os cegos** agora vêem (18). O **livro** aberto e a visão aberta são unidos por uma receptividade iluminada. **Os mansos** [...] **e os necessitados** [...] **se alegrarão** (19) em um Deus santo. O **tirano** (cruel), **o escarnecedor**, os materialistas escrupulosos e aqueles que procuram perverter a justiça e eqüidade serão removidos do povo de Deus (20-21). Aqueles **que se dão a iniqüidade** (20) são homens "inclinados a fazer o mal" (NVI).

b) *Os remidos de Deus não têm motivo para se envergonhar* (29.22-24). Deus, **que remiu Abraão** (22) da idolatria e lhe deu promessas de uma posteridade santa, vai dar **entendimento** aos **errados** e instrução aos inquiridores (24). Ele também disciplinará os **murmuradores**, tornando-os um povo reverente e devoto. Quando eles virem a obra divina na personalidade humana, reconhecerão a santidade do **nome** divino, **e santificarão o Santo de Jacó** (23), temendo **ao Deus de Israel**.

O dr. P. F. Bresse pregou com base em Isaías 29.13-23, sob o seguinte título: "As Verdades da Salvação". Ele salientou: 1) A realidade, em vez do ritual, é a essência da religião, versículo 13; 2) Deus faz uma **obra maravilhosa** no espírito do seu povo para se tornar real a eles, versículo 14; 3) Deus mostra seu poder na história humana, versículo 17; 4) Deus mostra seu poder nas vidas transformadas de outras pessoas, versículo 23 (*Sermões em Isaías*).

D. Ai ao Partido pró-Egito, 30.1-33

Isaías usa os capítulos 30—31 para uma denúncia da política pró-egípcia de Judá. Ele mostra que a política errônea de Judá está enraizada na má religião.

1. *Ai daqueles que Colocam o Egito acima de Deus* (30.1-17)
Os líderes de Judá são como **filhos rebeldes** (1) que preferem ouvir o conselho dos vizinhos a seguir o conselho dos pais.

a) *Eles costuram uma aliança sem a bênção de Deus* (30.1-5). O pecado da teimosia é manifesto na execução de um plano que não está de acordo com o propósito divino. O que sobra no final é o acúmulo de **pecado** sobre **pecado** — o pecado de encobrir o pecado anterior ao confiar na aliança secular. **Cobriram com uma cobertura** (1) significa elaborar um tratado ou fazer uma aliança. Uma **sombra** não é um abrigo (2), embora essa sombra possa representar todo o reino **do Egito**. A proteção de Faraó é uma troca infeliz se comparada com a ajuda divina. Confiar **na sombra do Egito** (3) era colocar o Egito no lugar de Deus.

Apesar da cortesia da recepção de Faraó, a confiança de Judá em seu apoio resultará apenas em desilusão e desgraça (4-5). **Zoã** (4) é indubitavelmente Tanis, que hoje é um monturo de ruínas ao sul da presente *San el Hagar* a nordeste do delta do Nilo. **Hanes** tem sido identificada com Heracleopolis Magna (a presente *Ihnasya el Madina*) por von Orelli, Delitzsch e Whitehouse (veja mapa 3). Isaías vê os mensageiros de Judá preparando o caminho para o coração do Egito via essas duas cidades.

b) *A caravana inútil* (30.6-7). Isaías entende que essa missão ao Egito é uma iniciativa imprudente. Por isso, ele anuncia seus oráculos acerca dos **animais do Sul** (o

Neguebe; 6). Esta terra desértica do sul é o covil da leoa e do leãozinho, **o basilisco** (víbora) e da serpente **ardente voadora** do deserto. Ele insiste em que o tributo enviado para a **terra de aflição e de angústia** [...] **de nada lhes aproveitará**. No entanto, nenhum perigo os atemoriza e nenhum sacrifício parece grande demais na execução do seu plano desonroso. Seus **jumentinhos** e **camelos** estão carregados com os **tesouros** com os quais eles esperam comprar a aliança egípcia. Uma tradução melhor do versículo 7b seria: "Portanto, a chamei de 'Raabe [nota de rodapé, monstro marinho] que está mansa' " (Berkeley). "Dragão Manso" (NTLH) é o nome que Isaías dá ao Egito. Raabe, símbolo do Egito, parece especificar o "cavalo do rio" (*hippopotamus amphibius*). Esse animal enorme e moroso constitui um símbolo adequado na mente de Isaías para o império do Nilo que se gaba e se vangloria, mas não sai do seu lugar para ajudar os outros.[13]

c) *Um registro para todos os tempos* (30.8-11). Isaías agora recorre a evidências documentadas (8) para provar à posteridade que a "instrução rejeitada" era a atitude de um **povo rebelde** (9). A resposta deles foi: "preferimos trivialidades agradáveis" (10). Eles foram ainda mais atrevidos ao dizer: "Pegue o seu Deus e vá!" Confrontando-os continuamente com **o Santo de Israel** (11), Isaías parece apenas ter aumentado o antagonismo deles. Eles estavam cara-a-cara com uma santidade que eles não podiam suportar.

d) *O colapso das defesas humanas* (30.12-14). As expressões de Isaías **pelo que, visto, por isso,** são expressões significativas da lei de relacionamentos. 1) A confiança na astuta desonestidade (12) expressa pela sua confiança na "fraude" e **perversidade** parecia a Isaías uma completa loucura política. Estribar quer dizer confiar em. 2) Depender dela seria o mesmo que colocar a confiança em uma **parede** fendida, pronta para cair. 3) A queda da **parede** enfraquecida (13) vem como uma calamidade súbita. Com ela vem a ruína sem reparação (14), porque ela se quebra em muitos **pedaços**, como um pedaço de um vaso despedaçado. "Entre os fragmentos não se encontrará um único pedaço que sirva para levar uma brasa de fogo da lareira ou tirar água de uma cisterna" (Berkeley).

e) *As alternativas* (30.15-17). As alternativas são confiança no eterno Deus ou fuga em pânico dos assírios. Isaías declara que somente conversão (arrependimento)[14] e fé significam salvação (15). C. von Orelli traduz este versículo da seguinte maneira: "Ao se arrepender e permanecer em silêncio vocês serão salvos; sua força deve estar firmada na quietude e na confiança".[15] Moffatt diz:

> *Sua salvação consiste em parar de fazer alianças,*
> *sua força é a fé silenciosa.*

Plumptre observa: "Neste caso, significava deixar de confiar no homem, com todas as suas agitações impacientes, e confiar em Deus, que é cheio de calma e paz".[16] Assim, Isaías frisava a imediata volta da delegação judaica, naquele momento a caminho do Egito. Ele aconselha uma neutralidade dignificante como a melhor política.

Cavalos em fuga (16) é a próxima figura do profeta. Isaías cita seus oponentes como dizendo: "Não! Queremos alguns cavalos esperando se precisarmos fugir". Sua réplica é: "Vocês certamente fugirão". Eles respondem: "Se é assim, queremos algo que seja veloz".

Isaías responde: "Seus perseguidores também cavalgam velozmente". **Um perseguirá mil** de vocês (17), e somente um de vocês escapará. **Deixados como o mastro no cume do monte**, uma estaca no **cume do monte**, lá os habitantes de Judá estarão como uma verdadeira imagem de isolamento, um pequeno remanescente em uma vasta terra devastada pela guerra.

2. *Deus Anela Mostrar Favor* (30.18-26)

O versículo 18 retrata a preocupação de Deus e a sua justiça. Isaías vê o Senhor retraído em seu trono no alto até o tempo em que poderá intervir eficazmente. **Um Deus de eqüidade** é um Deus de justiça.

Os versículos 19-22 estão repletos de encorajamento e promessa. a) Um **povo** continuará em **Sião** e o choro será removido (19). b) Embora a fome prevaleça, a presença de Deus será real: "O seu mestre não se esconderá mais; com seus próprios olhos você o verá" (20, NVI). c) Sua voz dirigirá seu **caminho** (21). d) Eles, por sua vez, lançarão fora ídolos e **esculturas** (22).

A natureza recuperará sua beleza e produtividade. a) **Chuva** suficiente garantirá uma ampla produção tanto no pasto como na plantação (23). b) Animais de trabalho comerão uma ração saborosa (24) de "forragem seca misturada com sal".[17] Lavrar **a terra** provavelmente significa arar. c) **Ribeiros** correrão em terras elevadas (25), enquanto as fortalezas do inimigo estão caindo. d) A **luz da lua** será como a **luz do sol**, e a luz do sol parece que aumentará **sete vezes** em intensidade (26).

3. *A Música do Julgamento Mundial* (30.27-33)

A cada golpe do julgamento divino sobre o mal o povo de Deus elevará seus cânticos de triunfo.

a) *O julgamento do Senhor* (30.27-28). "O Senhor vem para julgar as nações com uma manifestação poderosa da sua majestade inflamada".[18] Isaías o vê com **lábios** cheios de **indignação**, a **língua** como **fogo consumidor** (27) e a sua **respiração** como um ribeiro que chega **até ao pescoço** (28). O profeta também vê Deus como uma **peneira de vaidade** (destruição) e um laço[19] de destruição.

b) *A música de libertação* (30.29-30). O **cântico** de uma **noite** festiva (29a) provavelmente se refere à solenidade sagrada conhecida como Festa dos Tabernáculos ou da Colheita. De todas as festas judaicas esta era a que evocava mais alegria. Numa das noites havia um ritual solene em que o pátio do Templo era iluminado com grandes candelabros. Ela chegou a ser conhecida como "a festa" (1 Rs 8.2, 65; 12.32; 2 Cr 7.8-9; Ez 45.25).

A subida à rocha ao som da flauta (29b) era o ritual à luz do dia que ocorria em seguida. Os peregrinos em procissão do campo traziam seus primeiros frutos e tocavam suas flautas enquanto subiam pela porta oriental até o topo da rocha do monte Moriá (cf. 1 Sm 10.5). No meio de tudo isso ouve-se a **voz** majestosa do Eterno (30a), quando **seu braço** desce em fúria (30b), espalhando seus inimigos com **fogo** e tempestades.

c) *O bastão do destino* (30.31-33). A **voz** de Deus aniquila os assírios (31) e conduz a música do ataque (32). O som de tambores e as notas de instrumentos de corda (**tambo-**

rins e harpas) simbolizam a alegria dos que foram remidos pela ação de Deus. **Uma fogueira** ("Tofete", NVI) **está preparada desde ontem** (33) significa literalmente "Uma fogueira está preparada há muito tempo" (Cf. NVI, NTLH). Este também era o nome dado ao vale de Hinom, que ficava do lado de fora de Jerusalém, a sudoeste do monte Sião, onde os resíduos eram jogados e o fogo permanecia queimando. Lá, o perverso rei Acaz sacrificou seu filho como oferta queimada a Moloque (2 Rs 16.3). Visto que o termo hebraico para rei é *melek*, Isaías faz um jogo de palavras, indicando que o *melek* assírio será sacrificado ao deus pagão *Moloque*. Embora o rei assírio não tenha morrido em Jerusalém, indubitavelmente muitos dos seus soldados que morreram naquela noite fatídica do livramento de Jerusalém foram cremados nesse vale de Hinom.[20]

A tradução de Moffatt dos versículos 31-33 é clara e vívida:

> *Por meio da voz de trovão do Eterno,*
> *os assírios ficam aterrorizados;*
> *Ele os fere até a morte e os abate*
> *ao ressoar da música;*
> *A pira para queimá-los está preparada,*
> *profunda e espaçosa,*
> *empilhada com cepos acesos pelo sopro*
> *do Eterno como uma corrente flamejante.*

E. Ai daqueles que Confiam na Carne, 31.1-9

Os príncipes de Judá procuravam fortalecer suas defesas contra a ameaça assíria com cavalos do Egito, visto que Judá carecia de uma boa cavalaria. As palavras de Isaías têm uma conotação sarcástica ao condenar a confiança deles em um "braço de carne", em vez de confiarem no **Santo de Israel** (1).

1. *A Futilidade da Carne* (31.1-3)

Cavalos e **carros** (1), independentemente do seu número, não podem ser equiparados com **o Santo de Israel**. Confiar em **cavalos** era depender deles.

Os príncipes de Judá não eram os únicos sábios do universo. Havia uma sabedoria que estava fora da compreensão dos conselheiros de Ezequias. Aquele que senta no trono do universo não é nenhum tolo. Deus em sua sabedoria estava trazendo desastre, e Ele nunca precisa "comer" **as suas palavras** (2). Ele estava tomando a ofensiva contra os **malfeitores** (Judá) e contra **a ajuda dos que praticam a iniqüidade** (Egito). Ele os enfrentaria com as suas próprias armas e superaria a esperteza deles. **Os egípcios são homens e não Deus, e os seus cavalos são carne e não espírito** (3). É Deus quem desbarata os aliados do mal. Quando Ele estende **a mão**, "o protetor cambaleia e os protegidos caem, e ambos perecem juntos".[21]

2. *O Senhor Desce para Pelejar* (31.4-5)

Deus é como o **leão** "contra quem todos os pastores são chamados e que não se alarma com o barulho e o clamor deles".[22] Mero barulho humano não o afugenta. Ele se posiciona no **monte Sião**. E quer Ele peleje *a favor, sobre* ou *contra*[23] ela, seria melhor não suscitar sua hostilidade.

Como as aves que voam (5) sugere uma águia adulta pairando sobre o seu ninho quando seus filhotes estão em perigo e mergulhando com fúria sobre todos que procuram molestá-los. Aqui não se entende somente proteção, mas também livramento. **Passando** ("passando sobre ela", nota de rodapé da NVI) vem da raiz *pesah*, da qual se deriva a palavra "páscoa".

3. *O Senhor Tem uma Espada para a Assíria* (31.6-9)

O profeta clama: "Voltem para aquele contra quem vocês se revoltaram, ó israelitas" (6, NVI). **Convertei-vos** ao Senhor. O arrependimento deve sempre ser em direção a Deus (At 3.19; 20.21) se é para ser eficaz. Desta forma, Isaías conclama os líderes de Judá a renunciar esta profunda apostasia da qual eles têm sido culpados. Ele continua: Lancem **fora os seus ídolos** (7) como prova de sua decisão!

Mesmo a famosa lâmina de aço de Damasco quebrará. O mesmo não ocorre com **a espada** (8) do Senhor. Isaías profetiza que "a Assíria cairá por uma espada que não é de homem; uma espada, não de mortais, a devorará" (8, NVI). Ela **fugirá** dessa **espada**, e **os seus jovens** serão sujeitos a trabalhos forçados.[24] O versículo 9 retrata os soldados assírios e seus oficiais completamente aniquilados. "Seu próprio deus foge em pânico; seus príncipes se espalham em total terror" (Moffatt). Ou, como Von Orelli traduz: "Seus príncipes se retiram em pânico da bandeira".[25] Na realidade, Jerusalém tem se tornado a **fornalha** de Deus; seu **fogo** tanto ilumina como consome.

Assim, os assírios foram aniquilados completamente, não pela espada de qualquer herói humano, mas pela intervenção divina. Pareceu-se mais com um holocausto do que com uma batalha, e o poder da Assíria foi esmagado para sempre. A carne é inútil em conflito com o Espírito.

F. Três Homilias para Jerusalém, 32.1-20

Alguns comentaristas tratam este capítulo como um apêndice aos "ais" precedentes. Isaías apresenta a figura de uma comunidade ideal (1-8), repreende e admoesta as mulheres complacentes de Jerusalém (9-14) e delineia os resultados abençoadores do Espírito derramado de Deus (15-20).

1. *A Verdadeira e a Falsa Nobreza* (32.1-8)
Isaías contrasta aqui os nobres com os homens sem caráter.

a) *A verdadeira nobreza de caráter* (32.1-2). Aqui Isaías aguarda com interesse o tempo em que a aristocracia de nascimento e riqueza será substituída por uma aristocracia de caráter. Tanto Moffatt como a Versão Berkeley colocam a palavra **rei** com inicial maiúscula, indicando que essas bênçãos devem seguir o reinado do Messias. Isaías está seguro de que esse traço majestoso é uma realização de caráter, e o verdadeiro discernimento uma qualidade da sabedoria. Ele, portanto, reprovaria a desonesta e velhaca nobreza de Jerusalém ao pintar diante dela um quadro do caráter ideal do rei e do cidadão comum. No governo, o **rei** reinará **com justiça** e os **príncipes** com **juízo**. Em caráter (2) um **varão**[26] é **como um esconderijo** (um refúgio), um abrigo (escudo), uma corrente da **águas** frescas (satisfação) e uma grande sombra (conforto) para o povo da sua nação. Em vez de ser um opressor do cidadão comum, ele é uma proteção contra a calamidade e uma fonte de atividade benéfica.

b) *O verdadeiro discernimento de caráter* (32.3-8). Isaías vê que chegará o dia em que as percepções morais do povo serão tão espiritualmente atuantes que o discernimento de caráter será feito sem confusão.

Com compreensão inteligente (3-4) o profeta verá claramente (3a — percepção); o povo ouvirá de boa vontade (3b — resposta). A pessoa que antes era imprudente agora terá entendimento (4a — prudência), e a **língua dos gagos** falará distintivamente (4b — comunicação). O hebraico traz a idéia de um falar não precipitado ou irrefletido. Em vez disso, será um falar articulado e distinto. Julgamento saudável e fala fluente são as qualidades do verdadeiro orador.

Quanto ao caráter não haverá uma identidade equivocada e um homem será reconhecido por aquilo que é.[27] O caráter do tolo (6) é manifesto em suas palavras, sua mentalidade, sua prática, sua doutrina e sua política. Isaías antecipou o ensino de Jesus: "Por seus frutos os conhecereis" (Mt 7.16). O caráter do safado (o **avarento**, 7) não pode ser confundido visto que **maquina** maldades e perverte a eqüidade — ele é astuto e fraudulento. Finalmente, o caráter do verdadeiro nobre é prontamente percebido (8). Seus planos são nobres, ele se posiciona naquilo que é certo e manifesta uma verdadeira magnanimidade. "Quando os olhos dos homens são abertos, não mais confundirão as características do caráter moral. As coisas então serão chamadas pelos seus verdadeiros nomes".[28]

2. *Uma Advertência Contra as Mulheres Complacentes* (32.9-14)

Aqui temos um discurso ameaçador contra as mulheres complacentes de Jerusalém.[29] O que provocou a ira do profeta era a despreocupação dessas mulheres diante do perigo de suas repetidas advertências.

"Ouçam, mulheres desocupadas", é a exortação de Isaías. "Prestai atenção, **vós, filhas que estais tão seguras**" (9). Estas representam esse aspecto tão característico de pessoas lascivas e de amor fácil. "Daqui a pouco mais de um ano" (10, NVI) sua dificuldade vai começar, **porque a vindima** e **a colheita não** virão.

Em tempos como esses, a lamentação deveria estar na ordem do dia. O chamado profético diz: "Tremam, ó criaturas negligentes, e vistam os mantos de tristeza". **Despivos** e cingi-vos com **panos de saco** (11). Não é incomum para uma mulher árabe despir-se até ficar seminua como sinal de pesar quando anunciam a morte de alguém, seguido de gritos de lamentação pelos membros da tribo. Isaías convoca as mulheres de Jerusalém a esse tipo de atitude por causa da desolação que se aproxima devido ao seu estado opulento. O versículo 12 é traduzido da seguinte forma: "Batam no peito em sinal de tristeza" (Berkeley) por causa da escassez de comida vindoura.

Somente desolação e privação aguardam seus lugares de festas. Os jardins majestosos das vilas em breve se tornarão **espinheiros e sarças** (13). Mesmo o palácio do rei e a **cidade** ficarão desertos, e a colina[30] e as **torres** se tornarão um lugar para **pasto dos gados** (14).

3. Os Efeitos do Espírito Derramado (32.15-20)

O profeta Isaías não é somente uma testemunha da vinda do Messias, mas também do Espírito Santo. Esse derramar anunciará uma novidade de vida e poder através da qual a vontade de Deus deverá prevalecer na sociedade humana. Isaías espera que esse derramar do Espírito (cf. Jl 2.28-32) elimine as frivolidades de uma vida devassa e libertina, instituindo em seu lugar algo mais nobre e espiritual. Isso deverá ter suas conseqüências mesmo na natureza até que "o deserto se transforme em campo fértil, e o campo fértil pareça uma floresta" (15, NVI).

Quando o Espírito de Deus é supremo, **o juízo** (justiça) se estenderá desde o **deserto** até o **campo fértil** (16), i.e., **a justiça** chegará até o povo comum da sociedade humana. Aqui está uma figura de uma terra sorridente e um povo que teme a Deus. No versículo 17, vemos que a santidade gera **paz** e **justiça**. O descanso da alma e o testemunho do Espírito são os tesouros dos santos. "A retidão cultivada pela paz produz tranqüilidade na mente e segurança permanente".[31] Esses **lugares quietos de descanso** (18) estão em contraste com a segurança falsa e carnal denunciada nos versículos 9 e 11. **Saraiva** no **bosque** (19; "floresta", NVI) refere-se aos juízos de Deus. A segurança do seu povo continua quando Deus traz calamidade aos seus inimigos. **A cidade** provavelmente significa Nínive, a capital dos assírios.

O povo de Deus semeará em felicidade junto a correntezas de água inesgotáveis e onde há pastagens abundantes. A referência ao **boi** e ao **jumento** não justifica a suposição de que eles estão unidos a uma canga, em contradição a um mandamento antigo. O **boi** é o animal para arar e o **jumento** para o transporte. Isaías vê um tempo em que se poderá deixar o boi e o jumento livres sem medo de serem roubados por um exército invasor.

G. Ai ao Destruidor Assírio, 33.1-24

Este discurso pressupõe um avanço considerável nos eventos históricos do capítulo 31. Sua data é sugerida no versículo 7. Os nobres judeus foram enviados a Laquis com tributos para o conquistador assírio, na esperança de que, por meio desses presentes, ele não sitiaria Jerusalém. Eles receberam uma resposta que os encheu de desânimo. Senaqueribe aceitou os tesouros, mas recusou-se a poupar a cidade, a não ser com base na sua rendição incondicional. Ele, portanto, mostrou-se infiel (8) e enganoso (1), desconsiderando condições de paz que ele mesmo havia estabelecido (2 Rs 18.14). Deste modo, esse discurso ocorreu num tempo entre 2 Reis 18.16 e 17. A delegação a que se refere o versículo 7 não foi a primeira a ser enviada (2 Rs 18.14) para fazer uma oferta de submissão, mas a última que trouxe tributos a Senaqueribe em decorrência desse acordo.

O capítulo mostra como essa súbita mudança de eventos foi revelada ao profeta de forma antecipada e com certeza divina. Este capítulo também sustenta a pregação de Isaías ao argumentar que somente em Deus há livramento, e que uma neutralidade quieta e devota era a melhor diplomacia política para a pequena Judá.

1. O Destruidor e o Libertador Divino (33.1-9)

a) *Ai ao traiçoeiro* (33.1). **Ai de ti despojador** que age **perfidamente**. [...] **Acabando tu de despojar, serás despojado**. Com isso, Isaías está dizendo: Vocês ainda não colheram o que semearam; mas quando terminarem, então a sua traição cairá sobre sua própria cabeça.

b) *A súplica de Judá e a condição da Palestina* (33.2-9). Isaías aqui compartilha dos sentimentos de Jerusalém e se une ao povo em intercessão. O profeta verbaliza a oração de Judá: S**enhor**, **tem misericórdia de nós**, fortalece-nos, salva-nos (2). Quando Deus se move, **as nações** são **dispersas** (3) e o seu **despojo** abandonado será ajuntado (4). Assim, aquele que veio para saquear acabará sendo saqueado. Todo despojo que os assírios ajuntaram dentro de suas fronteiras para o sul se tornará um bom saque para os habitantes de Jerusalém. Moffatt esclarece o versículo 4 desta forma: "Vamos saqueá-los como pulgões, e nos aglomerar como gafanhotos sobre o seu despojo". O Eterno exaltado é a fonte da **retidão** (5), da estabilidade, da sabedoria e da salvação de Sião; a reverência é o **seu tesouro**.

Os **embaixadores** de **paz** de Judá (7) clamam de tristeza e desapontamento por causa da vergonhosa quebra da **aliança** pelos assírios (8). Ninguém se atreve a aventurar-se pelas **estradas**. Os assírios desprezam **as cidades** e não tem consideração pelo **homem** mortal, pisoteando os direitos e rejeitando qualquer acordo amigável. **Líbano**, **Basã**, **Carmelo** e **Sarom** (veja mapa 1), todos famosos pela fertilidade e beleza, sofreram a devastação pela invasão assíria (9). Ezequias tinha concordado com as condições de Senaqueribe de sujeição e mesmo assim não houve nenhuma suspensão das hostilidades.

2. Deus Agirá (33.10-14a)

Agora, me levantarei, diz o Senhor (10). O limite do homem é a oportunidade de Deus. Observe a repetição enfática da palavra **agora**. Isaías deixa claro que o juízo que há muito tempo ameaçava a Assíria está agora prestes a acontecer. Sua violência se transforma nos gravetos para o fogo do Senhor. A fúria ofegante dos assírios acenderá a própria pira fúnebre do Senhor (11-12). Em estufas de cal e como num fogo de espinhos a chama é intensa e se consome rapidamente.

Que o destino da Assíria venha como uma advertência a **vós os que estais longe** (13; outras nações) e **vós que estais vizinhos** (o próprio Israel). Para **os pecadores de Sião** (14a) também há uma fornalha de fogo aquecida com a ira do Eterno. O livramento sinalizado por Jerusalém tem demonstrado a eles, e a todo mundo, a onipotência do Santo de Israel.

3. Que Tipo de Caráter Vence a Prova? (33.14b-16)

Isaías pergunta: **Quem dentre nós** pode permanecer como um visitante protegido no meio do fogo da santidade de Deus? A ira divina contra o pecado é inexaurível (cf. Sl 24.3-4). O profeta está certo que existe apenas uma coisa que pode sobreviver à chama universal: é um caráter santo.

"A Vida da Verdadeira Retidão" pode ser vista nos versículos 15-16. 1) Ele caminha retamente, ele fala honestamente, ele despreza a extorsão, ele rejeita **o presente**, ele não dará ouvidos ao **sangue** (violência) nem olhará para o **mal**, v. 15. 2) A segurança dos justos é anunciada pelo profeta como uma habitação segura, um **alto refúgio** (a fortaleza das rochas), um sustento garantido (**pão** e **água** estão seguros), v. 16.

4. *Sião e o Eterno* (33.17-24)

a) *Uma nova perspectiva* (33.17-19). Mais uma vez os habitantes de Jerusalém poderão ver **o Rei na sua formosura** (17), e **a terra** em toda sua extensão. O povo estava triste de **coração** (18) por ver o seu rei em panos de saco, pranteando a perda de cidade após cidade, e incapaz de olhar pelas colinas da Judéia sem ver os soldados assírios. Rabsaqué, com sua alta voz, proferia insultos; **o escrivão** a quem o dinheiro era entregue, contava-o vagarosamente diante de todos; estrategistas militares contavam **as torres** das defesas muradas de Jerusalém. Mas o povo agora pode relaxar. O **assombro** se foi. "O teu coração meditará nos terrores" (18, Berkeley), que agora fazem parte do passado. Então a lembrança desse tempo triste apenas deixa uma percepção de gratidão pela misericórdia divina. A antiga língua familiar substitui a "fala obscura" (19, NVI) — a grosseira e incompreensível língua assíria.

b) *A cidade teocrática* (33.20-24). Agora o alegre habitante de Jerusalém pode falar: a) **a cidade das nossas solenidades**, i.e., nossa adoração e nossa **tenda** irremovível (20). b) Nosso Deus é um Rio de graça (21) aonde nenhum **navio grande** do inimigo poderá chegar. c) **O Senhor é o nosso Legislador**, nosso Libertador e nosso **Rei** (22). d) A antiga "Sião" (o "navio do estado" de Judá da época), cujas cordas e velas estavam frouxas, verá dias melhores (23a). Os **despojos** serão repartidos abundantemente entre todos, incluindo **os coxos**. Todos se regozijarão pelo fato de ninguém estar enfermo do pecado, porque todos agora estão absolvidos da sua iniqüidade ("perdoados", NVI; v. 24; Mq 7.18). George L. Robinson escreve: "Isaías nunca pronunciou um ai sem acrescentar uma promessa correspondente".[32]

Na promessa a Jerusalém, versículos 17-22, o dr. Bresee descreveu "A Defesa dos Santificados": 1) A justiça de Deus envolve a vida de cada um que está completamente rendido a Ele; 2) O **grandioso** Senhor dá ao seu povo lugares agradáveis e ampla proteção, versículo 21; 3) **O Senhor** nos **salvará**, e sua obra de salvação é completa, versículo 22 (*Sermões em Isaías*).

INTERLÚDIO
Isaías 34—39

Seção VI

RETROSPECTIVA E PERSPECTIVA: INDIGNAÇÃO E SALVAÇÃO

Isaías 34.1—35.10

Os capítulos 34 e 35 são dois lados de uma profecia.[1] Eles formam uma transição lógica da seção de juízo das profecias de Isaías para a seção de consolação que segue após o interlúdio histórico dos capítulos 36—39. Em retrospectiva, o capítulo 34 fala de um julgamento final para os ímpios, e em perspectiva ou expectativa, o capítulo 35 volta nossa atenção para a redenção final dos justos. Aqui, então, está o vínculo literário unificando os dois hemisférios da profecia de Isaías e retratando para nós o destino espiritual dos inimigos de Deus em contraste com o do seu remanescente justo.

A. Quando Deus Traz Julgamento, 34.1-17

O pecado traz embutido não somente um estado de corrupção e escravidão, mas os germes da sua própria destruição. A impiedade garante o caos. Nosso profeta ressalta aqui esse fato em um capítulo sombrio sobre o grande final do julgamento.

1. *A Chamada e a Sentença* (34.1-4)
Esta proclamação internacional vem como um discurso para as nações. Ela anuncia o fato de que Deus sentenciou todos os seus inimigos à morte. Aqui está a lição que Isaías procura ensinar a todas as nações em todos os tempos. **Chegai-vos, nações, para ouvir** (1) é parecido com aquele momento dramático em que o juiz no tribunal pede ao prisioneiro para se levantar e receber sua sentença. **Ouça a terra** "e tudo o que nela há" (NVI), **o mundo** e tudo o que dele procede.

A **indignação do Senhor** (2) em uma explosão de ira final condena[2] todos os seus inimigos à destruição no julgamento. É eternamente verdadeiro que "os que lançarem mão da espada à espada morrerão" (Mt 26.52). O mau cheiro dos cadáveres e as torrentes de **sangue** (3) descrevem um dia de matança tal como o mundo nunca viu. Até mesmo os elementos do universo serão envolvidos (cf. Jl 2.30-31; 2 Pe 3.10-12). Isaías contrasta o sol, a lua e as estrelas, que são passageiros, com a eternidade do Deus Criador. Ele compara a queda das coisas mais permanentes no mundo físico com a queda dos primeiros figos não amadurecidos e murchos. Eles caem subitamente como chuva quando fortes ventos atingem a árvore; o mesmo ocorre com suas folhas no final do outono.

2. *A Espada e a Matança (34.5-7)*

A grande **espada** do Senhor (5) é voltada contra **Edom** (Iduméia) em vingança que deixará aquele país em desolação. A frase **se embriagou nos céus** pode ter a idéia de temperar o aço ao mergulhá-lo em água até que sua resistência esteja no ponto ideal. Assim Deus banhou (embriagou) sua **espada** nas águas celestiais até que estivesse endurecida adequadamente para os juízos compatíveis com o pecado.

A vingativa **espada do Senhor** (6) está engraxada com a **gordura** das suas vítimas e vermelha com **o sangue** dos sacrificados.

A matança sacrifical ocorre **em Bozra**, a cerca de 30 quilômetros a sudeste do mar Morto (veja mapa 2). **Bozra** era a principal fortaleza ao norte do país e um símbolo da impureza de Edom. A queda dos poderosos é retratada quando Isaías cita animais ferozes para simbolizar os governantes das trevas — **unicórnios**[3] [...] **bezerros** [...] **touros** (7). A NVI traduz: "bois selvagens [...] novilhos [...] touros". Moffatt traduz: "líderes [...] nobres e celebridades". Todos **descerão** em juízo. A **terra** estará tão embebida com **sangue** que o solo será adubado com a **gordura** deles.

3. *Nenhum Reino se Salvará do Caos (34.8-12)*

Estes versículos descrevem **o dia da vingança** de Deus e o **ano das retribuições**. As retribuições que foram adiadas por muito tempo finalmente ocorrerão. A **luta de Sião** (8) traz a idéia de "os erros contra Sião" (Moffatt).

a) *A fumaça da retribuição eterna (34.8-10a)*. **Ribeiros** de piche, **pó** de **enxofre** e a **terra** de betume **ardente** (9) parecem apontar para as crateras vulcânicas, a lava e a efusão de basalto, que caracterizam partes dessa terra, também conhecidas pelas suas imensas áreas de arenito.[4] Quando o sopro de Deus vem em julgamento é como uma verdadeira corrente de **enxofre**. Quando os **ribeiros** se transformam em piche fluido, e o **pó** da terra em enxofre, todo o território se tornará um lugar amedrontador de conflagração. **Nem de noite nem de dia, se apagará** (10).

b) *O caos do vazio eterno (34.10b-12)*. A recusa de Edom em deixar Israel passar pelo seu território na época da sua jornada a Canaã será agora julgada. A retribuição a Edom é que **de século em século ninguém passará por ela** (10b). "O dia do Senhor" será terrível para Edom,[5] mas uma defesa para Sião (cf. v. 8). Uma terra que rejeita habitantes santos conhecerá agora habitantes profanos. Edom será agora assombrado por aves repugnantes e animais que amam a escuridão e evitam a habitação dos homens. **O peli-**

cano e a coruja (11): provavelmente seria melhor traduzido como "o pelicano e o porco-espinho". O **bufo** e o **corvo** — animais que se alimentam de carniça de noite e de dia — também estão lá. Deus estendeu sobre este deserto abandonado "o caos como linha de medir, e a desolação como fio de prumo" (NVI). Isso especifica um retorno ao caos primitivo, como ocorria antes do tempo em que o Espírito de Deus pairava sobre a face da terra. Assim, "eles o chamarão de Nenhum Reino Lá" (12, RSV). Os **nobres** e os **príncipes não serão coisa nenhuma** (12). Os nobres edomitas eram chamados "príncipes" (Gn 36.15-19). Através do voto desses príncipes era escolhido seu governante. Mas Isaías sugere que não haverá eleitores e ninguém para eleger.

4. *Os Habitantes da Desolação* (34.13-15)

Aqui a maldição cósmica parece alcançar sua progressão completa. O crescimento selvagem do deserto cobre **seus palácios** e **fortalezas**. **Espinhos** como a *Spina Christi*, **urtigas e cardos** (13) têm a tendência de se desenvolver em áreas de ruínas desertas. Os assombrosos habitantes da escuridão (34.13b-15) vagueiam livremente onde a terra é inabitada pelos humanos. Chacais, hienas, morcegos, corujas, serpentes e **abutres**, junto com cabras selvagens e porcos-espinhos, agora tomaram conta do infeliz território de Edom.[6]

5. *O Documento do Destino* (34.16-17)

Isaías agora lança o seu desafio de que quando o cumprimento e a profecia um dia forem comparados ficará claro então que a profecia, de fato, se cumpriu. Com isso ele coloca em jogo a honra de Deus e a sua própria. Os homens são convidados a comparar a figura de Isaías com o seu cumprimento futuro, ao instar: **Buscai no livro do Senhor** (16). Essas verdades são tão certas quanto as leis da natureza no reino animal.

No **livro** de decretos do Senhor, cada um busca encontrar sua própria espécie. "Essas criaturas são todas convocadas pelo Eterno, e ninguém deixa de comparecer; o próprio Eterno as ordenou, e por meio do seu impulso elas se reuniram" (Moffatt). Embora os chacais e raposas andem em matilhas, e o leão e a águia sejam solitários, mesmo assim cada um se ajuntará com o seu par. Deus "repartiu a terra para eles. Ele determinou cada porção como sua habitação; para sempre a possuirão. Ela será o seu hábitat de geração em geração" (Moffatt).

B. Promessas para um Povo Santo, 35.1-10

Aqui temos a figura de um futuro glorioso que irrompe para os justos no dia do Senhor. Em toda a profecia hebraica "o dia do Senhor" apresenta o aspecto duplo de juízo e salvação. Isaías usou todo seu talento poético para dar-nos uma idéia da glória e felicidade que caracterizam um povo resgatado voltando para a cidade do seu Deus.

Esses peregrinos felizes cantam acerca da beleza (1-2), coragem (3-4), cura (5-7), santidade (8), segurança (9) e volta para casa (10).[7] É um cântico de piedade e frutificação. Porque a piedade transforma seu meio ambiente (1-2); encoraja aqueles que são incompetentes (3-4). Ela reverte o curso da corrupção (5-7) e traça seu curso em santidade e felicidade (8-10).

1. A Alegria e a Glória (35.1-2)

Isaías canta acerca do deserto florescente após a primeira estação de chuvas, quando mais uma vez os bulbos secos do narciso do deserto ou talvez as raízes do açafrão do outono despertam para a vida nova. Fica claro, com base na ordem da sua descrição, que Isaías se refere a Jerusalém. Ao leste e sul de Jerusalém fica o **deserto** (*Jeshimon*, v. 1). Ao sul e leste de lá ficam **os lugares secos** (Arabá, que a NVI traduz por "terra ressequida"). **O deserto**, as terras altas ressequidas da Transjordânia, se estende para o leste, entrando no deserto da Arábia Saudita.

Tudo isso será adornado pela **glória do Senhor** (2) para adaptar-se à ocasião da volta dos santos. **Abundantemente florescerá**, como o profeta havia visto acontecer quando as esplendorosas flores dos narcisos, a beleza dos lírios de Moabe, os íris e as tulipas, haviam transformado o deserto em um paraíso de Deus. É então que toda natureza ecoa de prazer. **A glória do Líbano** é a rica fragrância dos seus cedros. **A excelência do Carmelo** é a terra repleta de arbustos com seus maquis, rosas das rochas, mais altas que um homem, suas alfarrobeiras, os pequenos carvalhos e os medronheiros. No meio de tudo isso cresce um tapete de flores magníficas em cor e variedade. **Sarom** é a planície costeira famosa pela sua fertilidade. Tudo isso somente pode descrever a **excelência do nosso Deus**. É um tempo para alegrar-se e cantar.

2. O Conforto do Conselheiro (35.3-4)

Os dispersos do povo de Deus precisam de força e consolação para a longa viagem de volta à pátria; assim ele ordena: **Confortai as mãos fracas e fortalecei os joelhos trementes** (3). Anime os desanimados; apóie os peregrinos cambaleantes (cf. Hb 12.12). Diga àqueles que estão com os corações desesperados: **Esforçai-vos e não temeis; eis que o vosso Deus...** (4). "Como Israel pode ter medo se o Senhor, o seu Deus, está se apressando em vir e vingar-se dos inimigos e redimir o seu povo?"[8] É um bom conselho em qualquer época — manter os olhos fixos no Eterno Todo-poderoso! A vingança é a sua prerrogativa, recompensa é a sua retribuição e salvação é o seu livramento. É ele que **virá** e **os salvará**.[9]

3. A Realidade do Livramento (35.5-7)

O profeta agora começa sua enumeração dos resultados específicos da salvação de Deus. **Os olhos** [...] **serão abertos** (5). Existe um grande número de pessoas cegas ainda hoje entre os povos do Oriente Médio. O sol ofuscante e a areia impelida pelo vento são os motivos principais da cegueira, e as infecções são contagiosas. **Os ouvidos** [...] **se abrirão**. Sem dúvida o Espírito Santo, por meio de Isaías, estava predizendo os milagres do nosso Senhor em dias posteriores. Mas o ouvido também é um portal espiritual da vontade. Porque ouvir envolve atenção e cautela. Olhos e ouvidos cumprirão agora as suas verdadeiras funções, para ver a verdade e ouvir a voz de Deus falando ao homem interior.

Os coxos saltarão (6) como antílopes. Os redimidos de Deus são capacitados a correr por entre uma unidade de cavalaria e saltar muralhas. **A língua dos mudos** levantará um grito de louvor e cantará hinos de gratidão. A água redimirá a terra seca. O uádi desértico irromperá com ribeiros de água. **A terra seca** (areia abrasadora) **se transformará em tanques** (7). A miragem[10] se tornará realidade. A miragem ofuscante, aparentando água, é odiada pelos viajantes do Oriente Próximo, não somente por causa da sua ilusão enganosa, mas também por causa da sua luz forte quase intolerável. **A terra sedenta**, que geralmente suga toda água, vai agora borbulhar em forma de mananciais. Isaías sabia que a graça de Deus que transforma a personalidade humana nos torna fundamentalmente em "doadores" em vez de "receptores". É interessante notar que poços artesianos têm sido perfurados com o auxílio de instrumentos modernos naquela região. Esses poços são fontes borbulhantes que servem para irrigar as plantações de bananas das áreas do Jordão próximas a Jericó.

As **habitações** de **chacais** pode ser traduzido como "covis de chacais", ou "covis de hienas". O hábitat de animais selvagens é agora transformado em pasto para rebanhos e em lugar para acampamento. Desta forma, o perigo é transformado em fartura. **Erva com canas e juncos** indica um lugar de umidade e fertilidade que é capaz de produzir plantas que necessitam de muita água. Assim, até a natureza participará da glória que flui dessa manifestação da graça de Deus. A progressão da **erva** para **canas e juncos** somente pode simbolizar esse crescimento magnífico que a graça tende a produzir. Não existe mesquinhez ou limitação no potencial do livramento divino.

4. *A Estrada para a Santidade* (35.8)
Este é o versículo-chave desse capítulo. **E ali haverá um alto caminho**. Traduzido livremente do grego da Septuaginta, encontramos: "Haverá um caminho limpo e será chamado de caminho santo, e nele não passará coisa alguma impura, nem haverá um caminho impuro. Mas os dispersos deverão caminhar nele, e eles não serão enganados de forma alguma [i.e., não serão induzidos ao erro]". Parafraseando do hebraico, podemos ler:

> *Um caminho puro aparecerá.*
> *"Caminho Santo" é o seu nome;*
> *Nenhuma alma impura viajará nele,*
> *nem pé imundo passará por ele.*

O termo hebraico para **caminho** é *maslul*, indicando um caminho aterrado e uma estrada pública, que foi erguida e nivelada. Mas o grego do Antigo Testamento traz "um caminho puro". Referências a esse caminho aparecem em 11.6; 19.23; 40.3; 43.19; 49.11. Aqui há uma suposta prova da unidade da autoria do livro.

Um caminho (no hb. são usadas duas palavras diferentes para "caminho" neste versículo; aqui, *derek*, uma vereda na qual caminhamos) torna o conceito enfático, com referência especial ao nosso caminhar e conduzir. Seu nome é **O Caminho Santo** (*evderek hakadosh*), porque é destinado somente para os membros da Igreja santificada de Deus marchando em direção à cidade de Deus — uma verdadeira *via sacra* (cf. Ap 21.27). **O imundo** (contaminado) foi traduzido por Delitzsch: "nenhum homem impuro". Os **caminhantes** podem representar os peregrinos viajantes. Os **loucos não errarão** dificilmente quer dizer: "Mesmo pessoas simples não podem errar o caminho". O hebraico parece indicar que nenhum pagão ímpio viajaria nessa estrada. Assim, Phillips traduz: "Nenhum embusteiro para desencaminhar". A Versão Berkeley diz: "Insensatos não perambularão nele".

Desse caminho santo Naegelsbach escreveu: "O Senhor o construiu e o destinou para levar à sua casa. É um caminho de peregrinos. Assim, nada impuro, nem pessoas ou coisas impuras, podem andar nele. [...] Todo aquele que caminhar nele é um santo, debaixo da proteção e cuidado de Deus".[11] Essa é a estrada de Deus. Por esta razão, ela foi destinada para os redimidos e puros, não para os profanos, os contaminados ou os hipócritas. Ele também não foi construído para aqueles que vivem para o mundo e amam prazeres egoístas mais do que esse caminho que leva ao céu. Isaías apresenta aqui a verdadeira qualidade moral do povo de Deus.

Não é um mero caminho para o retorno dos exilados, mas uma estrada por onde os peregrinos de todas as nações viajarão para a montanha da casa do Senhor (2.1). Isaías deixa três coisas muito claras: 1) Este caminho é uma planície inconfundível; 2) ele é perfeitamente seguro; e 3) nos leva a um destino seguro.

"O Caminho Mais Elevado de Santidade" é o tema desse capítulo. Os peregrinos sobem nesse caminho por meio da "barreira de pedágio" chamada dedicação. 1) Eles seguem pelo caminho com um senso seguro de direção, versículo 8c. 2) Eles têm certeza da proteção contra a contaminação pelos impuros, versículo 8b, e de animas selvagens, versículo 9. 3) Os viajantes nesse caminho santo são compelidos por uma convicção de missão, versículos 1, 5-7. 4) Eles alcançarão seu destino de forma triunfante, versículo 10 (G. B. Williamson).

5. *A Segurança do Peregrino* (35.9)

Violência e terror desapareceram dessa estrada. **Ali, não haverá leão** (o rei das feras e rei dos terrores), **nem animal feroz** (o grego da LXX usa o mesmo termo encontrado em Ap 19.19 para "besta") **subirá a ele.** [...] **Mas os remidos andarão por ele** — aqueles que o Deus eterno resgatou pela sua graça. Lá eles caminharão livres.

6. *A Felicidade dos que Voltam para Casa* (35.10)

Os resgatados [...] **voltarão**. O AT grego traduz aqui: "Aqueles que foram reunidos (congregados) pelo Senhor, voltarão". Eles virão a Sião com cânticos.

Cantando vou pelo caminho da vida,
louvando o Senhor, louvando o Senhor.
Cantando vou pelo caminho da vida,
porque Jesus tirou meu fardo.[12]

C. von Orelli traduz: "E os resgatados [...] virão a Sião com gritos, e uma alegria eterna estará sobre suas cabeças".[13] O conceito de Isaías aqui é que a coroa da alegria de Deus está sobre suas cabeças. Eles foram coroados com alegria eterna. **Júbilo** e **alegria** substituem **tristeza** e **gemido**. O texto grego da Septuaginta traduz: "Eles serão tomados pela alegria, e aflição, dor e gemido fugirão" (cf. Ap 7.17). Os manuscritos do mar Morto trazem: "Porque tristeza e suspiro já não existem".

Este é o "cântico do caminho livre" e do povo santo no dia da sua volta para casa. Que o deserto se regozije! Que os medrosos recebam coragem! Que os doentes sejam curados! Eles poderão viajar rodeados de beleza e bênção, armar suas tendas ao lado da natureza florida, viajar pelo caminho da santidade certos da pureza espiritual, da segurança e da capacidade de entoar canções. Eles são os peregrinos que o Senhor libertou de fato, todos a caminho de casa após os setenta anos de permanência no cativeiro! "Senhor, eu quero fazer parte desse povo santo, quando vier marchando para casa".

Seção VII

INTERLÚDIO HISTÓRICO: ISAÍAS E EZEQUIAS

Isaías 36.1—39.8

A. Invasão de Senaqueribe, 36.1—37.38

Cronologicamente, os capítulos 38—39 precedem os capítulos 36—37. A ordem bíblica provavelmente se deve ao fato de os capítulos 36—37, que descrevem o sítio de Jerusalém por Senaqueribe em 701 a.C., explicarem e concluírem de forma apropriada os capítulos 1—35. Por outro lado, os capítulos 38—39, que registram a doença de Ezequias e a vinda da delegação de Merodaque-Baladã para congratulá-lo pela sua recuperação, adequadamente introduzem os capítulos 40—66. As passagens paralelas são encontradas em 2 Reis 18.13æ20.18 e 2 Crônicas 32.[1]

A obra de maior glória do ministério profético de Isaías durante a vida de Ezequias diz respeito a essas épocas principais. O ano mais crítico na vida do profeta foi 701 a.C. Nesse tempo de perigo supremo para a nação, Isaías se sobressaiu como um homem de Deus. Ciente de que a própria existência nacional de Judá estaria brevemente em jogo, ele não mais buscou alarmar e desanimar o povo. Suas palavras tornaram-se vibrantes com encorajamento e esperança. O arranjo não cronológico desses capítulos argumenta a favor da autoria de Isaías. Isso é evidente pelo fato de esses capítulos concluírem com referência ao cativeiro babilônico que Isaías não somente tinha ciência desse acontecimento vindouro, mas arranjou os capítulos de tal forma que concluíssem com um dedo indicador apontando naquela direção.[2]

De acordo com os relatos assírios, Senaqueribe chegou ao trono em 705 a.C. e a campanha contra a Palestina e o Egito ocorreu no ano 701 a.C. O décimo quarto ano do reinado de Ezequias está mais voltado para a doença do rei do que para o cerco de Senaqueribe.[3] Naquela época, o grande livramento é colocado como um acontecimento futuro (Is 38.6). Ezequias ainda não tinha um filho e herdeiro,[4] e seu cântico de cura não faz nenhuma menção da partida miraculosa da ameaça assíria.

Os capítulos 36—37 descrevem o contraste entre Senaqueribe, "o grande rei", e o "Santo de Israel", o Rei Eterno. No capítulo 36, Senaqueribe invade Judá, e Rabsaqué tenta persuadir Jerusalém a render-se. No capítulo 37, Isaías aconselha seu povo a continuar confiante diante do ultimato de Rabsaqué, e o anjo de Deus traz um livramento miraculoso.

1. *O Encontro: O Ultimato de Rabsaqué* (36.1-20)

a) *O contingente de Laquis* (36.1-3). **Senaqueribe** tinha três razões para seu ataque a Judá. 1) Seu rei tinha rejeitado pagar o tributo que era recolhido desde os dias de Acaz; 2) Ezequias havia iniciado negociações com a Babilônia e o Egito com o propósito de fazer uma aliança contra a Assíria; e 3) ele tinha ajudado os filisteus de Ecrom a levantar-se contra seu rei (que apoiava a Assíria). Ele mantinha esse rei preso em Jerusalém.

O termo **Rabsaqué** (2) significa simplesmente "chefe dos oficiais". Visto que Senaqueribe estava ocupado com o cerco de **Laquis**, a maior cidade murada da *Shephelá*, o homem mais indicado para enviar contra Jerusalém era o oficial mais graduado, "o comandante-chefe" (Moffatt). Acompanhado de seu **grande exército**, ele **parou junto ao cano do tanque mais alto, junto ao caminho do campo do lavandeiro**. Este lugar provavelmente ficava a oeste de Jerusalém e a oeste do que ficou conhecido mais tarde como a porta de Jafa (veja Diagrama D). "Então, saiu ao seu encontro Eliaquim, filho de Hilquias, o mordomo, e Sebna, o secretário, e Joá, filho de Asafe, o arquivista" (3).[5]

b) *A intimação para a rendição* (36.4-10). **Rabsaqué** deu, em nome do seu rei, uma mensagem a ser retransmitida a **Ezequias** (4). Seu conteúdo inteligentemente redigido foi calculado para minar a confiança de Jerusalém em seus aliados (4-5), seu Deus (7), sua própria força militar (8-9) e em seu destino (10). O versículo 7 mostra que o oficial assírio interpreta de forma errada a reforma de Ezequias (2 Cr 30.14), como sendo dirigida contra Javé, em vez de voltada a purificar sua adoração de traços vinculados à idolatria. No versículo 8, o oficial assírio procura "barganhar" (Berkeley) com o rei Ezequias.

c) *A linguagem preferida do comércio e da diplomacia* (36.11-12). O comitê do rei sentiu a ferroada do sarcasmo assírio e insistiu com ele para usar uma linguagem não familiar ao povo comum. O aramaico era a língua usada nos contatos internacionais; poderia usá-la, porque eles entenderiam. Mas esse não era o propósito desse demagogo esperto. Se pudesse, ele solaparia a lealdade e patriotismo do povo, incitando-o a revoltar-se contra Ezequias. Para o cidadão comum que está sofrendo o cerco, ele dirige suas observações na língua hebraica, em termos tão claros e vulgares que ninguém deixaria de entender o seu significado.

d) *A justificativa para uma revolta* (36.13-20). **Rabsaqué** (13) ofereceu ao cidadão comum uma profusão de comida e bebida até o tempo em que seriam deportados para uma **terra** tão boa quanto a deles (17), desde que se rendessem (13-17). Ele exortou-os a não supor que seu Deus fosse mais poderoso do que muitos deuses nacionais que haviam caído diante da marcha conquistadora dos assírios (18-20).

2. Isaías Recomenda Coragem (36.21—37.7)

O que o comitê poderia responder a um propagandista como este? Havia sido ordenado silêncio, e sua única resposta vocal apenas havia piorado as coisas. Sua tristeza foi manifestada através das suas **vestes rasgadas** (36.22) quando fizeram o rei saber das palavras de Rabsaqué. Ao ouvir o relatório, **Ezequias** humilhou-se cobrindo-se com vestes de luto enquanto procurava um lugar de oração (37.1).

"Naquela hora suprema de calamidade, o profeta, que havia sido desprezado e zombado, era seu único recurso".[6] O apelo de Ezequias a **Isaías** (2) parece significar: Agora, mais que nunca, a fé necessita não somente de poder para conceber (3) mas também para ativar sua força máxima para resolver uma crise. O apelo veio como uma confissão de fracasso dos recursos humanos e da diplomacia. A única esperança era que Deus considerasse os insultos ao seu nome. Visto que o profeta estava mais próximo de Deus, sua intercessão era a única garantia para **o resto** ("remanescente", NVI) **que ficou** (4).

Isaías (6) aconselhou coragem e profetizou a retirada de Senaqueribe. Que Ezequias não ficasse com medo das palavras pronunciadas pelos "empregados" dele,[7] porque um súbito impulso deixará Senaqueribe preocupado e um mero **rumor** (7) o enviará para casa, para morrer **à espada, na sua terra**.

3. O Teste e a Vindicação da Fé (37.8-38)

a) *Um estrategista em apuros* (37.8-9). **Rabsaqué** voltou (8) para relatar sua situação, porém não encontrou o rei em **Laquis**, mas em **Libna** (veja mapa 1). Lá, notícias de um movimento do **rei da Etiópia** (9) contra ele tornaram inoportuna a continuação do cerco a Jerusalém. Além disso, em um cerco prolongado ele poderia acabar em uma situação de presa entre os etíopes e os judeus. Nesse dilema, ele enviou seus **mensageiros** mais uma vez a **Ezequias** para lançar-lhe um ultimato.

b) *O teste da fé* (37.10-13). Os versículos 10-13 são virtualmente uma repetição de 36.18-20, exceto que agora a mensagem foi dirigida a **Ezequias**. O rei assírio advertiu Ezequias a não ser enganar com qualquer promessa de que **Jerusalém** não cairia. Uma análise histórica mostraria que outras nações que atacaram governantes assírios acabaram caindo. O escárnio de Senaqueribe parecia, portanto, lançar o desafio de que Nisroque (seu deus) era maior que o Santo de Israel, o Deus dos hebreus. **Hamate**, **Arpade** e **Sefarvaim** (13) ficavam ao norte de Damasco e a oeste do rio Eufrates (veja mapa 2). Outras cidades mencionadas ainda permanecem não identificadas quanto à sua localização, mas ficavam, provavelmente, em alguma parte entre os rios Tigre e Eufrates.

c) *O refúgio da fé* (37.14). Depois de ler as **cartas**, Ezequias **as estendeu perante o Senhor** em uma petição silenciosa ao Árbitro Supremo.

d) *O apelo da fé* (37.15-20). **E orou Ezequias** (15). O que mais um rei pode fazer quando os recursos humanos são inadequados? O desafio de Senaqueribe exigia uma prova final, mas era entre o verdadeiro e o falso. Existe somente um Criador eterno — **Tu és o Deus, tu somente** (16). Aqui o monoteísmo absoluto da fé do povo de Israel está em forte contraste com o politeísmo dos assírios. Ezequias estava certo de que Senaqueribe não poderia afrontar o Deus vivo sem ser punido. Outras nações e seus deuses podem ter perecido, visto que esses deuses eram somente **obra de mãos de homens** (19). Agora todas as nações precisam ver quem realmente é o único e verdadeiro Deus. Ele não pode ser consumido por nenhum tipo de fogo humano, porque não há imagens esculpidas dele e Ele é o Espírito Eterno. **Deus de Israel, que habitas entre os querubins** (16): veja Êxodo 25.21-22.

e) *A resposta à fé* (37.21-35). A resposta de Deus é sempre dada por intermédio do seu mensageiro escolhido. **Quanto ao que me pediste** (21; "Ouvi a sua oração", NVI), é a explanação característica para muitas intervenções divinas. O "Cântico da Fé" (22-29) reflete Jerusalém zombando do seu orgulhoso opressor. Esse cântico da confiante **filha de Sião** (22) relembraria a Senaqueribe de que ele não havia se atrevido a levantar sua **voz** (23) contra uma mera pessoa humana. Sua arrogante bravura sobre grandes florestas e suprimentos de água não o tornava o dono da natureza. Ele não teria feito nada disso sem a permissão do Senhor, e há um limite para os seus direitos ou imunidades. Seu Dono vai agora colocar um **gancho** (29) por meio do anel em seu **nariz** e, semelhantemente ao boi que chegou até o final da sua corda, vai puxá-lo de volta para casa. Ou, como um cavalo bufante, o **freio** de Deus vai fazê-lo voltar **pelo caminho** por onde veio.

Um sinal seguro da sobrevivência é agora apresentado pelo profeta (30-32). Num período de doze meses a terra ficará livre dos seus invasores e a agricultura retomará seu curso normal. Os judeus, naquela época, estavam apenas fazendo uma colheita daquilo que crescia espontaneamente, e isso continuaria por mais um ano. A esta altura, a semeadura não enfrentaria nenhuma oposição dos exércitos estrangeiros. **De Jerusalém** e do **monte Sião** (32) os sobreviventes virão como um núcleo para o novo início da nação, "graças ao cuidadoso zelo do Eterno" (Moffatt). A promessa de proteção (33-35) está baseada na preocupação de Deus **por amor** de si mesmo e pelo cuidado com a sua aliança com Davi (35). Portanto, nenhuma **flecha** (33) cairá dentro dos muros de Jerusalém; a arrogante Assíria não colocará o pé dentro dela nem construirá nenhuma "rampa de cerco contra ela" (NVI). O Senhor enviará Senaqueribe de volta pelo **caminho por onde vier** (34).

f) *A libertação pela fé* (37.36-37). Finalmente, em uma única noite, o livramento veio de maneira miraculosa. Quando o **Anjo** de Deus fere (36a; cf. At 12.7, 23), isso significa morte e libertação. A frase hebraica aqui normalmente indica a Segunda Pessoa da Trindade,[8] ou seja, o Cristo pré-encarnado. Seguiram-se morte e retirada (36b-37). As histórias do Egito e de Judá contêm relatos desse tipo de desastre repentino e miraculoso ao exército assírio. Heródoto relata uma praga de ratos que roeram as correias das selas dos cavalos e as correias dos escudos dos assírios até se tornarem inúteis para a batalha. Roedores também são portadores de pragas. Mas, será que precisamos de uma explicação natural para as ações divinas? Sabe-se que 185.000 soldados morreram. Não se sabe se foi devido à malária, disenteria ou praga bubônica. O que importa é que a destruição do exército inimigo ocorreu como conseqüência de uma intervenção divina.

Deuses falsos não podem livrar de **filhos** em quem não se pode confiar (38), muito menos dar vitória sobre um povo que o Senhor defende. Este versículo pode ter sido acrescentado por um dos discípulos de Isaías, visto que as fontes históricas indicam que

Senaqueribe viveu dezesseis anos após essa campanha. Mas Isaías tinha profetizado a morte de Senaqueribe pela espada em sua própria terra, e aqui se cumpriu essa profecia. Quanta dificuldade o povo de Deus tem para aprender a lutar com armas sobrenaturais!

B. A ENFERMIDADE DE EZEQUIAS, 38.1—39.8

Conforme explanado acima, esses capítulos são colocados aqui porque servem de introdução para os capítulos 40—66. Passagens paralelas são 2 Reis 20.1-21 e 2 Crônicas 32.24-33. Já não se pode ter dúvida de que o período da enfermidade de Ezequias precedeu a derrota de Senaqueribe. Semelhantemente, a delegação congratulatória da Babilônia esteve em Jerusalém não mais do que dois anos depois do período em que Ezequias esteve doente.

1. *O Encontro de Ezequias com a Morte* (38.1-22)

a) *Enfermidade mortal* (38.1). **Naqueles dias** (cf. 36.1, com o cerco iminente da Assíria), **Ezequias adoeceu de uma enfermidade mortal**. O rei tinha cerca de 38 anos de idade quando Isaías foi enviado para lhe dizer: **Põe em ordem a tua casa, porque morrerás e não viverás**. É bem possível que essa seja um dos tipos de profecias condicionais que, dependendo da reação, não precisam ser cumpridas, como no caso da proclamação de Jonas à cidade de Nínive (Jn 3.4). **Isaías** deve ter sido consultado como profeta e médico nesse caso (cf. v. 21). Seu diagnóstico considerava o caso fatal. A preparação para a morte seria a coisa mais sábia a fazer. Ezequias naquela época não tinha filho; conseqüentemente, a dinastia de Davi, na qual se centralizavam as esperanças messiânicas, estava ameaçada.

b) *Quando a integridade é um recurso* (38.2-6). A piedade não é nenhuma garantia quando estamos diante do final da nossa jornada terrena. No entanto, aquele que sabe que a morte se aproxima deve certamente usar seu tempo remanescente em preparação tanto para as obrigações exteriores como em relação à sua alma. A oração de Ezequias (2-3) apresenta um tom de segurança. Com a **face** voltada para a **parede** (2), ele lembra a Deus que em seu coração não existia ambigüidade[9] em sua busca de fazer o que é bom. O texto não sugere que a enfermidade de Ezequias era um castigo por algum mau procedimento. A resposta favorável à sua oração implica que a sua reivindicação de ter servido o Senhor com fidelidade foi aceita. Não há nada de errado em testificar da perfeição visto que todo crédito foi dado à graça de Deus. Adam Clarke acha que faltou humildade a Ezequias, ao se orgulhar das coisas que somente a graça de Deus torna possível. Se Ezequias estivesse se vangloriando, Clarke teria razão, porque a bondade vem somente através da graça de Deus. Mas o rei, como Jó, precisa defender a sua integridade, mesmo diante da morte. Ezequias **chorou** (3) em voz alta, e Deus respeitou as suas lágrimas.

A resposta de Deus veio por intermédio do seu profeta **Isaías** (4). **Vai e dize a Ezequias:** [...] **Ouvi a tua oração e vi as tuas lágrimas; eis que acrescentarei aos teus dias quinze anos** (5). **E livrar-te-ei** [...] **a ti, e a esta cidade** (6). E Deus também anunciou que abençoaria Ezequias como havia abençoado **Davi**. A promessa de mais quinze anos significava que o tempo do reino de Ezequias seria dobrado.

c) *O sinal do relógio solar* (38.7-8). Pedir e dar sinais não era algo incomum no Antigo Testamento, e especialmente na vida de Isaías. Embora Jesus não desse nenhum sinal ao ser requerido (Mt 12.39; 16.1-4; Lc 11.16 etc.), encontramos Isaías oferecendo em momentos diferentes um **sinal** (7) para a confirmação da fé vacilante. Um instrumento para medir o tempo foi escolhido visto que a promessa tratava-se de uma extensão do tempo (cf. v. 22). Relógios de sol simples podem ser encontrados ainda hoje no Extremo Oriente, em lugares como Nova Déli e Jaipur. **Acaz** era aficionado por importar novidades.

O profeta ofereceu a Ezequias a escolha entre o adiantamento d**a sombra** do sol em dez graus ou seu retorno **dez graus** atrás (8; veja 2 Rs 20.9-11). O fenômeno natural seria a sombra aumentar à medida que o dia passasse. Desta forma, o sinal sobrenatural implicaria uma reversão deste processo. Assim veio a confirmação de Deus de que Aquele que podia voltar o relógio solar poderia facilmente suprir a vida que quase havia se extinguido em Ezequias. Semelhantemente, o recuo da sombra, com o miraculoso prolongamento do dia, foi uma garantia do adiamento daquela "noite" na qual "nenhum homem pode trabalhar", noite que por pouco não alcançou o rei.

d) *O cântico do sobrevivente* (38.9-20). Este salmo não aparece na passagem paralela em 2 Reis. 1) "Partida ao meio-dia" (9-13) é uma boa legenda para o pensamento de Ezequias. Visto que ele ainda não havia alcançado quarenta anos, a morte viria no apogeu da sua vida, privando-o do **resto** dos seus **anos** (10). A morte também corta a comunicação e adoração neste mundo (11). A vida, portanto, seria enrolada como a **choça de pastor** ou como a obra terminada do **tecelão** (12). O choro de Ezequias continuou até a manhã seguinte com uma dor que era semelhante a **um leão** quebrando os **ossos** da sua vítima (13). 2) "O cântico da pomba enlutada" (14-15) se eleva da alma agitada do rei. "Estou aflito, ó Senhor! Venha em meu auxílio!" (14, NVI). Apesar do seu sofrimento e **amargura de alma** (15), Ezequias acreditava que se Deus se tornasse sua segurança e garantia, então a morte, que é como um credor atormentador, o deixaria. 3) "O louvor a Deus no meio dos viventes" (16-20) é pronunciado por aqueles que aprenderam que "benéfico é o uso da adversidade". É livramento amoroso quando Deus lança **para trás** das suas **costas** todos os nossos **pecados** (17). E somente os vivos podem passar de geração a geração o relato da eterna bondade. **Com estas coisas se vive** (16) sugere que Ezequias chegou a "ver que a correção do Senhor é uma garantia do perdão [cf. Hb 12.11]" (Berkeley, nota de rodapé).

e) *Remédios providenciais para a recuperação não devem ser rejeitados* (38.21-22). A prescrição médica de Isaías previa tomar **uma pasta de figos**, i.e., uma cataplasma, e colocá-la no edema maligno. A oração da fé pela cura do doente não deve rejeitar os meios permitidos por Deus para a recuperação conhecidos pela ciência médica. O lema sobre a porta da Faculdade Francesa de Cirurgiões diz: "Eu cobri suas feridas, Deus o curou".

2. *A Subversão Babilônica* (39.1-8)

Ezequias tem sido chamado de "o homem que viveu demais".[10] Embora ele tivesse arrancado da morte mais quinze anos, ele não os manteve imaculados. O caráter resultante da agonia de uma grande prova não deve ser afrouxado pelo comodismo ou presunção. Sempre devemos tomar cuidado com "o próximo momento!".

a) *A delegação lisonjeira* (39.1-4). A delegação de **Merodaque-Baladã** (1), um príncipe da Babilônia, tinha dois objetivos evidentes: 1) as congratulações e o presente celebrando a recuperação de Ezequias; e 2) a investigação acerca do fenômeno do relógio solar (cf. "do prodígio que se fez naquela terra", 2 Cr 32.31). Mas a delegação provavelmente tinha negócios mais importantes do que os votos de congratulação ou a investigação científica. Se, por acaso, Judá pudesse ser induzido a unir-se à Babilônia em uma aliança contra a Assíria, isso seria uma manobra política vantajosa.

Ezequias se alegrou com eles (2), achando que havia encontrado um aliado que poderia se tornar uma importante ajuda. Assim, ele **lhes mostrou a casa do seu tesouro**. A exposição foi algo mais do que ostentação. O rei provavelmente estava mostrando os recursos do seu reino, buscando impressionar os embaixadores babilônicos da importância de ter Judá como aliado. Em vez disso, eles devem ter chegado à conclusão de que Jerusalém seria uma ótima cidade para ser saqueada. **Então, o profeta Isaías veio** (3), e seu aparecimento na cena reforçou sua suspeita de que o rei pudesse estar "brincando" com uma aliança estrangeira. Contra essa idéia o profeta lutou incessantemente.

b) *O cativeiro babilônico é predito* (39.5-8). **Então, disse Isaías** (5): **Eis que virão dias em que tudo [...] será levado para a Babilônia** (6). As estranhas palavras de Ezequias no versículo 8 talvez apresentem a idéia de que o adiamento de uma calamidade também envolve seu alívio. Quase podemos ouvi-lo dizer: "E daí, desde que eu escape?". Mas esta interpretação parece estranha ao espírito de Ezequias. Alguns comentaristas não vêem aqui uma indiferença em relação à posteridade. Talvez, seu comentário de que **a palavra do SENHOR é boa** (8) foi focada na promessa de filhos que sentariam no seu trono depois dele, apesar da perspectiva de Jerusalém ser levada para o cativeiro. Mas a sua insensatez tinha hipotecado o futuro deles. E esse tipo de insensatez está sendo repetido em nossos dias. "Depois de mim, o desastre". "Que as gerações futuras paguem por ele. Eu não estarei aqui".

Como foi observado anteriormente, essa profecia conclusiva na parte anterior da mensagem de Isaías se direciona à situação histórica vindoura da opressão babilônica, para a qual as mensagens de conforto nos capítulos 40—66 são dirigidas.

PARTE DOIS

CONSOLAÇÃO

Isaías 40—66

O virtuosismo artístico de Isaías como profeta e escritor é evidente nessa segunda parte do seu grande livro, parte que pode ser chamada de arranjo arquitetônico ou padrão estrutural da obra. A segunda parte apresenta três divisões,[1] cada uma composta de nove (3 x 3) partes. Que esta segunda parte inteira do livro de Isaías forma uma unidade completa é a argumentação de estudiosos notáveis como Franz Delitzsch, C. W. E. Naegelsbach, C. von Orelli, George L. Robinson, George Rawlinson, James Muilenberg,[2] James D. Smart[3] e Gleason L. Archer, Jr.[4] Outros, como J. Skinner e George A. F. Knight,[5] estão convencidos somente da unidade dos dezesseis capítulos de 40 até 55.

Sobre essa segunda parte do livro de Isaías, Delitzsch observa: "Não há nada no Antigo Testamento mais completo, nada mais esplêndido do que essa trilogia dos discursos proféticos".[6] O grande tema desses capítulos é o mesmo tão freqüentemente anunciado por Isaías, a saber, a redenção de Israel. O pano de fundo histórico imediato é a devastação causada por Senaqueribe em 701 a.C.[7] A Babilônia foi escolhida pelo profeta como o símbolo da "cidade dos ímpios", da mesma forma que Jerusalém e Sião, tantas vezes em seu pensamento, simbolizam "a cidade de Deus".

1) Os capítulos 40—48 destacam a *teologia*. Eles destacam a Divindade incomparável — o Eterno — em contraste com os ídolos vãos e impotentes dos pagãos. O livramento do cativeiro da Babilônia é predito a se realizar pela instrumentalidade do servo político do Eterno com o significativo e simbólico nome, Ciro.[8]

2) Os capítulos 49—57 destacam a *sotereologia*, a doutrina da salvação. Eles colocam em contraste o sofrimento do Servo de Deus na situação presente com a sua glória que será revelada no futuro. Assim, predizem uma libertação do cativeiro espiritual atra-

vés do Servo Sofredor do Senhor. Esses dois primeiros grupos de nove capítulos (Enéade)[9] concluem com o refrão: "Mas os ímpios não têm paz".

3) Os capítulos 58—66 descrevem a *escatologia* profética, sua doutrina dos últimos dias. Eles colocam em contraste os hipócritas, os imorais, os apóstatas, por um lado, e os fiéis, os pranteadores e os perseguidos, por outro. Aqui a libertação está na forma de uma nova criatura e uma nova criação, envolvendo a glória futura dos filhos de Deus e o destino dos ímpios. Essa seção conclui com a predição "paz [...] como um rio" (66.12) para os redimidos em contraste com o destino dos perversos em uma morte em que "o seu verme nunca morrerá, nem o seu fogo se apagará" (66.24).

Acerca do cenário e disposição da segunda grande seção, Delitzsch observa:

> O profeta mora entre os exilados, porém não em uma realidade tão tangível como a de Ezequiel, mas como um espírito sem forma visível. Não sabemos nada diretamente acerca do tempo e lugar da sua aparição. Ele flutua pelo exílio como um ser de uma ordem superior, como um anjo de Deus; e precisamos confessar que essa distinção pode ser usada para apoiar a idéia de que a vida e as ações do Deutero-Isaías no exílio são imaginárias, enquanto as de Ezequiel foram reais e corpóreas.[10]

Pode-se elaborar uma boa argumentação com base nas alusões ao lugar, história, idolatria, e assim por diante, que apontam não para um autor morando durante o exílio na Babilônia, mas para alguém que mora na Terra Santa. E embora Delitzsch aceite um autor diferente para os capítulos 40—66, assim mesmo admite:

> E, no entanto, muitos aspectos ficam mais claros quando os capítulos 40—66 são considerados discursos testamentários de um só Isaías, e a coleção profética inteira entendida como o desenvolvimento progressivo do seu carisma incomparável. Pois o livramento predito, com suas circunstâncias anexas, aparece nesse discurso como algo além do limite da presciência humana, conhecido somente por Javé. Quando isso ocorre, proclama-o como o Deus dos deuses. Javé, o Deus da profecia, conhece o nome de Ciro antes que ele mesmo saiba disso, e ao predizer o nome e a obra do libertador de Israel, prova sua Divindade para o mundo todo, 45.4-7. E se os capítulos 40—66 não são destacados dos capítulos 1—39 e vistos como uma unidade separada, toda primeira parte da compilação forma, como é o caso, uma escadaria que culmina com esses discursos aos exilados.[11]

As duas partes do livro de Isaías mostram para nós um contraste significativo. Na primeira, a estrada que leva ao cativeiro e exílio está sempre diante da mente do profeta. Mas, na segunda parte, a estrada que traz os exilados de volta para a cidade de Deus ocupa os seus pensamentos mais elevados. Nos dois casos, no entanto, ele aparece como o arauto da revelação divina para as nações.

O espaço não permite uma argumentação mais profunda acerca da unidade desses capítulos com os 39 capítulos que os precedem, mas a observação seguinte de C. von Orelli está correta:

A única visão conhecida pela tradição judaica (à parte das dúvidas sugeridas por Ibn Ezra) é que todo o livro de Isaías tem o profeta como o seu autor, cuja fama como um grande, ou o maior, profeta da Segunda Parte (39—66) não foi de pequena monta".[12]

Ele afirma, mais adiante, que se essa tradição for rejeitada então "uma coisa permanece totalmente sem explicação — o anonimato de um livro tão glorioso, organizado cuidadosamente pelo próprio autor". Ele então afirma: "Mas que o profeta foi alguém ungido com o Espírito de Deus num grau muito elevado fica provado pelo assunto singular do seu tratado".[13]

Essa especulação embaraçosa acerca de um profeta anônimo é removida se aceitamos que ambas as partes dessa grande profecia vem da "pena" do profeta e estadista de Jerusalém, o único Isaías. Nós cremos, como o faz George L. Robinson, que "a mensagem de conforto de Isaías nos capítulos 40—66 [...] foi dirigida aos remanescentes em Judá e para Jerusalém, que sobreviveu ao desastre de 701 a.C".[14] É bastante provável que Isaías tenha sobrevivido à crise por pelo menos mais uma década.

Seção VIII

A DIVINDADE INCOMPARÁVEL

Isaías 40.1—48.22

A. O Conforto e a Majestade de Deus, 40.1-31

Aqui o evangelho da redenção é anunciado e assegurado. O profeta retorna ao tema que havia introduzido no clímax do capítulo 35, anterior ao interlúdio, e revela para nós suas implicações mais amplas através dos capítulos cuidadosamente organizados que seguem.

1. *As Consolações Infalíveis do Eterno* (40.1-11)

Os versículos 1-11 contêm a introdução de todos os vinte e sete capítulos que seguem. Deus ordena que a mensagem de conforto e perdão seja dada ao seu povo, enquanto vozes de arautos se erguem para preparar o advento da incomparável Divindade.

a) *A voz de Deus com uma mensagem de graça* (40.1-2). O anúncio divino é que a servidão acabou, a iniqüidade foi perdoada e o pecado expiado. A ordem: **Consolai, consolai** (1), expressa em um imperativo duplo, é característica do estilo de Isaías. O grego do AT usa o mesmo verbo do qual se deriva nosso substantivo "Consolador" (cf. Jo 14.16, 26). **Meu povo** lembra o relacionamento de aliança através da qual Deus declarou que Israel era sua propriedade peculiar (Êx 19.5-6; Lv 20.26; Dt 7.6; 14.2). Oséias achou necessário dizer: "porque vós sois meu povo" (Os 1.9), mas agora Isaías vê aproximar-se o tempo da graça prometida por Ele (Os 2.23). Além disso, a ordem divina é: "Fale ao coração" (nota marginal na KJV) de **Jerusalém** (2), de uma maneira consoladora. **A sua servidão é acabada** é melhor traduzido como: "já terminou a sua escravidão" (NTLH). **A sua iniqüidade está expiada** indica que o pagamento foi completo e seu castigo foi aceito. **Dobro [...] por todos os seus pecados** é simplesmente uma hipérbole oriental. "Jerusalém não sofreu mais do que merecia; mas a superabundante compaixão de Deus agora considera o que a sua justiça foi forçada a infligir a Jerusalém".[1] "Quão cheio de misericórdia é o nosso Deus, a ponto de considerar os sofrimentos que os pecadores causaram a si mesmos! Quão cheio de graça ao considerar que aqueles sofrimentos dobram os pecados que eles herdaram".[2]

b) *A voz da profecia com uma mensagem de justiça* (40.3-5). A **voz** [...] **que clama no deserto** (3) vem de uma personalidade que desaparece no esplendor do seu chamado. **O caminho do SENHOR** é mencionado freqüentemente por Isaías. "Levantai uma estrada para o nosso Deus através do deserto" (Moffatt).

A figura no versículo 4 é tirada das operações de engenharia dos construtores de estradas para os reis do Oriente. A ordem continua: Que **todo vale** seja **exaltado**, [...] **e o que está torcido** seja endireitado. A referência de Isaías é ao afloramento do basalto. As rochas formadas de lava dificultam a construção de uma estrada. Os lugares **ásperos** (lugares rochosos) devem ser aplainados. Assim, "no fundo da voz que endireita o nosso coração com Deus, vem a voz para endireitar o mundo, e nenhum homem é realmente devoto se não ouvir os dois chamados".[3] O abatido precisa ser encorajado, o farisaico e o carnalmente presunçoso precisa ser humilhado, a desonestidade deve dar lugar à sinceridade, e o anseio por *status* deve ser abandonado. Tudo isso está envolvido no preparo de um caminho para o nosso próprio Deus, passando pelas desolações da nossa sociedade e indo até os corações dos homens.

A glória do SENHOR (5; *kebod Yahweh*) implica uma manifestação visível do Deus invisível, cuja vinda registra a revelação da sua glória (1 Pe 4.13). O grego da Septuaginta traz: "A salvação de Deus". Note que essa salvação é para todos os homens. **Toda carne** a verá, visto que Cristo é um Salvador universal e a convocação de Deus é para toda a humanidade. Isaías está certo de que essa é uma ordem de Deus. **A boca do SENHOR** é a confirmação costumeira do profeta anexada às suas proclamações inspiradas (cf. 1.20).

c) *A voz da fé com uma mensagem de confiança* (40.6-8). **Voz que diz: Clama** significa, em nossa língua moderna, que Isaías ouviu a voz do invisível, dizendo: "Pregue!". O profeta respondeu: "Que devo pregar?" Isaías sabia que para um homem transmitir uma mensagem viva, ela precisa vir de Deus (cf. 6.8).

A voz dos céus disse para Isaías proclamar o tema da fragilidade e transitoriedade humana: **Toda carne é erva, e toda a sua beleza** ("glória", NVI) **como as flores do campo** (6). Qualquer reivindicação que o homem faça em relação à graça e beleza é apenas temporária, como **as flores do campo**. As pequenas demonstrações de coragem são de curta duração. O contraste de Isaías é entre a transitoriedade do homem e a eternidade de Deus e sua palavra.

Na expressão: **soprando nelas o hálito do SENHOR** (7), Isaías se refere àquele vento quente do leste conhecido na Palestina como siroco.[4] "Quando em maio o vento quente começa a soprar, a flora da primavera adquire, de um momento para outro, um visual de outono".[5] Homer escreveu: "Como são as gerações de folhas, assim são as gerações dos homens" (cf. 37.27; Jó 8.12; 14.2; Sl 90.5-6). **Na verdade, o povo é erva** em comparação com a majestade transcendente de Deus. O homem é transitório ou passageiro. Em um mundo decadente, somente Deus permanece.

Mas a palavra de nosso Deus subsiste eternamente (8). A Palavra de Deus permanece acima da mudança e deterioração que vemos por toda parte. Ela é mais permanente do que a natureza. Ela é dinâmica e expansiva, visto que faz parte da natureza do próprio Deus (1 Jo 2.17). A Palavra do nosso Deus[6] permanece como uma força poderosa e transformadora dentro da história humana, cumprindo o propósito para o qual foi enviada.

d) *A voz do evangelismo com uma mensagem de restauração* (40.9-11). Nessa passagem o profeta expressa a fé e a certeza de que o Senhor vem para reinar e pastorear aqueles que são seus. **Tu, anunciador de boas-novas a Sião** (9) também tem sido traduzido como: "Você que traz boas novas a Sião" (NVI). C. von Orelli traduziu essa frase da seguinte maneira: "Sião, mensageiro de alegria".[7] Delitzsch prefere "Sião Evangelista".[8] Visto que a palavra para **anunciador de boas-novas** está no feminino em hebraico, George Adam Smith sugere: "Mensageiras de boas novas". Ele diz que é "o particípio feminino de um verbo que significa emocionar-se, alegrar-se, pelas boas-novas".[9] A nossa palavra "evangelista" deriva do termo grego na Septuaginta (*euangelion*).

Sobe a um monte alto lembra o fato de Jerusalém estar situada sobre uma colina, de onde se pode ver a fenda do Jordão e o deserto da Judéia. A ordem é subir o monte alto e proclamar em voz alta a mensagem de salvação. Que Sião não se atreva a guardar essa mensagem somente para si.

No entanto, a ordem não é simplesmente anunciar as boas-novas, mas fazê-lo com veemência. **Levanta a voz fortemente; levanta-a, não temas.** Na linguagem atual diríamos: "Fale alto! Fale alto! Não sinta vergonha!" **Sião** e **Jerusalém** aparecem juntas seguidamente nas profecias de Isaías (2.3; 10.12, 32; 24.23; 31.9; 37.22, 32; 41.27; 52.1-2; 62.1; 64.10). Esse é mais um argumento a favor de um só autor para o livro.

A tarefa imediata de Sião é realizar "missões domésticas", porque a ordem é: **Dize às cidades de Judá**. Isto, de forma alguma, anula a ênfase correlata de Isaías sobre "missões mundiais". A tarefa missionária de Israel em casa e para as nações é um dos principais temas de Isaías. O povo de Deus deve tornar-se embaixador da salvação.

Eis aqui está o vosso Deus é uma expressão dramática que também pode ser traduzida como: "Olhai, eis que vem chegando o vosso Deus!".[10] A certeza de Isaías é que, apesar de todas as evidências mostrando o contrário, o Eterno continua ativo na arena da história e continua sendo o Guardador da sua aliança. Deus não está morto! Ele também não está doente!

Eis que o Senhor Jeová virá como o forte (10) é a forma de Isaías dizer que Ele virá "como o Poderoso" (ASV). Ele não virá somente para *ser* forte mas para mostrar-se forte, como conquistador. **O seu braço dominará**, subjugando toda resistência e conquistando o Reino para si mesmo.

Eis que o seu galardão vem com ele lembra o fato de que "um xeque árabe, depois de conquistar uma tribo rival, geralmente volta levando o seu despojo (rebanhos de animais) diante dele [cf. Is 62.11; Ap 22.12]" (Berkeley, nota de rodapé). Essa é uma nota escatológica indicando que Deus tem para os seus amigos e inimigos um galardão preparado de acordo com o que cada um fez. **E o seu salário, diante da sua face** simplesmente indica a retribuição ou "castigo" divino para os ímpios. Assim, Delitzsch traduz essa frase da seguinte forma: "Veja! A sua recompensa está com ele, e sua retribuição diante dele".[11]

Isaías 40.11-16

O quadro final de Deus é de um Pastor Divino. **Como pastor, apascentará o seu rebanho** (11) é conhecido por todos os cristãos através do famoso *Messias* de Handel. Isaías viu Deus nos dois aspectos da sua infinita soberania: exercendo seu poder para subjugar seus inimigos e mostrando sua bondade compassiva para todos os membros do seu rebanho. O versículo 10 mostra-o forte; o versículo 11 mostra-o meigo e gentil. Brandura é simplesmente a força que se tornou meiga. **Os cordeirinhos** recém-nascidos e as ovelhas que estão amamentando[12] precisam de um cuidado especial. Uma ovelha-mãe com um úbere pesado, cheio de leite, não deveria ser sobrecarregada, e alguns cordeirinhos recém-nascidos ainda estão fracos demais para longas caminhadas. Neste caso, eles devem ser carregados pelo pastor. Essa profecia nos lembra de uma outra que descreve a compaixão de Cristo: "A cana trilhada não quebrará, nem apagará o pavio que fumega" (42.3; cf. Mt 12.20). Assim, esse prólogo conclui a segunda parte das profecias como começou, com uma nota de conforto. Isaías vê que Deus não abandonou esse mundo ao caos; Ele governa e continua pastoreando a todos.

2. *O Caráter Singular do Eterno* (40.12-31)

Isaías agora prega uma mensagem acerca da imensurável grandeza do Criador, ao descrever as obras da natureza e seu governo sobre o mundo. Essa mensagem expande a idéia dos versículos 6-8. Isaías fez uso de um argumento aguçado e penetrante. Ele ilustra a grandeza de Deus ao destacar a magnitude das suas operações como Criador (12), a perfeita suficiência do seu conhecimento (13-14), a insignificância de tudo que existe em comparação com Ele (15-17), e o fato de que nenhuma representação finita pode descrevê-lo (18-31).

a) *Senhor da criação* (40.12-17). 1) Isaías fala de Deus como a Criatividade Máxima (12). **Quem mediu com o seu punho as águas** ou "Quem mediu as águas na concha da mão?" (NVI). Nenhum ídolo pode ser comparado com o Criador na magnitude das suas operações. A completa futilidade em medir as obras divinas com a palma da mão, o palmo,[13] a **medida**, os pratos e a balança, é apresentada por meio de palavras enérgicas. Deus pôs até no mundo físico medidas que estão além da compreensão humana.

2) A sabedoria indescritível (13-14) da parte de Deus é o aspecto seguinte a ser exaltado. **Quem guiou o Espírito do Senhor?** (13). Ninguém pode direcionar o Espírito de Deus. Este Espírito que pairava sobre o caos primitivo e o moldou em um cosmos dificilmente precisa de um conselheiro terreno. **Com quem tomou conselho?** (14). Quem foi chamado para dar conselhos a Deus acerca da justiça, conhecimento e prudência?

3) Poder ilimitado é mais uma característica da verdadeira Divindade (15-16). A maior das **nações** não é mais do que uma **gota** de água em **um balde** ou **o pó miúdo das balanças** (15). Estudos recentes modificariam a tradução de "balde" para "nuvem de chuva". Por isso, em comparação com a grandeza de Deus as nações não são mais do que uma gota de chuva em uma tempestade. Elas não são mais pesadas do que um grão de areia nos pratos da balança. Mesmo as ilhas são como uma partícula de pó. Deus manuseia as ilhas como se fossem um punhado de terra. **Nem todo o Líbano** (16), com todas as suas poderosas florestas, pode fornecer lenha suficiente para um sacrifício a um Deus como esse; nem todos os seus animais selvagens poderiam constituir uma oferta apropriada a Ele. Semelhantemente aos autores do Antigo Testamento, Isaías está certo de que a única oferta aceitável a Deus é um espírito humilde e obediente (58.5; 66.2; cf. Mq 6.6-8).

4) Superioridade incontestada é o tema do versículo 17. **Todas as nações são [...] menos do que nada**. Se esse é o caso, os comentaristas que pensam que Deus construiu suas esperanças sobre o poder e sucesso mundial de um rei persa[14] falharam na sua interpretação. As façanhas de um Ciro terreno também não podem ser a principal faceta da esperança de Isaías. Aqui as nações são comparadas com aquele caos primitivo (cf. *tohu* de Gn 1.2) que era muito mais pesado do que elas. As **nações** e o **nada** são contrastados na mente do profeta, e o que foi mencionado em segundo lugar é mais significativo. **Vã** seria "sem valor" (NVI).

b) *Divindade incomparável* (40.18-31). 1) Nenhum artífice humano pode moldar a imagem de Deus (18-20). **A quem, pois, fareis semelhante a Deus**? (18) é a pergunta dirigida àquele pensamento errôneo universal de que a Divindade pode ser representada pela obra de mãos humanas (cf. At 17.29). Deus não permite nenhuma representação em forma de imagens da sua pessoa, porque não há nada que seja parecido com ele em todo o universo. Mas a pergunta de Isaías é pertinente aos nossos dias — "Como você acha que Deus é?" **O artífice** e **o ourives** (19) podem cooperar com o ferreiro moldando a imagem e cobrindo-a com **ouro** e soldando nela **cadeias de prata**. Essa imagem seria para idólatras ricos. As pessoas pobres escolheriam um pedaço de madeira de amoreira que **não se corrompe** (20) e dela esculpiriam um ídolo. Ou elas procurariam um marceneiro inteligente para **gravar uma imagem que se não pode mover** (oscilar). O fato de a imagem cair seria entendido como um sinal de mau agouro (cf. Jz. 6.25-31) e sugeriria sua impotência finita. O Deus de Isaías, por outro lado, não está sujeito a quedas ou a ser comido por cupins.

2) Nenhum habitante terreno pode ser igual a Deus (21-24). **Porventura, não sabeis [...] não ouvis [...] vos não notificou**? (21). O profeta apela para as instituições primárias da humanidade (cf. Rm 1.20), para os argumentos da teologia natural, i.e., a criação revela o poder eterno e a divindade de Deus. Uma vez que a pessoa leva em consideração a variedade infinita do universo, somente um tolo pensaria ser possível fazer uma cópia de Deus. **Ele é o que está assentado sobre o globo da terra** (22). "Ele senta entronizado acima da cúpula da terra, e assim seus habitantes parecem gafanhotos. Ele estende os céus como um forro fino, e os espalha como uma tenda para neles morar".[15] Semelhantemente, é Ele que **faz voltar ao nada os príncipes** (23). Diante dele ditadores fracassam e os governantes terrenos são mera nulidade (cf. Jó 12.21; Os 107.40).[16] Trata-se de prerrogativa de Deus remover monarcas dos seus tronos e destiná-los ao esquecimento. "Mal eles são plantados ou semeados, mal lançam raízes na terra, Deus sopra sobre eles, e eles murcham; um redemoinho os leva como palha" (24, NVI).

3) As estrelas nos céus estão sujeitas ao Criador (25-26). **A quem pois me fareis semelhante**? (25) é uma pergunta divina para a qual não há resposta humana. O desafio é: "Encontre alguém igual a Mim, se puder!". Assim diz o **Santo**.[17] **Levantai ao alto os olhos e vede [...] quem a todas chama pelo seu nome** (26). Alguns podem adorar estrelas como deuses, mas o Deus de Isaías é o Grande Pastor das estrelas. Ele lhes dá nomes e dirige o curso de cada uma delas com tal precisão que **nenhuma faltará**. "Aquele que não se esquece de uma única estrela no exército celestial, não esquecerá ou negligenciará a mais fraca do seu rebanho na terra".[18] Schiller escreve:

Através de portas douradas Ele as leva;
Ele as conta todas as noites;
Mesmo que Ele ande pelo caminho muitas vezes,
Seus cordeiros nunca se desviam do seu olhar.

4) Um Deus como esse é incansável no seu conforto (27-31). a) Seu cuidado é inquestionável e ilimitado (27-28a). **Por que, pois, dizes [...]: O meu caminho está encoberto** (27). Se Deus conhece e cuida das estrelas, não está desatento em relação aos homens, nem indiferente em defender aqueles que lhe pertencem. O povo de Deus não está sujeito a um destino descuidado, nem são seus direitos desconsiderados. Mais uma vez, ouve-se a pergunta: **Não sabes?** (28). O Senhor é **o eterno Deus** que nunca se cansa e não lhe falta percepção (cf. Jó 5.9; 9.10; Rm 11.33). b) Sua força é infalível (28b-29). **Dá vigor ao cansado e multiplica as forças** (29). Aquele que nunca se cansa fortalece os que estão cansados, "e ao que está sem vigor, Ele enche de poder".[19] c) Deus tem uma percepção insondável (28), visto que não há sondagem ("esquadrinhamento") das profundezas **do seu entendimento**. d) Deus oferece um sustento incessante (30-31). Mesmo que a idade e vigor estejam no seu auge, **os jovens** e os moços **cairão** (30). A força natural, mesmo no seu apogeu, pode se esgotar, mas isso não ocorre com a força sobrenatural.[20] Por isso, **os que esperam no S**ENHOR, com fé, se elevam acima do que é mundano, resistem com perseverança e encontram graça para continuar persistindo. "Para o fiel não há fracasso, e a fé não conhece fadiga".[21]

Nos versículos 28-30, temos a promessa da "Força para um Viver Santo". 1) Deus provê força, versículo 29; 2) a força é renovada ao esperar no Senhor, versículo 31a; 3) Deus ajusta o suprimento de força para a necessidade presente, versículo 31b (G. B. Williamson).

B. GARANTIA DE AJUDA A ISRAEL, 41.1-29

Neste capítulo, Deus desafia a realidade dos deuses pagãos. O poder para predizer acontecimentos futuros pertence somente a Deus. Por isso, há um apelo direcionado ao cumprimento passado e às predições futuras realizadas pelo Deus de Isaías. A predição do Senhor acerca do livramento de Israel é prova da sua divindade, e a inabilidade dos ídolos de fazer qualquer coisa é prova da insignificância deles. A disputa entre o Deus de Israel e os deuses pagãos é descrita nos versículos 1-7. A declaração confortante da ajuda e amor de Deus pelo seu povo é relatada nos versículos 8-20. O desafio aos deuses das nações alcança seu clímax nos versículos 21-29.

1. *Somente Deus Pode Predizer e Cumprir* (41.1-7)

a) *Convocando as nações* (41.1). O argumento iniciado no capítulo anterior prossegue aqui. Deus convida as **ilhas** (nações pagãs) a uma disputa com Ele, no que tange ao seu poder em comparação ao dos ídolos delas. "Que as ilhas suspendam seu clamor e venham a mim; que os povos do mundo criem coragem novamente; que eles venham e pleiteiem a sua causa; vamos submeter a questão a um árbitro, eles e eu" (Knox).

b) *Convocando seu conquistador* (41.2-4). Aqui temos um argumento da história. **Quem suscitou do Oriente o justo...?**[22], i.e., quem escolheu Abraão e o chamou, dando a ele poder para conquistar nações e reis? (Gn 14). Foi o Eterno. Portanto, o que Deus começou em Abraão, vai cumprir no Israel transformado do futuro. Ele é o Alfa e o Ômega do destino (cf. 43.10,13; 46.4; 48.12; Ap 1.8, 17-18 com Jo 8.28). O Senhor Deus traz à existência tanto a criação como a história; Ele governa seu universo e dirige o curso da história.

c) *A coalizão pagã* (41.5-7). Estes versículos são uma descrição da correria aterrorizante das nações reunidas diante do quadro divino do destino delas. Elas **viram e temeram** (5), então buscaram animar um ao outro. Talvez seja necessário que um novo deus se oponha às atividades do Deus de Israel. O **artífice**, o **ourives** (7) e outros trabalhadores se uniram, e quando a sua obra estava terminada, fixaram-na firmemente **com pregos** para que não caísse. Tudo isto é um supremo toque de ironia. Assim, é possível ver a decadência iminente dos deuses pagãos.

2. *A Garantia de Israel acerca da Ajuda de Deus* (41.8-20)

a) *Israel pode depender de Deus* (41.8-10). A escolha de **Israel**, na pessoa de **Abraão**, é a garantia do seu livramento na crise vindoura. Ela tem a garantia da proteção de Deus. Essa é a lição do chamado de Abraão. **Mas tu** (8) está em justaposição com o precedente e, por isso, é enfático. O título **servo meu** não deve ser entendido de forma negativa. Ele é um atributo honroso. A **semente de Abraão** é um conceito significativo para os escritores do Novo Testamento,[23] e **Abraão, meu amigo** tem um significado rico para todos os seus descendentes (cf. Tg 2.23).

Desde os confins da terra (9) parece indicar Ur da Caldéia, o local mais afastado do horizonte do profeta, tomando como certo que ele morava na Palestina. Nem Ur nem Harã poderiam ser chamados de confins da terra do ponto de vista da Babilônia. **A ti te escolhi** indica que Israel não fez seu próprio Deus (como era o caso dos pagãos) mas, de modo inverso, Deus havia chamado e criado Israel. **Tu és meu servo** indica que essa escolha não significava uma salvação incondicional, mas ela visava a um serviço especial. Se essa escolha significa a salvação de Israel, ela também deve tornar firme a sua "vocação e eleição" (2 Pe 1.10).

A persistente ênfase no pronome pessoal **eu** transmite a idéia da Presença Divina. Deus promete sustentar seu servo com **a destra da** sua **justiça** (10), "com a minha mão direita vitoriosa" (hb.). **Eu te esforço** — vou equipá-lo para o conflito; **e te ajudo** — vou sustentá-lo para que obtenha a vitória.

b) *Os opositores de Israel serão confundidos* (41.11-13). Todos os que ardem em inimizade contra o povo de Deus serão **envergonhados e confundidos** (11). Pessoas que o atacam **tornar-se-ão nada** (12). A divina promessa é: **Eu, o Senhor, [...] te tomo pela tua mão direita** (13). Aqui está a exaltação da Onipotência!

c) *A ajuda de Deus garante a vitória* (41.14-16). Deus pode pegar um verme e moer uma montanha, mas primeiro Ele precisa achar o verme. **Ó bichinho** ("verme", NVI) **de Jacó** (14) descreve vividamente a fraqueza e o desamparo humanos. **Povozinho** é melhor traduzido como: "Ó inseto". Por isso Knight traduz: "Não temas, ó verme Jacó, ó piolho Israel!".[24] Deus não nos escolhe porque somos formidáveis, mas porque nos rendemos ao seu amor e propósito (Dt 7.7). Na expressão **teu Redentor** é possível ver a influência do livro de Jó (Jó 19.25). O conceito do redentor-parente é comunicado pelo grande termo hebraico *go'el* (Lv 25.47-49). Abraão tinha servido como tal no resgate do seu parente Ló (Gn 14). O **Santo de Israel** é o nome costumeiro de Deus usado por Isaías (Is 1.4).

A idéia de um **trilho novo** ("debulhador", NVI) **que tem dentes agudos** (15) representa invencibilidade. A profecia: **os montes trilharás e moerás; e os outeiros tornarás como a palha** parece indicar uma vitória avassaladora. As máquinas de debulhar com dentes afiados continuam sendo usadas até hoje na Palestina e puxadas sobre os terrenos a serem debulhados, onde os cereais nos talos têm sido empilhados. Novamente, contando com o favor divino, Israel se torna um instrumento terrível de juízo para as nações, especialmente para seus inimigos. "Diante do povo de Deus os picos mais orgulhosos das nações estrangeiras devem dobrar-se e ser pisoteados até se tornar pó".[25] E depois da debulha vem a peneira (16).

Com base nos versículos 13-16, o dr. P. F. Bresee pregou o sermão intitulado: "Função e Meios da Vitória Santa". 1) Deus pode usar instrumentos pouco prometedores — **ó bichinho de Jacó**, versículo 14; 2) Através de vidas rendidas Deus pode ganhar vitórias fantásticas, versículo 15; 3) O instrumento de vitória espiritual é a verdade divina — "a palavra de Deus [...] rápida e poderosa", versículos 15-16.

d) *Deus fará proezas em favor de Israel* (41.17-20). A nação será transformada de um estado de miséria em um estado de felicidade; a terra agora desolada se tornará viçosa e fértil. Em uma terra onde a **língua** freqüentemente **se seca de sede** (17), Deus promete **rios em lugares altos e fontes, no meio dos vales**; que **o deserto** se transforme em **tanques de água e a terra seca, em mananciais** (18). Aqui mais uma vez fica evidente que o lugar da visão do profeta não é a Babilônia, mas sim, a Palestina. **Plantarei** (19) **o cedro, e a árvore de sita** (acácia), **e a mura** (que cresce somente no estado do Oregon [EUA] e na Palestina), **a oliveira, a faia, o olmeiro e o álamo** (cipreste); tudo isso descreve uma *terra* e um *povo* transformados. O objetivo é que **vejam** [...] **saibam** [...] **considerem, e juntamente entendam** (20) que foi o Deus Eterno que fez tudo isso. Só Ele é a Fonte de todo bem.

3. *O Senhor Desafia os Falsos Deuses* (41.21-29)

A questão levantada aqui é: Será que as nações e seus deuses podem frustrar os planos do Deus vivo? Que os deuses dêem provas do seu poder! Que eles apontem algum evento no passado predito e cumprido por seus deuses, ou que eles predigam o futuro. Deus havia predito o crescimento e o triunfo da família de Abraão e Ele cumpriu o que predisse. Esta é a garantia de que a profecia agora anunciada também se cumprirá (25-28).

Apresentai a vossa demanda (21), i.e., "Que apareçam os seus ídolos que vocês consideram tão fortes".[26] Apresentem sua ação judicial, exponham a sua causa, se tiverem alguma. "Os deuses falsos são convocados a aparecer e se mostrar pessoalmente e a apresentar evidências da sua presciência e poder ao predizer eventos futuros, e mostrar o seu poder em fazer o bem ou o mal".[27] **Firmes razões** provavelmente significam provas incontestáveis. O desafio continua: **Anunciem as coisas que hão de acontecer** (22).

Vamos ver se o acontecimento corresponde à predição. O Deus de Israel pode mostrar o cumprimento de profecias anunciadas no passado, e Ele está pronto para anunciar acontecimentos futuros. **Anunciai-nos as coisas que ainda hão de vir** (23), é o desafio da profecia. **Fazei bem ou fazei mal.** As duas atividades provariam que os seus deuses tinham vida. Mas os deuses dos pagãos são "menos do que nada" (24, nota marginal). Sua origem e existência são essencialmente "nada" (cf. 1 Co 8.4), e eles inspiram falsas esperanças nos seus adoradores. Somente o Deus verdadeiro é conhecido como Aquele que suscitou **a um do norte** (25), que invocará o seu **nome** desde **o nascimento do sol**, até mesmo Abraão. Quem é o que predisse com tal precisão que podemos dizer: "Isto está certo"? (26). Quem é fiel à sua palavra empenhada e com poder para realizá-la? Ninguém assim pode ser encontrado no meio dos deuses falsos. Fui Eu que primeiro disse a Sião: Darei a ela um mensageiro de **boas-novas** (27). "Quanto aos seus ídolos, não vejo ninguém, nenhum profeta no meio deles, para responder às minhas perguntas!" (28, Moffatt). Os ídolos são **vaidade; as suas obras** são confusas; **imagens de fundição** são somente nulidade vazia (29). Essa é, então, a acusação formal do Eterno aos deuses falsos das nações pagãs.

C. Deus Introduz seu "Servo" Escolhido, 42.1-25

Neste capítulo, Isaías nos leva um passo adiante em seu retrato do Santo de Israel. O capítulo 40 descreve sua singularidade e sua incomparável divindade. O capítulo 41 o coloca em claro contraste com os deuses inexistentes dos pagãos. Agora, no capítulo 42, o propósito divinamente redentor de Deus é colocado diante de nós na pessoa e características do seu Servo. "Ao lado de Javé, o Servo de Javé é, sem dúvida, a personagem mais importante na perspectiva do nosso profeta. Ele é citado, descrito, comissionado e encorajado inúmeras vezes ao longo da profecia".[28] O Servo aparece em forma de figura humana de caráter elevado e perseverança incansável, uma reflexão da própria natureza de Deus, que torna sua a obra redentora de Deus, e participa da compaixão divina. O propósito divino na história é o estabelecimento do governo de Deus nos corações dos homens para que possam realizar justiça, paz e liberdade.

Este capítulo está repleto de contrastes. Os versículos 1-4 estão em contraste com os versículos 10-17, e os versículos 5-9 estão em contraste com os versículos 18-21. Mas, mesmo no conteúdo de alguns versículos isolados encontramos contrastes, como ocorre com o versículo 9, por exemplo, entre as coisas precedentes e as coisas novas. Semelhantemente, encontramos uma justiça que é mansa e ao mesmo tempo militante.

1. *O Servo Ideal e sua Obra* (42.1-9)

Nessa seção, Deus está falando, em primeiro lugar, para introduzir seu Servo Messias;[29] e, em segundo, para anunciar por meio dele a instituição de uma aliança inteiramente nova com seu povo.

a) *O manso mas majestoso servo de Javé* (42.1-4). Este cântico, o primeiro dos chamados "Cânticos do Servo" da profecia de Isaías, destaca *o caráter* do Servo. O segundo (49.1-6) ressalta *o chamado* do Servo. O terceiro (50.4-9) descreve *a obra* do Servo. O quarto, e mais longo (52.13—53.12), retrata *o destino* do Servo. Neste primeiro cântico, o Servo é retratado como alguém que é sustentado, eleito, agradável, ungido e justo (1); modesto e sem pompa (2); gentil e verdadeiro (3); fiel, corajoso, promovendo a verdadeira fé religiosa na terra (4).

Eis aqui o meu Servo [...] o meu Eleito (1). Precisamos concordar com Plumptre em que a caracterização aqui aponta para algo que vai além do que é o Israel visível ou mesmo o Israel ideal. Na verdade, pensa-se aqui naquele que é a essência dos dois (do Israel visível e do Israel ideal), com atributos que são reproduzidos em seu povo somente até o ponto em que cumprem o ideal divino. No mínimo, precisamos reconhecer aqui um tipo do nosso Senhor Jesus Cristo, visto que o que é afirmado acerca desse **servo** vai muito além do chamado do profeta, ou da capacidade de qualquer homem. Deve, portanto, referir-se ao futuro Messias (o Ungido). Esta também é a visão dos exegetas judeus no Targum (cf. Mt 12.17-21).

"Ele não será contencioso ou amante de facções" (2, Knox). Em vez disso, será o oposto exato dos mestres mentirosos que se empenharam em exaltar-se a si mesmos por meio de demonstrações barulhentas. Ele é a personificação de um caráter recomendado e, portanto, não necessita de uma proclamação forçada.

"Uma cana rachada ele não quebrará, e um pavio fumegante ele não apagará; ele fará justiça com fidelidade" (3, von Orelli). Como Pastor, tratará com mansidão a humanidade machucada e sobrecarregada que enfrenta desânimo e morte diante das injustiças da vida. Ele procurará salvar e não destruir essas pessoas. Ele trará justiça (**juízo**)[30] à realidade.

Seu zelo não será extinto até que tenha assegurado justiça na terra. Isso significa que Ele também será bem-vindo pelo mundo gentio que já está consciente das suas necessidades (4). O clamor por redenção é um anseio universal da raça humana.

O desafio dos versículos 1-4 é: "Eis, meu Servo": 1) A pessoa do Servo, sustentada por Deus, que se agrada nele, e coloca seu Espírito nele, versículo 1; 2) a obra do Servo não contém ostentação, versículo 2; é marcada por infinita paciência, versículo 3; e dá a garantia da vitória, versículo 4 (G. B. Williamson).

b) *O instrumento de uma nova aliança* (42.5-9). Quem se dirige ao Servo agora é o eterno e criativo Deus (5). **Assim diz** o Poderoso e Eterno — "artífice do mundo e de todos os recursos do mundo, aquele que dá existência e fôlego a tudo que vive e se move nele" (Knox). A idéia de Servo é aqui elevada ao ápice pessoal.[3] [1]

A convocação divina é para uma missão redentora universal (6-7). **Em justiça** (6) — "A justiça de Deus é a severidade com que Ele age de acordo com a vontade da sua santidade".[32] A missão do Servo é produzir um "povo da aliança" (hb. *'am berith*) e uma raça espiritualmente renovada (cf. Jr 31.31-34). Para alcançar isso, Ele tirará **da prisão os presos** (7), aqueles que eram escravos do egoísmo e do pecado, para que seus **olhos** possam ver aquilo que sua esperança abraçou (Zc 9.11).

"Eu sou o Eterno, zeloso da Minha glória, que rejeito imagens fabricadas, e bem-sucedido nas minhas predições. Eu sou *Yahweh*. Este é meu nome. Eu sou auto-existente, eterno, auto-suficiente, independente, onipotente, vivo e doador da vida, cuja glória não pode ser compartilhada com deuses impostores, que são mera vaidade e futilidade. Minhas predições passadas se cumpriram, e agora lhes falo de coisas novas antes que venham à luz" (8-9, paráfrase).

2. *O Servo, um Deus Forte e um Herói Poderoso* (42.10-17)

a) *Seu advento é ocasião para um novo cântico* (42.10-12; cf. Ap 5.9). Nenhuma canção antiga será suficiente. "Louvai-o do mar, todos os homens que navegam nele, e todas as criaturas que nele estão; as ilhas e os habitantes das ilhas" (10, Knox). Aqui, então, encontramos mais uma indicação de que o local de habitação do profeta é a Palestina e não a Babilônia. "A abundância do Mar, cujas profundezas insondáveis escondem multidões de habitantes silenciosos, devem se unir em um coro jubiloso".[33] Além do mais, o profeta fala ao deserto com seus acampamentos para erguer a sua voz, e mesmo inimigos tão antigos como os árabes saqueadores do Quedar e os edomitas de Petra devem fazer parte do júbilo, exultando dos **montes** mais elevados (11). Aqui, novamente, o local do profeta é a Palestina, não a Babilônia. "Todos devem dar louvores a Deus, até que a fama dele alcance as ilhas mais distantes" (12, Knox).

b) *Ele é o grande Vingador* (42.13-17). 1) Ele avança para conquistar (13). Ele é semelhante a um guerreiro que desperta sua própria fúria para o ataque, e com um grito de batalha sujeitará seus inimigos. 2) Ele já não se absterá de falar e agir (14-16). "Pela eternidade mantive o silêncio e reprimi minha fala, mas agora gemerei e respirarei ofegante como uma mulher em trabalho de parto, e então falarei o que tenho de falar" (14, paráfrase). "Tornarei em deserto os montes e as colinas, fazendo murchar toda a sua verdura, tornando rios em ilhas, e secando os pântanos" (15, Knox). Assim, o fôlego chamejante de Deus transformará os montes e colinas em monturos de ruínas, ressecando sua vegetação, secando ribeiros e lagos, e transformando a terra em deserto. **E guiarei os cegos [...]; tornarei as trevas em luz perante eles [...] e nunca os desampararei** (16). Quando os olhos cegados pelo pecado são abertos para a possibilidade da graça, então, de fato, descobrem-se novas maneiras de livramento. Essas são as coisas que apenas comecei a fazer, diz Ele, e não os abandonarei. 3) Por isso, aqueles que tornam suas imagens em deuses certamente serão envergonhados (17). Os gloriosos atos de julgamento e salvação do Senhor desmascaram os falsos deuses, para a completa confusão dos seus adoradores.

3. *O Verdadeiro Servo e sua Inconveniência* (42.18-25)
Isaías agora faz um contraste da nação com o Servo Ideal que ele tem descrito até esse ponto.[34]

a) *Israel foi acometido pela cegueira* (42.18-21; cf Rm 11.25). **Surdos, ouvi, e vós, cegos, olhai** (18) lembra a comissão original do profeta registrada em 6.9. Adam Clarke argumenta que a pergunta do versículo 19 deveria ser mudada da seguinte forma: "Quem é [tão] cego [...] surdo [...] como aquele a quem tenho enviado meus mensageiros?". E mais adiante: "Quem é tão cego como aquele que é perfeitamente instruído?". Aqui está Israel, o servo de Deus, cego e surdo de uma maneira singular e sem paralelos. Aqueles que tinham sido comissionados para serem luz aos cegos, pateticamente foram afligidos com a doença que eles deveriam curar nos outros. **Tu vês muitas coisas** (20) é uma referência aos grandes atos de Deus, que tinham sido o privilégio de Israel, mas faltava uma percepção inteligente do seu significado e intenção. Por desrespeito, a maioria dos israelitas tinha sufocado a luz da revelação de Deus. Além do mais, **agradava** ao Senhor por **amor da sua justiça** engrandecer a **lei** e torná-la gloriosa (21), ao descrever a grandeza e a glória do Senhor diante de seu povo; mas eles não tiraram proveito da sua instrução.

b) *Israel é prisioneiro da descrença* (42.22-25). Apesar do Deus de Israel, este é um povo saqueado e aprisionado (22). **Quem há entre vós que ouça [...] o que há de ser depois?** (23). Certamente deve haver alguns dentre vocês que prestarão atenção às advertências divinas e se arrependerão dos seus caminhos! Um Israel que não tem uma compreensão correta do seu passado certamente não terá um entendimento adequado do seu futuro. **Israel** precisa entender que sua situação é um castigo do seu próprio Deus, contra quem o povo pecou e se rebelou (24). "Filhos queimados geralmente afastam-se do fogo; mas essa nação não se tornou sábia, apesar das labaredas da guerra a cercarem e a chamuscarem".[35] Nem os castigos mais severos foram levados a sério (25); Israel não reconheceu que o fogo foi aceso pelo calor do amor julgador de Deus. Por isso, o infeliz povo de Israel não conhece outro rei "senão o César" (cf. Jo 19.15).

E. "Vós Sois Meus". Eu Sou o vosso "Santo", 43.1—44.5

Do ponto de vista teológico, este é um texto tremendamente significativo. Agora o poeta canta o livramento, após ter falado do Libertador nos capítulos 41 e 42. A reciprocidade mútua do relacionamento divino-humano é relatada no tema dessa seção do nosso esboço. Se Deus é o Autor dos castigos do seu povo (42.25), Ele também é o Autor da sua redenção, agregação e transformação. Eles, por sua vez, são suas testemunhas entre todas as nações do fato de que Ele é o Deus vivo. Ele os escolheu e os tornou seu "exemplo" para provar que somente Ele é Deus e Salvador.

1. *A Garantia da Redenção* (43.1-8)

a) *A preservação é prometida* (43.1-2). A mensagem confortadora do Deus Eterno para a criatura que Ele formou é o fato de que Israel é sua "possessão comprada" e é chamado pelo seu nome (1). Adam Clarke argumenta que a tradução deveria ser a seguinte: "Eu os chamei pelo Meu nome". Dar nome significa uma escolha pessoal e uma apropriação. **Águas** [...] **rios** [...] **fogo** (2) são todos símbolos de perigo. Mas na presença do Grande Companheiro, Israel não tem nada a temer. Havia falta de pontes no Oriente Médio. Não existe a palavra ponte no hebraico bíblico. Mas a promessa de Deus é que os rios transbordantes não arrastarão o seu povo, e o fogo também não os queimará.

b) *O preço do resgate é pago* (43.3). O Deus de Israel lembra o seu povo que Ele já tinha dado o **Egito**, o Sudão e a **Etiópia** como preço pelo seu **resgate**. O verbo no hebraico está no tempo perfeito; assim, não se refere a um resgate futuro a ser pago a Ciro para deixar que os cativos retornem da Babilônia. As três nações mencionadas eram o objeto da fúria de Senaqueribe. Ao passar pela pequena Jerusalém, ele nunca a conquistou. Portanto, o **Santo de Israel** tinha negociado essas três nações para libertar a pequena Judá.

c) *Uma possessão valiosa* (43.4). Na redenção, o amor de Deus alcança sua obra máxima. "Tão preciosa, tão honrada, tão ternamente amada, que estou pronto a entregar a humanidade em seu lugar, um mundo para salvá-la" (Knox). Deus está disposto a sacrificar todo o mundo por esse pequeno povo, visto que este pequeno povo deve se tornar povo para todo o mundo. Que relacionamento "Eu — Vós" esplendoroso é esse!

d) *A reabilitação é prometida* (43.5-8). O Deus eterno vai reivindicar seus **filhos** e **filhas** (6) das quatro extremidades da terra. No tempo de Isaías, uma dispersão bastante ampla dos hebreus havia ocorrido, como os arqueólogos agora reconhecem. Mas como Deus ordenou a Faraó que deixasse seu povo ir, assim Ele promete ordenar o mesmo a todas as nações. "Restaurarei ... Todo aquele que é chamado pelo meu nome é minha criatura, criado e formado para minha glória" (7, Knox).

Em 43.1-7, encontramos a descrição do "Povo Destemido de Deus". 1) Eles são possessão dele pela criação, v. 1, e pela redenção, v. 2; 2) eles são protegidos pela sua presença, v. 2; 3) sua posteridade conhecerá a salvação de Deus, v. 5 (G. B. Williamson).

"Traga-o para fora, para a luz do dia, esse povo meu que tem olhos e não consegue ver, tem ouvidos, e não consegue ouvir" (8, Knox). "O versículo 8 é o clímax da transformação que torna o servo pronto para a tarefa".[36] Isso provavelmente se refere ao Israel ainda não convertido, embora Clarke aplique esse texto aos gentios.

2. *A Promessa do Cumprimento* (43.9-13)

Somente o Deus Eterno pode prometer e cumprir. Assim, mais uma vez, Isaías leva **as nações** diante do tribunal com as três *personagens* desse *drama*: Deus, as nações e Israel.

a) *Chamando as testemunhas* (43.9-10). **Quem dentre eles pode anunciar** (9) que têm deuses que são os senhores da história? Não são esses ídolos sem vida, mas o Deus vivo quem tem dado a interpretação dos eventos passados mesmo antes de eles acontecerem. Que as nações apresentem **testemunhas** a favor dos seus deuses pagãos! O Eterno também tem referências; e Ele declara a Israel: **Vós sois as minhas testemunhas** (10). Aqui os pronomes são enfáticos. **Vós** e **minhas** indicam que o povo de Deus não existe para si mesmo. Eles precisam ser as **testemunhas** de Deus para que **saibas** [...] **creiais** [...] **e entendais** o real propósito e significado da eleição deles. **Antes de mim deus nenhum se formou e depois de mim nenhum haverá** indica que o Senhor não tem nem predecessor nem sucessor. Os advérbios de tempo não devem ser construídos de tal maneira que o resultado indique uma Deidade temporal. Deus não é uma criatura presa a tempo e espaço. Por isso, seu nome é Eterno.

b) *Deus toma a posição de testemunha* (43.11-13). **Eu, eu**, o Eterno, sou o único **Salvador** (11). **Eu anunciei** [...] **eu salvei** e "anunciei" (12, NVI), e não foi nenhum **deus estranho** que fez essas coisas no meio de vocês; **pois vós sois minhas testemunhas** [...] que **eu sou Deus**. Deuses pagãos não oferecem nenhuma revelação, e não foi nenhuma deidade pagã que planejou e executou o êxodo do Egito. Mas como um dia sucede ao outro, **eu** permaneço o mesmo, com o mesmo poder e mantendo os destinos de todos em **minhas mãos; operando eu, quem impedirá?** (Cf. Jó 9.12; 11.10).

3. *Um Novo Êxodo é Predito* (43.14-21)
Vamos agora para uma seção em que Isaías ressalta o fato de que a redenção é pela graça (43.14—44.5). **O Santo de Israel** (14) é o Orador. A iminente obra de redenção é predita (43.14-21), razão pela qual a graça é livre (43.22-28); e o resultado completo disso é o Espírito de Deus derramado, produzindo membros leais em abundância (44.1-5).

a) *A frustração da Babilônia* (43.14-15). "Assim diz o Senhor, seu Salvador, o Santo de Israel: Por amor a vós, enviei à Babilônia e trouxe de volta todos os fugitivos e os caldeus que se gloriam em seus navios. Eu sou o Senhor, o vosso Santo, o Criador de Israel, vosso Rei" (Versão *Peshitta* [Lamsa]).[37]

b) *O Deus do Êxodo fala* (43.16-17). O mesmo Deus que subjugou Faraó com seu exército e seus carros no mar Vermelho promete livramento agora. O Deus que pode transformar o **mar** (16) em uma estrada, e afundar **carro** e **cavalo, o exército e a força** (17) como chumbo abaixo das suas águas, também é capaz de tornar **extintos** os inimigos de Israel como se fossem apagados **como um pavio**.

c) *Algo novo num futuro próximo* (43.18-21). O Deus que secou as águas tem o poder de suprir água em abundância no livramento vindouro (18). Que o povo de Deus, portanto, se volte da memória para a esperança, porque aqueles eventos notáveis do passado anunciam eventos decisivos no futuro (19). Aquele que prepara caminhos pelo mar também preparará um caminho **no deserto** e fará com que **rios** brotem do meio do deserto. Assim, os habitantes do deserto honrarão o Deus eterno por causa dessa mudança em seu hábitat. Porque o Deus que deu de beber a Israel na sua caminhada pelo deserto pode repetir o milagre por amor do seu **eleito** (20), para que esse povo escolhido dê **louvor** a Ele (21). Assim como o Êxodo é significativo para os santos do Antigo Testamento, a Ressurreição e o novo nascimento são importantes para os que seguem a fé do Novo Testamento. A maior conseqüência da profecia de Isaías é um livramento do cativeiro e da escravidão do pecado, e um novo êxodo da Babilônia dos ímpios.

4. *O Indigno Israel e o Deus Perdoador* (43.22-28)
O Eterno agora declara a acusação ao indiferente Israel. Para toda provisão e promessas de Deus a resposta deles não tem sido adoração mas sim indiferença e pecado.

a) *Cansados de Deus* (43.22). **Tu não me invocaste** [...] **mas te cansaste de mim**. Uma nação cansada do seu Deus faz apenas uma coisa: se volta a outros deuses, porque o homem é irremediavelmente religioso. Esse foi o caso de **Jacó** e **Israel**. Cansados de Deus, eles se voltaram para uma nova fé nos deuses de aliados pagãos. Aqui temos um vislumbre da dor do coração do Eterno. A adoração oferecida de má vontade não é verdadeira adoração.

b) *Deus não é um tirano religioso* (43.23). **Nem me honraste com os teus sacrifícios**.[38] Os muitos **holocaustos** de **gado miúdo** pela manhã e à noite, as ofertas oferecidas e o incenso no altar de ouro não davam prazer ao coração de Deus visto que Israel não os oferecia de coração. "O Senhor não requer ofertas generosas e caras, mas uma confiança nele e submissão à sua vontade".[39]

c) *A oferta de Israel não era em sinceridade, mas em pecados* (43.24; cf. 1.11,14). "Você me sobrecarregou com seus pecados" (NVI). "Fui sobrecarregado com seus pecados; fui afligido com sua incredulidade" (Knox).

d) *Graça e juízo* (43.25-28). Deus perdoa porque Ele é Deus. **Eu, eu mesmo, sou** (25) o que oferece perdão e apaga **transgressões** (cf. 1.18).[40] **Por amor de mim**, diz Deus. Nenhuma razão é dada além da sua própria infinita bondade. "Sou eu, sempre eu, que devo apagar tuas ofensas, por amor da minha honra, apagando da memória os teus pecados" (Knox).

Israel nada tem a alegar a não ser declarar-se culpado (26-28). **Procura lembrar-me** (26) — Venham, vamos resolver o problema com uma discussão franca! Se eu deixei de fazer alguma coisa em seu favor, lembrem-me! O que vocês podem oferecer como argumento para sua autojustificação? **Teu primeiro pai pecou** (27). Esse poderia ser tanto Abraão como Jacó (visto que Adão é o pai não somente de Israel, mas de toda a humanidade). Archer talvez esteja certo ao escrever: "Do ponto de vista das leis da justiça, os judeus não tinham nenhum direito de defesa, porque mesmo seu antigo pai da aliança era culpado de pecado (ao mentir a Faraó e Abimeleque acerca da sua esposa), e os seus líderes espirituais se voltaram contra Deus".[41] Tanto o povo como seus governantes eram culpados; por isso, ambos devem suportar seus castigos. "Pela culpa do teu primeiro pai, pela rebelião dos teus próprios porta-vozes contra mim, eu desonrei os teus governantes invioláveis, entreguei Jacó para destruição e Israel à zombaria dos seus inimigos" (27-28, Knox). Clarke, no entanto, traduz essa passagem, como faz a *Peshitta* e muitos tradutores mais recentes: "Teus governantes têm profanado meu santuário", enquanto o grego (Septuaginta) diz: "Os governantes têm corrompido minhas coisas sagradas".[42] O pecado, portanto, é o motivo da destruição e opróbrio do povo de Deus, porque o pecado é opróbrio para qualquer nação (Pv 14.34).

5. *O Derramar do Espírito* (44.1-5)

A salvação real é obra da graça divina e fruto do Espírito derramado de Deus. Isaías agora visualiza a glória futura de Israel por causa da revitalização da terra e do seu povo sob o ministério renovador do Espírito Santo de Deus. É a promessa de um novo e abundante vigor.

a) *Não temas, ó Jacó* (44.1-2). Depois do julgamento, o amor infalível de Deus retorna como um derramar da graça remidora. **Agora, pois, ouve** [...] **servo meu** [...] **a quem escolhi** (1). Em tempos passados, o Senhor os entregou ao julgamento; agora Ele se tornou seu Ajudador. **Que te ajudará** [...] **Jesurum** (2). Este é o termo usado por Isaías como diminutivo de carinho, significando "o reto". Israel foi escolhido para uma missão especial, e é por causa disso que Deus agora promete consolação.

b) *A água e o Espírito* (44.3-4). **Água** [...] **rios** [...] **meu Espírito** [...] **minha bênção** (3), tudo parece indicar a energia dinâmica e invencível surgindo da Força criativa de vida. Duas coisas são prometidas: a transformação da natureza — o meio ambiente do homem, e a transformação da natureza humana — a existência do homem. Primeiro o símbolo, depois a realidade. **Como salgueiros junto aos ribeiros**

(4) poderia significar: como oleandros ao longo dos canais irrigados. Esta é uma representação de vegetação viçosa. A admoestação de James Smart é oportuna:

> O paralelo em 44.3 entre "Derramarei água sobre a terra sedenta" e "Derramarei meu Espírito sobre a minha posteridade" é muito importante na confirmação da idéia de que em todas as passagens em que ribeiros fluem no deserto, o deserto representa Israel como estéril e desesperado, e que a vinda de água representa a vinda de Deus para transformar todas as coisas. Terra sedenta e homens sedentos para Deus representam a mesma realidade. O derramar do Espírito é o derramar de Deus e não apenas a concessão de certos benefícios espirituais sobre Israel. Isto deve ser guardado claramente na mente porque as referências ao deserto têm freqüentemente sido entendidas como significando o deserto entre a Babilônia e a Palestina.[43]

c) *Novos membros da aliança* (44.5). A referência aqui, provavelmente, não é à reivindicação de judeus negligentes mas de novos convertidos dentre os gentios. Novas adesões ao Reino sempre são seguidas de um genuíno derramar do Espírito Santo, porque o Senhor acrescenta à Igreja aqueles que estão sendo salvos (At 2.47). **Este dirá: Eu sou do Senhor; e aquele** se orgulhará de ser chamado pelo **nome de Jacó**; e **aquele outro escreverá** em sua **mão** o lema: **Eu sou do Senhor,**[44] enquanto um outro ainda reivindicará o título de israelita. Existe algo de atraente em homens e mulheres que são genuinamente revestidos com o Espírito. Aqui está o segredo da motivação de missionários e do seu sucesso.

E. "FORA DE MIM NÃO HÁ DEUS", 44.6-23

Essa passagem coloca em forte contraste o único Deus e os deuses fabricados pela destreza e habilidade humana.

1. *A Única Rocha é o Eterno* (44.6-8)
O **Rei de Israel** não é ninguém menos do que o **seu Redentor, o SENHOR dos Exércitos** [...] **o primeiro e** [...] **o último**, e não há ninguém além dele (6). **Quem** pode predizer o futuro como Ele? (7). É Ele quem estabeleceu o antigo **povo** de Israel. E como povo, Israel tem um passado remoto e um futuro distante. Por isso, ele se torna um povo eterno. Somente o Deus de Israel é capaz de anunciar **as coisas futuras e as que ainda hão de vir**. Que qualquer deus pagão se equipare com isso se puder! "Não vos assombreis ou tremais. Vós sois minhas testemunhas de que, desde que anunciei e os fiz ouvir, não há outro Deus além de mim, nem Poderes para se equiparar comigo" (8, Knox).

2. *A Estupidez da Idolatria* (44.9-20)[45]
Aqui temos uma exposição de Isaías acerca da fabricação de ídolos e sua insensatez. Isaías faz uma análise franca de todo o processo de produção de deuses feitos por mãos humanas. A sátira de Isaías chega ao seu auge à medida que denuncia as tentativas humanas em retratar Deus.

A DIVINDADE INCOMPARÁVEL   ISAÍAS 44.9-18

a) *Auto-engano, uma testemunha da sua própria insensatez* (44.9-11). É fato que as obras dos homens só podem ser inferiores aos próprios homens — nunca superiores. Assim, a desprezível loucura da idolatria é claramente vista ao se expor a fonte ou causa básica dos seus objetos de adoração. Os artífices de **imagens de escultura são vaidade** (9). Aqui Isaías usa novamente o termo hebraico *tohu*, que descreve o caos primitivo. O fabricante é mais vaidoso do que a imagem que ele esculpiu. Moldar imagens é um empreendimento inútil. **As suas coisas mais desejáveis** [...] **nada vêem, nem entendem** e seus artífices e adoradores são **testemunhas** disso. Quem é mais fútil, o ídolo sem vida que não pode ver nem entender ou o estúpido que o admira? Quem fabrica **um deus**, ou funde **uma imagem**, está fazendo uma coisa desprezível — **de nenhum préstimo** (10). **Todos os seus seguidores** serão envergonhados — quer sejam membros da sua confraria religiosa ou parceiros em sua corporação de artífices (11). Eles são somente **homens**, e um homem não pode fazer um Deus. Mesmo que **todos** se ajuntem, cada um ficará corado de vergonha ao olhar embaraçado para o seu vizinho.

b) *O objeto inanimado não pode ser um Salvador ou um Deus* (44.12-17). **O ferreiro** trabalha com o ferro e usa o buril para moldar a sua escultura enquanto **trabalha nas brasas**, inclinado sobre a fornalha de carvão, **e a forma com martelos** (12). Mas logo esse "fazedor de deuses" está exausto, **e sua força falta**. **Ele tem fome**, sede e **desfalece**. Mas será que é possível um artífice cansado produzir um Deus incansável?

E o **carpinteiro** não se sai melhor como fabricante de deuses de madeira (13). Ele precisa medir toscamente a madeira com a **régua** e então delineá-la com giz vermelho. Em seguida, usa a plaina e o **compasso**. Mas ao fazer **o seu deus à semelhança de um homem** ele é apenas um deus **segundo a forma de um homem**, embora acrescente um toque final de beleza. Esse deus é feito para **ficar em casa** ou num santuário. Procedimento irracional e absurdo! De madeira bruta fazer um homem? Visto que certas árvores eram consagradas a diferentes deuses, esse carpinteiro derruba **cedros** [...] **cipreste** [...] **carvalho**, escolhidos na floresta (14). E se não consegue achar uma árvore apropriada, ele **planta um olmeiro** e a **chuva o faz crescer**. Procure imaginar, se puder, alguém plantando um deus! Quando madura, essa árvore tem diversas utilidades. Uma parte da madeira é usada como combustível para **queimar**; além disso, o **homem** usa a madeira para se aquecer e assar **o pão** (15). E, com uma parte da madeira, ele fabrica **uma imagem de escultura e se ajoelha diante dela**. Mas, é puramente aleatória a escolha da madeira que servirá para o fogo e aquela que servirá para a adoração. É claro, utilidade e conforto devem vir primeiro. **Metade queima**, [...] **outra metade** usa para assar e se aquentar (16), e **do resto faz um deus** (17), já que as "sobras" são suficientes para se fazer um deus. Comida verdadeira, calor verdadeiro, mas uma "divindade vazia e impotente" feita pelo homem é o que faz um coração idólatra ajoelhar-se, inclinar-se, adorar e orar a um deus que não pode ouvir o seu clamor: **Livra-me** [...] **meu deus**.

c) *A idolatria evidencia uma mente iludida* (44.18-20). Esses adoradores são como seus ídolos, com os **olhos** untados **para que não vejam** e o **coração** fechado **para que não entendam** (18). O coração é o alicerce do intelecto e da vontade, o órgão central do ser humano na psicologia hebraica do Antigo Testamento. Cegueira auto-infligida é a pior forma de tortura e supera as atrocidades dos assírios e filisteus. Alguém assim carece de percepção para a pergunta: **Faria eu [...] uma abominação e ajoelhar-me-ia eu ao que saiu de uma árvore?** Aqui Isaías faz o adorador falar franca e abertamente. "Adoradores de pedaços de madeira" precisam ser lembrados que qualquer pessoa assim **apascenta-se de cinza; o seu coração enganado o desviou** (20). Mas o triste de tudo isso é: Ele **não pode livrar a sua alma** nem admitir que a **mentira** está em sua **mão direita**. Esse é o caso com uma alma cega e enganada demais para avaliar sua própria obra, incapaz de encarar a realidade, com sua faculdade crítica adormecida (1 Jo 5.20-21).

Nessa passagem, com o versículo 20 como texto-chave, Alexander Maclaren destaca o seguinte tema: "Alimentando-se de Cinzas". 1) Uma vida que ignora Deus é vazia de toda a verdadeira satisfação. 2) Essa pessoa é tragicamente inconsciente do seu próprio vazio interior. 3) Essa pessoa precisa de um poder exterior para libertá-la.

3. *O Deus Eterno é que Formou Israel* (44.21-23)

a) *"Lembra-te"* (44.21). **Lembra-te [...] não me esquecerei de ti** — que palavras confortadoras! Todo o processo envolvido na fabricação de ídolos proporciona uma oportunidade para lembrar Israel daquele que tem sido seu Formador. Esse é mais um dos contrastes vívidos de Isaías. Duas vezes encontramos um lembrete encorajador: **tu [...] és meu servo**. Novamente esses pronomes são enfáticos. Os pagãos fazem seus deuses, mas o Eterno forma Israel (cf. 44.12 e 21).

b) *"Torna-te para mim"* (44.22). "A nuvem da tua culpa, a névoa da tua pecaminosidade, eu varri para longe; volta para mim, teu Redentor" (Knox). Como o sol que surge no horizonte dissipa a neblina que é tão freqüente na Palestina, assim o Sol do céu dissipa os pecados de Israel. Deus varre todos esses pecados para longe como um vento forte faz com as nuvens.

c) *"Exultai"* (44.23). Esta é a grande conclusão para esse assunto. "Porque o Senhor redimiu Jacó e está revelando sua glória em Israel" (Smith-Goodspeed). É o Senhor em ação; portanto, irrompam em um canto jubiloso: **ó céus** acima e **terra** abaixo! Os antigos achavam que os luminares celestiais cantavam. Os modernos ouvimos música transmitida por raios de luz como resultado da ciência moderna. Desfiladeiros e **montes** ecoam o júbilo dos redimidos. Mesmo o sussurrar do pinheiro deve acrescentar sua nota de lamento, enquanto a vibração deve ser suprida pelo tremular das folhas do álamo. **Céus** [...] **terra** [...] **montes** [...] **bosques** — o meio ambiente do homem —, tudo parece cantar, já que **Jacó** se reconciliou com o seu Deus.

F. DEUS COMISSIONA CIRO E ANIMA ISRAEL, 44.24—45.25

1. *A Mensagem do Redentor Eterno* (44.24-28)
Este discurso direto procede da Divindade transcendente que se declara o Criador da natureza, Aquele que confunde os desonestos, o Confirmador dos seus servos, o Construtor de Jerusalém e Aquele que chama Ciro.[46] Isaías introduz o que fala

como o Redentor Eterno que formou Israel desde o seu nascimento. Depois disso, o SENHOR transmite a sua mensagem.

a) *A Deidade em ação* (44.24-26a). Deus é o Fazedor de **todas as coisas** (observe como o hebraico usa a expressão **todas as coisas** em vez de cosmos, como fariam os gregos).[47] Por si mesmo estende **os céus** e espalha **a terra**. Ele não tem ninguém como ajudador ou conselheiro (24). Como uma Deidade tão singular, o Senhor tem prazer em frustrar os presságios daqueles que querem fazer de conta que são deuses. Esses sinais petulantemente expressos dos profetas falsos, derrotados pelo verdadeiro poder de Deus, provam que eles são mentirosos (25). Assim os **adivinhos** enlouquecem e a chamada sabedoria dos **sábios** parece loucura. Por outro lado, Deus **confirma a palavra do seu servo** e **cumpre** as predições dos **seus mensageiros** (26a). Israel, como o depositário da palavra de Deus, tem a verdadeira vocação profética.

b) *A Deidade em declaração* (44.26b-28). Só Deus pode dizer **a Jerusalém: Tu serás habitada**, e às cidades de Judá: **Sereis reedificadas, e eu levantarei as suas ruínas** (26b). Somente um Deus assim controla o mar a ponto de poder dizer: **Seca-te, e eu secarei os teus rios** (27).[48] Somente Ele é qualificado para falar acerca de **Ciro** (cf. 45.1, nota de rodapé): "Ele é meu pastor, e cumprirá todo o meu propósito" (28, RSV). Semelhantemente, somente esse Deus pode dizer **a Jerusalém: Sê edificada**,[49] ou prometer ao Templo: "Sejam lançados os seus alicerces" (NVI).

2. *Ciro é o Ungido do Senhor* (45.1-8)

a) *A saudação* (45.1). **Assim diz o SENHOR ao seu ungido, a Ciro**[50] — e se o hebraico for considerado seriamente, então como pode esse nome referir-se ao rei da Pérsia do sexto século a.C.? Nunca esse Ciro poderia ter sido um rei pela graça de Deus. Novamente, todas as coisas ditas acerca dessa personagem fazem sentido somente se forem aplicadas a Cristo (Messias), o Filho de Deus, e não ao rei persa. (cf. Sl 2.2, onde "ungido" [*messiah*] refere-se ao Rei ideal do futuro. O grego da Septuaginta nesse texto em Isaías traz: *To Christo mou* — "Meu Cristo").

b) *A promessa* (45.1b-3). **Soltarei os lombos dos reis** (1) traz a idéia de não estar devidamente preparado para a batalha. A única forma de entrar na maioria das cidades muradas dos dias de Isaías era pelas **portas** abertas (cf. Mt 16.18; Ap 21.25). Deus também promete ir adiante do seu ungido para lutar e vencer suas batalhas, endireitando ("aplainando", ASV) **os caminhos tortos** (2). **Portas de bronze** eram comuns nas cidades mais ricas. Somos informados por Heródoto (i, p. 179) que a Babilônia tinha 100 portas de bronze. **Ferrolhos de ferro** serviam para manter essas portas firmemente fechadas e trancadas. **Os tesouros das escuridades** (3) referiam-se primariamente às riquezas acumuladas em calabouços escuros. Isso, muitas vezes, representava a riqueza de povos conquistados, embora os impostos pagos ao monarca estivessem incluídos. **Riquezas encobertas** no hebraico é *matmon*, do qual se derivou mais tarde o termo Mamom (Lc 16.13). Espiritualmente, a expressão **tesouros das escuridades** parece indicar as vítimas de Satanás confinadas na escuridão do pecado e incredulidade.

c) *O propósito* (45.4). Os líderes de Deus não são escolhidos para si mesmos, mas por amor do seu povo. Eles são instrumentos humanos para o cumprimento dos propósitos do Senhor. O objetivo deles é honrar o Senhor e servir o seu povo. **Por amor do meu servo Jacó, e de Israel, meu eleito** refere-se ao "Israel ideal, a verdadeira *Ecclesia*, em vez da nação propriamente dita" (Plumptre). Se essa expressão refere-se ao Israel ideal, então a referência a Ciro não deveria ser ao Ciro ideal? Um sobrenome nos tempos antigos tinha como objetivo honrar essa pessoa (Mc 3.16; Jo 1.42). Esses sobrenomes tinham, na maioria dos casos, a intenção de ser proféticos em relação a possibilidades futuras (ou potencialidades inatas — cf. Mc 3.17).

d) *A Deidade preeminente* (45.5-8). **Não há outro** Deus além do **Senhor** (5) é o tema desses versículos. A promessa de Deus é: "**eu te cingirei; ainda que tu não me conheças**" (5c). A frase repetida duas vezes, **ainda que tu me não conheças** (4-5), poderia ressaltar aqui o tema familiar de Isaías acerca da cegueira de Israel em relação a Deus (cf. Smart). Também pode sugerir uma crescente conscientização messiânica de Jesus.[51] **Para que possas saber** no versículo 3 é agora expandido no versículo 6: **Para que se saiba desde** o leste até o oeste **que** [...] **eu sou** o Eterno, **e não há outro**. Mas Isaías dificilmente esperaria que um rei pagão como Ciro faria conhecer ao mundo a preeminência do Deus de Israel. No entanto, o Deus da criação, que separou a luz da escuridão, que traz bem-estar aos seus amigos e aflição para os seus inimigos, propõe agora que o conhecimento a seu respeito cubra a terra (7). Para esse fim é apresentado o salmo da oração jubilosa que antecipa um tempo em que os **céus** abertos derramam **justiça**, e **a terra** aberta veja os mortos ressuscitados para a **salvação**.[52] Então a rica frutificação da terra será **justiça** e **salvação**, tudo como resultado da atividade criativa do Deus vivo e eterno (8; cf. Sl 85.10-13).

Os termos hebraicos **justiça** (*sedeq*) e **salvação** (*sedaqah*) contêm referência específica ao bem-estar espiritual que prevalece como uma qualidade da personalidade humana. Observe o jogo de palavras de Isaías. É pertinente perguntar como essas grandes bênçãos espirituais podem ser atribuídas à atividade de Ciro, o rei persa. Somente o verdadeiro Messias de Deus traz salvação. Ele é o que realmente cumpre as promessas de Deus para seu servo Israel.

3. *A Soberania Incontestada do Eterno* (45.9-13)

a) *Deus não precisa prestar contas às suas criaturas* (45.9-12). Ninguém pode frustrar os planos de Deus com Israel. Como é impróprio o barro ou a cerâmica gritar ao oleiro de maneira impertinente: **Que fazes**? (9; cf. o uso de Paulo em Rm 9.20-21)! **Cacos de barro** provavelmente indica um frágil mortal. O homem foi formado do barro, de acordo com Gênesis 2.7. "Seria estranho se um filho perguntasse ao pai: Por que me geraste? E à mulher: Por que deste à luz?" (10, Knox). Será que um recém-nascido exige dos seus pais uma explicação do porquê da sua existência? Quem murmura contra a providência divina é culpado desse tipo de absurdo. Será que um homem ousa perguntar ou levar a julgamento o seu Criador (11)? Isaías lembrou Israel que o futuro está inteiramente nas mãos do Deus, e que é a Ele que devemos perguntar mais detalhes a respeito da nossa existência. "São vocês que me perguntam acerca dos meus filhos? E são vocês que me dão ordens acerca das obras das minhas mãos?".[53] O Eterno é o Governante e o Criador, supremo na história e na natureza (12). "Fui Eu que fiz a terra e criei o homem para morar nela; foram minhas mãos que estenderam os céus, e minha voz deu ordens ao exército estrelado" (Knox).

b) *Deus levantou um Libertador para seu povo* (45.13). "Também levantei esse homem para realizar meus planos com fidelidade; onde ele for, minha orientação estará com ele. Ele construirá minha própria cidade e libertará meus cativos, sem exigir pagamento nem qualquer recompensa, diz o Senhor dos Exércitos" (Knox). **Justiça** é o aspecto da atividade de Deus que tem por objetivo a salvação do seu povo. O personagem histórico Ciro da Pérsia nunca reconstruiu a Jerusalém literal. Assim, deveríamos suspeitar de qualquer interpretação que vê apenas Ciro como referente desse versículo. Alguém Maior do que Ciro é descrito aqui. Também precisa ficar claro que a construção do Templo de fato aconteceu, não no tempo de Ciro da Pérsia, mas na geração seguinte, nos dias de Ageu e Zacarias.

4. *O Triunfo de Israel* (45.14-17)
As promessas concernentes ao futuro do Israel restaurado alçam um vôo ainda mais alto. Observamos em 18.7, que Deus promete que as nações da África trarão tributos ao Deus de Israel. A palavra **ti** no versículo 14 está no feminino, o que indica que se refere à comunidade de Israel (cf. von Orelli). O **Egito,** [...] os **etíopes, e os sabeus**, **homens de alta estatura**, se prostrarão e orarão ao **Deus** do Israel redimido, reconhecendo sua divindade transcendente e singular. Isaías agora interrompe sua visão do futuro para oferecer uma oração pessoal a Deus. "Verdadeiramente, Deus de Israel, nosso Salvador, tu és um Deus de caminhos misteriosos! Todos os que fazem falsos deuses serão desapontados, e terão de se afastar envergonhados e constrangidos" (15-16, Knox). "Em verdade, tu és um Deus misterioso, ó Deus de Israel, o Libertador!" (15, von Orelli). Qualquer doutrina válida da revelação deve admitir que o Deus supremo é desconhecido e incompreensível, exceto quando escolhe revelar-se ao homem (Jó 11.7). Assim transformado, **Israel** encontrou não só libertação no SENHOR, mas uma salvação eterna sem humilhação ou desapontamento para sempre (17).

5. *Deus não é o Autor do Caos* (45.18-19)
Isaías está bastante seguro de que Deus planejou o destino de Israel. Aquele que **criou os céus** e **formou** e fez a **terra** (18) de acordo com a sua vontade, não os criou para ficar à toa, mas para se tornar a habitação do homem. A criação foi, portanto, uma vitória sobre o caos. O caos foi a condição escura e sem forma que precedeu o aparecimento da luz sob o comando de Deus, introduzindo dessa forma as atividades criativas. Esse Deus é capaz de declarar: **Não há outro**. Portanto, devemos buscar o Eterno, não no caos, mas em um mundo de ordem, porque a palavra profética de Deus foi pronunciada de maneira ampla e clara, e não às escondidas. Isaías está, assim, expressando seu escárnio pela murmuração e significado duplo dos oráculos pagãos em alguma caverna escura da terra. "Não foi em segredo, nem em algum recanto escuro da terra, que minha palavra foi falada. Não foi à toa que eu disse aos filhos de Jacó para me buscarem. Eu sou o Senhor, fiel às minhas promessas, verdadeiro em tudo que proclamo" (19, Knox). "Torno conhecidas coisas honestas" (von Orelli).

6. *Deus Desafia as Nações* (45.20-21)
Mais uma vez ocorre a convocação repetida com freqüência, enquanto o Deus eterno lança seu desafio. Aqui Ele se dirige aos fugitivos das **nações**, lembrando-os de que ídolos de madeira levados ao campo de batalha são impotentes para salvar (20). Façam uma conferência! Então mostrem-nos suas provas! Quem o anunciou primeiro e o predisse desde o passado distante? Não fui eu, o Eterno? Eu, o Deus fiel? Não há outro que pode salvar! (21).

7. *Somente o Senhor é Salvador e Deus* (45.22-23)
Cada vez que Isaías abre uma perspectiva promissora para Israel ele a estende para envolver o restante da humanidade. "Olhai para mim e sede libertos, todos vós que morais nos confins da terra. Eu sou Deus, e não há outro" (22, Knox). Assim, as nações um dia serão humilhadas, porque a palavra do Senhor possui energia divina para cumprir a sua vontade (10.7; 55.11; Jr 23.29). O juramento solene é de que **se dobrará todo joelho** diante dele, e **toda língua** confessará o seu nome (23). A conversão não é um movimento de massa, mas uma experiência pessoal.

8. *Em Deus Estão Justiça e Força* (45.24-25)
"Então os homens dirão do Senhor que a reforma e o domínio vêm dele. Todos aqueles que se rebelaram contra Ele deverão aparecer envergonhados diante da sua presença. Por meio do Senhor, toda a raça de Israel deverá ser justificada e ela se gloriará nele" (Knox). O ideal profético é um mundo no qual todos os homens possam fazer parte do povo da aliança de Deus, sendo integralmente submissos a Ele; isso também inclui os crentes das nações gentias. "A perfeição do plano de Deus na terra é a medida da plenitude da alegria humana".[54] Que esse reino venha sobre a terra! Amém!

G. O Deus de Israel é Capaz, 46.1-13

Isaías agora descreve o contraste entre os ídolos babilônicos e a salvação eterna de Deus. A sátira em sua comparação ressalta o fato de que os idólatras precisam carregar seus ídolos enquanto o Deus eterno e criativo liberta e conduz aqueles que fazem parte do seu povo.

1. *Os Deuses Pagãos não Podem Salvar do Cativeiro*, 46.1-2
Bel e **Nebo** (1), os dois deuses assírio-babilônicos, são destacados pelo profeta. **Bel** é o equivalente ao deus cananeu Baal. **Bel** e Belus significam "senhor". Era usado com freqüência em nomes compostos, como, por exemplo, Belsazar (Dn 1.7). **Nebo** ou *Nabu* significa "o revelador ou orador" e era o equivalente da palavra hebraica *Nabi'*, que significa profeta. Ele tinha a mesma função na hierarquia assírio-babilônica de deuses que Hermes tinha para os gregos e Mercúrio para os romanos (At 14.12). Desta forma, ele era considerado o deus revelador. Também se acreditava que ele era "o que zelava pelas tabuletas do destino dos deuses". O templo de Nebo ficava em Borsippa e o templo de Bel, na Babilônia. Nomes compostos como Nabopolasar, Nabucodonosor e Nabonido eram nomes que os reis da Babilônia usavam tendo como prefixo *Nabu* ou **Nebo**.

Os ídolos eram carregados **sobre os animais** e **bestas**. Eles, portanto, se tornavam **cargas**. Como tais, eles se tornavam **fardos** para os já cansados, uma carga pesada nas costas **das bestas** (animais de carga) **já cansadas**.

A inscrição no prisma de Senaqueribe, coluna 3.55, relata como Merodaque-Baladã, com a aproximação de Senaqueribe, levou os deuses protetores da sua terra em fuga e os colocou com seus santuários a bordo dos navios na sua fuga descendo o rio Eufrates. Mas ele e seu exército foram alcançados e capturados. Tudo aconteceu nos dias de Isaías em Jerusalém, e não no tempo do cativeiro babilônico posterior. Smart está certo ao objetar a data do cativeiro babilônico tendo como base este e o capítulo seguinte. Os deuses eram assírios bem como babilônicos.

Juntamente se encurvaram e se abateram (2). O sarcasmo de Isaías aqui fala de "deuses cambaleantes e homens que tropeçam". Procure imaginar um deus carregado de cabeça para baixo nas costas de um animal de carga. Eles **não puderam livrar-se da carga**, porque o deus representado pela imagem feita por homens era incapaz de salvar sua própria imagem da captura. "Eles mesmos vão para o cativeiro" (NVI). Não tendo existência independente das suas imagens, eles, por conseguinte, se tornam "deuses cativos". Certamente uma estranha anomalia. O povo, na verdade, deveria gritar: "Rei salve o deus!", em vez de: "Deus salve o rei!". "O fato de esses acontecimentos não ocorrerem quando a Babilônia caiu indica que o oráculo ocorreu antes de 539 a.C.".[55] Ciro procurou restaurar as respectivas deidades às suas localidades devidas. No entanto, isso não ocorreu na sua conquista da Babilônia.

2. *Somente o Senhor é um Deus que Pode Sustentar* (46.3-4)

Aqui Isaías separa em seu pensamento a **casa de Jacó** do **resíduo** (remanescente) **da casa de Israel** (3). Esse remanescente era do Reino do Norte que permaneceu na Palestina. Ainda havia efraimitas na Palestina, ou "o que ainda sobrou da casa de Israel" (von Orelli). A expressão **a quem trouxe nos braços desde o ventre** contrasta com os pagãos sobrecarregados com seus deuses. O Deus vivente leva as cargas do seu povo. O verdadeiro Deus carrega, enquanto os deuses falsos precisam ser carregados. **Desde o ventre** parece indicar uma preocupação divina, não somente desde o nascimento, mas desde o tempo da concepção (cf. a argumentação de Moisés com Deus em Nm 11.12). **E até à velhice eu serei o mesmo** (4). Enquanto o cuidado de uma mãe para com seu filho termina quando ele se torna adulto, esse não é o caso do cuidado de Deus com os seus; dura até o final da vida. Como George Keith expressa:

> *Até mesmo na idade avançada o Meu povo provará*
> *Meu amor soberano, eterno e imutável;*
> *E quando os anciãos de cabelo grisalho adornarem seus templos,*
> *Como cordeiros continuarão sendo levados no meu colo.*

Note que aqui também temos o pronome enfático **eu**. As palavras: **trarei** [...] **levarei** [...] **trarei** [...] **guardarei**, indicam o Deus que é capaz, em contraste com os impotentes Bel e Nebo.

3. *Deus não Tolera Comparação e não Tem Rivais* (46.5-11)
Com quem me igualareis? (5) é o desafio do incomparável Deus com quem deparamos diversas vezes nesse livro. O Deus vivo não tem fac-símile (uma cópia exata do original). A lógica de Isaías argumenta que, se imagens deixam seus adoradores gentios na mão, por que tentar fazer uma imagem do Eterno? Isaías também zomba do procedimento de derramar **ouro da bolsa** (6) e pesar **a prata nas balanças**, depois contratar um **ourives** para fundi-lo em um molde, e em seguida prostrar-se para adorá-lo. Por que inclinar a cabeça até o chão em adoração, ou por que tomá-lo **sobre os ombros** (7), visto que é um deus morto e deve ser carregado como um fardo? **Do seu lugar não se move**, porque deuses fixos não vão a lugar algum. Ele não pode responder nem salvar, visto que ídolo mudo não pode dar **resposta** alguma, nem livrar seus devotos. Somente o Senhor é o Deus com poder para salvar. **Lembrai-vos disso e tende ânimo** (8) — pelo menos vocês estão vivos. Então por que oscilar entre a adoração de ídolos mortos e o Deus vivente? Considerem isso e decidam-se; acolham isso no coração, ó rebeldes" (von Orelli).

Lembrai-vos [...] **que eu sou Deus** (9). O hebraico diz: "Eu sou *el*", "o Altíssimo". Isso é seguido pela ampliação: "eu sou Deus", *elohim*. Assim, von Orelli traduz: "Eu sou Deus, e não há outro; sou a Deidade, e não há ninguém que pode ser comparado a mim". **Anuncio o fim desde o princípio** (10) revela a onisciência. **O meu conselho será firme, e farei toda a minha vontade** significa a onipotência (cf. 40.26-30).

Em relação à frase **a ave de rapina desde o Oriente** (11) podemos perguntar: Isso se refere ao símbolo da águia dourada na bandeira da Pérsia? Mas o símbolo é antigo, como ocorre com o símbolo do falcão. Se a "ave de rapina" é uma figura válida de um invasor, então mais de um invasor estrangeiro cumpriu isso na história de Judá. O termo hebraico é *ayit*, que é transliterado para o grego como *aetos*, águia (Septuaginta). Mas Smart pergunta como essa figura poderia ser Ciro na palavra que Deus tinha declarado **desde o princípio** (10) e tomar o lugar de Israel, que deve preencher "todo propósito de Deus". Ele, portanto, insiste em que "a 'ave de rapina' e o 'homem do meu propósito' descrevem perfeitamente a função dupla do futuro Servo Israel".[56] É claro que **o homem do meu conselho, desde terras remotas** também poderia referir-se a Senaqueribe. No entanto, Smart tem ressaltado o dilema em que os críticos se envolvem quando aplicam essa **ave** a Ciro. **Porque assim o disse** [...]; **eu o determinei e também o farei**. "O que eu disse, isso eu farei acontecer; o que eu planejei, isso farei" (NVI). A palavra de Deus, diferente do oráculo dos falsos deuses, se transforma em uma ação imediata e certa.

4. *Deus é a Única Fonte de Livramento* (46.12-13)
Ó duros de coração (12) no hebraico implica em obstinação, confiados em sua própria força e desprezando a palavra de Deus (cf. Ez 2.4; 3.7). Assim, trata-se de uma ignorância teimosa. Aplica-se àqueles que são cheios de auto-suficiência e acham que podem encontrar força e retidão em si mesmos. Isso ocorre por não terem uma mente receptiva em relação às promessas de Deus.[57]

Estabelecerei em Sião a salvação e em Israel, a minha glória, ou como von Orelli traduz: "Salvação em Sião, meu sinal em honra a Israel".

H. A Queda da Babilônia, 47.1-15

Este capítulo tem a forma de um hino fúnebre sobre a queda da **Babilônia** (1). Este hino é bastante parecido com o cântico de escárnio acerca do rei da Babilônia em 14.4-21. Ele tem sua contraparte posterior no grande oratório cósmico que aparece em Apocalipse 18.1—19.10 (cf. 18.1-24). O capítulo é um exemplo da ira de Deus composto em forma de música. Babilônia, "a cidade dos ímpios",[58] é descrita como uma rainha **tenra e delicada**, a amante dos reinos, que por causa da sua ostentação e crueldade será destronada, despida, levada ao cativeiro em um país distante, e lá, como escrava, moerá a farinha na pedra de moinho (2).

1. Sua Queda (47.1-4)

A predição de Isaías é que essa senhora, amante do luxo, será rebaixada a um *status* de escrava desprezível. **Assenta-te no pó** (1) sem um trono, é uma mensagem acerca do cativeiro solitário, e uma humilhação degradante para aquela que havia sido uma rainha. Moer **farinha** com **a mó** (2) sempre foi a forma mais servil de trabalho feminino. **Descobrirá** (3), i.e., a escrava feminina precisa caminhar, sem véu, descalça, com as pernas descobertas, com todo senso de vergonha exposto, até o cenário do seu trabalho. Assim, Deus promete "vingar-se e não poupar ninguém" (von Orelli). O **Redentor** e Defensor do povo de Deus é exaltado pelos oprimidos (4; cf. Ap 18.20).

2. Sua Crueldade (47.5-6)

A imperatriz dos **reinos** é reduzida à solidão e viuvez (5). O pecado da Babilônia foi ir além da sua comissão como punidora do povo de Deus. Rejeitando todo respeito pelos idosos, ela os fez realizar tarefas árduas de escravos (6).

3. Sua Arrogância (47.7)

A história tem provado quão fútil é para qualquer cidade dizer: "**Eu serei** imperatriz **para sempre**". A Babilônia está em ruínas. Que as nações modernas aprendam desse fato e considerem o **fim** do seu destino. Há uma lei divina que torna o orgulho seu próprio castigo merecido.

4. Sua Auto-adoração (47.8)

O auto-endeusamento é o ápice do orgulho. Esse tem sido o caso de muitos estados poderosos. Mas uma mera pretensão em tornar-se uma deidade não torna alguém divino. A Babilônia, como Nínive (Zc 2.15), teve a petulância de colocar-se no lugar de Deus e dizer: **Eu sou, e fora de mim não há outra**. Independentemente, então, do seu nome moderno, "a cidade da deusa" está destinada ao desastre militar completo, apesar da "multidão" dos seus "feiticeiros". Porque a segurança na impiedade significa a maior insegurança.

5. Sua Frustração (47.9-11)

A completa amargura da **viuvez** e privação espera a cidade poderosa apesar do elaborado sistema da sua tecnocracia ou da pompa e riqueza da sua adoração. **A tua sabedoria e a tua ciência, isso te fez desviar** (10) com uma falsa autoconfiança.

> *Contudo virá sobre ti* Infortúnio,
> *Não saberás como afastá-la.*
> *E sobre ti virá* Devastação,
> *Não poderás evitá-la.*
> *E sobre ti virá súbita*
> *e inesperadamente,* Ruína".[59]

Assim, sua destruição será imprevisível e irremediável.

6. *Sua Desolação* (47.12-15)

a) *A salvação não ocorre através de mágica* (47.12-13). Isaías agora desafia todos os **encantamentos** da Babilônia (12), incluindo seus sábios conselheiros, os **agoureiros dos céus** (13). Esses "espreitadores do futuro" não podem realmente predizer ou salvar ou curar suas maldades. Será necessário mais do que um grupo de editores de almanaque para salvá-la das suas calamidades. **Prognosticadores das luas novas** são os equivalentes antigos dos astrólogos modernos.

b) *O julgamento é pelo fogo* (47.14-15). A **labareda** destruidora **não será um braseiro, para se aquentarem, nem fogo, para se assentarem junto dele** (14), mas um poderoso incêndio destruidor e uma chama consumidora. Diante disso, esses amantes inconstantes, para quem ela tem trabalhado, irão vagueando **pelo seu caminho**, deixando-a abandonada, e **ninguém** a **salvará** (15) ou virá em seu socorro.

Esse, então, é o resultado do esquecimento de Deus, da crueldade, ostentação de conhecimento, credulidade superficial, orgulho da riqueza — tudo brota da idolatria do eu. Que muitas Babilônias modernas se sintam advertidas!

I. A Chamada para um Novo Êxodo, 48.1-22

Existe pouca informação nova no capítulo 48. Os temas que estão entrelaçados foram introduzidos em capítulos anteriores. Eles são tão familiares que impressiona alguém poder suspeitar da autenticidade desse capítulo. O que na verdade temos aqui é um sermão poderoso argumentando com um povo rebelde para que abram seus olhos ao destino que Deus planejou para eles, a fim de que reconheçam a mão de Deus em sua história no passado e presente, e para que creiam que o futuro também virá da mão do Senhor.

1. *Deus Expõe os Motivos do seu Descontentamento com Israel* (48.1-11)

a) *O orgulho do status* (48.1-2). Há um certo sarcasmo no tom de Isaías à medida que se dirige a essa nação que se orgulha de ter sido chamada de **Israel**, como descendente de **Judá**, e incluindo a **casa de Jacó** (1). Ele os fez lembrar que a verdadeira piedade é mais do que jurar **pelo nome do Senhor,** ou confessar o **Deus de Israel,** ou reivindicar uma natividade santa, ou mesmo confiar em um Deus incomparável. Existem questões tão simples como **verdade** e **justiça** que o **Senhor dos Exércitos** (2) considera bem mais.

b) *A perversidade da teimosia* (48.3-5). Por causa da obstinação de Israel, o Deus eterno predisse seu futuro, para que suas bênçãos e adversidades não fossem creditadas a ídolos pagãos. A predição divina e o cumprimento eram necessários para desfazer o pescoço arqueado e a **testa** de ferro de um povo obstinado (4). "O que ocorria em tempos passados, eu predisse há muito tempo; minha boca anunciou a advertência, e eu a fiz conhecida ao ouvido público; então, subitamente, agi, e a profecia se cumpriu. Eu sabia muito bem quão obstinado tu eras — um pescoço teimoso como um cabo grosso de ferro, e uma testa intratável como o bronze" (3-4, Knox).

c) *Sofisticação discriminatória* (48.6-8). Isaías, então, faz sua nação lembrar de que Deus usou **coisas novas** (6) e as cumpriu de forma surpreendente para exortar um povo que nasceu rebelde. A intenção de Deus é que, tendo ouvido a profecia agora cumprida, eles pelo menos reconhecessem sua predição. Mas, visto que eles continuam persistindo na ignorância obstinada, acontecimentos nunca ouvidos antes vão surpreendê-los, para que não possam dizer: "Já sabíamos que isso iria acontecer". Essas são coisas que eles nunca ouviram nem conheceram, porque seus ouvidos estavam fechados para elas. O que mais Deus poderia esperar de um traidor a não ser a traição? "Eu sabia que mentirias e que foste chamado de ímpio desde o ventre" (8b, *Peshitta*). Assim, o próprio Deus predisse, cumpriu e os surpreendeu em relação ao seu destino, como um povo incrédulo e rebelde. Nenhum profeta fez denúncias mais severas à sua nação ou transmitiu juízos mais cortantes em decorrência do orgulho e das discriminações dela.

d) *O castigo reprimido* (48.9-11). Apesar da teimosia pecaminosa deles, a **ira** de Deus (48.9) foi adiada, o castigo foi moderado com misericórdia, e a demonstração da majestade divina foi conservada. "Se adiei a minha vingança, foi para não trazer desonra ao meu nome; no entanto, tive de me conter, por amor do meu nome, para que não venha a te destruir" (Knox). Assim, **te purifiquei, mas não como a prata** (10); porque quando a prata é purificada, nenhuma impureza é deixada para trás. Se Eu tivesse feito isso com você, o consumiria inteiramente; em vez disso Eu coloquei você na **fornalha da aflição**, para que reconheça seus pecados e se volte para mim. Deus então lembra Israel que Ele está fazendo isso **por amor** do seu nome (11), porque Ele não permitirá que seu nome seja **profanado**; também não permitirá que outro receba a glória que pertence a Ele (11). A salvação é pela graça. Assim, a longanimidade de Deus com Israel e seu livramento da aflição não são merecidos, mas são graciosamente doados por amor da sua própria honra e **glória**.

2. *Israel Devia Ter Ouvido Atentamente* (48.12-19)

a) *A criatividade produtiva* (48.12-13). O Eterno é o **primeiro** e o **último** e *único* Criador (12). Ele é o mesmo Deus que formou **os céus** (13), **fundou a terra** e os mantêm nos seus respectivos lugares. Ele é o Alfa e o Ômega, o Criador e o Preservador do universo.

b) *A inspiração profética* (48.14-16). O Deus profético de Israel não é como os ídolos mudos das nações. Deus tem demonstrado seu amor através dos seus profetas. Ele tem trabalhado eficazmente por intermédio dos seus servos a quem chamou e comissionou.

As predições de Deus têm sido uma proclamação aberta, e seu Enviado avança pela autoridade e inspiração do Deus eterno e seu Santo **Espírito** (16).[60] Israel pode, portanto, estar certo de que Deus **executará a sua vontade contra a Babilônia, e** [...] **os caldeus** (14).

c) *A paz que poderia ter sido* (48.17-19). É importante que a nação de Israel pondere quais poderiam ter sido as possibilidades da graça divina em relação a ela. Os preceitos de Deus a tornam próspera (17). Sua paz é abundante, e sua posteridade poderia ser como a areia da praia. "Eu sou o Senhor, o seu Deus, que lhe ensina o que é melhor para você, que o dirige no caminho em que você deve ir. Se tão-somente você tivesse prestado atenção às minhas ordens, sua paz seria como um rio, sua retidão, como as ondas do mar. Seus descendentes seriam como a areia, e seus filhos, como seus inúmeros grãos; o nome deles jamais seria eliminado nem destruído de diante de mim" (17b-19, NVI). Estes seriam os frutos da verdadeira obediência, que é a única maneira de alcançar **paz** (18) e segurança.

3. *A Convocação para Fugir da Babilônia* (48.20-22)

Aqui o profeta aponta o caminho para a ação e responde à importante pergunta: "E agora?". A mensagem de Deus naquela época, como hoje, é a mesma: "Saia dela, meu povo" (Ap 18.4). "Deixai a Babilônia, fugi do meio dos caldeus. Que este seja o vosso lema triunfante. Anunciai isso em todo lugar, proclamai-o até os confins da terra. Dizei que o Senhor resgatou seu servo Jacó" (20, Knox). O mesmo Deus que os guiou **pelos desertos** (21) e lhes deu **águas** claras e frescas da **rocha** garante satisfação abundante e prosperidade espiritual para todo aquele que se desvincular dos antigos relacionamentos e de seu ambiente idólatra.

Não tem paz (22) ou salvação para os ímpios! Aqui Isaías chega ao final dessa seção e proclama o importante refrão: **Não têm** *shalom* (**paz**, prosperidade, amizade, inteireza, saúde, segurança), **diz o Senhor** aos **ímpios**. Isaías não tinha nenhuma proposta de conforto e paz para os ímpios, os teimosos e os incrédulos, mesmo que fossem israelitas. O dia da salvação virá, apesar dos seus pecados, mas os descrentes não participarão dessa salvação. Em vez disso, para eles será um dia de retribuição (*shelem*).

Seção **IX**

O SERVO DO ETERNO

Isaías 49.1—57.21

Estes nove capítulos incluem a parte mais importante da profecia de Isaías. Aqui ele prediz o glorioso livramento futuro do cativeiro espiritual através do ministério do Servo do Deus eterno. Mais uma vez, as divisões nem sempre ocorrem ao término de cada capítulo, embora sejam nove em número.

A. A Garantia do Eterno a Sião, 49.1—50.3

O argumento contra a idolatria foi concluído. Isaías agora volta sua atenção ao quadro particular do Israel ideal, o verdadeiro Servo do Senhor.

1. *O Advento de um Redentor* (49.1-13)
Aqui o Messias é introduzido como se ele próprio estivesse falando e relatando o objetivo da sua missão, com seu trabalho amoroso perdido, seu senso de fracasso compreendido, mas confiando na recompensa divina final.

a) *O Servo que fala* (49.1-4). **Escutai vós, povos de longe** (1). O mundo inteiro está sendo convocado para ouvir o que essa Pessoa diz acerca da sua missão e destino. Assim, Ele fala como um Missionário do eterno Deus, chamado desde a sua concepção (1), estabelecido como uma **espada** da verdade e uma **flecha** afiada da convicção (2), chamado de **meu servo** [...] **Israel**, e designado para ser a fonte da glória de Deus (3). Com sua vida, integralmente sob o controle de Deus, Ele recebe a certeza de que, embora seu trabalho pareça inútil e suas **forças** sejam gastas **vãmente**, o seu **galardão** está com o seu **Deus,** em quem se pode confiar em todos os seus desígnios (4).

O retrato de Jesus dificilmente poderia ter sido antecipado com detalhes mais marcantes. Isaías fala que Ele foi chamado **desde o ventre** (1), indicando, dessa forma, seu nascimento miraculoso como Filho de Deus, que recebeu o nome antes do seu nascimento, de acordo com o que o mensageiro angelical anunciou aos seus pais terrenos. Sua **boca** era **como uma espada aguda** (2) que expressa palavras inspiradas pelo Espírito Santo, palavras que tanto ferem como curam. Ele foi escondido no Egito, debaixo da **sombra** da **mão** divina, onde estava seguro da ira de Herodes. Ele foi feito como uma **flecha** polida quanto ao seu discernimento eficaz e hábil (o hb. usa as mesmas consoantes da palavra que significa "puro ou limpo"). Deus o manteve próximo **na sua aljava** em Nazaré durante aquele período de treinamento calmo e sereno antes da apresentação divina no rio Jordão. Lá, Ele foi introduzido como Aquele que agradava a Deus, seu **servo** ideal, **Israel, aquele por quem** Deus será **glorificado** (3). No entanto, seu trabalho parecia **inútil** (4), como se tivesse gastado suas **forças** em vão. No entanto, Ele confiou seu trabalho a **Deus** em sua oração sacerdotal final no cenáculo (Jo 17).

b) *O Soberano que fala* (49.5-6). A comissão do Servo é agora vista como de alguém que é honrado (**glorificado**) por Deus e que o escolheu antes do nascimento (5) para ser o Restaurador de Jacó e o Redentor de Israel. No entanto, sua comissão não está limitada a uma única nação, porque seria uma obra pequena demais redimir somente as tribos de Jacó. Por isso, a promessa do Eterno é a seguinte: **Também te dei para luz dos gentios, para seres a minha salvação até à extremidade da terra** (6). O programa da salvação inclui o mundo perdido e envolve uma expiação universal.

c) *Consolação diante do desprezo* (49.7). Aqui temos a palavra de encorajamento do Eterno ao seu Servo desprezado. O que foi considerado uma alma desprezível, abominado pela sua nação, um escravo de déspotas, receberá homenagens de reis. Ninguém foi tão rejeitado quanto Jesus de Nazaré. Ele foi condenado pela suprema corte dos seus dias; publicamente acusado pelos líderes da sua nação; e sob a instigação de uma multidão amotinada, foi executado como um criminoso comum da forma mais vergonhosa e vil conhecida (Lc 23.18-23). O nome comum pelo qual é conhecido nos escritos judaicos é *Tolvi* — "o crucificado", e entre pecadores judeus e gentios nada levanta mais polêmica do que o pensamento de que eles e todos os outros somente podem ser salvos pelos méritos do "Crucificado". Mas Deus, que é fiel no cumprimento das suas promessas, escolheu esse Servo e por meio dele proveu a salvação (At 4.12).

d) *Comissionado como Salvador* (49.8-12). Nessa passagem, é anunciado um tempo de perdão através da atuação do Servo a quem Deus preparou como um Mediador da aliança com o povo. Certamente será o **dia da salvação** (8). O país devastado será restaurado e as terras confiscadas distribuídas novamente. Homens que estão presos na escuridão serão postos em liberdade. Eles novamente verão a luz enquanto o Servo anuncia a eles "um novo êxodo" (9a). Foi por meio de uma garantia como essa que o Servo divino recebeu confiança e força.

Assim, o misericordioso pastor lê as promessas de Deus para os que estão voltando para a sua pátria. Eles encontrarão **pasto** abundante nos **lugares altos**. Eles serão protegidos do **sol** e de ventos quentes. Eles serão guiados aos **mananciais das águas**.

Os **montes** serão para eles como caminhos, enquanto voltam para casa do **Norte** e do Sul, do **Ocidente** e do Oriente até o distante país da China (9b-12).[1]

e) *Exultação em decorrência da consolação* (49.13). "Aqui, mais uma vez, a liberdade gloriosa dos filhos de Deus aparece como o centro e foco através da qual o mundo todo é glorificado".[2] Esses interlúdios de exultação são característicos de Isaías, como vimos anteriormente.

> *Gritem de alegria, ó céus, regozije-se ó terra!*
> *Irrompam em canção, ó montes!*
> *Pois o* SENHOR *consola o seu povo*
> *E terá compaixão de seus afligidos* (NVI).

2. *A Certeza da Redenção* (49.14-26)
Isaías está bastante seguro de que Deus não **se esqueceu** de **Sião**, por isso, ela não deve lamentar como se fosse uma esposa abandonada pelo seu marido ou como uma mãe privada de filhos.

a) *Sião não foi esquecida* (49.14-18). Como uma mãe não pode se esquecer do seu bebê que ainda mama (15), assim Deus não se esquecerá da imagem de Sião gravada **na palma** das suas **mãos** (16). Certamente chegou o tempo em que os construtores expulsarão os seus **destruidores** (17). Sião será adornada com novos moradores como uma **noiva** ornamentada (18). Deus nunca esquece! A queixa de Sião suscitou a amorosa repreensão do Senhor. Mesmo que uma mãe possa se esquecer do seu filho, Deus tem gravado os **muros** de Sião na **palma** das suas **mãos** (16). Desta forma, o tempo de reconstrução chegou, e o plano para os seus muros está completo.

b) *A terra desolada será repovoada* (49.19-21). Na verdade, as bênçãos de Deus serão um embaraço para Sião. Porque essas bênçãos serão tão abundantes que ela não conseguirá contê-las nem explicá-las. A **terra** (19) renascida estará logo superpovoada com filhos nascidos no tempo da sua privação. A cidade de Sião já não estará sozinha nem será estéril.

Essa profecia está agora sendo cumprida, porque os moradores do Israel moderno estão cientes de que a terra é pequena demais para eles (20 quilômetros no seu ponto mais estreito, v. 20), enquanto a afluência de imigrantes tem sido um embaraço constante para essa pequena nação.

c) *Filhos da realeza* (49.22-23). Isaías garante ao seu país despovoado que o Eterno sinalizará às novas gerações que ocupem o lugar daqueles que estão irremediavelmente perdidos. Eles retornarão debaixo da honra e proteção de criados reais, que agora beijarão os **pés** dos seus antigos escravos (limpando o pó que os cobria), como uma evidência certa da fidelidade do Senhor. Deus prepara para o Israel espiritual uma incontável posteridade. Diante do sinal divino, eles serão cuidados com reverência e congregados com afeto — muitos filhos de muitos países. Porque todo aquele que olhar para o Senhor jamais será desapontado.

d) *A presa resgatada do tirano* (49.24-26). Deus é mais forte do que o tirano e sabe como libertar os seus cativos. A estratégia divina simplesmente é colocar os seus inimigos uns contra os outros, e arrancar seu povo das mãos do tirano. Isso provará que Ele é o Salvador eterno e poderoso Redentor da humanidade. Ninguém debaterá o livramento miraculoso operado pela intervenção divina.

3. *A Réplica do Todo-Poderoso* (50.1-3)

A réplica divina aparece na forma de perguntas dirigidas a determinados israelitas que achavam ter Deus formalmente se divorciado da mãe deles (Sião) de acordo com a lei (cf. Dt 24.1), ou que os tinha **vendido** (1) para algum **credor** em pagamento de alguma dívida enorme. Nenhuma das suposições estava correta. Aqui Deus levanta a questão do distanciamento e deixa claro que *somente o pecado* separa o homem da sua presença e favor. Assim, a repreensão divina é mais ou menos a seguinte: Alguma vez me divorciei da sua mãe? Alguma vez vendi vocês aos serviços do meu credor como pagamento pelos meus débitos? Não, vocês mesmos se venderam como conseqüência da escravidão do pecado! Por que minhas intimações não despertaram nenhuma reação? Será que não tenho poder para livrar? Lembrem-se, sou Eu que seco o mar e os rios, e sou Eu que escureço os céus, causando o eclipse dos seus luminares. Se eu retirasse a minha luz, toda natureza ficaria em absoluta escuridão.

Somente o pecado separa Israel de Deus. O problema não estava com Deus; o problema estava com cada membro da sua Sião. O poder de Deus sobre a natureza é onipotente. Assim, a sua habilidade de redimir e restaurar é irrepreensível. A fé, então, junto com uma resposta pronta ao chamado do Senhor (cf. v. 2), é a solução para o problema de Sião.

B. O Eterno Defende os Seus, 50.4-11

Nesta seção, temos o *Solilóquio* (Monólogo) *do Servo* referente à sua perfeição através do sofrimento. Este é o terceiro dos chamados "Cânticos do Servo".

1. *Uma Lição Bem-Aprendida* (50.4-6)

Poucos homens, mesmo ministros, têm aprendido essa lição, no entanto, o Servo divino declara: "Eu sei falar de maneira proveitosa, ouvir sabiamente, e obedecer completamente". Ele tem uma **língua** treinada,[3] um **ouvido** (4) que ouve com atenção, uma vontade obediente, e perseverança no sofrimento. Essa é uma lição importante, raramente aprendida pelos embaixadores do Eterno. Falar sabiamente aos ímpios, agir espontaneamente ao ouvir a voz divina e sofrer silenciosamente sob abuso imerecido são qualidades específicas de Jesus Cristo. Nenhum representante da Deidade alcançará isso sem "a graça do nosso Senhor Jesus Cristo". Knight refere-se a isso como uma "abordagem extraordinariamente nova ao problema da desumanidade do homem em relação ao homem".[4] Essas qualidades foram profetizadas por Isaías, mas praticadas por Jesus.

2. *Uma Fé Bem-Fundamentada* (50.7-9)

O motivo de o Servo agora ser capaz de suportar esse tipo de dor e tratamento abusivo em sua humilhação é conseqüência de sua fé. Seu solilóquio (monólogo) pode ser resumido da seguinte maneira: Meu Ajudador e meu Defensor está ao meu lado — Deus **me ajuda** (7); por isso, meu propósito é inabalável. Deus vai defender-me; por isso, minha resistência é resoluta. Deus vai me justificar (8); por isso, meu triunfo final é certo (9).

Com a ajuda de Deus, esse Servo sofredor nunca é confundido. Com a ajuda de Deus, Ele nunca será envergonhado. Com Deus como seu Advogado, nenhum homem poderá condená-lo (Rm 8.31,33-34). Levaria tanto tempo até que seus acusadores elaborassem uma causa contra Ele que suas **vestes** se tornariam velhas e comidas pela **traça** (9). Ele pode confiar em Deus em relação ao futuro desconhecido visto que conhece a lealdade imutável de Deus no presente.

3. *Um Futuro Seguro* (50.10-11)

Aqui se oferece conselho para aqueles que caminham **em trevas**, mas que estão procurando a **luz** (10). É a garantia do Servo para aqueles que confiam em Deus. No AT, aquele que teme **ao SENHOR** é sinônimo de "ser religioso" em nossa terminologia moderna. Essa pessoa, "embora caminhe na escuridão" (ASV, nota de rodapé), está se voltando para a **luz**. Que ele tenha fé na fidelidade de **Deus** (1 Jo 1.7).

Aqui são advertidos aqueles que incitam brigas e torturam e estão brincando com **fogo** (11). A tradução de C. von Orelli traz nova luz em relação à versão da KJV: "Mas agora todos vocês são tochas acesas e se vestem com dardos flamejantes. Andem nas labaredas do seu fogo e serão queimados com os seus próprios dardos flamejantes. Isso vem da minha mão; em tormentos vocês se deitarão". A questão é simples: "O que o homem semear, isso também ceifará". Ouçam atentamente e tenham esperança! Atormentem e pereçam! Na última frase desse capítulo, Deus fala em juízo. Knight traduziu essa cláusula da seguinte maneira: "Entrem na fornalha do seu próprio fogo".[5] Isso se assemelha às palavras de Jesus em Mateus 25.41. No final, o mal consome os que se entregam a ele, da mesma forma que Deus justifica os que se comprometem com Ele (1 Pe 4.19).

Esta passagem somente pode estar se referindo ao Israel Ideal como o Servo de Javé. Conseqüentemente, não se refere à nação, mas a um Indivíduo, e esse Indivíduo era Cristo.[6]

C. A Libertação Prometida pelo Eterno, 51.1-23

Neste capítulo e no próximo, temos um grupo de diálogos conectados mais livremente em torno do tema da libertação divina. Eles descrevem o surgimento da salvação e o afastamento da taça da ira divina daqueles que ansiosamente anelam pela salvação. A chamada para ouvir é tríplice, como ocorre com a chamada para despertar. Os dois capítulos são, portanto, intimamente ligados, embora os discursos estejam conectados de maneira mais solta.

1. **Ouvi-me** *I*: *O Valor da Retrospectiva* (51.1-3)

Aqui o profeta parece ensinar que o milagre envolvido na origem de Israel é a base de fé para sua restauração e perpetuação. Para o núcleo leal ele diz: "Vocês que buscam a reforma com a ajuda do Eterno, voltem a olhar novamente para o início providencial

(1). Lembrem-se de **Abraão**, a **rocha** da qual vocês foram cortados, e de **Sara**, o **poço** de onde foram **cavados**! Abraão, o idoso, e Sara, a estéril, que Deus abençoou e multiplicou (2)!" Deus chamou Abraão quando estava **só** e o fez crescer e o tornou em muitos. Pela graça de Deus o **deserto** se transforma no **jardim do SENHOR** (3), e a **melodia** de um cântico agora alegra os antigos **lugares assolados**. É por meio da fé que os **lugares assolados** se tornam jardins irrigados como o próprio **Éden**. Assim, a mensagem do profeta é: "Lembrem-se e alegrem-se!".

2. *Ouvi-me II* (**Atendei-me**): *A Perspectiva Imediata* (51.4-6)

Aqui o Deus eterno trata da sua "posse" como **povo meu** e **nação minha**, e promete suas bênçãos usando termos como: "meu livramento" e **minha salvação**. Dessa forma, temos a garantia de que o livramento divino é imanente e a **salvação** divina, eterna. "Enviarei as regras da minha religião para iluminar cada nação" (4, Moffatt). "Doravante, minha lei será promulgada, meus decretos ratificados, para a iluminação do mundo inteiro" (4b, Knox). Esta é a promessa de uma nova lei com alguns ouvintes novos, resultando em uma liberdade nova. "Meu servo fiel logo virá; ele já está a caminho para libertá-los; meus braços julgarão as nações; as ilhas remotas estão esperando por mim; estão aguardando a minha ajuda" (5, Knox; também cf. Moffatt).

Céus e **terra** podem desaparecer, mas o triunfo do Eterno durará para sempre. "Olhai para cima, então olhai para baixo", diz o profeta. "Os céus desaparecerão como fumaça, a terra se gastará como uma roupa, e seus habitantes morrerão como moscas. Mas a minha salvação durará para sempre, a minha retidão jamais falhará" (6, NVI). Com esse olhar para cima e para baixo a perspectiva é muito promissora. Assim, Isaías traz a expectativa imediata para uma perspectiva de fé.

3. **Ouvi-me** *III: A Perseguição Requer Persistência* (51.7-8)

Aqui a mensagem divina avança com a declaração: Embora **conheceis a justiça** e guardais a **lei**, sois tentados a temer **o opróbrio dos homens** (7). "Não temam a censura do homem" (NVI). a) Os homens são humanos e sujeitos à deterioração, como **uma veste** comida pela **traça**; mas b) a **salvação** de Deus **durará para sempre**" (8). Um outro oriental expressou essa passagem de forma semelhante:

> Pense, nessa caravançará tão abatida
> Cujos portais estão abertos noite e dia,
> Sultão após sultão em sua pompa
> Se hospedou na hora destinada e depois partiu.[7]

A premissa do profeta aqui é que a perseguição é apenas uma coisa passageira comparada à fidelidade de Deus.

4. **Desperta** *I: O Braço Forte do Senhor* (51.9-11)

Novamente, nesse chamado fervoroso pela intervenção de Deus, vemos o uso característico que Isaías faz do imperativo duplo na invocação pelo braço conquistador de Deus. "**Veste-se de força**, como quando derrotou o crocodilo egípcio **e feriu o dragão** do Nilo (9), ou **secou** as **águas** e formou um caminho **no fundo do mar** ['fez uma estrada para as caravanas do mar' — Knox; v. 10]. Então, os teus **resgatados** voltarão com **júbilo** e exultação" (11; cf. 35.10; veja também a tradução de Knox).

5. A Resposta do Senhor para o seu Povo (51.12-16)

A mensagem desse trecho pode ser resumida na premissa: Esquecer Deus produz medo no homem. A mensagem divina de consolação aqui é: "Eu sou o seu Consolador, então por que temer o **homem** mortal? (12). Não esqueça do seu Criador, e não tema o **angustiador** (13). O livramento chega depressa (14). **Eu sou** seu Deus, cujo nome é o SENHOR **dos Exércitos** (15). Você tem a minha mensagem, minha proteção, minha aliança, e todos os recursos do seu Criador (16)! Eu sou Aquele que diz a Sião: 'Vocês são **meu povo'**" (cf. Os 1.10).

Os inimigos de Deus são mortais e fracos; o Protetor dos fiéis é o Eterno e o Forte. Se Deus é por nós, o que importa quem é contra nós? (Cf. a tradução de Knox).

6. Desperta II: O Profeta Exorta Jerusalém (51.17-23)

"Acorde, acorde, Jerusalém, levante-se!" (NTLH).

a) *A taça da vingança está vazia* (51.17-20). O profeta lembra como Jerusalém havia se tornado um marginalizado embriagado e desesperado, sem ninguém para lhe dar apoio e lhe tomar pela mão e firmá-la na sua letargia. Na sua assolação pela fome e espada, seus **filhos** (18; príncipes) haviam desfalecido sob a censura divina. Eles foram deixados estatelados em cada encruzilhada como um antílope apanhado **na rede** (20),[8] derrubados pela ira do Senhor. A assolação é dupla. A terra está devastada pela **assolação** e o **quebrantamento**. O povo sofre devido à **fome** e **espada** (19). Assim, o cálice do juízo divino havia reduzido os seus sentidos enquanto se esvaziava.

b) *A vez de o atormentador beber* (51.21-23). O ponto mais importante de todo o livro de Isaías é o tema em sua escatologia que profetiza a inversão do destino do opressor e dos oprimidos. Jerusalém é assegurada de que **o cálice** (22) da ira divina foi passado agora para seus atormentadores que tanto a humilharam. "Eu o porei nas mãos dos seus atormentadores, que lhe disseram: 'Caia prostrada para que andemos sobre você'. E você fez as suas costas como chão, como uma rua para nela a gente andar" (23, NVI). O julgamento sempre começa na casa de Deus, mas não nos esqueçamos de que o Deus que nos castiga está do nosso lado.

D. O RESGATE DA "FILHA CATIVA DE SIÃO", 52.1-12

Este texto de Isaías dá continuidade aos diálogos do profeta sobre a libertação e completa o tema do capítulo 51.

1. Desperta III: O Hino da Redenção (52.1-6)

a) *O chamado* (52.1-2). Aqui o apelo é para atenção, força, beleza, separação, pureza e liberdade. As convocações se assemelham com o comando inicial de um sargento instrutor moderno: "Atenção!" "Acorda, acorda, veste-te, Sião, em toda a tua força; veste-te de acordo com a tua nova glória, Jerusalém, cidade do Santo!" (1abc, Knox). "Porque os pagãos e profanos nunca mais entrarão por suas portas" (1d, Moffatt). "Sacuda a poeira, levante-se, então sente-se [sobre seu trono real], Jerusalém; livre-se das correntes ao redor do seu pescoço, ó filha cativa de Sião" (2, Berk.). **Sião** já não será rejeitada ou cativa. Ela é elevada à posição gloriosa de rainha sacerdotal das cidades. Seu tempo de ficar sentada no **pó** (2) como cativa será mudado para um tempo em que se assentará no trono como rainha (contrastando com o destino da Babilônia em 47.1). Os cativos freqüentemente eram presos com cordas amarradas de **pescoço** em pescoço. Essas **ataduras** agora serão removidas de **Sião**, e ela não será mais uma rainha **cativa**.

b) *A condição* (52.3-5). Aqui temos o solilóquio da história de Israel. Os traços tenebrosos da figura são os seguintes: **Por nada fostes vendidos** [...] **sem razão** oprimidos, dominados em tirania e torturados em meio à blasfêmia. Mas a reflexão de Deus começa com uma promessa: "Fostes negociados por nada, e sereis resgatados sem custo" (3, Knox). Os hebreus foram escravizados no Egito e saqueados e oprimidos sem razão pelos assírios (isso pode incluir os babilônios). Eles foram cruelmente levados para o exílio, tudo porque se venderam pela rebelião e desobediência. Quem peca, sempre se vende à escravidão, mas a recompensa do pecado se transforma em cinzas nas suas mãos. Por outro lado, a expiação de Deus não é uma transação comercial. Deus não deve nada ao diabo, e a graça é livre para o verdadeiramente arrependido.

c) *A promessa* (52.3,6). Isso envolve redenção sem resgate, como já sugerimos. Deus não deve nada a nenhuma nação. O fato de usar uma nação como seu instrumento de juízo não é nenhum mérito para o opressor. Os cativeiros assírio e babilônico não trouxeram glória para o Senhor da parte daqueles países; desta forma, quando seu propósito divino foi cumprido, Ele podia arrancar seus cativos das mãos dos opressores e não lhes ficar devendo coisa alguma. Mas, tão certo quanto predisse o cativeiro do seu povo, Ele também prometeu seu retorno. Através disso, o povo de Deus aprenderá seu verdadeiro **nome** e natureza. "Por isso o meu povo conhecerá o meu nome; portanto, naquele mesmo dia (eles conhecerão) que sou eu quem digo: 'Eis-me aqui' " (6, von Orelli).

2. *Notícias do Evangelho para Sião* (52.7-10)

a) *Os mensageiros* (52.7-8). Estes são os belos representantes da **paz**, unidos em voz e visão. Aqui está a caracterização de Deus de todos os verdadeiros evangelistas. O apóstolo Paulo cita essa passagem e a aplica aos arautos do evangelho, enquanto classifica para nós seus cinco grandes "comos" — quatro perguntas, seguidas por essa exclamação (Rm 10.14-15). James Moffatt parece ter capturado a beleza dessa passagem na sua tradução:

> *Vê! São os pés de um arauto*
> *apressando-se sobre os montes,*
> *com boas novas de alegria,*
> *com notícias de alívio,*
> *dizendo em voz alta a Sião:*

O SERVO ETERNO   ISAÍAS 52.8—52.12

> *"Ó teu Deus reina!".*
> *Todas as tuas sentinelas estão exultando,*
> *em cântico de triunfo,*
> *porque vêem o Eterno face a face*
> *enquanto ele volta para Sião.*

b) *A mensagem* (52.9-10). O tom fundamental ressoou no versículo 7: "O teu Deus reina!" Boas novas como essa evocam o desejo de cantar sobre conforto, redenção e justificação. Deus desnuda **seu santo braço** (10) para agir.[9] Que **todas as nações** e toda **terra** reconheçam a sua **salvação**.

3. *A Convocação para um Novo Êxodo* (52.11-12)

Aqui a ordem é para que haja separação, santificação e ação deliberada, com a garantia de proteção divina. Isaías está novamente falando de Jerusalém e convocando os exilados. Ele os adverte a não procurar os despojos de um ambiente pecaminoso. Um profeta posterior ouvirá uma voz dizendo: "Saia dela, povo meu" (Ap 18.4), e um apóstolo lembrará dessa passagem ao ordenar a separação, própria da santidade (2 Co 6.17—7.1). "Saí de Sodoma!". A cidade dos ímpios não é lugar para os piedosos. Mas a saída deles não deve ser nenhuma debandada ou fuga noturna ou escape clandestino. A saída deve acontecer em forma de uma marcha deliberada como no antigo êxodo, debaixo da proteção divina, com a Presença Divina diante deles e na sua retaguarda. Chegaremos com segurança ao nosso destino desde que Deus seja nossa Vanguarda e nossa Retaguarda.

> *Não precisarão sair apressadamente,*
> *escapando como fugitivos,*
> *porque o Eterno vai adiante de vocês,*
> *e o Deus de Israel é a sua retaguarda* (Moffatt).

E. "O SERVO SOFREDOR DO SENHOR", 52.13—53.12

Esta passagem é a mais importante entre todas as profecias messiânicas do Antigo Testamento. Quem, além de Isaías, poderia ter escrito um milagre literário dessa magnitude? E quem, além do Espírito Santo, poderia ter inspirado seus detalhes? Policarpo chamou-a de passagem dourada do Antigo Testamento.

Os "cânticos do servo"[10] anteriores descrevem o ministério profético desse Servo do Senhor. Neste cântico, Ele é retratado como Sacerdote que sofre vicariamente pelos pecados dos outros. Ele é um Mártir que leva o pecado do mundo, e por causa desse incomparável ato de sumo sacerdote como Ofertante e Sacrifício, doravante não leremos mais em Isaías acerca do "servo de Javé" mas dos "servos de Javé" (54.17; 56.6; 63.17; 65.8-9,13-15 e 66.14 — embora em 61.1-3, o grande "Servo" fale por si mesmo).[11]

Agora vem a questão da identidade. O que temos aqui? Quem está sendo descrito? É ele uma pessoa ou somente uma personificação? Embora, talvez, não tenhamos certeza em relação a isso nos três "cânticos do servo" anteriores, esse quarto cântico descreve o Servo de Javé como um Sofredor individual.[12] Ele é anunciado e descrito de forma tão clara como se o próprio profeta estivesse parado sob a cruz observando a crucificação. Essas predições foram cumpridas em Jesus Cristo. Assim, o Servo do Senhor não é ninguém mais do que o próprio Filho do Homem. É dessa maneira que o NT se refere a Ele (cf. 53.7-8 com At 8.26-35; cf. também Lc 24.25-27, 44-47).[13] O apóstolo Paulo comenta acerca de Isaías 53 em Filipenses 2.5-11. O dr. Fausset declara: "A harmonia entre a vida e a morte de Jesus Cristo é tão precisa, que não poderia ser resultado de uma conjectura ou acidente".[14]

Nessa passagem significativa falam quatro vozes: Em primeiro lugar, Deus fala (52.13-15), apresentando seu Servo. O imperativo divino é: **Eis [...] meu servo** (52.13), e a mensagem divina é que o sofrimento é proveitoso e o sacrifício é prático. Em segundo lugar, a consciência da humanidade responde: **Quem deu crédito...?** (53.1-3), reconhecendo que deixaram o olho enganar o cerne da compreensão, admitindo que todos os homens foram indiferentes em relação a esse Sofredor divino, e confessando a consciência comum da culpa. Assim despertos, o texto traz: **Verdadeiramente, ele tomou sobre si as nossas enfermidades...** (53.4-6), reconhecendo que a mão de Deus estava de fato sobre o Servo, e o motivo era o pecado — mas o pecado era nosso, não dele. Em terceiro lugar, o profeta enumera as circunstâncias da sua morte (53.7-10), que podem ser brevemente resumidas na observação de que, quando oprimido, o Servo divino humilhou-se a si mesmo até a morte (Fp 2.8). Em quarto lugar, Deus novamente fala, dando o veredicto final (53.11-12) e confirmando o propósito divino anunciado no versículo 10. Assim, a passagem começa e termina com a fala de Deus. Isaías estava bem consciente de que o nosso Deus é comunicativo, diferente dos surdos e mudos deuses pagãos. Archer está correto ao escrever que "as observações mais profundas acerca do Calvário não são encontradas no Novo Testamento".[15]

1. A Introdução e a Proclamação Divinas (52.13-15)

Ao considerarmos o texto versículo por versículo, as traduções mais recentes se tornam muito proveitosas.[16] A expressão **meu servo** (13) indica que Deus está falando. A essa altura o Servo é, na verdade, descrito em termos de divindade — **será engrandecido, e elevado, e mui sublime**. Mas esses termos são imediatamente ligados a outros que podem referir-se somente a um homem, cuja aparência está **desfigurada** (14) pelo sofrimento. Desde o princípio, então, temos aqui uma Personagem divino-humana.

Operará com prudência (13; "prosperará"; "agirá com sabedoria", NVI) envolve um verbo aqui que tem dado muita dor de cabeça aos tradutores e intérpretes. A tradução de Lamsa da *Peshitta* traz: "compreenderá", enquanto Knight traduz: "será bem-sucedido", e Von Orelli traduz: "agirá esplendidamente". Knox traduz: "Veja, aqui está meu servo, aquele que será prudente em toda sua conduta". A versão Berkeley traz: "trabalhará sabiamente". Assim, a tarefa do Servo divino-humano é cumprir os propósitos do Deus eterno. Conseqüentemente, desde o princípio desse chamado "cântico do servo" temos o anúncio da natureza exaltada e o destino dessa Figura-Mártir, cujo discernimento o capacita a lidar sabiamente com o problema maior, ou seja, o ódio e pecado humanos.

Como pasmaram muitos à vista dele (14) são as palavras de Deus. O versículo inicia com um contraste que é concluído no seguinte (observe o **Como [...] Assim** usado aqui), depois de um parêntese descritivo. Da mesma forma que os **muitos** (as massas)

ficaram pasmos com Ele, assim Ele também purificará **muitas nações**. O motivo do assombro das massas é o fato de que em seus sofrimentos Ele estava tão desfigurado pela violência que já não podia mais ser reconhecido,[17] visto que "sua aparência estava tão desfigurada, que ele se tornou irreconhecível como homem" (NVI).
Tão desfigurada, [...] mais do que a dos outros filhos dos homens. "Desfigurado, a ponto de não mais se parecer com um ser humano, deformado de tal forma que já não tinha a aparência de um homem" (Moffatt). "Alguma vez uma forma humana foi tão maltratada, a beleza do ser humano tão desfigurada?" (Knox). O profeta, deste modo, indica que, uma vez que as massas humanas observem esse Servo cruelmente desfigurado, elas ficarão aterrorizadas. O sofrimento sempre tem sido o assombro e a pedra de tropeço da humanidade.

Assim, borrifará muitas nações (15) tem sido retificado por muitos comentaristas como "admirar" (A NTLH traz: "Mas agora muitos povos ficarão admirados quando o virem"). Mas a correção dos intérpretes pode ser enganosa. Por isso, Muilenberg diz: "É melhor conservar 'borrifar' aqui, e essa interpretação é apoiada pelo Manual de Disciplina (IV, p. 21; cf. III, p. 10)"[18] dos manuscritos do mar Morto, recentemente descobertos. A palavra borrifar traz a idéia de purificação. Assim, "ele purificará muitas pessoas dos seus pecados" é a asserção aqui (observe que a tradução de Lamsa da *Peshitta* usa o termo "purificar"). Dessa forma, o tema da grande inversão que observamos no capítulo anterior é mantido. Além disso, ele se encaixa na escatologia de Isaías. Por isso, Knox traduz: "Ele purificará uma multidão de nações".

Mesmo **reis fecharão a boca por causa dele** e ficarão maravilhados em reverência silenciosa ao verem aquilo de que nunca tinham ouvido falar, e ao meditarem sobre aquilo de que nunca foram informados. Como Knight observa: "A tarefa do Servo é dar *às massas* uma visão de vida inteiramente nova [...] porque o homem comum mostra ter um espírito de contenda em seu interior".[19] Desta forma, a aceitação mansa da crueldade imerecida vai requerer um silêncio reverente mesmo por parte dos reis. Foi isso que Jesus ensinou em Marcos 10.45, em que mais uma vez aparece o termo "muitos" de Isaías.

A maneira cristã de exaltação através da humilde via da humilhação é, assim, antecipada pelo profeta nesse anúncio divino e na apresentação do Servo. "Pois aquilo que não lhes foi dito verão, e o que não ouviram compreenderão" (NVI). Como Coffin observa de forma pertinente:

> Fazemos bem em ressaltar a sabedoria do servo do Senhor (cf. Mt 12.42). O Calvário foi ridicularizado como fracasso e loucura, mas para Paulo era "a sabedoria de Deus" (1 Co 1.24). As revelações da história, como a restauração de Israel do exílio, e a exaltação do Filho de Deus do cadafalso ao trono, mostram a sagacidade divina que faz a esperteza humana parecer bisonha.[20]

2. *A Superficial Avaliação Humana* (53.1-3)

Os homens dos dias de Isaías até hoje têm visto essa idéia profética acerca de um Messias sofredor como algo inacreditável. **Quem deu crédito à nossa pregação?** (1). Mais especificamente: "Quem poderia acreditar naquilo que ouvimos?". Ou: "Quem tem dado qualquer crédito à nossa história?". Não é humanamente possível reconciliar grandeza com sofrimento. Quando as pessoas são prósperas, dizemos: "Você deve estar vivendo da forma correta!". Mas quando ocorrem revezes, dizemos: "Você deve ter pecado!". Nenhuma das avaliações está completamente ou sempre correta.

Aqui fala a consciência de uma humanidade desperta e penitente. O profeta expressou de forma clara esse estado (cf. Jo 12.37-43, Comentário do NT Amplificado sobre esse ponto). As palavras pronunciadas pelo profeta são aquelas em que o Espírito Santo interpreta o escândalo da cena.

A quem se manifestou o braço do Senhor? A palavra para **braço** é *zeroa'* e indica o forte braço de Deus intervindo nas questões da humanidade. Desta forma, a expressão indica a ação decisiva de Deus. O braço do Eterno opera livremento e salvação.

Se o versículo 1 consiste em exclamações, o versículo 2 é formado de explanações. A frase: [Ele] **foi subindo** (2) é melhor traduzida como: "Ele cresceu", porque assim expressa a plena força do tempo histórico. Essa frase é anunciada profeticamente acerca de um acontecimento futuro como se fosse um fato que já tivesse ocorrido. Deus percebe a história em qualquer de seus desenvolvimentos como fato, embora o evento fosse ocorrer cerca de 700 anos depois do profeta Isaías. **Perante ele** significa: "diante de Javé, sob o olho de Deus e em conformidade com a sua vontade e propósito".

Como renovo indica um rebento. O termo hebraico é *yoneq* e vem do verbo *yanaq*, significando "sugar". A referência aqui é a um "broto". Assim, o profeta, mais uma vez, está pensando em um "rebento" ou "broto" do tronco de uma árvore que foi cortada. Anteriormente, ele havia falado do Messias como um "rebento" do toco de Jessé (11.1). Assim, Ele deve crescer como um "broto" de um toco de uma árvore morta. (Observe aqui novamente a evidência da unidade autoral para a profecia de Isaías).

> *Escondidos estão os santos de Deus,*
> *Não assegurados por um grande sinal angélico;*
> *Nem o vestuário fino, nem o cetro dourado do reino,*
> *Os tornam divinos.*[21]

Como raiz de uma terra seca lembra o fato de que as plantas de Deus brotam e crescem em lugares improváveis. O termo hebraico aqui é *shoresh* (raiz). O conceito de Isaías acerca do Messias no que se refere ao "servo sofredor" tanto o vê como Renovo quanto como Raiz de uma personalidade teantropista (antropomorfista). Ele cresce da **terra seca** (hb. *'eres siyah*). Isaías, sem dúvida, estava ciente do fato de que os líderes da igreja geralmente vêm dos lugares mais distantes e insignificantes da habitação humana. A Palestina era um pequeno pedaço de terra nada promissor de onde surgiu o Messias, e a pequena Belém na pequena Judá era absolutamente insignificante. Em Nazaré, Ele cresceu sob as vistas de Deus em circunstâncias simples e humildes.

Não tinha parecer nem formosura (A ARC traz na nota de rodapé: "formosura ou beleza"). Não havia nada nele majestoso ou de caráter nobre que atraísse a admiração humana. A pergunta nos dias de Jesus era: "Pode alguma coisa boa vir de Nazaré?" Ele era simplesmente o glamouroso Nazareno. Existe uma diferença entre "glamour" e "glória". **Nenhuma beleza víamos, para que o desejássemos**. O Servo carecia dessa "aparência formosa" (hb. *mar'eh*) que torna o exterior atraente. Ele é evitado porque foi desfigurado pela maldade humana.

Era desprezado e o mais indigno (3). Os termos hebraicos são *nibhzeh*, "olhado com desprezo", e *hadhel*, "abandonado" (cf. Mt 26.31, 56; Jo 16.32). A solidão é muitas vezes a coroa da tristeza e sofrimento. **Desprezado e o mais indigno** ("rejeitado") **entre os homens** — primeiro pelos governantes, segundo pela multidão e terceiro pelos discípulos. Dessa forma, o Cristo trilhou a solitária *via dolorosa*.

Homem de dores, i.e., um homem afligido. O hebraico é *'ish makh' oboth*. O corpo de Jesus era internamente sensível ao sofrimento. Alguns, às vezes, têm levantado dúvidas se isso de fato aconteceu. Mas, se isso não aconteceu, então Ele não foi inteiramente humano e parece que Isaías indica de forma clara a humanidade de Jesus. **Experimentado nos trabalhos**, *yedhia holi*, "experimentado no sofrimento" — "tocado pelo fato de sentir as nossas enfermidades" (Hb 4.15; cf. Hb 2.18).

Como um de quem os homens escondiam o rosto, i.e., viravam seus rostos em horror, para não olhar para Ele. **Não fizemos dele caso algum**; não o reconhecemos como alguém que tivesse alguma importância (cf. Jo 1.10-11). Não o consideramos, porque o julgávamos um fanático isolado; conseqüentemente, ninguém se compadeceu dele. Estas são algumas implicações legítimas do hebraico.

Deixando de lado a avaliação humana, vamos considerar algumas das realidades divinas incluídas aqui.

3. O Sofrimento Vicário da nossa Salvação (53.4-6)

A palavra de abertura, **verdadeiramente** (4), nessa estrofe visa focar nossa atenção no aspecto-chave do enigma do sofrimento do Justo. Uma tradução melhor seria "certamente". G. F. Handel baseou um dos seus mais importantes hinos do seu famoso oratório, *O Messias*, nesse texto. **Ele tomou sobre si as nossas enfermidades**. É importante notar que o pronome **nossas** é enfático nesse caso. *Nossas* foram as enfermidades que *Ele* carregou; *nossas* foram as dores que *Ele* tomou. **Nós o reputamos por aflito, ferido** [...] **e oprimido**. E foi por causa dos *seus* açoites que *nós* fomos sarados. O termo hebraico para **levou**, *nasa*, significa: "levantar e levar embora". Assim, o cristão que olha para o Calvário exclama: "Ele levou meus pecados para lá com Ele" (cf. Mt 8.17; Cl 2.14). Mas o hebraico *holayim* (**dores**) parece indicar mais especificamente "doenças", e o grego da Septuaginta indica não somente nossas fraquezas mas também nossas doenças.

Nós o reputamos por aflito — aqui notamos a avaliação falsa do homem em relação à dor. **Ferido de Deus**, i.e., sob o flagelo de Deus. Achávamos que Ele estava debaixo do castigo divino. **Oprimido**, *me'unneh*, humilhado, degradado e afligido.

Nós fizemos nossa avaliação, mas os fatos do caso são: **Ele foi ferido pelas nossas transgressões** (5). Isso inclui uma expiação vicária. O termo hebraico *meholal* realmente quer dizer trespassado, perfurado, ou seja, pregado. Pregado por causa das nossas **transgressões** (*pesha'*) que, na verdade, eram rebeldia. Assim, "Ele foi trespassado por causa da nossa rebeldia". A dor era *sua*, em decorrência do *nosso* pecado. Rebeldia é o elemento básico de todo pecado humano. **Moído pelas nossas iniqüidades** indica que o Redentor foi quebrantado por causa da nossa "maldade inata". O hebraico, *medhukkah*, significa completamente moído ou despedaçado, e *awonoth* significa não somente "iniqüidade" mas "maldade torcida e pervertida". O causa do pecado é basicamente uma perversidade incorrigível.

O castigo que nos traz a paz estava sobre ele, i.e., sua "punição" nos trouxe paz. O castigo tem a ver com sofrimento disciplinador. O termo hebraico para **paz** é rico em significado. Ele não indicava somente paz, mas saúde, bem-estar, prosperidade e inteireza. **Pelas suas pisaduras, fomos sarados** significa literalmente, "somos sarados pelas feridas que ele sofreu". A idéia é que através das suas pisaduras há cura para nós. O sofrimento do Servo não é apenas vicário mas redentor e restaurador. A doutrina da cura divina tanto no Antigo como no Novo Testamento tem sido com freqüência negligenciada pelas igrejas, e deixada para a distorção feita pelos fanáticos.

Todos nós andamos desgarrados como ovelhas (6). *Kullanu* indica "todos nós", "as massas" da humanidade, o mundo todo. *Ta'ah* (**desgarrados**) significa "desviando-se do caminho e se envolvendo em dificuldades". Essa é a descrição viva que Isaías faz da maneira como a humanidade é composta. Ovelhas abandonadas sempre se desviam, e como viajantes elas estão indefesas e perdidas. Essa cláusula também é a confissão de um Israel arrependido (Sl 119.176), de uma humanidade arrependida (1 Pe 2.25), confirmada pelo desejo do nosso Salvador (Mt 9.36; Jo 10.11).

Cada um se desviava pelo seu caminho. O homem prefere seu próprio caminho em lugar do caminho de Deus. Ele transferiu sua lealdade ao ídolo da sua própria vontade e desejos, seu próprio intelecto e tendências inatas, se tornando completamente egoísta. O homem pecador procura viver uma vida independente. Essa é a culpa habitual da humanidade. **Mas o Senhor fez cair sobre ele a iniqüidade de nós todos**. Deus tornou-se o Servo Sofredor, proveu a expiação vicária, e levou, em seu Filho, as iniqüidades do mundo. Desde então, a dor vicária tem se tornado o adorno mais elevado da vida. Deus não castiga o justo com o ímpio (Gn 18.25). Ele aceita o sofrimento do justo *em lugar do* ímpio (Mc 10.45).

4. *A Resistência Paciente na Humilhação* (53.7-9)

Aqui o profeta descreve os acontecimentos da Sexta-feira Santa. **Ele foi oprimido** (7), "tratado rudemente". Ele foi "afligido" (NVI), ou seja, humilhado. Ele estava se humilhando. Ele permitiu ser afligido. Foi, portanto, uma aceitação voluntária que caracterizou o Cristo manso e amável, que se curvou diante do abuso dos servos de Caifás e dos soldados de Pilatos. **Não abriu a boca**. Essa observação do profeta acerca do Sofredor paciente ocorre duas vezes nesse versículo. Ele não abriria a sua boca. Em primeiro lugar, Ele não precisava se defender, visto que nenhuma acusação válida foi feita contra Ele. Em segundo lugar, seu julgamento foi apenas uma farsa judicial conduzida por hipócritas sem princípios, reivindicando motivos piedosos, enquanto naquele exato momento estavam violando as leis judaicas da jurisprudência; por conseguinte, nenhuma defesa faria diferença. Ele falou ao Sinédrio somente quando o silêncio significaria uma renúncia da sua divindade e de ser o Messias (Mt 26.63-64). Diante de Pilatos, Ele somente falou quando o silêncio significaria a renúncia da sua realeza. E diante do incestuoso Herodes, o Tetrarca, não falou uma só palavra. **Como um cordeiro, foi levado ao matadouro**. O termo hebraico *yubhal* indica que Ele foi levado ao altar do sacrifício (cf. Jo 1.36; Ap 5.12). Foi uma sentença de morte predeterminada que já havia sido decidida antes mesmo do julgamento ou de se dar ouvidos a Ele. Assim, Ele sofreu o destino de um cordeiro sacrifical. **Como a ovelha muda perante os seus tosquiadores**, assim esse Sofredor divino suportou em silêncio.

Da opressão e do juízo foi tirado (8). O hebraico sugere que foi por crime judicial que Ele foi levado e por tirania que foi morto. Diversos livros têm sido escritos acerca da ilegalidade do julgamento e da morte de Jesus. A tradução de Moffatt é válida — "Eles o mataram injustamente". Gordon traz: "Por meio de violência no julgamento ele foi eliminado" (Smith-Goodspeed).

Quem contará o tempo da sua vida? A indiferença da opinião pública e a atitude apática das massas são muitas vezes chocantes. Ninguém parecia estar preocupado com o seu destino. Seus juízes não estavam interessados em apurar a verdade sobre o Prisioneiro, mas somente em se livrar dele. **Pela transgressão do meu povo foi ele atingido**, diz o profeta; "foi abatido pelos nossos pecados" (Moffatt).

Puseram a sua sepultura com os ímpios (9). O termo hebraico *resha'im* significa "ímpios, ou homens culpados". Os homens designaram ao Servo não um sepultamento digno de um santo, com reverência e honra, mas de um opressor injusto por quem nenhum homem lamentou. Em outras palavras, a desonra o perseguiu até a sepultura. Sua morte foi uma execução oficial. **E com o rico, na sua morte** significa, de forma mais completa: "e com um rico em sua morte trágica". José de Arimatéia era um homem rico. Seu sepulcro, recém-escavado na rocha, tornou-se o local do sepultamento de Jesus. Alguns intérpretes entendem "criminoso" em vez de rico, mas *'ashir* significa um homem de riquezas. **Porquanto nunca fez injustiça** ("nenhuma violência", NVI; cf. Jó 16.17) significa que Ele não tinha feito nada que merecesse uma morte como essa. **Nem houve engano na sua boca**. Ele era um Homem inocente. A humanidade descarregou sua raiva no tratamento cruel ao Santo de Deus. Mas, "quando o mal egoísta tenta mascarar-se como justiça, acaba preparando seu próprio desmascaramento".[22]

5. *A Reversão Divina em Exaltação* (53.10-12)

Todavia, ao SENHOR agradou moê-lo (10). Os manuscritos do mar Morto trazem: "Mas Yahweh agradou-se em esmagá-lo e trespassá-lo". Em resumo, Deus permitiu a injúria. Moffatt, no entanto, enxerga a Ressurreição nesse versículo ao traduzi-lo da seguinte forma: "Mas o Eterno escolheu vindicar seu servo, livrando sua vida da angústia; ele permitiu que prosperasse plenamente, numa vida prolongada pela posteridade".

Quando a sua alma se puser por expiação do pecado — aqui o termo hebraico *nephesh* (**alma**) significa mais plenamente "pessoa". Lamsa traduziu esse texto na *Peshitta* da seguinte forma: "Ele deu a sua vida como oferta pelo pecado". O hebraico também poderia servir de base para a seguinte tradução: "Verdadeiramente, Ele deu-se a si mesmo como Oferta pelo pecado". *Asham* realmente indica "oferta pela culpa" (cf. Lv 5.14—6.7; 7.1-7). **Verá a sua posteridade**, uma posteridade espiritual. **Prolongará os dias**, porque ao morrer Ele torna a viver (Jo 12.24). **O bom prazer do SENHOR prosperará na sua mão**. O hebraico, *hephes*, pode significar não somente "o bom prazer" mas também o propósito. Na mão desse Sofredor o propósito do Deus eterno é elevado. "Sua satisfação mais nobre é ser a testemunha viva da obra salvadora que Ele cumpriu. [...] Para Ele basta saber que o propósito do Senhor será realizado de maneira certa e alegre pela sua poderosa mão".[23]

Mais uma vez, Deus fala do veredicto final, nos versículos 11-12.

> *Depois do trabalho da sua alma ele verá a luz;*
> *Ele ficará satisfeito com o seu conhecimento.*

> *O meu servo justificará a muitos,*
> *E ele levará as suas iniquidades.*[24]

O trabalho da sua alma ele verá (11). Por intermédio de todo o seu trabalho laborioso, Ele não se desgastará em vão, porque o seu trabalho tem um propósito. **E ficará satisfeito**, porque a partir de agora, sua cruz será seu trono, e em conseqüência da sua morte Ele governará as gerações. Ele encontrará satisfação no fato de a sua morte ser eficaz para a salvação. **Com o seu conhecimento** é uma frase que pode ser mal compreendida, a não ser que sejamos cuidadosos em perceber que no hebraico *bedha'to* significa "pelo conhecimento dele ou acerca dele". Somos salvos ao conhecer o Redentor pessoalmente. Cristo não salva os pecadores por causa da iluminação deles, mas por causa do *seu* sacrifício expiatório. Somente é salvo aquele que o *conhece* como Salvador pessoal, pela fé. Assim, pela sua sábia submissão ao seu Pai, Ele concederá a muitos a sua própria justiça. **Meu servo, o justo** é uma expressão dita por Deus. O Servo Ideal também é o Rei Ideal. Deus, no fim, vindicará o seu Servo. Cristo, portanto, se torna o Vitorioso poderoso. Aqui o serviço do Servo para Deus e para os homens alcança seu ponto máximo. Por ser Justo, Ele conquista a justiça para muitos, e torna as iniquidades deles a sua carga. **Justificará a muitos** significa "tornar as massas justas". Desta forma, está incluída nesse plano o "todo aquele que" (cf. 1 Pe 3.18). É através dele que alcançamos esta nova qualidade de vida em um plano mais elevado. **Porque as iniquidades deles levará sobre si** ou, como Moffatt colocou: "foi a culpa deles que Ele levou". A tradução de Lamsa traz: "Ele justificará os justos; porque Ele é um servo de muitos e levará os seus pecados".

Pelo que [...] darei a parte de muitos ("Por isso eu lhe darei uma porção entre os grandes", NVI; v. 12). Foi Jesus quem disse como se tornar grande (Mc 10.43-45). Sem dúvida, Ele tinha em mente essa promessa de Deus quanto à sua recompensa. "Pelo que darei a ele *os muitos* como sua porção". **E, com os poderosos** (com os numerosos), **repartirá ele o despojo**. A Versão Berkeley traz: "Por isso, eu lhe darei sua porção entre os grandes, e ao lado de poderosos ele repartirá os despojos". O apóstolo Paulo, sem dúvida, compreendeu o significado completo desse texto, ao escrever: "Pelo que também Deus o exaltou soberanamente e lhe deu um nome que é sobre todo o nome" (Fp 2.9). O próprio Deus expressa a razão disso: **porquanto derramou a sua alma** (vida) **na morte**. Ele realizou o sacrifício mais elevado para o homem, atraindo, dessa forma, toda humanidade para si em gratidão e adoração. **Foi contado com os transgressores**. "Ele deixou-se enumerar entre rebeldes" (Moffatt). O Sinédrio condenou Jesus por blasfêmia porque Ele afirmou ser o Messias e reivindicou sua filiação singular com Deus (Mc 14.61-64; Lc 22.37). **Ele levou sobre si o pecado de muitos**. *Nasa'* (**levou**) significa "ergueu e levou embora". **Muitos**, *rabbim*, significa "todos, as massas". Ele se interpôs pelo pecado do mundo. Há uma solidariedade total com essa raça humana, e esse grande Filho da Raça "suportou na sua morte o castigo do pecado da raça humana. Assim [Ele] expressou a aversão de Deus pelo pecado ao tornar possível o fundamento imediato e a formação gradual de uma nova raça de pessoas que deverá finalmente manifestar o amor moral de Deus".[25]

Pelos transgressores intercedeu quando clamou: "Pai, perdoa-lhes". Ele não morreu como uma vítima indigna e queixosa, invocando a vingança de Deus contra os seus assassinos. Em vez disso, orou para que fossem perdoados.

Esse Servo ainda era uma promessa futura no tempo do profeta, mas em Jesus Cristo de Nazaré esse sonho profético torna-se realidade, incorporado em carne e sangue. Ele é o cumprimento em detalhes dessa profecia.

F. O Amor da Aliança do Senhor por Sião, 54.1-17

Este poema cumpre a ordem de 40.1, de falar de forma consoladora ao povo de Deus. Nessa mensagem de consolação temos o simbolismo duplo da noiva e da cidade. A noiva é cortejada novamente e casa-se outra vez; a cidade é reedificada e está resplandecente. Assim, temos uma metáfora de casamento, em primeiro lugar, e de uma Nova Jerusalém, em segundo. Em 53.11, o fruto do trabalho do Messias resultou em muitos filhos em justiça. Aqui o Eterno convida sua esposa a cantar alegremente porque se tornará fértil outra vez, e experimentará paz e prosperidade. É uma prévia radiante da felicidade vindoura de Sião.

1. *A Noiva, Novamente Cortejada, Casa de Novo* (54.1-10)
Aqui o profeta nos apresenta um vislumbre da bem-aventurança do novo povo de Deus. A posteridade do Servo Sofredor inclui uma multidão de servos.

a) *A noiva fértil* (54.1-3). **Canta alegremente, ó estéril** (1) são palavras que dão prosseguimento ao tema de 51.1—52.12. **Os filhos da solitária** são essencialmente os membros do novo êxodo, incluindo aquelas almas redimidas da escravidão do pecado. Assim, os filhos adotivos de Sião excederão em muito àqueles do seu primeiro casamento (cf. 1 Sm 2.5b). À medida que a família cresce, a **tenda** deve ser ampliada (2). Aqui o profeta tem em mente a antiga vida nômade com a tenda como seu lugar de habitação. A tenda mais ampla tem **cordas** mais longas e mais fortes e **estacas** mais profundas, para que as cortinas possam ser estendidas e sustentadas. Por isso, a ordem: **alonga as tuas cordas e firma bem as tuas estacas**. O grande aumento da sua população ocasionará uma expansão das suas fronteiras à **direita** e à **esquerda** para repovoar as **cidades assoladas** e possuir as nações vizinhas (3). Aplicado à Igreja de hoje, o chamado é para alargar as cordas do seu amor e firmar as estacas dos seus propósitos. Não se deve permitir que as Igrejas se tornem capelas privadas para uma sociedade fechada. A Igreja também não deve ser um agressor imperialista. Ela se expande pelo seu evangelismo em que seus filhos se tornam ganhadores de almas.

b) *O marido fiel* (54.4-8). Sião não mais precisa ruborizar de **vergonha** (4) da sua virgindade (sua escravidão no Egito) ou do **opróbrio da sua viuvez** (devido às invasões assírias ou do cativeiro babilônico). Tudo isso agora pode ser esquecido. **O teu Criador é o teu marido** (5), cujo **nome** é o Senhor **dos Exércitos**; e teu parente, o **Redentor**, é o **Santo de Israel**. Seu nome real, no entanto, é **o Deus de toda a terra**. A Igreja é a noiva escolhida do Regente-Criador do universo. A **mulher da mocidade** (6), o primeiro amor do Senhor, foi somente temporariamente rejeitada. Semelhantemente a Oséias em relação a Gomer, Deus não havia se divorciado de Sião, embora a castigasse com uma rejeição temporária, para que pudesse recebê-la de volta novamente em seu coração cheio de amor. A mulher cortejada e amada na mocidade é repudiada com mais pesar e restaurada com mais alegria quando fica claro que, de fato, se arrependeu. O hebraico dos versículos 7-8 sugere a seguinte paráfrase: "Se a abandonei, foi apenas por um momento; mas agora Eu a abraço meigamente. Em uma explosão de ira escondi meu rosto de você por um momento, mas com uma bondade eterna terei misericórdia de você, diz o Eterno, seu Redentor". Os votos de casamento são sagrados demais para a alienação do divórcio. O amor verdadeiro procura a reconciliação. A **ira** de Deus é apenas **por um** [...] **momento**, mas seu amor e piedade são eternos.

c) *O concerto de paz* (54.9-10). 1) Tão certo quanto a promessa feita a Noé: **pois jurei que as águas de Noé não inundariam mais a terra; assim jurei que não me irarei mais contra ti, nem te repreenderei** (9). 2) Mais firme do que as montanhas (10). Deus está casado com os fiéis por toda a eternidade.

2. *A Cidade, Reedificada e Resplandecente* (54.11-17)
Nessa figura da Nova Jerusalém é importante notar que não há menção de qualquer templo (cf. Ap 21.22). O profeta fala de esplendor físico e vida espiritual, de beleza exterior e segurança interior para essa nova cidade de Deus.

a) *O firme fundamento* (54.11). Seguindo uma apóstrofe afável à desconsolada, Deus promete: "Entalharei tuas **pedras** com minério de chumbo[26] e edificarei teus fundamentos com **safiras**" (paráfrase). Argamassa cara pode ser apropriada para pedras preciosas. A safira é a coloração dos céus.

b) *As defesas esplêndidas* (54.12). "Farei tuas torres de rubis e tuas portas de pedras preciosas".[27] João, do Apocalipse, viu características similares da Nova Jerusalém (cf. Ap 21.9-27).

c) *Os filhos prósperos* (54.13). **Todos os teus filhos serão discípulos do Senhor**. Jesus aplica esse versículo aos seus próprios discípulos em João 6.45. A idéia aqui parece sugerir que cada habitante também seja um discípulo. O povo de Deus não é apenas informado mas também discipulado. Aqui, então, está a glória interior.

d) *A justiça cívica* (54.14). **Com justiça serás confirmada** [...] **longe da opressão** [...] **não temerás; e** [...] **espanto** [...] **não chegará a ti**. Isso também é um milagre da graça, mas é um objetivo ardentemente desejado e procurado. A justiça se torna um alicerce seguro para qualquer civilização.

e) *A herança do fiel* (54.15-17). "Deixa que os homens lutem contra ti como desejarem; não será com minha aprovação; todo aquele que lutar contra ti cairá por causa de ti [ou talvez, seja compelido a cair contigo]" (15, Knox). A herança dos fiéis é a alquimia do amor que torna nossos inimigos em amigos.

As façanhas da tecnologia também estão sujeitas à soberania divina (16). Deus continua sendo o Árbitro das ferramentas de guerra. O homem que as constrói e o homem que causa destruição através delas continua devendo suas vidas a Deus, e deve entregá-las quando Ele desejar. Os servos de Deus podem agora ser expostos aos ataques e acusações falsas dos ímpios, mas virá um tempo em que serão invulneráveis. **Esta é a herança dos servos do SENHOR** (17). "Sua defesa vem de mim" (RSV). A Nova Jerusalém será invulnerável ao ataque de fora e à calúnia de dentro. Mas, com nossa confiança no controle inabalável de Deus em relação aos acontecimentos da vida, essa promessa também pode encontrar seu cumprimento mesmo na segurança interior que inunda o coração do fiel.

G. O CONVITE PARA A MISERICÓRDIA OFERECIDA POR DEUS, 55.1-13

Aqui temos o convite universal para a bênção divina. Este capítulo começa com o terceiro **Ó** da redenção prometida de Deus, baseado no sacrifício vicário do seu Servo Sofredor. É a terceira porção da grande passagem que inclui os capítulos 54—55.

Notamos duas palavras importantes nos versículos finais do capítulo 53: "posteridade" (10), e "muitos" (12). Esses pensamentos encontraram uma expansão na ênfase de Isaías sobre a noiva e a cidade no capítulo 54. Aquela que antes era estéril agora encontra sua semente abundantemente multiplicada por meio da benevolência do eterno Deus, seu Esposo. A cidade, outrora desolada, é reedificada com todo tipo de jóias e pedras preciosas, e não será mais dominada pelos seus inimigos.

Isaías agora volta seus pensamentos aos "muitos", para os quais uma expiação universal foi feita, e anuncia a eles o chamado universal — o triplo convite abençoado. Semelhantemente ao grito do vendedor de água oriental vem esse convite gracioso e eterno.

1. *O Chamado à Satisfação* (55.1-5)
O homem sem Deus é um vazio dolorido, porque seu coração foi feito para Deus.

a) *A verdadeira satisfação versus a falsa* (55.1-2). Nesses dois versículos, o imperativo divino é: **vinde** vós (1). 1) Em primeiro lugar, a provisão de Deus é *livre*. Os paradoxos apresentados aqui descrevem alguém que compra sem ter **dinheiro**, ou compra **sem preço**. Aquele que busca humildemente vem com auto-renúncia, dizendo: "Nada em minhas mãos trago, simplesmente em tua cruz me agarro". Através de uma renúncia simples ele aceita as bênçãos. Os melhores presentes da vida não podem ser herdados pelo trabalho nem comprados com dinheiro. A simples condição é uma fome e sede por justiça (Mt 5.6). O convite diz: "Venham, todos, mesmo vocês que não têm nenhum dinheiro! Comprem trigo e comam!"[28] Ou, como Moffatt traduz: "Venham, comam, ó almas desfalecidas!"

2) Ela é *universal*. O convite gracioso diz: **Ó vós todos**. São iguais às palavras "todo aquele", anunciadas séculos mais tarde pelo Salvador do mundo (Jo 3.16).

3) Ela é *nutritiva*. A água na profecia de Isaías sempre é um símbolo da presença de Deus no mundo. Água é para os sedentos (Sl 42.2). **Leite** é para fortalecimento e crescimento (1 Pe 2.2). **Vinho** é para regozijo e felicidade (Zc 10.7; Mt 26.29).

4) Ela é *genuína*, quando comparada como aquilo **que não é pão** (2). Tantos hoje buscam satisfazer sua fome com "o pão do engano" em vez do "pão da vida". Tantos trabalham **naquilo que não pode satisfazer**. "Sempre gastando, mas não tendo pão para comer; sempre trabalhando, e nunca tendo um estômago cheio" (Knox). Smart expressou esse texto para os nossos dias da seguinte forma:

Os homens sempre estarão dispostos a gastar tempo e dinheiro em religião se acreditam que por meio dessas coisas podem obter aquilo que desejam. Mas a água da vida e o pão da vida não podem ser comprados ou adquiridos por nenhum tipo de esforço humano. Essas coisas precisam ser aceitas como presentes, o que sempre nos coloca em dívida com Deus — presentes que nunca merecíamos, porque ao dá-los, Deus se dá a si mesmo, e ao recebê-los, o homem recebe o próprio Deus, o Deus soberano, para que seja o centro de sua vida.[29]

O que George Adam Smith diz acerca do judeu é verdadeiro para muitos cristãos modernos: "Nascidos para serem sacerdotes, os judeus desenvolveram seus esplêndidos poderes de atenção, pertinácia e imaginação de Deus sobre o mundo, até que no final parecem também ter nascido negociantes".[30] Ao vendermos nossas almas por ganhos materiais, acabamos nos tornando, com freqüência, "negociantes de trivialidades", esquecendo que há coisas que o dinheiro nunca pode comprar.

5) Ela é *espiritual*. A satisfação divina é condicionada pelo ouvir da fé, a receptividade do coração. Nessa altura o imperativo divino se torna: "Ouvi vós!". "Ao ouvir, vocês darão atenção e comerão o que é bom, e a vossa alma se deleitará com a gordura" (paráfrase do v. 2b). **Gordura** refere-se a iguarias que simbolizam a exuberância da alegria espiritual. Esse tipo de ouvir não é algo feito somente com o ouvido; isto envolve a vontade de crer. Para o coração faminto do homem, não há uma resposta real a não ser a própria voz de Deus para obediência e entrega.

b) *O relacionamento da aliança* (55.3-5). 1) O pacto **perpétuo** de Deus com os remidos (3) é apresentado nas seguintes exortações: "Dêem-me ouvidos e venham!" "Ouçam-me e vocês viverão!" O sedento deve ir às águas, ou elas fluirão em vão para ele. Quem ouve responde com o coração e com a vida. "Viver" significa reviver e despertar para uma vida completamente nova. A promessa graciosa é: "Cortarei um pacto eterno convosco!".[31] — um **concerto** que é benevolente, e, embora primitivo, também é novo.

2) As misericórdias messiânicas de Deus envolvem a bondade infalível que foi concedida a Davi (3c-4; cf. 2 Sm 7.4-7 e Sl 89.34-35). Aqui o imperativo divino é simples: **Eis** (4; "Vejam", NVI). Assim como Davi foi comissionado como **testemunha** e **príncipe** ("líder", NVI), assim o Davi Ideal foi Profeta e Rei, Mártir e **governador**, estando seguro das misericórdias de Deus sobre ele e suas obras. Semelhantemente, os membros do povo de Deus se tornam os missionários do Senhor. Eles deverão anunciar o chamado aos estrangeiros, e eles virão correndo ao encontro deles por causa do seu Deus (5). O Israel verdadeiro (espiritual) de Deus também inclui os convertidos entre os gentios. O povo de Deus se torna atraente quando o **Santo** os glorifica com sua presença e bênção. "Povos que nunca ouviram falar de ti se apressarão ao ouvir o teu chamado" (Knox).

"A Salvação é um Dom de Deus" é o tema dos versículos 1-3. 1) A salvação é livre, v. 1; 2) a salvação é plena, satisfazendo a alma sedenta e faminta, v. 2; 3) a salvação é final, resultando em vida eterna, v. 3 (G. B. Williamson).

2. O Chamado para o Arrependimento (55.6,7)

a) *O tempo para o arrependimento* (55.6). O tempo de Deus sempre é agora. Esse é o momento da maior oportunidade. Dessa forma, esses dois versículos (6-7) resumem o melhor conselho de toda a Bíblia. Novamente, temos o uso típico de Isaías do imperativo duplo. **Buscai** [...] **invocai** (6). Deus nem sempre está providencialmente disponível, não porque esteja indisposto ou despreocupado, mas simplesmente porque as dobradiças da porta da salvação são circunstâncias providenciais. Também devemos reconhecer o fato de que em algumas épocas é mais fácil encontrar o Senhor do que em outras. **Enquanto se pode achar** (o Senhor) é dito para nos lembrar que a graça divina não é desculpa para a complacência humana (Sl 95.7-9; Rm 6.1; Hb 3.7-19). **Enquanto está perto** é o tempo em que a alma humana está psicologicamente sentindo sua presença e ouvindo o chamado para a salvação.

A exortação é interpretada por Smart da seguinte maneira:

> *Agora* é o momento da maior oportunidade. *Agora* a palavra de Deus é viva e poderosa e ressoa no meio da comunidade como o som da trombeta. *Agora* Deus oferece comida e bebida ao faminto e sedento. Ele está próximo. Ele está pronto para ser encontrado. Mas não há reação; ninguém responde quando Ele chama (50.2); amanhã ele pode se ocultar novamente (45.15). Hoje ele está pronto para perdoar. Mas se o seu amor perdoador é rejeitado, amanhã apenas a sua ira poderá ser encontrada, e é isso que torna tão urgente ao homem buscar e invocar o Senhor e voltar-se a Ele em arrependimento.[32]

Adam Clarke interpreta essa passagem de uma forma um pouco diferente. Ele traduz: "Buscai ao Senhor, *porque* ele pode ser encontrado: invocai-o, *porque* ele está perto. Arrependam-se antes que morram, porque depois da morte não há conversão para a alma".[33] Plumptre observa que "o apelo mostra que as bênçãos prometidas não são incondicionais. Pode chegar um tempo (como em Mt 25.11) em que será escrito 'tarde demais' em todos os esforços para obter a herança que foi perdida por negligência (2 Co 6.2)".[34]

b) *O escopo do arrependimento* (55.7). Novamente, o imperativo duplo é usado: **Deixe** [...] **converta**. 1) **O ímpio** deve deixar o seu caminho culposo. Isso é conversão. 2) **o homem maligno** (hb. "o homem de iniquidade") deve abandonar seus **pensamentos** impuros ou propósitos. Isso envolve purificação. Por isso, vemos aqui a sugestão do arrependimento para o pecador: **se converta ao Senhor** ("Volte-se ele para o Senhor", NVI). Mas, também vemos a sugestão de arrependimento em relação aos pecados do espírito (Wesley chamou-o de "arrependimento nos crentes"). Que essa pessoa se volte **para o nosso Deus**. Somente um arrependimento radical pode salvar, porque deve haver uma revolução em toda a maneira de viver.

c) *A promessa para o penitente* (55.7). A recompensa prometida ao arrependimento sincero é a compaixão (misericórdia) e o perdão abundante (o hb. diz: "Ele multiplicará perdão"). Alguém que vem a Deus com uma atitude de arrependimento sincera pode estar certo de que será completamente restaurado. Perdão e limpeza são obras completas.

3. O Chamado para a Transformação (55.8-13)

A transformação da natureza humana é uma tarefa de Deus baseada no ideal divino. Essa também é uma necessidade imperativa para que haja uma comunhão divino-humana.

a) *A superioridade do ideal divino* (55.8-9). O povo de Deus deve ser habitado pela mente dele em toda santidade e plenitude. É isso que o torna povo dele — "zeloso de boas obras" (veja Tt 2.14). 1) Caminhos divinos versus caminhos humanos (8). Aqui há um grande abismo que separa os dois. Isso foi reconhecido por Isaías em sua visão do Templo no capítulo 6. Isso reaparece aqui em seu pensamento a respeito da mera maneira humana de viver em contraste com aquilo que é divinamente ordenado. 2) Caminhos celestiais versus caminhos terrenos (9). Os caminhos e pensamentos celestiais estão cheios de piedade e graça. Como Smart observa: "Os céus vêm à terra quando um povo na terra responde verdadeiramente à palavra que Deus fala dos céus".[35]

Plumptre observa: "Os homens acham que os dons de Deus podem ser comprados com dinheiro (At 8.20). Eles acreditam que o mercado no qual são vendidos está sempre aberto, e que podem tê-los quando e como lhes apraz (Mt 25.9-13)".[36]

Os **caminhos** do homem são suas práticas estabelecidas. Os **pensamentos** do homem são seus conceitos e idéias — seus padrões de pensamento. Os pensamentos de Deus não são tão baixos, comuns e triviais como os dos homens.

b) *A certeza da promessa divina* (55.10-11). Nada cresce na terra sem a **chuva** (10) do alto. Esse versículo inclui quase todos os elementos das parábolas de Jesus acerca da agricultura (especialmente a dos solos). A observação de Plumptre é mais uma vez pertinente: "A 'chuva' e o 'orvalho' são as influências benevolentes que *preparam* o coração; a *'semente'* é a Palavra Divina; o *'semeador'* é o Servo do Senhor, i.e., o Filho do Homem (Mt 13.37); o 'pão', os *frutos* de santidade, que por sua vez sustentam a vida dos outros".[37]

A **palavra** divina (11) alcança seu propósito. Não há palavra que o homem possa transmitir que derreta um coração endurecido. Portanto, que o pregador da Palavra busque estar na mesma comunhão dos profetas e que a sua mensagem seja: "Assim diz o Senhor". Que a palavra que ele pronuncia seja a própria palavra de Deus. Ela própria controla o futuro. O seu cumprimento não se questiona, porque o que Deus diz produz uma energia doadora de vida e fertilizante. "Ela não voltará como um eco vazio" (Knox).

c) *Os sinais da revelação divina* (55.12-13). São eles: 1) O alegre êxodo espiritual da terra do cativeiro e escravidão espiritual (12a). 2) A alegria pacífica da orientação divina (12b). 3) Toda natureza se unindo no hino de louvor (12c). A alegria da salvação é sentida pela humanidade remida, mas a criação aprisionada também espera sua libertação como o ambiente transformado de uma raça salva e alegre. Toda criação compartilhará da liberdade e glória dos filhos de Deus. O e**spinheiro** e a **sarça** serão transformados em árvores que permanecem verdes o ano inteiro, como a **faia** ("pinheiro", NVI; "ciprestes", NTLH) e a **murta** (13). Uma terra, uma comunidade e uma humanidade transformada servirão de testemunho da realidade de Deus. Espiritualmente, isso significa: Em lugar do beberrão, o santo, e em lugar do cafajeste, o justo. Esse é o monumento (**nome**) vivo do Senhor; o memorial perpétuo para a glória do Deus eterno é nada menos do que uma humanidade transformada em um ambiente transformado. Louvado seja Deus!

H. A Observância do Sábado e a Adoração, 56.1-8

Isaías não era um nacionalista intolerante. Ele não acreditava que a redenção do Senhor era exclusiva de um grupo de pessoas. Assim, o grande convite que ecoa no capítulo anterior inclui os "outros" que deverão se reunir em torno dele. A casa de Deus está aberta a todos os verdadeiros adoradores. Esse poema começa e termina como um oráculo, mas no meio há uma exortação seguida de uma bem-aventurança, que, por sua vez, é seguida de promessas especiais a dois tipos de prosélitos: o estrangeiro e o desventurado. O Deus de Isaías não é apenas o **Senhor Jeová, que ajunta os dispersos de Israel**, mas Aquele que diz: **Ainda ajuntarei outros aos que já se ajuntaram** (8). Essa era a cosmovisão de Isaías acerca do povo de Deus.

1. A Iminência da Salvação Torna a Justiça Imperativa (56.1-2)

Séculos mais tarde o Profeta de todos os profetas começou seu ministério com um texto similar: "Arrependei-vos, porque é chegado o Reino dos céus" (Mt 4.17). Assim, o Reino de Deus sempre está próximo ao longo da história (Mc 1.15) e a expectativa faz parte da fé. Além disso, a impureza moral não é compatível com a participação na salvação prometida. A graça de Deus é designada não somente para tornar os homens abençoados, mas para santificá-los (cf. 1 Co 6.9-11; Ef 5.5; Hb 12.14). No feitio que é próprio de Isaías temos mais uma vez um imperativo duplo: **Mantende o juízo e fazei justiça** (1) — guarde a lei e faça o que é reto — preserve a eqüidade e pratique a ética! — atente para a justiça e produza retidão! **Justiça** é aquilo que é legal, e retidão é a conduta em conformidade com a verdade divina.

Bem-aventurado o homem que fizer isso (2). Aqui se refere especificamente ao **filho do homem** (pessoa). Guardar o sábado e abster-se de fazer qualquer mal envolve as duas tábuas da lei — a responsabilidade do homem para com Deus e sua responsabilidade para com o próprio homem. A urgência em viver de acordo com os preceitos divinos é um aspecto que precisa ser retomado na pregação atual. A palavra hebraica para **bem-aventurado** significa "feliz", como é o caso da palavra grega em cada bem-aventurança do nosso Senhor (Mt 5.3-10; cf. Sl 1.1).

2. O Aspecto Inclusivo da Salvação Recebe os de Fora (56.3-8)

Isaías está consciente de que a nova aliança da graça incluirá tanto o estrangeiro como **o eunuco** (3). **Filho de estrangeiro** (*ben-hannekhar*) é aquele que não faz o seu lar dentro das fronteiras da Palestina como ocorre com o forasteiro residente. O estrangeiro não deve dizer: "O Eterno me excomungará" (Moffatt). Porque Deus não vai negar-lhe a cidadania no Reino da graça. Nem deveria o eunuco reclamar que é infrutífero e sem valor. Porque a base da nova aliança não é a descendência carnal, mas a receptividade da palavra de Deus e a disposição em receber a sua graça. Portanto, a vida eterna não depende de condições carnais. O antigo Israel tinha sido uma nação e igreja exclusiva, mas agora a porta está escancarada para todo aquele que deseja se unir às fileiras dos fiéis.

a) *Um monumento para os mutilados* (56.4-5). Os **eunucos** eram excluídos da igreja do Antigo Testamento (Dt 23.1). Isso incluiria não somente os israelitas que eram compelidos a se submeter a essa mutilação pelos seus captores estrangeiros, mas também muitas dessas vítimas infelizes entre os pagãos, que haviam sofrido de maneira semelhante debaixo da tirania das cortes orientais onde a poligamia prevalecia. A mutilação intencional do corpo é uma prática amplamente difundida entre os povos pagãos, mas é uma deformação da santa criação de Deus.

A promessa de Deus aos que guardam o descanso do sábado, **escolhem** o que Deus aprova e permanecem fiéis ao **concerto** é que receberão um memorial melhor que a posteridade, que o tempo não pode apagar (4-5). A mordomia do tempo para o descanso e a religião, o compromisso com a forma de vida que agrada a Deus, e a fidelidade às nossas promessas a Ele nos tornam membros bem-vindos na companhia dos remidos. Dentro da casa de Deus eles receberão um **lugar** e um **nome**. A palavra hebraica para **lugar** é melhor traduzida por "memorial" ou "monumento", mas o termo *yadh* realmente significa "mão". Em pedras primitivas fenícias e púnicas a figura de uma mão pode ser encontrada com freqüência. A promessa de Deus não se limita a apenas preservar a impressão feita com a mão de uma pessoa devota dentro dos seus **muros**, mas também a dar a ele um novo nome digno de uma natureza transformada (cf. Ap 3.12). Freqüentemente, um filho ou uma filha espiritual perpetua a obra e a memória de alguém de forma melhor que os filhos biológicos.

b) *Favor para o estrangeiro* (56.6-8). Isaías tem uma palavra de encorajamento para os prosélitos piedosos cuja vida é caracterizada pelo 1) serviço, 2) reverência e 3) fidelidade. Estes encontrarão favor da parte do Senhor e a adoração deles será aceita. Eles terão permissão para participar das festas religiosas, seus sacrifícios serão aceitos e suas orações ouvidas (7). A promessa vale para **todos os que guardarem o sábado, não o profanando** (6). Esta era a marca peculiar do verdadeiro israelita, da mesma forma que guardar o "Dia do Senhor" é uma marca distinta do verdadeiro cristão.

O **santo monte** de Deus era o monte Moriá, onde ficava o Templo. O pátio dos gentios fazia parte do Templo. Salomão havia antecipado a possibilidade da participação estrangeira na adoração judaica (1 Rs 8.41-43). A ira de Jesus com os líderes judaicos dos seus dias era porque o pátio dos gentios havia se transformado em um bazar comum, quando Isaías havia indicado que a casa de Deus deveria ser chamada de **Casa de Oração para todos os povos** (7; cf. Mt 21.13; Mc 11.17). Cada privilégio do adorador israelita também deve ser estendido ao prosélito devoto. Desta maneira, Isaías antecede a Jesus (Jo 10.16) e a Paulo (Ef 2.14).

O oráculo conclui com uma bela promessa final: **O Senhor** Deus, **que ajunta** as ovelhas dispersas de **Israel**, ajuntará **outros** de entre os gentios (8). A tradução de Gordon coloca esse aspecto de forma mais clara:

> *Este é o oráculo do Senhor Deus,*
> *Que ajunta os exilados de Israel:*
> *"Ainda reunirei outros a eles,*
> *os que se reuniam contra eles".*
> (Smith-Goodspeed)

Preconceito racial e esnobismo social são pecados que devem ser rejeitados pelo cristão. Porque como seu Mestre, ele também crê que "haverá um rebanho e um Pastor" (Jo

10.16). Seremos todos irmãos lá, independentemente da cor da nossa pele ou do *status* social, se e quando chegarmos à cidade de Deus.

I. A Ruína da Apostasia e da Idolatria, 56.9—57.21

Esta passagem apresenta evidências de que foi escrita antes do exílio babilônico. A geografia é da Palestina. Sua figura moral é Judá nos dias do perverso rei Manassés, pouco antes da morte de Isaías. Ela também serve de evidência contra a teoria de "dois Isaías".

A mensagem desta seção é a acusação moral de Deus contra uma geração perversa. A descrição do caráter nacional mostra um povo com uma consciência pesada mas que perdeu o seu Deus (certamente um comportamento bem atual). Sua idolatria se torna cansativa. Finalmente, o Deus que perderam fala da sua natureza e vontade. Embora Ele sempre castigue o pecado, um pecador contrito jamais será abandonado. Mas a impenitência resultará em inquietação sombria.

Suas quatro seções principais revelam a fidelidade do profeta, mesmo com idade avançada e diante do antagonismo crescente, em proclamar com toda força o diagnóstico que Deus havia revelado acerca da situação moral do povo.

1. *O Caráter Abominável dos Líderes de Judá* (56.9-12)
Isaías podia usar palavras cortantes e furiosas quando a ocasião era propícia para isso. No entanto, nesta passagem não aparece tanto a voz do profeta como a voz de Deus falando por meio do profeta ao seu povo.

a) *Um chamado para os animais do campo* (56.9). O estilo característico de Isaías expressa um chamado duplo, quando convoca os inimigos da nação a realizar sua obra de julgamento punitivo. Lembre-se da devastação do território de Judá pela Assíria e outros invasores estrangeiros que ficou evidente nos capítulos anteriores de Isaías.

b) *Sentinelas adormecidas* (56.10). Os paradoxos de Isaías aqui são bastante gráficos: **atalaias** cegos. A visão de Deus é imperativa para um atalaia, mas os líderes de Judá não vêem os perigos iminentes. Profetas pretensiosos que **nada sabem** dos reais perigos, não apresentam uma percepção real. Eles não possuem um discernimento intelectual e moral. **Cães mudos** que são incapazes de **ladrar** são um perigo para a segurança. Isaías faz um jogo de palavras aqui indicando que embora esses homens devessem ter a obrigação moral de serem *khozim* (videntes), eles, na verdade, são apenas *hozim* (sonhadores). Assim eles falam somente coisas sem nexo. No entanto, se levarmos em conta os homens descritos em 5.22; 28.7-8 e 30.10, além das circunstâncias do reinado de Manassés, não poderia se esperar um resultado diferente. Isaías os retrata como sentinelas que não conseguem ver, nem compreender, nem chamar a atenção, nem mesmo ficar acordados.

c) *"Cães gulosos" e pastores mercenários* (56.11). Isaías os vê como **cães** com um apetite voraz e **pastores** sem percepção, que procuram sua própria vantagem. Profetas que não tinham qualificação nem para ser cães de guarda estavam assumindo a função de pastores. Eles eram incapazes de manusear o bordão de pastor, quanto menos trazer de volta ao rebanho as ovelhas doentes e aflitas.

d) *Cantando o cântico dos embriagados* (56.12)

> "Venham, tragam o vinho,
> Vamos encher-nos de bebida!", eles dizem;
> "E amanhã também será um dia fora do comum,
> Um dia real!" (Moffatt)

Esta é a atitude desses festeiros negligentes e dissolutos. Mas, quem pode estar certo acerca do dia de **amanhã**? Quatro coisas que desqualificam o ministério de qualquer congregação ou o governante de qualquer nação são: cegueira, covardia, apatia e ganância.

2. *O Destino Final dos Justos* (57.1-2)

a) *O legado de homens piedosos* (57.1). Pobre a nação quando as poucas almas devotas que ainda sobraram são levadas pela morte, porque elas não são sucedidas por outras com a mesma fé preciosa. Pobre a nação quando entre seus estadistas existem apenas alguns sobreviventes de uma geração passada mais devota e não há ninguém do mesmo calibre entre os mais novos para substituí-los. A morte deles deixa um vácuo espiritual e moral.

b) *O descanso na sepultura* (57.2). Suas almas são importunadas enquanto vivem pela sodomia e impiedade em volta deles. Pranteando pelo fato de a nação estar sendo "entregue às correntezas do rio sem nunca mais voltar", isso se torna um ato de misericórdia para eles quando a morte os leva antes que sobrevenha a calamidade. A vida atrás do véu é muito melhor do que essa.

3. *A Devassidão dos Idólatras Degenera* (57.3-13)

a) *Convocando os depravados* (57.3-5). "Mas *vós*, [...] [chegai-vos] a mim, filhos de feiticeiros, semente do adúltero e daquela que se prostituiu!" (von Orelli). "Mas *vós*" é uma expressão de desprezo e indignação. Observe a caracterização tripla do profeta: 1) Origem degenerada (v. 3). Nada é mais mordaz e insultante do que injuriar os pais de uma pessoa. Mas a severidade da crítica do profeta surge da natureza factual dos seus conteúdos. Eles eram, na verdade, filhos da apostasia. 2) Escarnecedores insolentes (v. 4). "Não são vocês filhos da vergonha e de uma raça bastarda?" (Knox). Vocês não percebem que aquilo de que a pessoa zomba é um sinal do seu próprio caráter e do seu próprio conjunto de valores? 3) Pervertidos irascíveis praticando infanticídios (v. 5). Inflamados com paixões sensuais debaixo de **toda árvore verde**, sacrificando **filhos** nas aberturas dos penhascos — que figura de uma era idólatra e lasciva! O sacrifício de crianças foi condenado pela maioria dos profetas hebreus, e mesmo assim, Acaz havia praticado esse ato perverso, e seu neto seguiu seus passos. Aqui Isaías está zombando dos ritos e orgias da adoração pagã.

b) *Adoração lasciva e idólatra* (57.6-10). Aqui Isaías descreve a completa devassidão dos seus compatriotas. C. C. Torrey oferece a seguinte classificação dos seus deuses: deuses dos vales (6), deuses das montanhas (7), deuses da casa (8) e deuses dos santuários estrangeiros (9-10).[38]

Moffatt traduz o versículo 6 da seguinte maneira: "Vocês escolhem os deuses escorregadiços dos vales; vocês se estabelecem para tê-los! A eles vocês derramam suas libações e ofertam cereais! Devo deixar tudo isso impune?"

Santuários nos montes altos eram, e são, comuns no Oriente Médio. A acusação formal do profeta agora é que Judá, na pessoa dos seus líderes, colocou nesses cumes suas camas lascivas (7) e os escalou para sacrificar. Novamente, ele zomba das práticas da veneração sexual imoral.

Venerar os órgãos genitais era comum na adoração pagã. Gordon traduz o versículo 8 da seguinte maneira: "Atrás da porta e dos postes laterais você ergueu seu símbolo fálico; e longe de mim você se despiu e subiu, você alargou seus órgãos; você barganhou com aqueles que recebem o seu amor; e com eles você tem multiplicado sua prostituição, enquanto contempla a nudez" (Smith-Goodspeed). Esculturas de órgãos sexuais eram comuns na adoração de Aserá, que levava os adoradores a expor suas próprias genitálias. Somos tentados a perguntar quanto melhor os "modernos" somos com nossas inúmeras formas de pornografia e nossos cinemas com filmes indecentes, patrocinados pelos nossos adoradores de sexo e sedução.

A adoração ao deus Moloque, com sua libertinagem perfumada, era característica dos amonitas (9). Moffatt traduz: "Você se perfumou para Moloque, com óleo; você fez seus mensageiros ir longe, mesmo até os deuses abaixo". Ungüentos tinham um papel importante nos cultos dos semitas. Exausto pela lascívia, quando suas forças retornaram, você voltou-se a ela outra vez, e não teve percepção da futilidade de tudo isso (10).

c) *A exposição do Senhor* (57.11-13). A paciência divina precisa agora dar lugar à intervenção e revelação dos fatos. Os três itens aqui são os seguintes: Por que você teve tanto medo? (11). O homem não deveria temer o homem para esquecer e renunciar o temor do Senhor. Não devemos confundir a paciência de Deus com apatia.

O Senhor agora convoca para a revelação dos fatos em relação às deidades. "Exporei as ações dessa 'religião' de vocês" (12, Moffatt). A palavra **justiça** na ARC é usada sarcasticamente, porque a religião deles está longe de praticar a verdadeira justiça. Assim, Gordon traduz: "Exporei essa justiça vossa, esses feitos vossos" (Smith-Goodspeed).

O destino dos falsos deuses e seus adoradores é colocado em contraste com a fé dos mansos (13). Todos os deuses empilhados desvanecerão diante de uma rajada de vento do sopro do Eterno. **Mas o que confia em mim possuirá a terra e herdará o meu santo monte.** "Os mansos [...] herdarão a terra" (Mt 5.5).

4. *Removendo os Obstáculos para a Reconciliação* (57.14-21)

a) *Preparando o caminho* (57.14). Isso envolve a remoção de todo impedimento, i.e., os pecados antes denunciados. Esse tema da exortação aparece nos três grupos de nove capítulos da segunda grande divisão de Isaías — em 40.3; aqui e em 62.10. Devemos lembrar que a Igreja tem de fazer a sua parte em relação ao avivamento.

b) *A divindade transcendente mas condescendente* (57.15-16). Aqui a imensurável grandeza de Deus depara com a fragilidade e necessidade do homem. Deus, como um Criador fiel, tem uma profunda preocupação pelas obras das suas mãos. Ele não só habita em um alto e santo lugar, mas também no coração do **contrito** e **abatido** — o espírito oprimido e solitário.

c) *Deus se esconde e cura* (57.17-18). Deus fere o homem em seu pecado e rebelião, para que possa curar seu pranto e tornar a dar-lhe consolo. Por causa da avareza do homem, Deus feriu o pecador e escondeu-se, mas o homem continuou na sua rebeldia (17). Todo pecado é auto-suficiência contra a vontade de Deus. Mas agora, Deus diz: **Eu** [...] **os sararei** [...] **os guiarei** [...] **tornarei a dar consolações** (18). Isso significa consolação completa aos **pranteadores**, aqueles que foram tocados e enchidos com a tristeza divina pelo pecado.

d) *Deus é o Autor da paz* (57.19-21). O fruto dos **lábios** (19) é uma confissão alegre e um louvor agradecido. Aqui Deus oferece a saudação do Oriente Próximo a todos: **paz, paz, para os que estão longe e** [...] **perto**. Isso significa todos, em todo lugar. Mas os ímpios continuam impacientes e incomodados, como o **mar** agitado (20). Suas vidas denunciam sua inquietação interior e sua impureza. Porque seus pensamentos estão impacientemente perturbados com o mal, que está de forma constante se transformando em atos. A impiedade não sabe o que é paz. Uma fúria de paixões fermenta no homem interior; a culpa do passado lança **lodo** na sua memória; o medo em relação ao futuro atormenta a sua mente e apaga toda a esperança. Tudo isso, como o mar agitado, **não pode aquietar**, visto que as **águas** da vida levantam **lama e lodo**.

Assim termina, com o mesmo refrão, o segundo grupo de nove capítulos da segunda divisão do livro de Isaías, como havia ocorrido com o primeiro, com o contraste eterno entre **paz** e a falta de **paz** (21) — **Os ímpios** [...] **não têm paz**.

Seção X

GLÓRIA FUTURA

Isaías 58.1—66.24

Chegamos agora à terceira e última seção da segunda grande divisão do livro de Isaías. Os capítulos 49—57 descreveram a visão profética do agente espiritual da nossa salvação; os capítulos que vamos estudar nos apresentam as condições espirituais da nossa salvação. Também deve ser observado que essa seção abre com o conhecido imperativo duplo de Isaías, como ocorre em 40.1 e 49.1.

Esta última parte de Isaías começa com uma repreensão severa que visava purificar os falsos conceitos em como receber o favor e a salvação do Senhor. O profeta faz várias comparações e apresenta diversos contrastes. São contrastadas a verdadeira e a falsa piedade, a vingança e a redenção, a nação ímpia e a Sião glorificada. O drama da salvação e a aliança do Senhor são contrastados com o drama da vingança divina. O livro culmina com uma oração de confissão do povo de Deus seguido da resposta do Senhor, e então termina com uma nota referente à retribuição e galardão de Deus.

A. A Verdadeira e a Falsa Piedade, 58.1-14

Aqui o profeta não está lidando com pessoas completamente ímpias, mas com aqueles que o importunam, na condição de videntes de Deus, com perguntas a respeito do futuro. Ao mesmo tempo, eles se orgulham dos seus usos e costumes religiosos, especialmente quanto ao jejum. Eles questionam por que o Eterno não toma conhecimento do seu ascetismo e não se apressa em ajudá-los.

O profeta procura expor a falsidade dessa mera piedade exterior. Ele os lembra que nos seus dias de jejum, associam uma falsa humildade com a busca dos seus interesses, tornando essa prática vantajosa para si mesmos. Embora deixem de realizar suas tarefas regulares, eles evitam perdas ao explorar seus empregados. O profeta alega que esse jejum e a exploração de empregados é inconsistente. Além disso, seus dias de jejum incluem um tratamento violento para aqueles que não se sujeitam a essa ostentação vazia. Em sua ambição hipócrita, buscam obrigar Deus a cumprir os seus desejos egoístas. Deste modo, Isaías os faz lembrar de maneira fiel e vigorosa que o verdadeiro jejum envolve, em primeiro lugar, a humildade genuína, e, em segundo lugar, o ministério de misericórdia. Além disso, a verdadeira observância do sábado não significa uma apatia cansativa, mas uma abstinência de atividades seculares para poder se deleitar no Senhor. O capítulo é organizado de maneira cuidadosa e lógica.

1. *A Grande Comissão do Arauto* (58.1-2)

a) *Pregação ardorosa* (58.1). **Clama em voz alta**. "Sem timidez e sem poupar palavras, o profeta deve expor ao povo os seus pecados".[1] "Quem nunca ouviu um oriental [árabe] irado falar, não tem idéia do poder de repreensão pública que existe na garganta humana".[2] O pregador do arrependimento não deve verbalizar palavras polidas e chavões agradáveis. **Não te detenhas**. Incessantemente e sem restrição deve vir essa repreensão sonora que penetra junta e medula. Uma perversidade entrincheirada pede uma exposição dinâmica e radical se queremos que os homens sejam convencidos e se arrependam. A expressão **como a trombeta** contém a palavra hebraica *shophar*, significando "chifre de carneiro", o instrumento de sopro nos tempos de Isaías.

Anuncia ao meu povo a sua transgressão. *Pasha'*, em hebraico, refere-se à transgressão ou atos de rebeldia, quebra da aliança, etc. Assim, atos são especificados e não abstrações. **Seus pecados** (*chatta'*, no hebraico): o significado está relacionado a "errar o alvo", "Dar um passo em falso, tropeçar".

b) *Repreende o formalismo escrupuloso* (58.2). A religiosidade pode tornar-se um substituto da espiritualidade. Isaías ouve Deus falar algo parecido com o seguinte: "Dia após dia eles me cercam [...] [desafiam] minha maneira de tratá-los, uma nação que parece sempre zelosa e que nunca se desvia da vontade divina. Eles pedem provas da minha fidelidade, e parecem desejosos de que Deus se aproxime deles" (Knox). Eles **procuram** o Senhor; dessa forma, acham que merecem elogio e não repreensão, e não entendem como Deus pode tratá-los da maneira como os está tratando. **Perguntam-me pelos direitos da justiça** quando o que realmente precisam é misericórdia. Eles chegam a pensar que podem pedir que Deus preste contas dos seus atos, mas, na verdade, apresentam uma mistura incongruente de um reconhecimento formal de Deus combinado com uma vida apóstata. Muitos fanáticos religiosos modernos se dedicam a cerimônias pomposas mas completamente vazias.

2. *Jejum Falso e Verdadeiro* (58.3-7)

a) *Por quê? Olhe!* (58.3-5). Será que o homem serve a Deus por nada? "'Por que jejuamos', dizem, 'e não o viste? Por que nos humilhamos, e não reparaste?'" (3, NVI). Deus permite que eles apresentem sua própria queixa: "Por que Deus não reconhece nossa piedade?" Então Ele responde: "Olhem! É porque vocês procuram sua própria honra e vantagem. Esse é o verdadeiro motivo!" "Contudo, no dia do seu jejum vocês fazem o que é do agrado de vocês, e exploram os seus empregados" (NVI). Essa é a reclamação desses hipócritas inconscientes que estão pasmos pelo fato de seu culto não ser aceito como sincero. Mas o verdadeiro motivo para jejuar é a oração, meditação e penitência. "Uma pessoa que tem prazer em confessar seus pecados não está vindo a Deus com uma confissão honesta, mas antes está apenas se mostrando diante dos homens (ou buscando convencer-se a si mesmo), procurando mostrar sua religiosidade".[3]

Eis que, para contendas e debates, jejuais (4). Que distorção da piedade é a adoração que culmina em disputas e brigas! O jejum agitado e inquieto é inútil. Jejum e oração deveriam andar juntos, mas Deus não ouve a oração do petulante ou insolente. **Seria este o jejum que eu escolheria?** (5), pergunta o Senhor. Vocês chamam isso de jejum? "Um jejum como o seu hoje nunca levará suas orações ao alto" (Moffatt). "Será que é suficiente que um homem se prostre e faça sua cama com pano de saco e cinzas?" (Knox). O espírito do verdadeiro lamento nem sempre está presente na aflição corporal. A tristeza de alma é o verdadeiro ideal do jejum (Mt 5.20; 6.16).

b) *O verdadeiro jejum de Deus* (58.6-7). **Não é este o jejum que escolhi**. Não é mera autonegação, mas um serviço amoroso. Aqui o profeta não diz nada acerca da mortificação corporal. Sua preocupação é com as obras de justiça em relação aos oprimidos e a benevolência com os necessitados. Tire o jugo dos **quebrantados** (ou "oprimidos", 6), mostre a verdadeira benevolência aos pobres, alimente o **faminto**, e vista o **nu** (7). Livre a pessoa quebrantada da prisão. Jejum e esmolas estavam intimamente ligados (Mt 6.1, 16). Servir a humanidade sofredora envolve soltar as ataduras do seu jugo pesado (cf. Mt 23.4). Abrigar o sem teto, prover aos necessitados (mesmo os da família da fé), envolve sacrifício. "Ninguém pode conhecer a Deus e fechar o coração ao seu irmão".[4]

3. *As promessas de Deus* (58.8-12)
Então [...] a tua luz [...] a tua cura [...] a tua justiça [...] será a tua retaguarda (8). Aqui vemos uma série de promessas unidas como as pérolas de um colar. Essas quatro promessas são seguidas mais tarde de seis. Todas elas pertencem ao curso de vida do homem justo. **Justiça** irá adiante dele, e **a glória do Senhor** fica na sua retaguarda. Luz, saúde, justiça, proteção e orações respondidas são as bênçãos contínuas do povo devoto prometidas aqui.

Então, clamarás, e o Senhor te responderá; gritarás, e ele dirá: Eis-me aqui (9). Aqui são supridas as duas grandes necessidades da humanidade: a necessidade de uma resposta e reconhecimento, e a necessidade do sentimento de uma Presença. Silêncio e solidão são removidos. O próprio Deus é a resposta real para a oração e a verdadeira evidência da santificação (Lc 11.13). O melhor presente de Deus é Ele mesmo.

Mas as promessas de Deus são condicionais; Deus diz: "Se... então". "Se você banir do seu meio toda opressão, o dedo de desprezo e falsidade, se você abrir seu coração para os famintos e satisfizer o anseio dos aflitos, então..." (9-10, Berkeley). O chamado é para adiantar-se a qualquer falta de amor. **Tirares [...] o jugo** — significa remover o regime de tirania. **Estender o dedo** é um gesto de desprezo e um símbolo de escárnio. **Falar vaidade** não se refere apenas ao falar malicioso e à fofoca, mas também ao discurso sacrílego. Abrir **a tua alma ao faminto** significa, simplesmente, alimentar os famintos antes de satisfazer a sua própria fome. A autonegação pode ser necessária se queremos satisfazer **a alma aflita**.

Então, a tua luz nascerá nas trevas, e a tua escuridão será como ao meio-dia (10). Aqui está a idéia de uma carreira de vida que inicia pela manhã e avança a todo vapor com o brilho do meio-dia. A primeira promessa é a libertação pessoal das correntes da escuridão. A segunda é de um aumento de luz em tal medida que mesmo as partes mais obscuras se tornam claras como a luz do meio-dia. Os filhos de Deus são "filhos da luz".

O Senhor te guiará continuamente (11), porque Ele nunca retira sua mão da alma devota. **E fartará a tua alma em lugares secos**, ou como o hebraico indica: "numa grande estiagem", visto que Cristo pode dar-lhe água que não está na fonte. **E fortificará teus ossos**. Ossos fortes simbolizam vigor, poder e saúde corporal. **E serás como um jardim regado**, um oásis no deserto, um lugar de refrigério abençoado. **Como um manancial cujas águas nunca faltam**. Isso se refere à nascente ou boca da fonte "cujas águas não iludem" (hb.), porque são doces e refrescantes.

E os que de ti procederem edificarão os lugares antigamente assolados (12). "Seu povo reconstruirá as velhas ruínas e restaurará os alicerces antigos; você será chamado reparador de muros, restaurador de ruas e moradias (NVI). Judá, nos tempos de Manassés, seguindo a devastação dos exércitos assírios, precisava do cumprimento de uma promessa como essa. Que alegria saber que Deus pode fazer de você uma bênção que vai além do seu breve tempo de vida! Os "lugares antigamente assolados" ele reconstruirá por causa da sua influência; os filhos do seu espírito continuarão o seu trabalho.

4. A Santificação dos Sábados (58.13-14)

Aqui está a segunda proposta condicional. Ela faz parte do maior costume da religião hebraica. Os contemporâneos de Isaías eram tão negligentes em guardar o sábado quanto eram rigorosos em relação ao jejum. Assim, o profeta, em nome de Deus, exige uma santificação correta do sábado. **Se desviares o teu pé do sábado** indica que na mente do profeta o sábado era terra santa. Na gíria moderna falaríamos: "Parem com essa ladainha a respeito do sábado!" Vigie os pés cujos passos profanam a terra santa do dia santo de Deus. "Guardar o dia com alegria é um teste de fidelidade do povo com o seu Senhor. O sábado é como um santuário, e não deve ser pisado com pés irreverentes" (Berkeley, nota de rodapé).

De fazer a tua vontade no meu santo dia é uma frase na qual os pronomes são enfáticos. Mesmo nos dias de Amós os comerciantes eram impacientes com o dia porque a observância do sábado interferia no seu comércio (cf. Am 8.5). Quando verificamos com que desconsideração o dia do Senhor é observado numa Londres moderna, ou Nova York, Los Angeles, São Paulo ou Tóquio, percebemos como é atual o problema de Isaías. A troca da adoração por lugares de recreação, praias, montanhas, lagos, teatros, cinemas, campos de futebol, etc., deixa clara nossa falta de piedade.

Se chamares ao sábado deleitoso. Na verdade, o sábado foi dado para o bem do homem, para que ele pudesse adorar, descansar e se revigorar. Um dia em sete para o cuidado da alma deveria ser uma alegria para aquele que o separa a fim de aproximar-se do Senhor. Jesus não aprovou o legalismo rígido dos fariseus, mas tornou o sábado **deleitoso** (Mc 2.23-27). O sábado deve ser considerado o **santo dia do Senhor digno**

de honra. "O dia santo do Senhor" continua fazendo parte do cristianismo. E uma parte de qualquer sábado verdadeiro é a adoração congregacional e a instrução na Palavra de Deus.

Não seguindo os teus caminhos, nem pretendendo fazer a tua própria vontade, nem falar as tuas próprias palavras — cuidando da sua própria vida, não buscando apenas entretenimentos mundanos, nem trabalhando ou fazendo negócios. Para um oriental, discussões envolvendo barganha, podem se tornar barulhentas e exaltadas. Para o ocidental, conversa inútil pode envolver falar de maneira maliciosa ou fofocar, que não é apenas algo mundano, mas desagradável ao Senhor.

Então, te deleitarás no Senhor, e te farei cavalgar sobre as alturas da terra (exaltação — Jerusalém e Judá estão localizados em uma região elevada), **e te sustentarei com a herança de Jacó, teu pai** (14). Aqui está a promessa de Deus de uma marcha vitoriosa para ocupar todas as posições de comando, conectado com o pleno gozo das bênçãos prometidas ao povo de Deus.

Porque a boca do SENHOR o disse. Esta é uma fórmula de Isaías para o pronunciamento (oráculo) divino. Essa frase também ocorre em 1.20 e 40.5, mas em nenhuma outra parte do Antigo Testamento.

B. REALIZAÇÃO E REDENÇÃO, 59.1-21

Este capítulo é um sermão-poema muito comovente. Seus grandes temas são: 1) Corrupção, 2) Queixa, 3) Confissão, 4) Consolação e 5) Aliança. Aqui o profeta fiel descobre os pecados do seu povo. Então ele se identifica com eles e confessa os pecados por eles. Depois disso, ele pode apresentar sua visão da intervenção divina futura. Isso é seguido da promessa de Deus de uma nova aliança na qual o Divino Espírito Santo habita o povo de Deus e a Palavra de Deus exerce seu vivo poder de geração em geração. As três maiores seções do capítulo proclamam a corrupção, a confissão e a consolação da nação.

1. *A Corrupção da Nação* (59.1-8)

As conseqüências de uma guerra são muito devastadoras e desgastantes. Os primeiros dias de Manassés eram semelhantes aos períodos pós-guerra do século 20. Os homens haviam aprendido brutalidades científicas, e o uso desse conhecimento se mostrou destruidor e amaldiçoador. O capítulo continua a descrever a resposta divina à pergunta de Judá feita no capítulo anterior. Por que somos tão desamparados por Deus? Será que Deus é indiferente ou Ele é impotente?

a) *O pecado separa de Deus* (59.1-2). Quando Deus parece longe, muitas vezes há uma razão sombria e ímpia para isso. O pecado ergue barreiras para uma clara consciência da Presença Divina. O desamparo de Deus não é devido à indiferença nem impotência divina. Mas, aquele que volta suas costas para o sol vê a sua própria sombra. Como Coffin diz com tanta propriedade: "Homens impedidos de crescer devido ao pecado carecem da capacidade de discernir a presença de Deus".[5] Por que essa distância fria e melancólica entre você e Deus? **Eis** — "Vejam!", diz o profeta, **a mão do SENHOR não está encolhida, para que não possa salvar; nem o seu ouvido, agravado, para não**

poder ouvir (1). Deus é tão capaz e sensível como sempre foi. "São as próprias iniqüidades de vocês que se interpõem entre seu Deus e vocês; seus pecados fizeram com que ele cobrisse o seu rosto de vocês, para que não ouça" (2, Moffatt). Assim, os murmuradores percebem que a barreira foi erguida por *eles* mesmos. O **rosto** de Deus é o símbolo da Presença Divina.

b) *O pecado multiplica a depravação* (59.3-8). 1) O pecado perverte o uso de todas as coisas. **Mãos** [...] **dedos** [...] **lábios** [...] **língua** (3), todos se tornam corruptos. Pois o que um homem usa como instrumentos para o pecado exceto esses e os pés mencionados no versículo 7? Ações e palavras são sempre revelações de caráter. "Seus punhos estão manchados com sangue, e seus dedos com iniqüidade; seus lábios têm proferido falsidade, sua língua murmura vilanias" (von Orelli).

2) De forma semelhante, a verdade é pervertida (4). "No tribunal ninguém move ações judiciais de maneira honesta; nenhuma contestação é justa" (Moffatt). A culpa das denúncias injustas não ficou limitada aos dias de Isaías. Nos tribunais modernos, homens processam um ao outro (mesmo através das suas respectivas companhias de seguro) para receberem um valor muito além daquilo que é justo. **Confiam na vaidade** — caos (aqui encontramos o termo característico de Isaías, *tohu*, cf. Gn 1.2, que é encontrado nas duas seções do seu livro — cf. 24.10; 29.21; 40.17, 23); **concebem o trabalho**, e fazem nascer a **iniqüidade**. "Eles carregam a maldade no ventre, e geram a vergonha" (Knox).

3) As nascentes da ação humana estão envenenadas (5). O pecado é um enganador astuto. **Chocam ovos de basilisco** ("cobra", NVI) **e tecem teias de aranha**. "O que eles chocam é mortal; o que fazem é inútil".[6] **Aquele que comer dos ovos** é o que cai nas suas artimanhas malignas. E aquele que esmaga seus ovos (se opõe às suas artimanhas) levanta uma oposição venenosa ainda maior. Seus projetos são fatais para os outros e inúteis para si mesmos.

4) A violência avança (6). "As suas teias nunca se tornam uma veste, nem conseguem cobrir-se com as obras das suas mãos: suas obras são obras de iniqüidade, e atos de violência estão em seus punhos" (von Orelli). "Suas teias não servem de roupa; eles não conseguem cobrir-se com o que fazem. Suas obras são más, e atos de violência estão em suas mãos" (NVI). Será que o profeta tinha seus olhos nos movimentos subversivos da nossa era? O mistério da iniqüidade cresce.

5) Assassinatos e más intenções existem em demasia (7). **Os seus pés correm para fazer o mal**. Como von Orelli comenta: "Eles se apressam em fazer o mal. Seus pés são condutores velozes e executores dos seus pensamentos"[7] (cf. Rm 3.15). Moffatt traduz: "Rapina e ruína são o rastro que eles seguem". Jesus também tinha algo a dizer acerca da fonte das más intenções e ações (cf. Mc 7.14-23). Isaías menciona que o **sangue** que eles derramaram é **sangue inocente**, o sangue do fiel que se recusa a seguir os programas perversos de uma comunidade depravada.

6) Ignorância, perversidade e inquietação estão por toda parte (8). Isaías caracteriza o curso de ação perverso deles através de quatro palavras hebraicas diferentes para estradas e caminhos. Violência e **destruição** estão nas suas estradas (7c); eles erraram e são ignorantes acerca do **caminho da paz** (8a); não há justiça **nos seus passos** (8b); *ma'geloth*, curso de ação, ou sulcos nos quais as rodas giram); seus caminhos pisoteados

(8c) são perversos, e "aquele cuja vereda cruza com a deles, perde a paz".[8] "O caminho" (cf. At 9.2; 19.9, 23; 22.4; 24.14, 22; etc.) é o símbolo central da ética bíblica. Estradas de violência, veredas de inquietação, sulcos de injustiça e trilhas de perversidade — nenhum deles garante paz.

2. *A Confissão Nacional* (59.9-15)
O profeta agora muda sua posição como acusador e se coloca entre os acusados.

a) *A reclamação* (59.9-11). Sem dúvida reconhecemos aqui as vozes dos justos oprimidos nos dias do reino de Manassés, enquanto ainda era um rei menino rodeado por conselheiros corruptos.

A injustiça prevalece (9a). **Por isso, o juízo está longe de nós, e a justiça não nos alcança.** "Por isso estamos longe de termos nossa iniqüidade corrigida, e retidão não nos alcança" (Moffatt). **Trevas** espirituais proliferam (9b-10). **Esperamos pela luz, e eis que só há trevas; pelo resplendor, mas andamos em escuridão.** "Procuramos luz, mas tudo está escuro, procuramos claridade, mas andamos em trevas" (Moffatt). "Por causa da pecaminosidade universal, o desejado estado de ordem e justiça, no qual Deus faria conhecer seu favor, não se iniciará".[9] O versículo 10 descreve um estado em que há um tatear incerto por amparo e direção junto com uma busca inútil por um vislumbre de luz. **Apalpamos as paredes como cegos [...] como os que não têm olhos.** O caminhar é lento quando a mão, e não os olhos, devem mostrar o caminho. **Tropeçamos ao meio-dia** como se fosse noite. Somos como "mortos em um mundo de sombras" (Knox). "Como o cego caminhamos apalpando o muro, tateamos como quem não tem olhos. Ao meio-dia tropeçamos como se fosse noite; entre os fortes somos como os mortos" (NVI). Uma nação que perdeu seu Deus logo perde seu ancoradouro.

Reclamações não trazem alívio (11). Nós urramos **como ursos, e continuamente gememos como pombas.** "Ao se compararem com o urrar do urso e com o suspiro da pomba, os israelitas deixam claro que tanto o forte como o fraco, cada um à sua maneira, faz reclamações audíveis em relação à sua angústia corrente".[10] "Anelamos ser corrigidos, mas tudo é em vão; nenhum livramento está à vista para nós" (Moffatt). Qualquer nação está em um estado de perigo quando o grupo minoritário não consegue nem mesmo ser ouvido.

b) *A confissão* (59.12-15). O pecado zomba e se multiplica (12). "Os loucos zombam do pecado" (Pv 14.9), mas, no fim das contas, o pecado zomba do louco, porque **os nossos pecados testificam contra nós** (12). O pecado na sua segunda edição é sempre mais grave do que na primeira. Tanto Daniel como Esdras citam essa passagem de Isaías (cf. Dn 9.5-15 e Ed 9.6-15). "Nossa culpa se avoluma diante de nós, nossos pecados nos acusam; a vergonha nos assola; confessamos nossa iniqüidade" (Knox).

A apostasia e a doutrina falsa proliferam (13). "Transgredindo e negando o Senhor, e deixando de seguir nosso Deus" (RSV); "Falando perversamente e de forma provocadora, proferindo mentiras do nosso coração" (Moffatt). "As cláusulas apontam respectivamente: 1) para a adoração falsa e hipócrita; 2) para a apostasia aberta; 3) para pecados contra o homem, e estes subdivididos em a) pecados contra a verdade, e b) pecados contra a justiça".[11]

A moralidade no governo já não existe (14). **A verdade anda tropeçando pelas ruas**, i.e., no *ágora* (palavra grega; não confundir com a palavra "agora" em português) ou lugar amplo e aberto onde ficava a área do mercado público e onde ocorriam as sessões públicas do tribunal. "A verdade em nossas assembléias não têm espaço, a honestidade não pode entrar lá" (Moffatt). Trata-se de uma época deplorável em qualquer governo quando a justiça, a retidão, a verdade e a integridade estão ausentes. "Onde a integridade pessoal não é confiável, a lei perde sua força, os procedimentos judiciais perdem seu propósito, e a vida em comunidade perde sua estabilidade".[12]

A veracidade torna-se um compromisso (15). "A verdade é tão deficiente, que se alguém se afastar do mal, se torna vítima de saque" (Berkeley). A sociedade alcança seu nível mais baixo sempre que a desonestidade é a melhor política, e **quem se desvia do mal arrisca-se a ser despojado**. Não é de admirar que Deus, diante de tal estado de coisas, fique indignado.

3. *A Consolação da Nação* (59.16-21)
Há tempos quando até Deus fica chocado. Um desses é quando não há ninguém que interceda pelos perdidos daquela geração.

a) *O intercessor divino* (59.16-19). "E Ele viu que não havia ninguém, e estava chocado que ninguém interveio" (von Orelli). A admiração de Deus com a falta de interesse do homem (16a) surge do fato de que ninguém parece disposto a arriscar um envolvimento. "Não havia nenhum defensor para se apresentar?" (Knox). A intervenção de Deus nos afazeres humanos torna-se imperativa (16b). "Então o seu próprio braço precisa trazer livramento que ele planejava, sua própria fidelidade deu-lhe apoio" (Knox). Deus continua sendo o Soberano deste universo e intervirá pessoalmente para ajudar o oprimido e sobrecarregado, visto que não podem ajudar-se a si mesmos. Isaías viu que quando o tempo da Encarnação chegasse, Deus levantaria (e, como nós cristãos sabemos, levantou) um verdadeiro Intercessor.

Porque se revestiu de justiça [...] **salvação** [...] **vestes de vingança** [...] e [...] **zelo** (17). Aqui, e no versículo seguinte, está a descrição mais completa do Senhor como Guerreiro encontrada no Antigo Testamento (cf. Êx 15.3; veja também Ef 6.14-17; 1 Ts 5.8). A armadura divina é composta de qualidades espirituais: **justiça** de coração, **salvação** como seu propósito, retribuição como sua preocupação e **zelo** como sua conduta. Existe um amor zeloso que o Deus eterno manifesta pelas suas ovelhas que estão despojadas e abandonadas. "Então colocou o poder como armadura, a vitória como capacete, a vingança como vestes, e o zelo como manto" (Moffatt).

As recompensas de Deus são de acordo com os atos (18). **Furor** aguarda seus adversários, retribuição é exercida aos seus inimigos, e **recompensa** aos pagãos. "Mesmo as ilhas mais distantes receberão o seu castigo" (Knox). Ira, recompensa e retribuição — todas fazem parte do lado escuro do "dia do Senhor".

Então [...] **temerão** (19) "até que o nome do Senhor espalhará terror aos países ocidentais, e o oriente ficará pasmo com a sua fama" (Knox). A intervenção de Deus é uma alegria para os seus amigos, mas é um terror para seus inimigos, porque o Deus vivo é tanto Redentor como Vingador. Este é um versículo de difícil interpretação, e a maioria das traduções modernas varia muito da KJV (parecida com a ARC). Mas Plumptre entende que a KJV é pelo menos tão defensável quanto qualquer outra tradução. Se a aceitamos, então a promessa está cheia de imagens esplêndidas; porque quando o inimigo vem para nos subjugar, temos a garantia de que **o Espírito do Senhor arvorará contra ele a sua bandeira**. E uma bandeira é o estandarte que vai à frente de um exército que marcha. A tradução moderna entende que se trata da veemente vingança divina. Moffatt traduz essa passagem da seguinte forma: "Porque a sua vingança é derramada como uma inundação reprimida, impelida por uma rajada de vento". "Um rio vem sobre eles em forma de inundação, impelido pelo sopro do Senhor", diz Knox.

b) *O Redentor prometido e a aliança* (59.20-21). **E virá um Redentor a Sião (20)** — aqui o termo hebraico é *go'el*, "resgatador-parente", como ocorreu em 41.14 e 43.1. Esse termo aparece na famosa passagem de Jó 19.25 (cf. Rm 11.26). Lamsa traduz essa passagem na *Peshitta* da seguinte maneira: "E um Salvador virá a Sião e aos que se desviarem da transgressão em Jacó, diz o Senhor".

Com essas pessoas arrependidas e redimidas, Deus faz uma nova aliança eterna: **o meu Espírito [...] e as minhas palavras [...] não se desviarão [...] para todo o sempre** (21). A unção divina e a mensagem divina não falharão. "A nova aliança envolve o dom do Espírito, que escreve a lei de Deus no interior do coração, como se fosse distinta da Lei, que se imagina estar fora da consciência, fazendo sua obra como acusador e juiz".[13] A base de Isaías para a esperança não está na fé, na virtude, ou na habilidade do homem, mas na fidelidade de Deus e no vivo poder da sua Palavra geração após geração.

C. A Descrição da Sião Glorificada, 60.1-22

Este capítulo continua o tema de 40.5. A figura é de uma Sião esplêndida diante da glória da manhã palestina, com o sol resplandecendo repentinamente sobre as terras altas da Transjordânia e iluminando primeiro o alto monte onde fica situada a cidade dourada de Jerusalém. A escuridão ainda se faz presente nos vales profundos ao redor dela, mas Jerusalém encontra-se cintilante sob a luz do sol. No Oriente Próximo, não vemos o prolongado alvorecer que caracteriza as áreas mais próximas das regiões polares da terra. O sol aparece no horizonte, e sabemos que o dia veio subitamente.

Depois que o profeta realizou pacientemente a sua cansativa tarefa de pintar a escuridão e miséria dos pecados do seu povo e trazer-lhes esperança e a garantia do perdão divino, ele agora se volta para um quadro das possibilidades da graça concernente à nova cidade de Deus na qual todos são transformados pela graça e justificados. Os triunfos da graça têm glorificado a cidade de Deus, que agora se torna o reconhecido centro do mundo. Os habitantes dessa cidade são uma comunidade de almas justificadas e santificadas no meio da qual reina paz, e a graça é abundante. As nações do mundo afluem para ela a fim de adorar lá e desfrutar das suas bênçãos.

O capítulo abre com a convocação do alvorecer. Isto é seguido do olhar para fora tanto para o leste como para o oeste, em direção à terra e em direção ao mar. Depois, nossa atenção é voltada para a cidade em sua reconstrução e ornamentação com justiça e paz. Na reconstrução, são usados os materiais mais preciosos para combinar com a sua glória moral interna. Ela tem a proteção divina e a fama universal condizente com a sua situação.

1. *A Convocação do Alvorecer* (60.1-3)[14]

a) *O chamado para o resplandecer* (60.1). Essa apresentação profética da Nova Jerusalém abre com o imperativo duplo característico de Isaías, seguido do anúncio de que a "luz" aguardada há tanto tempo chegou. **Levanta-te. Resplandece.** Torne-se radiante! **Já vem a** [...] **luz**, e o esplendor do Deus eterno raia sobre você! Sião, retratada como uma escrava feminina cativa, deitada em luto no solo, ouve agora a convocação divina para o esplendor transformador. O termo hebraico para **glória**, *kabhodh*, tem a ver com a própria manifestação de Deus. Deus veio em sua graça transformadora, e com Ele vêm beleza e bênção.

b) *O contraste revelado* (60.2). A **escuridão** pode cobrir as nações circunvizinhas, mas a glória do Eterno raia sobre você. A **luz** no alvorecer aparece primeiro nos altos. Sião agora se torna a mulher cortejada das nações e o centro espiritual do mundo.

c) *A convergência resultante* (60.3). Da mesma forma em que os insetos voadores da noite se aglomeram ao redor do foco de luz, assim as nações se reunirão em torno da **luz** de Sião, **e os reis** serão atraídos pelo seu esplendor. A função da luz é brilhar, e quando brilha, ela atrai. O povo de Deus precisa manifestar a presença de Deus para o mundo. Onde isso ocorre, aqueles que estão definhando na escuridão convergirão em esperança e expectativa. Isso fazia parte de uma promessa anterior feita por Isaías (cf. 2.2-4).

2. *A Vista para Leste e Oeste* (60.4-9)
Aqui a mensagem profética fala a respeito da promessa daquele dia para Sião.

a) *A feliz "volta para casa"* (60.4-5). Novamente, com o seu imperativo duplo, Isaías estimula Sião a olhar **em redor** e ver como todos estão afluindo para ela — **filhos** [...] **de longe, e** [...] **filhas** (4) vêm carregados nos braços. Além disso, o profeta promete que com a face radiante Sião os observará, e com um coração que transborda de admiração e gratidão ela verá as riquezas dos portos e os tesouros das nações fluindo para ela (5).

b) *As caravanas do leste* (60.6-7). Esse é o olhar para a terra. Debaixo do sol escaldante, eles vêm do outro lado do Jordão subindo as colinas íngremes para Sião, trazendo tesouros ricos de **ouro** e perfumes e rebanhos em abundância. O comerciante árabe com seus camelos jovens vem de **Midiã**, **Efa**, e até mesmo de **Sabá**, a terra de ouro de onde veio a rainha que trouxe ouro, pedras preciosas e especiarias para Salomão (1 Rs 10.10). Os pastores árabes virão das terras elevadas do **Quedar** (a leste do mar Morto) e de **Nebaiote** (ao sul), trazendo rebanhos para um sacrifício aceitável e inesgotável sobre o **altar** do Senhor, cuja casa gloriosa será ornamentada.

c) *Navios de velas brancas do oeste* (60.8-9). Essa é a vista para o mar. No horizonte ocidental do mar e de suas praias arenosas, vêm caravanas oriundas do mar como **pombas** brancas (8) voltando para casa, trazendo **teus filhos** de ilhas distantes com tesouros de **prata** e de **ouro**; tudo em **nome** do **Deus** eterno (cf. Os 11.11). **Navios de Társis** (9) eram os navios mercantis de primeira classe que navegavam pelas águas do Mediterrâneo, se aventurando até a distante Espanha.

3. *Reconstruindo e Ornamentando* (60.10-18)
Esse quadro da restauração de Sião é bastante gráfico. Ele chega a transcender o quadro descritivo durante o ministério juvenil de Isaías (cf. 11.9; 25.8).

a) *Reconstrução em riqueza e esplendor* (60.10-14). Como em certa época os estrangeiros haviam destruído a cidade, agora estrangeiros irão reconstruí-la. Em detalhes gráficos, a promessa de Deus fala de um dia em que a **misericórdia** substituirá o **furor** (10), as **portas** da cidade estarão **abertas de contínuo** para o comércio (11), homenagens virão de cada nação (12), e o esplendor encherá o **santuário** de Deus, como o glorioso escabelo dos seus **pés** (13). Homens que em certa época a desprezaram farão reverência a Sião, aclamando-a como a Cidade do Eterno, a amada **Sião do Santo de Israel** (14).

b) *Satisfação e gozo eternos* (60.15-16). A cidade outrora desprezada e não visitada não será mais rejeitada, porque ela tornou-se **um gozo de geração em geração** (15), sustentada pela realeza e agraciada pelo poder do Redentor (16). O comércio supre seus desejos, e a redenção a torna majestosa.

c) *A cidade de paz e justiça* (60.17-18). Desta maneira, a cidade cumpre o significado do seu nome. Sob a influência da alquimia divina, o bronze se torna **ouro**, o **ferro** se transforma em **prata**, **madeira** em **bronze**, e **pedras** em **ferro** (17). Em vez de pobreza vem riqueza, e em vez de injustiça e opressão, a paz torna-se dominadora, e a **justiça** o seu **governador**. **Violência** e crime são desconhecidos nessa cidade, cujos **muros** serão chamados de **salvação** e cada porta de **louvor** (18). "Nenhuma notícia de destruição e ruína se ouvirá dentro dessas fronteiras; todos os teus muros serão livramento, e todas as tuas portas fama" (Knox). O esplendor da cidade está baseado na sua excelência moral.

4. *Novo Brilho e Expansão* (60.19-22)

a) *A glória é de Deus* (60.19-20). Não serão mais necessários **sol** e **lua**, porque Deus será o seu esplendor (19), e o Eterno sua **luz perpétua**. Assim, o **luto** findará (20). Não é dito expressamente aqui que não mais haverá sol e lua. Mas, em todo caso, a cidade receberá sua luz mais diretamente do Senhor e não estará mais sujeita à variação do dia e da noite (cf. Ap 21.23).

b) *Um povo da própria plantação de Deus* (60.21-22). Estes versículos podem ser expressos na seguinte paráfrase poética:

> Todo povo será piedoso
> Seguro na sua terra;
> O vinho da plantação de Deus
> A obra da sua gloriosa mão.
>
> O menor se tornará mil,
> O pequenino uma forte nação;
> Javé apressará o tempo
> Da promessa tão aguardada.

Os habitantes dessa Nova Jerusalém serão todos **justos** (cf. Ap 21.27), e como tais, **para sempre herdarão a terra** (21), "plantados ali pela mão do Eterno, sua própria obra, para sua própria glória" (Moffatt). E por causa da multiplicação divina, o "pequeno rebanho" se tornou agora um **povo grandíssimo**. "Eu, o Eterno, que prometeu isso, farei com que aconteça depressa" (22, Moffatt). "Quando chegar a hora, ocorrerá de maneira rápida e súbita" (Knox).

D. O Arauto e o Programa de Salvação, 61.1-11

Este belo poema transcende os limites de qualquer época e continua atual. Ele descreve para nós o evangelho do Ungido de Deus, ao registrar seu monólogo acerca da graça divina e as promessas de Deus para a cidade de Deus. O cristão pode discernir nos seus versículos de abertura uma sugestão da santa Trindade nas pessoas referidas: o **Espírito**, o **Senhor Jeová** e **mim**. Não é o profeta que fala aqui, mas sim, o Servo do Eterno — o Arauto da Graça. As palavras do nosso Senhor Jesus em Lucas 4.21: "Hoje, se cumpriu esta Escritura em vossos ouvidos", impedem a aplicação dessa passagem a qualquer outro que não seja o próprio Senhor Jesus. Seria uma grande presunção da parte do profeta glorificar a si mesmo ao atribuir à sua vida os mesmos atributos que ele já havia usado para descrever o futuro Messias (cf. 42.1-8; 49.1-12; 50.4-9; 52.13—53.12). Portanto, concluímos que o discursador desse capítulo não é o profeta, porque no estilo dramático desse livro a mesma pessoa aparece aqui como em 42.1ss e em 48.16.

1. Boas-Novas para os Homens Miseráveis (61.1-4)
Aqui, nesse monólogo intensamente pessoal, temos o verdadeiro evangelho. São as boas-novas do Senhor Deus e acerca dele (cf. Mc 1.1, 14).

a) *A mensagem do Messias* (61.1-3). Nesse monólogo, reconhecemos a expressão verbalizada do Servo ideal do Senhor, cuja unção o torna ao mesmo tempo Profeta, Sacerdote e Rei. Ele abre com a declaração expressa: **O Espírito do Senhor Jeová** (1) **está sobre mim; porque** o Eterno **me ungiu** para anunciar **boas-novas** aos humildes (cf. 11.2; e observe que as duas passagens argumentam a favor de uma unidade de autoria para o livro de Isaías). Podemos observar de uma forma especial as duas palavras **ungiu** e **enviou**, ao lembrar que cada verdadeiro ministro de Cristo deve ser santificado e comissionado. É interessante observar que Lucas 4.18-19 inclui (visto que segue a Septuaginta) "dar vista aos cegos". A mesma promessa com o mesmo verbo ocorre em 35.5 e novamente em 42.7. Assim, esse acréscimo não é contrário ao interesse de Isaías de que o povo tenha os seus olhos cegos abertos.

A proclamação inclui o **ano aceitável do Senhor e o dia da vingança do nosso Deus** (2). Aqui o ano do jubileu é colocado em contraste com o dia da vingança. "Visto que não passará sem violência, o dia da redenção também é chamado de o dia da vingança de Deus".[15] Talvez **ano** e **dia** não devem ser entendidos, em primeiro lugar, como significado temporal. A pregação de Jesus durou mais do que um ano e o "dia do Senhor" certamente durará mais do que um ano. O consolo deve ser proclamado para **todos os** que estão **tristes** por causa dos seus pecados e transgressões.

Mas, uma segunda classe de lamentadores é formada por aqueles que estão **tristes em Sião** (3)[16] e a esses Ele é designado a dar um **ornamento** ("coroa", NVI) em vez de cinzas, **gozo** em vez de **tristeza, louvor** em lugar de um **espírito angustiado**, e um nome novo que é importante para uma nova natureza — "carvalhos de Justiça" e "vinhas do Eterno". A tradução de Moffatt é gráfica: "Para dar-lhes grinaldas em vez de cantos fúnebres, óleo de alegria em vez de mantos de tristeza, louvor em vez de melancolia; eles serão carvalhos vigorosos de bondade, plantados pelo Eterno em sua honra". "As cabeças serão decoradas com grinaldas, que outrora eram cobertas de cinzas; brilhantes de óleo ficariam os rostos que antes estavam desfigurados pelo luto; vestidos de alegria, os que estavam pesarosos" (Knox). Assim, o Messias é enviado para dar a esse tipo de pranteadores: a) **ornamento por cinza;**[17] i.e. uma coroa em lugar das cinzas que costumeiramente eram jogadas sobre a cabeça; b) **óleo de gozo por tristeza** — a unção do Espírito Santo em vez das suas abundantes lágrimas; e c) **veste de louvor por espírito angustiado** — um coração alegre, cheio de louvor a Deus em vez de um coração pesado que leva ao desespero. A **plantação do Senhor** retrata plantas no jardim de Deus. Não há nada que proporcione tanta glória a Deus quanto a sua própria justiça praticada, justiça recebida das mãos dele através da fé.

b) *A promessa de restauração* (61.4). **E edificarão os lugares antigamente assolados** [...] **e renovarão as cidades assoladas, destruídas de geração em geração**. A restauração das cidades de Judá que foram assoladas pelos assírios seria uma das principais preocupações nos dias do rei Manassés. Mas espiritualmente falando, os santificados de Deus se posicionam para reverter as desolações cultivadas por muitas gerações da hereditariedade depravada e do pecado. Esses são os ungidos do Senhor que constroem a cidade de Deus.

2. *Ministros do nosso Deus* (61.5-7)
Nossos pensamentos agora se voltam para a função espiritual desses homens de Sião assistidos pela glória material.

a) *Os sacerdotes do Senhor* (61.5-6). "Enquanto gente de fora se encarregará das suas tarefas diárias, vocês, mais uma vez, serão levantados ao ideal original como ministros de Deus apoiados pela generosidade das nações e se gloriarão da sua bondade" (paráfrase). Muitas vezes o judeu tornou-se aproveitador em vez de sacerdote. Os ministros cristãos nem sempre escaparam desse decadência. **Estrangeiros** apascentarão **os vossos rebanhos** e cuidarão das vossas lavouras, mas "vós recebereis um nome mais elevado, um chamado superior, e vos chamarão sacerdotes e ministros escolhidos do Senhor nosso Deus" (Knox).

b) *Dupla glória para dupla vergonha* (61.7).
A promessa aqui é uma porção dupla, que era a herança do irmão mais velho em toda família judaica. Por causa da sua **vergonha** vocês receberão recompensa dupla pelos sofrimentos dos anos anteriores (cf. 40.2; Zc 9.12). "Eles sofreram vergonha em dupla porção, abuso e insulto eram o destino deles; pelo que, na sua própria terra possuirão o dobro e terão alegria eterna" (Moffatt).

3) *O Povo que Deus Abençoou* (61.8-9)
Aqui os redimidos recebem a promessa de reconhecimento como os abençoados do Eterno.

a) *A aliança de amor e justiça do Senhor* (61.8). Tão certo como há coisas que Deus ama, existem coisas que Ele abomina (cf. Pv 6.16-19). O versículo deveria ser traduzido da seguinte maneira: **Aborreço** o roubo com violência (de acordo com a sugestão de Plumptre). C. von Orelli traz: "Porque Eu, Javé, amo a justiça e odeio o roubo desprezível". Foi isso que Israel e Judá sofreram nas mãos dos assírios. A transplantação de populações completas era um abuso bárbaro dos direitos de conquista, e Deus considerava isso como tal. Assim, Ele promete retribuição e recompensa, em um pacto de verdade e juízo.

b) *Posteridade ilustre* (61.9). Sua posteridade será renomada. E mesmo hoje os descendentes judeus são respeitados pelas suas habilidades. Mas a promessa se torna mais geral para incluir os descendentes de todos que são sinceramente devotos. O mundo precisa reconhecê-los como uma raça abençoada.

4. O Magnificat *dos Redimidos* (61.10-11)
É característico de Isaías incluir um hino de louvor em um momento oportuno como esse. Aqui encontramos uma bela expressão de gratidão pela grande salvação.

a) *As vestes de salvação* (61.10). Temos observado previamente em 59.17 que Deus se veste de **justiça** e **salvação**. Ele agora equipa seu Servo para que possa transmitir essas mesmas coisas. Assim, Ele aparece festivamente adornado, como um **noivo** oriental, usando um turbante[18] de festa na cabeça semelhante a um sacerdote, ou como uma **noiva** com suas **jóias**.

A bela figura aqui retrata o povo de Deus exultando pela salvação, vestido com vestes de vitória, coberto com um manto de triunfo e usando a coroa de **jóias** da verdadeira santidade.

b) *O jardim do Senhor* (61.11). Aqui é apresentada a atratividade de um povo produtivo e fecundo, que Deus faz triunfar e ser renomado. "Assim como a terra faz brotar a planta e o jardim faz germinar a semente, assim o Soberano, o Senhor, fará nascer a justiça e o louvor diante de todas as nações" (NVI). A atratividade suprema da Igreja são as vidas felizes e santas dos seus membros. Santidade e evangelização estão intimamente ligados. O resultado essencial da salvação é a **justiça**, e seu resultado secundário é o **louvor**. Mas, os dois aspectos são necessários se o povo de Deus deseja transmitir sua graça aos pecadores.

E. A Aliança do Eterno, 62.1-12

Este capítulo continua o solilóquio (monólogo) do Servo Singular do Deus eterno que começou no capítulo anterior. Ele apresenta para nós o zelo ardente que Ele tem por Sião. Enquanto o capítulo anterior falava da mensagem a ser proclamada, este capítulo ressalta a determinação em proclamá-la, e promove sua realização.

O capítulo salienta a edificação de uma raça santa[19] de pessoas com um nome novo e uma natureza nova. Ele promete ao povo de Deus um esplendor transfigurado; este capítulo também pleiteia por intercessores importunos; ele promete a preservação dos frutos do trabalho e proclama aos cidadãos de Sião que estão marchando uma salvação suprema que torna mais rica e atraente a cidade de Deus com sua população santificada.

1. *Demonstração do Esplendor de Sião* (62.1-3)
Aqui o orador declara sua preocupação zelosa pelo esplendor de Sião. No capítulo 60, a ordem era para Sião tornar-se radiante; agora temos o voto do Messias de que seu próprio zelo fará isso.

a) *O servo zeloso* (62.1). **Por amor de Sião, me não calarei e, por amor de Jerusalém, me não aquietarei**. Comentaristas têm sugerido três possíveis identificações para esse discursador: Deus, Seu Servo Singular e o profeta. A segunda possibilidade parece estar em melhor harmonia com o que segue. Dessa forma, o Pregador é o mesmo do capítulo anterior.
Resplendor [...] **uma tocha acesa** sugere o fato de que durante o dia não há luz mais clara do que aquela que vem do sol; e durante a noite (nos dias de Isaías) nenhuma luz brilha mais do que uma tocha resplandecente. A verdadeira **justiça** é pura luz, e **salvação** é uma chama acesa.

b) *A igreja visível* (62.2). Compare com Mateus 5.14. A vindicação da **justiça** de Sião serve especialmente para irradiar sua luminosidade. **Nações** (gentios) **verão** o triunfo dela, e cada rei observará o seu esplendor. Além disso, essa nova **glória** pede **um nome novo** para estar de acordo com a sua natureza transformada. Mas isso pode ser anunciado somente pelo Deus Eterno, visto que o nome é misterioso e conhecido somente por Ele (65.15; Ap 2.17; 3.12). Esse nome é simbólico para a santidade de Sião e uma intimidade maior com Deus.

c) *O diadema real* (62.3). A promessa aqui é que Sião se tornará **uma coroa** de jóias **na mão do Senhor** seu Deus (cf. 28.5). **Uma coroa** sugere aquilo que é distintivamente real, mas um **diadema** sugere uma tiara como a mitra do sumo sacerdote. Dois termos hebraicos diferentes para **mão** são usados aqui. A figura descreve uma **coroa de glória** que é afivelada pela **mão** do Eterno, enquanto o **diadema real** fica na palma da mão de **Deus**. Assim, Ele mostra sua Sião resplandecente para todas as nações.

2. *Prazer no Contrato de Casamento com Sião* (62.4-5)
Aqui a promessa claramente anunciada é que Sião não será mais chamada de **Desamparada** (49.14) e a sua terra não se denominará **Assolada**.

a) *A noiva encantadora* (62.4). Debaixo de assolações dos invasores assírios a terra estava **Assolada** (*Sh'marnah*), mas agora a promessa é que ela será chamada de *Be'ulah*, que significa casada. Isaías, fiel ao seu contexto, considerou o estado de casado não somente frutífero, mas um estado no qual o senhor ou "marido" é encontrado e reconhecido. Por isso, a terra deve ser ocupada e cultivada.

b) *O noivo jubiloso* (62.5). Ouve-se dizer acerca das pessoas que moram nas áreas rurais que elas estão "casadas com a terra", mesmo nos tempos atuais. Nesse sentido, pode-se dizer que o país de Sião está casado com seus **filhos** que cuidam e protegem a terra. Mas em um outro sentido a verdadeira noiva de Deus é formada pelas pessoas de Sião; por isso, lemos: **assim se alegrará contigo o teu Deus**. A mensagem desse uso duplo da figura do casamento sugere que a Terra Santa não será uma virgem não escolhida, nem uma esposa repudiada, nem uma viúva, mas uma esposa vivendo em felicidade conjugal — independentemente se a referência é à terra ou às pessoas. Por isso, Sião será chamada "Hefzibá", "prazerosa" (2 Rs 21.1).

3. *A Diligência do Guarda de Sião* (62.6-7)
Para ajudar a alcançar seu alvo, o Discursador anuncia que vai escolher **guardas**, que, como ele próprio, não descansarão nem se calarão até que seus alvos sejam alcançados.

a) *As sentinelas falantes* (62.6). **Ó Jerusalém! Sobre os teus muros pus guardas, que todo o dia e toda a noite se não calarão**. Surge a pergunta acerca da identidade dessas sentinelas, ou "vigias". A conclusão de que são os profetas fiéis nomeados pelo Ungido do Senhor parece mais lógica. Que Isaías se considerava alguém assim fica evidente com base no pequeno oráculo em relação a Dumá (21.11-12). Esses são os homens que devem constantemente fazer **menção** do Deus eterno. Mas o hebraico parece indicar um oficial especial na corte dos antigos reis cuja função era lembrar o rei dos compromissos diários e quaisquer promessas especiais que ele havia feito. Assim, uma melhor tradução seria: "vós que sois os *lembradores* do Eterno". E isso traz à mente a segunda função mais importante desses **guardas**. O verdadeiro profeta não deve apenas discernir a situação presente e estar consciente e advertir acerca do perigo iminente, mas também deve mediar entre Deus e o povo. Ele deve lembrar Deus das suas promessas e interceder pelo povo.

b) *Os intercessores incessantes* (62.7). "Não estejais em silêncio", **até que confirme e até que ponha a Jerusalém por louvor da terra**. Os ministros de Deus devem saber como reivindicar as promessas de Deus a favor do povo de Deus. Eles devem orar sem cessar por proteção e ajuda à congregação. Eles estão em contraste direto com aqueles que foram zombados por Isaías em 56.10. Eles são ordenados a importunar o Eterno até que cumpra suas promessas de glorificar a Jerusalém. Jesus ensinou seus discípulos a empenhar-se na oração importuna (cf. Lc 11.1-13) e fez promessas específicas e significativas acerca dessas orações. A intercessão tem um lugar importante no Antigo e Novo Testamento.

4. *O Decreto pela Conservação de Sião* (62.8-9)
Proximamente relacionado com a nomeação e responsabilidade dos "guardas" está essa promessa na forma de juramento, de que os frutos da terra já não serão saqueados na época da colheita pelos inimigos invasores de Sião.

a) *O elemento pelo qual Deus jura* (62.8a). **Jurou o Senhor pela sua mão direita** (o símbolo do seu poder), **e pelo braço da sua força** (o símbolo da sua própria grandeza). Juramentos divinos geralmente apelam para duas testemunhas como garantia (cf. Hb 6.14-20). Deus jurou em seu juramento a Abraão por duas coisas imutáveis: Ele mesmo e sua Palavra (cf. Gn 22.14-18). As coisas pelas quais Deus jura devem ser tão grandes e eternas quanto Ele mesmo.

b) *Com que Deus se compromete — "O Juramento da Conservação"* (62.8b-9). **Nunca mais darei o teu trigo por comida aos teus inimigos, nem os estranhos beberão o teu mosto** (8). Essa promessa lembra os ataques devastadores dos midianitas (Jz 6.4,11), dos filisteus (2 Cr 28.18) e dos assírios (16.9), nos quais as colheitas eram levadas pelos estrangeiros, e os agricultores eram deixados sem sua comida obtida com muito sacrifício. Também lembra das maldições pronunciadas devido à apostasia espiritual (Dt 28.33, 51). Agora vem a declaração de que os invasores hostis não ceifarão mais as colheitas que Judá semeou, nem beberão o vinho das uvas que colheu. A ausência de privação econômica está mais intimamente ligada com a ausência de depravação do que esse mundo gostaria de reconhecer. Assim, a promessa é que **o que ajuntarem o comerão e louvarão ao Senhor; e [...] beberão nos átrios do meu santuário** (9). O produto da colheita será consagrado pelas festas religiosas. O gozo das bênçãos intactas será observado em forma de reconhecimento agradecido ao Doador. Assim, santificado com ação de graças, todo alimento deveria ser um simples sacramento de alegria.

5. *O Libertador com o Galardão a Sião* (62.10-12)
Aqui está o chamado para preparar o caminho para os exilados que estão retornando, para dar o sinal e a proclamação da salvação em todas as direções, com um lembrete das retribuições e do galardão, seguido dos nomes simbólicos que estabeleciam o ideal divino para o povo de Deus.

a) *Os exilados que estão voltando* (62.10a). **Passai pelas portas** bem pode ser uma ordem com sentido duplo. A saída das terras do cativeiro é certamente ordenada. De forma similar os habitantes de Sião deverão formar um comitê de recepção e uma turma de construção de estradas que tornarão o retorno dos exilados para Sião tão agradável e fácil quanto possível. O duplo imperativo de Isaías expõe o senso de urgência no coração do Discursador.

b) *A estrada de Sião* (62.10bcd). **Preparai o caminho ao povo; aplainai, aplainai a estrada; limpai-a das pedras**. Estradas espirituais devem ser preparadas para que levem o pecador culpado direto ao coração do Pai. Elas não devem ser estradas que terminam em becos sem saída. Avivamentos normalmente devem ser espontâneos, mas programas freqüentes e bem conduzidos de evangelização devem envolver muita preparação. Se queremos que as pessoas caminhem em uma superfície mais elevada de vida, uma **estrada** precisa ser aplainada. Todos os impedimentos devem ser removidos por meio de uma preocupação carinhosa que retira as **pedras**. Se os embaixadores de Cristo têm a incumbência de endireitar e aplainar o caminho, eles não devem atravancar as revelações divinas com pedras de tropeço dos preconceitos humanos e opiniões particulares. A mensagem deve ser simples e autêntica. Se a Igreja hoje quer ser bem-sucedida, um grupo precisa limpar os obstáculos da rota projetada, outros precisam trazer materiais e construir uma estrada sobre a qual o fluxo de convertidos deve marchar, outros devem remover as pedras que podem fazer as pessoas tropeçar (cf. Is 57.14), e ainda outros (talvez os líderes) devem erguer uma **bandeira** para orientar a marcha.

c) *A bandeira do ajuntamento* (62.10e). "Levantai um sinal para que todas as nações possam ver" (Knox). "Ergam um estandarte para o povo" (Berkeley). A **bandeira** deve tornar-se um estandarte que simboliza os ideais de Sião diante do qual os **povos** (ou "nações", NVI) devem se reunir, e então marchar em triunfo e lealdade.

d) *A proclamação mundial* (62.11). **O Senhor fez ouvir até às extremidades da terra** o advento da **salvação**. Essas deveriam ser boas novas para qualquer **filha de Sião,** tanto por nascimento como por adoção. Os pronomes masculinos, que fazem referência ao termo **salvação** como seu antecedente, mostram que a **salvação** em si é uma Pessoa. Há um sentido no qual a história é a voz de Deus proclamando sua vontade à humanidade. A pergunta também pode ser levantada se as **extremidades da terra** se referem a tempo e espaço. Acerca disso hoje estamos certos:

> Cristo, primeiramente, veio do alto à terra visível para todos, na forma de um servo. Em segundo lugar, Ele vem continuamente do alto, de forma invisível, pelo seu Espírito através da Palavra e pelas Ordenanças, a fim de que nos santifique. Em terceiro lugar, Ele voltará outra vez do alto, visível para todos, não na forma de servo, mas em glória (Mt 25).[20]

E quando esse momento chegar, o **galardão** para os justos e a retribuição para os ímpios estará **com ele**, "para dar a cada um segundo a sua obra" (Ap 22.12; cf. Is 40.10).

e) *Receberão um nome e não serão abandonados* (62.12). Este é o destino da cidade do cuidado especial de Deus. **E chamar-lhes-ão povo santo, os remidos do Senhor,** porque os membros do povo de Deus são amantes da santidade, e eles são zelosos de boas obras (Tt 2.14). "Ninguém será chamado de remido do Senhor a não ser aquele que faz parte do povo santo; o povo adquirido de Deus é uma nação santa".[21] Os remidos do Senhor são aqueles que ele resgatou (Is 35.10; 51.10) "de todas as nações, e tribos, e povos, e línguas" (Ap 7.9). Desta forma, essa nova Jerusalém, essa Sião transformada, será **chamada Procurada, Cidade não desamparada** (em contraste com Jr 30.17). "É bom nos unirmos ao povo santo, para que aprendamos seus caminhos, e aos remidos do Senhor, para que possamos compartilhar das bênçãos da redenção".[22] George Adam Smith escreveu:

> O Poder Supremo no universo está do lado do homem, e pelo homem tem obtido vitória e alcançado paz. Deus proclamou perdão. Um Salvador venceu o pecado e a morte. Somos livres para nos livrar do mal. A luta por santidade não é uma luta de uma planta fraca em um solo hostil e debaixo de um céu de inverno, contando apenas com a precária ajuda do cultivo humano; mas o verão veio, o ano aceitável do Senhor começou, e todo o favor do Todo-Poderoso está do lado do seu povo. Essas são as *boas-novas* e a *proclamação* de Deus, e todo aquele que crê nelas perceberá a incalculável diferença que elas fazem na sua vida.[23]

F. O Drama da Vingança Divina, 63.1-6

Interpretações desse capítulo têm variado muito e, com freqüência, são incorretas. Toda tentativa de interpretação literal certamente fracassará. Temos aqui a figura de um Guerreiro-Herói voltando do conflito com Edom, o eterno inimigo de Israel. Mas é o Conquistador, não o Guerreiro, que vemos aqui. O massacre, a luta, os horrores da batalha estão todos atrás dele. Vemos apenas o Vitorioso marchando em majestade esplêndida e força triunfante. O poema toma a forma de um diálogo lírico-dramático, com pergunta e resposta se alternando. No capítulo anterior, nossa atenção estava voltada para a aliança com o povo santo. Aqui temos um vislumbre breve, porém severo, do tratamento de Deus dado aos ímpios. Os inimigos de Sião serão todos derrotados. A figura aqui é do conquistador Servo do Eterno retornando como Guerreiro vitorioso de um encontro impetuoso e da vitória sobre o inimigo. O poema descreve brevemente o drama da vingança divina. O Personagem central é o Salvador-Vencedor divino.

1. O Chamado para Identificação (63.1)

A pergunta: **Quem é este**? conduz à resposta: Sou **Eu**. Assim, a pergunta do profeta, como um dedo indicador, aponta para o Vitorioso radiante com as vestes manchadas de sangue. **Vem de Edom** é uma frase dramática com a intenção de especificar não somente o local do conflito mas a natureza do inimigo. **Edom** era a terra de Esaú, o adepto do secularismo (Hb 12.16; "profano", no sentido de "comum, mundano e ímpio"), e **Bozra** era a sua capital. Os edomitas eram como os típicos empreendedores modernos em relação a tudo, menos no que dizia respeito à graça. Sua parte na história tinha sido de persistente hostilidade aos hebreus. Eles são, portanto, representantes do mundo que odeia o povo de Deus.

Bozra é uma palavra hebraica que rima com o termo *Bosser*, "vinhateiro". No simbolismo bíblico, as uvas foram associadas à ira divina em muitas ocasiões (Ap 14.18-20). **Vestes tintas** podiam lembrar o fato de que aquele que pisava as uvas no tanque muitas vezes ficava com suas vestes salpicadas com o suco das uvas. Mas aqui a cor é de sangue que acabou de ser derramado, deixando as vestes com um vermelho brilhante. **Este que é glorioso em sua vestidura** significaria que essa roupa manchada de sangue do Conquistador era uma glória para Ele (cf. Na 2.3 e Ap 19.13).

Que marcha com a sua grande força retrata esse Conquistador caminhando com o peito para fora e a cabeça erguida, como alguém que está exultando na sua vitória. "Lançando sua cabeça para trás na grandeza da sua força", é a tradução de von Orelli.

Eu, que falo em justiça, poderoso para salvar, é sua resposta para a pergunta: **Quem é este**? "Eu sou aquele que pronuncio justiça, poderoso para ajudar" (von Orelli). Isso lembra o texto em 45.19-24, e serve para identificar essa Pessoa importante como sendo o Servo Ideal do Senhor dos Exércitos, que reparte os atributos divinos.

2. O Chamado para uma Explicação (63.2)

Aqui estamos novamente diante da antiga pergunta: Por quê? **Por que está vermelha a tua vestidura? E as tuas vestes, como as daquele que pisa uvas no lagar?** Por que as vestes manchadas de sangue, ou as roupas salpicadas de vinho? Essa não é a cor da vestimenta que o guerreiro normalmente usa. A palavra hebraica *adom*, significando "vermelho" (cf. Adão), está proximamente ligada à palavra Edom (cf. Gn 25.30). A terra dos edomitas tem uma abundância de terra vermelha e rochas de arenito vermelhas. **Lagar** no hebraico traz a sílaba *Geth*, que tem a idéia de "espremer" ou "prensar" e é a primeira sílaba do nosso outro termo importante "Getsêmani", que significa "prensa de azeite".

3. *O Herói Solitário* (63.3)

Aceitando a metáfora sugerida do profeta, esse Conquistador responde: **Eu sozinho pisei o lagar [...] ninguém se achava comigo**. Esse Solitário é o nosso próprio Salvador confessando sua batalha solitária em seu sofrimento por nossa justificação e salvação. **Dos povos** (nações) **ninguém** estava em condições de ser o instrumento de julgamento do Eterno. Mas aqui está Aquele que diz: "o príncipe deste mundo está julgado" (Jo 16.11; cf. Ap 19.15).

Os pisei na minha ira e os esmaguei no meu furor. Sozinho e sem ajuda, sem aliados, está essa grande Figura, que com grande poder esmaga seus inimigos. "E o sangue deles salpicou meus mantos, até que toda minha roupa ficou manchada" (Moffatt).

4. *A Fúria do Julgamento Mundial* (63.4-6)

Porque o dia da vingança estava no meu coração, e o ano dos meus redimidos é chegado (4; cf. 61.2). Um **dia** é tempo suficiente para Deus se vingar, matar e destruir, mas esse **dia da vingança** conduz ao **ano** da redenção. Aqui temos o motivo para a ação que resulta nas roupas manchadas de sangue.

A busca por um aliado termina em desapontamento e assombro com a indiferença e a inabilidade humana. **E olhei, e não havia quem me ajudasse; e espantei-me de não haver quem me sustivesse** (5; cf. 59.16). Nenhum homem tem parte na expiação pelos nossos pecados. A batalha foi enfrentada por Ele sem qualquer tipo de ajuda. Ele não teve aliados humanos, porque eles todos o abandonaram e fugiram. **Pelo que o meu braço me trouxe a salvação, e o meu furor me susteve**.

> O significado disso é que ninguém, com disposição consciente para auxiliar o Deus de julgamento e salvação em seu propósito, associou-se com Ele. A igreja devota a Ele foi o objeto de redenção; a massa dos alienados de Deus foi o objeto de julgamento. Ele viu-se sozinho; nem a cooperação humana, nem o curso natural das coisas serviram de ajuda na execução do seu plano; portanto, Ele renunciou à ajuda humana e interrompeu o curso natural das coisas por uma obra maravilhosa da sua parte.[24]

Pisei [...] e os embriaguei (6) serve como indicativo do que as Escrituras têm a dizer acerca do cálice da ira divina (51.17; Sl 75.8; Jr 25.15). Pessoas embriagadas no furor divino também podem significar pessoas cambaleando sob os juízos divinos. **A sua força derribei por terra** é melhor traduzido de acordo com a NVI: "Derramei na terra o sangue delas". Assim, sua destruição foi total, esmagadora e absoluta. Os Targuns hebraicos trazem: "Eu os quebrei em fragmentos".

Essa figura é inteiramente apocalíptica, e como tal influenciou Apocalipse 19.11-16, em que é descrito o julgamento geral das multidões de ímpios. A agonia de Cristo e sua cruz eram, na verdade, um conflito com os poderes do mal (Jo 12.31-32; Cl 2.15), e os crentes podem gritar: "Aleluia!", porque agora estamos lutando contra um inimigo derrotado (1 Pe 5.8-11).

G. O Povo de Deus em Oração, 63.7—64.12

Esta passagem nos deixa sentir a emoção agradavelmente intercessora do profeta. Isaías identifica-se com a vida e destino do seu povo, enquanto, ao mesmo tempo, ele assume o papel dos "lembradores" do Senhor (62.6) e relata os relacionamentos históricos entre seu povo e seu Deus. A oração, embora expressa pelo profeta, também pode verbalizar a preocupação da minoria santa que ainda permanecia em Judá. No entanto, o povo de Deus em oração envolve, em primeiro lugar, o profeta de Deus em oração. George Adam Smith habilmente observa:

> Temos aqui uma das passagens mais nobres da grande obra do nosso profeta. Quão parecido ele é com o Servo que retrata para nós! Como o seu grande coração preenche o ideal mais elevado de serviço: não apenas em ser o profeta e juiz do seu povo, mas em tornar-se um com eles em todos os seus pecados e sofrimentos, e carregar a todos em seu coração.[25]

Isaías tinha uma clara percepção da culpa nacional. Ele vê o povo afundado na idolatria e impiedade, incapaz de perceber a Presença Divina ou de apreciar as grandes promessas de Deus. Contudo, ele se dispõe a fazer mais um esforço para salvar a todos por intermédio da oração intercessória.

Smith observa mais adiante: "Não há nada na oração que mostre que o autor morava no exílio [...] a oração, portanto, deve ser da mesma época do restante da profecia [...] nem há qualquer motivo para não atribuí-la ao mesmo autor".[26] Smith então menciona que podemos perceber nesse texto alguns dos pensamentos mais característicos do profeta.

Acerca dessa passagem Muilenberg escreveu:

> Talvez não exista nenhuma outra passagem de escopo semelhante na Bíblia que retrate tão profunda e laboriosamente a natureza do relacionamento entre Israel e Deus. As palavras nascem da agonia e dor do profeta pelo seu povo e da grande tradição histórica na qual Deus se fez conhecer a Israel. Elas são a autobiografia de Israel na linguagem mais profunda e elevada de um homem.[27]

Ele a divide em sete estrofes no hebraico, como segue: retrospectiva histórica (duas estrofes, 63.7-10 e 11-14), petição (três estrofes, 63.15-16, 17-19; 64.1-5b), confissão (64.5c-7) e o apelo final (64.8-12). A sugestão de Plumptre também é válida. Ele afirma que neste texto encontramos louvor, narrativa e súplica.[28] É bastante provável que Isaías tenha composto essa oração para uma das três ocasiões de jejum e oração em Judá. Encontramos nessa passagem a consciência da personalidade comunitária da nação, a recordação da herança na nação, e a confissão da culpa da nação. É um *Hino* provindo da *pena* e mente do maior profeta hebraico.

1. Ação de Graças pelas Misericórdias mostradas (63.7-10)
De acordo com Salmos 50.23, esta era a maneira apropriada de iniciar uma oração a Deus, especialmente por aqueles que esqueceram dele.

a) *O cântico da benignidade de Deus* (63.7). **As benignidades do Senhor mencionarei.** Recordar os atos misericordiosos de Deus de acordo com tudo que o Eterno tem feito por nós renovará nossa apreciação da sua bondade, misericórdia e amor. Ronald Knox traduz essa passagem belamente nas linhas abaixo: "Ouvi vós enquanto conto novamente a história das misericórdias do Senhor, da fama que Ele adquiriu; tudo que o Senhor tem feito por nós, toda abundância de bênçãos do seu amor perdoador e sua imensa compaixão derramada sobre a raça de Israel".

A palavra-chave aqui no hebraico é *chesed*, que tem sido traduzida de maneira variada por "amor imutável", "benignidade", "amor leal" ou "misericórdia". Moffatt traduz essa palavra por "atos de amor" nessa passagem. Essas são as coisas acerca de Deus que o profeta deseja celebrar e comemorar. Assim, o versículo inicia e termina com esse importante termo. Também encontramos a repetição da palavra "conceder" (o termo hebraico *gâmal*), o tríplice uso do nome de Deus, bem como da palavra **segundo**.

b) *O Pai adotivo, salvador e eterno* (63.8). **Certamente, eles são meu povo, filhos que não mentirão.** Aqui encontramos a adoção de Israel por Deus como seus filhos no Egito, arriscando tudo na fidelidade deles. Nessa esperança, Ele tornou-se Salvador e Libertador deles, considerando-os "filhos que nunca serão falsos comigo" (Moffatt). Aqui vemos a confiança de Deus no homem. Devemos confiar nele porque Ele primeiro confiou em nós. **Assim ele foi seu Salvador.** "Assim ele se tornou um libertador para eles" (von Orelli).

c) *O Redentor compassivo* (63.9). **Em toda a angústia deles foi ele angustiado.** A angústia deles começou no Egito tão logo se levantou um outro Faraó que não conhecia a José (Gn 15.13; Êx 1.8). Alguns comentaristas, com base no hebraico, traduzem essa frase da seguinte forma: "Em toda sua angústia, Ele não foi um adversário para eles",[29] ou de acordo com Naegelsbach no *Lange's Commentary*: "Em toda sua opressão Ele não foi um opressor".[30] Mas a tradução de von Orelli é preferível: "Sempre que eles eram angustiados, Ele também sentia angústia, e o anjo da sua face os libertou; em seu amor e paciência ele os libertou e os levantou e os conduziu todos os dias do passado."

Hoje o mistério de Deus em compartilhar dos sofrimentos dos homens fica evidente para nós através de Cristo. Isso é anunciado quando o profeta diz: **o Anjo da sua presença os salvou.** A expressão não ocorre em nenhum outro texto do Antigo Testamento (mas cf. Êx 14.19; Jz 13.6 e At 27.23). Podemos perguntar: Quem é este 'anjo da sua presença'?" Certamente não pode ser nenhum outro senão "o anjo do Senhor" (*mal'akh Yahweh*.; cf. Gn 16.7; Nm 22.23; Jz 13.3). Este, portanto, não é um anjo ou um arcanjo (lembre-se que a palavra "anjo" significa mensageiro), mas, sim, a própria personificação da Presença divina. Deus não enviou um substituto. Ele não os salvou por meio de um enviado ou mensageiro. Foi sua própria presença que trouxe livramento para eles. Assim, nós temos aqui um exemplo de uma atividade pré-encarnada da Segunda Pessoa da Trindade (cf. Êx 23.20-23; 32.34; 33.2).[31] O mistério da Santa Trindade é revelado no

Novo Testamento, mas mesmo no Antigo Testamento podemos identificar uma luz desse relacionamento. Aquele que é chamado de "presença de Deus" (*panim*) não pode ser ninguém menos do que Aquele através de quem Deus vê e é visto. **Pelo seu amor e pela sua compaixão, ele os remiu.** De acordo com Delitzsch, um termo melhor para **compaixão** é "bondade perdoadora". Lemos em Êxodo que Deus desceu para libertar seu povo do Egito (Êx 3.6-8a). Assim, Ele os comprou para ser sua posse particular (Dt 32.9). **E os tomou, e os conduziu todos os dias da antigüidade**, exatamente como um pai faz com o seu filho. "...vos levei sobre asas de águias" (Êx 19.4) lembra da águia-mãe ensinando seus filhotes a voar. Assim Deus os levou em segurança pelo deserto (Dt 32.10-12).

d) *O Espírito Santo entristecido* (63.10). **Mas** — aqui está esse terrível adversário que introduz o real em contraste com o que deveria e poderia ter sido. **Eles foram rebeldes e contristaram o seu Espírito Santo**; lit., "seu Espírito de santidade". Corretamente a palavra **Santo** está com a inicial maiúscula, bem como **Espírito**. Aqui está mais uma alusão à Trindade. A Versão Berkeley traz o seguinte na nota de rodapé: "Seu 'Espírito Santo' está entristecido, o que mostra que o profeta considerava-o uma pessoa". Plumptre chama isso de "prenúncio da verdade da personalidade trina e una da unidade da Divindade".[32] (Cf. Sl 78.40-41 e 106.43). "Eles foram rebeldes e entristeceram o Espírito Santo ao resistir aos toques da sua graça e ao ofender sua natureza santa com as suas más ações".[33] **Pelo que se lhes tornou em inimigo** (Lm 2.3-5), **e ele mesmo pelejou contra eles**. Quanto melhor é estar do lado de Deus nas questões da vida e tê-lo como nosso Advogado, em vez de tê-lo como nosso Adversário! "A conseqüência necessária de resistir ao Espírito Santo é que o Senhor é transformado em adversário daquele que lhe resiste. A palavra "Ele" é enfática antes da frase **pelejou contra eles**. Quão terrível é tê-lo como Adversário!"[34] (Cf. Hb 10.31). Como Plumptre traz: "O que entristecia o Espírito Santo era [...] a maldade do povo, e isso envolvia uma mudança da manifestação do Amor Divino, que agora era forçado a se revelar em forma de ira".[35]

2. *Recordação de Livramentos Conhecidos* (63.11-14)
Todavia, se lembrou (melhor traduzido como: "eles lembraram") **dos dias da antigüidade**. Esse é um dia de esperança para os apóstatas que no meio das suas dificuldades lembram do tempo da graça e do livramento anterior de Deus.

A libertação da escravidão e o dom do Espírito Santo são, e sempre foram, a obra dupla de Deus. Veja que a pergunta: **Onde está aquele**? (11) foca nossa atenção nos dois aspectos. Primeiro, o batismo "em Moisés, na nuvem e no mar" (1 Co 10.2), então o Espírito Santo dentro deles (o **deles** dessa passagem indubitavelmente refere-se "ao povo"[36]). Se analisarmos os versículos 11,12, temos: 1) Livramento — **do mar**, 2) Dinâmica — o **Espírito Santo** neles, 3) Defesa — **as águas** fendidas, e 4) Distinção — o **nome eterno**.

Onde está aquele que os fez subir do mar como os pastores do seu rebanho? Algumas versões trazem "pastor", no singular, referindo-se provavelmente a Moisés. "Pastores" no plural poderia incluir, além de Moisés, Arão e Miriã. **Aquele cujo braço glorioso ele fez andar à mão direita de Moisés** (12). Nesse caso, o braço do Eterno também é personificado como Aquele que estava pronto para levantar Moisés se ele viesse a tropeçar. Podemos contar com o companheirismo de Deus em nossas lutas se confiarmos nele. Ele dividiu **as águas diante deles, para criar um nome eterno**. As obras poderosas de Deus testificam da sua natureza (Êx 9.16). Mesmo hoje, é o sobrenatural que anuncia o Ser Supremo.

Os versículos 13-14 expressam uma segurança maravilhosa quando Deus trouxe seu povo para fora da escravidão: "tão confiantes quanto ovelhas na campina" (Moffatt). Observe o nome *eterno* no versículo 12, e o nome *glorioso* no versículo 14. A tradução feita por Knox da Vulgata diz: "Pelas águas eles passaram, tão seguros quanto um cavalo que é levado pelo deserto; tão cuidadoso quanto um guia em uma ladeira traiçoeira, o espírito do Senhor guiou seu povo. Assim, os guiou para casa e fez para si um nome glorioso".

Acerca da expressão **como o cavalo, no deserto** (13), Moffatt traz: "como cavalos em um campo aberto". O hebraico indica uma terra pastoril ampla e coberta de grama, não um deserto arenoso, como sugere o termo **deserto**. Naegelsbach comenta acerca dessa imagem:

> Poderíamos supor que Israel teria caminhado com tremor e com passos incertos o estranho caminho sobre o fundo do mar, sobre o qual pés humanos nunca haviam pisado, com as paredes das águas dos dois lados. Mas, não foi assim. Rápida e seguramente, como o cavalo do deserto passa pelo deserto plano, sem cambalear, assim eles marcharam naquele caminho estranho e perigoso.[37]

Como ao animal que desce aos vales (14) é parafraseado por Plumptre da seguinte forma: "como o gado que desce das colinas para a rica pastagem nos vales".[38] **O Espírito do Senhor lhes deu descanso** — "o espírito de Yahweh os levou para descansar" (von Orelli). **Assim guiaste ao teu povo** sugere a disciplina da orientação divina. **Para criares um nome glorioso** traz a idéia de um memorial gracioso e pode ser entendido da seguinte forma: "e conseguiste para ti reputação e glória" (Moffatt).

3. *Importunação para Deus Reconhecer os Seus* (63.15-19)

Aqui o profeta relata as condições trágicas do presente e clama para que o Senhor faça alguma coisa.

a) *Um apelo à condescendência divina* (63.15-16). **Atenta desde os céus** (cf. 2 Cr 6.21) **e olha** (15; cf. Sl 33.13-14). Uma reflexão acerca do passado inspirou urgência na oração. **Desde a tua santa e gloriosa habitação** sugere a distância entre a altura da santidade de Deus e a habitação inglória e profana das pessoas, que, embora vivam no elevado monte de Jerusalém, estão mergulhadas nas profundezas do pecado e iniqüidade. **Onde estão o teu zelo e as tuas obras poderosas?** Onde estão o antigo cuidado divino e os atos poderosos passados? **A ternura das tuas entranhas e das tuas misericórdias [...] para comigo** pode ser entendido: "o suspiro do teu coração", ou como a versão Berkeley traz: "tua ardente compaixão e misericórdia". "Onde está o teu amor zeloso, onde está tua força guerreira? Onde está teu coração anelante, tua compaixão?" (Knox). **Detém-se para comigo** também pode ser entendido: "Elas já nos faltam", indicando que elas já não se manifestam.

Pais terrenos e carnais podem nos esquecer ou rejeitar, mas certamente esse não é o caso do Eterno. **Mas tu és nosso Pai** (16) sugere que somente Javé é o verdadeiro Pai de Israel. No entanto, a paternidade de Deus vai além de uma única nação (cf. Mt 3.9). Talvez o profeta esteja tomando a atitude de uma criança que diz: "Pai, não consigo ver o teu rosto nessa escuridão, mas deixe-me ouvir a tua voz e sentir a tua presença".

Ainda que Abraão nos não conhece, e Israel (i.e., Jacó) **não nos reconhece** sugere que Abraão poderia repudiar seus descendentes, mas o Senhor continuaria reconhecendo-os. Smart acredita que o profeta pode ter tido em mente o fato de que a maior parte da nação, que ele denomina de **Abraão** e **Israel**, repudiou o profeta e sua minoria fiel e santa. No entanto, o remanescente fiel faz intercessão pela nação inteira.[39] Isso também levantaria a pergunta acerca de quem realmente são os filhos de Abraão (cf. 51.1-2; Mt 8.11-12; Jo 8.39-42; Rm 2.28-29). **Tu, ó Senhor, és nosso Pai; nosso Redentor**. Devemos lembrar aqui que o resgatador é o parente mais próximo e tem o direito de comprar de volta ou redimir da escravidão.

Desde a antigüidade ("eternidade") **é o teu nome.** "Nosso Redentor tem sido teu nome desde a antigüidade".[40] **Redentor** primeiro aparece como nome para Deus em Jó 19.25, depois em Salmos 19.14 e 78.35. Mas essa situação ocorre pelo menos treze vezes na segunda parte da profecia de Isaías. Esse, então, é o nome singular e imemorável do Eterno.

b) *O mistério do abandono divino em decorrência do pecado* (63.17-19). A tendência dos inconstantes aqui seria criticar e condenar Deus. Por que nos deixar perambulando? E, por que abandonar-nos à dureza de caráter na irreverência? Por que permitir que suas ovelhas se desviem?

Por que, ó Senhor, nos faz desviar dos teus caminhos? Por que endureces o nosso coração, para que te não temamos? (17). "E endurecer nosso coração para não temermos a ti?" (Lamsa, *Peshitta*). Isso se assemelha ao fatalismo do Oriente Médio que faz com que tudo seja da vontade de *Alá*. Dessa forma, Jerônimo (escrevendo anos mais tarde em Belém) insiste em que Deus não é a causa do erro e dureza de coração, mas o erro e obstinação são apenas "indiretamente" ocasionados pela sua paciência, enquanto não castiga os ofensores.[41] Delitzsch comenta de forma parecida: "Quando os homens rejeitam a graça de Deus de maneira escarnecedora e obstinada, Ele a tira deles judicialmente, abandona-os aos seus desvios, e torna os seus corações incapazes de crer".[42] Uma coisa sabemos: o efeito do pecado é mais pecado. Atos se transformam em hábitos que, por sua vez, tornam-se padrões de comportamento crônicos.

Faz voltar, por amor dos teus servos, as tribos da tua herança. "Por amor dos teus próprios servos, abranda, por amor da terra que, por direito, é tua" (Knox). "Suspenda, por amor dos seus servos" (Moffatt). Deus sempre tem um remanescente que não dobra seus joelhos a Baal. Se Deus tiver compaixão, tudo ficará bem. Quão ardentemente, portanto, a santa minoria de Deus anela pelo próprio Deus!

O santuário divino foi posse do povo santo por um breve período somente. "O povo da tua santidade possuiu a terra, mas por pouco tempo. Nossos opressores têm pisoteado o teu santuário" (18; Lamsa, *Peshitta*). Isaías e a "minoria santa" ocuparam a liderança nos últimos anos de Ezequias, mas agora que Manassés ascendera ao trono tudo isso fora revertido. **Teu santo povo** quer dizer o remanescente justo dos dias de Isaías. Eles pareciam perguntar: "Por que os ímpios deveriam pisar no monte santo?".

Tornamo-nos (Tornaram-se) como estrangeiros ao governo divino, ou como estranhos que Deus nunca reivindicou como seus; não eram em nada melhores do que os pagãos, **nunca se chamaram pelo teu nome** (19). Moffatt traduz: "Somos como aqueles que nunca conheceram o teu governo, que nunca reivindicastes como teus". Nossos privilégios e bênçãos estão todos perdidos. Ninguém nos reconheceria como povo de Deus.

4. *Súplica para que o Poder de Deus se Manifeste* (64.1-5b)

A oração agora assume uma natureza de desespero, insistindo em que o terror do Senhor é melhor do que seu silêncio.

a) *Anelando pela manifestação de Deus* (64.1-3). A oração é para que haja uma intervenção divina visível (uma teofania), até que o mundo trema diante do aspecto impressionante da Presença divina. **Ó! Se fendesses os céus e descesses!** (1). O intercessor, agora em desespero, clama por um outro Sinai flamejante com Deus. "Ó Deus, rompa os céus que parecem como bronze, e responda do alto!". Deus, em seu palácio celestial, parecia coberto com um véu e em silêncio. **Se os montes se escoassem diante da tua face!** ("tremessem", RSV).

Como quando o fogo inflama (2). O fogo é um elemento em quase todas as teofanias bíblicas (Hb 12.18-29). "A manifestação da santidade de Deus era necessariamente uma manifestação violenta, como o fogo que queima os gravetos, i.e., com grandes estalos, ou chamas que fazem a água ferver".[43] **Para fazeres notório o teu nome aos teus adversários** traz a idéia de que a revelação é o propósito de todas as teofanias. **Assim as nações tremessem da tua presença** ("e as nações tremam diante de ti", NVI), visto que a revelação de Deus envolve julgamento aos pecadores. "Assim a tua fama se espalhará entre teus inimigos e o mundo tremerá diante da tua presença" (Knox).

Quando fazias coisas terríveis, que não esperávamos (3) lembra de eventos significativos entre o Egito e Canaã que estavam além da expectativa de Israel. **Descias, e os montes se escoavam diante da tua face**. Assim, esses versículos começam e terminam com o mesmo fenômeno na natureza. Podemos lembrar do grande terremoto que é profetizado no Apocalipse (Ap 16.18).

b) *A incomparabilidade divina* (64.4-5b). "Nem ouvido **ouviu** nem olho **viu** (4) um Deus como tu, que opera poderosamente a favor daqueles que esperam com fé, e que se manifesta àqueles que se deleitam na justiça" (paráfrase). Observe essa passagem usada pelo apóstolo Paulo (1 Co 2.9). "Desde os tempos antigos os homens não ouviram ou perceberam, nem olho humano viu um Deus além de ti que trabalha para aqueles que esperam nele. Vens ajudar aquele que é jubiloso, que trabalha com justiça e que se lembra de ti e dos teus caminhos" (Berk.).

5. *Confissão de que o Pecado é o Único Problema* (64.5c-7)

Quando os pecados cometidos há muito tempo se unem com a contaminação da justiça própria, o povo de Judá torna-se como folhas que murcham e caem.

a) *O contraste da impureza do povo* (64.5c-6). **Eis que te iraste** (5) sinaliza a mudança do homem em oração de uma disposição de fé e esperança para uma disposição de penitência e confissão. "Mas tu te iraste com os nossos pecados, com a quebra da nossa fé" (Moffatt). **Porque pecamos.** Quando o senso aguçado da presença de Deus definha, os homens, com freqüência, se tornam culpados dos pecados de arrogância e presunção, e esses são logo seguidos de atos de iniqüidade. **Neles há eternidade** é traduzido assim pela RSV: "Em nossos pecados temos nos demorado", ou pela NVI: "Prosseguimos nós em nossos pecados". Uma corrupção crescente marca o curso do mal, por isso Oséias precisa dizer: "Agora eles pecam cada vez mais" (Os 13.2, NVI; cf. 57.17). **Para que sejamos salvos** deveria mais apropriadamente ser lido como uma pergunta: "Como, então, seremos salvos?" (RSV).

Todos nós somos como o imundo. O pecado é uma infecção mortal. **Todas as nossas justiças, como trapos de imundícia.** O hebraico sugere Levítico 15.19-24 e o pano menstrual. **Todos nós caímos como a folha.** O pecado tira a vitalidade e os poderes de resistência da alma. Ele dissipa tanto a coragem física como a espiritual. **Nossas culpas, como um vento, nos arrebatam.** A figura é de folhas murchas de outono levadas pelo vento.

b) *A maldição do abandono de Deus* (7). **Ninguém há que invoque o teu nome.** Essa condição das pessoas é, na verdade, desesperadora, visto que ninguém procura se beneficiar da ajuda de Deus. **Que desperte e te detenha.** "Quando Deus oculta sua face, a pessoa perde o impulso de ir em sua direção".[44] **Porque escondes de nós o rosto** indica que a realidade da presença de Deus está completamente perdida. Para eles, Deus está morto. **E nos fazes derreter, por causa das nossas iniqüidades** (no calor da ira divina). A Versão Berkeley diz: "nos entregou ao controle das nossas iniqüidades". Deus nos salve de nós mesmos!

6. *Súplica para que Deus não Abandone Aqueles que lhe Pertencem* (64.8-12)
Este apelo final a Deus está baseado na paternidade do Senhor. O profeta suplica para que Deus se lembre do seu trabalho, e que na sua ira se lembre da sua paternidade. Então vem o lamento de desolação, seguido de uma pergunta penetrante: De que maneira o Eterno poderá deixar de agir?

a) *Na ira lembre da afiliação* (64.8-9). **Mas, agora, ó Senhor** (8) é um apelo fervoroso que abre essa seção. **Tu és nosso Pai**, declara o profeta, embora não se atreva a acrescentar: "e nós somos teus filhos", à luz de todo pecado e impureza que acabara de confessar. Observe que aqui a ênfase está no relacionamento com o Pai-Criador, enquanto em 63.16 destaca o relacionamento com o Pai-Redentor. **Nós, o barro, e tu, o nosso oleiro; e todos nós, obra das tuas mãos** (cf. Jó 10.9). Será que Deus destruirá a sua obra? Toda a humanidade deve reconhecer uma criação comum. Podemos tentar viver como deuses, mas todos morremos como homens (Sl 82.6-7).

Não te enfureças tanto, ó Senhor (9) em uma linguagem mais moderna significa de forma simples: "Não estejas excessivamente irado" (RSV) ou "não te ires demais" (NVI). **Nem perpetuamente te lembres da iniqüidade**; a memória de Deus evidencia a mentalidade histórica de Israel. **Eis, olha, nós te pedimos, todos nós somos o teu povo** (cf. 63.8). O profeta era um grande advogado e defensor.

b) *O lamento de desolação* (64.10-11). Jesus provavelmente tinha essa mensagem em mente quando proferiu seu grande "Lamento sobre Jerusalém" (Mt 23.37-39). Aqui a reclamação lembra o Eterno de que as cidades santas estão assoladas e a **santa [...] casa** consumida pelas chamas, e todos os antigos lugares estão em ruínas. Aqueles que entendem que **nossa santa e gloriosa casa** significa o Templo, acreditam que Isaías está falando profeticamente da destruição do Templo e continuam combatendo a autoria de Isaías dessa passagem.

c) *Como Deus pode abster-se de uma ação imediata?* (64.12). A impaciência do homem muitas vezes tem clamado: "Por que Deus não faz algo a esse respeito?" **Conter-te-ias tu ainda sobre estas calamidades, ó Senhor?** "Ficarás em silêncio e nos oprimirás com calamidade?" (Knox). Poderia ser que tanto a ternura como a indignação natural deveriam encontrar uma abertura na natureza divina. Esse, então, é o mistério do silêncio divino, o qual está suspenso como um fardo opressivo sobre a alma do profeta.

H. A Resposta de Deus para as Súplicas do seu Povo, 65.1-25

Este capítulo é a seqüência e conclusão da oração precedente, enquanto, ao mesmo tempo, é tão semelhante ao capítulo que segue, que um único pano de fundo e autoria devem ser adotados. Mas aqui vemos a divisão dos caminhos entre os apóstatas de Judá e a minoria justa e fiel. O capítulo deixa bem claro que não é todo Israel que será salvo; Deus encaminhará a cada um os seus desertos. O Deus fiel concederá ao seu remanescente fiel um novo nome e uma nova bênção.

1. *O Aspecto Duplo da Retribuição Divina* (65.1-16)
A profunda convicção do profeta é que Deus faz distinção entre caráter e práticas. Quando Deus age na história, é tanto para retribuição como para redenção.

a) *A culpa da distância* (65.1-7) A figura aqui é de súplica inútil do Eterno a um povo persistentemente rebelde.
1) Acessibilidade sem sucesso (1-2). **Fui buscado [...] fui achado** (1) são frases que introduzem o fato da prontidão e zelo de Deus de deixar-se achar. Este é o início da resposta divina à oração do seu profeta e seu povo. A paráfrase de Plumptre diz: "Eu estava pronto para responder àqueles que não perguntaram, estava perto para ser descoberto por aqueles que não me buscaram".[45] Na verdade, Deus sempre tem tomado a iniciativa em reparar o relacionamento quebrado entre Ele e o homem. **A um povo que se não chamava do meu nome eu disse: Eis-me aqui** ("Aqui estou", RSV). **Estendi as mãos [...] a um povo rebelde** (2). Deus, como Pai, tinha suas duas mãos estendidas a um filho que não queria ir a Ele (cf. Mt 11.28-30). Assim, mais uma vez, Deus precisa se referir a eles como **a um povo rebelde** (*'am sorer*). A culpa da aparente distância entre Israel e o Senhor dependia de Israel, que **caminha por caminho que não é bom**. Como séculos mais tarde o Filho de Deus precisou dizer: "Vocês estudam cuidadosamente as Escrituras, porque pensam que nelas vocês têm a vida eterna. E são as Escrituras que testemunham a meu respeito; contudo, vocês não querem vir a mim para terem vida" (Jo 5.39-40, NVI). A

situação é, como Moffatt traduz, a seguinte: "Estendi as minhas mãos, o dia todo, a rebeldes teimosos, que levam uma vida corrupta, agradando-se a si mesmos".

2) Agravamento imperdoável (3-5). Aqui a acusação é que Judá comportou-se presunçosamente, de uma maneira abominável e hipócrita. Como, então, pode Deus adotar qualquer outra atitude senão uma atitude reservada em relação a esse povo e suas práticas? É difícil expressar em português o desgosto divino nesse texto, por isso uma tradução mais recente (como a NVI) pode ajudar na sua compreensão:

> Esse povo que sem cessar me provoca abertamente, oferecendo sacrifícios em jardins e queimando incenso em altares de tijolos; povo que vive nos túmulos e à noite se oculta nas covas, que come carne de porco, e em suas panelas tem sopa de carne impura; esse povo diz: 'Afasta-te! Não te aproximes de mim, pois eu sou santo!' Essa gente é fumaça no meu nariz! É fogo que queima o tempo todo!

Sacrificar **em jardins** (3) era uma prática comum em Judá nos dias de Acaz (cf. 1.29; 57.5 e Ez 20.28). Acreditava-se que a deusa da natureza era mais bem adorada entre as sepulturas, ou nos jardins, por meio de ritos em que o sensualismo tinha um papel especial. Altares de **tijolos** podem ter sido os telhados das casas. De qualquer forma, altares feitos de tijolos eram proibidos pela lei judaica (Dt 27.6; Js 8.31).

Assentar-se **junto às sepulturas** (4) também seria uma prática impura para os judeus, mas bastante aceita entre aqueles que buscavam comunicar-se com os espíritos dos mortos. "Sempre que a religião deteriora para uma adoração convencional, a porta se abre amplamente para a entrada da superstição".[46]

Passando as noites junto aos lugares secretos envolve as práticas de rituais misteriosos. Isso provavelmente consistia em procurar mensagens do outro mundo ao dormir no chamado "lugar sagrado". Jerônimo, ao comentar sobre essa passagem, chama a atenção para o fato de que os homens dormiam nas catacumbas do templo de Esculápio, na esperança de receber visões acerca do futuro. O uso da **carne de porco** havia sido proibido desde os dias de Moisés (Lv 11.7), não somente por motivos sanitários, mas porque porcos novos eram sacrificados nas festas a Tamuz (Ez 8.14), ou no rito a Adonis (cf. 66.17). Isso indica que a localização do autor não era a Babilônia. **Caldo de coisas abomináveis** indicaria uma festa sacrifical de carnes impuras. A expressão realmente significa "fragmentos de coisas impuras".

O versículo 5 indica que "embora manchado com todas as abominações pagãs, eles eram santarrões vaidosos como membros de uma ordem secreta, e chegavam a evitar contato com seus compatriotas".[47] Como resultado desses ritos supostamente sagrados através dos quais eles tinham passado, o comungante era considerado "santo" e não deveria ser profanado por nenhum contato com alguém que não fosse santo. Assim, aquele que tinha sido instruído no rito misterioso podia dizer: **sou mais santo do que tu**. Mas, tudo isso Deus chama de **uma fumaça no meu nariz** ("um mau cheiro nas minhas narinas"). "Na antropologia psicofísica hebraica, o nariz era o local da raiva. A palavra para 'raiva' e nariz, ou narinas, é a mesma no hebraico".[48]

3) Acúmulo irrestrito (6-7). Os pecados e suas conseqüências formam uma avalanche poderosa no desgosto divino, que é derramada no colo do pecador em forma de condenação. Aqui o Senhor chama atenção à sua declaração escrita de retribuição certa: **Eis que**

está escrito diante de mim (6). Ele jurou: **não me calarei; mas eu pagarei**. Portanto, não permita que o ímpio trate o Deus longânimo como se Ele fosse alguém suscetível ao esquecimento. Porque Ele "dará plena e total retribuição" (NVI, cf. Jr 16.18).

b) *O abismo da diferença* (65.8-12). Mas nem todo Israel será rejeitado. Um remanescente será poupado, ainda que os apóstatas certamente experimentarão a ira divina.

1) O afortunado remanescente futuro (8-10). O **mosto em um cacho de uvas** (8) especifica o suco não fermentado da uva (cf. o termo hebraico *tirosh*). Deus têm servos fiéis no meio de uma nação infiel, e por amor a eles Ele não a destruirá completamente. **Há bênção nele**. Somente o fiel e o espiritual podem reivindicar de maneira justa serem esse elemento no cacho de uvas de Judá. Algumas comunidades devem muito a esses poucos justos que estão no meio delas!

Meus montes (9) refere-se ao fato de a Palestina realmente ser formada por uma série de montes. **Sarom** [...] **e** [...] **Acor** (10) simbolizam "do oeste ao leste" (ou "do ocidente ao oriente"), da mesma forma que a expressão "de Dã a Berseba" simboliza "do norte ao sul". **Sarom** é a rica planície costeira que se estende ao norte ao longo do litoral de Tel Aviv até perto do monte Carmelo. **O vale de Acor** é provavelmente o uádi *Kelt* perto de Jericó (Js 7.24; 15.7; Os 2.15). Assim, toda a terra será um jardim do Senhor, reservado para o seu "pequeno rebanho", **para o meu povo que me buscar**.

2) O destino daqueles que deixam de responder (11-12). Aqueles que prepararam uma festa para a Fortuna ("deusa Sorte", NVI) serão destinados **à matança** (12), porque não prestaram atenção ao chamado ou anelo do Senhor. **Mas a vós** (11) é enfático e se refere aos apóstatas que se apartaram do Senhor e esqueceram da verdadeira adoração a fim de seguir rituais pagãos. **Uma mesa para a Fortuna** ("deusa Sorte", NVI; hb. Gade, cf. nota de rodapé da ARC), "e enchem taças de vinho para o Destino" (RSV). Adorar os deuses da sorte ou do destino também é comum em nossa era. Algumas pessoas confiam mais na sorte do que em Deus. E alguns crêem mais em horóscopos do que na Palavra de Deus.

Também vos destinarei à espada (12) indica a destruição do infiel. **Porquanto chamei, e não respondestes**. Essas pessoas não respondiam ao chamado divino para se arrependerem, mas escolhiam permanecer no mal.

c) *A afável diferença* (65.13-16). Nessa passagem, encontramos quatro vezes o contraste radical: **meus servos** [...] **mas vós**.

1) As mesas viradas (13-15; cf. Berkeley e notas de rodapé). Lemos acerca de bênçãos prometidas aos servos do Senhor Eterno (*Adonai Yahweh*, em hebraico), mas **fome, sede**, dor e angústia — além de um nome que é usado somente em uma maldição, e a matança final — para os ímpios. A frase dramática: **assim diz o Senhor Jeová** (13) introduz o oráculo do julgamento escatológico. A Palavra **Eis** é usada quatro vezes aqui. **Fome** [...] **sede** indicam desastre econômico; vergonha e **tristeza** especificam aflição psicológica.

Vosso nome [...] **por maldição** (15; cf. Nm 5.21; Jr 29.22; Zc 8.13) indica que eles se tornarão um exemplo representativo do castigo da ira divina. As imprecações judaicas, com freqüência tinham a seguinte forma: "Que o Senhor te faça como a _____". Mesmo o antigo nome familiar dos servos de Deus será mudado, porque **a seus servos chamará por outro nome** (cf. 62.2; At 11.26). O novo nome e a nova bênção ocorreram séculos após a época de Isaías.

2) O "Amém" da verdade (16). Deus é a Fonte real de segurança e bênção. Ele é o Deus da fidelidade, "o Deus do Amém" (cf. Dt 27.15-26; Sl 41.13; Ap 3.14). Assim, agora o nome de Deus também é mudado. Ele não é mais "o Deus de Israel". Ele agora é o **Deus da verdade**.

2. A Nova Época de Paz Idílica (65.17-25)

Chegou o momento de Deus dar a resposta final à queixa e à oração do seu povo. Todo estado de coisas que o povo estava passando desaparecerá. Todo o meio em que o homem vive também será renovado, para estar de acordo com a sua natureza nova e transformada. Quando as antigas condições forem transformadas, as antigas queixas deixarão de existir.

a) *O Grande "De Novo"* (65.17-20). A contínua atividade de Deus garante um novo início.

1) A nova criação (17-19) assegura **céus novos e nova terra** (17; vida talvez em um planeta totalmente diferente), novas memórias, novas alegrias, e um novo ponto focal de vida, que é a Nova Jerusalém. Essa **Jerusalém** (18) será caracterizada pelo deleite em vez de aflição, tanto para Deus como para o homem. Haverá um novo início universal para tudo. Aqui o termo-chave é: **Eu crio**. Aqui é usada a mesma palavra que aparece em Gênesis (1.1,21,27) para especificar o ato divino de "criar".[49] Já encontramos a promessa de um novo céu e uma nova terra em Isaías (cf. 34.4; 51.6), pelo menos por implicação. Agora ela nos é apresentada de forma explícita. O pensamento reaparece em várias formas no Novo Testamento. Ele é repetido verbalmente em 2 Pedro 3.13; Apocalipse 21.1 e substancialmente na "restituição de todas as coisas" (At 3.21). Ele está inferido na frase de Paulo: "a manifestação dos filhos de Deus" (Rm 8.19). As **coisas passadas** (17) são o pecado e a tristeza da época que acabou de passar, que deverá desaparecer da memória do povo de Deus, que agora está absorvido no novo deleite do seu novo ambiente. Os atos redentores de Deus certamente incluem todo o ambiente do homem.

Vós folgareis e exultareis [...] **porque** [...] **crio para Jerusalém alegria e para o seu povo, gozo** (18). Esse centro glorioso da nova criação será uma cena de alegria perpétua. **E folgarei** [...] **e exultarei no meu povo** (19). Uma das aptidões do ser humano é ter o privilégio de alegrar o coração de Deus porque o amamos. **Nunca mais se ouvirá nela voz de choro**. Os orientais se lamentam em voz alta quando estão de luto (cf. Ap 21.4).

2) A nação de centenários (20). **Não haverá mais nela criança de poucos dias**. Essa promessa retorna à longevidade de vida pré-diluviana. A ausência tanto de pestilência como de guerra seria um fator contributivo para isso.

> *Nunca mais haverá nela uma criança que viva poucos dias,*
> *e um idoso que não complete os seus anos de idade;*
> *quem morrer aos cem anos ainda será jovem,*
> *e quem não chegar aos cem será maldito* (NVI).

A morte prematura era vista como um sinal de desagrado divino. A nova Jerusalém de Isaías não é sem morte e pecado. Ficamos imaginando, então, como ela pode estar livre de dor e tristeza. Por isso, Delitzsch argumenta que o que é descrito aqui é o milênio e não o estado final.

b) *A grande aspiração* (65.21-25). O grande desejo de todas as épocas está incluído aqui. A construção não trará o seu deleite sem a sua conservação.

1) A conservação da atividade (21-22). **Edificarão** [...] **plantarão** [...] **e comerão** (21): tudo são figuras que descrevem segurança nacional. Que o homem vai gozar do fruto do seu trabalho é algo que nossa época cheia de medo de guerras e saques certamente apreciará. As habitações não serão mais transformadas em ruínas pelas bombas. Os **eleitos gozarão das obras das suas mãos até à velhice** (22). Essa frase traz a idéia de conservação. O hebraico para "gozar até a velhice" significa literalmente: "desgastar-se com o uso". Os homens terão tempo para usar até o fim as coisas que tiverem feito e obtido por meio do trabalho. A extensão da vida será como **os dias da árvore**.[50] Os cedros do Líbano, os carvalhos de Basã, e as oliveiras de Getsêmani vivem por muitas gerações.

2) A conservação da descendência (23). A promessa de que não **terão filhos para a perturbação** indica especialmente que não mais darão à luz filhos para serem mortos à espada. A frase: **os seus descendentes, com eles**, traz a idéia do acúmulo de muitas gerações sucessivas. A lei mosaica prometia vida longa e posteridade numerosa aos fiéis.

3) O conforto da piedade (24). O silêncio de Deus finalmente cessou. **Antes que clamem, eu responderei**. Isso poderia significar a remoção do longo intervalo entre a oração e a resposta. Nesse caso, a resposta antecipa-se à oração. Deus conhece nossas necessidades antes mesmo de perguntarmos.

4) A consumação da paz (25). **O lobo e o cordeiro se apascentarão juntos** lembra 11.6-9. **O leão** comendo **palha como o boi** poderia significar que sua natureza foi tão transformada que ele agora se tornou um herbívoro, em vez de carnívoro. Isso poderia ser simbólico para a mudança de paladar de todos os habitantes do céu. Pelo menos essa figura sugere a remoção da discórdia na harmonia da própria natureza. **O pó será a comida da serpente**. (cf. Mq 7.17) significa que as serpentes se tornaram inofensivas (mas cf. Gn 3.14). **Não farão mal nem dano algum em todo o meu santo monte, diz o Senhor** é a afirmação solene final de que a violência terminou, e o universo está em paz. "Mesmo assim, vem, Senhor Jesus".

I. A Retribuição do Senhor e sua Recompensa, 66.1-24

Este capítulo final da profecia de Isaías trata dos julgamentos de Deus e do regozijo de Sião. Ele descreve a peneira final e as recompensas que serão distribuídas quando a grande ceifa mundial do trigo e do joio for colhida. O capítulo como um todo continua a descrição das distinções e da separação tornadas claras no capítulo 65, mas podemos observar aqui um contraste enfático final. Assim George Adam Smith comenta: "Assim, somos deixados com a profecia — não com os novos céus e a nova terra que a profecia promete: não com o monte santo onde ninguém será ferido e destruído, disse o Senhor; não com uma Jerusalém cheia de glória e um povo todo santo, o centro de uma humanidade reunida — mas com a cidade como uma tribuna de julgamento, em que as pessoas serão divididas entre adoração e uma aflição horrível".[51] Mas esse pensamento final com ênfase dupla busca manter o foco temático da profecia em sua inteireza, porque como Coffin observa com muita propriedade: "Esse capítulo final traz unidade ao livro inteiro de Isaías. O livro inicia com um povo aplicado em relação às cerimônias, mas deficiente quanto à consciência social (1.10-17); ele termina com um apelo ao serviço a Deus em obediência à sua palavra".[52] Muilenberg insiste em sua afinidade com o capítulo anterior e encontra sete estrofes inclusivas no hebraico. Ele faz essa descrição sob o tema geral: "O Novo Nascimento de Sião e o Fogo do Julgamento".[53] Nossa análise séptupla não concorda exatamente com a descrição de Muilenberg.

1. *Aquele que Deus Respeita e aquele que Ele Rejeita* (66.1-4)

a) *O hábitat do Eterno* (66.1-2a). Com o **céu** como seu **trono, e a terra** como o **escabelo dos** seus **pés** (1), o Deus de Isaías é realmente "grande demais para ser abrigado em uma 'casa'". Ele, portanto, despreza os templos feitos pelo homem e prefere morar nos corações dos pobres e contritos. Onde, então, fica a casa que se poderia edificar ao Senhor, adequada como **lugar** do seu **descanso**? O Deus que enche a terra e o céu não precisa de um templo (1 Rs 8.27; 2 Cr 6.18).[54]

b) *O homem que Deus respeita* (66.2b). **Mas eis para quem olharei: para o pobre e abatido de espírito e que treme diante da minha palavra**. A Versão Berkeley oferece esta tradução dos versículos 2b-3a: "Olharei favoravelmente para o homem que é humilde, que se sente esmagado no espírito, e treme diante da minha palavra; mas aquele que sacrifica um boi é como quem mata um homem; aquele que sacrifica um cordeiro é como se estivesse quebrando o pescoço de um cachorro; que traz uma oblação de cereais como se estivesse apresentando sangue de porco; que apresenta incenso como se estivesse adorando ídolos". Os homens não são considerados iguais por Deus. Ele aceita apenas o **pobre e abatido** e aquele que é temente a Deus em suas atitudes (Sl 51.17). E aqui está a verdadeira casa de Deus — o templo da alma do arrependido cuja vida espiritual responde à vida do próprio Deus (1.11-18; 57.15). "Eu me preocupo com criaturas humildes e contritas, que tremem diante de tudo que digo" (Moffatt).

c) *O homem que Deus rejeita* (66.3-4). Deus rejeita o homem que não aprende que adoração sem amor a Deus torna nossas solenidades graves pecados. Não haverá garantia espiritual e segurança quando ocorre uma mistura de paganismo e piedade. A salvação vem somente do Deus vivo e eterno, que somente mostrará sua misericórdia e graça ao crente arrependido. Portanto, no que diz respeito à salvação, nem todos os caminhos levam a Roma!

> *Alguns sacrificam bois assim como vidas humanas,*
> *oferecem cordeiros e cachorros na adoração,*
> *oblações como se estivessem oferecendo sangue de porco em seus rituais,*
> *incenso, e mesmo assim reverenciam um ídolo!* (3, Moffatt).

O que é condenado não é o sacrifício como tal, mas uma prática sacrifical que tem sido degradada com práticas pagãs corruptas.

Isaías está seguro de que cada ato de adoração hipócrita é uma abominação idólatra. Isso Deus procurou deixar claro para as pessoas da sua época que tinham escolhido **os seus próprios caminhos** para salvação, e cujas almas tinham prazer em **suas abominações**. (Onde lemos **abominações** a *Peshitta* traz "ídolos"). Aqui estava um grupo cuja glória estava na sua confusão ou vergonha (Fp 3.19). A todos esses o Deus eterno declara: **Também eu quererei as suas ilusões** (4; ardis, tormentos, aflições; "tolices imaturas", diz a Septuaginta). Não é de admirar que o apóstolo Paulo escreve: "Deus lhes enviará a operação do erro, para que creiam a mentira" (2 Ts 2.11). Ronald Knox procura ressaltar o jogo de palavras de Isaías: "Em tudo isso, a escolha deles é guiada pelo seu próprio capricho, em todas as suas formas de abominações; mas saibam, de acordo com o meu próprio capricho escolherei os terrores que trarei sobre eles". Aqui a promessa divina é trazer a esses pagãos as mesmas coisas que eles estavam procurando evitar através das suas práticas pagãs. Como mortais, somos livres para escolher nossos caminhos, mas o destino ou a conseqüência desses caminhos não pode ser mudado. Isaías parece ressaltar o fato de que, como eles escolheram seus próprios caminhos, assim Deus irá escolher o "salário" deles, e fará vir **sobre eles os seus temores** ("irá retribuí-los de acordo com as suas obras" — na *Peshitta*). Esse é o aspecto irônico em um universo moral: Deus ajusta o castigo de acordo com a prática.

d) *A recompensa divina é "na mesma moeda"* (66.4). **Porquanto clamei, e ninguém respondeu**. Isso significa que os que viram as costas para a voz de Deus vão descobrir que Deus também vira as suas costas para eles. Por quanto tempo uma pessoa pode ignorar Deus e ainda esperar que ele responda? **Falei, e não escutaram**. Em vez disso, **fizeram o que é mal aos meus olhos e escolheram aquilo em que eu não tinha prazer** (i.e., "escolheram o que me desagrada"). A obstinação e a surdez deliberada surgem da ilusão. O castigo é mais ilusão "pelo engano do pecado" (Hb 3.13).

2. *A Justificação de Deus aos Fiéis* (66.5-6)

a) *A palavra do Senhor* (66.5). Os apóstatas estão inclinados a zombar daqueles que permanecem fiéis a Deus. **Ouvi a palavra do Senhor [...]. Vossos irmãos, que vos aborrecem e que para longe vos lançam por amor do meu nome**. Aqui temos dois grupos muito diferentes: um vive pela fé, pela esperança, e confia na palavra do Senhor; o outro confia no **Templo** material e sua adoração, além de um sistema sacrifical sincretista. Para o primeiro grupo há consolo (Mt 5.11), para o segundo há uma retribuição certa e repentina. A tradução de Moffatt também é uma interpretação:

> *Vocês que tremem diante da palavra do Eterno,*
> *ouçam a sua promessa:*
> *"Seus irmãos, que os odeiam por causa da sua fé em mim,*
> *dizem com desprezo: 'Que o Eterno mostre o seu poder,*
> *para que vejamos a alegria de vocês!'*
> *Eles ficarão perplexos!"*.

Quer a frase-chave seja um escárnio daqueles que zombam ou uma resposta alegre e doce dos perseguidos, a promessa de Deus em cada caso é que os opressores e perseguidores serão envergonhados. **O Senhor seja glorificado, para que vejamos a vossa alegria. Mas eles serão confundidos**. Muitas vezes os descrentes manifestam um entusiasmo pelo espetacular em vez de por aquilo que é espiritual. Deixe que eles zombem e façam pouco caso da fé dos piedosos, mas o profeta já está ouvindo o trovejar do julgamento ressoando da cidade.

b) *A tríplice voz da retribuição* (66.6). "Ouçam com muita atenção. A cidade está em tumulto! O som está vindo do templo! É a vingança devida do Eterno contra seus inimigos!" (Moffatt). **Uma voz de grande rumor virá da cidade** significa, na verdade "uma voz trovejante" (Berkeley). Ela vem agora **da cidade** onde os escarnecedores haviam pedido por uma manifestação da glória de Deus. É **uma voz do templo**, o centro da sua adoração corrupta. Se a moradia de Isaías fosse no vale do Tiropeão (como mencionamos anteriormente), então os sons do Templo seriam bem audíveis para ele. Isso está sendo escrito de alguém que está fora da cidade. Sem dúvida, Isaías e seu grupo tinham sido excluídos ou expulsos dos limites sagrados.

3. *É Possível que uma Terra Nasça em um Só Dia?* (66.7-9)
O profeta agora volta sua atenção para a mãe Sião à medida que o Deus eterno continua a falar, prometendo o milagre do nascimento de uma terra e um povo inteiramente novos.

a) *As dores de parto de uma nova nação* (66.7). **Antes que estivesse de parto, ela deu à luz; antes que lhe viessem as dores, ela deu à luz um filho**. Nascimento sem esforço? Parece que esse é o caso, porque o profeta agora vê a nação inteira nascendo de um momento para outro e não crescendo de acordo com os lentos estágios do crescimento social. O cristianismo, após o Pentecostes, tornou-se uma força mundial em apenas uma geração.

b) *O incrível pode acontecer* (66.8). **Quem jamais ouviu tal coisa? Quem viu coisas semelhantes? Poder-se-ia fazer nascer uma terra em um só dia?** Será que Roma pode ser construída em um só dia? Pode um país inteiro formar-se tão subitamente? **Nasceria uma nação de uma só vez?** No entanto, foi o que ocorreu com Israel na grande crise de 1948. Aquela pequena nação declarou sua identidade e tem sido capaz de manter sua independência como nação contra grandes interesses. Alguns comentaristas, no entanto, acreditam que esse filho refere-se ao Messias. Outros vêem aqui o advento de um Israel puramente espiritual em relação aos seguidores do Servo Sofredor. **Mas Sião esteve de parto e já deu à luz seus filhos**. Mas a Versão Berkeley diz: "Antes de Sião entrar em trabalho de parto, ela deu à luz filhos". Essa interpretação está mais de acordo com o que precede. O Targum judaico apresenta uma leitura muito mais sugestiva: "Antes de ser dominada pela aflição, ela será redimida: e antes que o tremor a domine, como as fortes dores de parto de uma mulher que dá à luz ao seu filho, seu rei será revelado". No curso normal da natureza, as dores de parto devem preceder o nascimento e a tribulação deve ser o precursor do triunfo. Mas, cada situação é um sinal de um evento futuro certo.

c) *Deus não começa algo que não pode terminar* (66.9). **Abriria eu a madre e não geraria, diz o Senhor; geraria eu e fecharia a madre? — diz o teu Deus**.

Porque não deveria ajudá-la no parto se sou eu que faço nascer? — diz o Eterno. Por que deveria eu fechar a madre, quando sou eu que faço o bebê nascer? — pergunta o seu Deus (Moffatt).

Vamos relembrar a lamentação de Ezequias acerca dessa mesma situação (37.3). Nosso profeta, no entanto, está bastante seguro de que a obstetrícia sabe o tempo certo para o trabalho de parto e o nascimento.
Geraria eu e fecharia a madre? — diz o teu Deus. "O Senhor começou a restaurar seu povo; Ele não deixará sua salvação incompleta" (Berkeley, nota de rodapé). O ponto de tudo isso parece o seguinte: Deus não começa algo que não pode terminar, nem pára com meras circunstâncias preliminares.

4. *Paz como um Rio* (66.10-14)

a) *Regozije-se com Jerusalém* (66.10-11). Aqui está a marca da alegria e fartura. "Jerusalém é vista como uma mãe e a rica consolação [...] que ela recebe (51.3) semelhante ao leite que se forma nos seus seios [...] com o qual ela agora alimenta seus filhos abundantemente".[55]
"Amantes de Jerusalém, regozijai-vos com ela, alegrai-vos por ela; celebrai com ela, todos vós que pranteastes por ela até agora. Assim, vós sereis seus filhos de criação, que se saciam com as suas consolações, bebendo à vontade, para o deleite dos vossos corações, da sua abundante glória" (Knox).

b) *Rios de paz* (66.12). **Porque assim diz o Senhor: Eis que estenderei sobre ela** (a cidade da paz) **a paz** (prosperidade)**, como um rio**. Tradutores modernos acreditam que o grande termo hebraico *shalom* traz a idéia de prosperidade nesse versículo. Mas essa prosperidade deve ser semelhante a um rio transbordante. **Sobre ela a paz**, mas nenhuma paz aos ímpios, é a conclusão de cada uma das seções de nove capítulos de Isaías (48.22 e 57.2). **A glória das nações, como um ribeiro** sugere que as nações deverão contribuir para a sua prosperidade. "Então os filhos do seu amor serão escarranchados no seu quadril e acariciados no seu colo" (paráfrase).

c) *Consolos como o carinho de uma mãe* (66.13). "Eu vos consolarei como uma mãe acaricia seu filho, e toda a vossa consolação será em Jerusalém" (Knox). "Mas ao falar acerca do tratar de Deus com a nação, precisa ficar claro que ela não é nenhum bebê, mas alguém maduro, experimentado em machucados e tristeza, retornando para ser consolado".[56]

d) *A mão de Deus sobre seus servos* (66.14). Encontramos aqui uma resposta para o aparente desamparo de Deus tão evidente na oração do capítulo 64. Agora a comunidade de Judá é claramente dividida em dois campos distintos — os servos de Deus e os inimigos de Deus.

> *E quando vocês virem isso, o seu coração se regozijará,*
> *e vocês florescerão como a grama nova.*
> *Assim o poder do Senhor será revelado aos seus servos,*
> *e sua indignação, contra os seus inimigos* (Smith-Goodspeed).

5. Julgamentos pelo Fogo (66.15-17)

Agora vêm os julgamentos e a separação do joio.

a) *Os carros de fogo do Eterno* (66.15). **Porque eis que o SENHOR virá em fogo; e os seus carros, como um torvelinho**. O elemento destruidor final para essa era é o fogo, da mesma maneira que o elemento destruidor para a era antediluviana foi a água (Gn 7). O fogo geralmente acompanha a teofania. Assim, Deus vem **para tornar a sua ira em furor e a sua repreensão, em chamas de fogo**. Aqui também temos uma resposta à oração de 64.1-3 para uma grande teofania de fogo.

b) *A espada de fogo do Eterno* (66.16). **Porque, com fogo e com a sua espada, entrará o SENHOR em juízo com toda a carne**. O fogo foi usado contra as cidades de Judá nos cercos de Senaqueribe, e a espada foi usada como instrumento de matança dos assírios. O julgamento será semelhante a isso, e será universal, sobre toda a carne. **Os mortos do SENHOR serão multiplicados**, porque em Judá e Jerusalém há muitos apóstatas e idólatras.

c) *A sentença de ruína do Eterno* (66.17). Os tradutores da KJV encontraram dificuldades aqui. **Os que se santificam e se purificam nos jardins uns após outros** (em vez de "uns após outros", a KJV traz: "atrás de uma árvore"), referindo-se certamente às danças rituais pagãs quando as mulheres devotas em suas apresentações pagãs buscavam a santidade da alma. No lugar da palavra "árvore" leia-se: "um no meio". Essa pessoa do meio era o mestre de cerimônias ("sacerdote", de acordo com a NVI), que, parado no meio, era imitado pelo restante dos adoradores.[57] "Em vão eles buscavam a santidade, que os purificasse em jardins sagrados, por detrás de portas fechadas, e durante todo o tempo comiam carne de porco e ratos do campo, além de outras carnes abomináveis. Todos terão o mesmo fim, diz o Senhor" (Knox).

6. A Oblação Gloriosa do Eterno (66.18-21)

a) *O ajuntamento das nações* (66.18). **Porque conheço as suas obras e os seus pensamentos**, e suas obras procedem dos seus pensamentos (Mc 7.20-23; cf. Ap 2.2,19; 3.1, 8,15). **O tempo vem, em que ajuntarei todas as nações e línguas** — a hora da convocação está próxima. **E virão e verão a minha glória**.

b) *O sinal da glória do Eterno* (66.19). **E porei entre eles um sinal** — é uma cláusula interpretada de forma variada pelos comentaristas. Será que esse **sinal** é uma marca ou um milagre? Alguns comentaristas acreditam tratar-se do Messias (cf. Alexander). Outros acreditam que esse **sinal** se refere a um ato poderoso de julgamento. Knox traduz: "Todos deverão vir e ver a minha glória, e colocarei uma marca em cada um deles".
E os que deles escaparem enviarei às nações, a Társis, Pul e Lude. "O que acontecerá com aqueles que conseguirem escapar? Tenho uma missão para eles: eles serão meus mensageiros pelo mar; para a África e para Lídia onde os homens são flecheiros; para a Itália e para a Grécia, e para ilhas muito distantes" (Knox). [Enviarei] **a Tubal e Javã, até às ilhas de mais longe que não ouviram a minha fama, nem**

viram a minha glória. Aqueles que escaparam do julgamento são transformados em missionários e tornam-se embaixadores do Senhor, para a Espanha e o Mediterrâneo ocidental, para o sul do Egito, talvez para a Somália, para Lídia na Ásia Menor, e para a região a sudeste do Mar Negro, para a Grécia, e para as ilhas distantes (talvez a Grã-Bretanha). Eles, portanto, se tornam um grupo messiânico de missionários. **E anunciarão** (proclamarão) **a minha glória entre as nações** (os gentios).

c) *Convertidos como uma oferta a Deus* (66.20). **E trarão todos os vossos irmãos, dentre todas as nações, por presente ao Senhor**. A oblação santa do apóstolo Paulo eram os seus convertidos que havia conquistado para Cristo. A visão de Isaías parece descrever os evangelistas retornando com seus troféus "como sua oferta devida" (Moffatt). Alguns virão **sobre cavalos**, outros **em carros**, outros em **liteiras** (carroças, carruagens), e alguns **sobre mulas**, e **sobre dromedários** velozes — "Para uma oferta ao Senhor no meu santo monte, a Jerusalém, diz o Senhor" (Smith-Goodspeed). Observe que isso deve assemelhar-se a **ofertas** limpas em **vasos limpos** para o Senhor. A purificação moral é o ideal divino para o povo de Deus.

d) *Líderes espirituais serão escolhidos entre eles* (66.21). **E também deles tomarei alguns para sacerdotes e para levitas, diz o Senhor**. Isso vai além da descrição de Deuteronômio 17.9ss. Esses recém-convertidos do paganismo deverão se tornar ministros e líderes espirituais, porque o muro da separação foi removido.

7. *A Permanência da Piedade e do Castigo* (66.22-24)

"Quem é imundo, continue praticando a imundícia; e quem é justo, que continue praticando a justiça" (Ap 22.11, ASV). Aqui estão os destinos permanentes. Adoração perpétua caracterizará uma classe, tormento eterno a outra. O estado final dos redimidos e dos condenados é permanente e imutável.

a) *Sua semente permanecerá* (66.22). **Como os céus novos e a terra nova** serão duradouros, **assim** será **a vossa posteridade e o vosso nome**. Aqui está um destino tão estável e permanente quanto a nova criação.

b) *Sua adoração será mantida* (66.23). De mês em mês, e de semana em semana, **virá toda a carne a adorar perante mim, diz o Senhor**. Tão regularmente como um sucede o outro, a peregrinação de adoração virá. Mas a verdadeira realização disso é encontrada somente na Nova Jerusalém de Apocalipse 21.22-27, e na forma do descanso sabático perpétuo de Hebreus 4.9, sendo ambos símbolos de grandes realidades espirituais.

c) *Seu triunfo será manifesto* (66.24). **E sairão e verão os corpos mortos dos homens que prevaricaram contra mim**. Isso certamente não deve ser entendido literalmente. "Os cadáveres das pessoas que se desviaram de mim" (von Orelli) é a maneira de o profeta falar acerca do estado futuro de figuras tiradas do mundo presente. O destino dos culpados deve certamente permanecer como um lembrete eterno contra o pecado. **Porque o seu verme nunca morrerá, nem o seu fogo se apagará**. O Talmude judaico transformou o vale de Hinom (Geena) na "boca do inferno". Jesus também usou essa figura para simbolizar o estado daqueles que deixam de entrar para a vida (Mc 9.48). Os vermes roedores de memórias sórdidas e o fogo consumidor de paixões pervertidas fazem parte das agonias do impenitente. Assim as alternativas inescapáveis ainda são o fogo santo e purificador (Mt 3.11) ou o fogo inextinguível com sua chama atormentadora. Quão tolos são aqueles que se julgam indignos da vida eterna (At 13.46)! **E serão um horror para toda a carne.** Personalidades arruinadas, as maiores ruínas da vida, estão espalhadas ao longo da história e servem de advertência para todos.

E, assim, a nota final ressoa em palavras mais gráficas do que as palavras finais das duas seções anteriores e com uma imagem que ninguém esqueceria: "Mas os ímpios não têm paz, diz o SENHOR" (48.22; 57.21). "É um final terrível, mas o único concebível. Embora Deus seja amor, o homem é livre — livre para rejeitar esse amor, como se ele nunca tivesse sentido esse amor; livre para rejeitar a maior, mais clara e a mais indispensável graça que Deus pode mostrar, mas isso representa sua condenação".[58]

Não sabemos quanto tempo transcorreu até o martírio (de acordo com a tradição) de Isaías, após ter pregado e traçado as linhas de forma tão clara. Mas Manassés e seus conselheiros perversos dificilmente permitiriam que esse assunto fosse esquecido antes de exterminar o profeta. Talvez suas palavras finais para a cidade tenham sido parecidas com as que seu Maior Sucessor transmitiu sete séculos mais tarde. É possível que tenha sido semelhante ao que George Adam Smith escreveu:

> Ó Jerusalém, Cidade do Senhor, Mãe ansiosamente desejada por seus filhos, luz radiante para aqueles que sentam no escuro e estão distantes, lar após o exílio, céu após a tempestade, — esperado como o jardineiro do Senhor, tu continuarás sendo sua eira, e céu e inferno deverão estar, de lua nova em lua nova, ao longo dos anos que passam, lado a lado dentro dos teus muros estreitos! Porque, desde o dia em que Araúna, o jebuseu, ofereceu sua eira sobre tua rocha alta, varrida pelo vento, até o dia em que o Filho do Homem, parado diante de ti, separou em seu último discurso as ovelhas dos bodes, os sábios dos tolos, os amorosos dos egoístas, tu tens sido designada por Deus para julgamento, separação e Juízo.[59]

Mas Jerusalém continua dividida, não apenas politicamente, mas espiritualmente, por uma linha que despreza a trégua. Essa linha é moral e não geográfica, e essa rocha alta varrida pelo vento continua sendo a eira de Deus. E os homens que ouviram essa grande profecia, com toda sua música e seu evangelismo, que deveriam ter-se tornado participantes do livramento do Senhor, continuam preferindo seus ídolos, sua carne de porco e seus ratos, seu caldo de abominações — e a guerra em vez de paz.

> Poderoso e mui misericordioso Deus, que enviou esse livro para ser a revelação do teu grande amor ao homem, e do teu poder e vontade para salvá-lo — não permitas que este estudo tenha sido em vão devido à insensibilidade e indiferença dos nossos corações, mas que por meio dele possamos ser levados ao arrependimento, estimulados a ter esperança, fortalecidos para o serviço, e, acima de tudo, enchidos com o verdadeiro conhecimento de ti e do teu Filho Jesus Cristo. Amém.[60]

Notas

INTRODUÇÃO

[1] *The Lives of the Prophets* (C. C. Torrey, trad., Filadélfia: Society of Biblical Literature and Exegesis, 1964), p. 34.

[2] R. H. Pfeiffer, *Introduction to the Old Testament* (Nova York: Harper and Bros., 1941), p. 422.

[3] S. R. Driver, *Isaiah, His Life and Times* (série "Men of the Bible") (Nova York: Fleming H. Revell Co., s.d.), Cap. IX.

[4] O grande termo hebraico para Deus, *YAHWEH*, é traduzido por Moffatt da seguinte maneira: "O Eterno". W. F. Albright entende que esse termo faz parte de uma fórmula que significa: "Aquele que leva a ser o que vem a existir" (*From the Stone Age of Christianity* [Baltimore: Johns Hopkins Press, 1940], pp. 197-198). Veja a explicação desse termo em CBB, II.

[5] Aquele que leva as pessoas à adoração cristã criativa vai se beneficiar de um estudo cuidadoso desses quatro estágios sugeridos em Isaías 6. Um estudo valioso da "Adoração Criativa" pode ser encontrado nos capítulos VII-IX de *Religious Values* [Valores religiosos] de E. S. Brightman (Nova York: Abingdon Press, 1925), pp. 173-237.

[6] Para discussões do problema de quantos Isaías existem, e um histórico de ataques críticos acerca da unidade do livro, consulte A. B. Davidson, *Old Testament Prophecy* (Edinburgo: T. e T. Clark, 1904); Geo. L. Robinson, "Isaiah", *International Standard Bible Encyclopedia*, editado por James Orr (Chicago: The Howard-Severance Co., 1915), pp. 1504-1505); e a introdução do comentário de Isaías de Carl W. E. Naegelsbach's em *Commentary on the Holy Scriptures*, editado por John Peter Lange (Grand Rapids, Mich.: Zondervan Publishing House, s.d.). Um escritor moderno que procura justificar a autoria tríplice do livro é R. H. Pfeiffer, *op. cit.* O traçar de uma linha nítida entre os capítulos 39 e 40 na Bíblia Moffatt parece puramente arbitrário. Para este autor o caso apresentado a favor da unidade de Isaías por Oswald T. Allis parece convincente. Cf. *The Unity of Isaiah* (Filadélfia: Presbyterian & Reformed Pub. Co., 1950).

SEÇÃO I

[1] A Septuaginta (LXX), a Vulgata e outras versões antigas trazem: "Israel não me conhece".

[2] Hoje em Israel, o turista pode ver essas choupanas, feitas com algumas estacas e ramos de palmeiras, no meio de uma plantação de pepinos ou melões para prover sombra e alojamento temporário para os colhedores. Mas, depois da temporada de frutas elas ficam debaixo do sol escaldante no silêncio desértico.

[3] Estopa é a parte da planta que permanece depois que a substância de linho foi tirada dela. Ela é a parte de maior combustão.

[4] O termo hebraico aqui pode significar "ver ou observar", mas ele é especialmente apropriado ao falar daquelas coisas que são apresentadas para as mentes dos profetas (Gesenius), e, desta forma, este termo sugere "considerar com a mente, contemplar". Psicologicamente, Isaías parece colocar-se tanto como ouvinte quanto como visionário — ele vê e ouve a palavra do Senhor (cf. 6.8).

[5] O problema de quem cita quem não pode ser definitivamente determinado aqui. Alguns estudiosos acreditam que os dois profetas estão citando um profeta mais antigo e desconhecido.

[6] Aqui Isaías faz um jogo de palavras com o plural da palavra ídolo, que no hebraico é *elilim* (deuses falsos e inúteis), em contraste com o plural da palavra *deus*, que em hebraico é *elim*.

[7] Uma colônia fenícia localizada perto do estreito de Gibraltar.

[8] Talvez a lista destes itens em John B. Phillips, *Four Prophets* (Nova York: Macmillan Co., 1963), p. 68, é bastante precisa. Alguns dos termos hebraicos atualmente são obscuros.

[9] "Isaiah", *Ellicott's Commnentary on the Whole Bible*, ed. Charles John Ellicott (Grand Rapids, Mich.: Zondervan Publishing House, s.d.), *ad loc.*

[10] Um lagar era feito de pedras em dois níveis. O tanque superior era mais raso e nele se jogavam as uvas para serem pisadas (cf. Is 63.3). O tanque inferior era menor e mais fundo. O suco de uva escorria para esse tanque por um canal do tanque superior. De lá era tirado e derramado em odres de pele de cabra (tal como são usados para água hoje em algumas partes da Palestina) para sua preservação.

[11] As inscrições assírias se vangloriam de Senaqueribe ter levado 200.150 cativos no seu primeiro ataque contra Judá.

[12] "Esta não é a primeira [...] das profecias de Isaías, mas o início para um degrau mais elevado do ofício profético: o versículo 9, etc., contém o tom de alguém que já tinha experimentado a obstinação do povo" (Robert Jamieson, A. R. Fausset, David Brown, *Commentary, Critical and Explanatory, on the Whole Bible* [Grand Rapids, Mich.: Zondervan Publishing House, s.d.], *ad loc.*). Plumptre, Naegelsbach e Delitzsch concordam com isso, e George L. Robinson sugere o mesmo. A declaração de abertura desse capítulo também parece indicar que Uzias ainda não estava morto quando Isaías teve essa visão, embora o registro da mesma tenha provavelmente ocorrido mais tarde. Que Isaías escreveu a biografia de Uzias é evidente em 2 Crônicas 26.22. A respeito do chamado de Isaías e sua santificação veja Int.

[13] **Serafins** não é usado em nenhum outro texto no AT. Aqui eles representam os servos de Deus ordenados diante do trono como seres suspensos. E de acordo com essa referência essas criaturas tinham seis asas e um rosto, enquanto que os *querubins* na visão de Ezequiel tinham quatro rostos e quatro asas (Ez 1.6; cf. Gn 3.24; Êx 25.18-20; Ez 10.14; 20.21).

[14] Não forçamos a exegese quando vemos nessa seção em três partes uma sugestão da Santa Trindade. Cf. H. Orton Wiley, *Christian Theology* (Kansas City, Mo.: Nazarene Publishing House, 1940), I, p. 440.

[15] O objeto de controvérsia é que as tenazes e a brasa viva eram do altar de sacrifício de bronze e não do altar de incenso de ouro. Seu fogo tinha sido originariamente acendido pelo próprio Deus e era mantido aceso continuamente (cf. Lv 9.24).

[16] Plumptre, *op. cit., loc. cit.*

[17] O termo hebraico aqui indica a qualidade de estar "em cima e em baixo".

[18] O termo hebraico inclui pecados de fraqueza bem como de maldade.

[19] A palavra hebraica, *Kaphar*, está na forma verbal hebraica *Pual* (passivo), que Gesenius acredita poder ser talvez mais bem-traduzida por: "removido" ou "apagado" visto que é tanto passivo quanto intensivo na sua forma. Assim, a tradução da ARC é válida.

[20] Delitzsch argumenta que os *serafins* eram os ministrantes do "fogo do amor divino". Cf. Franz Delitzsch, *Biblical Commentary on the Prophecies of Isaiah*, 2 vols. (Grand Rapids, Mich.: Wm. B. Eerdmans Publishing Company, 1949 [reedição]), I, p. 197.

[21] Delitzsch, *op. cit., ad. loc.*

[22] *Ibid.*, I, p. 199.

[23] Em relação à doutrina do remanescente, consulte John Bright, *The Kingdom of God* (Nashville: Abingdon-Cokesbury Press, 1953), cap. 3. Bright observa: "O leitor de Isaías sente imediatamente que acusação e julgamento são equilibrados ali por uma esperança gloriosa..." (p. 83).

Isaías predisse tanto o exílio quanto o retorno, como Plumptre explica: "Desde o primeiro momento do chamado de Isaías, o pensamento de um exílio e um retorno do exílio era a idéia básica do seu ensino, e desse pensamento dado em forma de semente, todo seu trabalho posterior foi um desenvolvimento, o horizonte da sua visão expandindo e tomando a forma de um outro império (não o assírio) como o instrumento de castigo" (*op. cit., loc. cit.*). Em relação à santa semente, os autores do NT acreditam referir-se a Jesus, o Autor de uma nova humanidade, o Último do remanescente, que vem como o verdadeiro Filho do Homem (cf. Gl 3.16). Em Isaías, a idéia do nome do seu filho, *Sear-Jasube* (7.3; o remanescente) reaparece constantemente (cf. 1.27; 4.2-3; 10.20; 29.17; 30.15; também cf. Rm 11.5, 26-27).

SEÇÃO II

[1] Na Índia e Birmânia muitos desses locais ainda podem ser encontrados.

[2] **Peca** é chamado dessa forma para ressaltar sua insignificância (2 Rs 15.25). Então, como hoje, a frase **filho de** pode expressar desprezo e mesmo uma maldição. Cf. "filhos de Belial". Nosso motorista de táxi no Cairo expressou seu desprezo pelo homem que estava atravessando seu carrinho de mão na rua diante de nós, chamando-o em árabe de "filho de um jumento". Por essa razão, a frase **filho de Tabeal** (v. 6) indica uma origem baixa do homem apesar do fato de em aramaico Tabe-El significar "Deus é Bom".

[3] A profecia de Isaías se cumpriu. Depois de 65 anos Assurbanipal acabou com o último remanescente dos habitantes da Samaria e a povoou com uma raça estrangeira.

[4] George Adam Smith sugere um jogo de palavras em inglês: "Se você não tiver *fé*, não poderá ter *resistência*" ("If you will not have *faith*, you cannot have *staith*") ("The Book of Isaiah", *The Expositor's Bible*, ed. W. Robertson Nicoll [Hartford, Conn.: The S. S. Scranton Co., 1903]), *ad. loc.*

[5] "O pensamento de cristãos conservadores acerca da tradução apropriada do termo hebraico aqui se move entre dois pólos. Um é o significado que a Septuaginta (a tradução grega do AT realizada cerca de 150 anos antes de Cristo) dava a esse termo. Essa tradução entendia que se tratava de uma 'virgem' e que Mateus aplicou esse termo ao nascimento de Jesus (Mt 1.22-23). O outro pólo é a necessidade de proteger o cumprimento histórico de Isaías 7.1-20 nos tempos de Isaías, e a singularidade do nascimento virginal de Jesus. Uma criança nasceu nos tempos de Isaías, e essa criança não havia nascido de uma virgem, como foi o caso do nosso Senhor".

"É possível ver no uso de Isaías do termo *almah* (uma mulher jovem com idade para casar) em 7.14, uma evidência da sabedoria divina, visto que a língua hebraica também tem uma outra palavra (*bethulah*) que significa somente virgem. A Bíblia deixa claro que houve somente *um* Nascimento Virginal, não *dois*, que seria o caso se aceitarmos as duas possibilidades históricas de Isaías 7 e ao mesmo tempo insistir que *almah* aqui deve ser traduzido por 'virgem'".

"Portanto, há na profecia de Isaías a referência dupla que os estudiosos bíblicos conservadores encontram em muitas profecias messiânicas do AT. As palavras do profeta tinham uma clara relação com eventos que estavam prestes a acontecer. Ao mesmo tempo, essas palavras tinham um significado adicional para o futuro mais distante que tem sido entendido mais claramente à luz da revelação do NT" (W. T. Purkiser).

O leitor vai encontrar muitas facetas de todo o problema explorado na maneira de tratar esse assunto pelo doutor Naegelsbach, *op. cit.*; professor George Rawlinson em "Isaiah" (Exposition and Homiletics), *The Pulpit Commentary*, ed. H. D. M. Spence e Joseph S. Excell (Chicago: Wilcox e Follett, s.d.); E. H. Plumptre, *op. cit.*; dois capítulos em Edward J. Young, *Studies in Isaiah* (Grand Rapids, Mich.: Wm. B. Eerdmans Publishing Co., 1954), pp. 143-

198; e acerca do significado de *almah*, *bethulah*, e *Immanuel* por R. B. Y. Scott "Isaiah 1–39" (Exegesis), e por G. G. D. Kilpatrick, "Isaiah 1–39" (Exposition), *The Interpreter's Bible*, ed. George A. Buttrick, *et al.* (Nashville: Abingdon Press, 1956).

[6] Isaías, portanto, tem uma palavra para os governantes modernos: "Se vocês não *afirmarem* uma fé no Deus Poderoso, Deus não *confirmará* seus pequenos reinos em sua esperança por segurança".

[7] Leite coalhado é apetitoso em tempos de alta temperatura em países áridos. Ele é saboreado pelos trabalhadores no verão quente enquanto ceifam as colheitas. O mel é abundante na Palestina e é um dos alimentos da natureza mais nutritivos e saudáveis. Sem refrigeração, e em tempos de devastação da terra e das colheitas por invasores estrangeiros, alimentos produzidos espontaneamente seriam os únicos itens em abundância a serem comidos.

Quimicamente, a fórmula médica moderna prescrita para a nutrição de infantes não é muito diferente dessa combinação descrita por Isaías. "Coalhada e mel" são itens básicos na dieta de árabes beduínos até os dias atuais.

[8] A mesma coisa que ocorrera com Amós e Jeremias aconteceu a Isaías. "Sempre que os profetas eram zelosos na sua oposição a suplicar pela ajuda estrangeira, eles eram acusados de estarem a serviço do inimigo e conspirando para a derrocada do rei" (Delitzsch, *op. cit.*, p. 236).

[9] Veja uma bela tradução poética em George Buchanan Gray, "A Critical and Exegetical Commentary on the Book of Isaiah", *International Critical Commentary* (Nova York: Charles Schribner's Sons, 1912), pp. 164-165.

[10] Handel tem realizado um desserviço aos leitores da Bíblia ao separar esses dois termos tão forçosamente em seu oratório, *O Messias*. É claro que ele estava seguindo a tradução germânica de Martinho Lutero.

[11] O termo hebraico *ad* (significando "até, tanto quanto, até o ponto de"), aqui traduzido por **Eternidade**, tem um significado espacial e temporal. Vindo de *adah* (transpor, continuar), seu significado primário é passar, ou progresso no espaço, e o secundário, duração de tempo. Desta forma, *Abi ad* significa não somente "Pai perpétuo" mas também "Pai onipresente". Ele não é apenas um Pai para sempre, mas um Pai sempre presente, existindo em toda parte ao mesmo tempo e o tempo todo. Cf. Gesenius; e Brown, Driver, and Briggs, *Léxicos* hebraicos.

[12] IB, V, p. 233.

[13] Podemos vê-las nos vilarejos dos *fellahin* ao longo do rio Nilo.

SEÇÃO III

[1] O hebraico é *shodmish-Shaddai*. *Shaddai* vem da raiz do verbo *shadad*, "destruir"; assim, a frase pode ser traduzida por: "destruição do destruidor".

[2] Transtornos astronômicos no **dia do Senhor** (*Yom Yahweh*) são símbolos naturais de um tempo de terror (Jl 2.31; 3.15; Mt 24.29; Lc 21.25).

[3] Os beduínos se retraem com horror supersticioso de acampar em lugares com ruínas. De acordo com Heródoto, a Babilônia era a mais famosa e forte de todas as cidades da Assíria. Ela era fabulosamente ornada. Arqueólogos modernos acham que foi um desperdício medonho. A imensa cidade foi transformada em ruínas abandonadas.

[4] O termo hebraico para **os mortos** (v. 9) é *Rephaim*, "sombras ou fantasmas gigantes".

[5] Esse termo latino significa "que traz a luz" e indica a "estrela da manhã", Vênus.

[6] IB sugere 720 a.C. (*ad. loc.*).

[7] Há uma recorrência marcante das palavras: "Eu queimei" (*ashrup*), nas inscrições assírias.

[8] Moabe significa "do pai" e sugere a descendência dos moabitas da irmã mais velha de Ló, que deu esse nome ao seu filho. Cf. Gênesis 19.30-37.

[9] O profeta é afetado penosamente por aquilo que vê. Tudo que predisse evoca sua compaixão mais profunda enquanto se identifica em verdadeira empatia com a nação desventurada cuja aflição e desolação ele prediz. Jeremias inclui esse oráculo, quase na sua totalidade, em seu próprio oráculo acerca de Moabe. Cf. Jeremias 48.

[10] Para uma compreensão melhor desses dois capítulos veja Números 21.26-30; 2 Reis 3; Isaías 25.10-12; Jeremias 48; Ezequiel 25.8-11; Amós 2.1-3; Sofonias 2.8-11. Os comentários de Delitzsch, *op. cit.*, e John Skinner, *The Book of the Prophet Isaiah*, "Cambridge Bible for Schools and Colleges" (Cambridge: University Press, 1915), são superiores. Acerca da situação geográfica consulte o mapa 2. Veja também Denis Baly, *The Geography of the Bible* (Nova York: Harper and Borthers, s.d.), cap. XIX. Os artigos a respeito de "Moabe", "Moabitas", e "Pedra Moabita", em Merril T. Unger, *Unger's Bible Dictionary* (Chicago: Moody Press, 1957), e na ISBE devem consultados. Veja também comentários acerca de Jeremias 48 neste volume.

[11] **Ar** (v. 1) é o termo hebraico antigo para "Cidade", e **Quir** é o nome antigo para o moderno El Kerak. **Dibom, Medeba, Nebo** (v. 2) e **Horonaim** (v. 5) são todas mencionadas na inscrição da pedra moabita, que testifica da sua iniqüidade.

[12] **Nebo** era a montanha em que ficava o templo de Quemos, o santuário central de Moabe, em honra à sua deidade principal.

[13] Os moabitas eram semelhantes aos hebreus tanto racial quanto lingüisticamente.

[14] Também conhecido como "Ribeiro de Zerede". Esses salgueiros são, na verdade, oleandros. Cf. Denis Baly, *op. cit.*, p. 217. O Zerede servia como uma linha limite entre Moabe e Edom. O rio que fica mais ao sul dos quatro principais rios que desembocam no Jordão, na parte ocidental e fluem para as fendas do vale. O Jarmuque e o Jaboque correm para o rio Jordão; o Arnom e o Zerede desembocam no próprio mar Morto.

[15] Petra é a fortaleza "vermelho-rosa" dos edomitas bíblicos. Cf. a *National Geographic Magazine*, CVIII, número 6, pp. 853-870. É uma das viagens turísticas favoritas a partir de Jerusalém no turismo jordaniano moderno.

[16] George Adam Smith refere-se a esse oráculo como "uma das profecias mais antigas e claras de Isaías, do tempo da aliança entre Síria e Efraim contra Judá, por volta de 736 e 732 a.C." (*op. cit., ad. loc.*).

[17] Cf. Deuteronômio 2.36; 3.23 acerca da cidade de Aroer na terra de Rúben, que mais tarde se tornou possessão de Moabe (Jr 48.19); e Números 43.34; Js 13.25; 2 Samuel 24.5 acerca de uma cidade com o mesmo nome em Gade, perto de Rabá de Amom. A primeira era dos amorreus e a outra amonita.

[18] Provavelmente "o vale dos gigantes" (os terríveis) na fronteira entre Benjamin e Judá (Js 15.8). Aqui Davi repetidas vezes derrotou os filisteus (2 Sm 5.18, 22; 23.13; 1 Cr 11.15; 14.9). Talvez aqui se refira à moderna *el-Bika'*, com seu declive para o sudoeste, à beira do vale de Hinom.

[19] Na colheita das azeitonas, as árvores são sacudidas com varas longas (Dt 24.20). As mulheres e as meninas mais velhas então ajuntam a fruta do chão. Os mais novos, muitas vezes, trepavam na árvore até os galhos mais elevados para alcançar as azeitonas, mas dificilmente consegue-se tirar todas as azeitonas de uma árvore.

[20] Esses eram provavelmente jardins do culto a Adonis nos quais vasos com terra eram plantados com flores, pequenos grãos e vegetais, e cuidados para um rápido crescimento debaixo do calor do sol. Esses jardins eram então considerados manifestações dos poderes reprodutivos

de Adonis, a deusa da fertilidade. Uma parte importante e sensual nesses ritos pertencia às mulheres; assim, Isaías dirige-se aqui a Israel na segunda pessoa do feminino. O profeta está certo de que essa devoção a deuses estrangeiros deixará a nação desamparada no dia da calamidade.

[21] Que o pregador consulte o sermão de Alexander Maclaren acerca de "Uma Vida sem Deus", em *Expositions of Holy Scripture* (Nova York: George H. Doran Co., s.d.), baseado nos versículos 10-11 dessa passagem.

[22] Mesmo hoje na Jordânia e na Síria, locais altos e planos são usados como locais para debulha. Nesses lugares expostos ao vento, os resíduos e a palha são peneirados do trigo.

[23] A palha em forma de **bola** não são plantas em um tufão, mas pequenos redemoinhos que os árabes chamam de "demônios de pó" que precedem a tempestade. (cf. Denis Baly, *op. cit.*, p. 65.

[24] Esta frase tem sido traduzida de diversas formas, como por exemplo: "terra com asas roçadoras" (ASV), "terra de asas que zumbem" (Gray em ICC), "terra de insetos que zumbem" (Phillips). A idéia de "insetos que zumbem" está baseada no fato de a Etiópia ser um dos lugares onde a amedrontadora mosca tsé-tsé se desenvolve, e o fato de Isaías mencionar "as moscas [...] do Egito" em 7.18. Mas a tradução de George Adam Smith parece a mais plausível.

[25] Veja o mapa do *National Geographic*, "The Nile Valley: Land of the Pharaohs", Atlas número 58, maio, 1965, para mais informações valiosas.

[26] Nossa palavra portuguesa "papel" vem de "papiro", cujas folhas amplas de junco eram usadas como material de escrita. Uma estrutura de barco coberta com isso e então revestida com uma camada de piche se tornaria uma canoa leve e maneável.

[27] As pessoas do Oriente Médio geralmente são menores do que os europeus e americanos.

[28] Um visitante moderno observou e fotografou um exército em marcha de um cacique Zulu na Suazilândia. Cada guerreiro tinha mais de um metro e oitenta, e eles vinham em grupos enfileirados um após o outro ao passo dos tambores zulus, batendo o pé com força enquanto marchavam a um passo de distância, a ponto de a terra tremer, como se fosse a passagem de um trem de carga. Assim, Delitzsch traduz esse texto da seguinte forma: "um povo esmagador", i.e., batendo fortemente o pé enquanto marcha.

[29] "Murmuradores", respondendo com uma voz baixa e aguda, como aqueles que "chilreiam" em 8.19, até mesmo usando alguma forma peculiar de ventriloquismo.

[30] Cf. Skinner e Delitzsch.

[31] Alfred Lilienthal, um judeu, argumenta a favor da atual missão espiritual de Israel, em seu artigo: "Israel's Flag Is Not Mine", *Reader's Digest*, 55.329 (Setembro, 1949), pp. 49-54. Ele diz: "Tenho sentido que o Judaísmo era uma fé religiosa que não se limitava a fronteiras nacionais, à qual um cidadão leal de qualquer país poderia aderir".

[32] O grego é *polis asedek;* '*ir haccedek* deve ter sido um termo hebraico que estava sendo traduzido. Alguns sugerem "Cidade do Sol", que identificam com Heliópolis, a cidade do deus-sol Rá, situada a nordeste de Mênfis. Outros sugerem Leontópolis, "a Cidade do Leão", visto que em anos posteriores foi construído um templo judeu nesta cidade pelo refugiado judeu Onias. Ele se baseou nessa profecia para construir o templo ali (cf. Josefus *Antigüidades* xiii, 3. 1f., e *Guerras Judaicas*, vii, 10. 2. Cf. the *Sibyllene Oracles* pp. 488-510). Driver, no entanto, sugere: "Isaías diz que não será mais *'ir há-cheres*, a cidade do *sol*, mas *'ir há-heres*, a cidade da *destruição*, a cidade na qual a adoração do sol foi destruída" (*op. cit.*, p. 94).

[33] Essa dificilmente pode ser uma referência à grande pirâmide de Queóps em Gizé, como alguns israelitas britânicos argumentam. Cf. S. R. Driver, *op. cit.*, p. 94.

³⁴ O Egito foi um país cristão do terceiro ao sétimo século d.C.

³⁵ Kilpatrick está absolutamente certo: "A opção está diante de nós, uma civilização ímpia se dirigindo a sua própria ruína e condenação, ou uma raça que encontrou sua salvação e paz em uma fé comum e obediência no Deus Todo-poderoso". Porque "a paz não é basicamente uma questão de tratados, mas de um novo espírito nos relacionamentos humanos" (IB, V, p. 283).

³⁶ Cf. Driver, Naegelsbach e Plumptre.

³⁷ Os escudos eram untados do lado voltado para o inimigo para desviar com maior eficiência os seus golpes com lança ou espada.

³⁸ Tanto jumentos quanto camelos foram capturados em grandes quantidades quando Senaqueribe derrotou Merodaque-Baladã. Seus registros dizem: 11.173 jumentos e 5.230 camelos.

³⁹ Gesenius nos relata que a idéia básica do termo hebraico é "aguçar os ouvidos" e "ouvir atentamente". A expressão idiomática em hebraico diz: "Ouvindo, ele ouviu atentamente".

⁴⁰ A destruição dos ídolos geralmente acompanhava a queda de qualquer estado do qual eram considerados benfeitores e protetores.

⁴¹ Essa mensagem de ruína encontra seu eco em Apocalipse 14.8; 18.2, em que a Babilônia tipifica todas as influências anticristãs.

⁴² **Dumá** é o lugar atual de *ej-Jauf* a sudoeste do uádi *Sirhan*, localizado em uma linha ao leste do Eziom-Geber e *Jebel Ramm*. Consulte o *Rand McNally Bible Atlas*, Mapa XI, p. 245.

⁴³ O termo hebraico para **guarda** não especifica um "vigia" mas, sim, um "guarda".

⁴⁴ Cf. David S. Boyer, "Petra, Rose-Red Citadel of Biblical Edom", *National Geograhic Magazine*, CVIII, nº 6 (Dezembro, 1955), pp. 853-870. Veja uma descrição resumida da história e arqueologia dos edomitas em Nelson Glueck, "The Civilization of the Edomites", *Biblical Archaeologist*, X, nº 4 (Dezembro, 1947), pp. 77-84. Veja uma discussão das práticas degradantes da sua religião em Geo. L. Robinson, *The Sarcophagus of an Ancient Civilization*; *Petra, Edom, and the Edomites* (Nova York: The Macmillan Co., 1930).

⁴⁵ "Isaiah", *The Century Bible* (Edimburgo: T. C. e E. C. Jack, 1905), *ad. loc.*

⁴⁶ A terra de Dedan fica ao longo da costa oriental do mar Vermelho (veja mapa 1) entre Petra e Meca, e localizado ao redor de *el 'Ela*.

⁴⁷ **Tema** (às vezes escrito Teima) fica a nordeste de Dedan (*el-'Ela*) mais ou menos na metade da distância para Dumá (*ej-Jauf*). As pessoas eram conhecidas pela sua prática da hospitalidade árabe. Um dos seus próprios poetas escreveu: "Nenhum fogo foi apagado à noite sem um visitante, e nenhum visitante fez pouco caso de nós". Cf. Albert Barnes, *Notes on the Old Testament*, ed. Robert Frew (Grand Rapids, Mich.: Baker Book House, 1950), *ad. loc.*

⁴⁸ Em 1611, quando a King James Version (KJV) foi traduzida, a palavra "prevenir" significava "ir ao encontro para dar as boas-vindas".

⁴⁹ **Quedar** provavelmente ficava ao norte do uádi *Sirhan*, a leste do mar Morto e quase no centro da parte norte da península da Arábia. Quedar era um filho de Ismael (Gn 25.13), como era o caso de Dumá e Tema (Gn 25.14-15).

⁵⁰ As águas do vale de Giom eram canalizadas para o tanque de Siloé por um túnel subterrâneo (2 Rs 20.20; 2 Cr 32.30). Cf. *Unger's Bible Dictionary*, artigo "Hezekiah (The Siloam Inscription)", pp. 480-481.

⁵¹ George Adam Smith, *op. cit.*, *ad. loc.*

⁵² *Ibid.*, p. 319. Smith entende que a pedra rolante se refere a Sebna, o estrangeiro, que foi finalmente atirado para o cativeiro estrangeiro.

⁵³ Sargão registra o fato de ter saqueado o distrito da Samaria, a casa de Omri, e reinou de Yatnan (Chipre), "que fica no meio do mar do sol poente", da Fenícia e Síria até cidades remotas da Média. Senaqueribe se vangloria do fato de Luti, rei de Sidon, ter fugido para Yatnan (Chipre), "que fica no meio do mar".

⁵⁴ Uma das melhores interpretações desse difícil capítulo vem de George Adam Smith, *op. cit.*; veja também Skinner, *op. cit.*,; Plumptre, *op. cit.*; Rawlinson, *op. cit.*; os artigos acerca de Tiro no *Unger's Bible Dictionary*; e A. S. Kapelrund, "Tyre", *The Interpreter's Dictionary of the Bible*, ed George A. Buttrick (Nashville: Abingdon Press, 1962), IV, pp. 721-723; e comentários acerca de Ezequiel 27—29 neste volume.

⁵⁵ S. R. Driver, *op. cit.*, p. 103.

⁵⁶ *Antigüidades* viii, 3.1.

⁵⁷ Além do embarque de trigo do Egito, essas embarcações fenícias também levavam os produtos de linho da indústria de linho do Egito (Ez 27.7). Os egípcios não tinham madeira para construir grandes navios. Além disso, eles odiavam o mar, e, desta forma, concordavam em que os fenícios providenciassem os navios para levar seus produtos para os diversos portos no mar Mediterrâneo.

⁵⁸ ii. 44.

⁵⁹ A palavra é *cananeu*, conotando "mercador" ou "comerciante".

⁶⁰ *Op. cit.*, ix. 14.2.

⁶¹ A palavra significa "desonrada ou violentada".

⁶² Confira a *The Berkeley Version*, a tradução de Moffatt e a de J. B. Phillips.

⁶³ Essa profecia parece agora estar sendo cumprida por meio de Beirute, a sucessora moderna de Tiro. No entanto, quem sabe se a própria Tiro não se tornará o centro comercial, mesmo que hoje Haifa e Beirute estejam exercendo suas antigas funções?

⁶⁴ George Rawlinson, *op. cit.*, p. 374.

SEÇÃO IV

¹ Cf. George L. Robinson, *The Book of Isaiah* (Nova York: Y.M.C.A. Press, 1910), pp. 99-106.

² Uma das melhores discussões desse capítulo foi escrita por George Adam Smith, *op. cit.*, cap. XXVIII, "The Effect of Sin on Our Material Circumstance".

³ "O 'hinneh' (eis) de Isaías sempre se refere a algo futuro" (Delitzsch, *op. cit.*, p. 425).

⁴ G. A. Smith, *op. cit.*, p. 417.

⁵ Delitzsch, *op. cit.*, p. 426.

⁶ Algumas versões mais antigas trazem "país" em vez de terra.

⁷ Cf. Gray e Skinner.

⁸ Cf. Gênesis 4.10; Números 35.33; Deuteronômio 21.1-9; Jó 16.18; Salmos 106.38; Jeremias 3.9.

⁹ *Op. cit.*, p. 427.

¹⁰ "O pecado do mundo está na violação desses preceitos fundamentais de moralidade, especialmente a lei contra o assassínio, que é a principal condição da Aliança de Noé (Gn 9.5-6)" — Skinner, *op. cit.*, pp. 181-182.

¹¹ Delitzsch vê aqui "a marca genuína de Isaías [...] na descrição do desaparecimento dos homens até ficar um pequeno remanescente". Skinner observa que "guerras desoladoras têm reduzi-

do a população de todos os países; mas o processo de extermínio ainda não acabou". Cf. seus comentários, *ad. loc.*

[12] Mas Delitzsch sugere: "Todas as fontes de alegria e contentamento são destruídas [...] o sabor dos próprios homens se transforma em amargura".

[13] O termo hebraico *tohu*, na frase *kiryath tohu*, é o mesmo que em Gênesis 1.2, onde a terra primitiva estava *tohu wabochu*, "sem forma e vazia".

[14] Este autor lembra dos incêndios, saques e inclusive tiroteios que caracterizaram a revolta dos Watts em Los Angeles, em agosto de 1965, onde mesmo a força policial mais eficiente foi inútil para trazer as coisas de volta à normalidade.

[15] "Os homens choram nos campos porque não há safra de vinho" (Plumptre, *op. cit.*, *ad. loc.*). O hebraico traz esse significado.

[16] Rawlinson, *op. cit.*, *ad. loc.*

[17] Acerca da doutrina do remanescente de Isaías veja Introdução.

[18] "*Yahweh*, no seu significado gramatical literal, coloca ênfase no ser absoluto, sem origem, e, portanto, ilimitado, incondicional, imutável, eterno de Deus" (Alexander Maclaren, *op. cit.*, p. 117).

[19] *Op. cit.*, p. 385. Consulte a parábola de Jesus acerca do joio: "Colhei *primeiro* o joio [...] então, os justos resplandecerão como o sol, no Reino do seu Pai". Nem Jesus nem Isaías ensinaram um "milênio repressivo". Os maus serão erradicados da terra *primeiro*, e então os justos a possuirão. Veja Mateus 13.30, 43. O dr. H. Orton Wiley costumava ressaltar esse aspecto em suas classes.

[20] Essa é uma boa tentativa de preservar o jogo de palavras de Isaías no hebraico: *pachad, pachoth* e *pach*. Cf. Jeremias 48.43ss; Amós 5.19.

[21] Rawlinson, *op. cit.*, X, p. 385.

[22] Plumptre, *op. cit.*, *ad. loc.*

[23] "A terra foi despedaçada [...] destruída [...] abalada" (NVI). "A terra se despedaça [...] fende-se [...] abala-se" (Smith-Goodspeed).

[24] *Op. cit.*, *ad. loc.*

[25] Cf. Delitzsch, Moffatt, Plumptre.

[26] *Op. cit.*, *ad. loc.*

[27] Citado por Delitzsch, *op. cit*, *ad. loc.*

[28] Cf. Gesenius' *Hebrew and Chaldee Lexicon* acerca do termo *Paqad*.

[29] *Schriftbeweis*, i, pp. 320-321.

[30] O sermão de Alexander Maclaren acerca do "Cântico das duas Cidades", baseado em Isaías 26.1-10, é digno de nota. Cf. *op. cit*. O mesmo pode ser dito dos seus sermões "Nossa Cidade Forte" (em 26.12) e "O Habitante da Rocha" (26.3-4).

[31] O nome para Deus no versículo 4 é *Yah Yahweh* (somente aqui e em 12.2 no AT); A Septuaginta traz a seguinte tradução: "Deus, o grande, o Eterno". É uma expressão superlativa para a Deidade Absoluta, "a Rocha Eterna", como a frase hebraica acrescentada deveria ser traduzida. Deus é um Refúgio certo por toda a eternidade, da mesma forma que Ele é a Causa dinâmica e eterna de todo ser.

[32] *Rephaim*, às vezes traduzido por "sombras", é um termo técnico hebraico para habitantes do submundo.

[33] George Adam Smith, *op. cit.*, p. 451. O grifo é de Smith.

[34] O grego na Septuaginta para esse termo é "santo". Whitehouse, *op. cit., ad. loc.*, sugere "implacável" como uma tradução do hebraico.

[35] Delitzsch discorda radicalmente dessa interpretação e diz: "Eu considero toda exposição do versículo 12 que presume a volta dos cativos completamente falsa. O Eufrates e o ribeiro do Egito, i.e., o uádi el-Arish, eram as fronteiras do nordeste e sudoeste da terra de Israel, de acordo com a promessa original (Gn 15.18; 1 Rs 8.65), e não se afirma que Javé vai bater no lado de fora das fronteiras, mas dentro delas" *(op. cit.*, p. 460). O uádi el-Arish fica a cerca de 75 quilômetros a sudoeste de Gaza.

SEÇÃO V

[1] Cf. Delitzsch, *op. cit.*, II, p. 1.

[2] Os primeiros figos são uma iguaria especial (Os 9.10; Mq 7.1) para as pessoas que passam. Os figos geralmente amadurecem no início de agosto. Se alguém vê um figo maduro em junho, seu olho é atraído por ele e essa pessoa malmente chega a tocar o figo antes de comê-lo. Isaías prediz que a suntuosa Samaria vai desaparecer como essa iguaria.

[3] O versículo 10 está repleto de monossílabos no hebraico.

[4] A língua assíria é composta basicamente de monossílabos e três vogais básicas.

[5] Rawlinson, *op. cit., ad. loc.*

[6] O grego da Septuaginta diz: *ouai polis 'ariel*. Eu entendo que Isaías também tinha o hebraico *'ir-el* em mente quando usou o termo *'ariel*. Para o profeta, Jerusalém era ao mesmo tempo o "leão de Deus", "a cidade de Deus" e o "altar superior de Deus". **Ariel** é claramente um nome místico para Jerusalém. Ele é geralmente explicado como equivalente a *'ari-el*, "leão de Deus". Mas Delitzsch sugere que o significado deveria ser "altar superior de Deus" ou "altar de Deus" como está em Ezequiel 43.15-16.

[7] Adam Clarke está, sem dúvida, correto em dizer que "o primeiro Ari-el [sic] aqui parece significar Jerusalém, que seria afligida pelos assírios. O segundo Ari-el parece significar o altar das ofertas queimadas" (*A Commentary and Critical Notes: The Old Testament* [Nova York: Abingdon-Cokesbury Press, s.d.], *ad. loc.*).

[8] *"The Prophecies of Isaiah"* (Edimburgo: T. & T. Clark, 1889), p. 164.

[9] "Continuai, ano após ano, com suas festas solenes; no entanto, saibam que Deus vos castigará pela vossa adoração hipócrita, que consiste de mera forma, mas é destituída de verdadeira devoção! Provavelmente, proferida durante uma grande festa". — Adam Clarke, *ad. loc.*

"O segundo ai de Isaías é pronunciado sobre Ariel, o altar superior de Deus, i.e., Jerusalém, o centro de sacrifícios da adoração de Israel. Davi foi aquele que inaugurou a verdadeira adoração a Javé em Sião. Mas agora a adoração em Sião havia se tornado tão formal e insensível que Javé determina que dentro de mais um ano completo Jerusalém seja sitiada e caia (vv. 1-4)". G. L. Robinson, *op. Cit.*, p. 110.

[10] Adam Clarke, *op. cit., ad. loc.*

[11] Isaías "deixa abundantemente claro [...] que o livramento será inesperado e inexplicável pelas circunstâncias naturais. Ficará evidente que foi uma ação imediata de Deus" (George Adam Smith, *op. cit.*, p. 215).

[12] Plumptre, *op. cit., ad. loc.*

[13] Cf. Delitzsch e Von Orelli. Skinner observa: "Esse monstro orgulhoso e jactancioso — seu nome próprio é 'Inação'" (*op. cit., ad. loc.*).

[14] O termo hebraico *shubah* ocorre somente aqui no AT. De acordo com Gesenius ele indica não somente "retorno" mas "conversão". O grego na Septuaginta é *apostrapheis*, que significa "afastar-se de alguma coisa". Por isso, Von Orelli sugere que o termo grego *metanoia* seria uma melhor tradução do hebraico, visto que é o termo para arrependimento.

[15] *Op. cit.*, p. 172.

[16] *Op. cit.*, ad loc..

[17] *B'lil khamitz* é provavelmente um tipo de mistura de cevada, aveia e ervilhaca, feita de segurelha com sal e hortaliça azeda, em que os resíduos são removidos dos cereais ao serem espalhados com a pá.

[18] Von Orelli, *op. cit.*, p. 177.

[19] Alguns tradutores traduzem "rédeas", outros "cabresto", outros "laço". Este último, se aplicado a cavalos selvagens, é o mais apropriado.

[20] Dessa forma, podemos entender um pouco da conotação do termo Geena, como Jesus o usou.

[21] Von Orelli, *op. cit.*, p. 178.

[22] *Ibid*.

[23] Os intérpretes usaram todas as três traduções das preposições do hebraico.

[24] Delitzsch observa: "O poder da Assíria está quebrado para sempre; mesmo seus jovens serão sujeitos a trabalhos forçados" (*op. cit., ad. loc.*).

[25] *Op. cit.*, p. 179.

[26] A KJV traduz: "E um homem será como um refúgio". Muitos comentaristas vêem aqui uma referência específica ÀQUELE VARÃO, Jesus Cristo, a quem vêem como o cumprimento da profecia de Isaías. Cf., por exemplo, o sermão de P. F. Bresee: "Jesus, nossa Rocha protetora", *Sermons on Isaiah* (Kansas City, Mo.: Nazarene Publishing House, s.d.), pp. 111-119. A maioria dos tradutores e comentaristas mais recentes traz "cada homem". Neste caso, Isaías está descrevendo uma comunidade messiânica futura na qual todos os homens do governo serão homens com caráter ideal e serão verdadeiros nobres em sua administração dos afazeres do estado.

[27] **Ao louco nunca mais se chamará de nobre** é mais um jogo de palavras de Isaías; o *nabal* não será chamado de *nadib*.

O **avarento** é *kilai* em hebraico. Adam Clarke define este termo como "aquele que morre de fome no meio da fartura, e não faz uso das coisas necessárias desta vida com medo de diminuir seu estoque". Essa pessoa perde nos dois mundos, morrendo de fome neste e sendo condenado no próximo" (*op. cit.*).

A palavra para **generoso** é *shoa*, que Clarke define como "aquele que é muito rico; que se regozija na sua fartura e que dá livremente aos aflitos" (*ibid*).

Nobre, *kalokagathos*, na Septuaginta, significa "belo e bom".

O louco fala loucamente (v. 6) é melhor traduzido por: "O insensato fala com insensatez". Cf. NVI. Essa pessoa é culpada de heresia, de uma profissão vazia, chegando a zombar das coisas sagradas, porque proferirá **erros contra o Senhor**.

[28] J. A. Alexander, *Commentary on the Prophecies of Isaiah* (Grand Rapids: Zondervan Publishing House, 1953 [reedição], 2 vols, em 1), II, p. 2.

[29] Adam Clarke não está certo que este texto está sendo dirigida a mulheres de verdade. Os Targuns trazem: "vós províncias" ou "vós cidades". Ele acredita, portanto, que os versículos 9-14 tratam da desolação da Judéia.

30 O termo hebraico é *ephel* que, sem dúvida, indica a elevação na extremidade sul da colina (monte Moriá) de Jerusalém. Debaixo desse monte, o turista de Jerusalém agora vê as enormes escavações conhecidas como "estábulos de Salomão", onde um grande número de cavalos podia ser abrigado.

31 Adam Clarke, *op. cit., ad. loc.*

32 *Op. cit.*, pp. 115-116.

SEÇÃO VI

1 C. C. Torrey argumenta que esses capítulos são inseparáveis, como dois lados de uma moeda, expressando os temas gêmeos de juízo sobre os inimigos de Deus e bênção para os justos. Cf. *The Second Isaiah* (Nova York: Chas. Scribner's Sons, 1928).

2 **Destruiu totalmente** *(cherem)* é uma palavra técnica para o que foi irrevogavelmente atribuído à Deidade e deve, portanto, ser destruído. Cf. Js 6.18; 7.12.

3 **Unicórnios** na margem da KJV são rinocerontes. Outros comentaristas têm sugerido uma série de animais, desde "touros selvagens" até "antílopes".

4 Cf. Baly, *op. cit.*, pp. 239-251.

5 Como o capítulo 13 escolheu a Babilônia para uma devastação especial, assim o capítulo 34 escolhe Edom. Edom é o símbolo do opressor profano e ímpio do povo de Deus. Na luta de Sião com as nações do mundo, Edom persistentemente ficou do lado dos inimigos de Israel. Sua natureza profana e terrena o torna incapaz de entender as reivindicações espirituais do seu irmão. Cheio de inveja e malícia, ele se alegra em não atender essas reivindicações. (Cf. G. A. Smith , *op. cit.*, pp. 438-439).

6 Os **animais noturnos** (v. 14) é traduzido por "monstro noturno" na nota marginal da KJV. A idéia de espíritos ou demônios não pode fazer parte de uma lista de aves e animais selvagens e solitários. Deve referir-se a algum tipo de "ave noturna", ou, talvez, o morcego vampiro com seus gritos e seu sistema de radar interno. **O sátiro** do versículo 14 é traduzido por "monstro peludo" por J. A. Alexander. O termo hebraico é *as'ir*, "bode", então por que tentar transformá-lo em um demônio, como muitos comentaristas são inclinados a fazer? Não devemos introduzir mitologias gregas e romanas no livro de Isaías, quando "um bode selvagem" faz sentido no contexto. **Cães bravos** ("feras do deserto", cf. nota de rodapé da ERC) **se encontrarão com os gatos bravos**. Isaías faz um jogo de palavras com os termos *Ziim* e *Ijim*. Talvez elas sejam mais-bem traduzidas por "raposas do deserto e chacais" (C. von Orelli). Para **abutres** no versículo 15, a NTLH traz "urubus". Acerca da flora e fauna da Palestina, cf. Denis Baly, *op. cit.*, Cap. VII, ou *Unger's Bible Dictionary*, verbete "Reino Animal".

7 Cf. Naegelsbach, *op. cit.*, pp. 369-370.

8 Naegelsbach, *ad. loc.*

9 O pronome é enfático no hebraico.

10 "Miragem" aparece na margem da ASV. O hebraico é *sharab* e ocorre somente mais uma vez em 49.10. Esse termo tem sido traduzido por "areia abrasadora" (NVI), "areia ardente" (Berk.), "a miragem" (Von Orelli e Deli).

11 *Op. cit.*, p. 371.

12 E. E. Hewitt, "Jesus Has Lifted the Load" [Jesus Tirou meu Fardo].

13 *Op. cit.*, p. 192.

SEÇÃO VII

[1] Cf. CBB, II.

[2] Cf. Delitzsch, *op. cit.*, p. 78.

[3] Cf. von Orelli e outros.

[4] Manassés tinha apenas doze anos de idade quando seu pai morreu.

[3] Tradução de von Orelli. Observe que **Sebna** foi agora substituído por **Eliaquim** e serve somente num posto de segundo escalão como secretário. A terminologia moderna tornaria **Eliaquim** o primeiro-ministro e **Sebna**, um secretário de estado.

[6] Plumptre, *op. cit.*, *ad. loc.*

[7] A palavra hebraica é equivalente ao *garçon* no Francês, "menino" ou "garçom".

[8] O hebraico é *Malek Yahweh*, que muitos estudiosos do AT entendem estar se referindo à "Cristofania", ou a uma aparição de Cristo.

[9] *Shalem*, perfeito, vem do adjetivo *shalom*, "inteiro, completo". C. von Orelli traduz a expressão por: "com um coração não dividido". Ezequias, portanto, testificou que não havia uma inconstância acerca do seu relacionamento com Deus.

[10] Acerca do homem que morreu cedo demais, veja 1 Reis 13.

PARTE 2

[1] Em cada uma dessas três divisões os grandes temas da salvação futura são expressos de maneiras distintas. Na primeira parte, o glorioso Deus triunfa sobre os ídolos impotentes. Do ponto de vista cristão é o governo de Deus, o Pai, e a vinda do seu reino que essa parte celebra. Na segunda parte, o observador é absorvido pelo sofrimento do Santo e Justo, que trará a salvação de muitos, e ele mesmo se torna o caminho para a glória. Na linguagem do NT, aqui está a obra expiatória do Filho de Deus, vestida em roupas do AT. Finalmente, na terceira parte, a Igreja, purificada, glorificada e abençoada do futuro, é descrita como uma nação de adoradores do verdadeiro Deus de todos os povos. Aqui está a obra do Espírito Santo. — cf. Von Orelli, *op. cit.*, p. 217.

[2] "Isaiah 40—66" (Exegesis), IB, V, p. 384ss.

[3] *History and Theology in Second Isaiah* (Filadélfia: Westminster Press, 1965), p. 30.

[4] *A Survey of Old Testament Introduction* (Chicago: Moody Press, 1964). Cf. seus capítulos em Isaías.

[5] *Deutero-Isaiah, a Theological Commentary on Isaiah 40—55* (Nova York: Abingdon Press, 1965), p. 12.

[6] *Op. cit.*, p. 121.

[7] É necessário considerar a possibilidade de que 150 anos transcorreram entre os capítulos 39 e 40. Senaqueribe tinha despojado Judá completamente e quase capturado Jerusalém em 701 a.C.

Postule um profeta, portanto, que estava constantemente procurando conforto para o futuro (1.27-28; 2.2-4; 6.13; 7.16; 8.4; 10.20-23; 11.6-16; 17.14; 18.7; 19.19-25; 26.20; 29.5, 17-24; 30.31; 31.8; 32.16-20; 33.17-24; 35.10; 37.26-29,33-35; 38.5-6), e os capítulos 40ss encontram um cenário muito satisfatório no final do oitavo século a.C. O problema de fundamental importância na mente do profeta seria naturalmente explicar porque Javé permitiu que seu próprio povo escolhido fosse tão humilhado (Geo. L. Robinson, *op. cit.*, p. 131).

[8] O rico simbolismo desse nome aplica-se a muito mais do que um conquistador persa, como o comentário em que esse nome aparece procurará demonstrar.

[9] Enéade, ou "conjunto de nove seres ou coisas" (Caldas Aulete, 1964) refere-se a um arranjo nônuplo dentro de cada uma dessas três seções.

[10] *Op. cit.*, p. 124.

[11] *Ibid*, pp. 125-126.

[12] *Op. cit.*, p. 210.

[13] *Ibid.*, p. 215.

[14] *The Bearing of Archaeology on the Old Testament* (Nova York: The American Tract Society, 1941), p. 102.

SEÇÃO VIII

[1] Delitzsch, *op. cit.*, p. 135.

[2] George Adam Smith, *op. cit.*, p. 79-80.

[3] *Ibid.*, p. 81.

[4] O hebraico é *Ruach Yaweh*, "fôlego do Senhor". O termo hebraico para *respiração ou hálito, vento* e *espírito* é *ruach*.

[5] Delitzsch, *op. cit.*, p. 138.

[6] O significado hebraico literal de *Dabar Elohenu*.

[7] *Op. cit.*, p. 221.

[8] *Op. cit.*, p. 139.

[9] *Op. cit.*, p. 84.

[10] Depois da palavra "Eis" deveria aparecer uma vírgula, como ocorre em muitas traduções mais recentes.

[11] *Op. cit.*, p. 140.

[12] O hebraico *luth* vem de *ul*, "amamentar, dar leite". Assim, aquelas que amamentam estão com cordeirinhos do seu lado. As ovelhas não são levadas para os lugares altos para o pasto no verão até que a estação de amamentação termine.

[13] Um **palmo** é a distância entre o ponto do dedo mínimo até a unha do polegar quando a mão é aberta tanto quanto possível. Uma **medida** é de cerca de um e meio alqueire.

[14] Cf. James D. Smart, *op. cit.*, p. 58.

[15] von Orelli, *op. cit.*, p. 224; cf. tradução de Moffatt.

[16] Cf. George A. F. Knight, *op. cit.*, p. 39.

[17] Este nome para Deus é usado em Isaías 1—39 doze vezes, e em 40—66 treze vezes, um fato que argumenta a favor de um só autor para este livro.

[18] von Orelli, *op. cit.*, p. 228.

[19] George Adam Smith, *op. cit.*, p. 99.

[20] George Rawlinson traduz esse texto da seguinte maneira: "Mesmo que os jovens desfaleçam e se cansem, e os moços fracassem completamente, aqueles que esperam no Senhor renovarão as suas forças".

[21] Plumptre, *op. cit.*, *ad. loc.*

[22] A quem o profeta se refere? Críticos modernos quase unanimemente acreditam tratar-se de Ciro. No entanto, alguns comentaristas como Torrey, Kissane, Adam Clarke, Calvino e os exegetas judeus

vêem um grande argumento sendo desenvolvido com base na história de Israel. Por conseguinte, a pessoa referida é Abraão, que veio do Oriente (Ur da Caldéia), e do norte (Harã).

²³ Cf. Hebreus 2.16. Paulo usou esse conceito em três sentidos diferentes: (1) a semente de Abraão de acordo com a carne — judeu; (2) herdeiros da fé de Abraão; e (3) "a Semente", que é Cristo. Assim, a escolha de Israel no AT deve ser entendida à luz da idéia do NT do chamado e escolha da Igreja. Mas, (1) a Igreja visível não alcançou esse objetivo; (2) a Igreja invisível aproximou-se dele; e (3) somente a pessoa de Cristo o cumpriu.

²⁴ *Op. cit.*, p. 57.

²⁵ von Orelli, *op. cit.*, p. 231.

²⁶ Adam Clarke, *op. cit.*, *ad. loc.*

²⁷ *Ibid.*

²⁸ George Adam Smith, p. 132.

²⁹ Delitzsch vê o conceito de Isaías do Servo iniciando com o Israel todo, decrescendo até o remanescente, e culminando com o Servo sofredor; que, como o Segundo Davi, convoca um segundo Israel composto de participantes da salvação, que, por sua vez, tornam-se o segundo Adão ou a nova raça dos redimidos. Delitzsch acredita que essa é a pirâmide crescente que culmina com o Salvador, que se torna a Semente do Israel transformado, espiritual e em expansão (*op. cit.*, p. 174).

³⁰ O termo hebraico para "justiça" é *mishpat*. Seus quatro significados principais são apresentados e discutidos em uma nota de rodapé por George Adam Smith, *op. cit.*, p. 229. q.v.: (1) Em um sentido geral, refere-se a um processo legal (cf. 41.1) que culmina em justiça para todos. (2) Refere-se também à causa ou direitos de uma pessoa (40.27; 49.4). (3) Esse termo também pode significar a especificação de uma ordenança instituída por Javé para a vida e adoração do seu povo (cap. 58). (4) Em geral *mishpat* refere-se à soma das leis dadas por Javé a Israel (51.5; 58.2). A justiça, conseqüentemente, apresenta aspectos paralelos com a retidão, verdade e lealdade. Ao estudante de hebraico sugerimos consultar esse termo no Léxico de Gesenius.

³¹ Delitzsch declara: "Um comentarista imparcial deve admitir que o "Servo de Javé" é descrito aqui como Aquele em quem e por meio de quem Javé faz uma nova aliança com seu povo, no lugar da antiga aliança que foi quebrada..." (*op. cit.*, p. 179). Ele continua: "Tudo que Ciro fez, foi simplesmente jogar nações idólatras em um estado de alarme e libertar os exilados. Mas o Servo de Javé abre os olhos dos cegos; e, portanto, o livramento que Ele traz não é só a redenção do cativeiro físico, mas também da escravidão espiritual" (*ibid.*, p. 180).

³² Delitzsch está comentando aqui acerca do termo hebraico *tsedeq*: "A ação de Deus de acordo com seu propósito de amor e seu plano de salvação" (*ibid.*, p. 178).

³³ von Orelli, *op. cit.*, p. 237.

³⁴ von Orelli, *op. cit.*, p. 238.

³⁵ von Orelli, *op. cit.*, p. 239.

³⁶ James D. Smart, *op. cit.*, p. 98.

³⁷ O texto hebraico dessa passagem é obscuro. As versões evidentemente não a entenderam e qualquer, tentativa em reconstruí-la é, em grande escala, uma obra de conjectura. Muitas das traduções, portanto, seguem o grego do Antigo Testamento (LXX). A citação acima da *Peshitta* faz tanto sentido quanto qualquer outra tradução.

Há muito que dizer a favor da sugestão de James D. Smart, de que as palavras **Babilônia** e **caldeus** sejam omitidas desse versículo. A tradução, então, seria a seguinte: "Por amor de vós, enviarei e farei com que todos os fugitivos embarquem com júbilo em seus navios" (*op. cit.*, p. 105). Veja seu "Excurso das Passagens acerca de Babilônia e Caldeus" (*Ibid.*, pp. 102-106).

A referência aqui a navios parece significativa nos dias de Isaías mas não no tempo de Ciro. A frota de navios dos caldeus era enorme naquela época, de acordo com Heródoto 1, p. 184; e *Strabo* Bk. 16. Que Merodaque-Baladã, depois da sua derrota diante de Senaqueribe, fugiu em navios babilônicos está registrado em uma inscrição cilíndrica antiga dos seus dias. "Os navios de Ur" são celebrados em um período muito remoto na história da baixa Mesopotâmia.

Ciro desviou o rio Eufrates, e os monarcas persas construíram represas e cachoeiras para impedir a navegação rio acima contra seus reinos. Desta forma, Clarke e outros insistem em que essa referência é pré-exílica.

Os caldeus eram um povo semítico que se estabeleceu no vale inferior do Eufrates, e depois de um longo conflito arrancou a Babilônia dos assírios, por quem eles tinham sido conquistados, e estabeleceu o império caldeu (babilônico) depois da queda de Nínive em 612 a.C. Observe que não há menção de Ciro aqui, e esta é a primeira menção da **Babilônia** nessa metade do livro de Isaías.

[38] Muitos comentaristas vêem aqui a cessação dos sacrifícios e, portanto, argumentam que isso foi escrito durante o cativeiro babilônico, mas uma cessação semelhante de sacrifícios certamente ocorreu durante a severidade da invasão assíria e o cerco de Senaqueribe.

[39] Gleason L. Archer, "Isaiah", *The Wycliffe Bible Commentary*, ed. Charles F. Pfeiffer e Everett F. Harrison (Chicago: Moody Press, 1963), p. 640.

[40] Essa analogia aparece nas duas grandes metades do livro de Isaías e argumenta a favor de um só autor.

[41] *Op. cit.*, p. 640.

[42] George Adam Smith traduz: "Portanto, deixei minhas cidades santas serem profanadas", citando Oséias 3.4 como justificação para fazê-lo (*op. cit.*, *ad. loc.*).

[43] *Op. cit.*, p. 110.

[44] O Código de Hamurábi (pp. 226-227) traz evidências do costume antigo de marcar com fogo ou tatuar o nome do proprietário na mão do seu escravo.

[45] Veja a tradução louvável de George Adam Smith a respeito dessa passagem, *op. cit.*, pp. 153-155.

[46] Consulte Oswald T. Allis, *op. cit.*, Cap. V, e seu diagrama, que analisa de forma admirável esse poema profético. Cf. pp. 62-80.

[47] Assim, o termo do apóstolo Paulo para "o universo" é hebraico no seu conceito, embora seja expresso no grego como *ta panta*, "todas as coisas".

[48] Alguns comentaristas vêem aqui uma referência ao fato de que Ciro e seu exército desviaram o rio Eufrates do seu curso original através da cidade da Babilônia, usando seu leito como entrada para a cidade. Mas, a referência nessa passagem é evidentemente às maravilhas operadas por Deus no livramento de Israel na passagem do mar Vermelho (cf. 43.16; 51.10).

[49] Aqui Deus está falando, não Ciro. "O fato é: somente o fundamento do templo foi colocado nos dias de Ciro, visto que os amonitas impediram a construção do restante do Templo. A construção somente foi retomada no segundo ano de Dario, um dos seus sucessores" (Clarke, *op. cit.*, *ad. loc.*). O Templo foi, na verdade, construído nos dias de Ageu e Zacarias.

⁵⁰ O termo **Ciro** é *koresh* no hebraico. Na linguagem elamita, de acordo com A. B. Davidson, "o nome Ciro significa pastor". No língua persa a palavra *Kuru* era usada para indicar "o sol". O nome específico *Kuros* (**Ciro**) no grego indica "poder supremo, autoridade, força, segurança". Assim, esse termo geral parece apropriado para ser adotado por qualquer governante que se julga a autoridade suprema ou "o Sol" das esperanças do seu povo. E, de acordo com Strabo, o rei persa, Ciro, foi inicialmente chamado Agradates; assim, o nome Ciro foi adotado mais tarde por ele. Isaías parece usar o termo como um símbolo de livramento e salvação.

Estudiosos conservadores, como George L. Robinson, Oswald T. Allis, e C. W. E. Naegelsbach insistiram em que os capítulos que contêm essas referências a Ciro foram predições puras usadas pelo profeta para indicar a presciência divina. O Isaías de Jerusalém, portanto, projetou-se para o futuro nesse caso como também o vimos fazer nos capítulos 24—27. Porque, como Robinson diz: "Dificilmente, um contemporâneo teria falado nesses termos [como Isaías faz] do Ciro real de 538 a.C., já que [...] no mesmo contexto, Ciro é tanto predito e tratado como prova de que uma predição está sendo cumprida nele (44.24-28; 45.21)" (cf. seu *Book of Isaiah*, p. 136).

Não pode ser negligenciado o fato de que o agente humano aqui é "o ungido" (Messias) em quem Deus "cumpre todo o seu propósito". Além disso, vemos nessas referências a identificação de Deus com o seu Servo, que é a sua Testemunha, a tal ponto que a vitória da Testemunha é a manifestação da própria glória de Deus (Smart, *op. cit.*, p. 121). Além disso, de que maneira o profeta pode, em um momento, esperar a redenção por meio do poder do Espírito transformador de Deus em Israel, e no momento seguinte transferir a mesma esperança de redenção ao rei persa? Também é inconsistente pensar que o profeta que tão enfaticamente falou da insignificância de governantes terrenos deveria agora fazer uma exceção no caso do rei persa. Além do mais, as vitórias em 45.1-3 são importantes no sentido de manter a uniformidade do tema de salvação e redenção de Isaías, não como conquistas militares na metade do século sexto, mas como uma submissão das nações diante do Messias de Deus na preparação do estabelecimento do reino universal de Deus. Novamente, Deus usa a mão direita desse Ciro de tal maneira que os atos dEle são os *atos de Deus*. No capítulo 49.3 o "servo" recebe uma missão em relação a Israel, e no capítulo 49.1 Ele é chamado do ventre e recebe seu nome de Deus. Por isso, Smart insiste em que é do povo de Israel que deve vir Aquele que vai evocar Israel ao seu destino. Smart também sustenta que os estudiosos modernos são incapazes de mostrar como os triunfos de Ciro tinham o propósito de convencer toda a humanidade do fato de que o Deus de Israel era o único e verdadeiro Deus (cf. 45.3 e 6).

Por isso, parece bastante evidente a esse autor que, considerando todas as coisas, incluindo a unidade da profecia de Isaías e seu elemento freqüente de predição, além do caráter e qualidades não claramente definidas do libertador individual, esse Ciro, na profecia de Isaías, refere-se primeiramente ao único e verdadeiro KORESH, o Senhor Jesus Cristo, que certamente em um sentido espiritual cumpre *tudo* que é predito acerca do Ciro a quem Isaías chama e sobre quem ele coloca esperanças ilimitadas como o Servo de Deus e Redentor dos exilados e das nações estrangeiras. Essa argumentação, nós esperamos, ficará mais evidente à medida que os itens do comentário progridem, à medida que interpretamos as Escrituras no restante deste livro. Nossa argumentação é que Ciro somente pode ser um salvador mundial se ele realmente é "o Salvador do Mundo", chamado desde o ventre materno como o verdadeiro Messias e Redentor de Deus.

A vantagem desse ponto de vista é especificado de forma simples: ele nos ajuda a ratificar a unidade da profecia de Isaías, que é contestada pelos críticos principalmente com base nos textos a respeito de Ciro; e também nos permite manter o nome de Ciro como uma pessoa com propósitos proféticos. Assim, evitamos a posição tomada por Smart e Torrey de que houve uma interpolação posterior por meros motivos políticos.

Isaías estava realmente profetizando acerca do único e verdadeiro Messias de Deus, a Encarnação da justiça, da salvação e da libertação. Ele é Aquele que supervisiona o novo êxodo dos exilados espirituais da "cidade ímpia" (Babilônia), de volta para a reconstrução da "cidade de Deus" (a nova Jerusalém). Somente um Israel transformado e espiritual como esse poderia convencer o mundo de que esse Deus vivo é o Deus Eterno e inigualável.

Cf. T. G. Pinches, "Cyrus", ISBE, pp. 773-76. Também M. J. Dresden, "Cyrus", IDB, Vol. A-D, pp. 754-755.

[51] **Ainda que tu me não conheças** seria uma cláusula problemática para a referência sugerida do termo Ciro. Mas, veja a nota de rodapé acima acerca de 42.18-21, onde Jesus, mais uma vez é o Referente sugerido. "Tenho cognominado a ti" é traduzido por Knox da seguinte forma: "Tenho encontrado um título para ti". Literalmente, o hebraico traz: "uma comparação para ti", como Kissane ressaltou.

[52] O Targum de Jonatã entende que esse texto se refere à ressurreição. Ronald Knox coloca o versículo 8 em parênteses e o traduz da seguinte maneira: "Vós céus, enviai o orvalho do alto e derramais sobre nós a chuva pela qual anelamos, ele, o Justo. Que ele, o Salvador, possa emergir do ventre fechado da terra, e com ele a ordem possa voltar a reinar".

[53] Edward J. Kissane, *The Book of Isaiah* (Dublin: Browne and Nolan, Ltd., 1941). *ad. loc.*

[54] James D. Smart, *op. cit.*, p. 133.

[55] *Ibid*, p. 136.

[56] *Op. cit.* pp. 137-138.

[57] No entanto, a Septuaginta traduz: "Aqueles que desanimaram".

[58] Ao longo da extensa história bíblica, de Gênesis ao Apocalipse, Uma Cidade permanece, que em realidade e símbolo é detestada como a inimiga de Deus e a fortaleza do mal. [...] A Babilônia é o Ateísta do Antigo Testamento, como é o Anticristo do Novo" (George Adam Smith, *op. cit.*, p. 189).

[59] *Ibid*, p. 196. Grifo meu.

[60] "No versículo 16, o Cristo pré-encarnado identifica-se como o enviado pelo Pai e pelo Espírito para transmitir a mensagem profética de Deus ao profeta inspirado" (Gleason L. Archer, *op. cit.* p. 643).

SEÇÃO IX

[1] Por meio de percepções dadas pelo Espírito Santo, Isaías anteviu que sua nação seria espalhada para o leste até a China. Judeus chineses estão retornando para a Palestina nessa época do renascimento de Israel. Mesmo missionários no Japão estão convencidos de que em alguma época remota houve contatos com práticas hebraicas.

[2] Delitzsch, *op. cit.*, p. 246.

[3] A **língua erudita**, cf. KJV. A NVI traz o termo "instruída" como uma alternativa válida. O substantivo dessa palavra no hebraico (*limmudhim*) parece ter sido cunhado por Isaías e ocorre substancialmente somente no livro de Isaías em 8.16-17; aqui em 50.4; e novamente em 54.13. Desta forma, temos mais um argumento a favor da unidade do livro de Isaías do ponto de vista do seu vocabulário. O argumento a favor da unidade do livro é defendido, de

maneira convincente, pelo dr. Naegelsbach. Consulte seu vocabulário em Isaías na conclusão do seu livro no *Lange Commentary*.

[4] *Op. cit.*, p. 202.

[5] *Op. cit.*, p. 205. Knight também diz: "A doutrina do inferno é tão integral na revelação do AT quanto o é na do Novo" (*ibid.*, p. 206).

[6] Pregador: consulte os cinco sermões de Maclaren tratando dos diversos aspectos do ministério e caráter do Servo:

I. As Palavras do Servo aos Cansados, 50.4
II. A Obediência Filial do Servo, 50.5
III. O Sofrimento Voluntário do Servo, 50.6
IV. A Determinação Inflexível do Servo, 50.7
V. A Confiança do Servo no Triunfo Final, 50.8-9

— *Expositions of the Holy Scriptures*, ad. loc.

[7] Omar Khayyam, *The Rubaiyat*, st. xvii

[8] Essa é a tradução preferida da maior parte das versões. No entanto, a versão *Peshitta* na tradução de Lamsa traz: "desfalecidos como uma beterraba murcha", que certamente traz um sentido muito diferente. A figura explica o versículo 17. Os filhos não podem ajudar sua mãe, porque também tomaram do cálice do furor divino e jazem como cadáveres nos cruzamentos (cf. Lm 2.12).

[9] O braço direito desnudo, desimpedido por qualquer uma das peças de roupa, é uma característica dos costumes usados pelo povo do Extremo Oriente e Oriente Próximo ainda hoje.

[10] Os quatro "cânticos do servo" e seus principais temas são os seguintes:

I. O Caráter do Servo, 42.1-4
II. O Chamado do Servo, 49.1-6
III. A Obra do Servo, 50.4-9
IV. O Destino do Servo, 52-13—53.12

De acordo com George L. Robinson, esse "cântico do servo" tem quinze versículos divididos em cinco estrofes de três versículos cada, como segue:

I. O Destino do Servo, 52.13-15
II. A Carreira do Servo, 53.1-3
III. O Sofrimento do Servo, 53.4-6
IV. A Submissão do Servo, 53.7-9
V. A Recompensa do Servo, 53.10-12

(*The Book of Isaiah*, p. 146)

Esse conceito de Servo é desenvolvido no Evangelho de Marcos (no qual temos preservadas as memórias e a pregação de Pedro). O leitor interessado pode consultar o livro de H. C. Thiessen, *Introduction to the New Testament*, pp. 139-149, para percepções valiosas. Veja especialmente seu esboço de Marcos na p. 147.

[11] "O remanescente se torna um sacerdócio redentor e não meramente uma linhagem escolhida, um fermento transformador e não meramente destruidor". — John Oman, *Grace and Personality*, p. 236.

[12] Já vimos a "pirâmide" de Delitzsch como um retrato gráfico do número decrescente do "remanescente justo" culminando no único Mediador, "o Servo de Javé" (*supra.*, p. 175 ____), mas o remanescente decrescente culmina no único Mediador e o cristianismo inicia com esse mesmo Mediador.

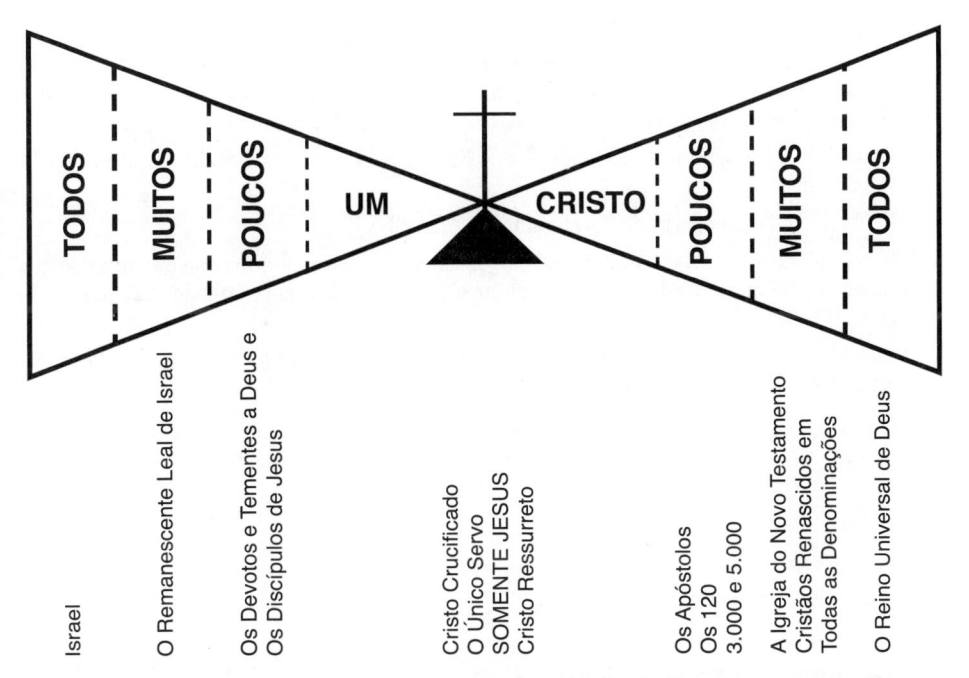

```
TODOS   MUITOS   POUCOS      UM         CRISTO       POUCOS   MUITOS   TODOS

Israel
O Remanescente Leal de Israel
Os Devotos e Tementes a Deus e
Os Discípulos de Jesus
Cristo Crucificado
O Único Servo
SOMENTE JESUS
Cristo Ressurreto
Os Apóstolos
Os 120
3.000 e 5.000
A Igreja do Novo Testamento
Cristãos Renascidos em
Todas as Denominações
O Reino Universal de Deus
```

Ao virar a página de lado e observar a margem do lado direito, temos as pirâmides invertida e vertical, retratando "O Servo de Javé" na história e profecia.

[13] Os autores do NT definitivamente aplicam essa passagem a Jesus. Isso fica evidente no fato de eles usarem o mesmo termo da Septuaginta para Servo como ocorre na profecia de Isaías, a saber, *pais*. Esse termo tem sido traduzido por "filho" na KJV (A ARC traduz o termo por "servo") e, por isso, não tem a mesma força do que no original grego. Ele é equivalente a *garçon* no francês, que significa "menino" e, mais apropriadamente, "garçom", ou "servo". Esse termo grego aparece em Isaías 42.1; 52.13; e 53.11, em que é traduzido por "servo". Ele aparece no NT em diversas passagens como em Mateus 12.18; Atos 3.13, 26; 4.27, 30; e é aplicado especificamente a Jesus. Em cada uma dessas ocasiões deveria ser traduzido por "servo", como tem sido apropriadamente traduzido na NVI e na NTLH.

As referências do NT a essa passagem provam que:

(1) Antes do tempo de Jesus ele fazia parte da terminologia do AT.

(2) Esse termo refere-se ao Messias (Mt 8.17; Mc 15.28; Lc 22.37; Jo 12.38; At 8.28-35; Rm 10.16; 1 Pe 2.21-25).

(3) O termo é aplicado consistentemente à paixão do nosso Senhor (Mc 9.12; Rm 4.25; 1 Co 15.3; 2 Co 5.21; 1 Pe 1.19; 2.21-25; 1 Jo 3.5).

Que o próprio Jesus chamou a atenção dos seus discípulos a essa passagem como profética acerca dos seus próprios sofrimentos pode indubitavelmente ser inferido de Lucas 24.25-27 e 44-46.

Que essa passagem é realmente de Isaías é confirmado pelo fato de que perguntas retóricas proliferam no seu livro em todas as suas partes, da mesma forma que ocorre nessa passagem. Também cf. Smart, *op. cit.*, p. 200.

[14] Cf. Jamieson, Fausset e Brown, *op. cit.*, *ad. loc.*

[15] *The Shadow of the Cross* [A Sombra da Cruz]: Insights into the meaning of Calvary drawn from the Hebrew text of Isaiah 53 (Grand Rapids: Zondervan Publishing House, 1957). A citação aparece na página 3. Um outro estudo admirável é de Edward J. Young, *Isaiah Fifty-three, a Devotional and Expository Study* (Grand Rapids: Wm. B. Eerdmans Pub. Co., 1953).

[16] Recomendamos especialmente as traduções de Knight, Alex R. Gordon (Smith-Goodspeed) e C. von Orelli.

N. T: As versões em português poderiam ser: ARA e NVI.

[17] Podemos relembrar aqui a tentativa de Pilatos em apelar para a compaixão da multidão que clamava pela morte de Jesus ao apresentar o Galileu desfigurado, dizendo: "Eis aqui o homem!" (Jo 19.5).

[18] "Isaiah 40—66" (Exegesis), *The Interpreter's Bible*, ed. George A. Buttrick, *et al.*, V (Nashville: Abingdon Press, 1956), p. 618.

[19] *Op. cit.*, p. 229.

[20] "Isaiah 40—66" (Exposition), *The Interpreter's Bible*, ed. George A. Buttrick, *et al.*, V (Nashville: Abingdon Press, 1956), p. 618.

[21] Citado por Plumptre, *op. cit.*, *ad. loc.*

[22] Smart, *op. cit.*, p. 212.

[23] von Orelli, *op. cit.*, p. 293.

[24] North, *op. cit.*, p. 140.

[25] Olin A. Curtis, *The Christian Faith*, p. 329.

[26] A Versão Berkeley e von Orelli são seguidos por Knight, que traduz: "Embutirei tuas pedras em antimônio" (*op. cit.*, p. 250). O antimônio é um "minério de chumbo usado para escurecer as pálpebras, para ressaltar o brilho dos olhos. É um tipo de almofariz com a qual as novas pedras de Jerusalém serão colocadas, para que possam brilhar como olhos resplandecentes, visto que são pedras preciosas brilhantes. Também podemos nos referir ao excelente encaixe das pedras do muro da antiga Palestina. As pedras do fundamento serão safiras azul-celeste. (Êx 28.18)" (von Orelli, *op. cit.*, p. 297).

[27] Tradução de George A. F. Knight, *op. cit.*, p. 250.

[28] George A. F. Knight, *op. cit.*, p. 254.

[29] *Op. cit.*, p. 221.

[30] *Op. cit.*, p. 402.

[31] O ritual primitivo em "cortar" a aliança ou o pacto consistia em matar um boi mutuamente escolhido, cujo corpo era dividido em duas metades ao partir sua coluna vertebral. As pessoas envolvidas no pacto ficavam entre as duas partes enquanto declaravam suas promessas solenes. Quando o pacto estava concluído, cada homem levava sua metade para casa como símbolo do acordo.

[32] *Op. cit.*, p. 255. Itálico dele.

[33] *Op. cit.*, *ad. loc.*

[34] *Op. cit.*, *ad. loc.*

[35] *Op. cit.*, p. 226.

[35] *Op. cit.*, *ad. loc.*

[37] *Ibid.* Itálico acrescentado.

[38] *Op. cit.*, *ad. loc.*

SEÇÃO X

1. Naegelsbach, *op. cit.*, p. 630.
2. George Adam Smith, *op. cit.*, p. 416.
3. James D. Smart, *op. cit.*, p. 248-249.
4. *Ibid.*, p. 247.
5. *Op. cit.*, p. 688.
6. von Orelli, *op. cit.*, p. 315.
7. *Ibid.*, p. 316.
8. *Ibid.*
9. *Ibid.*
10. Naegelsbach, *op. cit.*, p. 639.
11. Plumptre, *op. cit.*, *ad. loc.*
12. Muilenberg, *op. cit.*, p. 693.
13. Plumptre, *op. cit.*, *ad. loc.*
14. O pregador encontrará ajuda e iluminação no sermão de Maclaren acerca desses três versículos intitulado "A Igreja Iluminada pelo Sol" (*Expositions of Holy Scripture*).
15. Von Orelli, *op. cit.*, p. 325.
16. John Wesley ensinou uma experiência de arrependimento para os crentes.
17. Isaías faz um jogo nas duas palavras hebraicas aqui *'epher* e *pa'er*.
18. "Podemos entender de Cantares de Salomão 3.11 que os noivos usavam um turbante especial no dia das suas núpcias, que é comparado aqui com a 'mitra' sacerdotal (Êx 28.4; 39.28; Ez. 44.18)" (Plumptre, *op. cit.*, *ad. loc.*).
19. Podemos intitular esse capítulo: "A Aliança de Deus com o Povo Santo". Ele foi assim designado pelo dr. P. F. Bresee quando pregou acerca dele aos estudantes e turmas de formandos da Faculdade Passadena, e chamou-o de "o capítulo da faculdade". Desse mesmo capítulo o dr. H. Orton Wiley proferiu 35 sermões aos estudantes do último ano e seus colegas sob o título "O Dia da Posse", na Faculdade Passadena e Faculdade Northwest Nazarene. A última vez que ele o fez foi em 1960, quando repetiu o seu primeiro sermão acerca desse capítulo. Esse sermão hoje faz parte de um livro de sermões dos professores da Faculdade Passadena, intitulado *Fé em Nossos Dias* (Kansas City: Beacon Hill Press, 1961).
20. Naegelsbach, *op. cit.*, p. 669.
21. Matthew Henry, *op. cit.*, *ad. loc.*
22. *Ibid.*
23. *Op. cit.*, p. 440.
24. Delitzsch, *op. cit.*, *ad. loc.*
25. *Op. cit.*, p. 449.
26. *Ibid.*, p. 447.
27. *Op. cit.*, p. 729.
28. *Op. cit.*, *ad. loc.*
29. Cf. Rawlinson em *Pulpit Commentary*, *ad. loc.*

[30] *Op. cit.*, p. 676.

[31] O espaço não permite uma completa exposição dessa posição aqui. Sugerimos a leitura da esplêndida exposição de Gênesis 12.1ss por Lange e a exposição de C. W. E. Naegelsbach desse versículo (ambos no *Lange's Commentary*). Também cf. comentário de Delitzsch.

[32] *Op. cit., ad. loc.*

[33] Naegelsbach em *Lange's Commentary*, p. 677.

[34] *Ibid.*

[35] *Op. cit., ad. loc.*

[36] Assim argumentam Delitzsch, Rawlinson e Plumptre (que diz: "não somente Moisés, mas Israel coletivamente"). C. von Orelli diz: "Ao conceder [o Espírito Santo] a esses líderes, Ele O fez habitar no coração, no seio da nação, o que, é claro, gerou a possibilidade de entristecer e rebelar-se contra Ele; cf. v. 10" (*op. cit.*, p. 333).

[37] *Op. cit.*, p. 677.

[38] *Op. cit., ad. loc.*

[39] *Op. cit.*, pp. 269-270.

[40] Rawlinson, *op. cit., ad. loc.*

[41] Cf. Naegelsbach, *op. cit.*, p. 679.

[42] *Op. cit., ad. loc.*

[43] von Orelli, *op. cit.*, p. 334.

[44] Henry Sloan Coffin, *op. cit.*, p. 742.

[45] *Op. cit., ad. loc.*

[46] Henry Sloan Coffin, *op. cit.*, p. 747.

[47] von Orelli, *op. cit.*, p. 338.

[48] James Muilenberg, *op. cit.*, p. 748.

[49] *Bara* é o termo hebraico, e ele se distingue de *'ashah*, "formar, modelar ou fabricar de algo que já existe".

[50] Aqui a Septuaginta traz: "árvore da vida"; cf. Ap 22.2.

[51] *Op. cit.*, pp. 465-466.

[52] *Op. cit.*, p. 758.

[53] *Op. cit.*, pp. 757ss.

[54] O versículo 6 desse capítulo poderia indicar um templo que existia em Jerusalém na época em que esse capítulo foi escrito.

[55] Delitzsch, *op. cit., ad. loc.*

[56] Coffin, *op. cit.*, p. 767.

[57] Essa é a explicação de George Adam Smith, *op. cit.*, p. 463, nota.

[58] George Adam Smith, *op. cit.*, p. 467.

[59] *Ibid.*, p. 466.

[60] *Ibid.*, p. 467.

Bibliografia

I. COMENTÁRIOS

ALEXANDER, J. A. *Commentary on the Prophecies of Isaiah*. 4 vols. Grand Rapids, Mich.: Zondervan Publishing House, 1953, reedição.

ARCHER, Gleason L. "Isaiah". *The Wycliffe Bible Commentary*. Editado por Charles Pfeiffer e Everett F. Harrison. Chicago: Moody Press, 1962.

_____. "Isaiah". *The Biblical Expositor*. Editado por Carl F. H. Henry. Filadélfia: J. Holman Co., 1960.

BARNES, Albert. *Notes on the Old Testament*. Grand Rapids, Mich.: Baker Book House, 1950, reedição.

CALVIN, John. *Commentary on the Book of the Prophet Isaiah*. 4 vols. Grand Rapids, Mich.: Wm. B. Eerdmans Publishing Co., 1948, reedição.

CLARKE, Adam. *The Holy Bible with a Commentary and Critical Notes*, Vol. IV. Nova York: Abingdon Press, sem data.

COFFIN, Henry Sloane. "The Book of Isaiah, 60—65" (Exposition). *The Interpreter's Bible*. Editado por George A. Buttrick, *et al*, Vol. V. Nova York: Abingdon Press, 1956.

DELITZSCH, Franz. *Biblical Commentary on the Prophecies of Isaiah*. 2 vols. "Keil and Delitzsch Commentaries on the Old Testament". Traduzido por James Martin. Grand Rapids:, Mich.: Wm. B. Eerdmans Publishing Co., 1949, reedição.

FAUSSET, A. R. "Isaiah". *Janieson, Fausset, and Brown Commentary, Critical and Explanatory, on the Whole Bible*. Resumido. Grand Rapids, Mich.: Wm. B. Eerdmans Publishing Co, 1935.

GRAY, George Buchanan. *The Book of Isaiah, I—XXXIX*. "The International Critical Commentary". Nova York: Charles Schribner´s Sons, 1912.

HENRY, Matthew. *Commentary on the Whole Bible*, Vol. IV. Nova York: Fleming H. Revell Company, sem data.

KILPATRICK, G. G. D. "The Book of Isaiah, 1—39" (Exposition). *The Interpreter's Bible*. Editado por George A. Buttrick, *et al*, Vol. V. Nova York: Abingdon Press, 1956

KISSANE, Edward J. *The Book of Isaiah*. Traduzido do texto hebraico criticamente revisado com comentário. 2 vols. Dublin: Brown e Nolan, Ltd., The Richview Press, 1943.

MUILENBERG, James. "The Book of Isaiah, 40—66" (Introduction and Exegesis). *The Interpreter's Bible*. Editado por George A. Buttrick, *et al*, Vol. V. Nova York: Abingdon Press, 1956.

NAEGELSBACH, Carl W. E. *The Prophet of Isaiah*. "Lange's Commentary on the Holy Scriptures". Editado por Philip Schaff. Grand Rapids, Mich.: Zondervan Publishing House, sem data, reedição.

NORTH, Christopher R. *Isaiah 40—55*. "Torch Bible Commentaries". London: S. C. M. Press, Ltd., 1952.

ORELLI, C. von. *The Prophecies of Isaiah*. Traduzido por J. S. Banks. Edimburgo: T. and T. Clark, 1889.

PLUMPTRE, E. H. "The Book of the Prophet Isaiah". *Ellicott's Commentary on the Whole Bible*. Editado por C. L. Ellicott. Grand Rapids, Michigan: Zondervan Publishing House, sem data, reedição.

RAWLINSON, George. "Isaiah" (Exposição e Homilética). 2 vols. *The Pulpit Commnetary*. Editado por H. D. M. Spence e Joseph S. Excell. Grand Rapids. Mich.: Wm. B. Eerdmans Publishing Co., 1950, reedição.

Scott, R. B. Y. "The Book of Isaiah, 1—39" (Introdução e Exegese). *The Interpreter's Bible*. Editado por George E. Buttrick, *et al.*, Vol. V. Nova York: Abingdon Press, 1956.

Skinner, John. *The Book of the Prophet Isaiah*. 2 vols. "Cambridge Bible for Schools and Colleges". Editor geral: J. J. S. Perowne. Cambridge: University Press, 1905.

Smith, George Adam. *The Book of Isaiah*. 2 vols. "The Expositor´s Bible". Editado por W. Robertson Nicoll. Nova York: A. C. Armstrong and Son, 1900.

Whitehouse, Owen C. *Isaiah*. 2 vols. "The New Century Bible". Editor Geral: Walter F. Adeney. Edimburgo: T. and T. Clark, 1905.

II. OUTROS LIVROS

Albright, W. E. *From the Stone Age to Christianity*. Baltimore: The Johns Hopkins Press, 1940.

Allis, Oswald T. *The Unity of Isaiah: A Study in Prophecy*. Philadelphia Presbyterian and Reformed Publishing Co., 1950.

Archer, Gleason L., Jr. *A Survey of Old Testament Introduction*. Chicago: Moody Press, 1964.

____. *In the Shadow of the Cross* (Insights into the Meaning of Calvary Drawn from the Hebrew Text of Isaiah 53). Grand Rapids, Mich.: Zondervan Publishing House, 1957.

Baly, Denis. *The Geography of the Bible*. Nova York: Harper and Brothers, 1957.

Blank, Sheldon H. *Prophetic Faith in Isaiah*. Nova York: Harper and Brothers, sem data.

Bright, John. *The Kingdom of God*. Nova York: Abingdon-Cokesbury Press 1953.

Brightman, Edgar Sheffield. *Religious Values*. Nova York: Abingdon-Cokesbury Press, 1925.

Curtis, Olin A. *The Christian Faith*. Nova York: Methodist Book Concern, 1903.

Davidson, A. B. *Old Testament Prophecy*. Edimburgo: T. and T. Clark, 1903.

Driver, S. R. *Isaiah: His Life and Times*. "Men of the Bible Series". Nova York: Fleming H. Revell Co., sem data.

Epiphanius. *Lives of the Prophets*. Texto grego e tradução por C. C. Torrey. Filadélfia: Society of Biblical Literature and Exegesis, 1946.

Knight, George A. F. *Deutero-Isaiah: A Theological Commentary on Isaiah 40—55*. Nova York: Abingdon Press, 1965.

Maclaren, Alexander. *Expositions of the Holy Scriptures*. Nashville: Sunday School Board of the Southern Baptist Convention, sem data.

Oman, John. *Grace and Personality*. Nova York: Association Press, 1961.

Paterson, John. *The Goodly Fellowship of the Prophets*. Nova York: Charles Schribner´s Sons, 1950.

Pfeiffer, R. H. *Introduction to the Old Testament*. Nova York: Harper and Brothers, 1941.

Robinson, George Livingston. *The Bearing of Archaeology on the Old Testament*. Nova York: American Tract Society, 1944.

____. *The Book of Isaiah* (Revisado). Grand Rapids, Mich.: Baker Book House, 1954.

____. *Sarcophagus of an Ancient Civilization: Petra, Edom, and the Edomites*. Nova York: Macmillan Co., 1930.

Smart, James D. *History and Theology in Second Isaiah*. Filadélfia: The Westminster Press, 1965.

Unger, Merril F. *Unger's Dictionary of the Bible*. Chicago: Moody Press, 1957.

WILEY, H. Orton. *Christian Theology*. 3 vols. Kansas City, Missouri: Nazarene Publishing House, 1940, 1941, 1943.

YOUNG, Edward J. *Studies in Isaiah*. Grand Rapids, Mich.: Wm. B. Eerdmans Publishing Co., 1954.

_____. *Isaiah 53*. Grand Rapids, Mich.: Wm. B. Eerdmans Publishing Company, 1953.

III. ARTICLES

BOYER, David S. "Petra, Rose-Red Citadel of Biblical Edom". *National Geographic*, CVIII, N° 6 (Dezembro, 1955), pp. 853-870.

DRESDEN, M. J. "Cyrus". IDB, Vol. *A-D*, pp. 757-755.

GLUECK, Nelson. "Civilization of the Edomites". *Biblical Archaeologist*, X, N° 4 (Dezembro, 1947), pp. 77-84.

KAPELRUDE, A. S. "Tyre". IDB, Vol. *R-Z*, pp. 721-723.

NORTH, C. R. "Isaiah". IDB, Vol. *E-J*, pp. 731–744.

PINCHES, T. G. "Cyrus". ISBE, 2:773-776.

ROBINSON, George Livingston. "Isaiah". ISBE, 3:1495-1508.

O Livro de
JEREMIAS

C. Paul Gray

Introdução

Nenhum profeta no Antigo Testamento tem sido tão mal entendido quanto Jeremias. Por séculos ele tem sido conhecido como o homem do rosto triste e dos olhos chorosos. Muitos acham que ele era um indivíduo temperamental e neurótico, uma pessoa desajustada de sua época, um pregador grosseiro que deveria ter desenvolvido uma abordagem psicológica melhor para os problemas do seu tempo. Mas esse tipo de conclusão acerca do profeta somente pode vir de uma leitura superficial do livro,[1] e de uma compreensão inadequada da vida e época de Jeremias. Na verdade, quando esse chamado "profeta chorão" é entendido da perspectiva correta, ele desponta como o grande profeta da esperança.

Na realidade, Jeremias tinha uma imensa força interior para continuar nutrindo esperança apesar das adversidades, muito além de qualquer profeta do Antigo Testamento. Embora tivesse a tarefa desagradável de reunir, em um novo compêndio, as advertências de todos os seus predecessores e anunciar a destruição certa e final da sua amada nação, ele conseguia ver, com os olhos da fé, um dia novo e melhor após o julgamento amedrontador. Quando tudo ao seu redor estava escuro como a meia-noite, ele convenceu-se de que havia luz mais adiante. Mesmo diante das profundezas da tristeza tormentosa, seus olhos conseguiam enxergar um horizonte distante onde haveria uma nova aliança e uma nova era.

É verdade que com sua mensagem sombria e pessimista e seus próprios conflitos interiores, ele não era exatamente uma figura atraente. Pessoas que são altamente confiantes em si mesmas e que adoram "o deus do sucesso imediato" só conseguem desprezar pessoas como Jeremias. Essas pessoas, no entanto, apenas mostram sua superficialidade e imaturidade, porque os séculos têm estado ao lado de Jeremias. Ele hoje é conhecido como a maior personalidade da sua época. Pode ter levado tempo para receber o devido valor, "mas seu reconhecimento final é amplo e total".[2]

A. A Personalidade do Profeta

Humanamente falando, ao analisar o temperamento e disposição de Jeremias, nenhum homem era *menos* preparado para essa tarefa do que ele. Somente um Deus que "olha o coração" poderia ter escolhido esse estranho, sensível, tímido e introspectivo jovem para cumprir a gigantesca tarefa de ser "um profeta para as nações". Isso se tornou verdade principalmente nas últimas décadas do sétimo e nos primeiros anos do sexto século antes de Cristo. Esse foi um período de desarticulação, convulsão política e mudanças para as nações do Oriente Médio. Gentil e compassivo, Jeremias, que amava as coisas simples da vida, foi lançado no redemoinho desses acontecimentos nacionais e internacionais, contra suas convicções e desejos pessoais. Por natureza ele era muito mais um seguidor do que um líder. Devido a sua natureza meiga e afetuosa tinha muita dificuldade em denunciar o pecado da maneira enérgica e implacável que sua comissão requeria.

É precisamente nessas questões que uma tensão quase insuportável desenvolveu-se no seu interior. Ele foi tão completamente humano e amoroso por natureza, e as exigências do seu chamado eram tão inflexíveis, que "suas emoções estavam em constante conflito com sua vocação e seu coração lutava com sua cabeça".³ Isso produziu um conflito interior que se estendeu por anos. A intensidade dos seus sofrimentos é refletida em uma série de passagens conhecidas como as "Confissões de Jeremias" (11.18-23; 12.1-6; 15.10-21; 17.14-18; 18.18-23; 20.7-18).

Um dos maiores valores do livro é que Jeremias nos permite ver as suas lutas interiores, a extensão das suas emoções, à medida que busca levar a cabo uma tarefa que corta seu coração. Para seus inimigos e o público em geral ele parece inflexível e exageradamente teimoso. Mas Jeremias compartilha conosco seus pensamentos e sentimentos mais íntimos. Sabemos mais a respeito dele do que de qualquer outro profeta do Antigo Testamento. Nós o vemos nos momentos mais tristes e desesperadores da sua vida, mas também nos seus momentos de exultação e esperança. As oscilações da sua vida emocional podem se tornar doloridas para o leitor, bem como alegres, visto que ele não hesita em expressar cada pensamento que desponta na superfície. Mas é a expressão desinibida dos seus sentimentos que nos intriga. Jeremias mostra exatamente quem ele é. Temos, portanto, o privilégio de ver um jovem imaturo desenvolver-se em um gigante espiritual.

Seu desprazer em anunciar notícias negativas pode ser visto por toda parte, mas seu senso de vocação o impele a continuar profetizando mesmo contra sua vontade (20.9). Embora tenha sido "separado" para um ofício sagrado de uma maneira singular, e tenha recebido a promessa de Deus de que seria como uma coluna de ferro e muros de bronze contra seus inimigos (1.18), seu tenro coração continuava tão despreparado diante daquilo que saiu do "pacote desconhecido" que ele em diversas oportunidades chegou a ponto de esmorecer. Embora fosse usado de maneira poderosa e abençoado por Deus, ele era humano e precisava trabalhar essas questões em seu interior e orar até que encontrasse descanso para sua alma. Seu espírito sensível erguia sua voz no meio da sua tristeza, e ele não hesitava em queixar-se a Deus da situação desesperadora na qual Ele o havia colocado. Não há pretexto nem fingimento nesse homem. Ele não esconde nada: dor é dor, tristeza é tristeza, a perplexidade e a pressão são horripilantemente reais, e ele não hesita em anunciar a verdade, doa a quem doer. Pode-se dizer dele o que foi dito acerca de Outro, embora de uma maneira diferente: "Ainda que era Filho, aprendeu a obediência, por aquilo que padeceu" (Hb 5.8).

No entanto, são essas lutas interiores que fazem com que muitas pessoas se afastem de Jeremias. Elas querem um herói que nunca duvida de si mesmo, que não tem conflitos interiores, que está sempre confiante, e é constantemente bem-sucedido. Mas nem mesmo nosso Senhor conseguiu satisfazer essas exigências, porque precisou passar noites inteiras em oração, ficou profundamente angustiado no Getsêmani e foi considerado um completo fracasso de acordo com parâmetros humanos de sucesso. Mas, se "coragem é medo expressado em oração", então Jeremias foi um dos homens mais corajosos de todos os tempos. Ele merece nossa mais alta admiração. Certamente, Jeremias também foi um "homem de dores, experimentado nos trabalhos". Ele apresenta diversos aspectos do Servo Sofredor (Is 53), cujo ministério e missão são tão perfeitamente retratados na vida do nosso Senhor. Não é de admirar que quando os homens conheceram a Jesus, pensaram que ele era Jeremias (Mt 16.14).

B. A VIDA E A ÉPOCA DE JEREMIAS

Sabemos muito pouco acerca da procedência de Jeremias. O prefácio do livro (1.1-3) diz que ele nasceu em Anatote e que o nome de seu pai era Hilquias. Anatote é uma vila que fica a cerca de 4 quilômetros a nordeste de Jerusalém (a atual Anata), dentro do território de Benjamim. Parece ter sido uma cidade levita dos tempos de Josué (Js 21.18) e também a casa de Abiatar, o sumo sacerdote nos tempos de Davi (veja comentários acerca de 1.1-3; também 1 Rs 2.26). Visto que o prefácio deixa bem claro que Jeremias era um "dos sacerdotes que estavam em Anatote", podemos aceitar com segurança que era da família de Abiatar. Não podemos precisar a data do nascimento de Jeremias, mas ele deve ter nascido entre 650 e 645 a.c., nos últimos anos do reinado de Manassés (697-642 a.C.). Ele recebeu seu chamado no décimo terceiro ano do reinado de Josias (c. 626), e visto que o rei foi entronizado quando ele tinha oito anos, Josias e Jeremias podem ter tido a mesma idade.

Grandes acontecimentos estavam ocorrendo no cenário internacional durante a vida de Jeremias. O império da Assíria alcançou seu apogeu e declínio nos primeiros anos de Jeremias. Assurbanipal, o último grande rei da Assíria, morreu em 626 a.C. (o ano em que Jeremias recebeu seu chamado) e depois disso o império deteriorou-se rapidamente. Enfraquecida pelas guerras e problemas internos, a Assíria foi incapaz de resistir aos ataques furiosos dos cimérios e citas que atacaram as fronteiras do norte e oeste, tampouco resistiu aos avanços brutais dos caldeus e medos ao sul e leste. Quando um exército unificado dos medos e caldeus, liderado por Nabucodonosor, rei da Babilônia, cercou a capital Nínive, em 612 a.C., essa cidade orgulhosa caiu e houve uma matança terrível.[4]

Quando Nínive caiu, alguns dos líderes assírios fugiram para o oeste, para Harã, e procuraram reorganizar o remanescente do exército assírio. Ao mesmo tempo esses líderes procuraram uma aliança com o faraó Neco do Egito. Neco atendeu ao pedido deles e marchou com seu exército pela costa palestina (derrotando Josias, rei de Judá, em Megido, no meio do caminho) para se unir aos assírios.

Entrementes, o reino caldeu, sob o comando do rei Nabopolassar, continuava crescendo em força no leste. Ele começou a mover-se lentamente para o oeste, conquistando tudo que tinha estado debaixo do controle assírio. Era inevitável que a aliança assírio-egípcia encontraria os exércitos caldeus para decidir quem dominaria a Ásia. A essa altura, Nabucodonosor, o jovem príncipe da Babilônia, tinha substituído seu pai enfermo, e estava no comando das forças dos caldeus. Depois de meses de manobras na parte superior do Eufrates, uma das batalhas mais decisivas do mundo antigo foi realizada em Carquemis (606-605 a.C.). A aliança assírio-egípcia foi despedaçada, sem esperança de se recuperar. O faraó Neco voltou cabisbaixo para o Egito diante da vergonhosa derrota, e a Assíria caiu para não mais se levantar. A Babilônia era agora a força dominante do Oriente Médio. As repercussões de Carquemis foram sentidas em todo o Crescente Fértil, e especialmente no pequeno reino de Judá, onde Jeremias estava profetizando.

Em Judá, Josias subiu ao trono em 639 a.C. Seu reino substituiu o longo e perverso domínio (55 anos) do rei Manassés, seu avô, e os dois anos do seu pai Amom. Durante os quase 60 anos que haviam precedido Josias, a idolatria e a adoração pagã tinham prosperado em Judá. Manassés havia importado muitas das práticas religiosas da Assíria e das nações vizinhas. Rituais de fertilidade com suas práticas de prostituição cultual eram tolerados nos arredores do Templo (2 Rs 23.4-7; Sf 1.4-6); sacrifícios a deidades astrais eram oferecidos nas ruas de Jerusalém (7.17-18). Mesmo sacrifícios humanos eram praticados na capital de Judá (7.31-32). A decadência religiosa era perceptível por toda parte em Judá, e o paganismo tornou-se tão misturado com a adoração ao Senhor que as pessoas comuns não podiam perceber a diferença. As linhas da verdadeira religião haviam se tornado embaçadas, o Templo fora dilapidado, e as massas de Judá tinham se tornado politeístas — adorando Yahweh junto com os deuses dos seus senhores, os reis da Assíria. Essa é a situação que Josias encontrou quando subiu ao trono de Judá. Foi nesse tipo de ambiente que Jeremias foi chamado a profetizar, no décimo terceiro ano do reinado de Josias (c. 626 a.C.).

Embora nominalmente sob o domínio da Assíria, Josias parece ter tido uma liberdade mais ampla em relação ao controle assírio do que os reis que o precederam. Isso possivelmente ocorreu devido ao fato de esse império estar se esfacelando sob o peso de guerras debilitantes, linhas de suprimento estendidas além dos limites usuais, e uma série de problemas internos. Em todo o caso, Josias sentiu-se livre para remover alguns dos santuários que Manassés havia construído aos deuses assírios,[5] e enfatizar a adoração ao Senhor (2 Cr 34.3-7). E visto que o Templo se encontrava num estado caótico, ele ordenou que fosse restaurado. Foi, pois, em conexão com a restauração do Templo que ocorreu o maior acontecimento do reinado de Josias. No décimo oitavo ano do seu reinado, enquanto os trabalhadores estavam reparando a casa do Senhor, foi encontrada uma cópia do livro da lei (2 Rs 22.3-8). O livro foi lido para o rei. Quando Josias ouviu falar das maldições que foram pronunciadas sobre a nação que não guardava essa lei, ele rasgou suas roupas em grande aflição, porque viu quão miseravelmente Judá havia falhado até aquele ponto. O rei procurou reparar a situação imediatamente, e então ocorreu o que conhecemos como "a reforma de Josias" (veja CBB, vol. 2, acerca de 2 Rs 22).

Jeremias havia profetizado por cinco anos quando a reforma foi instituída. Não somos informados se Jeremias teve alguma participação nessa reforma. Isso parece estranho, porque Jeremias certamente concordava em corrigir as injustiças sociais, os procedimentos comerciais corruptos e as práticas idólatras que a reforma expôs. No entanto, não há nenhuma indicação de que ele tenha tido uma participação proeminente na reforma. Paterson sugere que isso pode ter sido devido ao fato de Jeremias ainda ser muito jovem, ou ele ainda não ter sido reconhecido como profeta.[6] A opinião entre os estudiosos está dividida a esse respeito. Qualquer que seja a resposta, podemos estar certos de que Jeremias não foi indiferente em relação à reforma. Se ele, de fato, se envolveu, e 11.1-8 e 12.6 parecem indicar essa possibilidade, ele logo viu as suas imperfeições. Sua percepção espiritual penetrou no coração do problema de Judá. Ele viu que a conformidade religiosa exterior não era equivalente à regeneração de espírito. O arrependimento superficial não curaria a ferida da nação. Portanto, era necessária uma cirurgia de coração profunda e drástica[7] para a saúde espiritual da nação (veja comentário acerca de 4.3-4). Essa foi a ênfase de Jeremias.

Claro que a nação exteriormente obedeceu às ordens de Josias, e, por um tempo, a adoração pagã foi interrompida em Judá. No entanto, todas as evidências apontam para o fato de que o povo, os sacerdotes e os profetas profissionais amavam os caminhos corruptos com os quais eles haviam se acostumado nos tempos de Manassés e Amom, e estavam apenas esperando por uma mudança na administração para voltar aos seus antigos caminhos. Essa oportunidade ocorreu quando o bom rei Josias foi morto na batalha de Megido pelo faraó Neco, do Egito.

O povo de Judá rapidamente escolheu Jeoacaz, um dos filhos de Josias, para suceder seu pai. Ele governou apenas três meses em Jerusalém quando o faraó Neco exigiu que ele aparecesse diante dele na Síria. Jeoacaz não ousou recusar essa ordem. Na entrevista, Neco evidentemente ficou muito descontente com o jovem rei, visto que o depôs e o enviou acorrentado para o Egito (2 Rs 23.33). Em seu lugar empossou Jeoaquim (Eliaquim), outro filho de Josias, e o fez jurar lealdade ao Egito. Jeoaquim reinou onze anos em Jerusalém. Parece que ele tinha em mente se tornar um outro Salomão e fez grandiosos planos para ampliar seu reino, erguer grandes construções e aumentar seu próprio prestígio. Ele era simpatizante dos rituais pagãos, e desprezou Jeremias e tudo que ele defendia.

Foi no quarto ano de Jeoaquim que ocorreu a batalha de Carquemis. Essa batalha acabou se tornando um ponto decisivo nos acontecimentos do Oriente Médio. Nabucodonosor conquistou para a Babilônia todas as terras previamente governadas pela Assíria e Egito (2 Rs 24.7). Embora não esteja absolutamente claro, há indicações de que, depois da batalha de Carquemis, Nabucodonosor tenha perseguido Neco até as "portas do Egito". Enquanto estava na vizinhança parece ter exigido tributos e reféns a Jeoaquim como prova da submissão do rei à Babilônia.[8]

Logo após a batalha de Carquemis, Nabucodonosor foi obrigado a voltar para o seu próprio país por causa da morte do seu pai, Nabopolassar, que ele sucedeu no trono da Babilônia. Por alguns anos ele foi incapaz de voltar ao ocidente. Durante esse período Jeoaquim quebrou seu juramento e buscou livrar-se do jugo babilônico. Depois de estabelecer seu governo na Babilônia, Nabucodonosor, em 599-598, dirigiu sua atenção às suas terras no ocidente. Ele tentou punir Jeoaquim por causa do seu espírito rebelde, e marchou contra Jerusalém. Novamente, os fatos são obscuros. Não sabemos se Jeoaquim morreu dentro da cidade durante o cerco ou no acampamento babilônico. Lemos em 2 Crônicas 36.6 que ele foi amarrado com cadeias de ferro ao ser transportado para a Babilônia, mas não há indícios de que tenha conseguido chegar até lá. De acordo com 2 Reis 24.6 parece que ele morreu em Jerusalém. É da opinião desse escritor que ele morreu no acampamento dos babilônios devido aos maus tratos e ao abandono. Eles desonraram seu corpo e o jogaram em um monturo fora de Jerusalém (veja nota de rodapé em Jr 22.18-19 na KJV).

Durante o cerco, Joaquim, filho de Jeoaquim, sucedeu seu pai no trono de Judá, mas governou apenas três meses. Ele entregou a cidade de Jerusalém a Nabucodonosor e foi levado cativo para a Babilônia com sua mãe, Neústa, suas esposas, muitos dos seus nobres e dez mil pessoas do povo (2 Rs 24.6-16; 2 Cr 36.9-10; Jr 22.24-30; 37.1). Ele sofreu lá por muitos anos (Jr 52.31-34; 2 Rs 25.27-30).

Nabucodonosor colocou Matanias, outro filho de Josias, no trono de Judá e mudou seu nome para Zedequias (2 Rs 24.17-20; 2 Cr 36.10-13; Jr 37.1). Zedequias reinou onze anos. Ele tinha uma posição diferente da posição de Joaquim, e tratou Jeremias com mais consideração. Manteve sua promessa de lealdade à Babilônia por quase dez anos. Ele finalmente cedeu à facção pró-Egito entre seus nobres e recusou-se a enviar tributos à Babilônia. Isso trouxe de volta o exército da Babilônia para Judá. Dessa vez, as cidades de Judá foram sistematicamente subjugadas e Jerusalém ficou muito tempo sob o cerco babilônico. As famosas Cartas de Laquis esclarecem uma série de acontecimentos desse período. Essas Cartas (21 ao todo), recuperadas durante as escavações onde ficava a antiga Laquis, durante os anos de 1932 a 1938, refletem as condições durante os dias finais do reinado de Judá.[9]

Depois de um cerco que durou 18 meses, a cidade de Jerusalém foi tomada em 587-586 a.C. Zedequias e muitas pessoas do seu povo foram levados para a Babilônia. O palácio do rei e o Templo foram totalmente demolidos. Judá tornou-se uma província do império babilônico, e Gedalias, membro de uma família judaica altamente respeitada, foi apontado governador dessa terra devastada. Gedalias foi cruelmente assassinado pouco tempo depois de assumir o seu posto, e o remanescente do povo fugiu para o Egito com medo de represálias da Babilônia. Pouco se sabe a respeito da história de Judá logo após a morte de Gedalias.

Jeremias estava vivendo em Jerusalém durante o desenrolar de todos os acontecimentos anteriores. Ele procurou ajudar os vários reis que assumiram o trono de Judá durante esses anos turbulentos. Eles constantemente rejeitaram seu conselho e opinião. Ele esteve presente na queda de Jerusalém e escolheu permanecer em Judá com o governador Gedalias, após a queda da cidade. Quando Gedalias foi morto, o remanescente de Judá forçou Jeremias e Baruque, seu secretário e discípulo, a ir com eles para o Egito. A tradição diz que ele foi apedrejado e morto no Egito por esses mesmos judeus porque pregou contra suas práticas idólatras. Ele foi fiel ao seu chamado até o final.

C. A Composição do Livro

Não precisamos ler muito do livro de Jeremias para descobrir que uma boa parte do material não está em ordem cronológica. Parece que os capítulos 1—6 estão em seqüência, mas do capítulo 7 em diante o livro não segue mais um padrão sistemático que possa ser discernido. Encontramos materiais que são de períodos muito diferentes na vida de Jeremias lado a lado (caps. 36 e 37). Outros materiais não apresentam data alguma, e o leitor tem dificuldade em saber onde encaixá-los cronologicamente. Assim, para formar um quadro cronológico da vida de Jeremias, é necessário pular de uma passagem para outra. No mínimo, a situação é confusa. Visto que o livro é às vezes cronológico (37—44) e às vezes tópico (46—51), mas sem qualquer tema básico discernível, ficamos nos perguntando qual princípio, se é que houve um, governava sua presente organização. Já foram feitas muitas conjecturas, mas até o dia de hoje os estudiosos não têm uma opinião uniforme em como o livro chegou à forma presente.

Kuist sugere que parte da explicação tem a ver com os tempos convulsivos em que o livro foi escrito.[10] Certamente, quando olhamos para o tumulto que predominou durante todo o ministério público de Jeremias, terminando com "o cerco e queda de Jerusalém, a deportação do povo para Babilônia, e a fuga do remanescente para o Egito, é um milagre que quaisquer registros escritos dentro desse período tenham sobrevivido".[11] Os tempos eram tão caóticos e os perigos sofridos por Jeremias e Baruque após a queda de Jerusalém eram tão grandes (41—44) que não havia tempo para organizar e aperfeiçoar os documentos escritos. Embora editores posteriores tenham tentado reagrupar certas seções e apagar algumas repetições, o livro como se encontra na Bíblia Hebraica é essencialmente a obra de Jeremias e seu secretário, Baruque. O livro de Jeremias é um milagre da providência divina.

O capítulo 36 revela de que maneira o livro foi escrito. Desde o seu início o livro parece ter tido uma história turbulenta. A primeira edição foi destruída por Jeoaquim (36.23), mas uma edição ampliada apareceu pouco tempo depois (36.32). Isso ocorreu no quarto e quinto anos do reinado de Jeoaquim (605-604) e marcou o ponto central do ministério de Jeremias (veja 25.3). Ele profetizou por mais de quarenta anos. Não é difícil perceber que deve ter havido uma terceira edição, porque uma grande parte do livro deve ter sido acrescentada à segunda edição após os acontecimentos que ocorreram no capítulo 36. Os acontecimentos registrados nos capítulos 21, 23—24, 27—29, 30—34, 37—44 mostram que eles aconteceram após o quinto ano de Jeoaquim.

Que o livro passou por dias bastante turbulentos pode ser notado quando a edição da Septuaginta (texto grego) é colocada ao lado do texto Massorético (hebraico). O texto grego é um oitavo mais curto do que o hebraico, e a organização do livro é diferente, especialmente no que diz respeito aos oráculos contra as nações estrangeiras. "Esses oráculos são encontrados no texto hebraico (e na nossa Bíblia) nos capítulos 46—51. No texto grego eles são introduzidos após 25.13".[12] A razão dessas diferenças entre os textos hebraico e grego nunca foi explicada de forma convincente. Seria possível ter havido duas edições principais de Jeremias no hebraico, e a tradução para o grego ter sido feita da edição mais curta? Qualquer que seja a resposta, os líderes da comunidade judaica que formularam o cânon hebraico evidentemente entenderam que a edição mais longa era a que melhor representava o profeta Jeremias.

Esboço

I. Prefácio, 1.1-3

    A. Identificação, 1.1
    B. Iniciação, 1.2
    C. Certificação, 1.3

II. A Convocação de Jeremias, 1.4-19

    A. O Chamado de Jeremias, 1.4-6
    B. A Consagração de Jeremias, 1.5, 9
    C. A Comissão de Jeremias, 1.4-10
    D. A Confirmação de Jeremias, 1.11-19

III. Acusação contra a Casa de Jacó, 2.1—10.25

    A. A Infidelidade de Israel, 2.1—3.5
    B. O Melancólico Chamado ao Arrependimento, 3.6—4.4
    C. Inimigo do Norte e de Dentro, 4.5—6.30
    D. O Sermão do Templo, 7.1—8.3
    E. Oráculos Diversos, 8.4—10.25

IV. Confissões e Predições, 11.1—20.18

    A. Jeremias e a Aliança, 11.1—12.17
    B. Parábolas e Pronunciamentos, 13.1-27
    C. A Seca e suas Implicações Morais, 14.1—15.9
    D. Confissões de Jeremias, 15.10-21
    E. Tópicos Diversos, 16.1—17.18
    F. Ações Simbólicas: Significado e Resultados, 17.19—20.18

V. Uma Previsão do Fim, 21.1—29.32

    A. Início do Cerco Final, 21.1-10
    B. O destino da Casa de Davi, 21.11—23.8
    C. Oráculos contra os Falsos Profetas, 23.9-40
    D. A Parábola dos Figos, 24.1-10
    E. Uma Pré-visualização do Fim, 25.1-38
    F. Oposição às Predições de Destruição, 26.1—29.32

VI. O Livro da Consolação, 30.1—33.26

    A. O Prefácio, 30.1-3
    B. Da Tragédia ao Triunfo, 30.4—31.1
    C. A Restauração Assegurada, 31.2-40
    D. A Restauração Dramatizada, 32.1-44
    E. Mais Garantias de Restauração, 33.1-26

VII. Conselhos aos Reis, 34.1—36.32

    A. Conselhos referentes à Babilônia, 34.1-7
    B. Conselhos acerca dos Escravos, 34.8-22
    C. O Exemplo dos Recabitas, 35.1-19
    D. Conselhos Preservados em um Livro, 36.1-19
    E. O Livro Destruído, 36.20-26
    F. O Livro Reescrito, 36.27-32

VIII. A Queda de Jerusalém, 37.1—40.6

    A. A Falha Fatal nas Defesas da Cidade, 37.1-2
    B. Esperanças sem Fundamento, 37.3-10
    C. Jeremias Preso e Encarcerado, 37.11-15
    D. Uma Conferência Secreta, 37.16-21
    E. O Episódio da Cisterna, 38.1-13
    F. Uma Entrevista Final, 38.14-28
    G. A Queda da Cidade, 39.1-10
    H. Jeremias é Liberto, 39.11-14
    I. As Recompensas da Fé, 39.15-18
    J. Jeremias Faz sua Escolha, 40.1-6

IX. No Rastro da Ruína, 40.7—44.30

    A. O Governo de Gedalias, 40.7—41.3
    B. As Atrocidades de Ismael, 41.4-18
    C. A Fuga para o Egito, 42.1—43.7
    D. Jeremias no Egito, 43.8—44.30

X. A Mensagem de Deus a Baruque, 45.1-5

XI. Oráculos Contra as Nações Estrangeiras, 46.1—51.64

    A. Prefácio, 46.1
    B. Oráculo Contra o Egito, 46.2-28
    C. Oráculo Contra os Filisteus, 47.1-7
    D. Oráculo Contra Moabe, 48.1-47
    E. Oráculo Contra Amom, 49.1-6
    F. Oráculo Contra Edom, 49.7-22
    G. Oráculo Contra Damasco, 49.23-27
    H. Oráculo Contra Quedar e Hazor, 49.28-33
    I. Oráculo Contra Elão, 49.34-39
    J. Oráculo contra a Babilônia, 50.1—51.64

XII. Apêndice Histórico, 52.1-34

    A. A Ascensão e Revolta de Zedequias, 52.1-3
    B. O Cerco a Jerusalém, 52.4-5

C. A Fome Durante o Cerco, 52.6
D. A Queda de Jerusalém, 52.7
E. A Captura e o Destino de Zedequias, 52.8-11
F. A Demolição de Jerusalém, 52.12-16
G. Os Vasos do Templo São Levados, 52.17-23
H. O Destino dos Regentes, 52.24-27
I. Três Deportações de Cativos, 52.28-30
J. Favor Mostrado a Joaquim, 52.31-34

Seção I

PREFÁCIO

Jeremias 1.1-3

Os três primeiros versículos do capítulo 1 formam o título ou prefácio de um manuscrito hebraico contendo o que é conhecido hoje como o Livro de Jeremias. Não era incomum os livros proféticos do Antigo Testamento terem esse tipo de título. As palavras aqui são delineadas para identificar o conteúdo do livro e para introduzir o leitor ao que vem a seguir. Ao estudar esses versículos é possível dividi-los em três partes.

A. Identificação, 1.1

O conteúdo desse livro é identificado e diferenciado de todos os outros escritos das Escrituras como as **palavras de Jeremias** (1). Com isso, a autoria do livro é determinada. O versículo 1 identifica o profeta no que tange ao seu nome, família e local de nascimento. Diversas idéias têm sido desenvolvidas por estudiosos quanto ao significado de **Jeremias** (hb., *Yirmeyahu* ou *Yirmeyah*).[1] O significado mais provável é "o Senhor lança, ou arremessa". Pode ser que o nome do profeta se refira aos raios e trovões da verdade que Jeremias deveria anunciar à nação ímpia e pecadora. O termo também poderia estar descrevendo a carreira do profeta, porque ele foi arremessado no redemoinho de um dos períodos mais catastróficos da história do mundo antigo. Mas, talvez cada período seja um período catastrófico, e cada verdadeiro mensageiro de Deus seja lançado no meio de tensões políticas, morais e espirituais, como foi o caso de Jeremias. Sem dúvida, esse nome quer nos ensinar que Deus está ativo nos afazeres dos homens.

Filho de Hilquias, dos sacerdotes que estavam em Anatote (veja mapa 2), nos dá o local de nascimento do profeta e algo referente à sua família. Seu pai, **Hilquias**, tem às vezes sido identificado como "Hilquias, o sacerdote" que foi figura proeminente na descoberta do livro da lei no Templo durante o reinado de Josias (2 Rs 22). Embora haja uma remota possibilidade de que isso seja verdade, o peso da evidência está contra ela. Parece claro, no entanto, que a família de Jeremias era de **sacerdotes**. **Anatote**, seu local de nascimento, foi uma cidade sacerdotal, desde os tempos de Josué (Js 21.18). Ela é a cidade da qual Abiatar, o sumo sacerdote no reinado de Davi, foi afastado pelo rei Salomão porque apoiava Adonias para se tornar o rei de Israel (1 Rs 2.26-27). É provável que Jeremias tenha sido membro da família de Abiatar, e se isso é verdade, ele era descendente de Eli, que foi sumo sacerdote nos tempos de Samuel (1 Sm 2.27-36). Com esse tipo de herança, o profeta deve ter se aprofundado em todas as tradições da religião hebraica.

Embora seja provável que Jeremias tenha vindo de uma família de sacerdotes, ele parece não seguir a tradição. Sua visão, conduta e comportamento o encaixam claramente no modelo profético. Não há indicação de que Jeremias tenha chegado a ocupar o ofício sacerdotal. Na verdade, essa é a única instância em que suas conexões sacerdotais são mencionadas no livro. Ele está impregnado com o espírito profético e segue a tradição profética integralmente.

B. Iniciação, 1.2

A carreira de Jeremias começa com a iniciativa de Deus — **A ele veio a palavra do Senhor** (2). Um dos aspectos singulares das Sagradas Escrituras é que Deus sempre toma a iniciativa na redenção do homem. A graça preventiva gera cada movimento para o bem no mundo. A "graça que vai à frente" inicia a carreira de todo homem de Deus, seja ele profeta do Antigo Testamento, apóstolo do Novo Testamento ou um mensageiro de Deus dos dias atuais. Isso significava para Jeremias, como significa para nós hoje, que ele foi convocado para falar por Deus, e que sua mensagem não era dele mesmo. Significava que ele tinha sido escolhido para estar na assembléia íntima da divindade, e para servir como o porta-voz do Eterno.[2] Deus, então, foi o Proponente Principal por trás da vida e obra de Jeremias.

C. Certificação, 1.3

O conteúdo do livro de Jeremias está solidamente baseado na história. A mensagem do profeta não é uma teoria nebulosa, a imaginação de uma mente perturbada, mas, sim, a verdade do Deus Eterno, interpretada e apresentada nos acontecimentos da vida. Jeremias era uma pessoa de carne e osso cuja vida e ministério podem ser devidamente datados. Seu ministério profético iniciou-se "nos dias de Josias [...] rei de Judá, no décimo terceiro ano do seu reinado" (2) — provavelmente em 626 a.C. A palavra do Senhor continuou vindo a ele **nos dias de Jeoaquim, [...] até ao fim do ano undécimo de Zedequias** (3). Isso foi em 586 C., o ano em que Jerusalém caiu diante dos caldeus. Mesmo depois disso encontramos Jeremias pregando. Outras porções das Escrituras, bem como a história secular, confirmam o que ele escreveu. O conteúdo do livro é atestado pelos acontecimentos da história e indica que Deus tem um papel fundamental nos acontecimentos da terra.

SEÇÃO II

CONVOCAÇÃO DE JEREMIAS

Jeremias 1.4-19

No versículo 4, ocorre uma mudança da terceira pessoa para a primeira pessoa, indicando que os versículos seguintes são autobiográficos. Aqui encontramos Jeremias relatando os fatos simples do seu encontro inicial com Deus. Nesse ponto, sua experiência é semelhante a outros profetas do Antigo Testamento. Na religião hebraica esperava-se que qualquer homem de Deus tivesse um "momento especial" em que era convocado para o ofício divino.[1] Esse momento era mais dramático para alguns do que para outros.

A. O Chamado de Jeremias, 1.4-7

O chamado de Jeremias não tinha todos os aspectos transcendentais e detalhes apocalípticos que podemos ver nos chamados de Isaías ou Ezequiel para o ofício profético. No entanto, há precisão e clareza em seu chamado, duas características que são fundamentais na religião hebraica. **Assim veio a mim a palavra do Senhor, dizendo** (4). Encontramos aqui uma *confrontação* divino-humana. Jeremias não disse que viu Deus, mas Deus se aproximou muito dele, a ponto de, a certa altura, a mão do Senhor ser colocada sobre a boca do profeta. A proximidade manifesta de Deus é realçada aqui em contraste com a transcendência de Deus no episódio do chamado de Isaías (Is 6.1-8). Aqui encontramos Deus conversando pessoalmente com um homem. Um diálogo resultante entre a divindade e a humanidade. Conseguimos enxergar a intimidade que pode existir entre Deus e os homens. Mas não há uma absorção da personalidade de Deus no homem como alguns místicos ensinam. Nesse encontro, Deus é Deus e o homem é homem. Jeremias mantém aqui, como em outras partes do livro, sua identidade em relação a Deus.

A vivacidade dessa confrontação é revelada pelos verbos transitivos em que Deus convoca esse homem para o serviço. **Antes que eu te formasse [...] eu te conheci [...] te santifiquei e às nações te dei por profeta** (5). É quase possível ver as palavras penetrando na consciência do jovem profeta. Jeremias está face a face com as exigências divinas para a sua vida. Também é possível observar nesse momento dramático a determinação de Deus por um lado e a *hesitação* de Jeremias por outro. Ele está atordoado com a responsabilidade que lhe é colocada. Surpreso e consternado, ele clama: **Eis que não sei falar; porque sou uma criança** (6).[2] A hesitação desse momento acaba se tornando uma característica de Jeremias ao longo de sua carreira. Por natureza ele é tímido e retraído. Sua natureza sensível não é compatível com a tarefa sobre-humana que está à sua frente. A presença tremenda de Deus era esmagadora; o terror da "completa entrega" de si mesmo e do futuro para Deus teria abalado o mais corajoso de coração.[3] Sua reação natural foi protestar, e isso ele fez de forma veemente. No entanto, seus protestos somente revelam a humildade da sua mente, seus sentimentos de indignidade e o conhecimento das suas próprias limitações. Enquanto Jeremias se retraiu de uma tarefa extremamente desagradável, notamos claramente que ele não rejeita essa tarefa. Não vemos rebelião na sua hesitação.

Deus removeu as objeções desse jovem, dizendo: **Às nações te dei por profeta [...] aonde quer que eu te enviar, irás; e tudo quanto te mandar dirás** (5, 7). A frase "dar por profeta" traz a idéia de "escolhido" ou "enviado". Jeremias é, portanto, apontado profeta às nações. Ele já não é "dono" da sua vida; o chamado de Deus é inescapável. A *ordenação* de Jeremias já havia ocorrido na mente de Deus antes mesmo do nascimento do profeta, mas, a essa altura os propósitos de Deus a longo prazo haviam se tornado carne e sangue. Com a ordenação de Jeremias, o plano de Deus para o seu reino vindouro está um passo mais próximo da realização.

B. A Consagração de Jeremias, 1.5,9

Esse aspecto da convocação de Jeremias para o ofício profético pode ser descrito sob dois cabeçalhos.

1. *Santificação* (1.5)

Deus declarou: **Antes que saísses da madre, te santifiquei** (5). Nessa expressão vemos o significado fundamental da santificação no Antigo Testamento. Na presciência de Deus, Jeremias foi separado para o serviço do santo Deus. Somente Ele é de fato santo. Ser santo no Antigo Testamento significava, em primeiro lugar, pertencer a um Deus santo por meio do seu ato redentor. Para uma pessoa ou nação ser santa deveria ser exclusivamente devota[4] a Deus para o propósito e serviço dele.

A experiência de Jeremias pode ser descrita como a santificação de um chamado santo — "santificação vocacional". Pode-se fazer a seguinte pergunta: Essa santificação tem quaisquer qualidades éticas? A resposta é que o conteúdo ético depende da natureza do deus com quem um indivíduo (ou nação) tem uma relação pessoal dinâmica. No caso de Jeremias o chamado santo vem em primeiro lugar, mas a santificação ética é uma conseqüência natural. É impossível para uma pessoa pertencer a um Deus santo sem que esse relacionamento seja refletido em um viver santo. Essa é a essência da idéia bíblica de santidade. Assim, santificação vocacional e santificação ética são dois lados da mesma moeda. Você não pode ter um sem o outro.

2. *Implementação* (1.9)

Deus sempre implementa seus próprios planos. Jeremias não foi deixado sozinho para realizar a ordem de Deus apenas com sua capacidade meramente humana. **E estendeu o SENHOR a mão, tocou-me na boca**. O propósito de Deus de separar Jeremias para um serviço especial é agora implementado pelo toque divino. Foi nesse momento que ele foi oficialmente empossado no ofício profético. A partir desse momento a unção divina o impeliria a anunciar a palavra de Deus: **Eis que ponho as minhas palavras na tua boca**. Jeremias está agora qualificado a cumprir sua tarefa profética. Deus, desse modo, implementa seu propósito pelo poder do Espírito Santo.

C. A COMISSÃO DE JEREMIAS, 1.4-10

No Antigo Testamento, quando um profeta recebia um chamado ele também recebia uma comissão. Deus sempre chama pessoas de alguma coisa para alguma coisa.

1. *Para Servir como Porta-voz* (1.5,7,9)

Jeremias foi nomeado profeta não somente para Judá mas também para as **nações** (5). A palavra hebraica *nabi* é traduzida por "profeta" cerca de 300 vezes no Antigo Testamento. Pode ser que a palavra originariamente significava "anunciar" ou "falar".[5] De forma gradual, essa palavra começou a receber um significado ligeiramente diferente no seu uso do Antigo Testamento; ou seja, *nabi* era aquele que é "qualificado, chamado e comissionado para falar a verdade de Deus para os homens".[6] O *nabi* do Antigo Testamento era primeiramente um pregador, um proclamador da verdade sagrada. Sob a compulsão divina ele falava palavras aos homens, mas essas palavras eram plenas de autoridade divina. É nessa tradição que Jeremias se vê comissionado por Deus. Sua tarefa consistia em se apresentar na íntima assembléia divina e então ir e proclamar o que havia visto e ouvido. Ele foi comissionado com estas palavras: **tudo quanto te mandar dirás** (7). **Eis que ponho as minhas palavras na tua boca** (9). A fidelidade de Jeremias em relação a essa tarefa resultou em oposição feroz por parte da sua própria família, dos seus vizinhos, do seu rei e de seus amigos. Embora vacilasse às vezes, ele nunca falhou na sua comissão divina.

2. *Para Transmitir uma Mensagem* (1.4-5,8,10)

A idéia de servir como porta-voz pressupõe uma mensagem. Jeremias menciona diversas vezes nesse capítulo: **Veio a mim a palavra do SENHOR** (4). O esboço de uma mensagem para Judá e para as **nações** (5) está gradualmente tomando forma. Os autores da Bíblia acreditavam que a **palavra** de Deus era plena de poder divino. Eles estavam confiantes de que sua palavra não voltaria vazia, mas cumpriria seu propósito (Is 55.11).

Qual então é a mensagem recebida por Jeremias para o seu povo? Mesmo no capítulo 1 podemos ver alguns desses elementos básicos. Há uma forte inferência de que todos os homens são culpados e responsáveis diante de Deus (5,10). Judá é responsável porque abandonou o Senhor para servir a falsos deuses (10,15-16). **As nações** estão debaixo do juízo divino porque sua conduta está abaixo da justiça humana comum. Os culpados sofrerão destruição e dificuldade (10,15-16), porque Deus certamente virá para julgar. Quando Ele vier, os reinos e povos serão arrancados e derribados (10). Deus não está dormindo como supõem os homens, mas está alerta para cumprir sua **palavra** (11-12). Finalmente, essa advertência oportuna é seguida por uma palavra de esperança: O castigo e o julgamento de Deus são redentores; isto é, Ele aflige para curar (10). Além do julgamento há esperança de uma restauração — um povo redimido e um dia novo.

3. Para Executar um Plano Mestre (1.10)

Ao comunicar sua mensagem a Jeremias, Deus revelou seu plano de operação. No processo, o profeta recebeu uma percepção tanto do passado como do futuro. Deus, que havia feito planos para a redenção do seu mundo pródigo, viu seus planos sendo destroçados nos recifes da liberdade humana.[7] Os filhos de Israel, instrumentos escolhidos, deveriam ter sido "luz dos gentios" (Is 49.6). Em vez disso, rebelaram-se contra seu Libertador, e tornaram-se como as nações gentias que os circundavam. O Reino do Norte manteve seu castigo e estava desaparecido das páginas da história já havia 100 anos.

Agora Judá, que havia conhecido a paciência e longanimidade de Deus, tinha passado "do ponto sem retorno" na sua teimosia e pecado. A hora do julgamento tinha chegado. Jeremias é agora comissionado como supervisor (**ponho-te** significa "para ser feito") para colocar o plano de Deus em operação. Judá e outras nações deverão ser derrubadas até suas fundações e destruídas. Talvez, por meio do fogo refinador do sofrimento e da tristeza, elas encontrarão o caminho da obediência e paz. Deus disse a Jeremias: **Olha, ponho-te neste dia sobre as nações e sobre os reinos, para arrancares, e para derribares, e para destruíres, e para arruinares; e também para edificares e para plantares**. Pode parecer estranho que o plano de Deus envolva medidas tão negativas. Mas parece haver uma lei no universo segundo a qual algumas coisas precisam morrer para que outras possam viver e crescer. A maldade precisa ir para que o bem possa florescer. Nossas mãos precisam soltar aquilo que é mau, para que possam estar livres para receber o que é bom. O "antigo, mau e ímpio povo de Judá" deve ser destruído para que um "remanescente purificado possa retornar para edificar a nova Jerusalém".[8] Mas Deus termina com uma nota positiva: **para edificares e para plantares**. Há esperança de um dia melhor. Quando o elemento negativo é eliminado, o positivo pode florescer com vigor.

D. A Confirmação de Jeremias, 1.11-19

Depois de comissionar o profeta, Deus confirmou sua palavra para Jeremias por meio de duas visões, uma de ordem e uma de promessa. O que Jeremias viu tem sido chamado de "visões inaugurais"[9] por alguns estudiosos; no entanto, não podemos estar certos de que elas tenham seguido imediatamente após o seu chamado. Se as visões não vieram logo após o seu chamado, foram dadas muito cedo no ministério profético de Jeremias, porque Deus parece usá-las para assegurá-lo do seu chamado profético.

A primeira visão é de uma **vara de amendoeira** (11). Deus explicou o significado da visão: "Estou vigiando [atento] para que a minha palavra se cumpra" (12, NVI). Parece haver um jogo de palavras no hebraico porque "amendoeira" (*shaqed*) e o verbo (*shoqed*) "vigiar" ou "estar acordado" (uma mudança de uma vogal) são muito similares. A amendoeira estava bem à frente de todas as outras árvores ao "acordar" na primavera. Deus estava dizendo a Jeremias por meio dessa visão: "Estou bem desperto, vigiando a minha palavra para ver se ela será prontamente executada". Claramente, Judá estava agindo como se Deus estivesse dormindo e não soubesse acerca do seu pecado.

Na experiência de Jeremias vemos alguns dos caminhos de Deus em lidar com os homens. 1) A preocupação de Deus com o pecado do homem, versículos 11-12. 2) A condenação de Deus pelo mau procedimento, versículos 14-16. 3) A ordem de Deus ao seu profeta, versículo 17a. 4) A divina consolação, versículos 17b-19.

A visão descreve a *preocupação* de Deus. O propósito da visão é assegurar Jeremias de que Deus está bem alerta quanto à situação e que está vigiando persistentemente, certificando-se de que sua palavra seja cumprida. A visão também fala de que Deus toma todo cuidado para que seus planos sejam executados. Ele está "atentamente determinado" para que seus juízos sejam efetuados na terra. Os homens sempre trabalham com a certeza de que Deus está vigiando atentamente para ver se seus planos estão sendo executados, quer sejam obras de juízo ou de misericórdia.

A segunda visão fala da *condenação de Deus* a Judá e às outras nações daquela época. Ele pergunta: **Que é que vês? E eu disse: Vejo uma panela a ferver, cuja face está para a banda do Norte** (ou: "do norte para cá", NVI, 13).[10] Judá pode esperar dificuldades e juízo: **Do Norte se descobrirá o mal sobre todos os habitantes da terra** (14).

Em 626 a.C., morreu Assurbanipal, o último rei forte da Assíria (veja mapa 1). Com a sua morte, as forças de declínio se instalaram, e não muito tempo depois, todo o Crescente Fértil estava fervilhando com planos de revolta. O Império Assírio estava cambaleando. "Os tempos realmente eram agourentos".[11] O novo Império Babilônico estava crescendo como uma nuvem ameaçadora no horizonte. Deus deu a Jeremias uma percepção da situação internacional dos seus dias e por meio da sua intuição profética ele viu a aproximação das hordas babilônicas contra seu amado país. **Porque eis que eu convoco todas as famílias** (clãs) **dos reinos do Norte, diz o Senhor** (15). Os exércitos do rei babilônico eram formados por soldados mercenários de todos os países do norte que a Babilônia havia conquistado. **Jerusalém** seria sitiada bem como **todas as cidades de Judá. Cada um porá o seu trono** significa que os reis se acampariam ali. Era a mão de Deus que estava por trás disso, e sua causa era clara. **E eu pronunciarei contra eles os meus juízos [...] pois me deixaram a mim, e queimaram incenso a deuses estranhos** (16). A idolatria e o pecado de Judá selaram a sua ruína.

Jeremias estava dolorosamente consciente de como seu próprio povo reagiria quando ele transmitisse essa mensagem. Ele sabia que seria pessoalmente atacado e odiado. Sua alma sensível recuou em horror, mas Deus o fortaleceu para aquilo que ele deveria enfrentar. "Tu, pois, cingirás os teus lombos e levantarás e dir-lhe-ás" (17, lit.). Embora os verbos no hebraico estejam no imperfeito, têm aqui a força do imperativo. **Não desanimes** (apavorado) **diante deles**. A *ordem* de Deus veio como um estimulante poderoso para o tímido e apreensivo profeta. Jeremias enfrentou a sua nova tarefa com coragem e fé. Há momentos quando cada homem de Deus precisa ouvir o "retumbar do ferro" da voz do Eterno. Isso nos capacita, como ocorreu com Jeremias, a recuperar a perspectiva divina.

Quando tratamos dos seus filhos quebrantados e tímidos, a severidade sempre é seguida pela *consolação de Deus*. Seus mandamentos são seguidos pelas suas promessas. Ele faz uma promessa poderosa para o jovem e inexperiente profeta: **Porque eis que te ponho hoje por cidade forte, e por coluna de ferro** [...] **contra toda a terra** [...] **E pelejarão contra ti, mas não prevalecerão** [...] **porque eu sou contigo** [...] **para te livrar** (18-19). Coragem e inspiração fluíram para a alma de Jeremias; a palavra de Deus era confiável. A inspiração divina tomou conta dele. Sua introdução no ofício profético foi completa. Ele era o transmissor da palavra do Senhor — um porta-voz de Deus —, um profeta maduro. Ele voltou-se para a sua tarefa sob o poder do Espírito.

Seção **III**

ACUSAÇÃO CONTRA A CASA DE JACÓ

Jeremias 2.1—10.25

Esta seção é constituída de diversos discursos, talvez proferidos em diferentes épocas nos primeiros anos do ministério de Jeremias. Os capítulos 2—6 quase certamente vêm do reino de Josias; o capítulo 7, com seu famoso sermão do Templo, quase certamente vem do primeiro ano de Jeoaquim; enquanto que os capítulos 8—10 provavelmente vêm do reino de Josias ou então dos primeiros anos de Jeoaquim. Eles são agrupados aqui evidentemente porque apresentam um tema comum — uma acusação a toda a casa de Israel. Essas profecias revelam a preocupação dominante do profeta nos seus primeiros anos de ministério. Algumas delas parecem dirigidas ao povo do Reino do Norte, outras para Judá, mas todas à Casa de Jacó. Muitos dos pensamentos expressos nessa seção nos lembram de Oséias, cuja vida e ministério parecem ter tido uma influência decisiva na vida de Jeremias. Repetidas vezes o profeta lembra o povo que ele está falando em nome de Deus.

Podemos estar bastante seguros de que as profecias como as encontramos aqui não são idênticas com as profecias inicialmente escritas. Essa seção, sem dúvida, foi incluída no manuscrito que foi destruído por Jeoaquim (cf. o cap. 36). Temos aqui a segunda edição, porque as profecias foram novamente ditadas a Baruque por Jeremias, "e ainda se acrescentaram a elas muitas palavras semelhantes" (36.32). Esse material adicional e a organização tópica dos escritos podem explicar por que algumas das passagens não parecem se ajustar apropriadamente.

A. A Infidelidade de Israel, 2.1—3.5

1. *Memórias Tristes* (2.1-3)
Deus fala aqui de um dia melhor quando Israel era uma jovem noiva: **Lembro-me** [...] **do amor dos teus desposórios** (2). Toda seção é escrita em forma poética ("Eu me

lembro [...] como noiva, você me amava", NVI; cf. RSV, Moffatt, *et al.*). Durante aqueles primeiros anos de privação no deserto, quando o povo de Israel vivia uma vida nômade, era completamente dependente de Deus, e não tinha rivais em relação ao afeto. Naquele tempo (simbólico de uma vida de completa dependência de Deus), Israel não tinha nenhuma outra fonte onde buscar sustento e era integralmente devoto ao Senhor. Isso ocorreu **numa terra que se não semeava**, significando que até então eles ainda não eram um povo agrícola. Porém, mais tarde, na segurança da civilização estabelecida, i.e., depois de conquistar Canaã, começaram a depositar sua confiança em coisas materiais e esqueceram da simplicidade dos tempos antigos. Ao depender de "seguranças secundárias",[1] Israel perdeu seu primeiro amor.

Naqueles dias remotos sob a mão de Moisés, **Israel era santidade para o SENHOR** (3). Isso significava que era santo porque pertencia sem reservas a Ele. Essa santidade significa que Israel era "separado" para Deus para um propósito sagrado; portanto, esperava-se dele uma conduta santa precisamente por causa desse relacionamento. O Senhor sempre se entristecia quando essa conduta não se realizava.

Sempre que Deus fala daqueles dias do primeiro amor, a repulsiva palavra que espreita no pano de fundo chama-se *infidelidade*. A nação havia se tornado infiel aos votos de casamento (aliança) realizados com o Senhor no Sinai. Com uma força crescente e de várias formas diferentes essa verdade será martelada por Jeremias.

2. Ingratidão pelo Grande Livramento (2.4-8)

Em seguida, Jeremias relembra o povo de que eles haviam se esquecido da "cova de onde foram cavados". Deus os havia libertado de maneira maravilhosa da escravidão no Egito; Ele os havia guiado **através do deserto, por uma terra de ermos e de covas, por uma terra de sequidão e sombra de morte** (6); Ele lhes tinha dado Canaã, uma **terra fértil** (7). Mas, em vez de apreciar a bondade de Deus, esqueceram-se das suas misericórdias, corromperam a terra e fizeram da sua **herança** uma **abominação**.

Os líderes da nação tinham sido os principais transgressores até essa altura. **Os sacerdotes e os que tratavam da lei não me conheceram** (8).[2] A história nos ensina que uma nação sempre começa a morrer pela parte superior da hierarquia. Isso ocorreu com Israel. **Os pastores** (lit. pastores de ovelhas, mas significando governantes), **os profetas**[3] e os sacerdotes eram culpados. Em vez de voltar-se para o Senhor, que havia sido seu grande Benfeitor em tantas ocasiões, esses líderes religiosos se apegaram a esses deuses falsos e profetizavam em nome deles. Essa estranha conduta fez com que Deus perguntasse: **Que injustiça acharam vossos pais em mim, para se afastarem de mim, indo após a vaidade?** (5). (**Vaidade** aqui significa inutilidade, é aplicado aos ídolos como inexistentes). A resposta para a pergunta acima é que nenhuma iniqüidade podia ser encontrada em Deus, mas um nefasto espírito de ingratidão caracterizava Israel. Foi essa atitude ingrata que abriu as comportas da iniqüidade sobre a nação.

3. A Desnatural Ingratidão de Israel (2.9-13)

Apesar da ingratidão de Israel, Deus não desistiu da nação delinqüente. **Portanto, ainda pleitearei** (lit., lutarei ou discutirei) **convosco** (9), i.e., para fazê-los voltar. A apostasia de Israel é, na verdade, uma coisa desconcertante. À luz de todas as anteriores ações de Deus em seu favor, parece *antinatural* que eles abandonassem o Senhor para servir a ídolos. Deus os admoesta: **Passai às ilhas de Quitim e vede; e enviai a Quedar,**[4] **e atentai bem [...] Houve alguma nação que trocasse os seus deuses? [...] Todavia, o meu povo trocou** (10-11). Israel tratou o Senhor de maneira pior que as nações pagãs tratavam seus deuses, **posto não serem deuses** (11). Como uma nação podia fazer uma coisa como essa? A única resposta é que o pecado incute no homem paixões estranhas e desnaturais. **Espantai-vos [...] ó céus** (12), pelas coisas que fazem as pessoas que em certa época chegaram a conhecer as riquezas da misericórdia e do amor de Deus! Mas os pecados da *infidelidade* e *ingratidão* são maldades gêmeas que abrem a alma para todo tipo de loucura e insensatez.

Deus continua: **Porque o meu povo fez duas maldades: a mim me deixaram, o manancial de águas vivas, e cavaram cisternas, cisternas rotas, que não retêm as águas** (13). A metáfora é tanto mais significativa quando percebemos que a Palestina é uma terra árida. Trocar o **manancial** com suas águas frescas e espumantes pelas águas estagnadas e pútridas de **cisternas** é irracional. E voltar-se para **cisternas** que estão **rotas** e não podem reter **as águas** é inimaginável. Mas foi isso que Israel fez ao se voltar para os deuses inúteis e ineficientes na sua aptidão de ajudar.

4. *Incapaz de Aprender da História* (2.14-19)
Nesses versículos, Deus parece questionar os homens dos dias de Jeremias: **Por que, pois, veio** (Israel, o Reino do Norte) **a ser presa? Os filhos de leão** (guerreiros fortes) **bramaram sobre ele [...] suas cidades se queimaram, e ninguém habita nelas** (14-15). Será que era pelo fato de o Reino do Norte ter tantas desvantagens? Será que ele era apenas um pobre **escravo** nascido na casa de Deus? A resposta esperada é: Não. Israel teve todas as vantagens. O Senhor tinha feito muitas coisas maravilhosas por ele. Portanto, a razão para a sua destruição deve ser encontrada em outra parte.

Em seguida, Deus introduz em seu argumento algo muito mais familiar aos homens de Judá. **Os filhos de Nofa** (Mênfis) **e de Tafnes**[5] **te quebraram o alto da cabeça. Porventura, não procuras isso para ti mesmo?** (16-17). Quase conseguimos ver os homens de Jerusalém tremerem. A referência aqui é à derrota vergonhosa do exército de Judá para Neco, rei do Egito, na batalha de Megido quando Josias foi morto (2 Rs 23.29-30). Por que isso aconteceu a Judá? E por qual motivo foi Israel para o cativeiro? A resposta de Deus é a mesma para as duas nações: **Deixando o Senhor, teu Deus** (17).

Apesar dessas humilhações havia um partido pró-Egito em Judá, bem como um partido pró-Assíria. Ambos eram ativos na política da época de Jeremias. O versículo 18 é uma reprimenda divina: **Agora, pois, que te importa a ti o caminho do Egito, para beberes as águas de Sior** (o Nilo)? **E [...] o caminho da Assíria?** [...] **A tua malícia te castigará** (19a). O **rio** (18) deve ser o Eufrates (veja mapa 1). Confiar em poderes estrangeiros em vez de confiar no Senhor sempre foi uma armadilha para as nações que criam em Deus. Tanto Oséias quanto Isaías se opuseram a alianças com nações estrangeiras. A real acusação por trás dessas palavras é que Judá foi *incapaz de aprender* da situação de Israel, ou dos seus próprios infortúnios. É trágico quando homens e nações não conseguem enxergar o poder devastador do pecado. Mesmo hoje cada geração parece compelida a sofrer uma indescritível agonia por não aprender da ação de Deus na história.

5. O Pecado Desenfreado nos Deixa Profundamente Manchados (2.20-25)

Jeremias agora fala da profundidade e extensão do pecado da casa de Jacó. Várias figuras são usadas para descrever a condição da casa de Jacó: uma vinha, uma prostituta, um objeto profundamente manchado, uma jovem dromedária, e uma jumenta montês do deserto no cio. Mas, primeiro, Deus lembra Israel dos seus muitos livramentos de tempos passados, e como o povo havia prometido: **Nunca mais transgredirei** (20). Mas continuou agindo como uma prostituta — **em todo outeiro alto e debaixo de toda árvore verde,** i.e., adorando falsos deuses nos diversos santuários nas regiões rurais. A nação teve um início excelente no Sinai, sob a liderança de Moisés; ela havia sido plantada **como vide excelente, uma semente inteiramente fiel** (lit., verdadeira; v. 21). No entanto, ela degenerou-se no pior tipo de vinha silvestre. Essa condição degenerada tinha se tornado tão profundamente enraizada que os agentes de limpeza mais poderosos conhecidos no mundo antigo (**salitre,** ou soda, e **sabão,** 22) eram inúteis para tirar a mancha.

Para piorar as coisas, Israel está evidentemente cego para sua real condição, porque diz: **Não estou contaminado** (23). Na verdade a questão é a seguinte: no seu amor por deuses estrangeiros ele se tornou atrevido e arisco como uma jovem camela do deserto, ou como uma **jumenta montês** do **deserto** (24) quando está no cio. Israel é tão impetuoso que nenhuma restrição será eficaz. A nação continua resoluta na sua teimosia. Na primeira parte do versículo 25 há uma exortação de Deus para a salvação: "Não deixe que seus pés fiquem sem sapatos, ou a sua garganta fique seca devido à falta de água" (*Basic Bible*). Apesar de toda súplica por mudança, ela responde aos que andam em pecado: **Não há esperança;** [...] **porque amo os estranhos e após eles andarei** (25). Dessa forma, o *pecado desenfreado* nos arrasta para o desespero eterno. Não que Deus estivesse indisposto a perdoar, mas porque o homem deliberadamente escolheu, em plena consciência das implicações envolvidas, a satisfação do "eu" carnal.

6. A Impudência de Judá (2.26—3.5)

A transgressão irrestrita acaba levando a um estado de impudência (falta de vergonha) onde o indivíduo é *incapaz de se importar*. Isso agora pode ser visto em relação ao destino de Judá. Embora apanhado no seu pecado como um **ladrão** e envergonhado por causa da sua conduta, seus **reis** [...] **príncipes** [...] **e os seus profetas** (26) continuam praticando a prostituição espiritual. Eles dizem **ao pedaço de madeira** (uma árvore ou ídolo de madeira): **Tu és meu pai; e à pedra** (ídolo)**: Tu me geraste** (27). Eles desdenhosamente **viraram as costas** para o Senhor a fim de fazerem o que bem lhes apraz; no entanto, quando aparece a dificuldade, sem o menor constrangimento voltam-se novamente para o Senhor e clamam por sua ajuda. Isso revela a completa irracionalidade do pecado, e Deus os repreende: **Onde, pois, estão os teus deuses, que fizeste para ti? Que se levantem, se te podem livrar** (28). Não havia falta desses deuses, porque cada cidade tinha pelo menos um deus. Quando o castigo continuava, eles se voltam na sua miséria e reclamam contra Deus como se não tivessem cometido nenhum pecado, e tivessem todo direito de esperar sua ajuda.

Apesar do fato de Deus permitir o sofrimento para afastá-los do seu pecado, eles não aprenderam da sua experiência. **Eles não aceitaram a correção** (30), mas mataram os verdadeiros profetas com a **espada,** na sua loucura em servir outros deuses. Deus novamente apela para a razão: **Por que, pois, diz o meu povo: Desligamo-nos de ti** (melhor: "estamos livres", RSV); **nunca mais a ti viremos?** (31). Essas pessoas tinham um espírito indisciplinado; elas não tinham consideração pelas leis de Deus ou dos homens. Imaturas e inconstantes como crianças, insistiam em vir a Deus somente quando lhes agradava. **Porventura, esquece-se uma virgem dos seus enfeites?** [...] **Todavia, o meu povo se esqueceu de mim** (32). A prática da religião por Judá era uma mera questão de conveniência. O Senhor era alguém que podia ser usado se necessário, ou esquecido **por inumeráveis dias**, de acordo com a conveniência de Judá.

Moffatt interpreta a primeira parte do versículo 33 da seguinte maneira: "Vocês direcionaram seu curso para planos secretos de amor". A nação de Judá tinha se tornado tão astuta na questão do pecado que podia ensinar mesmo aos especialistas na área da imoralidade. A última parte do versículo 34 é obscura. Ela evidentemente significa que Judá tem aumentado a sua culpa ao manchar suas vestes com o sangue dos pobres que Deus havia considerado inocentes de qualquer má ação. Ao mesmo tempo, Judá diz: **Eu estou inocente** (35). A situação é muito grave quando os homens acreditam nas suas próprias mentiras. Isso não é nada menos do que insanidade moral.

Deus novamente anuncia a vinda do juízo sobre a nação. **Eis que entrarei em juízo** ("passarei a sentença", NVI) **contigo, porquanto dizes: Não pequei** (35). Judá era uma nação responsável; ela seria julgada adequadamente. O Senhor parece dizer: "Visto que você não leva a sério a sua maldade, mudando de rumo aqui e acolá, você será envergonhado pelo Egito, como foi envergonhado pela Assíria" (36), uma referência à futilidade em confiar no Egito (cf. 46.1-28). No dia do juízo, Judá chorará de vergonha **com as mãos sobre a** sua **cabeça** (37) — em completa aflição e desespero. Deus **rejeitou** todas as coisas em que Judá havia colocado a sua confiança. Ele não prosperará em nenhum dos seus caminhos. Conseqüentemente, a palavra é de julgamento e juízo. Judá acordará para sua condição vergonhosa somente quando for tarde demais. Brincar com o pecado, mudar de uma aliança estrangeira para outra, recusar-se a prestar atenção às admoestações de Deus, indicam uma instabilidade que se iguala à sua completa falta de vergonha. O que, então, aguarda Judá? 1) O juízo é certo; 2) Consternação e desolação estão batendo à sua porta; 3) Aqueles em quem confiava e dependia vão deixá-lo na mão na hora crucial; 4) Ele terá de confessar que tudo isso não precisava ter sido seu destino.

A falta de vergonha de Judá é então ilustrada mais uma vez pela figura do casamento descrito no versículo de abertura do capítulo 2. A linguagem lembra Oséias (Os 2.1-5; 9.1). Jeremias refuta a idéia de um arrependimento barato. Religiosamente, Judá tinha se maculado **com muitos amantes** (3.1), no entanto, parece que achava que poderia voltar para Deus a qualquer momento. Vivia despreocupadamente, sem se importar com o seu pecado. Claramente, o povo havia alcançado o ponto em que era incapaz de perceber a sua situação. Isso pode ser visto na frase seguinte: **Manchaste a terra com as tuas devassidões** [...] **tu tens a testa de uma prostituta** ("atrevido como uma prostituta", Moffatt), **e não queres ter vergonha** (2-3). Judá tinha agora se solidificado no seu pecado.

Que o povo tinha alcançado esse ponto na sua falta de vergonha é confirmado pelo fato de conseguir usar uma linguagem tão afável a Deus como: **Pai meu, tu és o guia da minha mocidade** (4), e ao mesmo tempo estar ardentemente devotado a outros deuses. Judá era uma nação bastante confusa, nada diferente de indivíduos e nações hoje. Com seus lábios eles faziam uma grande demonstração de devoção ao Senhor, mas ao mesmo tempo faziam todas as **coisas más** que se possam imaginar (5). As palavras do versículo 4 podem referir-se à reforma de Josias que ocorreu nos primeiros anos do ministério de Jeremias.[6] Evidentemente, o povo sujeitava-se exteriormente à ordem do rei de Judá, mas em seus corações permaneciam imutáveis. Eles meramente misturavam a adoração ao Senhor e a adoração a outros deuses a quem serviam. Dessa forma, corrompiam o serviço a Deus.

B. O Melancólico Chamado ao Arrependimento, 3.6—4.4

Os discursos anteriores são pintados em cores escuras. Talvez foram planejados dessa forma para despertar a consciência da nação. Eles revelam a Judá a sua real condição em contrapartida com o que ele alegremente acha que é. Eles mostram que a única esperança de salvação está na completa inversão da forma de pensar que o povo tinha adotado até então.[7] Mas as palavras finais nessa seção assustam, porque parecem dizer que qualquer reversão desses planos de ação é agora impossível. O destino da nação está selado. Conseqüentemente, a seção anterior fecha com uma nota de condenação.

Esta seção, no entanto, é diferente. Embora o profeta continue pintando a pecaminosidade da nação em cores sombrias, ocorre uma mudança de tom. Um raio de esperança trespassa a escuridão. A casa de Jacó é convidada a se arrepender. Há uma tristeza no chamado que apresenta um vislumbre da dor do coração de Deus acerca da condição do seu povo. Embora as mensagens sejam dirigidas aos filhos de Israel como um todo, o profeta muitas vezes faz uma distinção entre o Reino do Norte e Judá por meio do termo Israel; em outras ocasiões, Israel é usado para denotar as duas nações. Jeremias compara e contrasta as duas nações em suas atitudes concernentes a Deus, e na sua prática da religião da aliança.

1. *A Retribuição para o Arrependimento Superficial* (3.6-11)

Nesses versículos, o profeta contrasta Judá com Israel, mostrando que Judá é mais culpado do que Israel, porque Judá falhou em levar a sério e aprender qualquer coisa do destino de Israel.

Disse mais o Senhor nos dias do rei Josias: Viste o que fez a rebelde Israel? (6). O Senhor então descreve a promiscuidade espiritual do Reino do Norte antes da queda, e como tinha ficado aflito, com o seu coração de amante, aguardando a sua volta. Veja comentário em 2.20 acerca de **monte alto** e **árvore verde**. Apesar da sua longanimidade e paciência, Ele foi compelido a dar à nação de Israel **o seu libelo** ("certidão", NVI) **de divórcio** e despedi-la (8). "O Reino do Norte havia pecado e negligenciado o seu dia da graça e estava agora no cativeiro".[8] **E viu isso a sua aleivosa irmã Judá** (7) [...] **foi-se e também ela mesma se prostituiu** (8). O povo do tempo de Jeremias estava bem consciente do fato de que profetas anteriores haviam predito a queda de Israel porque este reino havia abandonado o Senhor e ido atrás de outros deuses. **Adulterou com a pedra e com o pedaço de madeira** (9) refere-se à adoração idólatra de imagens de pedra e madeira. Esses mesmos profetas também haviam advertido o Reino do Sul do mesmo destino, **contudo, nem por tudo isso voltou para mim a sua aleivosa irmã Judá com sincero coração, mas falsamente** (10). Judá não aprendeu sua lição muito bem, embora tivesse tido todas as oportunidades.

Há uma forte implicação no versículo 10 de que Judá deve ter feito algum esforço para retornar ao Senhor em alguma época, mas claramente seu esforço provou ser apenas superficial. Muitos estudiosos acreditam que a referência é à reforma que ocorreu no décimo oitavo ano do reinado de Josias (2 Rs 22-23). Depois de encontrar o livro da lei no Templo, o rei tinha feito um esforço genuíno para levar a nação de volta à adoração a Deus. Apesar do esforço sincero de Josias, o povo não estava disposto a deixar os seus velhos caminhos. Embora obedecessem exteriormente à ordem do rei, parece que seus corações continuavam presos à adoração idólatra. Com a morte inoportuna de Josias, eles voltaram para suas antigas práticas, para nunca mais serem levantados da sua letargia pecaminosa. O arrependimento de Judá, então, tinha sido apenas superficial. Ela tinha voltado somente "com fingimento" (10, NVI), que, na verdade, não era uma mudança de verdade. Ao compará-la com o Reino do Norte, Jeremias diz: **A rebelde Israel justificou mais** (é "menos culpada", RSV) **a sua alma do que a aleivosa Judá** (11).

Vemos no exemplo de Judá quão devastador é o arrependimento superficial para um povo esclarecido. Esse tipo de arrependimento é exterior, não interior; ele é apenas aparente, não em obra e verdade. Ele agrava a culpa em vez de reduzi-la. A pessoa é mais traiçoeira, mais culpada, mais propensa a fazer o mal, e mais difícil de voltar, do que se nunca tivesse simulado que estava se arrependendo.

2. A Prontidão de Deus em Perdoar o Arrependido (3.12-13)

Aflito com o povo de Judá, Deus agora volta toda sua atenção aos exilados do Reino do Norte. Ele ordena ao profeta: **Vai, pois, e apregoa estas palavras para a banda do Norte, e dize: Volta, ó rebelde Israel, [...] porque benigno sou [...] e não conservarei para sempre a minha ira** (12). Embora o pecado de Israel tenha sido muito grave, Ele continua pronto — até mesmo ansioso — a perdoar, se a nação se arrepender. Esses dois versículos nos apresentam um vislumbre do coração de Deus, e o que vemos é perdão e grande misericórdia.

Embora o perdão de Deus sempre esteja disponível a todos que vêm a Ele, as pessoas e nações devem responder ao seu chamado. **Somente reconhece a tua iniqüidade, que [...] transgrediste [...] e [...] não deste ouvidos à minha voz** (13). Vemos aqui que a confissão radical é um elemento vital para o verdadeiro arrependimento. Não pode haver ressalvas, mas um reconhecimento completo e sincero do pecado. A essa prontidão e integralidade na confissão do homem correspondem a prontidão e integralidade do perdão de Deus.

Também havia uma mensagem nessas palavras para os homens de Judá bem como para os exilados de Israel. Com alguém tão perdoador como o Senhor, a catástrofe e a ruína podiam ser evitadas por Judá — embora o tempo fosse curto. Essa parece a sincera esperança e imperecível fé do profeta. Pelo mesmo motivo, também há esperança para os pecadores dos nossos dias — mas a condição é a mesma que foi para Israel e Judá — **somente reconhece a tua iniqüidade** (13). "O que encobre as suas transgressões nunca prosperará; mas o que as confessa e deixa alcançará misericórdia" (Pv 28.13).

3. Os Planos de Deus para Aqueles que se Arrependem (3.14-20)

Aqui o profeta parece dirigir-se tanto a Judá quanto a Israel enquanto apresenta os futuros planos de Deus ao seu povo. O texto pressupõe que as duas nações aprenderam bem as suas lições, e estão agora preparadas para segui-lo com singeleza de coração. É bom saber que Deus tem planos para seu povo, e que são pensamentos de paz e não de mal (29.11).

Deus faz seu conhecido chamado de arrependimento ao declarar sua relação com o povo: **Eu vos desposarei** ("Eu sou o marido de vocês", NVI, nota de rodapé; v. 14). Ele então promete que haverá um retorno do exílio. **E vos levarei a Sião** [...] **Naqueles dias, andará a casa de Judá com a casa de Israel; e virão, juntas, da terra do Norte** (14, 18). É o remanescente justo que retornará — **e vos tomarei, a um de uma cidade e a dois de uma geração** (família; v. 14) — e farei um novo começo.

Virá um dia melhor para aqueles que retornam para o Senhor. Naquele dia, **vos darei pastores** (governantes) **segundo o meu coração, que vos apascentem com ciência e com inteligência** (15). No passado, tanto Israel quanto Judá tinham tido líderes muito fracos. Isso vai mudar. Além disso, naquele dia haverá uma nova ordem de vida espiritual e um novo relacionamento com Deus. **A arca do concerto** (16) e o Templo, que haviam sido a possessão orgulhosa do Reino do Sul, e que eram vistos por Judá como um sinal da sua superioridade sobre Israel, não será mais o pomo da discórdia entre as duas nações. Deus habitará no meio do seu povo de uma maneira nova, e sua presença abolirá a necessidade de símbolos desse tipo. "Não pensarão mais nisso nem se lembrarão dela (a arca); não sentirão sua falta nem se fará outra arca" (NVI).[9]

Naquele dia futuro, **Jerusalém** será o local do **trono do Senhor, e todas as nações se ajuntarão a ela** (17), e os povos da terra não seguirão mais **o propósito do seu coração maligno**, mas seguirão aquilo que é bom. **Judá** e **Israel** (18) se reconciliarão e as coisas que os haviam dividido nos dias passados, desaparecerão.

Encontramos nesses versículos um dos fatos recorrentes da literatura profética: uma combinação do que está perto e do que está longe. As predições do retorno do exílio são misturadas com as predições do período do evangelho e da era futura, e elas estão completamente entrelaçadas. Há uma sugestão aqui da idéia de Jeremias referente à nova aliança (31.31ss). Sob essa aliança, cada um poderá ter um conhecimento direto do Senhor. Haverá no meio do povo um conceito novo e mais espiritual de Deus.

Apesar de todos os bons propósitos que Deus tem para o seu povo, Ele continua tendo um problema. **Como te porei entre os filhos e te darei a terra desejável?** (19). O hebraico aqui é obscuro, mas evidentemente Deus está dizendo: "Como posso fazer essas coisas boas por você, quando você está tão longe de mim?". A resposta é sugerida mais adiante nesse versículo. Ele lhes dará **a terra desejável, a excelente herança**, quando o chamarão de **Pai** e não se desviarão mais dele.

4. *O Caminho para o Arrependimento Genuíno* (3.20—4.4)

Deus declara: **Como a mulher se aparta aleivosamente do seu companheiro, assim aleivosamente te houveste comigo, ó casa de Israel** (20). No entanto, o coração sofrido, sensível e amoroso de Deus busca uma maneira de tratar do pecado do seu povo. Ele então mostra como os seus planos para a prosperidade deles podem ser colocados em prática. O restante dessa seção mostra o caminho que leva ao genuíno arrependimento.

a) *Confissão* (3.21-25). Um certo tipo de diálogo agora parece ocorrer entre Deus e um povo penitente. **Nos lugares altos se ouviu uma voz, pranto e súplicas dos** filhos de Israel; porquanto perverteram o seu caminho e se esqueceram do SENHOR (21). Então ouve-se Deus dizer: **Voltai** [...] **eu curarei as vossas rebeliões** (22). O povo responde: **Eis-nos aqui, vimos a ti.** "Em vão vem o som das colinas e o tumulto das montanhas" (23a, tradução de Driver); i.e., o povo estava confessando que "a religião selvagem e extática praticada na adoração à natureza não poderia trazer nenhuma paz e satisfação real".[10] **Deveras, no SENHOR, nosso Deus, está a salvação de Israel**. A confissão do povo continua: **Porque a confusão devorou** [...] **Jazemos na nossa vergonha** [...] **porque pecamos contra o SENHOR,** [...] **nós e nossos pais,** [...] **até o dia de hoje** (24-25). A confissão significa que uma pessoa começou a encarar sua situação de maneira honesta. É um reconhecimento de que o homem não é sábio o suficiente para dirigir sua própria vida. Deus não pode suprir as nossas necessidades até que alcancemos esse ponto. Mas quando a confissão é sincera e completa, Ele imediatamente começa sua obra de cura da alma.

b) *Conversão* (4.1). "A idéia de arrependimento no Antigo Testamento é, na maioria das vezes, expressa pela palavra hebraica *shub*, que literalmente significa 'mudar de direção' ou 'retornar'".[11] Essa é uma palavra forte, e envolve o homem inteiro: mente, coração e ações. Ela significa a conversão da pessoa inteira — uma volta completa daquilo que é perverso para encarar Deus em completa obediência e reverência. A construção do hebraico aqui enfatiza a cláusula **para mim**, e significa que deve haver uma completa ruptura com as formas corruptas de adoração idólatra e um retorno sincero ao Senhor. "Se você voltar, ó Israel", diz o Senhor, "para mim voltareis!" (4.1, lit.).

Nessa "volta" está incluída necessariamente a idéia de abandonar aquilo que é mau — **se tirares as tuas abominações de diante de mim**. O arrependimento inclui não somente uma mudança de atitude, mas também uma mudança de ações. Devemos nos desfazer de todos os objetos que ocasionaram as nossas transgressões (nesse caso, os ídolos), bem como de práticas e hábitos pecaminosos. Devemos apresentar frutos de arrependimento (Mt 3.8). O arrependimento do Antigo Testamento e o arrependimento do Novo Testamento têm o mesmo significado aqui.

Deus agora diz em relação a Israel: Se essas coisas forem feitas, então **não andarás mais vagueando** (1; a NVI traz "não se desviar"). Geralmente entende-se dessa frase que Judá não iria para o exílio. Mas a palavra **vagueando** no original pode ter a conotação de andar perambulando (como um fugitivo ou exilado) ou "oscilando" (RSV). Se essa palavra significa vaguear então pode-se imaginar o Reino do Norte retornando do exílio e não mais perambulando entre as nações. Se "oscilar" é escolhido, significa que eles permanecerão firmes na sua fé. A KJV, que traz a idéia de não ser "removido", se encaixa bem com o contexto.

c) *Concessão* (4.2). O passo seguinte que Israel deveria dar era admitir que não há ajuda além de Deus. Isso é indicado no versículo 2, em que o profeta diz: **e jurarás: Vive o Senhor**. "Entre os hebreus um voto era uma coisa muito poderosa; jurar por uma divindade significava reconhecer sua existência e invocar o seu poder".[12] Se um hebreu podia realmente dizer: **na verdade, no juízo e na justiça**, e **vive o SENHOR**, isso era um reconhecimento de que o Senhor era o Deus *vivo*, e que somente Ele existia, e que nenhum outro deus era real. O profeta sabia que se a nação podia dizer essas palavras com sinceridade, o problema da idolatria seria descartado rapidamente. Se a nação de Israel fizesse essa admissão ela se tornaria "uma luz para as nações", e **as nações** se gloriariam nele, i.e., "se orgulhariam" (lit.) do Deus vivo.

d) *Renovação completa* (4.3). A. S. Peake diz que os versículos 3 e 4 "estão entre a literatura profética mais grandiosa, e apresenta um resumo da teologia de Jeremias".[13] Stanley R. Hopper diz que esses dois versículos são "um chamado ao arrependimento mais profundo para os povos do mundo, quanto mais para Judá".[14] Eles atacam a raiz do pecado em nossas vidas. Nenhuma medida incompleta bastará aqui. É possível que na mente de Jeremias esteja a reforma empreendida por Josias. Esse esforço por um avivamento, que acabou somente como uma reforma superficial, deve ter sido profundamente desapontador para esse verdadeiro profeta. Não é difícil acreditar que essa experiência amarga levou Jeremias a uma percepção mais profunda da natureza da religião hebraica. Ele viu que nada além de uma completa renovação dos corações do seu povo possibilitaria a nação de encontrar seu caminho de volta para Deus e chamar a atenção para a calamidade que estava se aproximando rapidamente.

Uma religião superficial não seria suficiente; a religião deve ser íntima e individual se a situação nacional precisa melhorar. Portanto, o profeta clama: **Lavrai para vós o campo de lavoura e não semeeis entre espinhos** (3). A vida nacional havia se tornado tão dura pelos anos de práticas idólatras e injustiças grosseiras que a verdade de Deus não podia se desenvolver nesse tipo de solo. Como o solo que não é cultivado de maneira apropriada logo está cheio de ervas daninhas e espinhos, assim era o solo da vida nacional de Judá e Israel. E os espinhos que estavam crescendo lá "eram o produto espontâneo da natureza humana degenerada".[15] Entre outras coisas, esse solo incluía espinhos de um viver negligente, de injustiça social, de mágoas passadas, de hipocrisia e de falta de perdão. É impossível que a verdadeira justiça e santidade floresçam onde crescem esses tipos de espinhos.

Pode ser que a reforma de Josias tenha cortado esses espinhos, mas havia falhado em arrancá-los pela raiz. Não demorou muito e eles cresceram outra vez descontroladamente e mais fortes do que nunca. A religião do Deus vivente exigia uma renovação radical de vida tanto do indivíduo quanto da nação. Esse é o início da ênfase de Jeremias na religião interior que é tão comum no seu ministério. Esse conceito da completa renovação do coração é um dos princípios básicos do Novo Testamento: "Agora, está posto o machado à raiz das árvores" (Mt 3.10, etc.).

e) *Circuncisão do coração* (4.4). Em seguida, Jeremias transmite uma verdade ainda mais profunda no seu pronunciamento sobre a terra não cultivada. Mudando a figura de linguagem, ele clama: **Circuncidai-vos para o Senhor e tirai os prepúcios do vosso coração, ó homens de Judá e habitantes de Jerusalém** (4). O que Jeremias queria dizer com essa figura de linguagem? A idéia da circuncisão certamente não era nova para seus ouvintes. Desde o tempo de Abraão esse foi o rito de iniciação por meio do qual o homem passava a fazer parte da religião hebraica. Esse rito era obrigatório para cada filho homem em todas as famílias em Israel.

Desde o princípio (Gn 17.10-12) a circuncisão deve ter significado algo a mais além de cortar um pequeno pedaço de pele. Ela deve ter tido uma implicação altamente espiritual.[16] Certamente deve haver um forte significado espiritual nas palavras de Jeremias aqui (Cf. Dt 30.6; Jr 9.26; 33.7-9; Rm 2.25-29; Gl 5.6; Cl 2.11).

Dentro do seu contexto: **Circuncidai-vos para o Senhor** ensina que deve ocorrer nos corações dos homens uma transformação radical para serem aceitos por Deus. Era necessária uma mudança revolucionária na vida do povo de Judá daquela época. Certamente uma limpeza, i.e., o remover da impureza, é retratada aqui pela figura de linguagem do profeta. Essa passagem e outras semelhantes a ela levaram George Adam Smith a dizer acerca de Jeremias: "Ele tinha um profundo sentimento da inveterada qualidade do mal, da profunda saturação do pecado, da enormidade da culpa daqueles que pecavam contra a luz e o amor de Deus".[17] Nessa passagem, destaca-se principalmente a pureza do coração (cf. Sl 24.4; Mt 5.8).

Podemos resumir o significado do versículo 4 da seguinte forma: 1) A circuncisão do coração refere-se a um trabalho interior de Deus na alma que se manifesta numa conduta exterior; 2) Essa circuncisão tem que ver com a remoção da impureza das faculdades espirituais do homem; 3) Ela é uma mudança radical que penetra nas profundezas da natureza moral do homem; 4) A operação realizada é central para as necessidades espirituais básicas do homem; 5) A circuncisão é uma exigência da parte de Deus para a santidade ética no homem. De acordo com Jeremias, se os homens não obedecem às exigências de Deus para essa purificação interior eles podem esperar juízo e destruição (4).[18]

C. Inimigo do Norte e de Dentro,[19] 4.5—6.30

Nesses capítulos, Jeremias tem uma visão profética da calamidade que está vindo sobre seu povo. Mas ele também percebe que a situação tem um aspecto duplo. Há, na verdade, dois inimigos. "Primeiro é um inimigo não identificado do norte"; o outro é o "coração teimoso e rebelde"[20] de Judá. Cada um deles contribui para a derrocada de Judá. Com grande preocupação Jeremias descreve a destruição futura e os motivos da sua vinda. Ele intercala esses pronunciamentos com exortações ao arrependimento na esperança de que a calamidade que se aproxima possa ser evitada. Devemos lembrar aqui que muitas profecias no Antigo Testamento foram anunciadas com a finalidade de não serem cumpridas.[21] Claramente, Jeremias estava esperançoso de que esse fosse o caso aqui.

A menção de **um mal do Norte** indica que essa profecia tem alguma conexão com a visão da panela fervente no capítulo 1. Quanto à identidade do inimigo do Norte (Babilônia), veja Introdução. O propósito básico do profeta, no entanto, não é identificar o inimigo mas mexer com a alma dos seus compatriotas quanto à necessidade de arrependimento. Ele não está preocupado com todas as minúcias que incomodam os literalistas, porque ele tem uma visão ampla da tempestade que está se aproximando, e o que isso significará para o seu país.

1. *O Dia do Ajuste de Contas* (4.5-31)

Na visão do profeta, esse inimigo do norte é claramente visível no horizonte do tempo. O que ele vê por meio da contemplação profética o enche de consternação. Ele ergue a sua voz e lança um grito de advertência!

a) *A trombeta do alerta* (4.5-13). **Tocai a trombeta na terra** (5). Essa era a forma costumeira de advertir o povo do perigo que se aproximava. A magnitude do perigo é indicada pela implicação de que toda a **terra** deveria ser despertada, e pela escolha das palavras que ele usa para propagar o alerta. **Gritai** [...] **Ajuntai-vos, e entremos nas cidades fortes** de Judá e preparemo-nos para a batalha, **porque eu trago um mal do Norte** (5-6). A expressão: **Arvorai a bandeira para Sião** significa "demarquem uma rota para aqueles que buscam abrigo em Jerusalém" (Berkeley, nota de rodapé). O **leão** [...] **já partiu e saiu do seu lugar** (7). Essa descrição de um **leão** pode muito bem referir-se a Nabucodonosor, o **destruidor das nações**, que mais tarde veio com fúria contra Judá. **A fim de que as tuas cidades sejam destruídas, e ninguém habite nelas.** O inimigo está vindo! O perigo é iminente!

O profeta agora descreve as vítimas amedrontadas dessa avalanche do juízo divino: **o coração do rei e o coração dos príncipes** se desfarão (9), i.e., ficarão desfalecidos de medo e pavor. **E os sacerdotes** [...] **e os profetas** estarão amedrontados e confusos. **Lamentai e uivai** (8), diz Jeremias, **porque o ardor da ira do SENHOR não se desviou de nós.** Nas emergências da vida, os injustos desmoronam, porque não têm esteio interior para dar-lhes força.

À primeira vista parece que no versículo 10 o profeta está repreendendo a Deus por enganar o povo com falsas promessas. O Targum parafraseia esse versículo indicando que falsos profetas enganavam o povo ao anunciar **paz** quando não havia paz.[22] Mas o versículo pode representar um soluço de consternação da parte do profeta, que não pode reconciliar as maravilhosas promessas feitas a Israel em dias passados com o terrível juízo que ele agora vê se aproximando: **a espada penetra-lhe até à alma** (vida; 10).

Depois dessa interrupção momentânea, Jeremias continua a soar o alarme. A calamidade que se aproxima está ligada a um dos ventos que costumeiramente se movia rapidamente do deserto para Judá. Quando esse vento era brando, era útil para joeirar os cereais, mas quando vinha com **grande veemência** era chamado de temeroso siroco. Esse **vento** (12) era tão mortal que secava e destruía tudo que tocava. Da mesma forma o inimigo do norte seria destrutivo para o povo de Judá.

Uma metáfora semelhante é usada no versículo 13 para reforçar a mensagem. Ele descreve o **mal do Norte** (6), que se movia em direção a Jerusalém, como um terrível tornado de destruição. **Eis que virá subindo como nuvens, e os seus carros, como a tormenta; os seus cavalos serão mais ligeiros do que as águias. Ai de nós, que somos assolados** (13).

b) *O apelo ao arrependimento* (4.14-18). Jeremias é tão tocado pelo que vê que solta um grito de lamento: **Lava o teu coração da malícia, ó Jerusalém, para que sejas salva** (14). **Até quando** você fomentará pensamentos vis e perversos? Ele parece estar dizendo: "Esteja advertido! As novas já foram anunciadas em **Dã** [v. 15, o extremo norte de Israel], e também foi proclamado no **monte de Efraim** [provavelmente não mais de quinze quilômetros de Dã], que o inimigo do norte está vindo". Na verdade, as **nações** (16) ficarão sabendo que Jerusalém está marcada para destruição, porque **vigias** (evidentemente "sitiadores") **vêm de uma terra remota.** Eles estão próximos para sitiar **as cidades de Judá.**

O profeta roga para o seu povo se arrepender, ressaltando os motivos do juízo vindouro. **O teu caminho e as tuas obras te trouxeram estas coisas** (18). Vocês não têm ninguém para acusar a não ser vocês mesmos, porque têm sido rebeldes **contra** mim, diz o SENHOR (17). Sua sentença é **amargosa** (18), mas sua **iniqüidade** tem se impregnado tanto no seu caráter que vocês estão apodrecidos no âmago do seu ser.

c) *O coração que ruge* (4.19-22). A essa altura, o profeta discerne com clareza inequívoca a calamidade e destruição que aguarda seu amado povo. Sua tristeza pelos pecados de Judá é tão grande que ele não consegue se conter e lamenta com amargo clamor. **Entranhas minhas, entranhas minhas! Estou ferido no meu coração** (19; melhor na NVI: "Ah, minha angústia, minha angústia! Eu me contorço de dor"). Com palavras doloridas, o profeta descreve o seu desgosto pela visão que recebe. Suas emoções parecem profundas demais para serem expressas em palavras, mas ele precisa falar: **Não me posso calar** (19). **Toda a terra está destruída** (20). **Tendas** e **cortinas** é uma expressão poética para "moradias". **Até quando verei a bandeira** ("sinais de guerra", Berkeley), **e ouvirei a voz da trombeta?** (21). Parece que isso vai além do que sentimentos e emoções humanas podem suportar.

Mas a verdadeira razão para a amargura e dor é encontrada no versículo 22: **O meu povo está louco [...] são filhos néscios** (insensatos) **[...] sábios são para mal fazer, mas para bem fazer nada sabem**. Podemos sentir o desgastante desapontamento e perceber que o sofrimento do profeta surge da sua identificação com seu povo. O castigo deles é o seu castigo; o destino deles é o seu destino. Não se pode encontrar melhor figura de um verdadeiro profeta (pastor) em toda gama de escritos religiosos.

d) *A catástrofe cósmica* (4.23-26). Aqui está uma das passagens escatológicas mais comoventes das Sagradas Escrituras. É quase como se o profeta estivesse olhando para um quadro, em que uma cena é formada de imediato, mas que um olhar mais atento revela profundezas que um olhar superficial não revela. Profundezas impressionantes! Jeremias parece enxergar através, e além, do momento da destruição de Judá e ver uma cena mais distante. Enquanto contempla o fim de Judá, parece que por um momento o profeta vê além, até a consumação de todas as coisas. Sua "conscientização do 'final' é radical e absoluta".[23]
Observei a terra, e, eis que estava assolada e vazia (23) — as coisas voltaram a ser semelhantes ao caos dos tempos primitivos em Gênesis 1.2 — **os céus [...] não tinham a sua luz. [...] Os montes [...] estavam tremendo** (24). **Vi que homem nenhum havia e que todas as aves do céu tinham fugido** (25). Moffatt traduz assim a última parte do versículo 24: "Todas as colinas estão oscilando". Jeremias se encontra sozinho no universo. O fim havia se tornado como o início. Onde havia frutas e flores, há agora somente desolação e vazio — um verdadeiro **deserto** (26), e **todas as [...] cidades** desapareceram onde em certa época existiam cidades prósperas.

O **furor da ira** do SENHOR (26) é que fez isso acontecer. O pecado do homem é tão grande que a terra foi devastada. O juízo divino fez o seu trabalho purificador. O ciclo da terra foi completado. Um final cataclísmico veio ao cosmos. A idéia não é nova entre os profetas, mas Jeremias viu em um lampejo de inspiração algo de que outros haviam falado. Ele nos transmite a sua visão.

Para Jeremias o momento logo passa e ele está de volta com o peso da situação de Judá em seu coração.

e) *"Acabou a brincadeira!"* (4.27-31). **Porque assim diz o Senhor: Toda esta terra será assolada** (27); o impacto da condição de Judá o aflige novamente, e ele percebe que a "brincadeira acabou" para o povo! O que ele reconhece em relação ao seu destino está claro o suficiente, mas ele percebe que o juízo de Deus está temperado com misericórdia: **de todo, porém, a não consumirei**. A palavra de misericórdia é uma característica constante dos profetas do Antigo Testamento! Eles são incorrigivelmente esperançosos! Eles vêem juízo, mas também vêem que os propósitos de um Deus inteligente se cumprirão! Além do juízo está a redenção.

Mas esse lampejo de bondade de Deus não torna o presente menos real. **Por isso, lamentará a terra,** [...] **assim o propus e não me arrependi nem me desviarei disso** (28). A execução do plano de Deus de julgamento será concluída. O pecado será castigado! **Fugiram todas as cidades;** [...] **todas as cidades** (i.e., de Judá) **ficaram desamparadas** (29). O inimigo terá feito a sua obra de destruição. Toda terra será assolada.

Mas, e quanto à capital, Jerusalém? A atenção agora se volta para ela. **Agora, pois, que farás, ó assolada?** (30). Jerusalém é retratada como uma mulher imoral que tentou evitar seu destino ao ornamentar-se com **carmesim** e **enfeites de ouro**, ao pintar seus olhos com um pó preto chamado **antimônio**. Ela havia se tornado uma prostituta mas tudo foi em vão. **Os amantes te desprezam e procuram tirar-te a vida**. Bajulação e encanto não serão suficientes. "A brincadeira acabou!".

O profeta viu o fim da cidade. Ele sabe que o pecado, sendo consumado, gera a morte (Tg 1.15). Assim acontece com a cidade que se fez de prostituta. **Porquanto ouço uma voz como de mulher que está de parto** (31), e o grito é de alguém cuja agonia é insuportável. "É o grito da cidade de Sião, que está ofegante" (NVI). Ela **estende as mãos, dizendo: Oh! Ai de mim!** (31). Jerusalém está morrendo em meio a dores de parto.

2. *A Acusação Empolada* (5.1-31)

A ênfase do capítulo 4 recaiu sobre o inimigo do Norte; no capítulo 5, lemos acerca do inimigo interno. Encontramos aqui uma acusação terrível contra o povo de Jerusalém. Pode ser que o profeta esteja defendendo ou justificando Deus aos olhos do povo pelo castigo horrível que foi descrito no capítulo 4.

a) *A busca desesperada* (5.1-6). Deus envia Jeremias para fazer uma busca pela cidade a fim de encontrar um homem justo, **um homem que pratique a justiça ou busque a verdade; e eu lhe perdoarei** (1; i.e., a cidade). Esse incidente lembra a oração de Abraão por Sodoma (Gn 18.20ss). Embora os homens de Jerusalém pronunciassem palavras piedosas como **vive o Senhor** (2), que superficialmente poderia aparentar um reconhecimento da soberania de Deus, na realidade esses homens juravam **falsamente**, porque suas ações não condiziam com suas palavras. A busca de Jeremias é vã.

Depois da sua investigação o profeta responde ao Senhor: **Feriste-os, e não lhes doeu;** [...] **não quiseram receber a correção** (3). Eles não se desviaram dos seus maus caminhos, mas continuaram no seu pecado e **endureceram as suas faces mais do que uma rocha**. Então Jeremias parece ter se lembrado de que as pessoas que havia visto na sua busca eram os **pobres** (4). Esses eram ignorantes e **loucos**; talvez eles pudessem ser desculpados. Depois ele vai ao encontro dos **grandes** (5), a classe superior, porque esses certamente conhecerão **o caminho do Senhor**. Ele descobre que, embora conheçam o caminho, por causa da maldade do seu coração eles também **quebraram o jugo e romperam as ataduras**. Nenhum homem justo podia ser encontrado. Conseqüentemente, a cidade não podia ser poupada do juízo.

Jeremias afirma que, visto estarem as condições morais em um estado tão deplorável, não há nada que possa parar o ataque violento do inimigo. As pessoas estão tão desamparadas quanto animais domésticos de carga, que tendo quebrado seu **jugo** se encontram numa floresta de animais selvagens, como o **leão**, o **lobo** e o **leopardo**. **Suas transgressões se multiplicaram e multiplicaram-se as suas apostasias** (6). A verdade é que quando as pessoas não têm contato com Deus, elas ficam sem defesas interiores, e acabam sendo vítimas de todo tipo de influência maligna do inimigo.

b) *A pergunta provocadora* (5.7-9). Deus agora faz uma pergunta a essas pessoas: **Como, vendo isso, te perdoaria?** (7). Foi Deus que as havia feito prosperar e suprido as suas necessidades; mas, em vez de serem gratas, essas pessoas abandonaram a Deus e juraram lealdade a ídolos que certamente não eram **deuses**. Na sua perversidade e rebelião elas **adulteraram e em casa de meretrizes se ajuntaram em bandos**. Isso, certamente, se refere à sua infidelidade a Deus e representa adultério espiritual. Também podia referir-se aos ritos impuros das religiões cananéias que praticavam a prostituição como parte do seu ritual.

Pela acusação de Jeremias, parece que os homens eram grosseiramente imorais. Ele os compara a "garanhões excitados" (RSV) rinchando para a mulher do seu próximo (8). A impiedade deles não conhecia limites. Com esse tipo de situação, o povo não tinha dado nenhum motivo para Deus perdoá-los. Por isso Ele clama: **Não se vingaria a minha alma de uma nação como esta?** (9). Não lhe resta outra alternativa senão castigá-los.

c) *O castigo severo* (5.10-14). Deus agora ordena que o pecado do seu povo caia sobre suas cabeças: "Vão por entre as vinhas e destruam-nas. [...] Cortem os seus ramos" (10, NVI). O hebraico aqui é de difícil interpretação, mas a tradução acima parece encaixar-se no contexto. O inimigo é ordenado a "assolar a vinha, i.e., Judá",[24] só que o Senhor deixa claro: **não façais, porém, uma destruição final** (10). Evidentemente, a nação deverá ser cortada até o solo, onde permanecerá apenas o toco. Mais tarde, nova vida poderá recomeçar da raiz. Mas no momento atual, um castigo completo precisa ser cobrado. **Porque aleivosissimamente se houveram contra mim a casa de Israel e a casa de Judá** (11).

Na verdade, eles recusaram-se deliberadamente a acreditar nas admoestações do verdadeiro profeta de Deus, mas negaram (mentiram; v. 12) acerca do SENHOR, dizendo: "Ele não vai fazer nada" (NVI). **Nenhum mal nos sobrevirá; não veremos espada nem fome**. O povo acreditou nas palavras dos falsos profetas que haviam dito que não havia motivo para ficarem alarmados. Mas Jeremias disse: **Os profeta se farão como vento, porque a palavra** de Deus **não está com eles** (13). Suas predições falsas cairão sobre suas próprias cabeças.

Deus fala outra vez a Jeremias: **Eis que converterei as minhas palavras na tua boca em fogo, e a este povo, em lenha, e eles serão consumidos** (14). A "palavra de Deus" é cheia de energia divina e realiza grandes coisas; nesse caso, é um **fogo** que consome os ímpios. O castigo é severo, mas ele é justo.

d) *A nação devoradora* (5.15-18). Jeremias novamente fala da **nação** que deverá ser a vara na mão de Deus para castigar Judá. Sem dúvida, refere-se ao inimigo do norte. Sua descrição suscitaria medo no coração mais corajoso: **Eis que trarei sobre vós uma nação de longe [...] uma nação robusta [...] antiqüíssima [...] cuja língua ignorarás** (15). **A sua aljava é como uma sepultura aberta** (16), i.e., suas setas são mortais e seus soldados são guerreiros **valentes**. Quando essas pessoas vierem **comerão** (devorarão e destruirão) a **sega, o pão, os filhos e filhas, as ovelhas e vacas, a vide e a figueira** (17). As **cidade fortes**, que o povo acreditava serem invencíveis, ruirão diante dos seus olhares atônitos, e a **espada** fará a sua obra amedrontadora. A fúria do ataque poderia se comparar com a dos citas bárbaros, mas refere-se provavelmente aos caldeus, que também eram muito cruéis.

Seguem-se palavras de esperança: **Contudo, [...] não farei de vós uma destruição final** (18). Essas palavras agora quase se tornaram um refrão. Mas isso não está em conformidade com o Deus da Bíblia, que traz um raio de esperança na noite mais escura? Deus precisa castigar, mas Ele chora enquanto castiga.

e) *Os motivos para o castigo divino* (5.19-31). **Por que nos fez o SENHOR [...] todas estas coisas?** (19), pergunta o povo. Deus não demora em apresentar os seus motivos. 1) Um coração apóstata é o primeiro motivo: **vós me deixastes**. Essa alienação de Deus terminará na miséria do exílio, **em terra que não é vossa**. Cada coração apóstata conhece a miséria de uma terra estranha. O próximo motivo é 2) a estupidez espiritual: **ó povo louco e sem coração, que tendes olhos e não vedes, que tendes ouvidos e não ouvis** (21). 3) A falta de reverência a Deus é a ênfase dos versículos 22-25. **Não me temereis a mim? [...] não temereis diante de mim**? (22). O poder criativo de Deus no mundo deveria deixar os homens estonteados, mas eles estão cegos para esse aspecto. No versículo 22, somos lembrados de que o universo físico obedece a Deus, mas, com freqüência, isso não ocorre entre os homens. "O temor do Senhor é o princípio da sabedoria" era um axioma muito conhecido em Judá. No entanto, esse povo não dava nenhuma reverência a Deus, mas tinha um **coração rebelde e pertinaz** (23). Além disso, 4) eles eram culpados de injustiça social; os **ímpios** ficam à espreita e **armam laços perniciosos** (26). Não havia limites para a sua impiedade; eles engordavam (ficavam ricos) ao pisotear os direitos **dos órfãos** e **dos necessitados** (28). 5) A perversidade religiosa é uma **coisa espantosa e horrenda** (30) que prevalece na terra. **Os profetas profetizam falsamente** (31). Essa perversidade tinha tomado conta dos **profetas**, dos **sacerdotes** e do **povo**. Cada camada da sociedade estava infestada com a podridão moral, e Deus disse tristemente: **o meu povo assim o deseja**. A expressão: **os sacerdotes dominam pelas mãos deles** (31) é traduzida por Moffatt da seguinte maneira: "Os sacerdotes governam de acordo com a autoridade deles [dos falsos profetas]".

A acusação rude dessa seção termina com uma pergunta abrasadora: **que fareis no fim disso?** (31). A pergunta ressoa pelos montes e vales de Judá e ecoa pelas ruas de Jerusalém, mas de forma inútil. A estupidez espiritual e a perversidade moral já haviam realizado sua obra mortal; a nação havia "perdido todo o sentimento" (Ef 4.19).

3. *O Inimigo que Avança* (6.1-30)

Nessa seção, o profeta continua alternando entre uma descrição do juízo vindouro, a culpa de Judá e Jerusalém, e a dor do seu coração.

Devemos reconhecer que Jeremias via as coisas de uma perspectiva diferente da que povo via. Por participar da assembléia de Deus, ele enxergava coisas que o povo não enxergava. Ao longo da sua carreira ele estava constantemente penetrando nos mistérios divinos, percebendo coisas da perspectiva de Deus. No entanto, visto que era finito, ele enxergava apenas parcialmente. O que Jeremias via era autêntico, mas ele nunca tinha uma visão completa da verdade ou da realidade diante dele. Esse é o caso de todos os profetas; eles somente podiam referir-se àquela parte da verdade que eram capazes de compreender (Cf. a posição de Paulo, 1 Co 13.12).

a) *Preparação para o cerco* (6.1-8). Com o avanço do inimigo do norte, Jeremias percebe que Jerusalém não será tomada imediatamente, mas que a cidade será sitiada. Em sua profunda preocupação pela vida humana, ele convoca o povo a sair da cidade: **Fugi** [...] **filhos de Benjamim** (1). A referência a **Benjamim** não é tão estranha assim quando lembramos que Jerusalém, ou pelo menos parte dela, pertencia à tribo de Benjamim.[25] **O facho sobre Bete-Haquerém** (lit. casa da vinha) aparentemente refere-se a um ponto elevado a alguns quilômetros de Jerusalém, usado para sinalização. **Tecoa** refere-se a uma pequena cidade[26] que ficava a cerca de vinte quilômetros ao sul de Jerusalém (veja mapa 2) onde o terreno montanhoso e as muitas cavernas ofereciam proteção para os que fugissem. Há um forte sentido de urgência nas palavras do profeta.

Jeremias descreve as preparações que serão feitas para sitiar a cidade. Os **pastores** (chefes ou generais) **levantarão contra ela tendas em redor** (3). Planos para tomar a cidade de surpresa são discutidos: primeiro, ao **meio-dia** (4), durante a "siesta", mas, por alguma razão, esse plano não deu certo; então eles planejam ir **de noite** e destruir **os seus palácios** (5). Isso também parece falhar; então eles cortam **árvores** e levantam **tranqueiras contra Jerusalém** (6). A descrição das preparações do cerco é um aspecto característico dos assírios e caldeus durante esse período da história.

O que Jeremias viu através de uma visão profética ele agora usa para advertir **Jerusalém** acerca do seu destino, e para exortá-la em relação ao estado desesperador da sua vida moral e espiritual. **Esta é a cidade que há de ser visitada** (cercada, 6), porque "como um poço [**fonte**] mantém sua água fresca, assim ela mantém sua maldade fresca" (7, RSV). É característico da natureza pecaminosa de Judá vomitar constantemente mais iniqüidade. Mais tarde, Jeremias vai dar continuidade a esse pensamento e dizer que, tanto para as nações quanto para os indivíduos, é necessário a limpeza e a transformação espiritual para que se mude o destino das suas vidas. **Só opressão há no meio dela**. A cidade está moralmente corrupta; por isso ouve-se que nela há **violência e estrago**; ela está cheia de **enfermidade e feridas** (7); não tem como ela produzir outra coisa.

No versículo 8, Jeremias deixa de retratar a calamidade que está chegando, para exortar Judá a fazer algo construtivo acerca da sua vida moral e espiritual: **Corrige-te, ó Jerusalém** [...] **para que não te torne em assolação** (8).

b) *O castigo será completo* (6.9-15). O versículo 9 tem sido interpretado de diversas maneiras.[27] Uma coisa acerca da passagem é certa: Judá é semelhante a uma vinha. **Diligentemente, respigarão** (9) parece referir-se ao inimigo como o **vindimador** (aquele que colhe as uvas). O respigar de Judá parece referir-se ao castigo completo que está vindo sobre o povo. O pecado de Judá é tão desesperador que Jeremias, com freqüência pedindo a Deus em favor do seu povo, se encontra gritando: **Estou cheio do furor do Senhor; estou cansado de o conter** (11). A depravação é tão grande, e a podridão moral é tão vil, que os pecados de Judá literalmente clamam por punição. Ninguém será poupado! Todas as idades e ambos os sexos, e cada camada da sociedade, do **menor deles** (mais pobre) **até ao maior** (mais rico; 13) são culpados e maduros para o castigo.

Quais então são os pecados de Judá que o tornam tão flagrantemente culpado? O profeta não mede as palavras. A nação de Judá está espiritualmente surda: **seus ouvidos estão incircuncisos** (10). **A palavra do Senhor** é objeto de vergonha e escárnio. A mensagem do profeta é um incômodo frustrante que interfere com os desejos deles, por isso eles fecham seus ouvidos e recusam-se a ouvir. **Estenderei a mão** (12) significa: "Exercerei o meu poder". O povo **se dá à avareza** (13), ganancioso por ganhos materiais, e não se importa como obtém a gratificação dos seus desejos.

O profeta e o **sacerdote** não são melhores do que o povo: **cada um usa de falsidade**. Na realidade, esses "pecadores religiosos" são os piores de todos. Eles apregoaram aquilo que não é verdade, dizendo: **Paz, paz; quando não há paz** (14). Em vez de curar **a ferida** da nação, eles embalaram o povo para dormir com um falso sentimento de segurança. Porventura esses profetas e sacerdotes **envergonham-se de cometer abominação? Pelo contrário, de maneira nenhuma se envergonham** (15). Eles se tornaram tão sem-vergonhas em seu pecado que "nem mesmo sabem corar" (NVI; cf. Ef 4.19). Para eles, bem como para os outros, o castigo será completo; **cairão** e não haverá ninguém para ajudá-los.

c) *Prescrição para o livramento* (6.16-21). No estilo verdadeiramente profético, o coração desejoso de Jeremias sente-se compelido a prescrever um remédio para as enfermidades de Judá. Ele aponta uma saída para a escuridão! **Perguntai pelas veredas antigas, qual é o bom caminho, e andai por ele; e achareis descanso para a vossa alma** (16). O profeta está se referindo ao caminho antigo no qual Israel tinha seguido o Senhor sob a liderança de Moisés (2.1ss). Foi um relacionamento de aliança — Deus e Israel vivendo juntos em comunhão santa e amor mútuo. As pessoas nos tempos de Jeremias entendiam o que ele estava falando. Eles conheciam as **veredas antigas** e **o bom caminho**. Era um bom caminho, não porque era velho, mas porque era o caminho certo — o caminho de Deus. Caminhar nas **veredas antigas** sempre trouxe descanso de alma à nação. Mas os obstinados e teimosos de Judá rejeitaram a saída da sua situação difícil ao dizer: **Não andaremos**.

Novamente, Jeremias tenta mexer com o povo ao lembrá-lo das muitas vezes em que Deus tinha enviado **atalaias** (profetas) que haviam soado a **buzina** (trombeta, 17) da advertência e instrução. Ele inferiu que se o povo o ouvisse ainda haveria ajuda e esperança para a nação. Mas eles continuaram rebeldemente dizendo: **Não escutaremos**.

O profeta agora altera o curso e faz um apelo triplo. Ele pede que as **nações**, a **congregação**[28] de Israel (18) e a **terra** (19) percebam que Judá tinha rejeitado a **lei** de Deus e desdenhosamente recusado a prestar atenção às suas **palavras**. O **fruto dos seus pensamentos** significa seus estratagemas.

Apesar desses pecados graves a nação era formalmente religiosa. Eles multiplicavam suas ofertas e rituais com liberalidade. Não contentes com as **veredas antigas**, eles tinham maquinado algumas idéias religiosas novas por conta própria. Mas Deus pergunta acerca dessas práticas ilícitas: **Para que, pois, me virá o incenso de Sabá e a melhor cana aromática de terras remotas?** (20).²⁹ Deus diz: Seus novos caminhos de adoração **não me agradam, nem me são suaves os vossos sacrifícios**. Sacrifícios e cerimônias religiosas são repugnantes a Deus, a não ser que venham acompanhados de um viver justo. **Este povo**, diz o Senhor, tropeçará e perecerá (21).

Em contraste com o pano de fundo do pecado e da desobediência de Israel, lemos no versículo 16 acerca do "Bom Conselho de Deus" para os homens que estão longe do caminho da vida. 1) Procure **pelas veredas antigas** — as verdades eternas de Deus. 2) Pergunte pelo **bom caminho** — o caminho da justiça. 3) **Andai por ele** — aja de acordo com o melhor que você sabe. 4) **E achareis descanso para a vossa alma** (A. F. Harper).

d) *Lamentações dolorosas* (6.22-26). Jeremias se volta novamente para o inimigo que **vem da terra do Norte** (22) e descreve esse **povo** como **uma grande nação** que se **levantará das bandas** ("desde os confins", NVI) **da terra**. Eles são incitados por Deus para castigar Judá por causa do seu pecado. Eles têm um exército amedrontador. Eles são especialistas com o **arco** e a **lança; eles são cruéis e não usarão de misericórdia** (23). O som da sua vinda é semelhante ao rugir do **mar**. Eles estão marchando em direção a Judá prontos para a batalha.

Jeremias vê o resultado da vinda deles. A **fama** desse povo amedrontador é tal que os homens de Judá ficarão paralisados de medo; as suas **mãos** [...] **afrouxaram-se** (amoleceram); a **angústia** tomou conta deles, como as **dores** de uma **parturiente** (24). Há lamentação na cidade. Além disso, o perigo é tão grande que ninguém se atreve a sair da cidade para o **campo**, ou andar **pelo caminho**, com medo da **espada** (25). Consternação e terror estão "por todos os lados" (NVI). Jeremias clama para o povo colocar suas vestes de lamento, porque o dia que está vindo é de grande pranto. **Revolve-te na cinza e pranteia o pranto de amarguras; porque presto virá o destruidor sobre nós** (26). Podemos sentir a pulsação da dor no coração do homem de Deus enquanto transmite ao seu povo o que vê no futuro próximo.

e) *Submetido à prova* (6.27-30). O texto hebraico desses versículos é de difícil interpretação, e as metáforas estão mescladas, mas o significado geral é razoavelmente claro. Deus diz a Jeremias: **Por torre de guarda** ("examinador de metais", Berkeley) **te pus entre o meu povo, por fortaleza** ("provador", NVI), **para que soubesses e examinasses o seu caminho** (27). Judá é submetido à prova por um processo de refinamento severo. Mas, os seres humanos não são como o minério da terra; eles têm vontade própria. Embora **o fole se queimou** (29, sopra furiosamente) e embora **o chumbo**, o agente oxidante, que tira a impureza, se fundiu de maneira apropriada, o trabalho é **vão**. **Todos eles são os mais rebeldes** (28); eles rejeitam o processo refinador, e **os maus** (29) permanecem no controle da nação. Deus submeteu o povo à prova, e o processo de refinamento falhou. Os homens de Judá são a escória destinada ao monturo de refugo. **Prata rejeitada lhes chamarão** (30). Por não reagirem positivamente ao processo transformador, **o Senhor os rejeitou**.

Três verdades de juízo se destacam claramente: 1) O povo rejeita a Deus, versículos 27-29. 2) Deus, conseqüentemente, rejeita o povo, versículo 30b. 3) O que Deus rejeita, os homens consideram depravado, versículo 30a (G. C. Morgan).

D. O Sermão do Templo, 7.1—8.3

Há uma quebra entre o capítulo 7 e os capítulos precedentes. O tema continua o mesmo, mas novas informações nos são apresentadas a respeito do profeta. Como pano de fundo do sermão está a atitude do povo em relação ao sistema de ofertas e o Templo. Jeremias revelou que havia algo tragicamente errado com a religião hebraica dos seus dias. Fica claro que o que falta é o que está no âmago da dificuldade de Judá. Assim, o sermão do Templo marca um importante ponto na carreira de Jeremias, porque ele coloca seu dedo no nervo religioso mais sensível da nação.

Os estudiosos têm debatido a relação entre os capítulos 7 e 26. Alguns acreditam que o capítulo 26 apresenta os resultados do sermão no capítulo 7 e prova, sem dúvida alguma, que o sermão aqui foi anunciado no primeiro ano de Jeoaquim (608 a.C.). Outros estão igualmente seguros de que o sermão foi pronunciado nos últimos anos de Josias, e que Jeremias repetiu os sentimentos em uma data posterior, no capítulo 26. Há bons argumentos a favor das duas posições, mas a primeira parece mais convincente.

1. As Desilusões de uma Consciência Endurecida (7.1-15)

Deus comissionou Jeremias a proferir uma mensagem para o povo de Judá à porta do Templo. **Ouvi a palavra do Senhor, todos de Judá** (2) sugere que a ocasião era uma festa religiosa nacional, uma em que todo o reino participava.

O profeta primeiro roga ao povo para melhorar os seus **caminhos** (3), i.e., para ser genuíno e sincero no seu arrependimento. Ele então esboça o que isso significava na prática: **Não vos fieis em palavras falsas** (4), sejam justos uns com os outros, **não oprimam o estrangeiro, e o órfão, e a viúva, nem** derramem **sangue inocente**, nem andem **após outros deuses** (6). Seu tom é conciliatório e encorajador. O resultado: eles permaneceriam **na terra** e habitariam em paz (7). Jeremias assegura ao povo que os pensamentos de Deus em relação a eles são bons.

No entanto, à medida que o profeta apregoa o seu sermão muda seu tom quando lembra a nação dos seus pecados. **Eis que vós confiais em palavras falsas** (8). [...] **Furtareis vós, e matareis, e cometereis adultério** [...] **e andareis após outros deuses** (9). Depois de ter quebrado a lei de Deus eles tiveram a audácia de vir ao Templo — **esta casa, que se chama pelo meu nome** (11) — e dizer: "Estamos seguros!', seguros para continuar com todas essas práticas repugnantes" (19, NVI). Eles estavam na verdade fazendo da casa de Deus **uma caverna de salteadores** (11; veja Mt 21.13; *et al.*). Eles também estavam trabalhando com a desilusão de que, visto que o Templo era o lugar de moradia de Deus, Ele nunca permitiria que o Templo fosse violado; portanto a nação estava segura. Eles achavam que podiam dizer: **Templo do Senhor, templo do Senhor** (4), e com essa fórmula mágica proteger-se de qualquer tipo de desastre. **Eis que vós confiais em palavras falsas** (8) — sugere que os falsos profetas tinham colocado essas idéias na mente do povo. Essas noções, no entanto, são as ilusões de uma consciência endurecida, e o tipo mais vil de superstição religiosa.

Retrocedendo na história de Israel, Jeremias os lembra de **Siló, onde, no princípio, fiz habitar o meu nome** (12). Siló tinha sido um lugar de adoração durante o período dos juízes, mas quando o povo fez da arca um fetiche (1 Sm 4.34ss), a vila foi destruída. Deus disse: **Vede o que lhe fiz** (a Siló), **por causa da maldade do meu povo.** [...] **Farei também a esta casa** (o Templo) [...] **como fiz a Siló** (12, 14).

Com essa predição, Jeremias tocou no nervo mais sensível da vida religiosa do povo. Eles reagiram (veja o cap. 26) com ressentimento e ira, porque Jeremias expôs sua auto-ilusão e sua pobreza moral. Para satisfazer seus próprios desejos depravados, o povo foi tentado a fazer uma imagem de Deus, e reduziram os preceitos morais dele a ilusões supersticiosas. Aqui está uma tendência inerente da natureza caída do homem (Rm 1.22ss).

Deus declarou: Vocês não estão seguros como acham que estão. **Eu vos arrojarei da minha presença, como arrojei a todos os vossos irmãos** [...] **de Efraim** (15). Essa referência aqui é ao exílio do Reino do Norte, que já havia acontecido (721 a.C.), e também é uma predição clara do exílio de Judá. A auto-ilusão sempre termina em tragédia e desolação (cf. Mt 23).

2. *Proibido de Interceder* (7.16-20)

Era necessária uma coragem incomum para uma pessoa sensível como Jeremias proclamar uma mensagem tão devastadora. Ele involuntariamente começa a clamar em oração em favor da sua amada nação, mas Deus o proíbe de interceder: **Tu, pois, não ores por este povo, nem levantes por ele clamor ou oração** (16).

Deus ainda não tinha acabado com a sua acusação contra o seu povo, e a revelação também não tinha terminado. **Não vês tu o que andam fazendo nas cidades de Judá e nas ruas de Jerusalém?** (17). **Os filhos** [...] **os pais** [...] **as mulheres amassam a farinha, para fazerem bolos à deusa chamada Rainha dos Céus** (18). O povo tinha se tornado completamente descarado em seu pecado, a ponto de estar oferecendo sacrifícios a **outros deuses** abertamente nas ruas. **A Rainha dos Céus** evidentemente refere-se a Ishtar, a deusa de um ritual de fertilidade babilônico que havia sido importada por Judá. Ela é mencionada aqui para indicar a profundidade do pecado em que o povo havia caído. O ponto a que o povo havia chegado marca o início do fim dessa nação. Deus declarou: **Eis que a minha ira e o meu furor se derramarão sobre este lugar** (20); uma perversidade como essa não pode passar impune.

3. *Obedecer é Melhor do que Sacrificar*[30] (7.21-28)

Em seguida, Jeremias ataca o uso errado do ritual religioso. Ele deixa claro que a cerimônia religiosa sem o conteúdo ético é vazia. Se os sacrifícios não reforçavam ou fortaleciam a moralidade da nação, não tinham valor algum. Isso vale para todo ritualismo na religião. A menos que a cerimônia religiosa formal (ou a cerimônia religiosa informal) reforce a moralidade e o viver santo, ela é um esforço despendido em vão.

Há um sarcasmo nas palavras de Jeremias: **Ajuntai os vossos holocaustos aos vossos sacrifícios, e comei carne** (21). Ele está dizendo: Vocês podem juntar seus **holocaustos** (que eram completamente devotados a Deus, e que ninguém deveria comer) com suas ofertas pacíficas (que era comidas pelos adoradores) e comê-los. Diante de tais circunstâncias seus sacrifícios não tinham valor religioso; eram apenas mera formalidade.

O versículo 22 tem sido interpretado de várias maneiras.[31] De modo superficial, há uma dificuldade em conciliar nesse versículo a história hebraica com a prática religiosa. No entanto, quando o lemos no seu contexto, percebemos que ele simplesmente significa que a ordem principal de Deus não tratava de **holocaustos** ou **sacrifícios** quando tirou o povo **da terra do Egito** (21-22). A ênfase principal naquela época foi: "Obedeçam à minha voz; então serei o seu Deus e vocês serão o meu povo" (lit.). As exigências morais de Deus sempre são importantes. O sistema sacrifical foi instituído com o propósito de promover a obediência moral e tornar Deus um fator real na vida do povo.

Em vez de obedecer às exigências morais de Deus, o povo começou a caminhar **nos seus próprios conselhos** (teimosia), **no propósito do seu coração malvado** (24) e tornou-se ainda mais perverso e pecador. Quando falharam em aprender do sistema sacrifical, Deus instituiu o ofício da profecia. Os profetas eram comissionados para auxiliar o povo no cumprimento dos requerimentos da lei que tinham sido dados no monte Sinai. O povo agora tinha uma ajuda dupla: as lições práticas no viver santo apresentadas pelo sistema sacrifical e a pregação dos profetas. Moffatt interpreta **todos os dias madrugando e enviando-os** (25) como indicando a profunda preocupação de Deus: "Tenho enviado a vocês todos os meus servos, os profetas, zelosa e sinceramente". Ao invés de ouvir a uma dessas "mediações de ajuda", eles **não me deram ouvidos, nem inclinaram os ouvidos, mas** [...] **fizeram pior do que seus pais** (26). Eles **endureceram a sua cerviz**, i.e., se tornaram mais teimosos. Agora Deus cuida para que não dêem **ouvidos** nem respondam (27) quando Jeremias lhes falar. Por conseguinte, o profeta deve transmitir o seguinte veredicto: **Uma gente é esta que não dá ouvidos à voz do SENHOR,** [...] **e não aceita a correção** (28). Agora a única coisa que os aguarda é juízo e destruição.

4. *A Ironia da Retribuição do Pecado (7.29—8.3)*
Corta o cabelo da tua cabeça (29) parece ser dirigido à filha de Sião, i.e., Jerusalém, visto que o verbo está no feminino. O restante do versículo indica que o corte de cabelo é um ato de pranto e luto. Esse ato pode se referir ao cabelo dos nazireus, que era um símbolo da sua consagração a Deus. **Jerusalém**, como cidade, era considerada "um nazireu para Deus, que precisa agora cortar seu cabelo e ser profanada, degradada e separada de Deus".[32] **O SENHOR rejeitou e desamparou a geração do seu furor** — "a raça que o suscitou à ira" (Smith-Goodspeed); havia, portanto, amplo motivo para prantear.

Jeremias apresenta diversos motivos que justificam o pranto de Jerusalém. a) Judá tinha se tornado tão pecaminoso e irreverente que **puseram as suas abominações** (i.e., ídolos) **na casa** (30) do Senhor, e profanaram esse lugar santo. b) Eles também tinham levantado um santuário ao deus Moloque (2 Rs 21.5) **no vale do filho de Hinom** (31), e ali haviam realizado sacrifícios humanos — uma coisa tão detestável aos olhos de Deus que Ele declarou: Isso "jamais me veio à mente" (NVI). Embora o lugar fosse chamado de **Tofete**, agora seria chamado de **o vale da Matança** (32), visto que muitos morreriam lá na futura destruição de Jerusalém. O lugar onde tinham praticado uma perversidade tão vulgar se tornaria o túmulo deles. Essa é a ironia do pecado. c) Um outro motivo para pranto era a predição de que no dia do juízo a matança seria tamanha que muitos corpos deixariam de ser enterrados e serviriam de comida para os pássaros e **animais** [...] **e ninguém os espantará** (afugentará; 33). Não havia indignidade maior para um hebreu do que deixar seu corpo morto (cadáver) exposto ao relento. d) Além disso, chegaria o tempo em que **a voz do folguedo** [...] **da alegria, e a voz de esposo** e [...] **esposa** (34; "do noivo e da noiva", NVI) não seriam mais ouvidos. A terra seria

ACUSAÇÃO CONTRA A CASA DE JACÓ   JEREMIAS 8.3-13

completamente despovoada; não haveria nada além do silêncio da morte. e) A profanação dos túmulos dos nobres mortos era o ápice do sofrimento de Judá. **Os ossos dos reis [...] príncipes [...] sacerdotes** e falsos **profetas serão espalhados perante os corpos celestiais diante de quem se tinham prostrado** e **serão como esterco sobre a face da terra** (8.1-2). f) Quanto aos que escaparem da destruição na captura da cidade e que forem para o exílio, o destino deles será tão terrível que com prazer teriam escolhido **a morte do que a vida** (3).

E. Oráculos Diversos, 8.4—10.25

Os oráculos não datados a seguir são de extensão variada e parecem não estar em uma seqüência lógica em relação àqueles que os precedem ou sucedem. No entanto, esses oráculos apresentam o mesmo tema geral — a denúncia da casa de Jacó para o juízo. Sua posição aqui apóia a hipótese de que a profecia de Jeremias foi compilada topicamente em vez de cronologicamente. Quase toda a seção está em forma poética (cf. Moffatt e NVI).

1. *O desnatural Pecado de Judá*[33] (8.4-7)

O Senhor lamenta a inexplicável conduta de Judá. "Quando os homens caem, não se levantam mais? Quando alguém se desvia do caminho, não retorna a ele?" (4, NVI). Contudo, **este povo** se desvia **com uma apostasia contínua** (5), e ninguém se arrepende **da sua maldade** (6). Eles são tão obstinados e teimosos que avançam impetuosamente em direção ao pecado como um cavalo se lança na batalha. Nada os faz mudar de curso. Eles estão presos na sua maneira habitual de pecar. **A cegonha no céu [...] e a rola** (7) infalivelmente obedecem a seus instintos naturais, cumprindo seu destino. Por outro lado, o povo de Deus "não obedece à lei da sua natureza",[34] mas está constantemente contrariando o propósito divino. Essas pessoas fizeram a coisa errada por tanto tempo que ela parece certa. Elas parecem não reconhecer mais as ordenanças divinas, embora a lei de Deus esteja escrita em cada nervo do seu ser.

2. *O Destino da Auto-ilusão* (8.8-13)

Deus agora acusa o povo de se auto-iludir, achando que são **sábios** (8). Ele culpa os seus líderes religiosos. A **falsa pena dos escribas** transformou **a lei** em uma mentira. **O profeta** e o **sacerdote** usam de **falsidade** (10), dizendo: **Paz, paz, quando não há paz** (11). Embora o povo alegue ser sábio, esse não é o caso, porque tanto o povo quanto seus líderes **rejeitaram a palavra do Senhor** (9). Portanto, **que sabedoria** eles **teriam**? Esses chamados **sábios**, diz Deus, ficarão **espantados** e serão **presos**, e **suas mulheres** (e **herdades**) serão dadas **a outros** (10). Eles tinham se tornado tão endurecidos em sua auto-ilusão que quando suas abominações foram trazidas à tona, **de maneira nenhuma se envergonharam** (12; veja o comentário acerca de 6.13-15). Além disso, Deus continua dizendo: Judá é semelhante a uma **vide** ou uma **figueira** imprestável (13) que não dá frutos; mesmo suas folhas murcharão e cairão. A outrora fruta fina e folhagem frondosa, i.e., o Reino do Sul, **certamente** será consumida. Eles rejeitaram **a lei do Senhor** (8), quando deveriam ter meditado nela de dia e de noite (Sl 1), e agora o povo e seus líderes religiosos **cairão** (12) e não haverá ninguém para ajudá-los.

3. Não Há Escape (8.14-17)

Nesse parágrafo, o povo da região campestre está com a palavra. Eles reconhecem o perigo de forma mais intensa do que as pessoas da cidade. Mesmo assim, parecem perceber que embora fujam para as **cidades fortes** (14) serão **calados** ali. A palavra para **calados**, na verdade, significa o silêncio da morte. **Água de fel** pode se referir à água amarga e envenenada. Embora esperem pela **paz**, nada de bom acontece; embora aguardem cura, haverá somente o **terror** (15). O inimigo já está próximo. O **resfolegar dos seus cavalos** é ouvido **desde Dã**, a fronteira ao norte de Judá. Eles **vêm e devoram a terra** (16). A calamidade vindoura é tão certa que o profeta fala como se já tivesse acontecido. O inimigo é comparado a **serpentes e basiliscos** (víboras; 17) **contra os quais não há encantamento** e que **morderão** e devorarão a terra.

4. O Gemido de Desespero (8.18—9.1)

O que o profeta vê é tão atormentador e tão inevitável que, quando procura consolar-se em relação ao destino da sua terra amada, seu coração desfalece. Ele parece ouvir o povo como se já estivesse no exílio, clamando em consternação: **Não está o Senhor em Sião? Não está nela o seu Rei?** (19). Deus responde suas perguntas imediatamente: **Por que me provocaram à ira?**

Conhecendo o verdadeiro estado das coisas, o profeta clama com grande lamento: **Passou a sega, findou o verão, e nós não estamos salvos** (20). Encontramos três coisas nesse texto: 1) O reconhecimento da oportunidade. 2) A confissão da negligência. 3) O pressentimento da destruição (Lange, p. 108).

Mas Jeremias ainda não terminou o seu lamento: **Estou quebrantado pela ferida [...] do meu povo; [...] o espanto** ("confusão", Berkeley) **se apoderou de mim** (21). **Ando de luto**. Podemos sentir a profunda dor no coração do profeta quando ele volta a se expressar: **Porventura, não há ungüento** (bálsamo) **em Gileade?** (22). A resposta esperada é: Sim. Gileade era conhecida, de longa data, pelo bálsamo feito da resina da almecegueira. **Não há lá médico?** Novamente, a resposta esperada é: Sim. Visto que há um **médico** por perto, e um remédio à mão, **por que, pois**, não há cura? Só existe uma resposta. O povo não buscou a ajuda do Médico. Eles não procuraram o remédio. Eles negligenciaram a única fonte segura de ajuda. Negligentes, cegos e teimosos, eles se precipitam impetuosamente em direção ao precipício da ruína. O coração de pastor do profeta se quebra sob o peso do sofrimento, e o grito compassivo irrompe dos seus lábios: **Prouvera a Deus a minha cabeça se tornasse em águas, e os meus olhos, em uma fonte de lágrimas** (9.1). É esse tipo de lamentação que rendeu a Jeremias o título de "o profeta chorão".

5. A Dor de um Coração Amoroso (9.2-22)

Há uma conexão estreita entre o final do capítulo 8 e o início do capítulo 9. O coração quebrantado do profeta afogou-se em uma tristeza profunda e irreconciliável em relação ao destino do seu povo. Ele também está angustiado com o seu isolamento crescente. Ninguém o entende; ele é evitado por alguns e insultado por outros (11.21ss). Ele está tão dominado pela dor que deseja voar para longe, para **uma estalagem de caminhantes** no **deserto** (2). (Ele expressou o sentimento de muitos profetas cansados de dias posteriores!) Visto ser impossível ir embora, ele expressa seu pesar em uma série de lamentos. Esses lamentos, às vezes, parecem vingativos, mas isso é apenas aparente, porque no fundo eles expressam a tristeza de um coração amoroso.

a) *O povo infiel* (9.2-8). Jeremias recebe agora discernimento sobre a vida íntima do povo. O que vê o enche de grande tristeza. Toda nação tem caminhado na mesma direção — **todos eles são adúlteros, são um bando de aleivosos** (2). Seu engano toma diversas formas. Eles são **adúlteros** espirituais, sim, mas eles também são culpados de adultério físico (cf. 5.7-8). Eles também são culpados de falsidade; eles **estendem a língua, como se fosse o seu arco para a mentira** (3). Ninguém pode confiar no seu próximo, **porque todo irmão não faz mais do que enganar** (4). A palavra hebraica para **enganar** é a mesma usada para "Jacó", e a referência é ao ato enganoso de Jacó para com o seu irmão, Esaú (Gn 27.5ss). "Os descendentes são como seus antepassados, cada um engana (Jacó) seu irmão".[35]

Ensinam a sua língua a falar a mentira; andam-se cansando em obrar perversamente ("eles se cansam de tanto pecar", NVI; v. 5). Eles habitam **no meio do engano** e recusam-se em conhecer ao S<small>ENHOR</small> (6). Sua maldade é obstinada e deliberada. Eles são especialmente traiçoeiros com suas línguas (cf. Tg 3.5ss), expressando uma benevolência aparente ao próximo, enquanto no seu interior, planejam sua ruína.

b) *A assolação vindoura* (9.9-11). Um outro motivo para a aflição de Jeremias se origina na assolação que ele sabe que está vindo sobre o país, especialmente sobre Jerusalém. Tudo será devastado. **Levantarei choro e pranto**, clama o profeta, porque as **pastagens [...] já estão queimadas, [...] ninguém passa por elas; [...] as aves** e os **animais** já se foram (10). Ele então descreve Jerusalém como uma cidade que está deitada em **montões**, i.e., em ruínas, **morada de dragões** (chacais); e as **cidades de Judá** estão assoladas e **desabitadas** (11). Essa profecia foi cumprida em 586 a.C., quando a cidade foi transformada em um monturo.

c) *A falta de entendimento* (9.12-16). O profeta lamenta a loucura espiritual do povo. Um **homem sábio** teria feito algumas perguntas: **Por que razão pereceu a terra e se queimou**, de sorte que **ninguém passa por ela?** (12). Uma pessoa com discernimento teria prontamente percebido o motivo: **Porque deixaram a minha lei** e **andaram após o propósito** (teimosia) **do seu coração** (13-14). Uma pessoa sábia teria prestado atenção e percebido que esse tipo de conduta resultaria em tristeza e tragédia: **Eis que darei de comer alosna** ("absinto", ARA; "comida amarga", NVI) **a este povo e lhe darei a beber água de fel. E os espalharei entre nações** (15-16). Desde o tempo de Jeremias a expressão "alosna e fel" tem sido usada para caracterizar extrema aflição e tristeza. A referência a espalhá-los entre as nações é uma predição do exílio. Judá deveria ter aprendido com a queda de Israel, mas claramente não aprendeu nada. Jeremias chora porque ninguém discerne o destino da nação. Ele insiste em que, se tivessem conhecido o caráter de Deus, teriam percebido "os sinais dos tempos".

d) *A impiedosa colheita da morte* (9.17-22). Deus fala novamente com o profeta, e suas palavras são motivo para uma nova erupção de aflição. A mensagem é tão importante que Jeremias sente-se impelido a chamar as pranteadoras profissionais. As **mu-**

lheres sábias (hábeis) são as **carpideiras**. Esse é um exemplo da estrutura paralela da poesia hebraica. As mulheres são chamadas para que **levantem o seu lamento** a fim de encorajar o povo de Jerusalém a chorar pela cidade: que **as nossas pálpebras destilem águas** (17-18). O clamor se intensifica: **Como estamos arruinados!** (19) As possessões têm sido devastadas e o exílio chegou; "eles [os inimigos] derrubaram nossas moradas" (lit.).

Mas existe um motivo ainda maior para estar aflito do que a perda de posses. E, para isso, a lamentação profissional contratada não é suficiente. As mulheres de Judá não deveriam apenas lamentar, mas ensinar (2) uma canção triste às suas **filhas, e cada uma, à sua companheira**. A **morte subiu pelas nossas janelas** e **em nossos palácios**, e nossas **crianças** e **jovens** (21) se foram. A **morte** apareceu de uma maneira súbita e inesperada, e não há nenhuma segurança contra ela. Aqui está um motivo para realmente chorar. Os corpos **dos homens jazerão** (22) no **campo** como **gavela** (feixes) **atrás do segador** (ceifeiro); **não há quem a recolha**, i.e., eles não terão um enterro próprio, mas seus **cadáveres** serão tratados como **esterco**. A morte é personificada aqui como alguém que corta os moradores da terra da forma como um ceifeiro corta o trigo. A idéia da morte como um "Ceifeiro inflexível" evidentemente se origina desse texto.[36]

6. *Sabedoria — a Falsa e a Verdadeira* (9.23-24)

À primeira vista, esses versículos parecem ter pouca relação com o que vem antes e, mesmo assim, são apropriados. Eles poderiam muito bem descrever a única maneira de escapar da destruição futura. Esses versículos certamente traçam um contraste entre a segurança falsa e a genuína. Eles também contrastam a sabedoria dos homens com a sabedoria de Deus. Os homens dos dias de Jeremias, como os homens de qualquer época, se vangloriavam "da sabedoria humana (cultura), do poder militar (habilidade técnica) e da prosperidade material (abundância econômica)".[37] Na verdade, esse é o grau mais elevado de loucura, porque essas coisas são passageiras e não oferecem nenhuma base sólida de segurança. Portanto, **não se glorie o sábio na sua sabedoria** (23).

Por outro lado, a única base real de sabedoria e felicidade consiste em conhecer a Deus. Entende-se melhor o caráter de Deus ao observar o que Ele ama, e como lida com os homens. Ele tem prazer em fazer **beneficência** (favor gracioso, amor imutável), **juízo** (equidade, integridade, imparcialidade) e **justiça** (retidão; 24) **na terra**. Essas coisas formam a base da verdadeira sabedoria. **Justiça** (*tzedek*), **juízo** (*mishpat*), e **beneficência** (*hesed*) são o grande triunvirato do Antigo Testamento. Sobre essa base o indivíduo ou nação pode construir com segurança. Sem esses aspectos o maior e mais forte é desesperadamente fraco.

7. *O Castigo dos Incircuncisos* (9.25-26)

O hebraico desse pequeno oráculo é de difícil interpretação, e os estudiosos o têm traduzido de diversas formas,[38] mas o significado é razoavelmente claro. Jeremias está ressaltando a primazia da religião interior em contraste com a conformidade exterior às práticas religiosas. Jeremias precede o apóstolo Paulo aqui ao citar Deus dizendo: **Eis que vêm dias, [...] em que visitarei a todo circuncidado com o incircunciso** (25); i.e., "a circuncisão é nada, e a incircuncisão nada é, mas, sim, a observância dos mandamentos de Deus" (1 Co 7.19). Quer **Egito** ou **Edom**,[39] ou mesmo **Judá**, pratique a circuncisão ou não, isso não faria diferença, porque o destino do incircunciso **de coração** será o mesmo do incircunciso na carne. Portanto, a circuncisão (na carne) do judeu será tratada como incircuncisão, a não ser que uma "circuncisão interior" seja conseqüência de um ato exterior (cf. 4.3-4). A conformidade exterior com a religião sem a graça interior é totalmente insuficiente. Visto que a nação de **Judá** não tinha entendido o significado mais profundo dos atos exteriores da sua religião, ela será castigada com os gentios, porque não é melhor do que eles. Nessa ênfase na religião interior, Jeremias está definitivamente apontando para a época do evangelho.

8. A Nulidade dos Ídolos (10.1-16)

Há uma quebra no pensamento do profeta no início do capítulo 10 que é um tanto desconcertante;[40] no entanto, o conteúdo dessa passagem é bastante adequado ao tema geral. A passagem é dirigida à **casa de Israel** (1). Acaso isso se refere ao Reino do Norte, que já está no exílio, ou ele está se dirigindo a Judá sob o nome genérico de Israel? Independentemente dos interlocutores a quem ele está se dirigindo, Jeremias fala como se estivessem no exílio. Este autor acredita que é possível que Jeremias esteja se dirigindo aos exilados do Reino do Norte na distante Assíria. Ao fazê-lo, ele podia ter um propósito duplo: 1) de sinceramente encorajar os exilados a serem fiéis à religião hebraica em uma terra estranha; e 2) que essas palavras aos exilados de Israel servissem indiretamente de lição para o povo pecador de Judá.

Kuist ressalta dois perigos que envolviam cada exilado hebreu em seu ambiente pagão. Um perigo tinha que ver com as interpretações pagãs dos acontecimentos entre os corpos celestiais que, assim se imaginava, produziam grande terror; o outro tinha que ver com a fabricação de ídolos que buscava dar forma tangível às realidades espirituais intangíveis.[41] Em relação a esses dois perigos, o profeta emite severas advertências aos exilados. **Não aprendeis o caminho das nações** (2), i.e., suas práticas religiosas. Ele reforça suas advertências com motivos: **os costumes** (práticas) **dos povos são vaidade** (vazios e estúpidos; 3). Ele traça um contraste entre o Deus vivo e os ídolos. Ele descreve como um ídolo é feito: **cortam do bosque** uma árvore. [...] **Com prata** [...] o **enfeitam**, etc. (3-4). Ele expressa escárnio sobre esses objetos manufaturados ao compará-los com "um espantalho numa plantação de pepinos" (5, NVI). **Não podem falar;** [...] **não podem andar;** [...] **não podem fazer mal** (dano), **nem tampouco têm poder de fazer bem** (5). **Eles** são insensatos (embrutecidos) e **loucos** (8). "A instrução dos ídolos não passa de madeira!" (RSV), i.e., sua sabedoria é como a madeira. Você pode enfeitá-los com **prata** [...] **de Társis e ouro de Ufaz**[42] (9), mas eles continuam vazios e inúteis, uma **obra de enganos** (15) que logo perecerá (11).

Em contraste com os ídolos que acabou de descrever, o profeta fala da majestade, sabedoria e atividade criativa de Deus (6-7, 12-16). Jeremias pergunta: **Quem te não temeria a ti, ó Rei das nações?** (7). "Esse temor te é devido" (NVI). A sabedoria e poder de Deus excedem em muito a fraqueza dos homens, porque todo homem é insensato e sem conhecimento, e **todo fundidor da sua imagem de escultura** (14) é, finalmente, envergonhado pelas suas próprias invenções tolas. Mas **a porção de Jacó** (16) é Aquele que **fez a terra pelo seu poder** e **estabeleceu o mundo por sua sabedoria** (12), **porque ele é o Criador** (Formador) **de todas as coisas, e Israel é a vara** (tribo) **da sua herança; Senhor dos Exércitos é o seu nome** (16).

O versículo 11 é o único que está em aramaico. Não se sabe por que ele aparece aqui. Alguns estudiosos pensam que esse versículo era originariamente uma nota na margem que mais tarde foi incorporada ao texto. Qualquer que seja a resposta, o conteúdo está de acordo com o ensino de Jeremias e seu significado não é difícil de discernir.

9. *O Exílio Está Próximo* (10.17-22)

Esses versículos parecem estar dispostos na forma de um diálogo imaginário entre o profeta e a cidade-mãe — Jerusalém. O profeta ordena aos habitantes **da fortaleza** (17; a cidade): "Ajunte sua trouxa do chão" (lit.), evidentemente, para iniciar a longa jornada para o exílio. **Assim diz o Senhor: Eis que desta vez arrojarei, como se fora com uma funda, os moradores da terra** (18). Essa é uma linguagem violenta, mas indica a forma como a cidade será tomada. Ouve-se agora a cidade-mãe dizer: "Ai de mim! Estou ferido! [...] Esta é a minha enfermidade e tenho que suportá-la" (19, NVI). Ela continua a lamentar: **Minha tenda** [...] **meus filhos** [...] **minhas cortinas** (20). A figura é da moradia oriental no deserto, com suas tendas, cordas e cortinas laterais. Na visão profética, Jerusalém caiu. A cidade-mãe reflete acerca da sua condição desesperadora, e lamenta ao lembrar que **os pastores** (21; líderes) **se embruteceram** (se tornaram insensatos) "para reunir o rebanho disperso".[43] **Eis que vem uma voz de fama** (22). A palavra **fama** é uma palavra francesa que significa "barulho".[44] A tradução literal é: "o som de uma notícia" (rumor ou mensagem), **grande tumulto da terra do Norte** (22). Tudo isso apenas pode significar que "a assolação das cidades de Judá está prestes a se iniciar"[45] — o exílio está próximo.

10. *Um Apelo para Correção e Castigo* (10.23-25)

O terror que o profeta vê o leva a orar. Essa é a primeira das orações de Jeremias que vamos considerar. Outras seguirão. Ele parece perceber a fragilidade e impotência da raça humana. Ele confessa por ele mesmo, e por todos os homens, que o homem é uma criatura finita e dependente; **não é do homem** [...] **dirigir os seus passos** (23). Jeremias chega à conclusão que ele mesmo está desesperadamente necessitando da ajuda de Deus. Visto que o homem, se deixado por conta própria, vai se desviar do caminho plano, Jeremias ora: **Castiga-me, ó Senhor**, i.e., "disciplina e guia-me". Mas, ao ver sua própria fragilidade humana à luz da majestade e santidade de Deus, ele se apressa a clamar: Ó Senhor, mescle misericórdia **com medida** (com justiça) [...] **para que me não reduzas a nada** (24). Somente a justiça o destruiria; a misericórdia é sua única esperança. É assim com todas as pessoas.

Jeremias então ora para Deus derramar a sua **indignação** sobre as nações que **devoraram a Jacó** (25). Isso parece uma oração imprópria para um profeta de Deus. Mas não devemos impor a moralidade e ética de hoje aos dias de Jeremias. Também devemos lembrar que ele entende que os inimigos de Israel são os inimigos de Deus, e, por isso, se sente justificado a orar pela destruição deles.

Seção **IV**

CONFISSÕES E PREDIÇÕES

Jeremias 11.1—20.18

Esta seção contém uma coleção variada de narrativas e predições, junto com diversos diálogos entre o profeta e Deus. As narrativas e predições trazem luz sobre a carreira de Jeremias, mas os diálogos têm um valor especial no sentido de revelar para nós a vida interior do profeta. Não há uma organização cronológica do material, mas a maior parte parece vir do tempo de Josias (640-609 a.C.) e dos primeiros anos de Jeoaquim (608-597 a.C.). Os diálogos do profeta com Deus vêm à tona por meio de suas orações em tempos de grande crise. Essas orações têm sido chamadas de "confissões de Jeremias".

A. Jeremias e a Aliança, 11.1—12.17

1. *Judá Viola a Aliança* (11.1-17)
Jeremias é ordenado a falar **aos homens de Judá** (2), às **cidades de Judá** (6) e **aos habitantes de Jerusalém** (2), no que se refere à aliança. O uso do "Amém" (5) e a referência às maldições pronunciadas sobre aqueles que violam a aliança indicam que Jeremias está falando acerca da aliança do Sinai (Dt 27—30) com ênfase na lei moral. Também é possível que o pano de fundo tenha sido a renovação recente dessa aliança promovida por Josias (2 Rs 23.3).

Deus lembra o povo que, da sua parte, a aliança permaneceu selada por meio dos seus atos redentores em favor deles: **os tirei da terra do Egito** (4). Isso é uma evidência da sua graça (favor imerecido) e preocupação por eles. A **fornalha de ferro** é uma fornalha na qual o ferro é fundido e, assim, uma figura de extremo sofrimento. **Madrugando** (7) indica a atenção especial de Deus para Israel. Por outro lado, Ele requeria o cumprimento da aliança (concerto) por parte do seu povo: **Ouvi**

as palavras deste concerto e cumpri-as (6). Mas, Deus declara: Israel não cumpriu sua promessa feita no Sinai. **Vossos pais** (7) **[...] não ouviram, nem inclinaram os ouvidos; antes, andaram cada um conforme o propósito** (teimosia) **do seu coração malvado** (8).

Deus disse a Jeremias: Há uma **conjuração** [...] **entre os homens de Judá** (9). **Tornaram às maldades de seus primeiros pais** (10). As palavras: **Tornaram às maldades** podem referir-se à nova violação da aliança tão recentemente renovada durante o reinado de Josias. Por causa dessa flagrante infidelidade, o juízo é pronunciado sobre Judá: **Eis que trarei mal sobre eles** (11). É previsto que quando esse **mal** vier, o povo clamará a todos os **deuses** falsos que eles adoram, mas esses deuses, **porém, de nenhuma sorte, os livrarão no tempo do seu mal** (12). Em relação ao versículo 23 veja comentários acerca de 2.28; 7.17-18. Por causa dessas coisas, Jeremias está novamente proibido de interceder por Judá: **não ores por este povo** (14).

A condenação de Deus é mais uma vez inculcada nos versículos 15-16 pelas linhas que parecem um poema mutilado. O hebraico é de difícil tradução. A RSV usou a versão da Septuaginta, que, pelo menos, se encaixa no contexto e que talvez seja a melhor solução. "Que direitos a minha amada tem na minha casa, visto que realizou obras desprezíveis? Será que os votos e a carne consagrada evitarão seu castigo?" (15) O profeta parece estar dizendo: "Nenhuma oferta [sacrifical], não importa o seu custo, poderá substituir uma dedicação sincera".[1]

O poema continua como se Judá estivesse ligado a uma **oliveira**, que no início era bonita e produtiva, mas tornou-se enferma e infrutífera. Seus ramos serão consumidos pelo fogo — com a **voz de um grande tumulto** (16). Visto que Deus a tinha plantado, Ele também podia destruí-la. No entanto, é a violação da aliança que trouxe Judá a esse lugar de destruição (17).

2. *Confissões de Jeremias* (11.18—12.17)

Enquanto continua com suas obrigações proféticas, Jeremias subitamente descobre que seus parentes e vizinhos em Anatote estavam conspirando contra ele para matá-lo. Essa descoberta o deixou profundamente atormentado. O restante da passagem descreve um diálogo entre Deus e o profeta acerca do valor e significado da sua tarefa.

a) *A conspiração em Anatote* (11.18-23). Parece que Jeremias ficou sabendo da conspiração contra sua vida por meio de uma revelação da parte de Deus: **me fizeste ver as suas ações** (18). Ele está pasmo com a sua ingenuidade e falta de suspeita: **E eu era como um manso cordeiro, que levam à matança** (19). Nessa passagem o profeta mostra sua familiaridade com Isaías 53.[2] **Destruamos a árvore** [...] (19) parece ser algum tipo de provérbio. Em profunda aflição, Jeremias leva sua causa à justiça de Deus. Ele pede justificação por si mesmo e **vingança** (20) para seus inimigos. Onde lemos **pensamentos** o original traz rins.

Deus imediatamente vem ao encontro do seu servo com uma palavra de afirmação: **Eis que eu os punirei** (22). [...] **E não haverá deles um resto** (23). O **ano da sua visitação** significa "o ano do seu castigo" (Moffatt). As palavras de Deus trazem uma medida de alívio para o coração do profeta. Mas Jeremias, pela primeira vez, olhou a morte de frente, e isso deixou sua mente grandemente perturbada.

b) *Jeremias questiona Deus* (12.1-4). Profundamente chocado pela traição dos seus parentes e vizinhos, Jeremias reclama a Deus. Ele confessa sua fé na integridade de Deus: **Justo serias, ó Senhor** (1), mas admite que está muito angustiado e confuso com o que está acontecendo. **Por que prospera o caminho dos ímpios?** Parece que Deus está a favor dos ímpios: **Plantaste-os, e eles arraigaram-se** (2). Eles são bem-sucedidos nas suas conspirações, e sua hipocrisia é repugnante. O nome de Deus está nos seus lábios, **mas longe do seu coração** (rins). Como Deus permite que essas coisas continuem? Esse era o problema de Jó (Jó 12.6) e o problema de muitos homens bons que sofrem.

Jeremias lembra ao Deus que sabe todas as coisas a pureza das suas intenções (3). Ele pede para que Deus mostre sua preocupação com os valores morais ao defendê-lo das injustiças que ele tem experimentado. No seu desânimo ele clama: **Até quando lamentará a terra** por causa da **maldade dos que habitam nela**? (4). A Septuaginta traduz a última parte do versículo 4 da seguinte maneira: "Deus não verá nossos caminhos", que parece captar o significado do hebraico, ainda que não traduza literalmente as palavras.

c) *Deus questiona Jeremias* (12.5-6). Deus não dá a Jeremias uma resposta direta para as perguntas acima, mas responde com algumas perguntas da sua parte. Cabe a Jeremias interpretar os sinais e obter sua resposta das perguntas que Deus faz. Deus pergunta: **Se te fatigas correndo com homens que vão a pé, como poderás competir com cavalos?** (5). Se **numa terra de paz** (sua cidade natal) você tropeça, o que você fará **na enchente do Jordão?** (i.e., quando a verdadeira dificuldade vier?) As duas perguntas são apresentadas em forma de provérbios. A importância da palavra de Deus choca o profeta; o pior ainda está por vir!

Depois de permitir que essa verdade penetre na consciência de Jeremias, Deus procura prepará-lo para os eventos futuros. Ele o adverte para não confiar na sua própria família ou vizinhos em Anatote. Embora possam dizer **coisas boas** (6), eles não são confiáveis. **Eles mesmos clamam após ti em altas vozes** é traduzido pela ARA da seguinte forma: "Eles mesmos te perseguem com fortes gritos". O profeta percebe quão solitário ele está. Jeremias contra toda a terra!

d) *O lamento divino* (12.7-13). Da mesma forma que Jeremias é obrigado a abandonar sua família e amigos por causa da infidelidade deles, Deus é forçado a abandonar seu povo pelo mesmo motivo. Por isso, o lamento de Deus sobre Israel é comparado com a tristeza de Jeremias acerca de seu lar e família. Diversas figuras diferentes são usadas para descrever Israel: ela é a **herança** de Deus, mas abandonada por Ele (7), um **leão** que se volta contra seu Criador (8), uma **ave de várias cores**, prestes a ser atacada por outras aves (9), uma **vinha** pisoteada e destruída (10). Da maneira como **pastores** cruéis arrancam e pisam uma **vinha**, assim Israel será esmagada e desmantelada por governantes estrangeiros. A terra se tornará completamente **assolada** de uma ponta até a outra **porquanto não há ninguém que tome isso a peito** (11; "não há quem se importe com isso", NVI). Embora Israel tenha semeado **trigo**, ela colheu **espinhos** (13). Eles serão **envergonhados das** suas **colheitas**. Israel fatigou-se no seu empenho, mas sem proveito.

e) *O plano divino* (12.14-17). Esse oráculo parece dizer que Deus está interessado em todos os homens — mesmo nos inimigos de Judá. Por isso, Jeremias tem uma mensagem para as nações gentias dos seus dias. Esse ministério estava em conformidade com a comissão de Jeremias (1.10). Essas nações certamente serão castigadas pelo que estão fazendo com **Judá** (14), mas se elas se arrependerem e **aprenderem os caminhos do meu povo** (16; i.e., os caminhos do Senhor), então **edificar-se-ão no meio do meu povo**. Mas a **nação** (17) que não se arrepender será destruída. Essa passagem ensina a soberania universal de Deus. Todas as nações estão sob o poder do seu controle. Ele abençoa aqueles que são justos, e castiga aqueles que são ímpios.

B. Parábolas e Pronunciamentos, 13.1-27

1. *A Parábola do Cinto de Linho* (13.1-11)

Os estudiosos têm apresentado diversos pontos de vista quanto à historicidade desse incidente. Parece improvável (embora não impossível) que Jeremias tivesse feito uma viagem de 650 quilômetros (veja mapa 1) até o rio **Eufrates** para enterrar um cinto de linho sujo e desenterrá-lo mais tarde. Com a mudança de uma letra hebraica o texto podia referir-se a um lugar a cerca de oito ou nove quilômetros a nordeste de Jerusalém (Wadi el-Farah), que se encaixaria muito bem na descrição da história. Talvez seja melhor entender esse incidente como uma parábola e não procurar forçar o aspecto histórico longe demais.

A parábola ensina que qualquer objeto é de valor somente quando usado para o seu propósito planejado. Um cinto de linho confeccionado para ser usado ao redor da cintura de um homem não terá utilidade alguma se for enterrado numa terra úmida (4) e não for lavado (1). Esse cinto certamente ficaria sujo, **apodrecido** e imprestável (7). Da mesma forma, **Judá** (9) é inútil como nação, a não ser que esteja disposta a cumprir o propósito de Deus para ela. **O propósito do seu coração** (10) significa o caminho da sua própria escolha orgulhosa. A parábola infere que **Judá** é tão moralmente corrupta quanto o cinto de linho de Jeremias ficou fisicamente — apodrecido e deteriorado. O pecado deteriora as sensibilidades morais do homem e o reduz a um objeto inútil, servindo apenas de refúgio para o universo.

Deus tinha amarrado Israel em torno de si mesmo por meio de um relacionamento de aliança tão próximo e íntimo quanto um homem amarraria um cinto de linho ao redor da sua cintura. É um pensamento comovente lembrar que Deus se veste com aqueles que professam segui-lo. Apesar dos privilégios especiais que a aliança trazia, Judá falhou em cumpri-la. Conseqüentemente, como um homem joga fora um cinto de linho inútil, assim Deus vai desfigurar o orgulho de **Judá** (9) ao lançá-la para fora do seu país.

2. *A Parábola do Odre de Vinho* (13.12-14)

Deus ordena que Jeremias pronuncie um provérbio comum acerca de um odre de vinho (12) para os homens de Judá, com o propósito expresso de conseguir uma resposta impertinente deles. Evidentemente, tratava-se de uma festa em que se usavam odres de vinho, e tanto o profeta quanto o povo sabiam da sua função. Deus conta a Jeremias qual será a resposta do povo e como ele deveria reagir a essa resposta. Assim, um pouco de humor negro faz parte da verdade divina: **Eis que eu encherei de embriaguez todos os habitantes desta terra** (13), [...] **fá-los-ei em pedaços uns contra os outros** [...] **não** [...] **terei deles compaixão** (14).

A embriaguês é muitas vezes vista na Bíblia como um símbolo do "vinho da ira de Deus", i.e., seus juízos (Jr 25.15; 51.7; Sl 75.8; Is 19.14; Ap 16.19). Essa idéia, sem dúvida, está presente aqui. Mas há algo mais. Os conteúdos do odre de vinho parecem representar o povo de Judá. Como as partículas em um odre de vinho se chocam umas contra as outras no processo de fermentação, assim os habitantes de Judá se colocarão uns contra os outros em uma luta civil e confusão moral. Como a desordem e a confusão do processo de fermentação são transferidas para o homem que bebe vinho, assim Judá ficará confuso e desnorteado como um embriagado no dia do juízo. Desde o rei no trono até o lavrador do campo, todos ficarão em um estado de espanto e confusão. Esse estado de espanto em Judá simboliza a confusão que há na vida de um indivíduo que não encontrou (ou perdeu) o poder organizador do Espírito de Deus.

3. *Pecadores, Não Sejam Orgulhosos* (13.15-19)

Nesse oráculo, Jeremias argumenta com seus compatriotas para deixarem seu orgulho e darem **glória ao SENHOR** (reconhecer sua soberania; 16), a fim de que não venha sobre eles **a escuridão** e eles **tropecem** como na noite (Jo 12.35). O orgulho cega as pessoas para os valores corretos e traz escuridão. As alternativas são claras para Judá. **Escutai** (prestem atenção, 15) a voz de Deus, antes que a **luz** se torne **em sombra de morte** (16). **E, se** [...] **não ouvirdes, a minha alma chorará em lugares ocultos,** [...] **porquanto o rebanho do** SENHOR será **levado cativo** (17). Se não houver mudança, o exílio será inevitável.

Os versículos 18 e 19 são dirigidos ao **rei** (provavelmente Joaquim, cf. 2 Rs 24.8-12) e à **rainha** (mãe). **Humilhai-vos** (18) [...] **porque já caiu todo o ornato** (coroas; "adorno da cabeça", KJV, nota de rodapé) **de vossas cabeças**, i.e., vocês não mais governarão. Não haverá ajuda **do Sul** (19; i.e., do Egito). O exílio ameaça Judá e sua família governante. Essa predição provavelmente se concretizou em 597 a.C. quando Joaquim, sua mãe, e milhares de pessoas foram levados para a Babilônia (2 Rs 24.14-16).

4. *A Entranhada Natureza do Pecado* (13.20-27)

Jerusalém (ou Judá) é descrita como uma pastora que perdeu seu **rebanho** (20; provavelmente a melhor parte dos seus habitantes). "O que você dirá quando ele [o conquistador babilônico] colocar sobre você aqueles a quem ensinaste a serem amigos?" (veja v. 21; 2 Rs 20.12-13). Será grande a vergonha e a humilhação de Jerusalém quando seus antigos aliados se tornarem governantes tiranos sobre ela. E se a cidade quiser saber os motivos de tudo isso, ela ouvirá que é por causa da **multidão das** suas **maldades** (22). Moffatt traduz: "É devido à multidão de pecados que você é exposta e despojada".

O profeta descreve a entranhada natureza do pecado de Judá. **Pode o etíope mudar a sua pele ou o leopardo as suas manchas?** (23). Assim como é impossível ao etíope mudar a cor da sua pele e o leopardo as manchas do seu pêlo, os homens de Judá também não alterarão seus maus hábitos por conta própria. Pecar havia se tornado algo natural[3] para eles. Não há uma negação da liberdade do homem aqui, mas um reconhecimento de que a perversidade moral do homem é tão inveterada que ele não consegue mudar a si mesmo sem ajuda de alguém. O homem, portanto, precisa que Deus lhe faça algo que ele mesmo não pode fazer. Essa é a análise racional por trás de todos os atos redentores de Deus. Precisa haver uma transformação interior da natureza moral do homem. Somente Deus pode fazer isso (4.3-4).

O versículo 24 descreve qual será a sorte daqueles que recusarem a ajuda de Deus: **os espalharei como** a palha levada pelo **vento**. A figura é dos resíduos que são assoprados do solo da joeira. A sua vergonha será tão evidente que todos saberão e verão a humilhação de Judá. O pecado da nação é descrito em termos crassos: **adultérios**, **rinchos** ("gritos sensuais", Moffatt), **prostituição** (27). Essa condição deplorável, diz Deus, ocorreu porque **te esqueceste de mim e confiaste em mentiras** (falsidade, 25). Em tom desamparado o profeta clama: "Ó Jerusalém! Quanto tempo levará antes que você seja purificada?" (27, RSV).

C. A Seca e suas Implicações Morais, 14.1—15.9

1. *A Devastação da Seca* (14.1-6)

Uma seca amedrontadora deu ao profeta a oportunidade de ensinar algumas lições morais ao povo. A data da seca não pode ser fixada, mas os horrores dela são descritos em termos gráficos. Toda terra chorava e **o clamor de Jerusalém vai subindo** (2). **Andam de luto até ao chão** também pode ser entendido como: "Seus habitantes se lamentam, prostrados no chão!" (NVI). O rico e o pobre, homens e animais, sofrem porque não encontram água; os **pequenos** (servos) retornam com **seus cântaros vazios** (3). A **terra** se **fendeu** ("rachou", ASV), **pois que não há chuva** (4). **As cervas** (corças) abandonaram suas crias recém-nascidas, **porquanto não há erva** (5). Os olhos vitrificados e o respirar ofegante dos animais selvagens revelam a terrível situação da terra. Jeremias evidentemente acredita que essa calamidade natural veio sobre o povo como resultado direto do seu pecado.

2. *Orações Frenéticas São Maléficas* (14.7-9)

Vemos agora um exemplo do que significa orar quando se está em um estado frenético. O povo em grande angústia clama ao Senhor, mas não com arrependimento genuíno. Eles apresentam sua confissão de maneira apressada, em que sobressai a autocomiseração e não um profundo reconhecimento do pecado. **Oh! Esperança de Israel**, por que **serias como um estrangeiro na terra?** (8). **Por que serias como homem cansado** (perplexo, confuso), **que não pode livrar?** [...] **Nós somos chamados pelo teu nome; não nos desampares** (9). Por trás dessas palavras há uma tendência de culpar a Deus pelo seu sofrimento. Eles praticamente exigem que Ele os tire do seu dilema. Ao fazê-lo, reduzem Deus a um ser que é tão instável e superficial quanto eles. É evidente que o problema está na sua concepção errada em relação a Deus.

3. *O Veredicto de Deus* (14.10-12)

Deus parece enxergar através da camada superficial da religiosidade fingida de Israel. Não há nenhuma profunda tristeza pelo pecado. Suas orações não passam de meras palavras. **Pois que tanto amaram o afastar-se e não detiveram os pés** (10) em ir atrás de deuses falsos. Portanto, diz o Senhor: eu me lembrarei **da maldade deles** e visitarei (castigarei) **os seus pecados**.

Deus diz a Jeremias: "Não ore pelo bem-estar deste povo" (11, NVI). Ele viu que a oração deles era superficial, e que somente estavam tristes por causa do seu sofrimento. Ele seria menos que Deus se concordasse com a oração frenética deles quando, na verdade, ela estava desprovida de fé genuína. **Quando jejuarem** [...] **não me agradarei deles** [...] **eu os consumirei pela espada** (12).

4. *A Raiz da Dificuldade* (14.13-16)

Jeremias procurou desculpar o povo ao ressaltar que os falsos **profetas** tinham desencaminhado-o ao profetizarem mentiras e dizerem: **Não vereis a espada** (13). O Senhor parece concordar em que **os profetas** estão errados; **Nunca os enviei** para profetizarem mentiras (14). Uma **visão falsa** e **adivinhação** poderiam ser "uma visão mentirosa, uma superstição vazia" (Moffatt). Mas a conclusão é que **o povo** (16) estava inclinado a ser enganado, porque as mentiras estimulavam suas paixões pecaminosas. Eles tinham ouvido os verdadeiros profetas pregarem arrependimento, mas tinham fechado os ouvidos para essa verdade. A raiz do problema era que **o povo** preferiu a mentira em vez da verdade. Portanto, o **povo** e os **profetas** devem experimentar o mesmo castigo; eles serão lançados **nas ruas de Jerusalém**, [...] **não haverá quem** os **enterre** (16).

5. *Lamentação e Confissão* (14.17-22)

Jeremias aqui deu vazão à sua tristeza a respeito do estado da nação. Mas, de alguma maneira, a angústia do profeta também é uma expressão da profunda tristeza de Deus. **Os meus olhos derramem lágrimas de noite e de dia** [...] **a virgem, filha do meu povo, está ferida** [...] **de chaga mui dolorosa** (17). Ele então descreve os resultados da seca: guerra civil, saques e morte. Se alguém se arrisca ir ao **campo** acaba vendo os mortos pela **espada**; no interior da cidade as pessoas estão debilitadas **pela fome** e doença. A todo instante os falsos profetas e sacerdotes trafegam em "pseudo-santidade" pela terra (veja v. 18, NVI).[4] Há maldade, frustração e morte por toda parte.

Talvez encorajado pela própria tristeza de Deus a intervir em favor da nação, o profeta irrompe em novas lamentações. Ele pergunta se a misericórdia e a **cura** ainda podem ser obtidas: **De todo rejeitaste tu a Judá?** (19). Com um clamor amargo ele confessa **a maldade** dos **pais** (20), e então lembra a Deus do risco do seu próprio nome e lhe roga a lembrar-se do seu **concerto** com a nação. Jeremias alegremente reconhece que o Senhor é o único Deus: **Haverá, porventura, entre as vaidades dos gentios, alguma que faça chover?** (22). O profeta está convencido de que há esperança somente no Deus vivo. Ele declara sua intenção de esperar no Senhor até que sua petição seja atendida.

6. *O Veredicto Reiterado* (15.1-4)

Apesar da forte confissão de fé que Jeremias faz, Deus rejeita sua intercessão "com uma determinação que não permite qualquer repetição".[5] O povo é rejeitado de uma vez por todas: **Ainda que Moisés e Samuel se pusessem diante de mim, não seria a minha alma com este povo; lança-os de diante da minha face** (1). O povo não havia se arrependido como ocorreu com Israel nos dias de Moisés e Samuel; conseqüentemente, não havia esperança. Quando disserem: **Para onde iremos?** (2), o profeta é instruído a responder: **Os que são para a morte, para a morte**, etc. Eles sofrerão quatro tipos de castigos. Também serão usados quatro instrumentos na sua destruição:

a **espada, para matar** [...] **cães, para os arrastarem** [...] **aves** [...] **e os animais** [...] **para os devorarem e destruírem** (3). Além disso, Judá será entregue ao **desterro** ("lançada para cá e para lá", ASV). Ela se tornará "terror para todas as nações da terra" (NVI, v. 4). O motivo de tudo isso é que a nação nunca se recuperou do reinado perverso de **Manassés** (2 Rs 21.1-26; 24.3-4). A idolatria que ele introduziu continuava sendo praticada pelo povo nos dias de Jeremias (cf. 44.1-30).

7. *A Lamentação sobre Jerusalém* (15.5-9)

Estes cinco versículos formam um canto fúnebre poético (cf. Smith-Goodspeed). Vendo que o povo pecador seria maltratado por todos os reinos da terra, Jeremias inicia um outro lamento. Ele lamenta o fato de que não haverá ninguém para olhar com compaixão (5) para a cidade. Ninguém perguntará a respeito do seu bem-estar. Para piorar as coisas, ele ouve Deus dizendo: **Tu me deixaste** [...] **voltaste para trás** [...] **estou cansado de me arrepender** (tornar-me menos severo e dar-lhes uma outra oportunidade, v. 6). "Eu os espalhei ao vento como palha" (RSV), mas "eles não se voltaram dos seus [maus] caminhos" (7, lit.).

A descrição da situação da cidade continua. Ele diz que as **suas viúvas** se **multiplicaram** como **as areias dos mares** (8). A cidade-**mãe** (e suas mães viúvas) **de repente** é aterrorizada **ao meio-dia** porque a morte dos seus filhos a deixa indefesa. Ela, que ainda está em pleno vigor (tendo dado **à luz sete** filhos), **expirou a sua alma** (lit.: "expirou sua vida"; "está ofegante", NVI); **pôs-se o seu sol sendo ainda de dia** (9). Assim é descrita a morte prematura e desnecessária da cidade e nação. O epitáfio sobre suas ruínas poderia ter sido o seguinte: "Se o amor pudesse salvá-la, você não precisaria ter morrido". Esse também é o caso de cada homem que rejeita a Deus.

D. Confissões de Jeremias, 15.10-21

1. *O Conflito de uma Alma* (15.10-19)

O diálogo de Jeremias com Deus nesse texto é uma das passagens mais comoventes das Sagradas Escrituras. Ele descortina por um momento a vida íntima do profeta — a luta da sua alma com Deus.

Esta é a primeira de uma série que os estudiosos têm chamado de "confissões de Jeremias". (Outras confissões são encontradas em 17.12-18 e 20.7-18. Alguns estudiosos também incluem 1.4-19; 4.19; 6.11; 8.21—9.1; 11.18-23; 12.1-3 na mesma categoria). Elas receberam esse título porque nesses textos o profeta abre os segredos mais íntimos do seu coração e descreve a dor espiritual e a angústia mental por que está passando. Ele revela que incertezas e perplexidades o assombram. Ele reconhece que, de vez em quando, a desesperança da sua situação desagradável e os métodos de operação inescrutáveis de Deus o levam ao desespero. Essas passagens destacam a natureza da oração, meditação e conversa íntima de Jeremias com Deus.

a) *A vida desmorona* (15.10). Jeremias está assombrado com os acontecimentos que estão ocorrendo. Havia a oposição do seu rei e do povo, e a conspiração contra sua vida pela sua própria família e antigos amigos. A seca terrível que assolou a terra, o que ele viu como profecia em relação ao destino da sua nação, e o terrível isolamento que experimentou, eram quase mais do que ele podia suportar. Com o passar dos anos, sem esperança aparente de uma mudança para melhor, o espírito humano se rebela. O profeta mergulha num período de grande desalento. Ele luta com a terrível tentação de duvidar de Deus. Nisso ele não está sozinho, porque homens santos de todas as épocas sofreram momentos de tentação semelhantes: Abraão, Jó, Elias e Paulo. Em grande desespero de alma ele clama: **Ai de mim [...] homem de contenda para toda a terra** (10). Ele se sente atacado por todo mundo. Ele se sente tão desprezado quanto um emprestador de dinheiro que é amaldiçoado por todos que encontra. A vida desabou sobre o profeta, e ele leva sua queixa diante do Senhor.

b) *Deus fala à sua necessidade* (15.11-14). O hebraico é obscuro aqui, e muitas coisas têm sido conjecturadas acerca dessa passagem. Deus responde no versículo 11 à queixa do profeta e transmite palavras de encorajamento. "Decerto o teu remanescente estará bem" (KJV), i.e.: "Deixarei alguns que prosperarão novamente" (Berkeley). O versículo 12 tem sido interpretado de diversas formas, mas parece a resposta de Jeremias à declaração de Deus no versículo 11. Na nota de rodapé da ASV encontramos a tradução literal: "Pode o ferro quebrar o ferro do Norte?", i.e.: Pode minha força quebrar a força da Babilônia? Das profundezas da autocomiseração ele apresenta uma resposta um tanto jocosa: "O Senhor, de fato, espera que eu lute contra a maré babilônica?" (paráfrase). Jeremias está tão desesperado que a resposta de Deus parece zombar dele.

Os versículos 13 e 14 se parecem com 17.3-4. Os dois textos parecem referir-se a Judá, e são interpretados como uma predição do exílio. No entanto, precisamos observar que em alguns aspectos o versículo 14 encaixa-se no caso de Jeremias. Ele foi levado pelos seus inimigos para uma terra que era estranha para ele (cf. 43.4-7).

c) *O "vale escuro"* (15.15-18). Até aqui o diálogo de Jeremias com Deus não havia levantado o seu espírito. Na verdade, parece que a melancolia da sua alma aumentou. Seu clamor suplicante de dor é renovado com maior veemência: **Tu, ó Senhor, o sabes; [...] vinga-me [...] não me arrebates, por tua longanimidade** com os meus inimigos; **por amor de ti, tenho sofrido afronta** (15). Um vislumbre passageiro das alegrias anteriores passa pela sua memória: **Achando-se as tuas palavras, logo as comi, e a tua palavra foi para mim o gozo e alegria do meu coração** (16).[6] No entanto, a lembrança do passado somente aprofunda a sua melancolia: **por causa da tua mão, me assentei solitário**, "tomando parte de tua indignação" (17, Moffatt). Ele se afunda no desespero. No versículo 18, Jeremias alcança o caos emocional. Na amargura da sua alma ele clama: **Por que dura a minha dor continuamente, e a minha ferida [...] não admite cura**? Toda frustração de trinta anos de oposição e zombaria estava acumulada nessa erupção de dor. Acaso ele sofreu todas essas coisas por nada? Em desespero ele clama: "Acaso te tornarás para mim como um riacho seco, cujos mananciais falham?" (18, NVI). Ele clama em sua agonia de alma, buscando algum fragmento de significado para sua situação difícil. Ele nos faz lembrar de Jó (Jó 3; 6—7).

d) *A voz de ferro* (15.19). Deus não parece mostrar grande compaixão com a explosão de Jeremias. "Em vez de elogio pelo passado ou conforto afável para o presente, temos uma admoestação implícita".[7] Há uma dureza na voz de Deus: **Se tu voltares**, i.e., se te arrependeres da tua falta de fé, **então, te trarei** (restaurarei, 19). **Se apartares** (separares) **o precioso** (palavras de muito valor) **do vil** (desprezível ou insignificante), então **serás como a minha boca**. Deus está dizendo: Se, em vez dessa lamúria sombria que é imprópria para um homem de Deus, você anunciar verdade e fé, então você será meu porta-voz. Deus requer de nós um compromisso completo, se quisermos cumprir seu chamado. O aspecto de dureza na voz de Deus parece ter acordado o profeta e ele se torna disposto a continuar sua caminhada.

2. O Conforto de Deus (15.20-21)

Agora que a tempestade emocional passou e o profeta punido se tornou um homem mais triste e mais sábio, ele sente o envolvente conforto de Deus. Para os seus quebrantados, a severidade de Deus sempre é seguida de sua consolação. As promessas que Deus tinha dado a Jeremias quando este foi introduzido no ofício profético são agora renovadas: **Eu te porei** [...] **como forte muro de bronze** (20). **E arrebatar-te-ei da mão dos malignos e livrar-te-ei das mãos dos fortes** (21). Jeremias havia batalhado contra "principados e potestades" e tinha obtido uma vitória notável. No entanto, seus dias de privação e sofrimento ainda não tinham se acabado.

E. Tópicos Diversos, 16.1—17.18

Esse agrupamento de textos é um bom exemplo da forma composta e complexa do livro de Jeremias. Nesses dois capítulos há uma mistura de vinhetas pessoais, acusações proféticas e predições, esperança para o futuro e duas orações. Alguns desses trechos têm apenas uma relação casual com os outros, mas todos se amoldam apropriadamente sob o tema "Confissões e Predições".

1. A Perda Pessoal do Profeta (16.1-9)

Jeremias, cuja natureza sensível e afável anelava por companheirismo e relacionamento social, está agora proibido de desfrutar dessas coisas. Ele está isolado dos seus companheiros, uma figura solitária contra um céu sombrio. Deus lhe nega o conforto do lar e da família: **Não tomarás para ti mulher, nem terás filhos nem filhas neste lugar** (2). Jeremias é o único dos profetas que foi proibido de casar. Mas há tragédias maiores do que a solidão. O profeta foi instruído a transmitir a seguinte mensagem **acerca dos filhos e das filhas que nasceram** naquele **lugar** [...] **acerca de suas mães** [...] **e de seus pais**: Todos eles **morrerão de enfermidades dolorosas** (3-4).

Jeremias foi então proibido de ir à **casa do luto** (5). Isso ia estritamente contra o costume da época, e podia servir como uma lição objetiva para o povo. Tratava-se de um sinal de que a destruição futura seria tão grande que os ritos e cerimônias para os mortos não seriam oficiados. Os cadáveres não seriam **sepultados**; não haveria lamentação, **nem por eles se raparão os cabelos** (6); nenhum **copo de consolação** (7) seria oferecido. Uma tradução alternativa para os versículos 6-7 pode ajudar na compreensão desse texto:

*Tanto grandes como pequenos morrerão nesta terra;
não serão sepultados nem se pranteará por eles;
não se farão incisões nem se rapará a cabeça por causa deles.
Ninguém oferecerá comida para fortalecer os que pranteiam pelos mortos;
ninguém dará de beber do cálice da consolação nem mesmo pelo pai ou
pela mãe* (NVI).⁸

Para um judeu esse era o quadro mais sombrio que se poderia pintar.

A proibição final se referia à **casa do banquete** (8). Isso era um sinal de que todas as coisas agradáveis logo seriam removidas. Não haveria mais os sons alegres das festas de casamento. A **voz do esposo, e a voz da esposa** (9) cessariam. Somente o silêncio da morte prevaleceria sobre a antiga cidade alegre.

2. *O Significado do Destino de Judá* (16.10-21)

O profeta é avisado que o povo desejará saber os motivos do severo castigo de Deus. O significado do destino de Judá é encontrado na resposta que ele é instruído a dar.

a) *A teimosia de um coração perverso* (16.10-13,16-18). Em sua resposta às indagações do povo, Jeremias deixa claro que a destruição da nação se deve à disposição mental do próprio povo: **Eis que cada um de vós anda após o propósito** (teimosia) **do seu malvado coração** (12). A expressão "propósito do seu malvado coração" é mencionada oito vezes⁹ no livro de Jeremias. Essas palavras evidentemente referem-se ao estado mental que era característico do povo. Essa disposição manifesta-se por meio de um ressentimento em relação à autoridade — uma determinação que visava satisfazer os próprios desejos independentemente do custo. Esse temperamento era característico dos **pais**, mas tinha se tornado ainda mais firmemente inculcado nos corações dos homens dos dias de Jeremias. Embora Judá e Jerusalém soubessem que seus **pais** tinham sofrido sérios castigos por causa do pecado, as pessoas continuavam tendo a audácia de desafiar a Deus. Na verdade, eles agora tinham se tornado impudentes em seu pecar e intencionais em sua teimosia.

Esse espírito "sem lei" se opunha a todas as ofertas graciosas de Deus. Costumes sociais, padrões culturais e desejos naturais tinham se cristalizado na direção do mal e do vil. Nada, a não ser uma completa catástrofe, poderia mudar esse padrão ou quebrar o modelo. Por isso, o exílio era inevitável: **Portanto, lançar-vos-ei fora desta terra** [...] **não usarei de misericórdia convosco** (13).

A intenção de Deus de abalar a estrutura de uma civilização ímpia é confirmada nos versículos 16-18. Aqui Ele mostra que o processo de abalo será realizado com uma eficácia ponderada: **Eis que mandarei muitos pescadores** [...] **e depois enviarei muitos caçadores, os quais os caçarão sobre todo monte** (16). Nenhuma pedra ficará sem ser virada para desentocá-los e enviá-los para o castigo. Além disso, **os seus caminhos** [...] **não se escondem perante a minha face** (17) [...] **e retribuirei em dobro a sua maldade** (18).

b) *A predição de um novo êxodo* (16.14-15). Esses versículos não têm uma conexão clara com os versículos precedentes ou subseqüentes. Eles expressam esperança, enquanto o material anterior e posterior é muito sombrio. Alguns estudiosos acreditam que esses versículos estão fora de ordem, porque aparecem novamente em 23.7-8, em que se enquadram melhor no contexto. Eles penetram aqui como um feixe de luz no meio da mais profunda escuridão. Pode ser que esses versículos estejam sendo colocados aqui para aliviar a calamidade que os versículos 10.13,16-18 passam à nação. No entanto, da maneira como são registrados aqui, eles contêm a predição de um "novo êxodo". Não se falará mais: **o Senhor [...] fez subir os filhos de Israel da terra do Egito. Mas [...] o Senhor [...] fez subir os filhos de Israel da terra do Norte** (14-15). Dessa vez será um êxodo do país do Norte, i.e., do exílio. Esses versículos ressaltam o fato de que além do juízo haverá um retorno — um novo começo. Um novo vaso será formado do barro quebrado (cf. 18.1-10).

c) *A justificação da ira de Deus* (16.19-21). Essa passagem é uma declaração esplendorosa de fé no Deus vivo. O profeta acredita firmemente que a severidade divina no trato com Judá será vindicada no futuro.[10] Ele vislumbra um dia em que os gentios se converterão e dirão ao povo de Deus: **Nossos pais herdaram só mentiras** (idolatria, 19). Eles reconhecerão a inutilidade dos ídolos e adorarão o Deus verdadeiro. Que momento de vergonha isso será para Judá, que se apegou tão estupidamente a esses mesmos falsos ídolos! Deus afirma, em seguida, quanto aos gentios: **e saberão que o meu nome é Senhor** (21), i.e., que eu sou quem eu sou, O Eterno, o Deus vivo! Naquele dia Judá verá que Deus lidou de maneira justa com ela em cada situação.

3. *A Natureza do Pecado de Judá* (17.1-4)
Um ponteiro de ferro e uma **ponta de diamante** (1) são usados aqui para ressaltar a qualidade enraizada do pecado de Judá. O buril de ferro e o diamante eram usados para gravar nas substâncias mais duras conhecidas no mundo antigo. O profeta declara que o **pecado de Judá** tinha se tornado tão profundamente gravado no seu **coração** (seu interior) que os meios comuns são insuficientes para removê-lo. Pecar havia se tornado seu modo de vida — sua inclinação enraizada. Sua afeição, seu hábito mental, sua vontade tinham se cristalizado em uma direção, a tal ponto que o mal tinha se tornado o tom predominante da vida — uma forma de ser. O perdão nunca poderia mudar essa situação. Deus não vai tratar da disposição pecadora a não ser quebrá-la em pedaços, como um oleiro quebra o vaso de barro. A partir desses fragmentos Ele forma uma nova criação.

A última parte do versículo 1 e todo o versículo 2 são difíceis de traduzir. O hebraico evidentemente significa que o pecado de Judá está inscrito de forma tão indelével nos seus ritos religiosos (**nos ângulos dos seus altares**) quanto no seu **coração**. Idéias e práticas pagãs tinham corrompido a adoração do Templo de tal maneira que os **filhos se lembram** (2) somente das formas pagãs de fazer as coisas. A religião revelada estava passando por dias tão difíceis, e a adoração do Templo tinha sido tão distorcida e desfigurada, que não havia nenhuma possibilidade de reforma. Deus tinha decretado que tanto a nação quanto o Templo seriam quebrados em pedaços para que pudesse haver um completo recomeço.

A perspectiva para o tempo presente é somente castigo e perda. **A tua riqueza e todos os teus tesouros darei por presa** (3) **[...] e far-te-ei servir os teus inimigos, na terra que não conheces** (4). A indignação de Deus pelo pecado de Judá é revelada na seguinte declaração: **porque o fogo que acendeste na minha ira arderá para sempre**. Ele tem jurado vingança eterna em relação à inclinação do homem que está em oposição à natureza de Deus. "Um engodo nos seus dias [de Jeremias] era que o povo pensava que Deus perdoaria fácil e prontamente o pecado, que o ritual padrão expiaria na mesma hora esse pecado e a pregação de conforto conferiria a garantia da sua remoção".[11] Mas os fatos mostram o contrário. Deus não abre concessões em relação ao pecado nos dias de hoje, como alguns gostariam de acreditar. Ele tem apenas um plano, e esse plano consiste em destruir o pecado (Rm 6.6; 1 Jo 3.8). Os **bosques**, as **árvores verdes**, os **altos outeiros** e a **montanha** são referências a lugares típicos da adoração de ídolos (2, 3).

4. Um Salmo de Contrastes (17.5-8)

De uma forma que lembra o Salmo 1, Jeremias contrasta o destino daquele que confia no homem com o destino daquele que confia em Deus. "Dependência na carne, a antítese do espírito, expõe a futilidade e a perecibilidade do homem e de todas as coisas terrenas".[12] O homem[13] que confia na **carne** (5; todas as coisas temporais) **será como a tamargueira** (zimbro; "arbusto", NVI) **no deserto** (6). O quadro de **lugares secos**, **terra salgada** e lugares inabitáveis é pintado para desencorajar os pecadores.

Por outro lado, o homem que coloca sua confiança no Senhor floresce mesmo em época de seca. **Não se receia** (8) significa "não está ansioso" (Berkeley). Visto que encontrou as fontes de água secretas de Deus, ele pode suportar com segurança todos os infortúnios da vida. O ímpio está angustiado mesmo em tempos de abundância, porque pode ser removido a qualquer momento.

Nos versículos 7 e 8 vemos "As Características de um Homem Abençoado". 1) Ele floresce em circunstâncias adversas. 2) Recursos secretos são o segredo da sua força. 3) Ele vive sem ansiedade. 4) Ele produz frutos.

5. O Pecado é uma Doença do Coração (17.9-11)

Esses versículos poderiam vir na seqüência dos versículos 1-4, com sua discussão acerca do pecado de Judá. Embora arranjado em uma forma literária diferente (dois provérbios), eles parecem dar continuidade a essa discussão.

Para entender os versículos 9 e 10, precisamos recordar do costume hebraico de usar órgãos físicos para simbolizar as atividades da vida interior do homem. O termo **coração**, como usado aqui, significa o "homem interior" ou "o ser essencial", do qual brota toda ação, vontade e raciocínio. Semelhantemente, acreditava-se que as emoções eram provenientes das entranhas, ou dos rins.

Jeremias está dizendo: **O coração** (o homem na sua essência) é *'aqob*[14] — **enganoso** e traiçoeiro (9). Além disso, ele é "desesperadamente doentio" (ou enfermo — *'anush* é melhor traduzido por "doente" ou "incurável", em vez de **perverso**). O olho penetrante de Jeremias percebeu que a dificuldade de Judá pode ser traçada até o coração ou à disposição interior do seu povo. "Enganoso é o coração [dos homens de Judá], acima de todas as coisas, e incuravelmente doentio — quem é capaz de compreender sua verdadeira natureza?" (paráfrase). Visto que as nações pagãs eram consideradas ainda mais perversas do que Judá, esse coração enganoso deve ser característico de todos os homens.

A passagem claramente ensina que "algo, na verdade, está desesperadamente errado acerca do homem, e Jeremias, com toda a habilidade de um médico, aponta precisamente para a fonte da doença do homem, bem como para Aquele que pode trazer cura".[15] **Eu, o SENHOR, esquadrinho** (estou constantemente esquadrinhando) **o coração, eu**

provo (estou constantemente testando, examinando) **os pensamentos** ("as entranhas" — os anseios mais profundos). Jeremias vê que o homem em sua "crise existencial" é um aglomerado de contradições. Ele nem mesmo consegue entender-se a si mesmo. Somente Deus é capaz de lidar com ele.

O segundo provérbio (11) "ressalta a insegurança do lucro adquirido desonestamente".[16] Os hebreus acreditavam que **a perdiz** (uma espécie indefinida) chocava os ovos de outras aves. Por um pouco de tempo ela anda em grande pompa com seus filhotes ilegítimos, mas as avezinhas logo abandonam a sua mãe adotiva quando ela mais precisa delas para levantar seu ego. Ela é vista como uma insensata. Assim ocorre com o ganho desonesto; ele pode voar embora quando a pessoa mais precisa dele.

6. *Fé e Petição* (17.12-18)

a) *Uma oração de esperança e louvor* (17.12-13). O texto hebraico é de difícil interpretação. Mas esses dois versículos parecem uma confissão de fé da parte de Jeremias. "Um trono glorioso, exaltado desde o início, é o lugar do nosso refúgio. A Esperança de Israel é o Senhor. Todos os que te abandonarem serão envergonhados. Aqueles que se desviam de mim[17] [i.e., rejeitam a minha mensagem] serão escritos no pó, **porque abandonam o Senhor, a fonte das águas vivas**" (lit.). Essas são palavras de esperança e louvor. **Santuário** aqui significa um refúgio para a nação. Aqueles que não confiam no Senhor desaparecerão como a escrita **sobre a terra** (pó).

b) *Uma oração de petição* (17.14-18). Embora claramente consciente da força e poder de Deus, Jeremias de repente lembra da sua própria situação miserável e o escárnio dos seus inimigos. Ele clama: **Sara-me** [...] **salva-me** [...]. **Eis que eles me dizem: Onde está a palavra do Senhor?** (14-15). Moffatt traduz a última parte do versículo 15 assim: "Onde está a palavra do Eterno? Que ela se cumpra!" O profeta defende-se diante de Deus, insistindo em que ele não tinha desejo de cumprir a tarefa de anunciar a mensagem de destruição, nem trazer o dia da calamidade. Ele procura lembrar a Deus que os perseguidores não são somente seus inimigos, mas inimigos de Deus. Ele roga por proteção e vindicação: "Destrói-os com destruição dobrada" (NVI).

F. Ações Simbólicas: Significado e Resultados (17.19—20.18)

Jeremias agora realiza certos atos simbólicos que suscitam todo tipo de reação por parte do povo. Cada um desses incidentes tem uma mensagem para os **moradores de Jerusalém** (20). Tanto os **reis** quanto o **povo** (19) ouvem uma parte da denúncia do profeta. Como resultado, Jeremias sofre nas mãos deles. Uma tempestade de protestos é lançada contra o infeliz profeta. Sua mensagem de destruição não é aceita pelo povo amante do prazer, e eles reagem com uma malignidade característica.

1. *A Santidade do Sábado* (17.19-27)

Jeremias recebe uma mensagem para ser anunciada à Porta do Povo[18] na cidade de Jerusalém. Ele é instruído a dirigir-se tanto aos **reis** quanto ao **povo** (19) com respeito à guarda do **dia de sábado** (22). Evidentemente, o povo de Jerusalém havia profanado o sábado ao continuar exercendo suas atividades seculares. Eles traziam sua produção do campo para a cidade e comercializavam suas mercadorias em completa desconsideração pela lei. Jeremias tomou providências para corrigir a situação, não porque era legalista, mas por causa das implicações mais profundas das ações deles. A secularização do **sábado** era como uma palha no vento; ela simbolizava a decadência moral da nação. Ela mostrava a ganância por ganhos materiais, a perversidade nos lugares altos e o esquecimento de Deus.

Moisés certamente concordaria em que o **sábado** não foi instituído meramente para amarrar os homens à lei, ou tornar o sábado algo negativo e desagradável como a observância dos fariseus do Novo Testamento. Por outro lado, tanto no Antigo quanto no Novo Testamento, o sábado era para ser um dia alegre em honra a Deus, e de descanso físico para o povo. A nação que desonra o sábado logo se esquece do Deus que fez o sábado. A promessa para o povo era que, se eles guardassem o sábado, a **cidade** seria **para sempre habitada** (25). Se não cumprissem esse mandamento, Deus colocaria **fogo** nas **portas, o qual** consumiria **os palácios de Jerusalém** (27).

2. *O Oleiro e o Barro* (18.1-17)

Jeremias foi informado que a mensagem de Deus o esperava na **casa do oleiro** (2),[19] para onde ele agora se dirigia. Enquanto observava o trabalho, ficou claro para ele qual era a função do **oleiro** (4), das **rodas** (3), e do **barro** (4). Enquanto observava a hábil mão do oleiro amassando o barro, percebeu que uma mensagem de Deus estava começando a se formar na sua mente. Diante dos olhos do profeta um vaso requintado começava a tomar forma. Então, subitamente, para a surpresa de Jeremias, o vaso **se quebrou na mão do oleiro**. Será que uma onda de profunda tristeza tomou conta do oleiro? Se sim, isso não o refreou de usar suas hábeis mãos. Ele quebrou o vaso desfigurado em uma massa disforme e começou novamente a amassar o barro. Depois de trabalhar e refinar o vaso, ele voltou (nota de rodapé da KJV: "retornou e fez") a fazer **outro vaso**.

a) *O simbolismo do incidente* (18.1-6). Deus falou a Jeremias, e a mensagem veio de maneira clara e contundente à sua mente. Deus é o **oleiro**, **Israel** é o **barro**, e, evidentemente, as **rodas** representam as circunstâncias da vida. O tempo todo Deus tinha um propósito para Israel. Nas **rodas** da vida, Deus tem realizado seu propósito para a nação. Mas, algo aconteceu para estragar o plano de Deus. Algo em Israel — "uma pedra de tropeço" ou "uma rocha de ofensa" — desfigurou a obra do Artesão. Deus está triste com a impureza da vida da nação. As coisas não podem continuar como estão. Nessa situação, somente o perdão não será suficiente. O juízo é inevitável. Não há outro jeito senão quebrar e refinar a forma de vida nacional existente, e então tornar a fazer um **outro vaso** (4).

O processo de vida pode ser visto nas **rodas**. Cada homem e cada nação está presente e envolvido, porque Deus tem um propósito para homens e nações. A lição objetiva ensina acerca da soberania de Deus: **Não poderei eu fazer de vós como fez este oleiro?** (6). Mas ela também ensina sobre a liberdade do homem[20] — a reação do barro tinha frustrado o propósito do oleiro. Os homens estão livres para reagir aos procedimentos de Deus. Se eles reagirem positivamente ao toque do Oleiro, seu propósito é alcançado na formação de um vaso tal como foi planejado. Se os homens reagem negativamente, a obra de Deus é quebrada. Se na roda da vida homens e nações resistem à vontade de Deus, ocorre o processo de quebra. Esse nunca é um momento agradável tanto para o oleiro quanto para o barro. Embora haja um elemento de esperança no fato de que um outro vaso será formado, isso não alivia os rigores de um juízo imediato! Depois do refinamento ocorre o momento de formação do vaso novo, **conforme o que pareceu bem aos seus olhos** (do oleiro) **fazer** (4). O tempo que levou esse processo de quebra e remodelagem está escondido no propósito de Deus, mas fica claro com base nos versículos subseqüentes de Jeremias, e dos evangelhos, que os homens chegam até um limite, onde não há mais esperança.[21]

G. Campbell Morgan percebe nessa passagem: 1) *Os princípios* — a soberania de Deus, e o homem livre para render-se a Ele. 2) *O propósito* — Deus tem um plano para os homens, o universo está "banhado" de propósito. 3) *A pessoa* — no coração do universo há uma Pessoa, e nós a vemos em Jesus.[22]

b) *O método de Deus com os homens* (18.7-12). Esses versículos ensinam que Deus lida com os homens de acordo com uma base moral[23] em vez de uma base rigorosamente legal: **se a tal nação [...] se converter da sua maldade, também eu me arrependerei do mal que pensava fazer-lhe** (8). Visto que Deus opera de acordo com uma base moral, Ele pode tratar com os homens de acordo com o modo como reagem a Ele. Isso pressupõe que o homem não é um pedaço de barro inanimado, mas uma pessoa livre como o próprio Deus. Isso faz com que seja possível Deus se arrepender (mudar sua opinião) em relação ao juízo proposto, e em vez de destruir homens e nações, perdoá-los. O inverso também é verdade. **No momento** (7 e 9) significa "Se em algum momento" (NVI).

Se a lei tivesse sido o único método de operação de Deus, a raça teria sido destruída havia muito tempo. Não haveria revelação divina, nem sacrifício pelo pecado, nem profetas pregando arrependimento, nem Templo e nem orações. Se os homens fossem julgados rigorosamente pela lei, ninguém sobreviveria.

Visto que isso é verdade, "as ameaças de Deus, semelhantemente às suas promessas, são condicionais (e contingentes)".[24] "O povo ouve que é somente por causa da sua obstinada persistência em fazer o mal que o juízo ameaçador certamente ocorrerá, ao passo que, se retornarem ao seu Deus poderão prevenir a destruição do reino".[25] Quando não há mais esperança, começa o processo de quebra.

Apesar da oferta de Deus em poupar a nação com base na obediência (arrependimento) moral, o povo desdenhosamente responde à ameaça do juízo divino: **Não há esperança, porque após as nossas imaginações** (desejos, planos) **andaremos** (12). A única alternativa que Deus tem é o castigo.

c) *A tolice moral de Judá* (18.13-17). Deus agora repreende o povo por causa da abominação das suas práticas perversas: **Perguntai, agora, entre os gentios quem ouviu tal coisa?** (13). A referência a **Israel** como uma **virgem** somente aumenta o tamanho do seu pecado. O versículo 14 é de difícil tradução, mas parece que **a neve do Líbano** (talvez monte Hermom, veja mapa 2) é constante e fidedigna ano após ano, "mas a conduta de Judá é inconstante e abominável"[26] (cf. 2.13; 8.7). Por causa da sua infidelidade em relação ao Deus vivo, e por causa da sua devoção **à vaidade** (falsos deuses que não existem), Judá tem se afastado das **veredas antigas**, e se encontra em "um beco sem saída", em **veredas afastadas, não aplainadas** (15). Por causa da sua tolice moral, a outrora terra orgulhosa de Judá será objeto de escárnio e **irrisão** (16). Judá não será capaz de enfrentar seus inimigos na batalha, e será espalhado em completa confusão. Deus virará suas **costas** para o povo **no dia da sua perdição** (17) porque abandonaram "a fonte da água da vida".

3. Uma Conspiração e uma Oração Indigna (18.18-23)

Jeremias descobre que os líderes religiosos da nação tinham conspirado contra ele. Os sacerdotes, profetas e até os sábios mestres sentiram que sua denúncia de adoração corrupta e sua predição de destruição do Templo eram dirigidas contra eles. Se permitissem que isso continuasse, sabiam que a mensagem de Jeremias minaria a posição deles diante do povo — **a lei** do **sacerdote** (18) pereceria. Suas palavras severas de destruição claramente suscitaram uma conspiração maligna. Eles rejeitaram furiosamente a profecia de Jeremias de que eles e suas ocupações logo pereceriam. **Vinde, e firamo-lo com a língua** significa que, por meio de calúnia premeditada, eles minariam qualquer influência que ele pudesse ter sobre o povo.

As antigas feridas sofridas na conspiração em Anatote (11.21-23) foram reabertas, e sua dor era agora dez vezes maior. Com os líderes religiosos da nação contra ele, o futuro de Jeremias — e o futuro da nação — era realmente sombrio. Eram as mesmas pessoas que ele tinha procurado ajudar. A alma de Jeremias se revoltou com a traição deles e o que essa atitude prenunciava para a nação. Esses líderes religiosos eram a última esperança do profeta para uma reforma nacional. Sem essa esperança, ele se volta em oração a Deus com grande amargura de espírito. Ele reclama de seu estado miserável: **Porventura, pagar-se-á mal por bem? Pois cavaram uma cova para a minha alma** (20). Ele lembra a Deus de como tinha intercedido por essas mesmas pessoas e tinha rogado para **desviar deles a** sua **indignação**. Agora, com essa percepção mais profunda em relação à magnitude da perversidade deles Jeremias exige que tanto eles como seus familiares recebam sua justa recompensa: **não perdoes a sua maldade**, etc. (23).

Alguns estudiosos acreditam que essa oração vingativa não poderia vir da boca de Jeremias, e acreditam ser uma observação editorial. Segundo essa opinião, as palavras do profeta estão repletas de ira, pelo menos em parte, porque ele entende que seus inimigos eram inimigos ainda maiores de Deus, o que, de fato, eram. Até aqui a sua indignação não é uma coisa profana, mas é compartilhada com a própria ira de Deus. Mesmo que essas emoções e palavras sejam razoáveis precisamos admitir que elas não estão de acordo com o ensinamento e a experiência do Novo Testamento (cf. Mt 5.38-48; Lc 23.34; At 7.58-60).

4. A Botija de Barro (19.1-13)

Em uma outra ação simbólica, Jeremias é instruído a tomar uma botija de barro (um *baqbuq* — os objetos cerâmicos antigos mais delicados e caros) e ir para a Porta do Sol ("porta dos Cacos", NVI; "porta do Oleiro", ARA), que dava para o **vale do filho de Hinom** (2).[27] Em sua excursão, Jeremias foi instruído a levar alguns dos **anciãos do povo** (1) e alguns dos membros mais antigos do sacerdócio. Pessoas mais velhas geralmente são sérias e estariam mais inclinadas a acolher sua mensagem. A história pode ser melhor compreendida se lermos o versículo 10 após o versículo 2. Na Porta do Sol, **à vista** (10) de todos os anciãos, Jeremias despedaçou a **botija** e interpretou suas ações.

Ele declara que de um modo semelhante, por causa da sua grave e persistente maldade, Judá e Jerusalém serão despedaçados pelos seus inimigos. E como um vaso quebrado **não pode mais refazer-se** (11), assim o antigo Judá não pode ser consertado. O passado se foi para sempre. Se é para a nação ter um futuro, então esse futuro será muito diferente do que poderia ser. Aqui vemos o aspecto "de uma vez por todas" da oportunidade de Deus.

O profeta continuou descrevendo o que iria ocorrer com a cidade e por quê. Na destruição vindoura, a cidade de **Jerusalém** se tornaria como **Tofete** (cf. 7.32), ou seja, um monturo. Esse será o seu destino por causa das práticas idólatras exercidas nas casas de Jerusalém, **sobre cujos terraços queimaram incenso a todo o exército dos céus e ofereceram libações a deuses estranhos** (13). **Os reis de Judá** eram tão culpados quanto o povo. Naquele dia, a matança será tão grande que todo lugar disponível na cidade será usado para enterrar os mortos. Toda Jerusalém se tornará impura como o **vale do filho de Hinom** (6).

Os versículos 3-9 parecem a mensagem dada por Jeremias no pátio do Templo (14-15) para os **reis de Judá e moradores de Jerusalém** (3). A mensagem é essencialmente a mesma dos versículos 11-13, mas em maiores detalhes. Aqui encontramos expressões tais como: **retinir-lhe-ão as orelhas** (3), indicando a magnitude da destruição vindoura. **Dissiparei** (*baqqothi*, esvaziarei) **o conselho de Judá** (7). Os planos perversos de Judá e Jerusalém serão esvaziados como água de uma botija ou frasco (*baqbuq*). Antes que o **cerco** tenha terminado e a cidade tenha sido tomada, a fome será tão grande que as pessoas comerão **a carne de seus filhos** e de **suas filhas** (9). A última parte do versículo 9 tem sido traduzida da seguinte maneira: "por causa da tensão do cerco que seus inimigos — aqueles mesmos que buscam suas vidas — imporão sobre eles" (Smith-Goodspeed). No fim, a cidade será tão completamente destruída que **todo aquele** que passar por lá mais tarde **assobiará** (8) espantado.

5. *Jeremias no Tronco* (19.14—20.6)

Da Porta do Sol, Jeremias retornou para o pátio do Templo (14-15), onde evidentemente repetiu sua mensagem (compare com 19.3-9) para todo o povo. Essas palavras mordazes devem ter criado um tumulto entre o povo, porque **Pasur, presidente** (chefe da "polícia" do Templo) **na Casa do S**ENHOR (20.1), ouvindo essas coisas, prendeu Jeremias. Depois de mandar espancar ou açoitar o profeta, **Pasur**, (cujo nome parece ser de origem egípcia) **o meteu no cepo** (tronco) **que está na porta superior de Benjamim**,[28] onde ele foi exposto ao escárnio e zombaria dos seus inimigos. Jeremias permaneceu nessa posição de tortura a noite toda. Essa foi a primeira vez que o profeta sofreu violência física. Ocorreram ameaças anteriores, mas agora o ódio entre os líderes religiosos tornou esse tipo de perseguição inevitável.

No dia seguinte, quando **Pasur tirou a Jeremias do cepo** (3), o profeta aproveitou a oportunidade para completar a mensagem que estava anunciando no dia anterior. Ele disse a **Pasur** (sem dúvida a multidão também estava ouvindo) que Deus tinha mudado o seu nome: **O S**ENHOR **não chama o teu nome Pasur, mas Magor-Missabibe**, que significa "terror de todos os lados". O incidente centraliza-se no fato de **Pasur** ter profetizado **falsamente** (6) para o povo. O texto infere que ele tinha refutado a pregação de Jeremias ao contar ao povo que o Egito viria ajudar Judá se a Babilônia atacasse. Ele os tinha enganado, dizendo: "Paz, paz; quando não há paz" (8.11). Jeremias agora diz a Pasur que, doravante, de acordo com a mudança do seu nome, Deus fará dele **um terror** ("um motivo de medo", *Basic Bible*) para ele mesmo e **para todos os seus amigos**. O profeta então lembra o povo que o **rei da Babilônia** (4) certamente virá e saqueará todas as **coisas preciosas** (5) da cidade, e **os tesouros dos reis de Judá**. Fazenda e trabalho são traduzidos por "riquezas" e "lucros" pela ASV, e podem, portanto, ser comparados com **coisas preciosas** e **tesouros**. Pasur verá todas essas coisas, e será levado cativo para a **Babilônia** (6). Lá, ele morrerá em desgraça entre muitas outras pessoas que ele enganou.

6. *A Angústia de Jeremias* (20.7-18)
Essa é uma das passagens mais poderosas e impressionantes do livro. Certamente é a queixa mais triste e amarga de Jeremias. Por um momento as cortinas são abertas e o leitor tem um vislumbre dos sentimentos interiores do profeta. "É significativo que as lutas interiores e as perseguições de Jeremias nunca o levaram a duvidar da realidade do seu chamado divino, e seu sentimento de ser subjugado por Deus nunca o fez perder sua própria personalidade".[29]

a) *A queixa de Jeremias* (20.7-10). Esse tempo de reflexão sombria pode ter provindo diretamente da angústia e dor que ele sentiu enquanto estava preso no tronco dia e noite. Ou, é possível que esses momentos tenham vindo periodicamente sobre esse profeta de temperamento emotivo e poético. De qualquer forma, a vida tinha chegado a um ponto de desespero — ele sentiu-se ameaçado por todos os lados. Tudo que era humano e finito dentro dele gritava contra as desigualdades que o assolavam. Os dias, meses e anos da sua carreira profética parecem ter lampejado diante dele. Ele lembra mais uma vez os detalhes do seu chamado, e como buscou ser liberado dele. Ele lembra da insistência da voz divina (1.7-10). O que Deus tinha feito a ele? Suas emoções estão próximas do colapso! O homem quebrado, sofredor e finito clama na amargura da sua dor: **Iludiste-me** (enganaste-me, seduziste-me; cf. a mesma palavra hebraica em Êx 22.16), **ó Senhor, e iludido fiquei; mais forte foste do que eu e prevaleceste** (7). Ele continua ao lembrar a Deus que diariamente é alvo de riso; todos que o encontram zombam dele. Quando começa a profetizar, nada além de predições de **violência e destruição** (8) saem da sua boca. É esse tipo de pregação que o tornou um **opróbrio** e um **ludíbrio**. Um transmissor de notícias ruins nunca é popular, e o lado humano do profeta se rebela contra o tormento da sua situação.

No entanto, quando Jeremias resolve não mais falar **no seu nome**, ele descobre que a vontade de Deus continua sendo a grande força motriz da sua vida — a sua palavra **foi no meu coração como fogo ardente, encerrado nos meus ossos;** [...] **e não posso** [**mais**] (9). Mesmo frustrado, ele percebe que não há saída; não tem lugar para se esconder, está sem alternativa. Ele constantemente ouvia seus inimigos sussurrando pelas costas, chamando-o de "velho senhor espalha-terror-por-toda-parte". O nome que tinha dado a Pasur estava sendo lançado no seu rosto, provavelmente pelo próprio Pasur. Mas era penosamente verdade que terror, **violência e destruição** (8) eram o tema de cada mensagem que proferia. Para piorar as coisas, aqueles que eram seus amigos tinham se voltado contra ele com ódio amargo, e estavam esperando por um deslize nas suas palavras ou ações. **Bem pode ser que se deixe persuadir** (enganar, seduzir); **então** [...] **nos vingaremos dele** (10).

b) *O irromper do louvor* (20.11-13). Quando Jeremias estava chegando ao limite das suas forças, a maré mudou (cf. 1 Co 10.13). Os pensamentos de Jeremias se voltam para a grandeza de Deus. Imediatamente ele percebe uma diferença em seu interior. Enquanto reflete sobre o caráter de Deus, seu espírito começa a se elevar e ele clama: **O Senhor está comigo como um valente terrível** (guerreiro poderoso); **por isso, tropeçarão os meus perseguidores** (11). Sua fé se apega em Deus. **Tropeçarão os meus perseguidores e não prevalecerão; ficarão mui confundidos**. Quando lembra que é Deus que prova **o justo** e vê **o coração**, ele suplica pela vindicação da sua **causa** (12). Ao se lembrar dessas coisas, sua fé começa a se elevar. Ele irrompe em um cântico de confiança. No estilo hebraico característico, ele proclama aquilo que na sua crença Deus irá fazer, como se já tivesse feito!

Cantem ao Senhor!
Louvem o Senhor!
Porque ele salva o pobre
das mãos dos ímpios (13, NVI).

c) *Jeremias amaldiçoa o dia do seu nascimento* (20.14-18). Das alturas do êxtase religioso Jeremias mergulha em um desespero ainda maior. O fato de esses versículos virem imediatamente após um cântico de confiança é desorientador. Muitos estudiosos acreditam que eles não seguem, de maneira lógica, os versículos precedentes, mas procedem de uma outra ocasião na vida de Jeremias. Binns cita Buttenwieser: "Seria psicologicamente impossível [...] que semelhante fé, entrega e exultação [...] fossem imediatamente seguidas de tamanho abatimento e amargura de espírito".[30]

Por outro lado, esses versículos podem ter sido dados para revelar os pensamentos íntimos de Jeremias: "o fluxo e o refluxo, a elevação e a queda dos pensamentos interiores" de um indivíduo extremamente humano.[31] Embora fosse um verdadeiro profeta de Deus, estava sujeito a todo tipo de limitações humanas. A direção na qual ele olhava, a coisa que chamava sua atenção, fazia toda a diferença. Certamente, quando visto somente do ponto de vista humano, o desespero do profeta é compreensível. Jeremias era humano como nós e suas emoções seguiam a direção do seu olhar.

Evidentemente, no versículo 14, a atenção de Jeremias se volta de novo para a desesperança da situação humana. Um manto de intensa escuridão cai sobre o seu espírito. Em grande desespero ele clama: **Maldito o dia em que nasci**. Todas as condições exteriores estavam contra ele. Ele sente o ódio impiedoso que o circundava. Seus instintos mais profundos lhe asseguram que as coisas não vão melhorar, e seu completo desamparo o impulsiona a continuar seu lamento: **Maldito o homem que deu as novas a meu pai** (15). Era costume recompensar o homem que trazia a notícia do nascimento de um filho; mas Jeremias clamou: **E seja esse homem como** (16) Sodoma e Gomorra. **Por que não me matou desde a madre?** (17).

O texto deve ser entendido de maneira retórica em vez de literal. Não se tem em mente nenhum homem em particular. É importante observar que a maldição de desespero não recai sobre Deus, nem sobre "aqueles que o geraram, nem mesmo sobre o fato de ele ter nascido, mas, em vez disso, esse texto aponta mais uma vez para a maldição gerada pela traição de Israel à sua herança".[32] Clamando em profunda frustração humana, Jeremias está dizendo que, com o tipo de vida que ele está sendo forçado a viver, melhor teria sido que tivesse sido morto no dia do seu nascimento, ou que sua mãe tivesse sido morta quando ainda estava na sua **madre** (17). Se tivesse ocorrido o que foi mencionado por último, então nem mãe nem filho teriam vivido para ver esse dia desprezível.

A pergunta básica é: Por quê? **Por que saí da madre para ver trabalho e tristeza e para que se consumam os meus dias na confusão?** (18). Jeremias certamente teria sido menos do que humano se não tivesse sentido a tortura dessa pergunta. Sua conduta não é pior do que a de Jó, que é chamado de homem perfeito (sem culpa) pelo autor inspirado (Jó 1.1; 2.3), ou do Homem na cruz, que em sua agonia clamou: "Deus meu, Deus meu, por que...?" (Mc 15.34). As Escrituras registram para o encorajamento de todas as gerações subseqüentes as oscilações das emoções de Jeremias e a extensão dos seus pensamentos e sentimentos sob pressão extrema. Embora não possa ser admirado por ter esses pensamentos, ele precisa ser respeitado e imitado em não sucumbir diante da tentação de duvidar de Deus. O restante do livro apresenta amplas evidências de que ele manteve sua integridade diante de espantosas dificuldades.

Seção V

UMA PREVISÃO DO FIM

Jeremias 21.1—29.32

Não é difícil perceber que uma nova seção do livro começa aqui. A transição do pensamento é abrupta e sem explicação. O material não está em ordem cronológica e cobre diversos assuntos. Nesses capítulos estão inclusos incidentes históricos, pronunciamentos, questões tratando de assuntos religiosos e políticos de Judá, e eventos do cenário internacional, tudo interligado.

A nota predominante é o fim de Judá e da dinastia de Davi. Os reis de Judá são os primeiros a merecer a atenção de Jeremias. Depois, os líderes religiosos são duramente advertidos pelo profeta. Então as nações gentias são trazidas diante da corte de justiça; "o Senhor tem contenda com as nações" (25.31). Jeremias vê todas as nações sendo trazidas para debaixo da servidão do rei da Babilônia, de acordo com o decreto divino. Os cativos que já estão na Babilônia são instruídos a preparar-se para a queda de Judá e para um exílio prolongado. Toda seção serve como uma profecia do fim da vida nacional hebraica.

A. Início do Cerco Final, 21.1-10

Sem ser avisado, o leitor é repentinamente levado ao início do cerco final de Jerusalém (provavelmente em 588 a.C., cf. 37.3—38.28). Os babilônios estão do lado de fora dos muros da cidade. A situação está se tornando grave. Angustiado, Zedequias (veja quadro A) envia seus servos[1] de confiança a Jeremias para obter alguma palavra de Deus: **Pergunta** [...] **por nós, ao Senhor** (2). A alusão de Zedequias a **todas as** [...] **maravilhas** de Deus indica que o temente rei estava esperando uma intervenção milagrosa semelhante a que Ezequias havia experimentado por meio da intercessão de Isaías uma centena de anos antes (2 Rs 19.1-7; Is 37.1-7). Mas o resultado será bem diferente! A resposta de Jeremias é imediata e inequívoca: **Assim diz o SENHOR [...]: Eis que virarei contra vós as armas [...] que estão nas vossas mãos, com que vós pelejais [...] e eu pelejarei contra vós** (4-5). Esse é o princípio do fim. Não haverá perdão para a nação dessa vez. **Entregarei Zedequias, [...] seus servos, e o povo [...] na mão de Nabucodonosor, rei de Babilônia** (7).

Faça retirar-se de nós (2), i.e., acabar com o cerco da cidade. A **grande pestilência** (6) pode referir-se ao cerco da cidade com todos os seus horrores e mais especificamente à pestilência que se seguiria: a escassez de comida e água. **Sua vida por despojo** (9) significa "como recompensa de guerra" (RSV).

Jeremias sabia que o fim da nação já estava selado e não havia nada que pudesse ser feito. Ele, no entanto, tem uma palavra para o povo. Ele propõe "dois cursos de ação: o caminho da vida e o caminho da morte. Entregar-se ao inimigo significava vida; resistir ao inimigo significava morte, porque a destruição da cidade era certa".[2] Isso não quer dizer que o profeta era um traidor do seu país, mas significa que ele viu a maneira como Deus estava se movendo, e foi junto com Ele.

A passagem mostra que a condição de Jeremias havia mudado de forma considerável desde o capítulo 20. Ele era agora um estadista ancião altamente respeitado cujo conselho era sinceramente procurado em uma época de crise.[3] Essa passagem também ensina que os "dois caminhos" de Jeremias são simbólicos da escolha que os homens são constantemente desafiados a fazer. Sempre há dois cursos de ação abertos para cada indivíduo. Um caminho é a expressão de fé em um Deus eterno e a dependência dele, e esse leva à vida. O outro é a expressão de confiança da pessoa na sabedoria e habilidade humanas para dirigir sua própria vida, e esse leva à morte. O caminho da vida requer fé para crer que a palavra de Deus é verdadeira, mesmo quando ela vai contra a razão e desejo humano — você "aposta sua vida" em Deus. O caminho da morte aposta tudo naquilo que humanamente é razoável e apropriado — você "aposta sua vida" no homem.

B. O DESTINO DA CASA DE DAVI, 21.11—23.8

Esta seção não segue, de maneira lógica, os versículos 1-10, e deve, portanto, vir de um outro período na vida de Jeremias. As mensagens são dirigidas à casa de Davi em geral, e especialmente a diversos reis que reinaram durante o ministério de Jeremias.

1. *Uma Mensagem à Casa Real* (21.11—22.9)

Jeremias dirige-se a toda a **casa de Davi** (12) concernente aos deveres e obrigações de todos os bons reis. Ele insiste em que o julgamento deve ser realizado **pela manhã**, i.e., diariamente, e não de vez em quando ou de acordo com o capricho de um oficial. O rei também é responsabilizado pelos atos dos seus oficiais. Os fracos e necessitados devem ser libertos **da mão do opressor** pelo rei. Deus adverte a casa real que seu **furor** virá sobre seus ocupantes se não governarem com imparcialidade e justiça.

Os versículos 13-14 são obscuros. **Moradora** está no feminino e pode, por conseguinte, referir-se a Jerusalém. No entanto, a linguagem é figurada, e, visto que se encontra aqui no meio de um texto que trata dos reis de Judá, ela provavelmente se refere à família real. Moffatt acredita que Jeremias se dirige a Jerusalém:

*Ó habitante do vale,
nas rochas do planalto.*

Independentemente de estar se referindo a Jerusalém ou aos reis de Judá, alguém é culpado em dizer de forma arrogante: **Quem descerá contra nós?** (13). É a linguagem da auto-suficiência e orgulho. Deus se opõe a isso imediatamente ao dizer que esse tipo de arrogância será punido. Quando o autor fala que Deus acenderá **o fogo no seu bosque** (14) pode estar querendo dizer que Ele queimará os palácios dos reis, que eram construídos de "cedros escolhidos" (22.7).

Jeremias outra vez recebe a ordem de descer **à casa do rei de Judá** (22.1) e falar para a corte real. Ele reitera o que foi dito em 21.12, mas anuncia o seu sermão com mais detalhes. Ele fala demoradamente a respeito das recompensas que vêm sobre a família real que governa com justiça! **Se, deveras, cumprirdes esta palavra, entrarão pelas portas desta casa os reis** (4). O profeta então muda seu tom e clama: **Mas, se não derdes ouvidos a estas palavras, por mim mesmo tenho jurado, [...] que esta casa** (palácio) **se tornará em assolação** (5). Embora a família real e a cidade de Jerusalém sejam tão sólidas quanto os altos de **Gileade** (famosa pelo seu bálsamo), ou o topo dos cedros do **Líbano**, o Senhor declara: **Farei de ti um deserto e cidades desabitadas** (6). Mais tarde, quando os estrangeiros passarem pela cidade (8) e perguntarem porque o Senhor permitiu tamanha destruição sobre a sua própria cidade, a resposta será: **Porque deixaram o concerto do Senhor, seu Deus, e se inclinaram diante de deuses alheios** (9).

2. *O Destino de Salum* (22.10-12)

Este é o primeiro de uma série de oráculos contra reis específicos. Ele é dirigido contra **Salum** ou Joacaz (veja Quadro A), **filho de Josias** (11). Quando Josias foi morto na batalha de Megido pelo faraó Neco, o povo de Jerusalém escolheu Salum, seu terceiro filho, como rei. Cerca de três meses mais tarde, o faraó Neco afastou Salum do trono e colocou seu irmão Eliaquim (Jeoaquim; veja Quadro A) em seu lugar (2 Rs 23.30-34). Evidentemente, o povo de Judá chorou por muito tempo a morte de Josias, mas Jeremias os admoestou. Ele clamou: **Não choreis o morto** (10, i.e., Josias) [...] **chorai abundantemente aquele que sai** (Salum)**, porque nunca mais tornará**. Jeremias estava dizendo que Salum estava indo para o cativeiro, e sua morte lá prefigurava o fim de Judá. Dessa forma, o destino de **Salum** foi um presságio do fim da casa real.

3. *O Oráculo contra Jeoaquim* (22.13-23)

As denúncias mais severas de Jeremias são reservadas para **Jeoaquim** (18). Ele foi o mais insensível e ímpio de todos os reis que reinaram durante o ministério de Jeremias. O rei estava completamente indiferente à miséria dos seus súditos. Em um tempo de grande necessidade, ele esbanjou dinheiro na construção de um palácio de cedro, que edificou meramente para satisfazer seu orgulho. Para alcançar seu objetivo, forçou seu próprio povo a trabalhar sem **salário** (13) "e fez com que os inocentes fossem condenados em julgamento para que pudesse se apropriar dos seus bens; [...] ele também matou os profetas que censuraram sua injustiça (26.23) e usou todo tipo de violência ilegal".[4]

Jeremias pergunta a ele: "Você acha que acumular cedro faz de você um rei?" (15, NVI). O profeta então o compara com seu pai, Josias. Ele certamente não era ascético, mas **comeu e bebeu** (15). Ao mesmo tempo ele deu zelosa atenção às suas obrigações como rei: **Julgou a causa do aflito e do necessitado** (16). Jeoaquim, por outro lado, negligenciou suas obrigações reais e se preocupou apenas com seus próprios prazeres. Ele não hesitou em ser condescendente com a **opressão** e em derramar **sangue inocente** (17) para alcançar seus objetivos egoístas.

O Senhor agora determina a sentença. A vida de Jeoaquim terminará em vergonha e desgraça. **Não lamentarão por ele, dizendo: Ai, irmão meu!** (18). **Em sepultura de jumento, o sepultarão, arrastando-o e lançando-o para bem longe, fora das portas de Jerusalém** (19). Embora o Antigo Testamento não nos ofereça os detalhes da morte de Jeoaquim, não há motivo para duvidar que sua vida terminou em desonra e vergonha.[5]

Nos versículos 20-23, parece que Judá e/ou Jerusalém foi impelido a prantear por causa da perversidade e falta de integridade dos **pastores** (22; governantes) tais como Jeoaquim. **Sobe ao Líbano, e clama [...] em Basã, [...] porque estão quebrantados os teus namorados** (20).[6] **Abarim** significa literalmente "as partes do outro lado", referindo-se à extensão de montanhas a leste do mar Morto. O significado é o seguinte: "Vá para o norte, leste e sul, para os aliados de quem você dependeu". Os representantes humanos em quem o rei e a nação tinham confiado não existiam mais. Jeremias lembrou Judá e seu rei de que Deus falou com ele na sua **prosperidade** (em um dia de paz em que não havia ameaça de destruição); **mas tu disseste: Não ouvirei** (21). Agora o jogo acabou! Vergonha, consternação e cativeiro serão a porção de Judá e dos povos que se associaram com ela.

No Antigo Testamento, o Líbano é usado às vezes para referir-se a Jerusalém. **Ó tu que habitas no Líbano** (23) parece referir-se a essa cidade e a Jeoaquim, seu rei. **Teu ninho nos cedros** refere-se aos palácios do rei, visto que foram construídos de cedro do Líbano. Essas construções foram o orgulho e a alegria do povo de Jerusalém. Mas Jeremias despedaça seu sentimento de tranquilidade e complacência com uma predição horrenda: "Como gemerás" (lit.) **quando te vierem as dores [...] de parto**! Novamente, uma predição do fim.

4. Oráculos contra Joaquim (22.24-30)

Há dois breves oráculos aqui concernentes a Joaquim (**Jeconias** ou Conias, variantes hebraicas de Joaquim; 24 e 28). O primeiro foi dado antes de ele ser levado para o cativeiro; o outro, depois da ocorrência desse triste evento.

Aos dezoito anos de idade **Jeconias** (Joaquim, veja Quadro A) sucedeu seu pai, Jeoaquim, no trono de Judá. Evidentemente, ele era tão ímpio quanto seu pai, porque no primeiro oráculo Deus está muito descontente com ele: **Ainda que Jeconias [...] fosse o selo do anel da minha mão direita, eu dali te arrancaria** (24). Jeremias então prediz o cativeiro do rei e a sua morte numa terra estrangeira (25-27). Joaquim reinou três meses em 597 a.C. e rendeu-se a Nabucodonosor, que estava sitiando a cidade. Ele, sua mãe Neústa, suas esposas, e 10.000 pessoas do seu povo foram levados para a Babilônia como cativos.

No segundo oráculo, o povo de Jerusalém parece questionar porque Joaquim teve um destino tão severo: **Por que razão foram arremessados fora [...] para uma ter-**

ra que não conhecem? (28). Parece que muitos "habitantes de Judá continuavam considerando-o seu legítimo rei, mesmo no exílio, em vez de Zedequias, seu tio (28.1-4; Ez 17.22)".[7] Isso também parece verdade em relação aos exilados judeus (29.1-14). Cansado e aborrecido com o povo porque não parece captar o significado do destino de Joaquim para a nação, Jeremias clama amargurado: "Ó terra, terra, terra, ouça a palavra do Senhor!" (29, NVI). Ele então elimina a possibilidade de o rei cativo ser um fator nos propósitos contínuos de Deus para a nação: **Escrevei que este homem está privado de seus filhos** (30), i.e., sem descendentes ao trono de Judá. Joaquim tinha falhado em ser um instrumento útil para o propósito divino. Seu fim da vida nacional prenunciava o fim da própria nação.

5. O Rei Messiânico (23.1-8)

Esta seção (21.11—23.8) sobre o destino da casa de Davi começou com uma declaração geral; ela agora termina com outra declaração. Nessa passagem, Jeremias resume tudo que disse dos reis de Judá em uma declaração conclusiva que os expõe como **pastores** maus ("pastores de ovelhas") que dispersaram **as ovelhas** (1). Ele evidentemente inclui Zedequias entre os outros, embora esse rei não seja mencionado especificamente pelo nome. O termo "pastor" no Antigo Testamento muitas vezes se refere ao rei, mas às vezes ele é expandido, incluindo a corte do rei, ou os "oficiais governantes em geral".[8] Esse pode ser o caso aqui.

A denúncia de Jeremias dos maus pastores também é uma predição do fim da nação, porque os governantes são aqueles que conduziram Judá a esse lugar de destruição. Mas, nas suas declarações em relação ao fim da nação, o profeta também nos apresenta um vislumbre do que vem "após o juízo". Ele parece dar por certo que o propósito redentor de Deus no juízo será cumprido e que um dia melhor está por vir.

O cumprimento do propósito de Deus incluirá pelo menos três coisas, sendo que nenhuma delas é nova para a profecia do Antigo Testamento. A primeira lida com o retorno do remanescente (3). Isaías dá um destaque especial a essa idéia, e outros profetas também mencionam algo a esse respeito. **E eu mesmo recolherei o resto das minhas ovelhas, de todas as terras, [...] e as farei voltar aos seus apriscos**. Com a ênfase de Jeremias aqui, e de outros textos do Antigo Testamento, a idéia do retorno do remanescente (ou resto) tornou-se uma expectativa intensa por parte do povo da aliança. A terceira coisa está tão intimamente associada com a primeira que deveriam ser tratadas como sendo uma coisa só. Essa é a idéia de que quando ocorrer o retorno, será como se fosse um "Novo Êxodo". Esse livramento será tão glorioso que as pessoas não mais dirão: **Vive** o SENHOR, que fez subir os filhos de Israel da terra do Egito, mas: **Vive o SENHOR que fez subir e que trouxe a geração** [...] **de Israel da terra do Norte** (7-8; cf. 16.14-15).

Um outro ponto importante (o segundo da série acima) é a vinda de um Rei ideal: **Levantarei a Davi um Renovo justo** (*tsemach tsaddiq*) (5); [...] **este será o nome com que o nomearão: O SENHOR, Justiça Nossa** (*Yahweh tsidhqenu*); "nossa salvação, ou livramento" (6). Os reis de Judá tinham feito o seu estrago. Agora virá um Rei que **reinará, e prosperará, e praticará o juízo e a justiça na terra**, e sob o seu governo **Judá será salvo, e Israel habitará seguro**. O termo **Renovo** (*tsemach*) também pode ser traduzido por "rebento" ou "broto". "A figura sugerida é de um toco de uma árvore [...] que subitamente mostra vida nova".⁹ A árvore de Davi, cortada até o chão pela queda da monarquia, brotará novamente, e aparecerá um novo "Rebento". Esse novo Rei da linhagem de Davi representa todos os anelos insatisfeitos dos homens por um governante ideal. A Igreja sempre viu nesse texto a figura de Cristo, o Rei Messiânico (também cf. 30.9; Is 11.1; 53.2; Ez 34.23-24; 37.24; Zc 3.8; 6.12).

C. Oráculos contra os Falsos Profetas, 23.9-40

Tendo lidado com os líderes políticos na seção anterior, Jeremias agora volta sua atenção para os líderes religiosos da sua nação. Nenhum grupo tinha dado tantos problemas para Jeremias como os profetas profissionais e alguns sacerdotes. A época é a mesma da seção anterior, provavelmente no reino de Zedequias.

1. A Dor de Jeremias (23.9-10)

Jeremias sentiu-se esmagado com o que estava acontecendo entre os líderes religiosos dos seus dias: **O meu coração está quebrantado dentro de mim; todos os meus ossos estremecem; sou como um homem embriagado** (9). Apesar da maldição¹⁰ da seca com suas conseqüentes catástrofes, o povo era flagrantemente imoral. **A terra está cheia de adúlteros** (10), **sua carreira** de vida é incorrigivelmente **má**, "e seu poder é ilegítimo" (NVI). Quando o profeta viu essas condições à luz do caráter de Deus e sua palavra santa, ele foi dominado por tristeza e dor.

2. O Caráter Profano dos Profetas (23.11-15)

Jeremias não perde tempo para chegar à verdadeira causa dessa situação: **tanto o profeta como o sacerdote estão contaminados** (11). Esses homens que deveriam estar reverenciando a Deus e todas as coisas santas eram culpados de sacrilégio; **na minha casa achei sua maldade**. Eles lidavam com as coisas sagradas de maneira irreverente. O dia **da sua visitação** (12) seria seu tempo de juízo. O Reino do Norte tinha sido abertamente apóstata. Em Samaria, os profetas **profetizaram da parte de Baal** ruidosamente (13), e essa foi a causa principal de Israel ir para o exílio. Mas Judá tinha sobrepujado em muito a Israel em sua maldade. Os profetas em Jerusalém eram culpados dos tipos de pecados mais depravados — **cometeram adultérios, e andam com falsidade** (14) — não obstante proclamam a palavra do Senhor com grande bravata. **Uma coisa horrenda** ("imundice" rodapé da KJV) pode se referir ao pecado de sodomia, visto que Jerusalém é comparada a **Sodoma** e **Gomorra**. A capital de Judá era um "sumidouro" de perversidade moral. E, pior de tudo, esses líderes religiosos pareciam permanentemente enraizados em seus caminhos perversos, "para que nenhum deles se converta de sua impiedade" (NVI).

A profanação, no entanto, tornou-se a semente de ruína e morte: "o caminho deles será como lugares escorregadios nas trevas" (12, NVI). Além do mais, **diz o Senhor [...]: Eis que lhes darei a comer alosna, e lhes farei beber [...] fel** (15). Essa é a forma bíblica de dizer que seu fim será repleto de desgraça e pesar.

3. A Proclamação do Engano (23.16-22)

Jeremias agora censura esses profetas falsos por profetizarem o engano. Suas razões para a acusação não são difíceis de achar: *a*) Eles recebem suas idéias da fonte errada, ou seja, **do seu coração** (16). *b*) Eles proclamam o que o povo quer ouvir: **Paz tereis [...] Não virá mal sobre vós** (17). *c*) Eles não estiveram **no conselho** (*sodh*) **do Senhor** (18), senão saberiam qual era a palavra de Deus para esse momento: **Uma tempestade penosa cairá cruelmente** [...] **não se desviará a ira do Senhor até que execute e cumpra os pensamentos do seu coração** (19-20). *d*) Eles saíram e proclamaram sem uma comissão ou sem uma mensagem: **Não mandei os profetas [...] não lhes falei a eles; todavia, eles profetizaram** (21). *e*) Se eles tivessem tido disposição de ouvir o **conselho** (22) do Senhor, eles saberiam a verdadeira palavra, e teriam se salvado e a nação.

4. O Desafio de Deus (23.23-32)

Deus é desafiado pela estupidez desses falsos profetas. O significado do versículo 23 é: Será que eles acham que eu sou um Deus limitado? **Sou eu apenas Deus de perto?** [...] **Esconder-se-ia alguém em esconderijos?** [...] **Porventura, não encho eu os céus e a terra?** (23-24). Eles agem como se seus pecados pudessem ser escondidos de Deus, mas Ele está consciente o tempo todo das "pretensões falsas desses homens".[11] Eles também usam sonhos para propagar suas **mentiras** (25). **Sonhos** foram uma maneira legítima de revelação por séculos, mas esses falsos profetas usaram os **sonhos** para os seus próprios interesses, e, dessa forma, distorceram o caráter de Deus (27).

Jeremias insiste em que "o sonho e a palavra de Deus devem estar nitidamente diferenciados, porque a palha nada tem que ver com o trigo, o restolho inútil com o Pão da vida; eles não devem ser misturados".[12] Uma palavra genuína de Deus é conhecida pela energia divina que acompanha sua proclamação. **Não é a minha palavra como fogo, diz o Senhor, e como um martelo que esmiúça a penha?** (29). Ninguém precisa duvidar da palavra de Deus; Deus os acusa de roubar a palavra dele — **cada um ao seu companheiro** (30), e então saem com sua **língua** lisonjeira, dizendo: **Ele disse** (31). Deus repete que é contra pessoas que "transmitem mensagens de segunda mão e relatam sonhos mentirosos como se fossem a verdade de Deus".[13]

5. A Deturpação da Palavra Divina (23.33-40)

Os falsos profetas são severamente repreendidos por deturparem a expressão **o peso do Senhor** (33), que até então havia tido um significado sagrado. **Peso** (*massa*) é derivado de uma raiz verbal (*nasa*) que significa "levantar" ou "erguer". Uma mensagem de Deus era algo que o profeta recebia e passava (proclamava) ao povo. Acreditava-se também que *massa* era algo que "pesava" no coração de Deus e na consciência das pessoas. Assim, *massa* veio a significar **o peso do Senhor**, ou uma "expressão vocal" ou "oráculo". As mensagens de Jeremias da parte de Deus eram particularmente carregadas de julgamento sobre a nação. Com o passar do tempo elas se tornaram difíceis para o povo carregar. Suas mensagens eram especialmente penosas para os falsos profetas, porque na sua maneira dissoluta de viver o povo os via como alguém fora do tempo. O ressentimento do povo contra Jeremias era tão profundo que deturparam um termo profético genuíno ao perguntar de forma jocosa: **Qual é o peso do Senhor?** (33). Eles evidentemente zombavam dele de forma tão constante com essa pergunta que a palavra já não podia mais ser usada. Qualquer mensagem anunciada com esse título parecia ridícula. Em vez de ajudar a causa de Deus, esse termo a obstruía. Deus, portanto, ordenou que o termo fosse eliminado. **Nunca mais vos lembrareis do peso do Senhor** (36); no seu lugar vocês deverão dizer: **Que falou o Senhor?** (35).

Na superfície a questão parece insignificante. No entanto, o problema revela de uma maneira muito clara a perversidade moral dos falsos profetas. Na verdade, toda a nação havia se acostumado a desfazer da mensagem divina. A Septuaginta e a Vulgata encontram uma resposta para a questão: **Qual é o peso do Senhor?** ao dizer: "Vocês são o peso, e eu os rejeitarei, diz o Senhor". Deus lança contra eles mesmos o seu escárnio.

D. A Parábola dos Figos, 24.1-10

Algum tempo depois que Joaquim e as 10.000 pessoas das famílias escolhidas de Judá foram deportadas para a Babilônia na derrocada de 597 a.C. (cf 2 Rs 24.8-16), o Senhor falou ao profeta. Jeremias estava consciente da situação enfrentada pelos exilados na Babilônia, bem como da situação em Jerusalém. Ele viu que havia uma mensagem de profundo significado espiritual nesse incidente para os dois grupos. (A carta de Jeremias aos exilados no capítulo 29 deve ser lida junto com esse capítulo para obter-se um quadro completo da situação).

O Senhor chamou a atenção de Jeremias para **dois cestos de figos postos diante do templo** (1). **Um cesto** continha **figos muito bons** [...] **mas o outro cesto** continha figos da pior qualidade, totalmente impróprios para o consumo (2). Depois de conseguir a atenção de Jeremias, o Senhor fez desse incidente corriqueiro um momento de profunda percepção espiritual para o profeta, e um prenúncio do fim de Judá.

O Senhor explicou que os **figos bons** (3) representavam os exilados na Babilônia; os figos **maus** (muito ruins) representavam o povo que morava em Jerusalém. Deus então explicou que a diferença entre os dois grupos tinha que ver com a resposta que estavam dando a Ele e às suas ações na história. A resposta do grupo na Babilônia é resumida nas palavras: **porque se converterão a mim de todo o seu coração** (7). O grupo em Jerusalém respondeu: "após as nossas imaginações andaremos" (18.12).

Os exilados na **Babilônia**, embora privados do Templo e do amparo da vida religiosa, estavam descobrindo por meio da disciplina do sofrimento e das dificuldades que Deus não está preso a instituições e formas. Ele pode ser encontrado quando os homens o buscam de todo coração (29.10,13). Por outro lado, o povo de Jerusalém, apesar da presença do livro da Lei, do Templo e dos profetas fiéis, não tinha tempo para coisa alguma além dos seus próprios desejos carnais. Veja explanação sobre **Zedequias e os que habitaram na terra do Egito** (8) em 2 Reis 25.1-26 e Quadro A.

Há diversas verdades que podemos aprender da parábola dos figos. 1) Os caminhos de Deus não são os nossos caminhos. "Era natural que os judeus que ficaram na

Palestina atribuíssem a salvação do cativeiro ao mérito próprio. Essa avaliação complacente é contestada nesse capítulo".[14] O que com freqüência parece algo bom pode, na verdade, ser algo muito ruim. O exílio em si não foi necessariamente uma coisa ruim. Deus estava cumprindo seu propósito. Essas pessoas foram curadas para sempre da idolatria. Ao mesmo tempo, o povo de Jerusalém estava vivendo sob um sistema condenado e as pessoas estavam com os olhos vendados para enxergá-lo. 2) O poder devastador de uma mente fechada: Os moradores de Jerusalém estavam indispostos a aprender. Eles recusaram-se a dar ouvidos a qualquer coisa que ia contra seus próprios desejos. Eles eram incapazes de ouvir a palavra "nunca" de Deus. Para eles nada que fosse novo podia ser verdade. 3) A visão de Deus do que é bom: Para Deus o bem maior não estava no bem-estar civil ou político, como os habitantes de Jerusalém acreditavam (embora isso não deva ser desprezado), mas em uma renovação espiritual constante que é obtida ao se dar ouvidos à voz de Deus. 4) A visão de Deus do que é mau: Deus considera os homens maus *a)* quando são cegos para as verdades eternas; *b)* quando vêem somente o presente como importante e estão muito preocupados com o conforto humano; e *c)* quando confiam na sabedoria humana em vez de na palavra de Deus.

E. Uma Pré-visualização do Fim, 25.1-38

Neste capítulo, o leitor volta subitamente no tempo, do reino de Zedequias para o quarto ano de Jeoaquim (de cerca de 588 a.C. para 605-604 a.C.; veja Quadro A). Nesse ano, todo o Oriente Médio estava em um processo de grandes mudanças. A batalha de Carquemis havia ocorrido pouco antes (606 a.C.), e essa batalha foi um dos acontecimentos mais decisivos na história do mundo antigo. O último remanescente do exército assírio havia se juntado com as forças egípcias sob o comando do faraó Neco para lutar contra Nabucodonosor, o príncipe herdeiro e general do exército da Babilônia. Essa batalha foi vencida por Nabucodonosor; a Assíria desapareceu, e o Egito perdeu seu domínio sobre a política do Crescente Fértil. A Babilônia reinava suprema. Entre as nações menores havia uma tentativa desesperada de se reorganizar.

Depois da batalha de Carquemis, Nabucodonosor evidentemente perseguiu o exército do faraó Neco até as portas do Egito. Enquanto estava naquela região, parece ter tomado a cidade de Jerusalém,[15] ou pelo menos tomou reféns, e obrigou Jeoaquim a mudar sua lealdade ao Egito para a sujeição à Babilônia (2 Rs 24.1; Dn 1.1). Judá era agora um vassalo da Babilônia (cf. Isaías 39.5-7), o que prevaleceu até o final do domínio babilônico no Oriente Médio (539 a.C.).

Jeremias tinha uma percepção aguda dos acontecimentos internacionais. Ele tinha recebido a comissão de ser um profeta para as nações (1.10) e estava plenamente consciente do que estava acontecendo na região do Crescente Fértil. Não era difícil estar a par das notícias daquela época, porque a estrada internacional do Egito para a Babilônia passava pelo litoral da Palestina. Hopper cita A. B. Davidson, que diz o seguinte: "Semelhantemente a um raio, Carquemis iluminou (Jeremias) acerca dos propósitos de Deus com o seu povo até o fim".[16] A batalha de Carquemis com seus resultados clareou muitas coisas para Jeremias. O plano de Deus em usar os caldeus como instrumento da sua ira tornou-se evidente. O destino de Judá era discernível à luz desses acontecimentos. Esses eventos influenciaram as atividades proféticas de Jeremias para o resto da sua vida.

Após um breve resumo da sua carreira profética, Jeremias apresenta uma prévia do fim de Judá, a ruína do império babilônico, e o julgamento final de todas as nações.

1. *Recordação* (25.1-7)

Nenhuma visualização do futuro realmente é adequada sem uma reflexão acerca do passado. Diante desse ponto crucial na história, Jeremias dirigiu-se a **todo o povo de Judá** (1). Ele lembrou o povo que havia servido como porta-voz de Deus por vinte e três anos: **Desde o ano treze de Josias** (veja Quadro A) [...] **veio a mim a palavra do Senhor, e vo-la anunciei** (3). Por séculos Deus tinha "madrugado" ("dia após dia", NVI), enviando a eles **seus servos, os profetas** (4). Jeremias então repete a mensagem central de todos os profetas, incluindo o tema do seu próprio ministério: **Convertei-vos, agora, cada um do seu mau caminho** (5) [...] **e não andeis após deuses alheios** (6). Ele também lembra o povo qual tinha sido a resposta deles: "Vocês não deram ouvidos a mim [...] e provocaram a minha ira" (*Basic Bible*).

Encontrando-se aqui no meio da sua carreira, Jeremias ressalta *a)* ouvir, *b)* converter-se e *c)* habitar. Embora tenham ouvido, eles não prestaram muita atenção, porque não deixaram de adorar **deuses** falsos (6). Conseqüentemente, não poderão mais habitar na sua própria **terra** (5). O pecado da adoração de ídolos tinha sido sua ruína. Eles não se contentaram em viver pela fé; eles insistiam em viver por vista — por aquilo que era humanamente razoável. Assim, diz o profeta, em vez de adorar o Deus vivo vocês adoraram **a obra de vossas** próprias **mãos** (7). O pecado e a desobediência os desmascarou.

2. *Resolução* (25.8-14)

Da sua recordação do passado, Jeremias agora se volta para uma reflexão acerca do futuro. A chave para esse futuro se encontra naquilo que aconteceu no passado: **Visto que não escutastes as minhas palavras** (8). Os planos de Deus para o futuro estavam condicionados às respostas deles no passado. O Senhor agora comunica a Jeremias o que tinha resolvido fazer em relação a Judá e à Babilônia.

a) Na sua sabedoria eterna, Deus tinha decretado que a nação de Judá precisava chegar a um fim. Ele indica como isso iria acontecer: **Eis que** [...] **tomarei a todas as gerações do Norte** [...] **a Nabucodonosor, rei da Babilônia** [...] **e os trarei sobre esta terra** (9). **Meu servo** significa somente que Deus estava usando Nabucodonosor como instrumento para castigar Judá. Passaram-se mais dezoito anos de vida nacional, mas a decisão de Deus era definitiva: **E farei perecer, entre eles, a voz de folguedo** [...] **de alegria** [...] **do esposo** [...] **da esposa** [...] **E toda esta terra virá a ser um deserto e um espanto** (uma ruína desolada; 10-11). **O som das mós, e a luz do candeeiro** eram sinais conhecidos de vida entre eles.

b) Deus também havia determinado o número de anos do exílio de Judá: **E toda esta terra** [...] **e estas nações servirão ao rei da Babilônia setenta anos** (11). Esse número provavelmente é arredondado, mas o período de servidão de Judá na Babilônia chegou muito próximo disso. A batalha de Carquemis ocorreu em 606 a.C., e deu à Babilônia o controle de toda a região do Oriente Médio, desde o Egito até a boca do rio Eufrates (2 Rs 24.7). Isso incluía Judá, e há indícios de que os cativos judeus foram levados para a Babilônia em 606-605 (veja nota de rodapé do v. 16 na KJV). A Babilônia caiu diante dos medos e persas em 539 a.C., e o primeiro grupo de judeus retornou para Jerusalém em 539 a.C. Desde a primeira deportação dos cativos para Babilônia em 606-605 até o primeiro retorno dos judeus a Jerusalém em 536, temos um período aproximado de **setenta anos**. Alguns estudiosos preferem fazer a contagem desde a queda de Jerusalém em 586 a.C. até a dedicação do segundo Templo em 516 a.C. Isso também abrange um período de **setenta anos**.

c) Deus, no entanto, deixou claro que a Babilônia não ficaria impune: **visitarei o rei da Babilônia [...] E trarei sobre esta terra todas as palavras que disse contra ela** (12-13). Embora a Babilônia seja o instrumento de Deus para castigar os judeus, a grande nação terá de responder a Deus pelos seus próprios pecados. **Muitas nações e grandes reis** "os farão escravos" (14; Berkeley). Jeremias percebe que Deus não só controla o destino dos judeus, mas também do grande império babilônico.

3. *Retribuição* (25.15-29)

Jeremias continua vendo os eventos futuros. Ele enxerga além do castigo de Judá e vê o dia em que **todas as nações** (15) serão julgadas. Deus ordena Jeremias a tomar o **copo de vinho do** seu **furor** e dar **a beber dele a todas as nações**. Ele então descreve o que vai ocorrer: Começando em **Jerusalém** (18), nação após nação é obrigada a beber do vinho da ira de Deus, e, por último, **Sesaque** (26; Babilônia). Todos eles se tornarão "uma desolação e um objeto de pavor, zombaria e maldição" (18; NVI). A **mistura de gente** (20, 24) é uma referência à miscigenação de nações estrangeiras.

Todas as nações a quem os oráculos são dirigidos nos capítulos 46—51 são mencionadas aqui (veja mapas 1, 2 e 3), exceto Damasco. Diversas nações que não aparecem em 46—51 foram, no entanto, acrescentadas. **Arábia** (24) mencionada aqui é a mesma que Quedar em 49.28-33. **Elão** (25) e Média são mencionados juntos aqui, ao passo que somente o Elão é mencionado em 49.34-39. "Além disso, [há] Uz (intimamente conectado com Edom); Tiro e Sidom; Dedã e Temã (tribos do norte da Arábia); Buz e todos os que cortaram as pontas do seu cabelo; Zinri [é] (desconhecido)".[17] **Todos os reinos da terra** (26) beberão, e ao beberem se embriagarão e vomitarão, cairão e não mais se levantarão (27). A justiça retributiva de Deus começará sua obra poderosa. **Se não quiserem tomar** (28), o profeta é instruído a dizer: "Vocês vão bebê-lo!" (NVI). **Porque, eis que, na cidade que se chama pelo meu nome, começo a castigar; e ficareis vós totalmente impunes?** A resposta é: **Não, não ficareis impunes** (29).

4. *Retribuição Reforçada* (25.30-38)

O profeta muda de prosa para poesia nessa seção (cf. ARA ou NVI). As figuras de linguagem mudam. As cenas de julgamento retratadas acima são prolongadas e aprofundadas para prover uma pré-visualização do fim dos tempos e do juízo final. O Senhor é retratado como um **leão**, surgindo da sua "toca" (38; NVI), rugindo com grande ferocidade. Ele também **bramirá [...] com grito de alegria, como dos que pisam as** uvas (30; cf. Is 63.1-3). Toda passagem é uma cena de julgamento. **O SENHOR tem contenda com as nações, entrará em juízo com toda a carne** (31, um julgamento universal), e os ímpios serão castigados com grande destruição. Haverá uma **grande tormenta** (32, tempestade) na qual **nação** após **nação** será envolvida. Naquele dia, **os mortos do SENHOR** serão **desde uma extremidade da terra até à outra**, e o número dos mortos será tão grande que **não serão pranteados, nem recolhidos, nem sepultados** (33).

Os versículos finais dessa seção são dirigidos aos **pastores** (governantes) e aos **principais** ("chefes", NVI) **do rebanho** (34). **Uivai, pastores, e clamai, e revolvei-vos na cinza. Não haverá fuga para os pastores, nem salvamento.** [...] **Porque o SENHOR destruiu o pasto deles** (35-36) — i.e., sua fonte de ajuda foi cortada. **E vós, então, caireis como um jarro precioso** (34) significa ser morto como cordeiros cevados. Eles não têm lugar para se esconder. O dia final chegou, e quem será capaz de suportá-lo? Deus tem o controle do mundo em suas mãos; todas as nações, tribos e povos deverão ser julgados por Ele.

O tema desse capítulo é: "O Julgamento do Homem efetuado por Deus". 1) O julgamento começa na casa de Deus, versículo 29. 2) O julgamento é necessário por causa da maldade do homem, versículos 5-7,10,12,14. 3) Não haverá lugar para se esconder da ira de Deus, versículos 33,35. 4) Todas as nações e povos serão envolvidos no julgamento desse grande dia, versículos 32-33.

F. OPOSIÇÃO ÀS PREDIÇÕES DE DESTRUIÇÃO, 26.1—29.32

Estes capítulos formam uma coleção de incidentes e oráculos originários de diferentes períodos da vida de Jeremias. Eles são reunidos aqui debaixo de um tema porque revelam as reações de diversos indivíduos e grupos à pregação do profeta. Ele insistia em que Judá e as nações vizinhas deveriam submeter-se, pelo menos por um período, ao governo do rei da Babilônia. O rei e o povo de Judá naturalmente se ressentem desse tipo de profecia, mas os inimigos mais severos de Jeremias eram os líderes religiosos da nação. Os profetas profissionais e os sacerdotes se opõem a ele com grande veemência. Jeremias, por sua vez, guardou as críticas mais violentas para esses homens que eram os maiores responsáveis em desviar a nação do caminho certo. Do ponto de vista humano, Jeremias estava em desvantagem, porque os falsos profetas eram homens astutos e capazes. Mas essa seção prova mais uma vez que um homem e Deus formam a maioria.

1. O Sermão no Pátio do Templo (26.1-6)

No início desse capítulo, o leitor se encontra no primeiro ano **do reinado de Jeoaquim** (1; veja Quadro A); os acontecimentos do capítulo 25 ocorreram no quarto ano. Nessa época (608 a.C.), todo o Oriente Médio estava em pé de guerra. O império da Assíria estava se esfacelando; o Egito estava tentando impor sua voz na política da Ásia; a Babilônia, determinada em desferir um golpe mortal à Assíria, estava se lançando ao ataque definitivo. Os exércitos de todas as nações estavam se preparando para a batalha final que logo ocorreria em Carquemis, em 606 a.C.[18] Naquele momento havia muita instabilidade, e ninguém sabia qual seria o resultado final.

Judá também estava passando por um período difícil de ajustamento, ainda pranteando a morte de Josias. Jeoacaz (Salum), seu sucessor, tinha sido destronado pelos vitoriosos egípcios. Jeoaquim, colocado no governo pelo faraó Neco, era inexperiente, inescrupuloso e repleto de idéias pomposas. A situação religiosa tinha piorado desde a morte de Josias. Jeremias viu que a nação se encontrava diante de uma encruzilhada, e sabia que a única esperança consistia na volta a Deus. Também estava claro para ele que se uma mudança de atitude no coração do povo e um mover para a verdadeira religião tivessem que ocorrer, isso deveria ser feito logo. Sob a compulsão de Deus, e desconsiderando o perigo que ele enfrentava, Jeremias faz um último apelo desesperado à nação e ao seu jovem rei para lançar-se nos braços misericordiosos de Deus. O profeta se levanta e "aparece como um estadista com intrépida coragem e percepção política".[19]

Deus ordena que Jeremias se coloque no **átrio** do Templo e fale **todas as palavras que te mandei** [...] **não esqueças** (omitas) **nem uma palavra** (2). Parece que o povo estava celebrando uma festa nacional na qual apareciam pessoas de **todas as cidades de Judá**. Esse era o momento propício para se proclamar uma mensagem importante que afetaria todo o país. Ele deve anunciar ao povo que Deus está disposto a perdoar. **Bem pode ser que ouçam e se convertam**, que **eu me arrependa do mal que intento fazer-lhes por causa da maldade das suas ações** (3). **Então, farei que esta casa seja como Siló** (6; destruída pelos filisteus e nunca mais reconstruída, cf. 1 Sm 4). A expressão **madrugando** (5) significa "os quais tenho enviado a vocês cedo e tarde" (Smith-Goodspeed).

Muitos estudiosos acreditam que esse é o mesmo sermão e a mesma ocasião descritos no capítulo 7 (cf. comentários em 7.1-14). Lá o sermão é proclamado com mais detalhes, mas aqui temos uma noção mais clara da reação do povo ao sermão. Este autor concorda com esse ponto de vista. O aspecto indesejável do sermão é a predição de Jeremias da destruição do Templo e da cidade de Jerusalém. A inviolabilidade do Templo e da cidade de Jerusalém era o dogma religioso mais popular da época.[20] Os profetas profissionais e os sacerdotes tinham se agarrado a esse dogma para proclamar ao povo que estavam seguros, visto que Deus jamais deixaria que seu lugar de habitação fosse destruído. Com um único golpe, Jeremias destruiu o dogma mais estimado deles. Conseqüentemente, os sacerdotes e profetas não podiam permitir que o sermão de Jeremias ficasse incontestado.

2. *A Prisão e Soltura de Jeremias* (26.7-19)

O sermão de Jeremias trouxe uma reação imediata dos líderes religiosos da nação. Eles ficaram indignados. Alegando que Jeremias era culpado de profetizar falsamente em nome do Senhor, condenaram-no na mesma hora: **Certamente, morrerás** (8). O povo que estava na cidade para a festa foi levado de roldão pelos seus líderes religiosos, e Jeremias estava em perigo de ser apedrejado e morto. Sua "culpa" residia no fato de o seu sermão discordar daquilo que os profetas profissionais estavam anunciando ao povo.

A notícia da ação da turba no pátio do Templo espalhou-se rapidamente. Os **príncipes**, i.e., os oficiais da corte do rei que tinham a incumbência de manter a paz, se apressaram em ocupar os assentos do tribunal, que ficava na entrada da **Porta Nova** (portão leste) da **Casa do Senhor** (10). Claramente, esse era o lugar onde os problemas religiosos que afetavam o povo eram discutidos.

Os líderes religiosos não perderam tempo em acusar Jeremias diante dos **príncipes e do povo**, afirmando: **Este homem é réu de morte** (11). No entanto, os príncipes pareciam homens imparciais e não se precipitariam na sua sentença. Apesar da pressão dos líderes religiosos, eles deram ao profeta a oportunidade de se defender.

Jeremias defendeu sua posição de uma maneira admirável. Ele foi direto e resoluto, e falou com poder. **O SENHOR me enviou a profetizar** (12). **Agora, pois, melhorai os vossos caminhos** [...] **e arrepender-se-á o SENHOR** (13). **Quanto a mim, eis que estou nas vossas mãos** (14). O profeta estava preparado para qualquer conseqüência.

Então, disseram os príncipes e todo o povo (16) — perceba de que lado o povo se colocou agora — **Este homem é réu de morte**. Imediatamente, **alguns dentre os anciãos da terra** (17; provavelmente das cidades menores de Judá, presentes na festa) tomaram a palavra e lembraram os príncipes e o **povo** das palavras do profeta **Miquéias**. Cem anos antes **Miquéias** [...] **profetizou que Sião será lavrada como um campo, e Jerusalém se tornará em montões de pedras** (18; cf. Mq 3.12). **Mataram-no, porventura, Ezequias** [...] **e todo o Judá?** (19). A resposta era: Não. A essa altura, a maré havia mudado; os falsos profetas e os sacerdotes perderam a oportunidade de destruir Jeremias, e ele foi inocentado. Os seguintes aspectos foram fundamentais nessa decisão: sua maneira segura de falar, a autenticidade das suas palavras e a ajuda de amigos de influência. **Aicão, filho de Safã**, de uma das melhores famílias da terra (2 Rs 22.12; 25.22; Jr 39.14), tornou-se amigo político de grande valor (24).

3. *A Prisão e a Execução de Urias* (26.20-24)

Este incidente não tem conexão com o julgamento e a absolvição de Jeremias. Ele é introduzido, nesse ponto, para mostrar o grave perigo que Jeremias havia enfrentado, e quão facilmente sua vida poderia ter sido apagada. O incidente mostra a profunda hostilidade do rei e dos líderes religiosos da nação contra os verdadeiros profetas de Deus. **Urias** tinha profetizado contra Judá e Jerusalém **conforme todas as palavras de Jeremias** (20). Ele foi brutalmente morto e seu cadáver foi lançado no lugar público de sepultamento (23). Esse relato também revela que amigos influentes em lugares estratégicos podem ser de grande valor para a causa de Deus. Mas, acima de tudo, esse fato revela que Deus estava cumprindo sua palavra na vida de Jeremias de acordo com 1.17-19, e que sua absolvição não foi mero acaso.

4. *O Jugo da Babilônia Continua* (27.1—28.17)

As predições de Jeremias de que a Babilônia governaria as nações do Oriente Médio durante setenta anos despertou a ira dos governantes políticos e religiosos de Judá. Todos admitiam que a Babilônia governaria (593 a.C.), mas havia uma forte expectativa de que esse cenário mudaria em breve. Os líderes religiosos estavam irados com Jeremias porque suas próprias predições estavam sendo contestadas; os líderes políticos, por causa das suas aspirações nacionalistas, estavam correndo o risco de ver essas aspirações sendo refutadas por esse tipo de pregação. Os profetas profissionais eram os mais abertamente antagônicos nessa época. Apesar da sua hostilidade maligna, Jeremias manteve firme a sua posição de que seus pronunciamentos eram de Deus, e que a Babilônia seria a nação que governaria sobre Judá e as outras nações.

a) *Reis estrangeiros* (27.1-11). Quase todos os estudiosos das Escrituras entendem que Jeoaquim (cf. KJV) em 27.1 é erro de um copista, e foi provavelmente copiado de 26.1. Os versículos 3, 12, e 20 deixam claro que se trata do rei **Zedequias** (veja Quadro A).

No princípio do reinado (1) deveria ser entendido como: "Nos anos iniciais do reinado de Zedequias"; porque 28.1 indica que aqueles acontecimentos ocorreram no mesmo ano, e que esse ano foi o quarto ano de Zedequias.

O versículo 3 relata a chegada de cinco enviados a Jerusalém de cinco nações vizinhas de Judá, para se reunirem com Zedequias. Podemos deduzir da mensagem de Jeremias para os reis **de Edom, de Moabe, dos filhos de Amom, de Tiro, e de Sidom** (veja mapa 2) que eles estavam buscando o apoio de Zedequias para uma revolta contra Nabucodonosor, rei da Babilônia. Enquanto os mensageiros estavam conferenciando com **Zedequias** e seus príncipes, o Senhor deu a Jeremias uma mensagem para os reis dessas nações.

O profeta foi instruído a dramatizar sua mensagem pelo uso de **prisões e jugos** (2; "cordas e madeira", NVI). Pelo que tudo indica, Jeremias fez sete pares de jugos, um para cada um dos reis, incluindo Zedequias, e o que ele mesmo estava usando. Parece que ele andou pelas ruas de Jerusalém por vários dias com esse jugo sobre o pescoço, proclamando a mensagem que Deus lhe tinha dado. Os enviados dos cinco reis foram ordenados a transmitir a mensagem de Deus aos **seus senhores** (4).

O conteúdo da mensagem de Jeremias aos reis pode ser resumido em sete pontos. 1) **Assim diz o Senhor dos Exércitos, o Deus de Israel** (4) é o Criador **da terra**, do **homem** e dos **animais** (5). Ele controla os destinos de todas as nações e dá a soberania sobre elas a quem quer. 2) Naquele momento histórico, Ele tinha dado o controle daquelas terras **nas mãos de Nabucodonosor, rei da Babilônia** (6) e não caberia recurso a essa decisão. Sobre **meu servo**, veja o comentário em 25.9. 3) Qualquer um que profetizar outra coisa, quer seja por sonhos, adivinhação, magia ou feitiçaria, está mentindo e não visa os melhores interesses do seu povo (9-10). 4) Aqueles que se recusarem a aceitar o **jugo do rei da Babilônia** (8) serão severamente castigados e removidos da sua **terra**, para perecer no cativeiro (10). 5) Aqueles que aceitam **o jugo** poderão permanecer **na sua terra** (11); suas vidas e casas serão salvas. 6) No tempo de Deus, a Babilônia terá de responder a Deus pelos seus próprios pecados. Naquele dia **muitas nações e grandes reis se servirão dele** (Nabucodonosor; v. 7, cf. comentário em 25.12-14). 7) A grande lição a ser aprendida é: apesar da conspiração de reis e nações, a palavra de Deus por meio de Jeremias permanece firme. O jugo da Babilônia permanece!

b) *Zedequias, o rei de Judá* (27.12-15). **E falei com Zedequias** (12) indica que Jeremias fez um esforço pessoal para deixar claro ao seu rei que a mensagem de Deus também valia para ele. O profeta estava ciente de que **Zedequias** era "um rei fraco e vacilante, que estava disposto a ouvir a opinião dos revoltosos".[21] Ele também sabia que o rei estava sob pressão por parte dos profetas profissionais para se unir aos rebeldes; eles estavam proclamando de forma ruidosa: **Não servireis ao rei da Babilônia** (14).

Jeremias precisava fazer alguma coisa para despertar a atenção do rei, e ele fez uma pergunta assustadora: **Por que morrerias?** (13). Zedequias estava diante de um dilema. Os reis e os falsos profetas representavam as reações naturais da natureza humana à parte de Deus. Jeremias apresentou o lado espiritual da vida — a sabedoria de Deus. O rei precisa fazer uma escolha. Nesse caso, submissão a Nabucodonosor era, na verdade, submissão a Deus, porque Ele tinha decretado que o jugo da Babilônia haveria de permanecer sobre Judá. Era uma questão de ver o que acontecia por trás das cortinas e reconhecer a mão de Deus moldando os acontecimentos dos homens. Era uma escolha entre fé e visão.

c) *Os sacerdotes e o povo* (27.16-22). Jeremias volta sua atenção **aos sacerdotes e a todo este povo** (16). Os **profetas** profissionais haviam profetizado que **os utensílios** que foram tirados do Templo (597 a.C.) e levados para a **Babilônia** voltariam **cedo** para Jerusalém. Mas Jeremias advertiu os sacerdotes: **eles vos profetizam mentiras**. Ele os instou a reajustar seu modo de pensar. Portanto, eles deveriam submeter-se **ao rei da Babilônia** para continuar vivendo (17).

Para reforçar sua mensagem, Jeremias desafia os falsos profetas a participar de um teste: **Se são profetas** [...] **se há palavras do Senhor com eles**, que **orem** ao Senhor para que **os utensílios que ficaram na Casa do Senhor, e na casa do rei** [...] **não sejam levados para a Babilônia** (18). Não há incerteza por parte de Jeremias. Seu desafio soa alto e claro enquanto emite a dura crítica: **Porque assim diz o Senhor** [...]: **À Babilônia serão levados** (19,22). Ele não nega que os utensílios da casa do Senhor vão, no tempo oportuno, voltar a Jerusalém, mas afirma que isso ocorrerá no tempo do Senhor (22). A história provou que Jeremias estava certo e os sacerdotes estavam errados. Para uma descrição dos itens no versículo 19, veja comentário de 1 Reis 7.15-50. Acerca dos acontecimentos do versículo 20, veja 2 Reis 24.8-16.

A nota predominante em todos esses episódios era que Jerusalém estava condenada e o fim da nação estava próximo.

d) *Os falsos profetas* (28.1-17). Neste capítulo, Hananias representa todo o grupo de profetas profissionais. O incidente foi incluído aqui para realçar o erro desses homens, e para mostrar que o que eles faziam estava prejudicando a nação. Eles podem ter sido sinceros, mas estavam tremendamente errados.

No mesmo ano (1), i.e., no ano em que os acontecimentos do capítulo 27 ocorreram. **No princípio do reinado de Zedequias** significa "nos anos iniciais do seu reinado", porque ele diz que foi **no ano quarto**. Os eventos nos capítulos 27 e 28 provavelmente ocorreram no mesmo tempo. Na verdade, o capítulo 28 pode ter precedido 27.16-22.

Jeremias parece ter profetizado nas ruas de Jerusalém durante vários anos, dramatizando sua mensagem ao levar um jugo sobre o pescoço. Ele foi subitamente confrontado **na Casa do Senhor** por um dos profetas profissionais. **Hananias** [...] **de Gibeão** (veja Gibeá, mapa 2), com um grande *show* de fervor religioso, contradisse a pregação de Jeremias diante de um grande ajuntamento **dos sacerdotes** e do **povo**. Ele clamou: **Assim fala o Senhor dos Exércitos** [...] **Eu quebrei o jugo do rei da Babilônia. Depois de passados dois anos completos, eu tornarei a trazer** [...] **os utensílios da Casa do Senhor que deste lugar tomou Nabucodonosor** [...] **levando-os para a Babilônia. Também a Jeconias** [Joaquim; veja Quadro A] [...] **e a todos os do cativeiro de Judá** (2-4).

A resposta de Jeremias foi um fervoroso **Amém** (6). Ele ardentemente desejava que a mensagem anunciada por Hananias pudesse ser verdade, porque Jeremias amava sua nação e seu povo. **Mas ouve** (7), disse Jeremias, essas palavras não estão de acordo com os profetas que profetizaram **antes de mim e antes de ti** (8). No passado, o verdadeiro profeta de Deus não profetizava coisas tranqüilas, sem ressaltar a responsabilidade do povo. Hananias e seus amigos estavam falhando nesse aspecto. O verdadeiro profeta falava da conduta ética e de verdades eternas. Ele sabia que Deus lidava com as pessoas numa base moral, não com o que parecia meramente agradável aos olhos humanos. E, visto que o coração do homem era "desesperadamente perverso" (cf. 17.9), os profetas da antigüidade falavam de **guerra, e mal, e peste** (8). A palavra do verdadeiro profeta deve apresentar uma combinação de predição negativa e positiva, porque somente então a palavra do Senhor é apresentada de maneira equilibrada. Conseqüentemente, um homem que falava somente coisas lisonjeiras era suspeito até que suas palavras provassem ser verdadeiras.

Sem aviso, **Hananias** arrancou **o jugo do pescoço do profeta Jeremias e o quebrou** (10). Ele repetiu ainda com mais veemência sua profecia anterior, declarando que **o jugo** [...] **da Babilônia** seria quebrado do **pescoço de todas as nações** num prazo de **dois anos** (11). Com isso, Jeremias se foi, **tomando o seu caminho**. Seu silêncio era mais eloqüente do que qualquer coisa que pudesse ter dito. Ele poderia ter argumentado, mas com o ânimo da multidão e o estado agitado de Hananias, suas palavras se tornariam inúteis.

A última palavra, no entanto, não tinha sido pronunciada. Certo tempo depois, Deus deu uma mensagem a **Jeremias** para esse falso profeta: "Você quebrou jugos de madeira, mas em seu lugar você fará jugos de ferro" (13, lit.). O versículo 14 explica: **Porque assim diz o Senhor** [...]: **Jugo de ferro pus sobre o pescoço de todas estas nações, para servirem a Nabucodonosor,** [...] **e servi-lo-ão**. A última frase ressalta como Hananias estava errado e como é definitiva a decisão de Deus.

O Senhor também tinha uma palavra pessoal para Hananias: **não te enviou o Senhor, mas tu fizeste que este povo confiasse em mentiras** (15). **Este ano, morrerás** (16). **E morreu Hananias** [...] **no sétimo mês** (17). Kuist comenta: ' "Dois anos [...] dois meses...' Fim cruel!".[22]

O pecado de Hananias foi que ele "com um coração despreocupado fez, em nome de Javé, promessas inconsistentes com a condição moral do povo, [que] portanto, não podiam ser cumpridas".[23] Hananias era um fanático. Ele esperava resultados sem colocar os devidos alicerces para alcançar esses resultados. "Com grande segurança ele estabelece um limite de dois anos na sua profecia: fanáticos sempre estão com pressa".[24]

5. *Cartas ao Povo no Exílio* (29.1-32)

Duas cartas são mencionadas neste capítulo. A primeira diz respeito ao bem-estar geral do povo no exílio, e contém uma advertência contra os falsos profetas. A segunda é dirigida à comunidade inteira, mas lida com um falso profeta em particular.

Jeremias não era apenas perturbado por falsos profetas em Judá, mas o mesmo tipo de pessoas estava criando dificuldades entre os exilados na Babilônia. Esses exilados eram, sem dúvida, um grupo de pessoas infelizes, com muita saudade da sua pátria. Eles eram, conseqüentemente, uma presa fácil para pseudoprofetas que estavam predizendo um fim rápido para o cativeiro e um retorno breve para a sua terra natal. Notícias das suas atividades chegaram até Jerusalém, e Jeremias sentiu-se constrangido a opor-se a eles, da mesma maneira que se opusera a Hananias, e outros da sua estirpe, em Judá.

UMA PREVISÃO DO FIM   JEREMIAS 29.1-23

Este capítulo tem uma conexão muito próxima com os capítulos 24—28, e o capítulo 24, de maneira especial, deveria ser lido junto com o capítulo 29.

a) *Uma carta geral* (29.1-23). 1) *Pano de fundo* (29.1-3). Jeremias enviou uma carta aos exilados por intermédio de dois oficiais de confiança que estavam sendo enviados à Babilônia por Zedequias. Um era **Elasa, filho de Safã** (3) e irmão de Aicão, que já havia demonstrado ser um grande amigo de Jeremias (26.24). O segundo era **Gemarias, filho de Hilquias** (3; Hilquias provavelmente era o sumo sacerdote quando o livro da Lei foi encontrado no Templo — 2 Rs 22.4,8,14). O registro histórico dos acontecimentos do versículo 2 é encontrado em 2 Reis 24.8-16.

2) *Instrução básica* (29.4-19). O conteúdo dessa carta pode ser resumido sob seis tópicos. *a)* Os exilados foram instruídos a preparar-se para uma longa permanência no cativeiro. Foi-lhes dito: **Edificai** [...] **plantai** [...] **comei** [...]. **Tomai mulheres** [...] **gerai filhos e filhas** [...] **multiplicai-vos ali e não vos diminuais** (5-6). *b)* Eles deveriam procurar **a paz** e orar pelo bem-estar da sua cidade adotada (essa é a primeira admoestação para orar pelos inimigos no AT), porque prosperariam junto com a terra (7). *c)* Eles não deveriam se deixar enganar pelos **profetas** e **adivinhos** ("Não dêem ouvidos aos seus sonhos", v. 8, Berkeley) — **não os enviei, diz o SENHOR** (8-9). *d)* Eles precisam entender que Deus os visitará na **Babilônia** [...] **passados setenta anos**, e que cumprirá a sua **palavra** com eles (10-14). *e)* Eles precisam reconhecer que Deus tem um plano e propósito com eles, mas que Ele está mais interessado nos seus avanços morais do que com suas aspirações políticas. **O fim que esperais** (11) pode ser melhor entendido como "um futuro e uma esperança" (Berkeley). Deus está interessado no bem-estar deles, a adoração a Ele não está condicionada a um tempo ou construção (Templo) específica — **Buscar-me-eis e me achareis quando me buscardes de todo o vosso coração** (13). *f)* Eles eram mais prósperos do que seus irmãos em Jerusalém, a quem invejavam. Aos olhos de Deus, o povo em Jerusalém tinha se tornado **figos podres, que não se podem comer** (17; cf. 24.1-10). Conseqüentemente, a monarquia davídica, a cidade de Jerusalém, o Templo e o povo serão dispersos. Eles se tornarão **uma maldição** [...] **um assobio** (18), **porquanto não deram ouvidos às minhas palavras** (19). Por **madrugando** entenda-se "cedo e tarde" (Smith-Goodspeed).

Os versículos 4-11 podem ser definidos sob o seguinte título: "A Palavra de Deus para seu Povo em um Mundo Perverso". 1) Tomem o devido cuidado quanto às suas necessidades físicas, versículo 5. 2) Planejem a próxima geração de pessoas tementes a Deus, versículo 6. 3) Sejam os melhores cidadãos possíveis no lugar onde moram, versículo 7. 4) Não sejam facilmente agitados por rumores e rebeliões, versículos 8-9. 5) Vocês continuam debaixo da providência de Deus e Ele tem planos para suas vidas, versículos 4,10-11 (A. F. Harper).

3) *Advertência contra os profetas mentirosos* (29.20-23). Jeremias revela a falsidade e o destino dos dois profetas mais populares entre os cativos na Babilônia: **Acabe** e **Zedequias** (20). Por meio de uma linguagem direta ele os culpa de profetizar **falsamente em nome** do Senhor (21), e de cometerem **adultério com as mulheres dos seus companheiros** (23). O destino deles será tão terrível que, doravante, serão usados para pronunciar uma maldição: **O SENHOR te faça como a Zedequias e como a Acabe, os quais o rei da Babilônia assou no fogo!** (22).

b) *Carta referente a Semaías* (29.24-32). Esta carta parece ter sido conseqüência de uma carta anterior. As palavras de Jeremias a respeito de um exílio prolongado despertaram a oposição de um profeta na Babilônia: **Semaías, o neelamita** (24).²⁵ Em sua raiva, **Semaías** escreveu uma carta ameaçadora para **Sofonias** (e a outros também), um sacerdote em Jerusalém cujo dever era manter a ordem na casa do Senhor (25-26). Ele exigiu que **Sofonias** aprisionasse e castigasse um **homem obsesso [...] que profetiza**, conhecido por **Jeremias, o anatotita** (27), por escrever uma carta aos exilados, dizendo que o **cativeiro** há de **durar** muito (28).

Sofonias claramente era um crente íntegro, como **Jeremias**, porque leu a **carta** de Semaías para o **profeta** (29). Jeremias respondeu duramente, por meio de uma outra carta a todos os cativos na Babilônia, com relação a esse falso profeta. **Assim diz o SENHOR [...] Eu não o enviei, e vos fez confiar em mentiras. Portanto [...] ele não terá ninguém que habite entre este povo** (31-32), i.e.: "Ele não terá descendentes entre vocês que vivam para ver as coisas boas que estou prestes a fazer pelo meu povo" (Moffatt).

Fica claro com base nos capítulos 21—29 que a profecia de Jeremias acerca do fim de Judá o colocou em oposição aberta às autoridades nacionais, especialmente aos líderes religiosos. Alguém que anuncia notícias ruins nunca é popular, e essa era uma das maiores cruzes de Jeremias. No entanto, por causa da oposição e do intenso sofrimento, Jeremias tornou-se um guerreiro valente para Deus, cujos feitos nunca serão esquecidos.

Seção VI

O LIVRO DA CONSOLAÇÃO

Jeremias 30.1—33.26

Estes quatro capítulos são a única parte que retrata a esperança de forma constante em todo o livro. Os capítulos 32 e 33 são datados de forma precisa no décimo ano de Zedequias, enquanto o profeta estava preso no "pátio da guarda". Os capítulos 30 e 31 não podem ser datados tão precisamente. Os estudiosos têm atribuído esses capítulos a períodos históricos que vão desde o tempo de Josias até o governo de Gedalias. Embora o tempo da composição não possa ser determinado com precisão, é provável que tenham sido escritos na mesma época dos outros dois, no décimo ano de Zedequias.[1] O tom, a disposição de ânimo, o ponto de vista e o assunto têm muito em comum.

O período em que Jeremias foi preso no "pátio da guarda" foi um período escuro na vida do profeta e da nação. Jerusalém estava debaixo do cerco inimigo por um ano. Fome, peste e miséria estavam por toda parte na cidade. Mas essa hora pesarosa deu origem a uma das passagens mais bonitas de toda a Bíblia. Os capítulos 30 e 31 podem ser comparados a "um Hino na Noite". Além disso, esses capítulos parecem preencher a comissão de Jeremias — "para edificares e para plantares" (1.10).

Morgan nos lembra:

> Cerca de sete anos haviam passado desde o conflito com os falsos profetas. Os acontecimentos continuaram ocorrendo silenciosamente, cada hora fornecendo novas evidências da autoridade divina do ensino de Jeremias. Hananias tinha predito que dentro de dois anos o poder da Babilônia seria quebrado; os utensílios da casa de Javé seriam devolvidos ao Templo e Jeconias, junto com os cativos de Judá, retornariam à cidade. A predição provou ser falsa. As coisas iam de mal a pior na vida da nação, e agora o inimigo estava diante da porta.[2]

As predições de Jeremias relacionadas à situação nacional e internacional se confirmaram ao longo de um período de quarenta anos. Portanto, não havia motivo para questionar as novas profecias acerca do futuro da nação. Isso não quer dizer que Jeremias via o futuro nitidamente. Ele via as coisas como os outros profetas as viam, "por espelho em enigma" (1 Co 13.12). Em muitas ocasiões, o perto e o longe estão entrelaçados de maneira estranha, aspecto característico da profecia hebraica. Ao longo dos anos Jeremias havia recebido vislumbres de acontecimentos que deveriam acontecer "além do juízo", por isso, essa passagem não é singular. A história subseqüente em alguns casos, e escritores bíblicos subseqüentes em outros, têm confirmado a autenticidade das suas percepções.

A. O Prefácio, 30.1-3

Jeremias recebe a ordem de escrever **num livro** (2) da consolação **as palavras** que Deus lhe tinha anunciado em relação ao futuro do seu povo da aliança. Esses três primeiros versículos servem para identificar e introduzir o leitor nas palavras marcantes que seguem.³

Porque eis que dias vêm (3) aponta para um tempo futuro seguro e incontestável, mas indefinido. Isso dá a toda essa seção uma perspectiva escatológica. Também encontramos aqui uma clara predição de um retorno **do cativeiro**. Tanto **Israel** quanto **Judá** voltarão a possuir a **terra** que Deus tinha dado **a seus pais**; o reino visualizado é um reino unido.

B. Da Tragédia ao Triunfo, 30.4—31.1

O real conteúdo do "livro da consolação" começa com o versículo 4. Na seqüência, o texto fala de dor e dificuldade, "mas o [tema] supremo é o tema da alegria".⁴ É por meio do vale da tragédia e da tristeza indescritível "que o povo de Deus será levado ao triunfo".⁵

1. O Tempo da Dificuldade de Jacó (30.4-7)

A salvação do povo de Deus é apresentada de maneira clara, mas será precedida por um tempo de grande dificuldade. **Ah! Porque aquele dia é tão grande, que não houve outro semelhante** (7); [...] **uma voz** (som) **de tremor, de temor, mas não de paz** (5). Que tipo de dia será esse, em que os homens estarão passando por uma dor tão intensa que colocarão suas **mãos sobre os lombos, como** uma mulher **que está dando à luz,** com os **rostos** pálidos⁶ e atormentados de horror (6)? As palavras parecem apontar para um tempo que vai além da destruição presente de Jerusalém, para um dia em um futuro distante. Essas palavras são semelhantes às palavras anunciadas por outros profetas pré-exílicos concernentes ao "dia do Senhor" (Is 2.12-21; Jl 2.11; Am 5.18-20), e parecem, na verdade, referir-se a esse dia. Se isso é verdade, então todas as nações serão envolvidas. A passagem termina chamando esse momento histórico de **tempo de angústia para Jacó** (7), mas proclamando que ele **será salvo dela**.

2. O Jugo de Jacó é Quebrado (30.8-11)

Um feixe de luz atravessa a escuridão desse dia tenebroso — **eu quebrarei o seu jugo de sobre o teu pescoço** (8). O dia da escravidão de Jacó às nações estrangeiras terminará, e Israel servirá **ao SENHOR [...] como também a Davi, seu rei, que lhes levantarei** (9). Isso não significa que Davi será levantado da morte, mas que um Ramo Justo da casa de Davi — o Messias — sentará no trono, e a Era Dourada começará.

A derrota da Babilônia marcará o início da defesa do povo por Deus,[7] e servirá como um antegozo do que Ele fará por eles até o tempo do Fim. **Eis que te livrarei das terras de longe, e a tua descendência, da terra do seu cativeiro** (10), é mais uma garantia de que Deus nunca esquecerá do seu povo. Portanto, o verdadeiro Israel de Deus, **meu servo Jacó**, não tem o que temer, porque Israel certamente **tornará** a habitar e **descansará** e **ficará em sossego** em sua própria casa. A nação precisa lembrar, no entanto, que o castigo divino que veio sobre ela **com medida** era "designado para corrigir Israel, e, dessa forma, trazer o povo de Deus para seu fim pré-estabelecido".[8] Israel tem muitos motivos para se alegrar, porque, embora seja Deus que castigue, é esse mesmo Deus que vai salvar (11). Os versículos 10-11 aparecem novamente em 46.27-28.

3. As Feridas de Sião São Saradas (30.12-22)

Para o momento, no entanto, Jeremias se volta para a situação presente de Judá. A chaga de Sião é dolorosa ("incurável", NVI), e nenhuma ajuda humana está disponível. A nação não tem ninguém que **defenda** a sua **causa**. **Todos** os seus **amantes se esqueceram** dela (13-14). Deus era Aquele que estava afligindo Sião, e ela realmente merecia esse sofrimento por causa da **multidão de** seus **pecados**.

Há uma mudança brusca de pensamento no versículo 16. Deus tem castigado a Israel, mas Ele agora defenderá o povo ao castigar seus inimigos: **Todos os que te devoram serão devorados**. Ele é imparcial ao tratar de todas as nações, incluindo Israel. Visto que Deus o afligiu, Ele é o Único que pode ajudá-lo agora. A cura será realizada quando o castigo tiver cumprido o seu propósito.

Apesar do escárnio dos seus inimigos — é Sião, "aquela por quem ninguém se importa" (17, NVI) —, o dia certamente virá quando a saúde de Sião será restaurada. Jerusalém "será reconstruída sobre as suas ruínas, e o palácio no seu devido lugar" (18, NVI). Todas as "coisas que acompanham a salvação" (Hb 6.9; i.e, saúde espiritual) serão evidentes no meio do povo: cânticos, ações de graça, **voz de júbilo**, crescimento populacional, honra e segurança (19-20). Nenhum governo estrangeiro imporá sua vontade a eles. Pelo contrário, **seu príncipe [...] e o seu governador** (21, governante), que estarão intimamente ligados ao Senhor, serão da sua própria raça. Para culminar tudo isso, o antigo relacionamento de aliança será restaurado: **E ser-me-eis por povo, e eu vos serei por Deus** (22).

4. Os Propósitos de Deus Implacavelmente Executados (30.23—31.1)

Nesta passagem, o poder (energia, talvez Espírito) de Deus é semelhante à **tormenta** (23; tempestade implacável), que cumpre **os desígnios do seu coração** (24). Ele não diminuirá o seu ímpeto até que 1) o mal tenha sido completamente castigado e 2) **todas as gerações de Israel** (31.1) reconheçam seu senhorio. O termo **no fim dos dias** (30.24) soa como se o tempo estivesse distante, mas, fosse certo.

C. A Restauração Assegurada, 31.2-40

Neste capítulo, o cântico triunfal de Israel sobe a lugares ainda mais elevados. Os versículos 2-22 tratam, em grande parte, do Reino do Norte; os versículos 23-26 tratam principalmente do Reino do Sul; e os versículos 27-40 dos dois reinos. O Senhor procura assegurar ao seu povo que a restauração dele é certa. Essa restauração é assegurada pelo 1) amor eterno de Deus, 2) pelo voltar para casa — cheio de alegria, 3) pelo conforto a Raquel, 4) pela restauração de Judá, 5) pelo restabelecimento de um reino unido e 6) pela instituição de uma nova aliança.

1. O Amor Eterno de Deus (31.2-6)

O amor de Deus, manifestando-se em **graça** (favor divino), tinha auxiliado os israelitas quando chegaram do Egito, e tinha dado a eles descanso em Canaã. Essa mesma **graça** continua operando agora em favor daqueles que vivem no **deserto** (2) do exílio. Assim, o amor de Deus permaneceu imutável em relação ao seu povo ao longo dos séculos. **Com amor eterno te amei** (3).

A **benignidade** ("fidelidade", RSV) de Deus tem operado a favor de Israel de milhares de maneiras diferentes. Ele os tem atraído por meio de angústia e bondade, dispersando e reunindo-os. Isso ensina que o amor eterno de Deus "envolve tanto tragédias quanto triunfo, e [...] toda dor e sofrimento estão, de alguma forma, dentro do campo de ação desse amor".[9]

O fato de que Deus ainda ama Israel pode ser visto como sinal de que há esperança para a restauração além do julgamento: **Ainda te edificarei** (4). Essa restauração inclui plantio e colheita, descanso e segurança, riso e festa (4-5). A adoração pura (6) também será um ingrediente dessa cena idílica. **Levantai-vos, e subamos a Sião, ao Senhor, nosso Deus**.

Esses versículos revelam que Jeremias não era um indivíduo deprimido ou mal-humorado, mas alguém que poderia ter desfrutado o lado mais ensolarado da vida se as circunstâncias tivessem sido diferentes.

2. Um Retorno alegre para Casa (31.7-14)

Jeremias pede para o povo exultar (gritar) de alegria e proclamar (7) as notícias da volta gloriosa para casa dos cativos de Israel: **Eis que os trarei da terra no Norte e [...] das extremidades** (8), i.e.: "dos confins da terra" (NVI). O tempo pode interferir, mas a palavra do Senhor é como se já tivesse acontecido. Quais são os ingredientes dessa proclamação alegre? *a)* A ternura de Deus é revelada pela forma de Ele os conduzir para casa. Ele reúne **os cegos, os aleijados, as mulheres grávidas e as de parto** (8). Ele gentilmente os conduz por **ribeiros de água** (9) e por um caminho plano **em que não tropeçarão**. *b)* Vemos que esse Deus tem o coração de um pai pela sua atitude em relação a **Efraim**, seu **primogênito**.[10] *c)* O cuidado de Deus é descortinado pela proclamação às **nações** e **ilhas** (inimigos de Israel) de que, embora Deus tenha espalhado a **Israel** (10), Ele não se esqueceu de congregá-los novamente. *d)* A força restauradora de Deus é revelada pelo fato de redimir **Jacó** (11) de mãos poderosas demais para ele. *e)* A bondade de Deus é vista em todas as coisas maravilhosas que Ele faz por eles; eles **exultarão** novamente **na altura de Sião** (12); as duas nações se unirão (Is 60.5) e florescerão como um jardim regado. *f)* Os recursos de Deus se manifestam ao supri-los abundantemente com **trigo, mosto** e **azeite**. *g)* O conforto de Deus é revelado na felicidade que eles possuirão. **Seu pranto** se tornará em **alegria** (13). Eles **nunca mais andarão tristes** (12). O **regozijo** será a regra do novo dia.

3. *Conforto para Raquel* (31.15-22)

Estas palavras são dirigidas a **Raquel** (15), a avó de Efraim e Manassés. Efraim era a principal tribo do Reino do Norte; por conseguinte, Israel é, às vezes, chamado de Efraim, e Raquel é às vezes denominada como ancestral materna das tribos do norte. Ela é descrita aqui como alguém que está muito aflita com a partida dos filhos para o exílio. **Ramá** (altura) era um ponto alto na fronteira entre os reinos do Norte e do Sul. Essa **voz** que chorava podia ser ouvida a uma grande distância. Também se dizia que **Ramá** foi o lugar de encontro dos exilados na deportação para a Babilônia nos dias de Jeremias (veja comentário em 40.1-6). A tradição diz que Raquel morreu perto de Ramá (1 Sm 10.2), embora o local do túmulo de Raquel fique próximo de Belém.

Deus fala a Raquel e ordena que reprima **a voz de choro** (16). Seus filhos certamente voltarão ao seu próprio país, e **há esperanças, no derradeiro fim** (17; futuro). Os versículos 18-19 contêm um relato do arrependimento de Efraim, que parece honesto e sincero. Embora **Efraim** (20) tenha sido um filho errante e necessitasse ser castigado, o coração amoroso de Deus espera ansiosamente pelo seu retorno. Agora, visto que se arrependeu, Deus certamente terá misericórdia dele. Golpear a **coxa** (19) era um gesto de luto. **Por isso, se comove** [...] **o meu coração** (entranhas; v. 20) significa: "Minhas emoções estão afetadas".

Os versículos 21 e 22 são de difícil interpretação. Jeremias está falando de **Efraim** [...] **um filho precioso** (20) e subitamente se dirige à **virgem de Israel** (21). Embora os termos tenham sido usados anteriormente, essa é uma mudança abrupta. No versículo 21, ressalta-se a certeza do retorno do cativeiro. A **virgem de Israel** é estimulada a anunciar uma festa antecipada para erguer **marcos** e sinais na estrada a fim de orientar os exilados que estão voltando para casa. Na última parte do versículo 22 lemos que Deus **criou uma coisa nova na terra: uma mulher cercará um varão**, talvez no sentido de apegar-se ao seu amado, como Israel se apegará ao Senhor naquele dia (Berkeley, nota de rodapé). A maioria dos estudiosos conclui que estamos diante de um provérbio aqui, cujo significado se perdeu.

4. *A Restauração de Judá* (31.23-26)

O povo de Deus recebe a promessa de livramento e salvação na restauração. A **terra de Judá** (23) e suas **cidades** serão novamente habitadas. O peso da declaração, no entanto, está no sentido de a religião pura ser mais uma vez praticada na terra: **O SENHOR te abençoe, ó morada de justiça, ó monte de santidade!** Isto é compreensível pelo fato de a religião corrupta ter sido a causa principal do seu cativeiro. Condições idílicas prevalecerão quando **Judá** (24) retornar para a sua terra natal. Lemos acerca de paz e harmonia, em que "tanto os lavradores como os que conduzem os rebanhos" (NVI) viverão alegremente juntos. A **alma cansada** (25) encontrará descanso, e corações entristecidos encontrarão conforto abundante. Prevalecerão condições completamente novas, lembrando-nos da época dourada de Isaías.

O versículo 26 constitui uma quebra súbita no pensamento que estava sendo elaborado. O texto não deixa bem claro quem, na verdade, está falando. Ele não pode estar se referindo a Deus nem aos exilados, assim, a pessoa mais provável é o próprio profeta. O versículo sugere que as profecias que acabaram de ser pronunciadas chegaram a ele por meio de um sonho. Visto serem cheias de esperança e agradáveis (ao contrário das proclamações costumeiras de Jeremias), é compreensível que pareçam doces para ele.

5. O Restabelecimento do Reino Unificado (31.27-30)

Três coisas parecem se destacar nesses versículos. 1) Deus abençoará Israel e Judá na sua volta com prosperidade (tanto com **homens** quanto com **animais**, 27), e eles novamente serão um povo. O reino dividido foi uma grande tristeza para os profetas; agora essa ruptura será curada. 2) Haverá uma reversão na política de Deus em relação ao bem-estar da terra. Por causa do pecado de Israel, Deus precisava castigar seu povo — **para arrancar, e para derribar** (28); mas, visto que o castigo cumpriu seu trabalho de cura dos corações (cura da idolatria), a obra de Deus agora é **edificar** e **plantar**. 3) Haverá um novo tipo de moralidade. A responsabilidade individual será a marca do novo período. Antes a unidade básica de responsabilidade fora a nação. O povo de Jerusalém e os exilados que já estavam na Babilônia estavam se queixando de que era injusto sofrer pelos pecados dos seus pais. Conseqüentemente, o provérbio: **Os pais comeram uvas verdes, mas foram os dentes dos filhos que se embotaram** (29) não terá mais sua validade. **Cada um morrerá pela sua iniqüidade** (30). Essa nova ênfase na moralidade constituirá um avanço marcante na fé do povo de Israel, pavimentando o caminho para a idéia de Jeremias de uma nova aliança (novo concerto), e servindo também como preparação para a era do evangelho.

6. A Instituição de uma Nova Aliança (31.31-34)

A concepção de Jeremias de uma nova aliança nasceu da sua experiência de muitos anos no ofício profético. Nas reformas de Josias ele tinha visto seu povo derramar toda sua esperança em formas exteriores de religião, mas sem a melhora correspondente no aspecto ético da vida. A religião nacionalizada não proveu motivos adequados para o indivíduo sentir sua responsabilidade pessoal. Assim, a antiga religião falhou no aspecto da responsabilidade individual".[11]

Evidentemente foi durante as reformas de Josias que Jeremias tornou-se convicto de que a única esperança para a nação era uma revolução interna e individual: "Lavrai para vós o campo de lavoura [...] tirai os prepúcios do vosso coração" (4.3-4). Com o passar dos anos, o profeta parece ter ficado cada vez mais convicto de que a religião devia ser individualizada.[12] Sua própria experiência nasceu do fato de que a religião individual era possível. Ele conhecia a Deus e tinha comunhão com Ele; esse relacionamento era imediato e interior. O que era possível para ele deveria ser possível para cada indivíduo da nação.[13]

Seria insensato dizer que Jeremias via qualquer coisa com perfeita clareza. No entanto, ele era capaz de ver o esboço das coisas futuras, e foi isso que ele passou para o povo hebreu. Quais então são os traços distintos de uma nova aliança de acordo com a descrição de Jeremias?

1) A nova aliança será escatológica em caráter, porque está no coração do propósito redentor de Deus. Ela não é uma inferência íntima divina. Da maneira que a religião mosaica fazia parte do plano redentor, assim a nova aliança surgirá na plenitude dos tempos.

2) O aspecto seguinte será a introdução de uma nova metodologia. Antes Deus tinha trabalhado através da nação como uma unidade, mas a nação estava prestes a desaparecer. Para poder cumprir os propósitos de Deus, um novo método precisa ser encontrado. A partir de agora, ele trabalhará por intermédio do indivíduo. A nova metodologia envolverá três coisas: *a)* Um tipo diferente de motivação: **porei a minha lei [...] no seu coração** (33). *b)* Um conhecimento imediato de Deus: **todos me conhecerão** (34). *c)* O perdão individual pelo pecado: **perdoarei a sua maldade**. Deus agora podia lidar com a mola principal da ação humana. Então, ao trabalhar através do indivíduo, a religião podia tornar-se universal.

3) Haverá uma nova dimensão espiritual. A religião não será mais meramente exterior; a intimidade será o aspecto predominante no futuro. Antigamente as leis de Deus haviam sido escritas em tábuas de pedra; agora elas serão escritas no coração. Em vez de tratar sintomas exteriores, Deus estará lidando com os princípios interiores. Sob a nova aliança, as pessoas responderão de acordo com a motivação interior, em vez de agirem sob formas exteriores de compulsão.

4) Haverá um novo relacionamento. Sob a nova aliança, o relacionamento do homem com Deus será íntimo e pessoal: **todos me conhecerão** (34). Sob a antiga aliança, o relacionamento do homem com Deus era formal; debaixo da nova aliança, ele será espiritual. Quando a lei é escrita no coração, a religião tem uma qualidade dinâmica que proporciona infinitas possibilidades.

5) Haverá um novo nível de moralidade. Judá tinha sofrido por causa de um coração "enganoso" e "desesperadamente corrupto" (17.9, ARA). Essa era a grande necessidade para uma transformação moral — um coração transformado. Sob a nova aliança, isso será uma possibilidade gloriosa. A verdadeira religião terá, doravante, aspirações fundamentadas no conhecimento pessoal de Deus, e operará a partir de leis espirituais escritas no coração. O resultado disso será que novos princípios morais governarão a sociedade.

A restauração de Israel alcança seu clímax com a instituição da nova aliança. Esses talvez sejam os quatro versículos mais importantes do livro de Jeremias, visto que dizem muito sobre o que aconteceu no campo da religião desde os seus dias. Paulo usou a idéia de Jeremias, fazendo uma clara distinção entre a antiga e a nova aliança (2 Co 3.6,14-16). O autor da epístola aos Hebreus inicia e termina sua exposição do ministério de Jesus ao citar Jeremias 31.31-34.[14] Jesus instituiu a Ceia do Senhor ao dizer: "Isto é o meu sangue, o sangue do Novo Testamento [aliança], que é derramado por muitos" (Mt 26.28; Mc 14.24). A religião individual encontra uma de suas origens em Jeremias. Ele foi o principal elo entre a antiga ordem em Israel e a nova.[15]

7. *A Perpetuidade da Nação* (31.35-37)

Neste texto, Deus faz uma promessa ao povo referente ao futuro da nação. Garante-se a Israel uma existência tão longa quanto a duração do **sol** e da **lua** (35). As **ordenanças** significam "decretos permanentes" da natureza (RSV). Até então Deus manteve a sua palavra ao seu povo. A sobrevivência de Israel como uma entidade distinta é um dos milagres da história.[16] "Isso só pode ser explicado através de razões sobrenaturais".[17]

8. A Reconstrução de Jerusalém (31.38-40)

Deus então confirma sua palavra à nação ao dizer que Jerusalém será reconstruída. A declaração: "Estão chegando os dias" (38, NVI), coloca a passagem em uma perspectiva escatológica, e podemos encontrar aqui uma combinação do que é próximo e do que é distante. A menção de uma **linha de medir** [...] **Garebe** [...] **Goa** [...] **ribeiro de Cedrom** (39-40) poderia referir-se ao tempo do retorno sob a liderança de Esdras e Neemias. Por outro lado, o desaparecimento de todos os lugares impuros e a santificação dos lugares que haviam sido usados para o sepultamento dos mortos e o monturo de lixo pode estar se referindo à Jerusalém espiritual da era messiânica.[18] Embora a cidade terrena tenha sido capturada e recapturada muitas vezes desde o dia de Jeremias, ela nunca foi derribada, **eternamente**. Ela continua existindo. Esse, por exemplo, não é o caso de Nínive e Babilônia.

D. A RESTAURAÇÃO DRAMATIZADA, 32.1-44

Neste capítulo, o tom predominante continua sendo otimista. Deus levou Jeremias a retratar por meio de uma ação dramática a profecia do restabelecimento da nação. Para melhor entender o que está acontecendo aqui, também deveríamos ler os capítulos 37 e 38.

1. O Prelúdio (32.1-8)

A palavra, **da parte do SENHOR,** veio **a Jeremias** no **ano décimo de Zedequias** (1), em torno de 597 a.C. O local é o **pátio da guarda** (2), que fazia parte do complexo do palácio na cidade de Jerusalém.[19] Jeremias estava **encerrado** (preso) por causa da sua predição de que Jerusalém seria tomada por Nabucodonosor: **Zedequias** [...] **o tinha encerrado, dizendo: Por que profetizas tu**? (3). O rei e seus príncipes estavam muito descontentes com o profeta, porque ele parecia um traidor da sua própria nação. Ele havia profetizado que o rei de Judá se tornaria cativo e, conseqüentemente, "falará pessoalmente [com o rei da Babilônia] e o verá face a face" (4; Moffatt; cf. 21.9; 38.2). As predições de Jeremias estavam na iminência de se cumprirem naquele exato momento. Os babilônios estavam do lado de fora dos muros, e a cidade estava correndo o risco de ser tomada a qualquer momento.

Um dia Jeremias ouviu **a palavra do SENHOR** (6) no sentido de **Hananel** estar vindo para vê-lo acerca de um campo em **Anatote**, que era seu por **direito de resgate** (7). Algum tempo depois, quando Hananel veio à prisão e pediu para Jeremias comprar sua herdade, o profeta registra: **Então, entendi que isto era a palavra do SENHOR** (8).

2. Ato I: Fé em Ação (32.9-15)

Comprei, pois, a herdade de Hananel [...] **e pesei-lhe o dinheiro** (9). Cada passo legal foi dado com precisão. Visto que os hebreus não usavam dinheiro em moeda, pesava-se a **prata**. Fazia-se um contrato escrito com as devidas testemunhas (10,12). Escreviam-se dois autos — **conforme a lei e os estatutos**; um era **selado**, e o outro ficava **aberto** (11). **Baruque** (13) foi instruído a tomar os **autos** e colocá-los **num vaso de barro**, para que pudessem ficar conservados **muitos dias** (14). Esse fato nos dá os detalhes de uma transação de bens imóveis na Judá pré-exílica, a única ocorrência desse tipo no Antigo Testamento.[20]

Toda transação era um ato de fé por parte de Jeremias. O profeta estava dolorosamente consciente de que o campo que havia comprado em Anatote, alguns quilômetros ao norte de Jerusalém, estava nas mãos dos babilônios. Embora soubesse disso, ele pagou "o preço devido"[21] pela terra, e foi cuidadoso para que todas as exigências legais fossem cumpridas. Diante de um grande grupo de testemunhas ele dramatizou sua fé na palavra de Deus de que ainda **se comprarão casas, e campos, e vinhas nesta terra** (15). À parte da esperança de restauração, esse ato seria sem sentido. Fica evidente com base na passagem seguinte que Jeremias não sabia como isso poderia acontecer, mas a fé enfrenta as impossibilidades e grita: "Será feito!".

3. Ato II: Fé Colocada à Prova (32.16-25)

Depois que a transferência da propriedade foi concluída, Jeremias foi orar. O que ele tinha encenado parecia tão incrível, humanamente falando, que sentiu a necessidade de falar com Deus acerca dessas coisas. Nessa oração de comunhão, ele discorre primeiro acerca da grandeza de Deus como Criador (17), em seguida, acerca da sua **benignidade**, sabedoria e poder (18-19), e finalmente, ele revê os atos redentores de Deus a favor do seu povo da aliança (20-22). **E te criaste um nome** (20) seria: "alcançaste o renome que hoje tens" (NVI). Ele lastima a infidelidade de Israel, e reconhece o motivo da presente situação da nação: **pelo que ordenaste lhes sucedesse todo este mal** (23). **Valados** (24) faziam parte dos cercos erguidos ao redor da cidade. A mente de Jeremias viaja pela história de Israel, pela pregação de outros profetas, por seus longos anos de experiência, e ele clama: **o que disseste se cumpriu** (24). Ele parece estar dizendo: "Eu sei de tudo isso, mas minha mente finita não consegue compreender como Israel será restaurado. Parece uma coisa tão impossível", mas **tu me disseste [...] Compra para ti o campo [...] embora a cidade esteja já dada nas mãos dos caldeus** (25).

G. Campbell Morgan bem disse: "A obediência por fé não significa que não haverá indagação, ou pergunta, ou sentido de dificuldade. [...] Se não houver risco, não há necessidade de fé".[22] A Bíblia em lugar algum indica que a fé é algo simples, ou que a fé genuína não pode fazer perguntas. O contrário está mais próximo da verdade. Deus nunca ficou descontente com dúvidas honestas e sinceras e Ele também não falha em ajudar seus filhos perplexos.

4. Ato III: A Fidelidade de Deus (32.26-44)

A resposta de Deus à perplexidade de Jeremias é quádrupla. 1) Ao transformar a declaração de Jeremias no versículo 17 em uma pergunta muito profunda: **Acaso, seria qualquer coisa maravilhosa demais para mim?** (27), declara que Ele, "não os caldeus (Nabucodonosor), é o Senhor da história".[23] 2) Ele reitera a certeza do juízo; portanto, as perspectivas da cidade são, na verdade, obscuras (28-36). 3) O caminho da redenção passará pela tragédia, mas a redenção é certa. Deus não falhará em congregá-los **de todas as terras** (37) para voltarem a possuir sua própria terra. "Além do mais, haverá uma regeneração do coração e da alma, e o povo não se afastará do seu Deus".[24]

4) O ato de fé que Jeremias executa é confirmado como autêntico: **comprar-se-ão campos nesta terra** (43). **E subscreverão os autos, e os selarão, e farão que os atestem testemunhas** (44).

E. Mais Garantias de Restauração, 33.1-26

Os oráculos do capítulo 33 dão prosseguimento ao tema de juízo e restauração. A aparição do Rei Messiânico e o quadro de condições ideais em um reino unificado levam o Livro da Consolação (caps. 31-33) a um clímax glorioso.

1. *O Convite Divino* (33.1-3)
Deus fala a Jeremias pela segunda vez no pátio da guarda, e compartilha com ele seus planos secretos. O versículo 2 é de difícil interpretação pelo fato de parecer estar faltando uma parte. A RSV segue a Septuaginta: "Assim diz o Senhor que fez a terra" (cf. também a NVI). Isso torna o versículo inteligível, e talvez seja a melhor solução. Deus então ressalta seu papel como o Criador, e por meio disso, sua soberania sobre homens e nações.
O pano de fundo do seu convite gracioso no versículo 3 é a condição desesperadora de Jerusalém: fome, pestilência, a própria luta do profeta com a morte (38.7-13) e a queda iminente da cidade.[25] **Clama a mim, e [...] anunciar-te-ei coisas grandes e firmes** (insondáveis; 3). O convite aqui é para Jeremias, mas ele representa todos os servos de Deus. O versículo ressalta a oração como uma das maiores atividades através da qual Deus revela a verdade espiritual ao homem. Também mostra "que para ocorrer a revelação divina (que Ele está disposto e desejoso a revelar) é necessária a cooperação humana".[26]

2. *A Jerusalém Aflita é Curada* (33.4-13)
Os versículos 4-5 conduzem o leitor à queda iminente de Jerusalém. Podemos perceber um sentimento de desespero que prevalece entre o povo enquanto a cidade se prepara para sua resistência final. **Trabucos** (4) são "rampas de cerco" (NVI). **Casas** construídas junto aos muros são derrubadas e o espaço e o material são usados na defesa da cidade. O coração do profeta está se quebrando porque o fim já pode ser percebido. A palavra de Deus continua a mesma: **Escondi o rosto desta cidade** (5). Não haverá perdão.
Embora a decisão de Deus de destruir a cidade não possa ser revogada, Ele não deixa o profeta sem esperança. A aflita Jerusalém será curada. O versículo 6 contém o alvo de Deus na restauração: saúde moral e bem-estar material. "Curarei o meu povo e lhe darei muita prosperidade e segurança" (6, NVI). **Como no princípio** (7); i.e., como em uma época anterior e mais feliz. O versículo 13 indica que todas as regiões de Judá compartilharão da restauração. O restante da passagem indica que o método de restauração de Deus envolve três coisas:[27] a) Na situação particular de Jerusalém, a destruição é a passagem para a restauração. A morte é a passagem para a vida. Não haverá um restabelecimento superficial da situação; todo mal deve ser afastado. No processo redentor de Deus o "antigo Israel" deve morrer para que o "novo Israel" (a Igreja) possa surgir.

b) A purificação moral é a porta de entrada para a integridade espiritual (saúde). **...os purificarei de toda a sua maldade** (8). Se a integridade espiritual deve existir novamente em Israel, será necessária uma limpeza moral radical. O hebraico para *limpeza (taher)* é uma palavra forte e significa "purificar" ou "tornar limpo". O alvo de Deus para o homem é a saúde espiritual. Onde há integridade espiritual, haverá **a voz de gozo, e a voz de alegria** [...] **a voz dos que dizem: Louvai ao SENHOR** (11). Mas a limpeza moral vem primeiro. Deve haver uma "purificação da fonte da vida, para que a vida possa se tornar cheia de gozo e alegria".[28]

c) A saúde espiritual é a porta de entrada para o bem-estar material. Essa será sempre também a ordem de Deus. No entanto, os homens muitas vezes tentam inverter essa ordem. Eles colocam a ênfase principal na prosperidade material e oram para que isso traga bênçãos espirituais. Os homens pecadores sempre inverteram a ordem certa. Primeiro deve haver integridade espiritual; então se ouvirá **a voz dos que trazem louvor à Casa do SENHOR — a voz de noivo** [...] **de esposa** (11). **Neste lugar que está deserto** [...] **haverá uma morada de pastores** (12) A Jerusalém aflita será curada, mas nos termos de Deus e por meio de princípios eternos.

3. *Reis Davídicos e Sacerdotes Levíticos (33.14-26)*
A linguagem imponente dessa última seção é delineada para levar o Livro da Consolação (caps. 3-33) a um clímax esplêndido.

a) As palavras iniciais: **Eis que vêm dias** (14) imediatamente colocam todo texto numa perspectiva escatológica, e apontam para a vinda de uma nova ordem que encontrará seu cumprimento em um futuro certo mas indefinido. b) As palavras são dirigidas tanto à **casa de Israel** quanto à **casa de Judá** e apontam para a expectativa de um reino unificado quando a nova ordem chegar. c) No tempo oportuno, Deus levantará um verdadeiro descendente de Davi, **um Renovo** ("Broto" ou "Rebento") **de justiça** (15). Estas palavras são quase idênticas às palavras de 23.5-6. No entanto, notamos uma diferença, porque aqui o nome messiânico **O SENHOR é Nossa Justiça** (16) é aplicado à cidade de **Jerusalém**. Num primeiro momento, isso parece um tanto estranho, mas se analisarmos com mais cuidado, isso, na verdade, é esperado. *A cidade santa adotou o caráter do seu Rei.*[29] d) Na nova ordem, a casa de Davi nunca sentirá a falta de um homem para governar o reino (17), e o sacerdote levítico nunca sentirá a falta de um homem para exercer as obrigações religiosas apropriadas (18). Os dois pilares da administração de Deus[30] no mundo sempre foram o governo e o sacerdócio, o estado e a Igreja. e) Para que seu povo tenha uma esperança segura, Deus se compromete a cumprir a sua promessa, de que enquanto seu **concerto do dia, e** [...] **da noite** (20) durar, sua palavra a Israel não vai falhar. As **ordenanças** (25) são o curso regular da natureza. f) Para aqueles que tinham dúvidas em relação ao futuro da nação, Deus tinha uma resposta. Ele assegurou-lhes que a promessa feita às casas de Davi e de Levi (20-21) é válida para toda a **descendência de Jacó** (26). Assim, a compaixão tanto por Israel quanto por Judá é duplamente assegurada.

Essas profecias nunca se cumpriram em um sentido nacionalista restrito. Talvez essa nunca fosse a intenção, porque a nova ordem nunca poderia ser como a antiga, da mesma forma que uma borboleta não é igual ao casulo do qual ela sai. Mas em um sentido espiritual mais amplo, essa profecia se cumpriu: "Jesus Cristo é 'a raiz e descendência de Davi'".[31]

Seção **VII**

CONSELHOS AOS REIS

Jeremias 34.1—36.32

Nesta seção encontramos um conjunto de incidentes e palavras da vida de Jeremias que estão relacionados em grande parte com os reis de Judá, e em segundo plano com o povo. Em uma ou duas situações, Jeremias se dirige ao povo, mas mesmo nesses casos ele espera que a mensagem chegue ao ouvido do rei. O material vem de períodos diferentes da vida do profeta e não está organizado em ordem cronológica.

A. Conselhos referentes à Babilônia, 34.1-7

A data dessa passagem pode ser determinada pelo versículo 7. Laquis e Azeca[1] continuam resistindo ao exército babilônico. Poderíamos concluir que o cerco a Jerusalém estava somente nos seus estágios iniciais, e as coisas ainda não eram críticas. O resto do capítulo dá a entender que Zedequias e seus príncipes estavam esperando a ajuda dos egípcios. Pode ser que a ligação de Zedequias com os egípcios tenha impelido Jeremias a dar sérios conselhos a Zedequias.

Desde o quarto ano de Jeoaquim (cap. 25), Jeremias não oscilou em sua posição referente ao futuro do Oriente Médio. Ele tinha sido coerente e constante em seu conselho a Jeoaquim, a Joaquim e, agora, a Zedequias, segundo o qual Nabucodonosor tinha sido escolhido por Deus para ser o senhor daquela área por muitos anos. Jeremias insistiu em que qualquer tentativa de rebelião contra o rei da Babilônia seria inútil; portanto, por que não servir a Ele e viver (27.12)? Ao recomendar obediência ao rei da Babilônia, Jeremias não se considerava infiel à sua nação ou ao seu rei. Ele estava convicto de que, pelo fato de Deus ter decidido a questão, o melhor para Judá seria viver de acordo com a ordem de Deus.

CONSELHOS AOS REIS   JEREMIAS 34.1-22

A advertência de Jeremias a Zedequias aqui é semelhante às advertências dadas a ele em 21.1-10; 32.3-5; 37.8-10,17; 38.17-23. **Todos os reinos da terra** (1) eram os países sujeitos à Babilônia. **Todas as suas cidades** seriam as cidades de Judá. Nessa passagem, Jeremias entra em detalhes quanto ao destino de Zedequias — **Não morrerás à espada** (4), mas em **paz** (5). Jeremias acrescenta que **queimarão** incenso a ele assim como o povo queimava incenso em honra aos seus **pais** e **prantear-te-ão** (6). Os hebreus não cremavam seus mortos, mas queimavam incenso e contratavam pranteadoras profissionais. De acordo com 52.8-11, Zedequias foi levado para a Babilônia e morreu lá como um prisioneiro real (cf. 39.7; 2 Rs 25.5-6; Ez 12.13). Se, na sua morte, o rei da Babilônia permitiu que Zedequias fosse sepultado naquele país de acordo com os costumes dos judeus, com a queima de incenso e com pranto, então pode-se dizer que a profecia foi cumprida.[2] Mas muitos estudiosos entendem que a passagem deve ser interpretada "como uma promessa condicional que não foi cumprida porque o rei não seguiu suas condições",[3] i.e., de se submeter ao rei da Babilônia.

B. CONSELHOS ACERCA DOS ESCRAVOS, 34.8-22

Num momento muito escuro, durante o cerco da cidade de Jerusalém, Zedequias fez um pacto com o povo para libertar seus escravos hebreus. Evidentemente, um dos motivos era alcançar o favor de Deus. Servir-se **deles** (9; cf. v. 10) significava escravizá-los. De acordo com a lei de Moisés (Êx 21.2; Dt 15.2), um escravo era liberto no início do sétimo ano de escravidão, mas em Judá essa questão claramente não recebeu a devida atenção por muitos anos.[4] Os versículos 15 e 19 indicam que uma aliança solene havia sido realizada no Templo entre o povo e seus escravos. É possível sentir uma onda de piedade varrer a cidade. **Todo o povo**, incluindo **príncipes** [...], **passou por meio das porções do bezerro**[5] (10,19), i.e., juraram libertar seus escravos. Esse era um passo primoroso em direção a Deus, e Jeremias o aprovava de todo coração.

Logo depois que isso foi feito, o exército babilônico subitamente levantou o cerco contra Jerusalém e foi embora. Quando os versículos são lidos junto com 37.1-10 fica claro que um exército egípcio havia chegado do sul. Nabucodonosor imediatamente deslocou suas tropas para enfrentar os recém-chegados. Jerusalém, por um tempo, esteve livre e houve grande júbilo na cidade. Visto que os campos do lado de fora da cidade podiam ser trabalhados novamente, os líderes em Jerusalém rapidamente deixaram de reconhecer suas promessas. Os escravos que haviam sido libertos foram escravizados novamente e colocados para trabalhar.

Em termos muito claros, Jeremias denunciou o rei e o povo. Ele disse: "Recentemente vocês se arrependeram [...] Mas, agora, voltaram atrás e profanaram o meu nome" (15-16, NVI). Visto que não deram ouvidos a Deus para apregoarem **a liberdade, cada um ao seu irmão**, Ele declara: **eis que eu vos apregôo a liberdade** [...] **para a espada, para a pestilência e para a fome** (17). Além disso, Deus disse: **eu darei ordem** [...] **e os** (babilônios) **farei tornar a esta cidade** [...] **e pelejarão** [...] **a tomarão, e a queimarão** (22).

Um estudo das ações de Zedequias e do povo revela a pobreza moral de Judá nessa hora triste. 1) Os líderes da nação tinham quebrado uma aliança que fizeram voluntariamente e a ratificaram na casa de Deus. 2) Eles, conseqüentemente, profanaram o caráter de Deus, em cujo nome o juramento havia sido feito. 3) Eles eram indecisos e inconstantes na sua devoção a Deus. 4) Eles rapidamente se dobraram diante da lei da conveniência. 5) Seu arrependimento foi superficial,[6] porque *a*) foi motivado pelo medo das conseqüências, *b*) foi uma mudança de conduta sem uma verdadeira mudança de coração, *c*) seus resultados foram superficiais e temporários.

C. O Exemplo dos Recabitas, 35.1-19

Jeremias não hesitou em usar vários métodos para apresentar a verdade de Deus aos homens. Nesse caso, ele usou uma tribo inteira, cuja devoção peculiar aos ideais da família lhe permitiu apresentar uma verdade para o povo de Judá.

O incidente não é datado. O que sabemos é que ocorreu durante o reinado de Jeoaquim (veja Quadro A). Uma data logo após a batalha de Carquemis se encaixaria muito bem aqui, visto que Nabucodonosor estava na região naquela época, e os **siros** (11) poderiam estar ativos naquele período da história. No entanto, uma data mais para o fim do reinado de Jeoaquim (cerca de 598 a.C.) deveria ser descartada, porque o rei da Babilônia capturou a cidade de Jerusalém em 597 a.C.

Os recabitas eram nômades, provavelmente descendentes de Recabe (1 Cr 2.55). Como tribo do deserto eles adoravam o Senhor e habitaram junto com os israelitas durante o êxodo (Jz 1.16). Acredita-se que **Jonadabe, filho de Recabe** (6) é o pai espiritual da tribo, visto que suas idéias os tornaram ilustres. Foi ele quem os consolidou em um grupo unido de moradores do deserto que descartaram a vida agrícola de Canaã. Jonadabe é mencionado em 2 Reis 10.15-28 como um partidário de Jeú, rei de Israel.

1. *Jeremias Oferece Vinho aos Recabitas* (35.1-5)

Deus instruiu Jeremias para ir à **casa** (acampamento) **dos recabitas** e levá-los à **Casa do Senhor** e oferecer-lhes **vinho** para **beber** (2). O profeta procurou o líder da tribo e, em dado momento, persuadiu todo grupo a acompanhá-lo ao Templo. Os homens citados nos versículos 3-4 não são mencionados em outro texto da Bíblia, exceto **Maaséias**, identificado como um sacerdote em 29.25. Jeremias descreve o local da **câmara** para onde os levou (4), para que o leitor saiba que esse acontecimento ocorreu abertamente, diante dos oficiais do Templo, e diante dos olhos do povo de Jerusalém. Essas câmaras eram "edificadas ao redor dos pátios do templo, servindo em parte como depósitos e em parte como residência para os sacerdotes" (Berkeley, nota de rodapé). Compare com 1 Crônicas 9.27; Ezequiel 40.17; Neemias 10.37-39. Dentro da sala, Jeremias colocou vasilhas **cheias de vinho**, com **taças**, diante dos **recabitas**, e disse-lhes: **Bebei vinho** (5).

2. *Os Recabitas Recusam-se a Beber* (35.6-11)

Os recabitas não só recusam-se a beber, mas resolutamente apresentam suas razões para uma total abstinência. Eles disseram a Jeremias que **Jonadabe**, dois séculos antes, tinha lhes ordenado para não beberem **vinho** (6), edificar **casas** (9), semear sementes (7), ou plantar vinhas, mas, em vez disso, deveriam habitar em tendas e viver como nômades. Eles completaram sua resposta dizendo: **Assim, ouvimos e fizemos confor-**

me tudo quanto nos mandou Jonadabe, nosso pai (10). Eles disseram a Jeremias que estavam em Jerusalém somente temporariamente com medo **do exército dos caldeus e [...] dos siros** (11). Quando passasse o período de emergência, eles voltariam ao deserto novamente.

3. *Uma Lição Prática para Judá* (35.12-17)

A presença de um grupo como esse na área do Templo certamente geraria surpresa e chamaria a atenção das pessoas em Jerusalém, e Jeremias aproveitou a oportunidade para anunciar a mensagem de Deus ao povo. Por meio de uma narrativa ele chamou a atenção para a fidelidade e obediência dessa família à ordem do seu antepassado. Jeremias procurou falar à consciência de Judá em relação à condição espiritual patética do povo, ressaltando sua infidelidade às exigências de Deus. Os recabitas não deixaram de obedecer à ordem do seu pai embora já estivesse morto havia dois séculos, mas, apesar do fato de Deus ter constantemente enviado **profetas** (15) para lembrar seu povo, Judá o havia esquecido. Com sons fortes Jeremias convoca o povo ao arrependimento: **Convertei-vos** (15). **Madrugando** (14; cf. v. 15) é uma figura de estilo que significa de maneira séria ou repetida.

A mensagem de Deus, no entanto, se defronta com ouvidos surdos: **este povo não me obedeceu, assim [...] trarei sobre Judá [...] todo o mal que falei contra eles** (16-17).

4. *A Promessa aos Recabitas* (35.18-19)

As perspectivas para Judá eram severas, mas para os recabitas eram favoráveis: **Nunca faltará varão a Jonadabe, filho de Recabe, que assista perante a minha face todos os dias** (19). Deus prometeu recompensar essa tribo do deserto, não por causa dos seus caminhos peculiares ou práticas devotas, mas porque sua fidelidade em relação aos preceitos do seu pai era uma censura à infidelidade e falsidade em qualquer situação. A fidelidade deles ficará gravada para sempre nos anais da literatura bíblica como um exemplo vivo de uma devoção completa que Deus procura no homem. Conta-se que mesmo nos nossos dias existem povos beduínos do Oriente Médio que vivem de acordo com os preceitos de **Jonadabe**.[7]

D. Conselhos Preservados em um Livro, 36.1-19

Esta é uma das seções mais preciosas do livro de Jeremias. 1) Essa passagem lança luz sobre a origem do livro. O processo de escrever e compilar as diversas profecias começou aqui. Afinal, muitos oráculos, diversos acontecimentos da sua vida e informações históricas foram compilados para formar o livro como o temos hoje. 2) Ela provê detalhes importantes acerca da compilação de um livro bíblico. Estão envolvidos no processo: um livro em forma de rolo, um objeto para escrever (pena), tinta, a escolha de um escriba e a ação de ditar. Nenhum outro livro do AT nos apresenta uma descrição tão detalhada na sua formação. 3) Os acontecimentos relacionados aqui marcam uma mudança importante na carreira de Jeremias. Até esse momento, ele era conhecido somente em um dos pequenos países do Oriente Médio, mas com o registro por escrito das suas mensagens ele estava destinado a influenciar o mundo. A partir desse ponto ele pertence a todas as gerações.

1. As Palavras de Deus Registradas (36.1-8)

O incidente ocorreu **no quarto ano** (1) do rei **Jeoaquim** (605 a.C.). Deus instruiu o profeta a escrever em um **livro** todas as profecias que lhe tinha dado **desde os dias de Josias** (i.e., desde o dia em que foi chamado), **até hoje** (2). O propósito de Deus está no versículo 3: **Ouvirão, talvez [...] os da casa de Judá todo o mal que eu intento fazer-lhes [...]** e **cada qual se converta do seu mau caminho, e eu perdoe a sua maldade**. É impressionante observar os inúmeros métodos diferentes que Deus usa, conforme o livro de Jeremias, para fazer seu povo converter-se da sua maldade e tornar a servi-lo. Precisamos dizer com Isaías: "Que mais se poderia fazer?" (Is 5.4). Somente um amor eterno podia ser tão engenhoso e persistente.

Jeremias ouviu o pedido de Deus e garantiu os serviços de **Baruque, filho de Nerias** (4) para ser seu escriba. **Baruque** (que aparece pela primeira vez em 32.12) parece ter pertencido a uma das famílias nobres de Judá. Seu irmão, Seraías, estava a serviço de Zedequias (5.59). Josefo conta que Baruque "era excepcionalmente bem dotado em sua língua nativa".[8] **E escreveu Baruque da boca de Jeremias todas as palavras do Senhor** (4). O tempo usado para ditar e escrever deve ter sido de dias, senão semanas. O **rolo de um livro** era um rolo de pergaminho, enrolado por conveniência para poder ser guardado e lido.

Chegou o dia em que Jeremias disse a Baruque: **Eu estou encerrado** (preso) **e não posso entrar na Casa do Senhor** (5): **Entre, pois, tu e lê** (6). Não sabemos o motivo de Jeremias não poder ir ao Templo. Alguns estudiosos têm conjecturado a possibilidade de doença, estando, portanto, impuro naquele momento, ou proibido pelas autoridades do Templo por causa dos acontecimentos prévios, como, por exemplo, o Sermão do Templo. Todos concordam em que ele não estava na prisão nessa época. **Baruque** fez como **Jeremias [...] lhe havia ordenado** (8).

2. Baruque Lê a Palavra de Deus no Templo (36.9-10)

A palavra de Deus por meio de Jeremias foi escrita "no quarto ano de Jeoaquim" (1; 605 a.C.), mas um tempo apropriado para a leitura só veio depois de alguns meses. Finalmente, no **mês nono** (ou dezembro) do **ano quinto de Jeoaquim** foi anunciado um **jejum** (9) para todo o reino de Judá, talvez para lamentar o ataque a Jerusalém por Nabucodonosor, no ano anterior. Pessoas de todas as cidades de Judá estavam em Jerusalém para esse jejum solene. Jeremias certamente esperava que, ao esquadrinhar suas consciências com uma mensagem penetrante de Deus, essa cerimônia religiosa poderia ser transformada em um avivamento da religião genuína (7). Baruque leu a mensagem para as multidões de um lugar estratégico na área do Templo — **na câmara de Gemarias [...] à entrada da Porta Nova** (10). A leitura provocou uma reação imediata.

3. Baruque Lê para os Príncipes (36.11-19)

Miquéias, filho de Gemarias (11), ouviu a leitura no átrio do Templo. Profundamente perturbado, ele **desceu à casa do rei, à câmara do escriba** (12) para relatar o que havia ouvido. Seu pai e os outros **príncipes** estavam lá reunidos. Após ouvirem o relato de Miquéias, **os príncipes mandaram** buscar **Baruque** (14) e o rolo, e pediram para que fosse lido para eles. **E leu Baruque aos ouvidos deles** (15). Era a vez de os príncipes ficarem perturbados: "entreolharam-se com medo" (16, NVI). Eles disseram a Baruque que essa questão precisava ser relatada **ao rei**. Para esclarecer o assunto, eles perguntaram a Baruque sobre sua parte nessa questão (17). Ele respondeu: **Com a sua boca, ditava-me todas estas palavras, e eu as escrevia, no livro, com tinta** (18). Convencidos de que essa questão exigia a atenção do rei, mas receosos quanto à sua reação, **os príncipes** disseram a Baruque: **Vai e esconde-te, tu e Jeremias** (19).

E. O Livro é Destruído, 36.20-26

Deixando o rolo de pergaminho na **câmara de Elisama, o escriba** (20), os príncipes foram falar diretamente com o **rei**. Jeoaquim estava na sua **casa de inverno** (22), provavelmente uma parte do palácio que captava os raios do sol do inverno. Era o **nono mês** (dezembro), e o **fogo** estava queimando num **braseiro**. Ao ouvir o relatório dos príncipes, ele exigiu ver o rolo (21). O rolo foi trazido e lido para ele com seus oficiais ao lado dele. Uma ira profunda tomou conta do rei ao ouvir os conselhos dados a ele no rolo. **Tendo Jeudi** (23) **lido três ou quatro folhas** (colunas), Jeoaquim, em amargo desprezo, **cortou** o rolo com seu **canivete** e **lançou-o ao fogo**. Ele continuou a fazê-lo até que todo **rolo se consumiu no fogo**.

O rei queimou o rolo apesar do protesto de diversos príncipes (25). De forma arrogante, Jeoaquim foi completamente indiferente e destemido com o que havia feito, e o mesmo ocorreu com muitos dos seus servos (24). Sua atitude e ações estavam muito distantes da atitude de seu pai, Josias, quando este ouviu a leitura do livro da lei em uma situação semelhante (2 Rs 22.10-14). Desconsiderando o conselho de Deus e dos príncipes, Jeoaquim imediatamente mandou prender **Baruque** e **Jeremias** (26). Mas Deus estava protegendo seus servos. O profeta e seu escriba não puderam ser encontrados, porque **o Senhor tinha-os escondido** (26). Não há dúvida de que Jeoaquim teria matado Jeremias como havia feito com Urias (26.20-24), se tivesse tido a oportunidade de colocar as mãos nele.

Os estudiosos têm especulado quais poderiam ter sido as palavras desse rolo. Ele provavelmente não continha todas as palavras de Jeremias, visto que foi lido três vezes em um dia. É quase certo que o rolo era feito de papiro, visto que "qualquer material para escrever feito de peles de animais teria sido difícil de cortar com um canivete, e teria provocado um mau cheiro intolerável ao ser queimado".[9]

F. O Livro Reescrito, 36.27-32

Algum tempo depois, em seu esconderijo, Jeremias foi instruído pelo Senhor a preparar um outro rolo, e escrever **nele todas as palavras que estavam no primeiro** rolo (27-28). O profeta fez como lhe fora ordenado e ditou novamente as **palavras do livro que Jeoaquim [...] tinha queimado; e ainda se acrescentaram a elas muitas palavras semelhantes** (32). Esse segundo rolo provavelmente continha o material da primeira parte do ministério de Jeremias. Visto que ainda restavam de dezessete a vinte anos de atividade para o profeta, muita coisa seria acrescentada ao livro.[10]

O rolo reescrito continha palavras duras para **Jeoaquim** (29). Deus o repreendeu por queimar o primeiro rolo, que continha conselhos sábios para o rei. **Tu queimaste este rolo dizendo: Por que escreveste nele?** (29). Deus então declarou que Jeoaquim nunca teria um filho que **se assente** (30) **sobre o trono de Davi** (Joaquim, seu filho, reinou por três meses, mas o termo hebraico para "assentar" sugere um certo grau de permanência).[11] Jeremias predisse uma morte violenta e desonrosa para o rei (veja comentário em 22.18).

Seção VIII

A QUEDA DE JERUSALÉM

Jeremias 37.1—40.6

Estes capítulos tratam dos últimos acontecimentos que ocorreram pouco antes da queda de Jerusalém. Durante todo esse tempo, a vida de Jeremias esteve constantemente correndo risco de morte. Ele sofreu muitas injúrias. Além disso, havia uma angústia espiritual em ver sua amada cidade prestes a sucumbir. Zedequias foi um monarca indeciso que sofreu a pressão de uma consciência perturbada por um lado e de um grupo de príncipes novatos, irados e maus conselheiros por outro. As cenas finais mostram os babilônios intensificando o cerco e se preparando para a matança, com a cidade cambaleando e caindo diante do ataque violento. O tempo todo fica evidente que se o amor pudesse ter salvado uma cidade, essa cidade não precisava ter morrido.

A. A Falha Fatal nas Defesas da Cidade, 37.1-2

Estes versículos[1] introduzem **Zedequias** como se o leitor ainda não tivesse tido contato com ele anteriormente. Isso é um pouco estranho, visto que ele é citado diversas vezes em nossa história antes desse acontecimento. Embora a organização do hebraico pareça um pouco estranha, a ênfase principal no versículo 1 está no fato de que **Zedequias foi constituído rei** de Judá por Nabucodonosor. Isso significa que ele foi subjugado ao rei da Babilônia. De acordo com Jeremias, a segurança da nação dependia da fidelidade de Zedequias a esse juramento (27.11-15). Os versículos seguintes revelam as conseqüências trágicas do seu fracasso em manter a sua palavra. O versículo 2 culpa o rei bem como o povo: **nem ele** [...] **nem o povo** [...] **deram ouvidos às palavras do Senhor**. Esse rei vulnerável e irresoluto não havia mantido sua promessa para com os homens nem obedecido à palavra do Senhor.

B. Esperanças sem Fundamento, 37.3-10

O cerco havia sido suspenso. O **exército** do faraó Hofra (5; cf. 44.30) tinha atravessado as fronteiras da Palestina e estava marchando em direção a Jerusalém. Os babilônios haviam redirecionado suas forças para enfrentar essa nova ameaça. Com a retirada do inimigo, o povo mais uma vez podia passar pelas portas da cidade. A esperança havia sido renovada em Jerusalém. Com a ajuda dos egípcios, talvez fosse possível derrotar os caldeus!

O rei apreensivo buscou confirmação para suas esperanças. Ele enviou uma delegação para Jeremias, dizendo: **Roga, agora, por nós ao Senhor, nosso Deus** (3). Jeremias sentiu que o pedido de Zedequias por oração era, na verdade, uma "investigação"; ele queria saber qual seria o desfecho. Jeremias profetizou: **o exército de Faraó [...] voltará para sua terra no Egito** (7). **E voltarão os caldeus** (8), e queimarão **a fogo esta cidade** (10). Além disso, afirma Jeremias, mesmo que **todo o exército dos caldeus** fosse ferido, e só lhe restassem **homens traspassados** ("feridos", NVI) eles se levantariam e queimariam a cidade. O profeta faz uso de uma hipérbole para ressaltar esse ponto.

O rei e o povo haviam baseado suas esperanças na ação do homem e não no Deus vivo. O profeta clama: **Não enganeis a vossa alma** (9). A única base verdadeira para a esperança é o conhecimento do caráter de Deus, e uma disposição de andar de acordo com esse conhecimento. Os homens de Judá não possuíam esse conhecimento. "A mim me não conhecem, diz o Senhor" (9.3). "O meu povo não conhece o juízo [exigências] do Senhor" (8.7).

C. Jeremias Preso e Encarcerado, 37.11-15

Durante o período em que o cerco foi suspenso, Jeremias decidiu visitar sua casa em Anatote, alguns quilômetros ao norte de Jerusalém, para cuidar de negócios pessoais. Moffatt traduz a última parte do versículo 12 da seguinte forma: "a fim de tomar posse de uma propriedade que tinha no meio do seu povo". Muitos estudiosos conjecturam que sua viagem tinha alguma relação com a compra da herdade (32.6-12). Jeremias, no entanto, não conseguiu ir até Anatote; ele foi preso **à porta de Benjamim** (portão do norte) pela sentinela e acusado de desertar (fugir) **para os caldeus** (13). A acusação tinha alguma plausibilidade, pelo fato de Jeremias ter abertamente aconselhado a deserção como um modo de salvar a vida (21.8-10). O profeta negou energicamente que estava desertando. Apesar disso, esse incidente deu **aos príncipes** (14) a oportunidade que estavam esperando (38.1-6). Os oficiais mais antigos de Jeoaquim haviam sido amistosos com Jeremias (36.11-19), mas esses conselheiros haviam sido deportados em 597 a.C. Os homens jovens que os substituíram odiavam Jeremias, e tinham muitas vezes influenciado Zedequias a não prestar atenção aos conselhos do profeta. Agora, em grande furor, eles espancaram Jeremias **e o puseram na prisão, na casa de Jônatas** (15). Essa construção havia sido transformada em um **cárcere** e era imunda.

D. Uma Conferência Secreta, 37.16-21

Jeremias **ficou** no **calabouço** (lit. "casa da cova") por **muitos dias** (16), onde, de acordo com o versículo 20, sua saúde estava correndo grande risco. O **calabouço e [...] suas** celas com freqüência é traduzido como: "as celas do calabouço". Durante sua permanência na prisão, o exército egípcio havia retornado à sua terra, e os babilônios renovaram o cerco de Jerusalém de forma ainda mais cruel. As predições de Jeremias mostraram ser verdadeiras. Com a cidade cercada, **Zedequias** estava em grande aflição. Jeremias foi levado **em segredo** (17) aos aposentos do rei, e **Zedequias** o indagou ansiosamente: **Há alguma palavra do Senhor?** O profeta respondeu: **Há.** [...] **Na mão do rei da Babilônia serás entregue.**

Aproveitando a oportunidade desse momento, o profeta argumentou com o rei acerca do tratamento que estava recebendo das mãos dos príncipes. Ele lembrou ao rei que suas predições haviam se tornado realidade, ao passo que os profetas do rei haviam profetizado somente mentiras. Suas palavras sugerem a seguinte pergunta: Quem realmente merece estar na prisão? Jeremias terminou seu argumento com um pedido sincero de não ser enviado de volta para a **casa de Jônatas, o escriba, para que não venha a morrer ali** (20).

Desapontado com a mensagem de Jeremias, mas condenado pela sua própria consciência, Zedequias ordenou que o profeta fosse colocado **no átrio da guarda** (21). Ele também especificou que recebesse a ração diária de pão enquanto fosse possível. Embora continuasse como prisioneiro, as condições de vida do profeta melhoraram muito.

E. O Episódio da Cisterna, 38.1-13

Os príncipes evidentemente estavam muito insatisfeitos com a transferência de Jeremias para o átrio (pátio) da guarda, mas não podiam fazer nada naquele momento; por isso, aguardavam um momento oportuno. Tudo indica que planejaram a morte do profeta. O estágio final do cerco tinha chegado. Era uma questão de dias. Em uma situação como essa, os nervos estão à flor da pele, e um bode expiatório precisava ser encontrado. Jeremias podia muito bem ser o escolhido.

Como prisioneiro no pátio da guarda, o profeta evidentemente podia conversar com os soldados, e mesmo com o povo da cidade (32.9,12). Alguns príncipes ouviram Jeremias anunciar a palavra do Senhor ao povo: **Aquele que ficar nesta cidade morrerá** [...] **mas quem for para os caldeus viverá** (2) [...] **Esta cidade** [...] **será entregue nas mãos do exército do rei da Babilônia** (3). A expressão: **sua alma lhe será por despojo** (2) quer dizer que essa pessoa escapará com vida. Indignados, os príncipes acusaram Jeremias de traição. Eles exigiram do rei: **Morra este homem, visto que ele, assim, enfraquece as mãos dos homens de guerra** (4).

Jeremias tinha proferido palavras semelhantes inúmeras vezes (21.9; 34.2,22; 37.8), mas pressionado além da medida pelos seus oficiais, o rei exclama desesperado: **Eis que ele está na vossa mão, porque o rei nada pode contra vós** (5). Nenhum relato revela tão claramente a impotência e instabilidade de Zedequias.

Do ponto de vista militar os príncipes estavam certos na sua acusação. "O erro que os príncipes cometeram se deveu ao fato de não conseguirem enxergar que Jeremias falava com uma autoridade que estava acima dele".[2]

Os príncipes prenderam **Jeremias** e o **lançaram** (6) em um **calabouço** (talvez uma cisterna, porque havia muitas delas na Palestina), descendo-o com cordas. **Não havia**

água na cisterna, mas muito lodo, e **Jeremias** atolou-se **na lama**. Os príncipes tinham a firme convicção de que essa era a última vez que estavam vendo esse incômodo profeta.

Mas os príncipes não contavam com a interferência de um dos eunucos do rei, **Ebede-Meleque, o etíope** (7). Esse homem parece ter acreditado na integridade de Jeremias. Ao ouvir o que os príncipes haviam feito ao profeta, apressou-se em falar com o **rei** e pediu permissão para salvá-lo, para que não morresse **de fome** (9) e abandono. Pelo menos em uma ocasião, Zedequias agiu com firmeza. Ele ordenou que Ebede-Meleque tomasse **trinta homens**[3] e tirasse Jeremias da cisterna, **antes que morra** (10).

Ebede-Meleque provou ser um líder eficiente na operação de resgate. Ele aproximou-se do rei, que estava **assentado à Porta de Benjamim** (7), ao norte da cidade, julgando as causas do povo. Levando os homens consigo, ele apenas parou para pegar "alguns trapos e roupas velhas" (11, NVI). Na abertura da cisterna, ele desceu esses trapos por meio de cordas. Ele instruiu o profeta a colocar esses trapos debaixo dos seus braços "para servirem de almofada para as cordas" (12, NVI), por causa da força que seria feita para tirar Jeremias de dentro do lodo no qual estava afundado. Alguns minutos mais tarde o profeta estava a salvo e "livre" **no átrio da guarda** (13). Ele permaneceu ali até a queda da cidade (28).

F. Uma Entrevista Final, 38.14-28

Logo depois do resgate de Jeremias da cisterna, **Zedequias** procurou falar com ele mais uma vez. O profeta foi levado até a **terceira entrada** do Templo (local exato desconhecido) para encontrar-se com o rei. Essa acabou sendo sua última entrevista com o monarca infeliz. O rei parecia fora de si e desesperado, esperando ouvir alguma palavra positiva da parte do Senhor, ao pedir a Jeremias: **não me encubras nada** (14). Ao mesmo tempo, ele não estava disposto a fazer aquilo que salvaria sua vida e a do seu povo.

Jeremias inquiriu o rei severamente: "Se eu lhe der uma resposta, você não me matará? Mesmo que eu o aconselhasse, você não me escutaria" (15, NVI). Zedequias então **jurou** não fazer mal a Jeremias, e que não permitiria que os príncipes lhe fizessem mal. **Esta alma** (16) significa "essa nossa vida" (Smith-Goodspeed). Convencido pelo juramento do rei de que ele estava sendo sincero, Jeremias aconselhou-o a entregar-se **aos príncipes do rei da Babilônia** (17). Ele assegurou a Zedequias que, se ele o fizesse, não salvaria apenas a sua vida, da sua família, mas também salvaria a cidade de Jerusalém: **esta cidade não será queimada**. Jeremias declarou, por outro lado, que se Zedequias não se entregasse, a **cidade** seria queimada e ele não escaparia **das mãos** dos **caldeus** (18).

A angústia mental do **rei** ficou evidente ao confessar a Jeremias: **Receio-me dos judeus que se passaram para os caldeus; que me entreguem nas suas mãos e escarneçam de mim** (19). O medo de Zedequias não era de todo infundado, porque isso ocorria com freqüência naquela época. Mas Jeremias assegurou-lhe que isso não ocorreria em seu caso (20).

Fica claro com base nesse incidente que os termos de Deus para nossa salvação sempre são difíceis para a carne e o sangue. 1) Eles atacam nosso orgulho. 2) Eles subjugam nossa obstinação. 3) Eles requerem uma fé real.[4]

Jeremias continuou a advertir Zedequias sobre o preço da recusa em se render. Parece que ele viu através de uma visão ou um sonho, **as mulheres** da **casa do rei** marcharem como cativas entoando um cântico de lamento:

> Aqueles teus amigos de confiança te enganaram e prevaleceram sobre ti. Teus pés estão atolados na lama; teus amigos te abandonaram (22, NVI).

Por que essa referência à **lama**? Será que a roupa de Jeremias continuava encardida pelo lodo da cisterna? Talvez. O profeta termina sua advertência, dizendo ao rei: **E esta cidade ele queimará** (23); i.e., a culpa pela destruição da cidade recairá sobre Zedequias. Mesmo assim, o rei não conseguiu encontrar forças para seguir o conselho do profeta.

Zedequias então cobra uma promessa de Jeremias: **Ninguém saiba estas palavras** (24). Ele instruiu Jeremias acerca do que dizer se **os príncipes** lhe perguntassem a respeito do seu encontro (25-26). Suas precauções, nesse caso, eram muito justificadas, porque **todos os príncipes** (27) se reuniram ao redor de Jeremias quando voltou do encontro com o rei, cobrindo-o de perguntas. Ele calma e cuidadosamente respondeu a cada um deles como havia prometido ao rei. Será que ele estava procurando proteger-se a si mesmo ou ao rei? Quanta verdade ele foi obrigado a revelar? É difícil dizer. Certamente, não foi para salvar sua vida que ele foi evasivo nas perguntas desses ímpios, e respondeu apenas o que era apropriado para o momento, visto que não tinha medo de morrer. Sua resposta parece ter satisfeito os príncipes, e eles não o incomodaram mais, "pois ninguém tinha ouvido a conversa com o rei" (27, NVI). Sem mais aborrecimento, permitiram-lhe que permanecesse no **átrio da guarda até o dia em que foi tomada Jerusalém** (28).

G. A Queda da Cidade, 39.1-10

Relatos similares da queda de Jerusalém são encontrados no capítulo 52; 2 Reis 25; 2 Crônicas 36.11-12, e deveriam ser lidos em conjunto com esse relato (cf. comentários desses textos). Descobertas arqueológicas recentes indicam com certa precisão que as palavras **Rabe-Saris** e **Rabe-Mague** (3), antigamente tidas como nomes de indivíduos, são títulos babilônicos de oficiais graduados, e que **Sangar** pode ser uma forma alterada de outro título.[5]

A cidade de Jerusalém tinha caído! O que Jeremias tinha predito finalmente havia chegado. Depois de dezoito meses de cerco **se fez a brecha na cidade** (2), i.e., "o muro da cidade foi rompido" (NVI). **E entraram todos os príncipes do rei da Babilônia, e pararam na Porta do Meio** (3), i.e., assumiram a administração da cidade. O lugar da **Porta do Meio** é desconhecido, mas era talvez uma porta no muro que separava a parte superior da parte inferior da cidade.

Vendo que a situação era desesperadora, **Zedequias** fugiu **da cidade** de noite pela **porta dentre os dois muros** (4; i.e., onde o muro exterior e o interior se encontravam). Essa porta evidentemente dava acesso ao vale de Cedrom, em direção ao rio Jordão. No entanto, a tentativa desesperada de obter a liberdade foi um fracasso. Os babilônios o **alcançaram** nas **campinas de Jericó** (veja mapa 2) e o levaram ao centro de operações de **Nabucodonosor** em **Ribla**⁶, na Síria. Um castigo cruel (5) estava aguardando o rei rebelde pelas mãos de Nabucodonosor. Seus **filhos** (6) foram executados **à sua vista**, e seus **nobres,** que ele tanto temia, foram mortos. Por último, seus próprios olhos foram arrancados e ele foi atado (7) com **cadeias de bronze**. Algum tempo depois, ele foi levado para a **Babilônia**, onde definhou na prisão até a morte.

Pelo que tudo indica, **os príncipes** da Babilônia, mencionados no versículo 3, estiveram ocupados com "operações de limpeza" durante diversas semanas. De acordo com 52.12, **Nebuzaradã** (9), o comandante-chefe ou marechal de campo do rei da Babilônia, só chegou a Jerusalém um mês após a queda da cidade. Quando chegou, incendiou a cidade. **A casa do rei** (8) foi queimada, e "a casa do povo" (lit.) — que pode significar o Templo — e **os muros de Jerusalém** foram derrubados. O povo que já havia desertado para o lado dos babilônios, e aqueles que foram capturados na queda da cidade, foram preparados para ser deportados para a **Babilônia**. **Os pobres de entre o povo** (10), **que não tinham nada**, Nebuzaradã deixou em **Judá**, e lhes deu as vinhas e os campos devastados.

H. Jeremias é Liberto, 39.11-14

Este é um dos dois relatos que registram como Jeremias foi liberto. O outro está em 40.1-6 e parece contradizer este relato em alguns detalhes. No entanto, no meio da destruição da cidade e da confusão das centenas de cativos que estavam sendo deportados, pode ter havido dois episódios na soltura de Jeremias. Veja comentários em 40.1-6.

Nesta passagem, **Nebuzaradã** é instruído por **Nabucodonosor** para pôr seus olhos em Jeremias, não lhe fazer nenhum mal e proceder de acordo com o que ele disser. Parece que Nebuzaradã e os príncipes mencionados no versículo 3 participaram da libertação de Jeremias do pátio da guarda. Não está claro, porém, como Nabucodonosor teve conhecimento acerca de Jeremias e suas atividades. Kuist tem conjecturado⁷ que, sob o conselho de Jeremias, Gedalias e sua família tinham ido para a Babilônia no início do cerco (foi Aicão, o pai de Gedalias, que tinha protegido Jeremias depois de este ter pregado o Sermão do Templo, 26.24), e que foi este que informou Nabucodonosor acerca da atitude de Jeremias em relação à Babilônia. Qualquer que seja a resposta, Jeremias foi retirado do pátio da guarda e entregue aos cuidados de **Gedalias** (14), que o levou para a **sua casa** em Jerusalém, onde permaneceu por certo período.

I. As Recompensas da Fé, 39.15-18

Esta passagem acerca do eunuco etíope se encaixaria melhor cronologicamente após 38.13. Mas aqui a passagem apresenta um final favorável a um capítulo sombrio.

Enquanto ainda estava **encerrado no átrio da guarda** (15), Jeremias recebeu uma mensagem para **Ebede-Meleque** (16). Quando, no decurso do seu trabalho, o eunuco deveria aparecer, Jeremias foi instruído a ir ao encontro dele com a seguinte mensagem de esperança do **Senhor**: *a*) Deus não tinha amenizado em nada o seu propósito de castigar Jerusalém. *b*) O castigo da cidade ocorreria diante dos olhos do eunuco. *c*) A vida de

A Queda de Jerusalém   Jeremias 39.17—40.6

Ebede-Meleque estaria em perigo, mas, a **ti** [...] **eu livrarei** [...] **diz o Senhor** (17). **A tua alma terás por despojo** (18) significa que a vida dele lhe seria dada como preço de guerra. *d*) É prometido livramento **dos homens perante cuja face tu temes** (17). Esses talvez fossem os príncipes que o odiavam por socorrer Jeremias, ou talvez os invasores babilônicos.

A passagem ressalta as recompensas da fé, e contrasta fortemente com a história de Zedequias. Ebede-Meleque acreditava em algo e agiu decisivamente de acordo com essa fé, mesmo correndo grande perigo; Zedequias também acreditava que um certo curso estava certo, mas não teve a fé ou a coragem para agir com a mesma determinação. Um homem ganhou vida e honra eternas; o outro recebeu morte e desgraça eternas.

J. Jeremias Faz sua Escolha, 40.1-6

Este outro relato acerca do livramento de Jeremias difere em alguns detalhes do relato de 39.11-14. A principal dificuldade pode ser reduzida a uma única pergunta: Por que Jeremias deveria ser encontrado **atado com cadeias** em **Ramá** (1) quando ele fora (aparentemente) liberto do pátio da guarda já havia algum tempo?

No capítulo 39, Jeremias foi liberto da prisão e confiado aos cuidados de Gedalias. Esse homem o levou à sua casa em Jerusalém, onde o profeta permaneceu por algum tempo. Mas uma decisão final no caso de Jeremias pelas autoridades babilônicas ainda não havia ocorrido. As obrigações administrativas de Gedalias em relação ao rei da Babilônia (talvez ele já tivesse sido nomeado secretamente governador de Judá) teria requerido dele ir a Mispa para cumpri-las ali. Jeremias permaneceu na casa de Gedalias em Jerusalém, porque "ele ficou entre o povo" (39.14). Finalmente, quando os muros de Jerusalém foram derrubados, e tudo que era valioso tinha sido removido das casas e prédios, e a cidade estava pronta para ser queimada, os cativos de Jerusalém foram removidos para **Ramá** (o ponto de partida para a deportação à Babilônia). Visto que nenhuma decisão final tinha sido tomada em relação a Jeremias, o oficial que cuidava do povo de Jerusalém não tinha outra alternativa senão levá-lo junto com o restante dos cativos para Ramá.

Quando **Nebuzaradã** o encontrou entre os cativos em **Ramá**, rapidamente o soltou das suas **cadeias**. Quando o grande capitão ouviu as predições de Jeremias em relação à cidade de Jerusalém, usou as palavras do profeta (2-3) para desculpar-se pelo que havia feito à cidade amada de Jeremias. Nebuzaradã então disse a Jeremias: **Agora, pois, eis que te soltei, hoje, das cadeias** [...] **Se te apraz vir comigo para a Babilônia, vem,** [...] **mas, se te não apraz vir** [...] **toda a terra está diante de ti** (4). **Mas, como ele ainda não tinha voltado** (5), i.e., enquanto ainda estava no processo de decidir se iria para a Babilônia ou não, Nebuzaradã sugeriu que, pelo fato de **Gedalias** ser agora governador de **Judá**, talvez ele desejasse ir para lá. Quando Jeremias escolheu permanecer com **Gedalias** (6), foi lhe dado suprimento de comida e um presente e o deixaram ir. Assim Jeremias habitou **no meio do povo** em **Mispa**, com o governador **Gedalias**. **Mispa** ficava a cerca de sete quilômetros a noroeste de Jerusalém.

Seção IX

NO RASTRO DA RUÍNA

Jeremias 40.7—44.30

Esta seção traça os destinos de Jeremias e dos judeus que permaneceram em Judá, desde a partida dos cativos para a Babilônia até o anúncio da última profecia dele na terra do Egito. Todos desejariam que se pudesse dizer que Jeremias viveu o restante dos seus anos em paz em Mispa, e morreu já bem idoso. Mas, infelizmente, esse não foi o destino do profeta. Sua vida provou ser repleta de turbulência e tristeza até o fim.

Em Judá, o período após a queda de Jerusalém foi cheio de tumulto e anarquia. Os pequenos grupos de guerrilheiros judeus, que haviam fugido para as montanhas durante a invasão babilônica, agora davam vazão ao seu próprio veneno. Gedalias era o único homem que poderia ter trazido uma certa ordem diante do caos, mas ele foi cruelmente morto pouco tempo depois. A partir daí, as coisas pioraram cada vez mais, até que o desiludido e frustrado resto de Judá (remanescente de Judá)[1] procurou refúgio na terra do Egito. Isso ocorreu sob os protestos de Jeremias. Mesmo no Egito, as condições estavam ficando piores para os fugitivos judeus. Diante de tudo isso, Jeremias não perdeu a postura uma única vez. Ele foi profeta até o fim.

A. O Governo de Gedalias, 40.7—41.3

Depois da queda de Jerusalém, a Palestina tornou-se uma província do império babilônico. Nabucodonosor nomeou Gedalias, membro de uma família judaica nobre, como governador de Judá. Aicão, o pai de Gedalias, havia sido uma figura importante no reinado de Josias e de Jeoaquim, e um bom amigo de Jeremias (26.24; 2 Rs 22.12,14); seu avô, Safã, parece ter sido o secretário (escrivão) de Josias (2 Rs 22.3,10). Gedalias parece ter sido um seguidor devoto do Senhor, e compartilhava da fé e perspectiva de Jeremias quanto à situação nacional e internacional. É possível que ele tenha sido convencido por Jeremias de que Jerusalém seria destruída e que ele deveria render-se aos babilônios com a esperança de que com o colapso que estava por vir, ele pudesse prestar um bom serviço a seu povo. Qualquer que tenha sido a situação, sabe-se que ele foi de grande ajuda na libertação de Jeremias, e prestou um serviço valioso ao remanescente de Judá após a queda da cidade. Não é possível determinar quanto tempo Gedalias governou. Alguns estudiosos acreditam que foi um período de cerca de cinco anos porque o versículo 30 do capítulo 52 fala de uma deportação final dos judeus para a Babilônia em 582-581 a.C., como castigo pelo assassinato de Gedalias.[2] Mas, de acordo com 41.1 e 2 Reis 25.25, parece que Gedalias reinou apenas alguns meses.

1. *Tentativa de Reorganização Empreendida por Gedalias* (40.7-12)

A chegada dos **príncipes dos exércitos** (7; comandantes de guerrilhas) em **Mispa** (8; cf 40.6, comentário) significou o reconhecimento deles da jurisdição de Gedalias sobre Judá sob a autoridade babilônica. Não havia, no entanto, uma aceitação unânime dessa autoridade. A lista de nomes incluía **Ismael, Jônatas, Seraías** e **Jezanias**. Esses homens representavam setores muito divergentes da Palestina e constituíam uma força com que Gedalias teria de lidar na tentativa de reorganizar a nação destruída. Nessa reunião, Gedalias procurou aquietar seus medos e pedir a ajuda deles na reconstrução do país. Ele os aconselhou: **ficai na terra e servi ao rei da Babilônia, e bem vos irá** (9). Ele prometeu fielmente atender os interesses deles e representá-los de maneira justa diante dos babilônios. Ele os encorajou a habitar **nas cidades** que haviam tomado (10) e recolher alimento das árvores e vinhas para o inverno seguinte.

Além dos comandantes de guerrilhas e seus bandos, muitos fugitivos que tinham escapado, atravessando o Jordão com a aproximação dos babilônios, retornaram quando ouviram que **Gedalias** era o governador de Judá. Muitos deles tinham se refugiado em **Edom** e **Moabe** e entre os filhos de Amom (11). Eles agora voltaram para Judá e também **recolheram vinho e frutas do verão com muita abundância** (12). Todos pareciam felizes sob a liderança do novo governador.

Jeremias não é mencionado nesses versículos, mas, sem dúvida, estava habitando calmamente no meio do povo em Mispa, recuperando-se dos efeitos da prisão.

2. *A Vida de Gedalias é Ameaçada* (40.13-16)

Entre os comandantes de guerrilha que estiveram diante de Gedalias, em Mispa, encontrava-se **Ismael, filho de Netanias** (14). De acordo com 41.1, Ismael era de uma família real. Ele aparece aqui como um indivíduo vingativo que guardava rancor por ver Gedalias como governador. Pode ser que ele tenha achado que, por ser de descendência real, ele deveria ser o governador, ou talvez entendesse que Gedalias fosse um traidor de Judá ao colaborar com os babilônios. Ele claramente parece ter sido um homem de pouca capacidade intelectual, sob a influência de **Baalis, rei dos filhos de Amom**. Pelo que tudo indica, **Baalis** estava usando o mal-humorado **Ismael** como instrumento para alcançar seus próprios objetivos. Ele pode ter desejado conquistar todo o território de Judá ou parte dele. De todo modo, os dois fizeram planos para matar Gedalias.

Joanã, filho de Careá (13), um outro comandante, estava ciente da conspiração de Ismael e Baalis, e informou Gedalias da trama contra sua vida. Gedalias recusou-se a acreditar que Ismael estivesse planejando causar-lhe algum mal. Joanã, no entanto, não desistiu e foi se encontrar com Gedalias em segredo e pediu permissão para matar o perverso Ismael sem que alguém o soubesse. Ele insistiu: **Por que razão te tiraria ele a vida, e todo o Judá [...] seria disperso, e pereceria o resto de Judá?** (15). Estas palavras revelam a avaliação de Joanã da importância de Gedalias para a comunidade judaica e o que aconteceria se ele fosse eliminado. Gedalias, um homem de caráter nobre, não permitiu que Joanã fosse adiante com seu intento, e também recusou-se a acreditar que sua vida estava em perigo.

3. *O Assassinato de Gedalias* (41.1-3)

Gedalias evidentemente sabia que sua eficiência como governador de Judá dependia de ele estar disponível o tempo todo para os comandantes de guerrilhas, cuja ajuda e influência eram tão importantes na unificação do país. Mas foi num momento em que **Ismael e dez** dos seus **homens** (1) estavam desfrutando da bondade de **Gedalias** que eles subitamente se voltaram contra seu anfitrião e o **feriram** à **espada** (2). O **sétimo mês** deve ter sido outubro. Ismael também matou **todos os judeus** (3) que estavam com Gedalias, bem como os soldados caldeus que estavam presentes.

A ação foi tão covarde que era quase impossível acreditar que ela, de fato, tivesse acontecido. Ninguém no Oriente Médio seria suspeito de cometer um assassinato ao aceitar o convite de comer à mesa de outro homem. O "código de hospitalidade" exigia que o anfitrião protegesse seus convidados, e que os convidados retribuíssem em boa fé. Gedalias, portanto, não suspeitava de coisa alguma, e, na verdade, estava indefeso".[3] Nos tempos pós-exílicos, os judeus observavam o terceiro dia do sétimo mês como um dia de jejum em memória à morte de Gedalias.[4]

B. As Atrocidades de Ismael, 41.4-18

1. *O Massacre dos Setenta Peregrinos* (41.4-9)

A morte de **Gedalias** foi executada de forma tão furtiva que ninguém fora da cidade de Mispa ficou sabendo que um crime havia sido cometido. **No dia seguinte** (4), Ismael atacou outra vez. Dessa vez suas vítimas foram oitenta peregrinos, os quais traziam **ofertas** (5), e estavam passando por Mispa, a caminho de Jerusalém. A **barba rapada**, as **vestes rasgadas** e **o corpo retalhado** eram sinais típicos de pranto ou luto. Os peregrinos estavam evidentemente pranteando a recente destruição do Templo. **Ismael** saiu-lhes ao **encontro** (6) simulando estar de luto, **chorando** em voz alta. Em nome de Gedalias ele os persuadiu a saírem da estrada e se deslocarem para Mispa. Quando estavam dentro da cidade de Mispa, ele matou friamente setenta deles. **Dez homens** escaparam com vida prometendo mostrar-lhe onde estavam escondidos suprimentos de **trigo**, **cevada**, **azeite** e **mel** (8). Os **cadáveres** (9) dos setenta peregrinos mortos foram jogados em uma grande cisterna que o rei **Asa** havia cavado trezentos anos antes como parte de um sistema de defesa para Mispa contra **Baasa, rei de Israel** (1 Rs 15.22).

Não há um motivo inteligível que possa explicar esse crime bárbaro. À primeira vista, parece que Ismael era astutamente demente.

2. *A Captura de Mispa* (41.10)
Ismael continuou a executar suas ações perversas ao levar **cativo o povo que estava em Mispa** (10). Eles evidentemente estavam agrupados como gado, incluindo **as filhas do rei**[5] (não necessariamente as filhas de Zedequias, mas princesas da casa real), e foram para a terra de Amom. Certamente o rei dos **filhos de Amom**, o mentor de Ismael, devia estar satisfeito com os resultados desse ataque. Os efeitos desse crime na vida política e econômica de Judá foram desastrosos por muitos anos.

3. *A Derrota de Ismael* (41.11-18)
Quando as ações covardes de Ismael tornaram-se públicas, **Joanã, filho de Careá** (11), e os outros comandantes de guerrilhas reuniram seus guerreiros e se prepararam para vingar a morte de Gedalias e para retomar o povo de Mispa. Eles encontraram Ismael **ao pé das muitas águas** em **Gibeão** (12).[6] Quando os cativos **de Mispa** viram o grupo de resgate, voltaram e se uniram a **Joanã** e seu exército (14). No entanto, no meio da confusão que se gerou, **Ismael** e **oito** dos seus **homens** escaparam para a terra dos **filhos de Amom** (15).

Embora tivessem sido bem-sucedidos em resgatar o povo de Mispa, Joanã e os outros comandantes estavam perdidos quanto ao que fazer em seguida. Os babilônios poderiam voltar para vingar a morte de Gedalias, e certamente não teriam o cuidado de punir apenas os responsáveis. Por essa razão, com medo dos caldeus, o grupo foi para o sul. Eles finalmente acamparam em **Gerute-Quimã** (alojamento ou estalagem de Quimã; v. 17), perto de **Belém**, com a intenção de entrar no **Egito**.

C. A Fuga para o Egito, 42.1—43.7

Enquanto o povo estava acampado perto de Belém, Jeremias retorna à narrativa. O profeta não foi mencionado desde que foi a Mispa para morar no meio do povo (40.6). Provavelmente, ele e Baruque estavam morando em Mispa durante os incidentes relatados em 40.7—41.18. Os dois deveriam estar entre os cativos levados por Ismael. Resgatados junto com os outros cativos por Joanã e seu exército, eles continuaram com o grupo na sua jornada. A única outra alternativa é que eles não estavam em Mispa durante o ataque de Ismael e se uniram ao grupo mais tarde por conta própria.

1. *O Conselho de Jeremias* (42.1-6)
Tanto os líderes quanto o povo estavam inseguros em relação ao curso que deveriam tomar. Eles teriam preferido permanecer em Judá, mas temiam a represália dos babilônios por causa da morte de Gedalias, e estavam cansados das matanças e derramamento de sangue (cf. 14). Parece que a coisa mais segura a fazer era fugir para o Egito. Dificilmente Nabucodonosor os perseguiria até lá. À razão humana, essa parecia a melhor saída. No entanto, debaixo da superfície, parece que algo lhes dizia que deveriam permanecer em Judá.

Os líderes do grupo, **Joanã, Jezanias**,[7] e os outros comandantes, acompanhados de **todo o povo** (1), se aproximaram de Jeremias e suplicaram para que orasse **ao Senhor** (2) em favor deles. Eles prometeram ao profeta com uma humildade exagerada que fariam qualquer coisa que o Senhor dissesse. (Será que estavam se lembrando de como os habitantes de Jerusalém tinham rejeitado a mensagem de Deus por meio de Jeremias, e como as predições do profeta se tornaram realidade?). Jeremias respondeu: **Eu vos ouvi; eis que orarei ao Senhor [...] conforme as vossas palavras** (4), i.e., com base na promessa deles. Novamente eles prometeram seguir o Senhor, a ponto de pedir que Ele fosse **testemunha da verdade e fidelidade** (5): **Seja ela boa ou seja má, à voz do Senhor, [...] obedeceremos** (6).

2. *A Resposta de Jeremias* (42.7-22)

Passaram-se dez dias antes que Deus revelasse a sua vontade. Jeremias recusou-se a falar até que estivesse certo de que a mensagem era de Deus. É possível que os líderes e o povo tenham ficado impacientes com a demora da resposta, e muito aborrecidos com o profeta. A pressa é uma característica da descrença.

Quando a mensagem estava clara na mente do profeta, Jeremias chamou todo o acampamento para ouvir a palavra de Deus. É interessante notar que Deus buscou deixar bem claro a sua vontade a esse pequeno grupo da mesma forma que o fez à nação de Judá e à cidade de Jerusalém. Sua resposta à consulta desse grupo pode ser resumida da seguinte forma:

a) Era da vontade de Deus que esse povo permanecesse em Judá: **Se de boa mente ficardes nesta terra, então, vos edificarei e não vos derribarei** (10). Isso, é claro, requereria fé no Senhor. A permanência em Judá era contrária à razão humana, porque a única coisa sensata e lógica seria colocar-se debaixo da proteção do faraó.

b) A atitude de Deus em relação a eles era de boa vontade: **estou arrependido do mal que vos tenho feito**. "Para o leitor moderno isso sugere que Yahweh lamenta o que fez, e se for colocado outra vez na mesma situação, agirá diferente [...] (mas esse certamente não foi o caso) [...] Não é a confissão de um erro ou remorso pelo mal que infligiu. Mas agora que seu julgamento justo foi cumprido, sua atitude em relação ao seu povo mudou, e, no que diz respeito ao futuro, Ele está disposto a edificar aqueles que por causa da sua justiça teve de castigar".[8] Deus lida com os homens com base em padrões morais, e não com base em padrões legalistas; assim, Ele é capaz de mudar sua atitude quando certas condições são cumpridas (cf. comentário em 18.7-12). Bright expressa essa parte do versículo de maneira apropriada: "Porque considero o sofrimento que impus sobre vocês suficiente".[9]

c) Seus medos em relação ao rei da Babilônia eram infundados: **Não temais o rei da Babilônia [...] porque eu sou convosco para vos salvar e para vos fazer livrar das suas mãos** (11). Muitas preocupações que parecem esmagadoras nunca se tornam realidade.

d) O que precisava ser evitado era esse coração perverso e descrente: **Mas se vós disserdes: Não ficaremos nesta terra [...] antes, iremos à terra do Egito** (13-14). Jeremias antevê qual será a resposta deles e desfaz todos os seus objetivos. Ele continua: **Se vós disserdes** (13): No Egito **não veremos guerra, nem ouviremos som de trom-**

beta, nem teremos fome de pão (14), então **a espada que vós temeis ali vos alcançará na terra do Egito (16). Se vós, absolutamente, puserdes o vosso rosto (15),** i.e., se vocês estiverem determinados. Esse pequeno grupo de judeus foi confrontado com o antigo dilema "fé versus incredulidade". Esse mesmo dilema continua confrontando judeus e cristãos hoje.

e) É um erro milenar acreditar que Deus mudou seu caráter, ou que a lei moral foi abolida. **Minha ira [...] se derramará [...] sobre vós, quando entrardes no Egito** (18). "Vocês serão objeto de maldição e de pavor, de desprezo e de afronta" (18; NVI).

f) Eles estavam correndo o risco de tornar Deus um mentiroso. Eles pediram para Jeremias orar ao Senhor e juraram solenemente fazer tudo o que Ele dissesse. No entanto, quando a palavra veio com grande clareza, eles recusaram-se a aceitar a palavra de Deus (20-21).

g) Sua escolha determinaria o resultado. Se eles escolhessem permanecer em Judá, haveria ajuda e esperança para o futuro; se insistissem em ir para o Egito, morreriam **à espada, à fome e da peste** (22). Jeremias já sabia intuitivamente qual seria a decisão deles.

3. Jeremias é Desprezado pelo Povo (43.1-3)

O povo ouviu a proclamação do profeta sem interrompê-lo, mas quando terminou de falar, "a luz da reunião havia se apagado". Era evidente que tanto os líderes quanto o povo estavam determinados em desobedecer a Deus. Foram os líderes que confrontaram Jeremias: **então** falaram **todos os homens soberbos** (arrogantes; v. 2) — e suas palavras pareciam sair de uma boca venenosa — "Você está mentindo! O Senhor não lhe mandou dizer que não fôssemos residir no Egito" (NVI). A decisão deles havia sido tomada; a incredulidade havia se transformado em apostasia.

A busca deles por um bode expiatório foi ridícula, mas, mesmo assim, eles tentaram: **Baruque, filho de Nerias, é que te incita contra nós, para nos entregar nas mãos dos caldeus** (3). Quando homens insignificantes decidem alguma coisa, todas as pérolas da sabedoria são incapazes de mudar essa decisão. Não há qualquer indicação de que Jeremias tenha tentado persuadi-los.

Baruque continuava com Jeremias. Todas as dificuldades que os dois haviam passado não tinha deteriorado o relacionamento entre eles. Pelo que tudo indica, Baruque sobreviveu à destruição de Jerusalém bem como às abomináveis conspirações de Ismael. Essa seção do livro é clara porque o leitor está estudando o relato de uma testemunha ocular.[10]

4. Entrando no Egito (43.4-7)

Uma vez tomada a decisão de não obedecer à voz de Deus, Joanã e o povo fizeram preparativos para entrar no Egito. Todos os **homens, e mulheres, e meninos** ("crianças", NVI), e as **filhas do rei (6)** estavam prontos para a longa viagem ao sul. **Jeremias e Baruque** fazem parte da lista daqueles que foram para o Egito. É inconcebível que

Jeremias tenha ido voluntariamente, visto ser contrario à sua concepção acerca da vontade de Deus. Sem dúvida, os irados líderes forçaram Jeremias e Baruque a ir com eles, para que participassem do destino do grupo, se o que Jeremias havia predito de fato acontecesse.

Eles terminaram sua fuga em **Tafnes** (7), uma cidade fortificada dentro da fronteira egípcia. Essa cidade, hoje conhecida como Dafne, está localizada na região nordeste do delta do rio Nilo, na estrada que vai do Egito até a Palestina (veja mapa 3).

D. JEREMIAS NO EGITO, 43.8—44.33

Os poderes proféticos de Jeremias não o abandonaram no Egito. Em seus dois discursos finais registrados nessa seção, ele apresenta a mesma intensidade e a mesma integridade que haviam caracterizado sua pregação ao longo dos seus quarenta anos de ministério.

1. *A Vinda de Nabucodonosor é Predita* (43.8-13)

O primeiro discurso de Jeremias no Egito foi pronunciado logo após a chegada dos judeus a **Tafnes** (8). Aqui, como em tantas outras ocasiões, Jeremias dramatizou sua mensagem. Ele tomou algumas **pedras grandes** (9) e as enterrou "no barro do pavimento" (NVI) diante **da casa de Faraó** em **Tafnes**. Esse não era seu palácio real, que ficava em outra cidade, mas a residência oficial do faraó quando visitava Tafnes. Não sabemos quando e como isso foi feito. Alguns estudiosos acreditam que foi realizado durante a noite, mas, ao menos, os líderes da colônia judaica estavam presentes e receberam a mensagem. Depois de enterrar as pedras no pavimento, Jeremias predisse que Nabucodonosor viria ao Egito e colocaria **o seu trono sobre estas pedras** (10). Acerca de **meu servo**, veja comentário em 25.9. Além disso, Jeremias continuou, o rei da Babilônia **ferirá a terra do Egito** (11) e queimará (12) os templos e levará as imagens **dos deuses** consigo.[11] Naquele dia, a pestilência, o cativeiro e a espada viriam sobre aqueles indivíduos para os quais foram designados. Tudo isso Nabucodonosor realizaria sem maiores dificuldades, do mesmo modo que um **pastor** veste o seu manto.

A mensagem para a colônia em Tafnes era óbvia. a) A coisa que eles mais temiam os alcançaria. Eles tinham fugido para o Egito a fim de escapar das retaliações de Nabucodonosor, mas esse soberano viria até o Egito e os castigaria ali. b) Ao fugir para o Egito eles buscaram a ajuda de homens, em vez de procurar a ajuda de Deus. c) A dependência de qualquer poder terreno é completamente inútil. d) A verdadeira segurança só pode ser encontrada na obediência e no serviço a Deus.

Um texto antigo recuperado dos arquivos de Nabucodonosor descreve a punição que infligiu ao Egito no trigésimo sétimo ano do seu reinado, em torno de 568 a.C.[12] Embora não tenha conquistado todo o território, assolou a maior parte dele, e, dessa forma, impediu o Egito de interferir nas questões da Ásia por muitos anos. Josefo, no entanto, descreve uma invasão do Egito por Nabucodonosor cinco anos após a queda de Jerusalém, na qual foi morto o rei do Egito. Naquela ocasião Nabucodonosor levou os judeus que moravam no Egito para a Babilônia.[13] É possível que Nabucodonosor tenha invadido o Egito em duas oportunidades.

2. Profeta até o fim (44.1-30)

Este é o discurso final de Jeremias. No último vislumbre que o leitor tem do velho profeta, ele está proclamando a palavra de Deus. Ele foi profeta até o fim.

a) *Os judeus no Egito são denunciados* (44.1-14). O último sermão registrado de Jeremias foi dirigido a **todos os judeus** [...] **do Egito** (1). O relatório menciona as várias comunidades (veja mapa 3) onde os judeus estavam habitando — **Migdol** (lugar desconhecido, mas evidentemente no nordeste do Egito, não longe de **Tafnes**), **Nofe** (Mênfis) **e na terra de Patros** (Alto Egito). É impossível determinar a data dessa ocorrência, mas, pelo que tudo indica, ela se deu diversos anos após o seu discurso anterior. A ocasião pode ter sido uma festa religiosa na qual uma "grande multidão" (15) de judeus estava queimando incenso à Rainha dos Céus (a deusa da fertilidade, conhecida como a "Grande Mãe"; veja comentário em 7.16-20). O versículo 15 aponta para a possibilidade da festa ter acontecido em "Patros" (Alto Egito), mas, não é possível precisar com certeza. Parece que a alma justa de Jeremias foi atormentada profundamente pelo que seus olhos viam em relação à completa corrupção do seu povo.

Como de costume, Jeremias iniciou seu discurso referindo-se à história. Ele lembrou os judeus da recente destruição de **Jerusalém** e das **cidades de Judá** (2). Ele insistiu em que o motivo dessas cidades estarem vazias e desoladas era que o povo servia a **outros deuses** (3), a mesma coisa que os judeus estavam fazendo no Egito. **Madrugando** (4), i.e., "persistentemente", Deus havia enviado **profetas**, dizendo: **Ora, não façais esta coisa abominável que aborreço**. Mas **eles não deram ouvidos** e não se **converteram da sua maldade** (5). Esse foi o motivo de essas cidades terem se tornado **em deserto e em assolação** (6).

Jeremias faz sua aplicação: **Por que fazeis vós tão grande mal contra a vossa alma?** (7). **Esquecestes** tão rapidamente **as maldades de vossos pais,** [...] **dos reis de Judá, e** [...] **das suas mulheres, e as vossas maldades, e** [...] **das vossas mulheres** [...] **nas ruas de Jerusalém?** (9). A menção do profeta das **mulheres** dos **reis** e das esposas dos homens presentes era como golpear os ouvintes com um chicote. O ressentimento se espalhou entre as mulheres de Judá porque haviam sido agressivas na adoração da Rainha dos Céus.

Ignorando a reação dos ouvintes, Jeremias proclamou a sentença de Deus contra os judeus no Egito: **Eis que eu ponho o rosto contra vós, para mal** (11). **O resto** (remanescente) **de Judá** que habitava no Egito **morrerá**, mas sua memória continuará viva como **um espanto, e uma maldição, e um opróbrio** (12). Da mesma forma que **Jerusalém** havia sido castigada **com a espada, com a fome e com a peste** (13), assim Deus vai castigar os judeus que adoram outros deuses no Egito. Ninguém escapará, e ninguém tornará **à terra de Judá** "exceto uns poucos fugitivos" (14, NVI).

b) *A resposta dos judeus* (44.15-19). As palavras de Jeremias tocaram num nervo sensível. As mulheres estavam incomodadas, e os homens irados precisavam defender suas mulheres bem como a si mesmos. De forma desafiadora responderam ao profeta idoso: **Quanto à palavra que nos anunciaste em nome do SENHOR, não te obedeceremos a ti** (16). Com palavras pungentes defenderam suas práticas idólatras. Admitiram que fizeram promessas à **Rainha dos Céus** (17), da mesma forma que seus **pais**, seus **reis** e seus **príncipes** haviam feito antes deles. Além disso, naqueles dias antigos, as coisas estavam indo bem com a nação. Mas, visto que deixaram de **queimar incenso** (18) à deusa, tinham **falta de tudo**, e um desastre após o outro os tinha infligido. As mulheres acrescentaram uma palavra em sua defesa: "Quando queimávamos incenso à Rainha dos Céus e derramávamos ofertas de bebidas para ela, será que era sem o consentimento de nossos maridos que fazíamos bolos na forma da imagem dela?" (19, NVI).

Os judeus do Egito estavam se referindo ao reinado de Manassés e aos primeiros anos de Josias. Muita idolatria havia sido praticada naquela época e nada inquietador havia ocorrido. Mas a reforma durante o reinado de Josias principiou uma adversidade após a outra para a nação. As dificuldades não terminaram até que Jerusalém fosse destruída. Eles alegaram que foi somente quando buscaram servir ao Senhor *exclusivamente*, e negligenciado os outros deuses, que lhes sobrevieram miséria e dificuldades. Jeremias estava interpretando a história de uma maneira e eles de outra.

c) *A palavra final de Jeremias* (44.20-30). Jeremias faz questão de incluir as mulheres (20, 24-25) em sua resposta final ao povo. Embora com a saúde e o coração abalados, o último discurso é muito semelhante ao primeiro. O último soar da sua trombeta não deixa dúvidas. Ele insiste em que o povo tem interpretado erroneamente o caráter de Deus; eles inverteram a ordem das coisas. Pelo fato de Deus não os ter castigado imediatamente nos dias de Manassés por causa das suas práticas idólatras, isso não significava que Ele não estava percebendo ou se importando com a situação (21). Mas apenas significava que em sua longanimidade Ele suportou até o ponto em que **não podia por mais tempo sofrer a maldade das suas ações** (22). A verdade é simplesmente a seguinte: **pecastes contra o Senhor**, [...] por este motivo **vos sucedeu este mal** (23).

Um toque de ironia agora toma conta da voz do profeta; visto que eles fizeram essas promessas muito importantes, indubitavelmente devem cumpri-las! **Falastes por vossa boca, senão também o fizeste por vossas mãos** (25); i.e.: "Vocês [...] empenharam sua palavra e a cumpriram por meio das suas ações" (Smith-Goodspeed; cf. 1 Rs 8.15, 24). Então o profeta se torna extremamente sério. Eles também precisam saber que ao cumprir aquelas promessas estão, automaticamente, fazendo sua escolha quanto ao deus que querem servir! E visto que escolheram a Rainha dos Céus, o Deus vivo cuidará para que **nunca mais** pronunciem o seu **nome** (26). Eles são culpados de apostasia. Doravante, Ele "vigiará" sobre eles **para mal e não para bem** (27). Todos os judeus que tinham fugido para o Egito serão destruídos. No entanto, um **resto** (remanescente) escapará; mas todos ficarão sabendo qual **palavra** subsistiu, a do Senhor ou a deles (28).

Para que não haja dúvida, Deus confirmará sua palavra de maneira singular. O homem em quem o remanescente de Judá havia confiado e de quem esperavam ajuda — aquele que eles buscaram em vez de Deus — **o Faraó Hofra** (30), cairá **nas mãos de seus inimigos** da mesma forma que **Zedequias** de Jerusalém caiu nas mãos do **rei da Babilônia**. Hofra foi entregue nas mãos do povo do Egito por Amasias e foi estrangulado e morto.[14]

Alguns estudiosos vêem um problema no versículo 26 porque uma grande colônia judaica existia no Egito cerca de duzentos anos mais tarde. Mas a passagem aqui foi dirigida ao **resto de Judá**, e não tem nada a ver com os judeus que podem ter migrado para o Egito anos mais tarde.[15]

Seção X

A MENSAGEM DE DEUS A BARUQUE

Jeremias 45.1-5

Do ponto de vista cronológico, este excerto da vida de Baruque, o escriba de Jeremias, se encaixaria muito melhor após 36.8. No entanto, se efetivamente foi colocado aqui, este breve trecho parece estar interrompendo uma ordem cuidadosamente arranjada do texto como o encontramos hoje. Mesmo assim, esta última posição é a preferida. Alguns estudiosos insistem em afirmar que o capítulo 45 foi escrito muito tempo depois desse incidente ter ocorrido. Embora isso seja possível, "a linguagem precisa" do versículo 1 milita contra esse ponto de vista.[1]

Na abertura do capítulo, o leitor é subitamente deslocado para o **ano quarto de Jeoaquim**, e para a escrita das profecias de Jeremias por **Baruque, filho de Nerias** (1). Quando Baruque terminou de escrever as palavras de Jeremias, estava muito aflito. A inferência é que havia uma certa relação entre suas próprias dificuldades e o que tinha escrito. Sua aflição se tornou muito grande e muito real. No meio da sua dor, o Senhor deu uma mensagem para ele por intermédio de Jeremias. Deus lembrou Baruque das suas palavras de angústia: **Ai de mim agora, porque me acrescentou o Senhor tristeza à minha dor! Estou cansado do meu gemido e não acho descanso** (3).

Não conhecemos os motivos da intensa tristeza de Baruque. Pode ser que por intermédio das profecias de Jeremias ele tenha tido uma percepção clara da condição espiritual corrupta da nação, e esse quadro terrível tenha trazido tristeza à sua alma. Então, quando percebeu que seu próprio futuro, planejado com tanta esperança, seria assolado, junto com a cidade, o Templo e todas as coisas familiares que ele conhecia, sua tristeza tornou-se insuportável.

No meio da tristeza de Baruque, Deus apresenta sua própria tristeza. **Eis que o que edifiquei eu derribo e o que plantei eu arranco, e isso em toda esta terra** (4). "Foi um tempo de sofrimento para o próprio Deus, porque precisou destruir sua própria criação".² O Senhor parece admoestar Baruque ao dizer: **E procuras tu grandezas? Não as busques** (5). Em outras palavras, Deus estava dizendo: Você está preocupado com seus próprios problemas insignificantes! **Eis que trarei mal sobre toda a carne.** Assim Deus informou o escriba de que seu propósito precisa ser cumprido independentemente de quem seja afetado. No entanto, o Senhor consola Baruque ao lhe prometer que sua **alma** será por **despojo** para ele, i.e., como uma recompensa de guerra.

Todas as indicações apontam para o fato de que a partir dessa experiência Baruque percebeu a verdade em relação a si mesmo e a Deus. Aconteceu algo que teve um profundo significado espiritual para o escriba. Depois disso, Baruque continuará a apresentar fraquezas humanas, mas o curso de sua vida estará para sempre se movendo em uma nova direção.

Ao analisarmos esses versículos, observamos diversas coisas que são dignas de nota: 1) O texto resume o tema central da própria mensagem de Jeremias — purificação, seguida de uma nova vida em um patamar superior — *arrancar, derribar, destruir, edificar, plantar* (1.10). O antigo padrão de vida precisa ser desfeito, o velho molde deve ser quebrado; então a vida tomará nova forma sobre uma base diferente. 2) Baruque é um indivíduo verdadeiramente humano, com fraquezas e dificuldades como qualquer outro. 3) A forma de Deus executar seus planos e propósitos angustia sua mente finita. 4) Ele experimentou um "processo de quebrantamento", que o levou através do vale de desespero pessoal até uma entrega de si mesmo. 5) A auto-renúncia levou a uma reorganização de vida em torno de um novo centro, com novas perspectivas. 6) A passagem fala de uma obediência contínua à palavra falada de Deus. 7) Outras referências a Baruque no livro indicam que ele aceitou o desafio de Deus. "Quaisquer que fossem os seus sentimentos, e independentemente dos seus interesses, ele permaneceu com Jeremias até o fim".³

Seção XI

ORÁCULOS CONTRA AS NAÇÕES ESTRANGEIRAS

Jeremias 46.1—51.64

De acordo com 1.5, Jeremias foi ordenado profeta para as nações. Sua primeira obrigação foi com "o povo da aliança", mas o sentido de obrigação do profeta para com as outras nações é evidente no livro. Essa era normalmente uma das características de um profeta hebreu e especialmente daqueles que influenciaram os destinos da casa de Jacó (cf. Am 1.3—2.3; Is 13—23; Ez 25—32; etc.).

Na Septuaginta, os nove oráculos dessa seção são inseridos após 25.13, que, em certo sentido, se encaixam melhor do que a ocorrência deles aqui. No entanto, se forem inseridos lá, interrompem a seqüência de pensamento. Conseqüentemente, sua posição atual deve ser preferida (cf. comentários no capítulo 25). Também é possível que esses oráculos tenham formado, em certa época, uma coleção separada de escritos de Jeremias.

Jeremias acreditava que era o Senhor que havia criado o mundo e o homem. Era o Senhor que controlava os destinos das nações e guiava os acontecimentos da terra. Conseqüentemente, Javé era o Senhor de todas as nações.

A. Prefácio, 46.1

O versículo 1 serve como título para todos os oráculos nesta seção. Ele também identifica o material como **Palavra do Senhor** para as nações gentias daquela época, e Jeremias é identificado como agente de Deus no seu livramento. A reivindicação da autoridade divina desse material é a mesma das outras porções do livro.[1]

B. Oráculo contra o Egito, 46.2-28

1. O Egito e Deus em Carquemis (46.2-12)

O versículo 2 informa ao leitor que esse oráculo é a respeito da derrota do faraó Neco na batalha de Carquemis, diante de Nabucodonosor, e fixa a data no **ano quarto de Jeoaquim** [...] **rei de Judá**, em torno de 605 a.C. Com profundo conhecimento da política internacional, Jeremias evidentemente estava ciente da importância dessa batalha na história do Oriente Médio. Ela acabou se tornando um dos conflitos mais decisivos nos tempos antigos. Jeremias, é claro, estava preocupado com sua importância em relação aos propósitos e planos de Deus, e via essa batalha como **o dia do Senhor** (10). Aqui, dois dos maiores poderes mundiais batalhavam pelo domínio mundial, mas foi Deus que fez a diferença quanto ao seu resultado.

O oráculo está em forma poética e é formado de duas estrofes: a primeira, formada pelos versículos 3-6 e a segunda, pelos versículos 7-12. Na primeira estrofe, podemos ver a cena da véspera da batalha e perceber o sentimento de expectativa e excitação que existia no acampamento egípcio. **Preparai o escudo e o pavês e chegai-vos para a peleja** (3). **Selai os cavalos** [...] **vesti-vos de couraças** (4; armadura). Quase conseguimos sentir a investida dos homens e cavalos quando os dois exércitos se encontram. Então a cena muda, e observamos o horror, o pânico e o desânimo que toma conta dos egípcios. **Os seus heróis estão abatidos** (5), e não há ninguém para ajudar. Há terror por toda parte. Eles nem ao menos olham para trás, tão grande é o desejo de fugir. Mas eles não foram rápidos o suficiente; eles **tropeçaram e caíram** (6) na **banda do Norte**, junto ao **rio Eufrates**.

O mesmo acontecimento é retratado na segunda estrofe, mas de um ângulo diferente. O exército egípcio, sob o faraó Neco, é comparado à inundação do Nilo (8), bramindo, se movendo, saltitando, cobrindo toda a terra ao se aproximar de Carquemis. Finalmente, o inimigo é avistado. Há um grito de guerra: **Avançai, ó cavalos, e estrondeai, ó carros** (9). Os soldados mercenários do Egito são vistos avançando para a batalha; **etíopes, e os de Pute, e os lídios**[2] brandem suas armas de guerra. Mas, a consternação volta a reinar nas fileiras dos egípcios. Dessa vez, no entanto, é Deus quem dirige os acontecimentos. É seu **dia**, e Ele se vinga dos **seus adversários** (10). **O Senhor** [...] **dos Exércitos tem um sacrifício** [...] **junto ao rio Eufrates** e os egípcios são as vítimas desse sacrifício. É um dia triste para o faraó Neco. O **clamor** da retirada dessa nação orgulhosa enche **a terra** (12) e sua **vergonha** fica evidente para todas as **nações**. Mesmo que ela suba a **Gileade** (11) para tomar o **bálsamo** curador (8.22), sua ferida é incurável. A poderosa nação do Egito caiu. Ela perdeu na tentativa de dominar as nações do mundo. Mas Deus, não Nabucodonosor, é a verdadeira causa da sua queda.

2. As Conseqüências de Carquemis (46.13-26)

Este poema tem um cabeçalho próprio (13), e foi escrito um tempo depois do anterior. Neste oráculo, Jeremias avalia a situação militar do Egito após a batalha de Carquemis. A derrota completa do exército egípcio "deixou o Egito desprotegido para uma invasão posterior".[3] O grito de Jeremias tem o objetivo de alertar as cidades fronteiriças (veja mapa 3) de **Migdol**, [...] **Nofe** e [...] **Tafnes** (14), do perigo futuro. Ao mesmo tempo, Jeremias deixa claro que não há esperança para os homens dessas cidades diante dos seus inimigos. É possível que Nabucodonosor já tivesse surgido (605-604 a.C.) na planície dos filisteus, ameaçando "as portas do Egito".

O versículo 15 pode ser melhor entendido de acordo com a tradução da ASV: "Por que os teus valentes[4] estão derrubados [lit., prostrados]? Eles não estão em pé, porque Javé os lançou ao chão". Se o singular "valente" é usado, a referência podia ser ao faraó Neco; e o versículo 7 apóia esse ponto de vista. Deus abateu o faraó, e a possibilidade de o Egito conquistar as nações é uma coisa do passado. Mesmo o próprio povo do faraó o chama de "Grande barulho — que perdeu sua oportunidade".[5] O versículo 16 é obscuro, mas provavelmente contém palavras dos soldados mercenários do faraó, que, derrotados pelo inimigo, dizem uns aos outros: **Voltemos ao nosso povo**.

Jeremias agora prediz a vinda certa de um conquistador, que se levantará acima do rei do Egito como os montes **Tabor** e **Carmelo** (18) se elevam acima das colinas da Palestina. O versículo 26 deixa claro que ele está se referindo a Nabucodonosor. Sua vinda é tão certa que os habitantes do Egito são instruídos a preparar-se para o exílio, porque sua capital, **Nofe** (Mênfis), **será tornada em desolação** (19).

A condição do Egito é ressaltada por intermédio de várias figuras. Ela é comparada com uma **bezerra mui formosa** (20), que se alimenta de um pasto viçoso e que subitamente se encontra aflita, fugindo da picada de um tavão (uma espécie de mosca que persegue o gado). Esse termo hebraico aqui foi traduzido por **destruição** (do **Norte**). Uma outra figura descreve os soldados **mercenários** como **bezerros cevados**, destreinados e desajeitados, que não estão preparados para uma guerra de verdade, e por isso fogem do seu inimigo (21). Os versículos 22 e 23 são obscuros, mas parecem dizer que os exércitos fugitivos do Egito são como serpentes que silvam e se afastam rastejando diante dos **cortadores de lenha**. Eles somente conseguem emitir um silvo de oposição enquanto voltam para as suas tocas.

Por outro lado, as hostes da Babilônia demolirão as cidades do Egito como um exército de lenhadores limpando um **bosque** (23). Na verdade, o inimigo do **Norte** (24) virá como um exército de gafanhotos (23), numeroso demais para ser contado. Mesmo o Alto Egito, com sua famosa capital **Nô** (25; Tebas) será entregue nas mãos de Nabucodonosor (26), junto com o faraó e todos que confiavam na sabedoria desse infeliz monarca.

3. A Salvação de Israel (46.27-28)

Estes versículos estão relacionados aos oráculos acima contra o Egito. O profeta não podia pensar na derrota do Egito sem refletir acerca da salvação de **Israel** (27). Embora fale de castigo, este será de acordo com o seu merecimento (28), justo e imparcial. A salvação de Israel é tão segura que o profeta fala dela como se já tivesse acontecido. Esses versículos também são encontrados em 30.10-11, em que se encaixam melhor no contexto do que aqui. Veja os comentários.

C. ORÁCULOS CONTRA OS FILISTEUS, 47.1-7

Deus advertiu os filisteus por meio de Jeremias de que um flagelo terrível do **Norte** (2) estava caindo sobre eles. De acordo com o versículo 1, o oráculo foi dado a Jeremias **antes que Faraó ferisse a Gaza**. O nome desse faraó é desconhecido, e a ocasião particular quando **Gaza** foi capturada não é clara. Os estudiosos têm especulado,⁶ mas não chegaram a um consenso. O flagelo do Norte provavelmente referia-se à vinda de Nabucodonosor e dos exércitos babilônicos após a batalha de Carquemis. A Crônica Babilônica⁷ revela que Nabucodonosor foi para o sul, perseguindo os egípcios fugitivos em 605-604 a.C. e tomava as cidades dos filisteus ao longo da estrada (veja mapa 2). A cidade de **Asquelom** (5) é citada especificamente. Ela foi tomada e destruída.

A visão de Jeremias inclui diversas figuras de estilo: *a*) **Águas** (2) **se levantam** do **Norte**, subindo cada vez mais até se tornar uma **torrente transbordante**, cobrindo toda a **terra**. Os **homens clamarão** e **todos os moradores da terra se lamentarão** por causa da desgraça que lhes sobreveio; *b*) Essa **torrente transbordante** pode ser entendida como um enorme exército. Haverá o **ruído estrepitoso** dos cascos dos **cavalos**, o **barulho dos carros** e o **estrondo das suas rodas** (3); *c*) Cansados de lutar contra essa situação opressora, **os pais** não terão forças para salvar seus próprios **filhos**; *d*) A destruição será tão grande que mesmo Tiro e Sidom (4) serão afetadas. Isso parece um tanto estranho, visto que Tiro e Sidom são cidades fenícias (veja mapa 2), mas, pelo que tudo indica, os dois povos eram aliados nesse período da história; *e*) A magnitude da angústia é revelada pela menção da **calvície** em **Gaza** (5) e as "incisões no próprio corpo" (NVI) em **Asquelom**. Ambos eram sinais de um lamento profundo; *f*) Um clamor por misericórdia é dirigido à **espada do Senhor** (6) pelo povo filisteu: **Ah! Espada do Senhor! Até quando deixarás de repousar? Volta para a tua bainha**. Os homens muitas vezes pedem para Deus colocar sua espada na bainha para que possam continuar andando nos seus maus caminhos sem serem controlados; *g*) O profeta responde à pergunta deles com uma outra pergunta: "Mas como poderá ela descansar quando o Senhor lhe deu ordens?" (7, NVI). A resposta é que a espada não pode ser embainhada até que sua obra seja feita, porque a **espada do Senhor** é a justiça de Deus. O pecado não pode ficar impune. A justiça precisa ser feita. A eqüidade precisa ser estabelecida. Todas as nações, não só Israel, devem aprender a obedecer à lei moral de Deus. Não são só os egípcios que precisam beber do cálice da ira de Deus, mas os filisteus também sentem a taça pressionada contra seus lábios (25.15-20). **Caftor** (4) é mencionado em Amós 9.7 como a terra natal dos filisteus. Esse local provavelmente se refere à ilha de Creta (Ez 25.15-16).

D. Oráculo Contra Moabe, 48.1-47

Entre os oráculos encontrados nos capítulos 46—49, essa profecia é singular em relação à sua extensão, seu grande número de nomes de lugares e suas semelhanças com outras passagens das Escrituras.⁸ Por causa das suas semelhanças com os textos de Isaías,⁹ alguns estudiosos têm insistido em que essa profecia não pertence a Jeremias.¹⁰ Não podemos negar que ela encontra paralelos em outros textos bíblicos. No entanto, parece que nesse caso, Jeremias reuniu em um compêndio novo todas as afirmações referentes a Moabe feitas por profetas anteriores desde os tempos de Balaão. Ele reafirma essas predições à sua maneira, acrescentando suas próprias idéias. Isso não deveria soar estranho, visto que ele estava bem familiarizado com a história hebraica e conhecia bem as afirmações dos seus predecessores no ofício profético. É provável que as profecias de Isaías em relação a Moabe tenham estado bem vivas na sua mente naquele momento e que tenham influenciado o seu pensamento. Ele as usou porque refletiam sua própria compreensão do que iria acontecer à nação moabita.

1. *As Conseqüências da Confiança Inapropriada* (48.1-10)
A profecia começa com uma descrição da destruição que o Deus de Israel causará a Moabe (veja mapa 2). A terra será invadida por um inimigo não mencionado que o Senhor irá enviar. As cidades serão destruídas. **Nebo** (não a montanha), **Quiriataim**, **Misgabe** (1) e seus habitantes fugirão apavorados, **com choro contínuo** (5) enquanto caminham. A **subida de Luíte** e a **descida de Horonaim** podem representar estradas ascendentes e descendentes dessas cidades. O versículo 6 tem sido traduzido como uma advertência: "Fujam! Corram para salvar suas vidas! Tornem-se como um asno selvagem no deserto!" (RSV). Até mesmo o deus **Quemos** (7) será levado ao **cativeiro** junto com os **sacerdotes** que o serviram. **Nenhuma** [cidade] **escapará, e perecerá o vale, e destruir-se-á a campina** (8). A destruição será tão completa que se Moabe procurasse escapar, necessitaria das **asas** de uma ave (9). Tudo isso acontecerá **por causa da tua confiança nas tuas obras e nos teus tesouros** (7), em vez de confiar no Senhor. Além disso, a maldade de Moabe é tão grande que uma maldição é anunciada sobre qualquer invasor que não realizar com afinco a obra de destruição do Senhor, ou que **preserva a sua espada do sangue** (10).

2. *A Desgraça da Vida Indisciplinada* (48.11-17)
Moabe era famosa pelas suas vinhas, e o profeta parece ter um odre de vinho em mente enquanto profetiza. A sina do povo de Moabe tinha sido menos severa do que de outros povos: **não foi mudado de vasilha para vasilha** (11). A terra, às vezes, tinha sido invadida e obrigada a pagar tributos, mas suas cidades não foram destruídas e seu povo não **foi para o cativeiro**. Assim, Moabe havia se acomodado e vivia uma vida indisciplinada. O profeta o comparou com alguém que "tem repousado nas fezes (resíduos) do seu vinho" (ARA). Um vinho inferior, quando fica parado tempo demais, tende a apresentar o **sabor** e o **cheiro** de resíduos e adquire um sabor amargo. Esse era o caso de Moabe. Indolência e falta de privação trouxeram uma grande deterioração para a estrutura moral da nação.

O profeta percebe que essa vida fácil será interrompida. O dia de julgamento de Moabe está chegando: "Portanto, certamente vêm os dias", declara o Senhor, "quando enviarei decantadores que a decantarão; esvaziarão as suas jarras e as despedaçarão" (12, NVI). Moabe vai ruir quando uma verdadeira situação crítica surgir. Quando essa hora chegar, Moabe **terá vergonha de Quemos**, seu deus, da mesma forma **como se envergonhou a casa de Israel de Betel** (13; i.e., o bezerro de ouro em Betel). Ambos eram meros ídolos feitos por mãos humanas, e não podiam ajudar seu povo. Israel já havia ido para o cativeiro e Moabe logo experimentaria o mesmo destino. Os moabitas tinham falado acerca de si mesmos: **Somos valentes e homens fortes para guerra** (14), mas, a vida indisciplinada trouxe suas conseqüências, e **Moabe está destruída** (15); **seus jovens escolhidos desceram à matança**. Seus amigos são encorajados a lamentar por ela, porque o cetro — o **cajado** da sua soberania — **se quebrou** (17).

3. *O Desastre Chega* (48.18-28)
O destruidor de Moabe (18) fez sua obra implacável. Os habitantes da nação são derrubados do seu lugar de **glória** e estão assentados na ignomínia e vergonha. As maiores fortalezas de Moabe são destruídas, e quando os habitantes fugitivos são perguntados pelo povo de **Aroer** (19) o que está acontecendo, eles gritam: **Moabe está envergonhado, porque foi quebrantado** (20). O povo é chamado para lamentar, uivar e gritar, porque cidade após cidade foi tomada até que não sobrou nenhuma.[12] Conseqüentemente, **o poder** ("chifre" no hb. — simbolizava poder) está **cortado** e **seu braço** (símbolo de autoridade) está **quebrantado** (25).[13] Tudo isso aconteceu porque Moabe **se engrandeceu** contra o SENHOR (26). A atitude arrogante de Moabe em relação a Israel voltou-se contra ele. Aquele que ria da situação de Israel tornou-se **objeto de escárnio** (27). Seus habitantes são persuadidos a fugir como uma **pomba** enlutada **que se aninha** nas rochas e cavernas nas montanhas (28), porque uma enorme catástrofe tomou conta da nação!

4. *Um Lamento pela Orgulhosa Nação de Moabe que Caiu* (48.29-39)
O orgulho de Moabe foi sua característica mais detestável. Usando a profecia de Isaías (Is 16.6-14) como base das suas observações, Jeremias junta palavra a palavra para descrever a arrogância e o **orgulho** (29) dessa nação. O espírito hipersensível, com acessos de **indignação** (30) e as **mentiras**, são sempre características de um coração arrogante. A NVI interpreta o versículo 30 da seguinte forma:

> *"Conheço bem a sua arrogância", declara o Senhor.*
> *"A sua tagarelice sem fundamento*
> *e as suas ações que nada alcançam".*

No versículo 31, o profeta expressa o que aparenta um lamento pessoal por essa nação. Parece um tanto estranho Jeremias lamentar a queda de um inimigo de Israel, mas é como Raschi diz: "Os profetas de Israel diferem dos profetas pagãos como Balaão, porque encarnam a aflição que anunciam às nações".[14] Portanto, não é ilógico supor que os versículos 31-32 se refiram a Jeremias. De alguma forma, o coração afável do homem de Anatote chora pelos homens de Moabe. Ele continua descrevendo as condições lamentáveis que ocorrerão naquele país: as vinhas que eram famosas pela sua qualidade estão completamente destruídas; os pomares estão inteiramente estragados; pode-se ouvir choro e clamor por todo o país; o **júbilo** cessou (33). A desolação é tão grande que não serão mais oferecidos sacrifícios nos santuários, nem se queimará **incenso** aos **deuses** (35). Aliás, os deuses foram levados cativos e não há sacerdotes para oferecer sacrifícios (7). Toda a terra está em estado de luto; percebe-se a calvície por toda parte; as barbas foram diminuídas (37), e as pessoas se cortaram, para mostrar a intensidade do seu luto. Ouvem-se lamentos dos **telhados** (38), bem como das **ruas**. As pessoas lamentam por Moabe clamando: "Como ela foi destruída! Como lamentam! Como Moabe dá as costas, envergonhada!" (39, NVI).

5. *Não há Escape do Juízo* (48.40-47)
Na visão do profeta, o conquistador de **Moabe** assemelha-se a uma **águia** (40) quanto à sua rapidez e envergadura das asas. A figura da **águia** é uma descrição favorita de um

líder vitorioso. Ela quase certamente se refere a Nabucodonosor, que, de acordo com Josefo, destruiu Moabe, Amom e os povos vizinhos em 582-581.[15] Sua força é implacável. Queriote é tomada (ou: **São tomadas as cidades**) **e ocupadas as fortalezas** (41). Os corações dos guerreiros mais valentes de Moabe ficarão aterrorizados **como o coração da mulher em suas dores** de parto. Todo o país **será destruído** (42) e chegará o tempo em que Moabe deixará de existir. Isso ocorrerá porque Moabe foi arrogante e orgulhoso demais para servir o Deus de Israel, e **se engrandeceu contra o Senhor**.

Não haverá escape do temível conquistador. Aquele que foge por causa do terror **cairá na cova** (44), e aquele **que sair da cova ficará preso no laço**. Não haverá lugar para se esconder. A primeira parte do versículo 45 pode ser traduzida da seguinte forma:

Na sombra de Hesbom os fugitivos se encontram sem forças (RSV).

Hesbom, embora uma cidade forte, não pode oferecer proteção para os esgotados fugitivos, porque um **fogo** sairá **de Hesbom** (45) como nos dias de **Seom**, rei dos amorreus (Nm 21.28-30), e devorará aqueles que buscarem refúgio ali. **O canto de Moabe** é melhor traduzido como "a testa de Moabe" (Smith-Goodspeed). O profeta parece estar dizendo que todas as predições antigas em relação a Moabe, mesmo a profecia de Balaão, se cumprirão na destruição vindoura.[16] Os **filhos** e as **filhas** do povo que adoravam o ídolo **Quemos** (46), em vez de ao Deus vivo, irão para o exílio. No entanto, depois que as labaredas da disciplina fizerem a sua obra, há uma certa esperança de um dia de restauração para **Moabe** (47).

E. Oráculo Contra Amom, 49.1-6

Este oráculo denunciatório contra **os filhos de Amom** (veja mapa 2) pode ser considerado de três pontos de vista: 1) as coisas das quais os amonitas são culpados, 2) o castigo que sobrevirá sobre eles da parte de Deus, 3) as explanações referentes ao texto.

Os amonitas eram culpados porque *a*) haviam sido fraudulentos e traiçoeiros em seus procedimentos e *b*) confiavam em coisas materiais em vez de confiar no Senhor. Quanto à sua traição, eles haviam ocupado o território dos hebreus por força e não por direito. Deus os questiona: **Acaso, não tem filhos Israel, nem tem herdeiros?** (1). Então por que tomou a terra de Gade quando essa tribo precisou ir para o exílio (em 734 a.C. para a Assíria)? Essa sempre fora a inclinação de Amom. Outros incidentes apóiam esse aspecto.[17] Em relação à confiança nas coisas erradas, os amonitas se vangloriavam dos seus vales férteis e ribeiros, das suas cidades fortificadas, e da abundância de frutas e grãos, dizendo: "Quem pode me atacar?".[18] Os amonitas se iludiram ao pensar que estavam seguros, quando não há segurança a não ser no Deus de Israel.

O castigo que Jeremias predisse contra Amom inclui os seguintes aspectos: *a*) a perda do território tirado de Israel, que será restaurado às tribos de Jacó (2); *b*) um inimigo não identificado invadirá essa terra, e **Rabá**, a capital, e todos **os lugares da sua jurisdição** (*ou* as suas filhas) **serão queimados**; *c*) uma completa confusão reinará na terra, quando o povo, cingido com **panos de saco** dá **voltas pelos valados** (3), lamentando de maneira descontrolada; *d*) Milcom (veja o próximo parágrafo, ou "Moloque", cf. NVI), o deus dos amonitas, será levado ao exílio, junto com **seus sacerdotes e príncipes** (3) — o pobre ídolo é mais impotente do que o povo; *e*) não haverá ajuda para os fugitivos amonitas, por que o povo aterrorizado será levado para o cativeiro com tanta pressa que não haverá ninguém para cuidar do **desgarrado** (5). Mesmo assim, num tempo futuro, a sorte de **Amom** será restaurada (6).

Diversas coisas podem ser observadas em relação a esse texto. A cidade de **Hesbom** é mencionada (3), embora pertença a Moabe. No entanto, ela ficava na fronteira entre as duas nações, e a terra dos amonitas pode ter sido invadida primeiro. Além disso, os dois povos eram parentes, descendentes de Ló (Gn 19.37-38). A menção de **Ai** é de difícil interpretação, porque nenhuma cidade com esse nome é conhecida ao leste do rio Jordão. A RSV seguiu a Septuaginta, a Siríaca e a Vulgata ao traduzir a palavra **Malcã** (1, 3) como "Milcom", o principal deus dos amonitas. Embora haja dificuldades, essa parece a melhor saída.[19] **Rabá** (3) hoje é a moderna cidade de Amã, capital da Jordânia.

F. Oráculo Contra Edom, 49.7-22

Neste oráculo contra Edom (veja mapa 2), Jeremias segue o mesmo padrão do oráculo contra Moabe (48.1-47). Usando suas próprias idéias e percepções como esboço, ele reúne alguns pensamentos dos profetas mais antigos acerca desse povo. Jeremias se baseia de uma forma especial nas palavras de Obadias[20] em certos pontos da sua profecia (há uma grande semelhante entre os vv. 9-10 e Obadias 5-6). Jeremias, certamente estava familiarizado com os escritos dos seus predecessores, então não seria incomum se uma certa influência do pensamento deles se infiltrasse nos seus escritos.

Edom era o inimigo tradicional de Israel. Embora intimamente ligados por laços sanguíneos, formou-se uma rivalidade entre esses dois povos desde os dias de Esaú e Jacó. Um das linguagens mais amargas do Antigo Testamento envolve os sentimentos dos descendentes desses dois homens.

1. *O Anúncio da Destruição de Edom* (49.7-13)

De maneira clara mas sutil Deus anunciou a destruição de Edom ao admoestar esta nação a respeito da vangloriosa **sabedoria** (7) de **Temã**, um distrito no norte de Edom (cf. Jó 2.11; Am 1.12). Ele deixa claro que a sabedoria humana mais elevada é inútil diante do juízo de Deus. Ele então revela a destruição que está se aproximando de Edom ao rogar aos seus vizinhos, os **moradores de Dedã**,[21] para fugirem (8) para "algum abrigo impenetrável, para não serem subjugados pelo sopro do juízo que assolará Edom".[22] Deus esclarece suas intenções pela eficácia dos seus juízos. Ele despirá **Esaú** (10); e visto que Edom será incapaz de esconder-se, ele será despojado dos seus tesouros. Os homens da nação perecerão na batalha, e o Senhor, a quem os edomitas odiavam tão intensamente, será o Único a guardar com vida os **órfãos** e as **viúvas** (11).[23] Dessa forma, Edom deve **beber o copo** (12) do vinho da ira de Deus (25.15-26). Se os próprios filhos de Deus, a quem ele normalmente pouparia, precisam **beber** desse vinho, certamente Edom não poderá ficar **impune**. Isso incluirá a destruição de **Bozra** (veja mapa 2), a capital de Edom, e as outras **cidades** de Edom que estão destinadas a se tornarem **em assolações perpétuas** (13).

2. A Ocasião da Destruição de Edom (49.14-16)

Jeremias agora confirma a visão de Obadias em relação a Edom, ao usar a linguagem desse profeta quase literalmente (Ob 1-4). No entanto, Jeremias introduz algumas mudanças que são compatíveis com a situação que ele está vivenciando. A destruição de Edom é ocasionada pela ação de Deus. Deus toma a iniciativa e envia mensageiros entre as **nações** (14) para convocá-los para **a guerra** contra Edom. Eles são convidados para a batalha porque Deus decretou que **Edom** será a menor entre as nações (17). O motivo da decisão de Deus é a própria nação de Edom: a **tua terribilidade** (i.e., o terror que você incute) **te enganou** (16). Edom tinha sido enganado pela reputação de que era invencível. Já orgulhoso, sua vaidade agora não conhecia limites. Visto que sua cidade foi edificada nas **alturas dos outeiros**, e era facilmente defendida, Edom estava seguro de que nenhuma invasão teria sucesso contra ele. Deus agora trespassa seu espírito arrogante e altivo ao declarar: **ainda que eleves o teu ninho como a águia, de lá te derribarei**. Assim, o orgulho de Edom e sua confiança excessiva foram a causa da sua queda.

3. A Queda de Edom (49.17-22)

Não há promessa de restauração para Edom como encontramos nos oráculos contra Moabe e Amom. A execução do julgamento de Deus contra Edom será tão radical que o povo que passar por lá **assobiará** de espanto por causa da devastação (17). A destruição de Edom lembrará a destruição de **Sodoma e Gomorra** porque se tornará um deserto onde **ninguém** poderá morar (18).

O invasor que Deus enviará contra Edom é comparado a um **leão** (19) que vem **da enchente** (mata) **do Jordão** para lançar-se sobre o rebanho de ovelhas (50.44). Ele atacará os edomitas e os colocará em fuga. Nenhum **pastor** (governante) poderá resisti-lo, porque Deus formulou planos para derrubar Edom do seu lugar elevado com um estrondo terrível. O som da sua **queda** (21) chacoalhará **a terra**, e o lamento que se levantar em Edom será ouvido **até ao mar Vermelho**. O conquistador de Edom também é comparado a uma **águia**, cuja força das asas e a rapidez no vôo a alturas inacessíveis Edom não poderá resistir. Quando esse conquistador estender **as asas** contra **Bozra**, os guerreiros de Edom se abaterão e desfalecerão como uma **mulher que está em suas dores** de parto (22).

A última parte do versículo 20 pode ser traduzida da seguinte maneira: "Mesmo os menores do rebanho serão arrastados, e o seu aprisco ficará abalado com o seu destino" (Smith-Goodspeed).

G. Oráculo Contra Damasco, 49.23-27

A referência a **Damasco** (23) provavelmente significa o reino de Arã (Síria), da qual **Damasco** era a capital, e **Hamate** e **Arpade** duas das suas principais cidades (veja mapas 1 e 2). Embora **Damasco** (Síria) não tenha sido mencionada no capítulo 25, é impensável que, num julgamento em que todas as nações são obrigadas a beber o copo da ira de Deus, a Síria estivesse de fora. A Síria, antes da queda em 732 a.C., em inúmeras ocasiões tinha sido um espinho para o Reino do Norte (1 Rs 15.18-21; 20.1-21; 22.3; 2 Rs 5.2; etc.), e trouxe muita dificuldade a Judá em pelo menos uma ocasião (2 Rs 16.5-6; Is 7.1-16).

O oráculo descreve a consternação que ocorre em **Hamate** (180 km ao norte de Damasco) **e Arpade** (150 km ao norte de **Hamate**) quando as **novas** da queda de Damasco chegam aos seus ouvidos: "Estão desencorajadas, perturbadas como o mar agitado" (23, NVI).[24] **Damasco**, a famosa e bela cidade, abastada e ricamente provida das coisas boas da vida, tornou-se **enfraquecida** (24). Paralisada pelo medo, e tomada de angústia, ela está indefesa diante dos inimigos. O versículo 25 é uma exclamação de tristeza: "Como está abandonada a cidade famosa, a cidade da Minha alegria!" (Berkeley). Seus guerreiros caíram e **seus jovens** (26) morreram nas **ruas** da cidade (50.30). O invasor cruel é desconhecido, mas isso não tem importância, porque foi Deus quem trouxe sua destruição. Assim, Damasco bebe do copo da ira de Deus. **Ben-Hadade** (27) foi o nome de diversos reis de Damasco (1 Rs 15.18-20; 2 Rs 13.24).

H. Oráculo Contra Quedar e Hazor, 49.28-33

Pelo que tudo indica, esses dois povos representam tribos árabes que residiam no deserto ao leste da Palestina. **Quedar** e **Hazor** não são mencionados no capítulo 25, mas provavelmente são tipificados lá pelos nomes "Dedã, Temá, Buz e todos os que rapam a cabeça" (25.23, NVI; *ou*: "e a todos os que cortam os cabelos nas têmporas", ARA). Neste oráculo, Deus convoca Nabucodonosor (28) a ferir o "povo do oriente" (NVI).

Quedar (Gn 25.13) parece ter sido uma tribo nômade da família de Ismael, notável pelo seu manejo do arco (Is 21.16-17). Essa tribo é mencionada por Jeremias (2.10) e também por Ezequiel (27.21). Nabucodonosor é impelido a tomar suas **tendas, seus gados, suas cortinas** e **seus camelos** como despojo (29).

Várias Hazor são mencionadas no AT, mas os **reinos de Hazor**, mencionados aqui, parecem representar um povo seminômade que residia no deserto, semelhantemente ao povo de **Quedar**. A nação é rica (31; "tranqüila e confiante", NVI), possui uma **multidão de gados** (32), e suas vilas **não têm portas nem ferrolhos**. Eles habitavam em repouso, e os homens cortavam **os cantos do seu cabelo** (veja comentários em 9.26). A Nabucodonosor é prometido um grande **despojo** se atacá-los. Os **moradores** (30) são instados pelo profeta a fugir apressadamente e esconder-se em um lugar seguro, longe do flagelo babilônico. **Hazor** se tornará um lugar desabitado — uma **morada de dragões** (chacais), **em assolação para sempre** (33).

I. Oráculo contra Elão, 49.34-39

Elão estava localizado nas colinas a leste da Babilônia e ao norte do Golfo Pérsico. Sua capital era Susã (veja mapa 1), e o país tem uma longa história, desde os tempos mais primevos.[25] Em conflito freqüente com a Assíria, esse país foi conquistado por Assurbanipal em torno de 640 a.C.,[26] mas tinha, evidentemente, recuperado sua independência após a queda do império assírio. Há indicações de que o **Elão** causou sérios problemas ao império babilônico, e Nabucodonosor teve de subjugar a nação em torno de 596-595 a.C.[27] Os detalhes da história elamita são obscuros, mas há ampla evidência de que ela continuou como entidade política por muitos anos.[28]

Oráculos Contra as Nações Estrangeiras   Jeremias 49.34—50.1

O que provocou Jeremias a proferir esse oráculo contra Elão? Não se tem conhecimento do contato entre judeus e elamitas nessa época. É possível que os exilados judeus, quando chegaram à Babilônia, tenham ouvido falar que o **Elão** estava causando problemas consideráveis a Nabucodonosor, e tenham esperado que a Babilônia fosse vencida pelos elamitas. Quando essa informação alcançou Jeremias no **princípio do reinado de Zedequias** (34), ele escreveu o oráculo para dissipar essa falsa esperança.

As principais idéias do oráculo são: *a*) O Senhor fará **vir** o **mal** (37) sobre os elamitas: **Porei o meu trono em Elão** (38), i.e., Deus vai julgá-los. *b*) A destruição virá sobre esse povo **dos quatro ângulos do céu** (36), mas os detalhes não são conhecidos. *c*) Os elamitas não serão páreo para o inimigo, e fugirão em terror diante do inimigo. *d*) Sua grande habilidade como arqueiros, motivo pelo qual eram famosos (Is 22.6), não os livrará agora: **Eis que eu quebrarei o arco de Elão** (35), **diz o** Senhor. *e*) Enquanto estão fugindo do inimigo, **a espada** os consumirá (37). *f*) Eles serão espalhados pelos quatro **ventos** dos céus entre todas as nações. *g*) Mas, **no último dos dias** (39) a nação será restaurada.

J. Oráculo Contra a Babilônia, 50.1—51.64

À luz de 25.12, 26, seria apropriado que as profecias de Jeremias contra nações estrangeiras concluíssem com um oráculo contra a Babilônia. Também não é nenhuma surpresa observar que é o oráculo mais longo e repleto de emoções. Visto que a Babilônia exercia uma influência tão grande na vida e destino de Judá, esse oráculo naturalmente exige mais do que uma atenção habitual.

Os dados nestes capítulos são reunidos de um modo singular. O oráculo é composto de uma série de poemas. Entre alguns dos poemas há algumas seções de prosa. Isso torna mais difícil arranjar o material em uma ordem lógica.[29] O tema predominante é a destruição iminente da Babilônia e a restauração de Israel. Não há progressão no tema, mas uma recorrência da mesma situação repetidas vezes.

A autoria de Jeremias desse oráculo tem sido contestada. Não se pode negar que há uma diferença evidente entre oráculo e as seções anteriores de Jeremias quanto ao tempo, ponto de vista e atitude. Mas, não há nenhum motivo convincente de essas palavras não poderem ter vindo da pena do profeta. Edward J. Young propõe uma solução ao problema ao sugerir que Jeremias escreveu um primeiro esboço (ou o núcleo original) do oráculo no quarto ano de Zedequias. Ele então enviou uma cópia à Babilônia por Seraías, conforme está registrado em 51.59-61. Mais tarde, no entanto, no Egito, após a destruição do Templo e a nação ter ido para o exílio, Jeremias expandiu esse núcleo original da forma como o conhecemos hoje.[30]

1. *A Destruição da Babilônia e a Restauração de Israel* (50.1—51.58)

Como foi observado acima, o material destes dois capítulos não está organizado em uma maneira lógica. O aspecto mais perceptível é uma alteração entre a Babilônia e Israel, indicada abaixo pelas letras *B* e *I*. Após a maioria das mensagens de destruição para a Babilônia há uma palavra de encorajamento para os exilados de Israel.

O versículo 1 serve como título para os dois capítulos. Ele declara que o que segue é a **palavra que falou o Senhor contra a Babilônia**, dada por meio de **Jeremias, o profeta**.

B — (50.2-3). **Tomada é a Babilônia** (2). Estas notícias devem ser anunciadas às **nações**. Erguer **um estandarte** seria o mesmo que colocar um anúncio ou hastear um emblema de vitória. Na visão do profeta, a ação é vista como se já tivesse sido realizada. Um inimigo **do Norte** (3) se apossou da cidade. Os deuses da Caldéia (**Bel** [senhor] chegou a ser identificado com **Merodaque** [Marduque], o principal deus da Babilônia) são destruídos. A religião babilônica está em completa confusão.

I — (50.4-10). **Naqueles dias** [...] **Israel** [...] **e** [...] **Judá** [...] **virão e buscarão ao Senhor** (4). O povo de Deus se arrependerá e receberá uma chance de escapar do exílio. Eles devem voltar seu **rosto** para **Sião**, e em humildade de coração desejar uma restauração do **concerto** (5). **Ovelhas perdidas foram o meu povo** (6). **Seus pastores** (líderes) **as fizeram errar**. As nações **as devoraram** de maneira gananciosa, dizendo: "Não somos culpados, pois elas pecaram contra o Senhor" (7, NVI). Israel deve fugir **do meio da Babilônia** (8), porque o Senhor está trazendo uma **congregação de nações** (9) contra a Babilônia, e ela será espoliada, e toda a **Caldéia** (10) será saqueada. Ser **como os carneiros diante do rebanho** (8) significa mostrar o caminho ou sair primeiro. A NVI esclarece o versículo 9: "Suas flechas serão como guerreiros bem treinados, que não voltam de mãos vazias".

B — (50.11-16). **Caíram seus fundamentos, estão derribados os seus muros** (15). Embora a Babilônia tenha sido a primeira entre as nações, ela agora **será a última** (12). Ela se alegrava (11) com a queda de Judá, mas as pessoas se espantarão (13) com a sua destruição. Deus convoca as nações para se posicionarem contra ela, **porque pecou contra o Senhor** (14). Quando a Babilônia estiver devastada, os exilados de todas as nações fugirão **cada um para a sua terra** (16).

I — (50.17-20). "Trarei Israel de volta a sua própria pastagem" (19, NVI). Embora tenham sido dispersos como ovelhas (17), devorados pelo **rei da Assíria**, e roídos como um osso pelo **rei da Babilônia**, apesar disso, **a maldade de Israel** e **Judá** (20) será perdoada e eles serão trazidos de volta ao seu país nativo. Os reis serão castigados, mas o povo de Deus **fartar-se-á** (19) na abundância de pastagem.

B — (50.21-27). **Laços te armei** [...] **ó Babilônia** (24). **Merataim** (21, rebelião dupla) e **Pecode** (castigo) são sinônimos[31] da Babilônia. As palavras sugerem o crime do qual ela é culpada e o julgamento que está vindo sobre ela. **O martelo de toda a terra** está **quebrado** (23), porque a grande **Babilônia** foi **apanhada** (24) na armadilha do Senhor. O **tesouro** (25; "arsenal", NVI) de Deus está aberto e **os instrumentos** ("as armas", NVI) **da sua indignação** foram dispostos, porque o tempo do castigo da Babilônia chegou!

I — (50.28). Há uma **voz** em **Sião**. Aqueles que escaparam da Babilônia anunciam em Jerusalém que a profanação do **templo** foi vingada. Deus não esqueceu seu povo.

B — (50.29-32). **Pagai-lhe conforme a sua obra** (29). Porque a Babilônia **se houve arrogantemente contra o Senhor**, os guerreiros das nações são chamados para acampar ao **redor** da cidade para **que ninguém escape dela**. **Tropeçará o soberbo e cairá** (32), e **ninguém haverá que o levante**. O **dia** da retribuição da Babilônia chegou (31).

I — (50.33-34). **O seu Redentor é forte** (34). Embora os inimigos de **Israel** e **Judá** os tenham oprimido (33) grandemente e **não os quiseram soltar**, o SENHOR dos **Exércitos** os livrará com braço forte. Ele lhes dará **descanso**, mas inquietará os seus inimigos.

B — (50.35-38). **A espada virá sobre os caldeus** (35). A espada do Senhor está sobre o povo da **Babilônia**: sobre **os seus príncipes** [...] **seus sábios** [...] **os mentirosos** (36; adivinhos); e **ficarão insensatos** (tolos). **A espada virá sobre os seus cavalos**, e [...] **carros** (37). **Povo misto** provavelmente se refere às tropas estrangeiras. Seus guerreiros valentes **serão como mulheres**. Os **tesouros** da Babilônia serão tomados, e uma **seca** (38) assolará o país, porque as pessoas "enlouquecem por causa de seus ídolos" (NVI). A Babilônia se tornará a moradia de **feras do deserto** (39). **Ninguém habitará ali** (40). A Babilônia se tornará devastada como **Sodoma** e **Gomorra**. **Do Norte** (41) virá **um povo** e muitos **reis poderosos** virão "dos cantos mais remotos da terra" (Berkeley). O som da sua vinda é como o bramir do **mar** (42), e a **angústia se apoderou** do **rei da Babilônia** (43). Seu conquistador virá sobre a terra como um **leão** que salta no meio do rebanho — um [...] **leão** que vem da **enchente** (da mata) **do Jordão** (44). A **terra** estremecerá com o **estrondo da tomada da Babilônia** (46). O **pastor** (44) provavelmente se refira a um líder de uma nação. Acerca da última parte do versículo 45 veja os comentários em 49.20.

B — (51.1-14). O destruidor da Babilônia (51.1-5) será como **um vento** (1) que peneira a palha do grão e como **flecheiro** cujas setas trespassam a **couraça** (3, armadura) mais forte. A Caldéia será peneirada por causa do seu pecado contra o **Santo de Israel**, mas **Israel** e **Judá** (5) **não foram abandonados pelo seu Deus**. O **copo de ouro** caiu (7-8). A **Babilônia** foi tomada. **Fugi** [...] **livre cada um a sua alma; não vos destruais a vós** na [...] **maldade** dela (6). Não há cura para a **Babilônia** (v. 8); o **bálsamo** não a ajudará. A **justiça** (10, vindicação) de Israel é refletida na destruição da Babilônia. **Ó tu que habitas sobre muitas águas** (13; a Babilônia no meio dos seus rios). **Chegou o teu fim**. O Senhor despertou os **reis da Média** (11), porque Ele tem planos **contra a Babilônia**.

I — (51.15-24). O Senhor é o **Criador de todas as coisas** (19). Os homens são tolos, e as imagens gravadas são mentira, porque é o Deus de Israel que criou a **terra**, [...] **ordenou o mundo** [...] e **estendeu os céus** (15). Ele é o Deus vivente que orienta os destinos das nações. Deus encoraja seu povo ao dizer: "Retribuirei à Babilônia [...] diante dos olhos de vocês" (24, NVI). Embora Deus tenha usado a Babilônia como seu agente, **meu martelo e minhas armas de guerra** (20-23), Ele retribuirá à Babilônia pela **maldade** que fez a **Sião** (24).

B — (51.25-33). Parece estranho Deus chamar a Babilônia de **monte destruidor** (25). A Babilônia foi construída em uma planície. A referência pode ser às montanhas artificiais de Nabucodonosor, às cascatas d'água e aos jardins suspensos que ele edificou na Babilônia. Também é possível que esteja se referindo à posição exaltada sobre as nações. Em todo caso, Deus disse: **Farei de ti um monte de incêndio** (25). A ordem de Deus é: "Preparem as nações para combater contra ela" (27; NVI). A figura no final do versículo 27 é a seguinte: "Lancem os cavalos ao ataque como um enxame de gafanhotos" (NVI). No estágio da pupa, as asas do gafanhoto estão inclusas em projeções em forma de chifre (Berkeley). Vários povos são chamados para organizar-se contra a Babilônia:

Ararate, Mini (povos antigos que habitavam na Armênia), **Asquenaz** (desconhecido, mas provavelmente um povo vizinho) e **os reis da Média** (28). Os medos foram especialmente escolhidos e aparentemente são os líderes dos exércitos inimigos. Quando se inicia a investida, são enviados mensageiros **ao rei da Babilônia** (31) para relatar-lhe que seus guerreiros pararam de lutar, a cidade está em chamas (32) e os **vaus** (locais de escape do rio) **estão ocupados**. O dia da vingança de Deus chegou!

I — (51.34-37). Aqui se pode ouvir o povo de Deus se lamentando por causa da aflição e tristeza que sofreram nas mãos do rei da Babilônia. **A violência** (35) e o derramamento de sangue exigiam vingança. Deus disse: **Eis que pleitearei a tua causa e te vingarei** (36) ao tornar a **Babilônia** (37) em **montões** de ruínas.

B — (51.38-44). **Como foi tomada Sesaque** (Babilônia), **e apanhada de surpresa a glória de toda a terra!** (41). Deus vai preparar um banquete para os babilônios onde eles vão rugir **como** [...] **leões** (38) e ficarão excitados na sua orgia. Eles se embriagarão e **dormirão** para nunca mais acordar (festa de Belsazar?). A primeira parte do versículo 39 pode ser lida da seguinte maneira: "Enquanto estiverem excitados, prepararei um banquete para eles" (NVI). Os entorpecidos soldados serão abatidos como animais, e a soberania da nação será destruída (39-40). Assim, as **cidades** (43) da Babilônia se tornarão **em assolação** e **Bel** (44), seu deus, será castigado.

I — (51.45-51). **Saí do meio dela, ó povo meu** (45). Livre **cada um a sua alma**. O dia do julgamento da Babilônia chegou (47). Quando **os traspassados de Israel** (49) são vingados, mesmo **os céus e a terra** [...] **jubilarão** (48). Nessa hora de destruição, "pensem em Jerusalém" (50, NVI). Aqueles que escaparem da Babilônia nunca deverão esquecer a **vergonha** que Sião sofreu por causa da profanação **da Casa do Senhor** (51).

B — (51.52-58). **O Senhor destrói Babilônia** (55). Os decretos de Deus se cumpriram. Os saqueadores chegaram. **Ainda que a Babilônia subisse aos céus** (53), nada poderia livrar essa cidade condenada. A NVI traduz o versículo 55 da seguinte maneira:

> *O Senhor destruirá a Babilônia;*
> *ele silenciará o seu grande ruído.*
> *Ondas de inimigos avançarão*
> *como grandes águas;*
> *o rugir de suas vozes ressoará.*

Deus embriagou seus governantes e líderes (57) para que não sejam capazes de defender a cidade. Eles serão mortos em sua embriaguez e **dormirão um sono perpétuo** (o sono dos mortos). Os grandes muros da Babilônia serão derrubados e toda a sua glória desaparecerá.

> *Assim termina o trabalho das nações; termina em fumaça,*
> *e os pagãos exaurem seus esforços* (58, Moffatt).

2. *As palavras de Jeremias a Seraías* (51.59-64)

De acordo com essa passagem, **Zedequias, rei de Judá** (59), fez uma visita oficial à Babilônia **no ano quarto do seu reinado**, em torno de 594 a.C. Não há menção feita a essa visita em outro texto das Escrituras. Lemos o motivo da viagem, mas muitos estudiosos têm conjecturado que Zedequias foi à Babilônia para esclarecer a suspeita de uma insurreição (27.2-11). O **príncipe pacífico** do rei (lit., príncipe do lugar de descanso) era **Seraías, filho de Nerias**, evidentemente o irmão de Baruque, secretário de Jeremias (59).

Ao ficar sabendo da viagem, Jeremias aproveitou a oportunidade para pedir que Seraías cumprisse uma missão especial. Jeremias tinha escrito em um rolo um oráculo profético anunciando **todo o mal que havia de vir sobre a Babilônia** (60). Ao chegar à **Babilônia** (61), **Seraías** deveria ler **todas** as **palavras** da profecia. A mensagem era provavelmente para os exilados judeus ou para os seus líderes e não deveria ser lida publicamente. Depois de orar (62) e ler o livro, Seraías deveria atá-lo **a uma pedra** e lançá-lo **no meio do Eufrates** (63). Isso simbolizaria o destino que aguardava a Babilônia. Enquanto o rolo de pergaminho afundava nas águas do rio, Seraías deveria dizer: **Assim será afundada a Babilônia e não se levantará, por causa do mal que eu hei de trazer sobre ela** (64).

Esse foi um ato de fé da parte de Jeremias. Ele proclamava aos líderes dos exilados judeus que seu odiado opressor não ficaria impune. Assim, por meia dessa ação simbólica, o juízo de Deus contra a Babilônia foi "colocado em movimento".[32] No tempo de Deus, os seus propósitos morais em relação à Babilônia e aos exilados seriam alcançados.

Seção XII

APÊNDICE HISTÓRICO

Jeremias 52.1-34

Este capítulo é basicamente uma reprodução de 2 Reis 24.8—25.30, embora apresente algumas variações significativas. Visto que somente as diferenças em relação ao relato no livro de Reis serão estudadas nos parágrafos seguintes, o leitor deveria consultar os comentários em 2 Reis para uma exposição geral do material.

A. Ascensão e Revolta de Zedequias, 52.1-3 (2 Rs 24.18-20)

B. O Cerco a Jerusalém, 52.4-5 (2 Rs 25.1-2)

C. A Fome durante o Cerco, 52.6 (2 Rs 25.3)

D. A Queda de Jerusalém, 52.7 (2 Rs 25.4-5)

E. A Captura e o Destino de Zedequias, 52.8-11 (2 Rs 25.6-7)

Os versículos 10-11 são ligeiramente expandidos em relação ao relato em 2 Reis, e informação adicional é dada aqui concernente ao destino de **Zedequias**.

F. A Demolição de Jerusalém, 52.12-16 (2 Rs 25.8-12)

O versículo 12 traz **décimo dia** ao passo que 2 Reis 25.8 traz "sétimo dia". O versículo 15 traz **os mais pobres do povo**, mas, provavelmente, deveria ser omitido como erro de um copista, visto que contradiz o versículo 16.

G. Os Vasos do Templo São Levados, 52.17-23 (2 Rs 25.13-17)

Os versículos 17-23 são ligeiramente encurtados em 2 Reis.

H. O Destino dos Regentes, 52.24-27 (2 Rs 25.18-21)

O versículo 25 traz **sete homens**, enquanto 2 Reis 25.19 traz "cinco homens". O capítulo aqui omite completamente 2 Reis 25.22-26 porque é supérfluo. Essas informações já tinham sido apresentadas em Jeremias 39.11—43.7.

I. Três Deportações de Cativos, 52.28-30

Estes versículos que tratam da deportação dos cativos judeus para a Babilônia estão inteiramente ausentes em 2 Reis. Os dados estatísticos apresentados aqui não são encontrados em nenhuma outra parte das Escrituras e acrescentam algo aos diversos relatos da captura de Jerusalém. O escritor evidentemente tinha acesso a uma fonte estatística adicional. Ele fala de uma deportação no **sétimo ano** do reinado de Nabucodonosor, uma outra no **décimo oitavo** ano e uma terceira no **vigésimo terceiro** do reinado de Nabucodonosor. Esses dados não estão em harmonia com outros relatos de deportações e levantam dúvidas em relação ao número de deportações que de fato ocorreram.[1]

A primeira deportação mencionada aqui ocorreu no **sétimo ano** do reinado de Nabucodonosor, e 3 023 pessoas foram levadas para a Babilônia. Essa deportação é descrita em 2 Reis 24.12-14, mas que ocorre lá no oitavo ano de Nabucodonosor e inclui 10 000 deportados. A discrepância é geralmente resolvida ao se entender que um número menor representa somente os homens preparados para a guerra. A diferença nos anos é explicada por dois métodos de contagem do início do reinado de um determinado rei. Um método usa o "sistema que não inclui o ano da ascensão ao trono", e que começa a contar o ano no qual o rei ascende ao trono; o outro é o "sistema que inclui o ano da ascensão" que inicia com um "ano de ascensão" antes do "primeiro ano" em que um rei começa a governar. Isso poderia resolver o problema acima.

A segunda deportação ocorreu no **décimo oitavo** ano de Nabucodonosor ("décimo nono ano" no versículo 12) e corresponde ao tempo de destruição de Jerusalém em 587 a.C. No entanto, 832 (29) parece um número insignificante para a guarnição em Jerusalém no ano de 587 a.C., mesmo que estejam incluídos somente os homens com idade para guerrear.

A terceira deportação não é mencionada em nenhum outro texto das Escrituras. É interessante notar, no entanto, que Josefo menciona que Nabucodonosor, no vigésimo terceiro ano do seu reinado, deportou judeus do Egito, e a sugestão é que ao fazê-lo ele vingou o assassinato de Gedalias.

J. Favor Mostrado a Joaquim, 52.31-34 (2 Rs 25.27-30)

A seção final deste capítulo corresponde de forma quase idêntica ao texto de 2 Reis. Ela contém uma nota de esperança ao relatar como Joaquim, o aprisionado rei de Judá, ganhou o favor da corte da Babilônia. No trigésimo sétimo ano do seu **cativeiro** (ele havia sido levado para a Babilônia quando tinha dezoito anos), **Evil-Merodaque** (561-559 a.C.), filho e sucessor de Nabucodonosor, **levantou a cabeça** (31) de Joaquim, i.e., restaurou-o à posição real. Ele foi tirado da **prisão**, recebeu comida e vestes apropriadas, e foi condecorado com "um assento de honra mais elevado" (32) do que de outros **reis** cativos na **Babilônia**. Ele foi tratado **benignamente** e lhe deram uma pensão para o resto de sua vida (34). Para alcançar esse sucesso, ele obviamente aprendeu a se ajustar ao ambiente hostil, a ponto de ganhar o respeito dos seus inimigos. Como sugere Hopper: "Ele emerge finalmente com um caráter inesperado".[2]

Os estudiosos têm debatido em detalhes a respeito do motivo de esse apêndice histórico estar anexado às profecias de Jeremias. Parece um pouco estranho, visto que o nome do profeta não é mencionado uma única vez nesse apêndice, e a maior parte do material pode ser encontrada no livro de Reis. Por outro lado, não podemos dizer que ele é inapropriado. Geralmente se reconhece que esse material foi colocado aqui para mostrar que as profecias de Jeremias referentes a Jerusalém foram, de fato, cumpridas. Dessa forma, a história pode justificar os longos anos de sofrimento suportados pelo profeta mais difamado e menos entendido do Antigo Testamento. Além disso, a prosperidade de Joaquim despertava uma expectativa de um dia melhor "após o julgamento", uma expectativa que Jeremias proclamou inúmeras vezes nos momentos mais auspiciosos de sua vida.

Notas

INTRODUÇÃO

[1] Charles Edward Jefferson, *Cardinal Ideas of Jeremiah* (Nova York: The Macmillan Company, 1928), pp. 194, 197.

[2] John Paterson, "Jeremiah", *Peake's Commentary on the Bible* (Nova York: Thomas Nelson and Sons, 1962), p. 539.

[3] *Ibid.*, p. 537.

[4] C. A. Robinson, *Ancient History* (Nova York: The Macmillan Company, 1951), p. 103.

[5] John Bright, "Jeremiah", *The Anchor Bible* (Nova York: Doubleday and Comapny, Inc., 1965), p. xxxix.

[6] *Op. cit.*, p. 538.

[7] *Ibid.*

[8] Veja 2 Reis 24.1; também Daniel 1.1

[9] Parece que o exército babilônico conquistou as cidades menores de Judá antes de sitiar Jerusalém. Laquis, uma cidade fortificada, que ficava próxima aos montes a sudeste de Jerusalém, servia para manter as linhas de comunicação abertas com o Egito. Laquis precisava ser destruída antes que Jerusalém pudesse ser tomada. A linguagem dessas Cartas é semelhante à linguagem do Livro de Jeremias. Elas são inscrições hebraicas antigas, em pedaços de cerâmica, e muitas delas tratam dos problemas de um oficial militar em um posto avançado perto de Laquis. Essas cartas revelam as frustrações desse oficial daqueles dias angustiantes pouco antes da fortaleza de Laquis cair. Veja uma tradução dessas cartas em *Lachish Letters*, ed. Harry Torczyner (Londres: Oxford University Press, 1938); também "A Suplement to Jeremiah: The Lachish Ostraca", de W. F. Albright, em *Bulletin of the American Schools of Oriental Research*, nº 61 (fevereiro, 1936), pp. 15-16; "A Re-examination of the Lachish Letters", *ibid.*, nº 73 (fevereiro, 1939), p. 16.

[10] "Jeremiah", *Layman's Bible Commentary* (Londres: SCM Press, Ltd., 1961), pp. 12ss.

[11] *Ibid.*, p. 13.

[12] Kuist, *op. cit.*, p. 14.

SEÇÃO I

[1] Veja George Adam Smith, *Jeremiah*, (Nova York: George H. Doran Co., 1922), p. 66.

[2] J. P. Hyatt, *Prophetic Religion* (Nova York: Abingdon Press, 1947), pp. 31ss.

SEÇÃO II

[1] Hyatt, *op. cit.*, pp. 311ss.

[2] A palavra hebraica para **criança** (*na'ar*) é usada no AT para referir-se a um infante (Êx 2.6; Is 7.16; 8.4; etc.), a um menino pequeno (Gn 21.21; 22.5; 37.2; 43.8), ou a um jovem com idade para casar (Gn 34.19; 2 Sm 18.5, 12, etc.). Nós, portanto, não podemos determinar a idade exata de Jeremias. É bem possível, que ele tivesse pelo menos dezessete anos. Ele pode ter sido mais velho.

[3] Stanley R. Hopper, "Jeremiah". *The Interpreter's Bible*.

[4] Cf. a visão de John Wesley, que acreditava que a perfeição cristã era um estado de *completa devoção* a Deus.

[5] Hyatt, *op. cit.*, p. 48. Veja também *Hebrew-English Lexicon* de Brown, Driver & Briggs (Oxford: Clarendon Press, 1955), p. 611.

[6] Kyle M. Yates, *Preaching from the Prophets* (Nashville: Broadman Press, 1942), p. 2.

[7] C. A. McConnell costumava dizer: "Deus muda seus planos para adaptar-se às escolhas inconstantes do homem, mas os propósitos de Deus nunca mudam; eles são eternos".

[8] IB., V (Expos.), p. 805.

[9] J. P. Hyatt, "The Book of Jeremiah" (Exeg.), *The Interpreter's Bible*, ed. George A. Buttrick, *et al.* (Nova York: Abingdon-Cokesbury Press, 1951), V, p. 798ss.

[10] Na nota de rodapé da KJV lemos o sentido literal do hebraico: "do Norte".

[11] Kuist, *op. cit.*, p. 29.

SEÇÃO III

[1] IB., V (Expos.), p. 813.

[2] **Os que tratavam da lei** parece indicar que já havia escribas em Israel, ou mestres que explicassem a Lei (Torá).

[3] Referência aos **profetas** significaria membros da associação profética ou da escola dos profetas. Esses profetas profissionais estiveram presentes em Israel desde o tempo de Samuel.

[4] Os termos **Quitim** e **Quedar** são, na verdade, expressões que indicavam as extremidades do oeste e do leste. **Quitim** é Chipre e as ilhas circunvizinhas, enquanto que **Quedar** é o nome da tribo dos árabes a leste de Judá. Esses são povos gentios que serviam a falsos deuses.

[5] Mênfis era a capital do baixo Egito, e Tafnes era o lugar de um dos palácios favoritos do rei do Egito (veja mapa 3).

[6] 2 Reis 22—23.

[7] C. J. Ball. "The Prophecies of Jeremiah", *The Espositor's Bible* (Nova York: George H. Doran Co.), pp. 114ss.

[8] Kuist, *op. cit.*, p. 31.

[9] Há várias conjecturas entre os estudiosos em relação à arca da aliança. Alguns acreditam que ela desapareceu durante o reinado ímpio de Manassés, e se esse foi o caso, ela desapareceu durante a composição desse livro. Outros acham que a arca foi destruída com o Templo em 586 a.C., mas ela não aparece na lista dos tesouros tomados por Nabucodonosor no capítulo 52. Na verdade, ninguém sabe exatamente o que aconteceu. Jeremias, no entanto, está dizendo que a ordem antiga, da qual ela era símbolo, será substituída por uma nova ordem, e o mero símbolo não será desejado nem se sentirá falta dele.

[10] A S. Peake, "Jeremiah", *The New Century Bible* (Edimburgo: T. C. e E. C. Jack, 1910), p. 114.

[11] Hyatt, *Prophetic Religion*, p. 167.

[12] IB., V (Exeg.), p. 831.

[13] *Op. cit.*, p. 115.

[14] IB, V (Expos.), p. 832.

[15] John Skinner, *Prophecy and Religion* (Cambridge: University Press, 1951), p. 151.

[16] John Calvin, "The Book of the Prophet Jeremiah", *Calvin's Commentary*, traduzido por John Owen (Grand Rapids: Wm. B. Eerdmans Publishing Co., 1950), p. 205. John Skinner diz: "Circuncisão [...] era [...] um ato de dedicação significando a remoção da impureza inerente

ao estado da natureza, por meio da qual o indivíduo se tornava membro da comunidade religiosa" (*op. cit.*, pp. 151-152).

[17] *Op. cit.*, p. 246.

[18] Veja o sermão de John Wesley: "A Circuncisão do Coração", *Wesley's Works* (Kansas City: Beacon Hill Press, 1958), V. 203.

[19] Veja Kuist, *op. cit.*, p. 31.

[20] *Ibid.*

[21] A profecia de Jonas referente a Nínive é um exemplo disso. Veja *Goodly Fellowship of the Prophets* de Paterson (Nova York: Charles Schribner and Sons, 1948), p. 6.

[22] Veja Adam Clarke, *A Commentary and Critical Notes*, IV (Nova York: The Methodist Book Concern, sem data), p. 264.

[23] IB, V (Expos.), p. 840.

[24] Peake, *op. cit.*, p. 130.

[25] Veja IB, V (Exeg.), p. 856.

[26] O profeta Amós era nativo de Tecoa (Am 1.1).

[27] Acerca das diferentes interpretações veja IB, V, p. 859.

[28] O uso da palavra **congregação** é um tanto estranho; o hebraico é obscuro, mas parece referir-se a Israel como um todo. Veja Peake, *op. cit.*, p. 142.

[29] **Sabá** é uma tribo de comerciantes conhecida no sudoeste da Arábia, e **cana aromática** provavelmente não se refere à cana-de-açúcar, mas ao cálamo, uma erva usada na fabricação de incenso.

[30] Cf. 1 Samuel 15.22.

[31] Veja Calvin, *op. cit*, p. 391; IB, V, p. 875; Peake, *op. cit.*, p. 152; Clarke, *op. cit.*, p. 274.

[32] C. W. Eduard Naegelsbach, "The Book of the Prophet Jeremiah", A *Commentary on the Holy Scriptures*, ed. Peter Lange; traduzido por Philip Schaff (Nova York: Charles Schribner's Sons, 1915), p. 97.

[33] Também veja 2.10-11; 5.22-23; 18.13-17.

[34] Kuist, *op. cit.*, p. 39.

[35] Peake, *op. cit.*, p. 165.

[36] IB, V, (Expos.), p. 892.

[37] Kuist, *op. cit.*, p. 40.

[38] Veja ASV, RSV e C. F. Keil e F. Delitzsch, "Jeremiah", *Commentaries on the Old Testament* (Grand Rapids, Mich.: Wm. B. Eerdmans Publishing Co., 1956, reedição), p. 192; IB, V, p. 896; NBC, p. 616; e J. F. Graybill, "Jeremiah", *The Wycliffe Bible Commentary* (Chicago: Moody Press, 1962), p. 666.

[39] *Ibid.*

[40] Kuist, *op. cit.*, p. 41.

[41] *Ibid.*

[42] **Társis** na Espanha ou Sicília ficava no extremo oeste do mundo conhecido, notória pela sua prata; **Ufaz** é desconhecida, embora alguns acreditem ser ela a terra de Ofir, conhecida pelo seu ouro.

[43] Kuist, *ibid.*, p. 42.
[44] Clarke, *op. cit.*, p. 284.
[45] Kuist, *op. cit.*, p. 42.

SEÇÃO IV

[1] Kuist, *op. cit.*, p. 47.

[2] Esse é um ponto a favor da unidade de Isaías, visto que se a última parte de Isaías foi escrito por um "segundo Isaías" no período do retorno do exílio, Jeremias não poderia ter conhecimento desse fato.

[3] Clarke, *op. cit.*, p. 291; Lange, *op. cit.*, p. 143; veja tb E. Stanley Jones, *Christian Maturity* (Nova York: Abingdon Press, 1947), p. 173.

[4] Keil e Delitzsch, *op. cit.*, p. 253.

[5] Lange, *op. cit.*, p. 150.

[6] Cf. Ezequiel 2.8—3.3; Apocalipse 10.9-10.

[7] Peake, *op. cit.*, p. 213.

[8] Para maiores explicações acerca dos diversos ritos para os mortos, veja Keil e Delitzsch, *op. cit.*, pp. 267ss, ou Lange, *op. cit.*, pp. 158ss.

[9] cf. 3.17; 7.24; 9.14; 11.8; 13.10; 18.12; 23.17.

[10] Kuist, *op. cit.*, p. 55.

[11] G. A. Smith, *op. cit.*, p. 346.

[12] Keil e Delitzsch, *op. cit.*, p. 281.

[13] Alguns estudiosos acreditam que Jeremias está se referindo a Zedequias ao colocar sua confiança no Egito. Veja IB, V (Exeg.), p. 950.

[14] A mesma forma hebraica usada para a palavra "Jacó".

[15] Kuist, *op. cit.*, p. 57.

[16] *Ibid.*

[17] Essa frase também pode ser traduzida da seguinte forma: "aqueles que me [Jeremias] açoitam [maltratam]".

[18] Somente aqui lemos acerca da **porta dos filhos do povo**. Apesar das muitas conjecturas, qualquer identificação exata dessa porta permanece incerta. Essa decisão não é importante visto que Jeremias foi instruído, mais adiante, a ir a todas as portas de Jerusalém.

[19] A oficina do oleiro provavelmente estava localizada no vale de Ben Hinom, ao sul de Jerusalém. Era de supor que incluísse, além da oficina, um "local para armazenar e amassar o barro, uma estufa para os vasos e um depósito de lixo" (IB, V [Exeg.], p. 961).

[20] Veja G. A. Smith, *op. cit.*, pp. 186ss.; John Skinner, *Prophecy and Religion* (Cambridge: University Press, 1957), pp. 162ss.

[21] Smith, *op. cit.*, p. 189; cf. Mateus 25.46; Lucas 19.41-44.

[22] *Studies in the Prophecy of Jeremiah* (Nova York: Fleming H. Revell Company, 1931), pp. 107ss.

[23] Smith, *op. cit.*, pp. 186ss.

²⁴ L. Elliot Binns, "The Book of the Prophet Jeremiah", *Westminter Commentaries* (Londres: Methuen and Co., Ltda, 1919), p. 147.

²⁵ Keil e Delitzsch, *op. cit.*, p. 296.

²⁶ Binns, *op. cit.*, p. 149.

²⁷ Esse vale, ao sul de Jerusalém, tinha sido transformado em um lugar de adoração a falsos deuses pelo perverso Manassés (2 Cr 33.6). Os filhos eram sacrificados lá a esses deuses falsos. Quando Josias instituiu sua reforma, esse lugar foi transformado em um monturo para a cidade (2 Rs 23.10) e seu nome foi mudado para Tofete. Em outras passagens das Escrituras esse lugar está conectado ao inferno, o monturo do universo.

²⁸ Para distingui-la da porta da cidade com esse nome — essa era provavelmente a porta norte do pátio interior do Templo.

²⁹ IB, V (Exeg.), p. 973.

³⁰ *Op. cit.*, p. 155. Outros estudiosos buscam resolver o problema ao inserir os versículos 14-18 após o versículo 10. Dessa forma, os versículos 11-13 viriam após o versículo 18.

³¹ A Bíblia não ensina que a vida com Deus é uma jornada serena. Pelo contrário, ela ensina que os homens de Deus em todas as épocas tiveram, de tempo em tempo, as mais impetuosas tentações, frustrações, lutas interiores, períodos de profundos questionamentos e batalhas de fé. Eles tiveram de ficar diante das portas da sua alma com espada desembainhada e lutar contra as forças demoníacas que procuravam destruí-los. Mesmo o Mestre teve seus momentos de luta ardente (Mt 26.37-44; Mc 15.34; Lc 4.1-13).

³² IB, V (Exeg.), p. 976.

SEÇÃO V

¹ O **Pasur** citado aqui não é o mesmo Pasur mencionado no capítulo 20. Esse é **filho de Malquias**, o outro "filho de Imer".

² Kuist, *op. cit.*, p. 67.

³ *Ibid.*

⁴ Keil e Delitzsch, *op. cit.*, p. 340.

⁵ Os estudiosos têm procurado descobrir o que aconteceu na morte de Jeoaquim. Alguns acreditam que ele morreu em uma revolta no palácio, e seu corpo foi desonrado. Outros acreditam que, ao morrer durante o cerco, ele foi enterrado às pressas, e os caldeus, sabendo disso (8.1ss), desenterraram e desonraram seu corpo. Outros acham que ele foi capturado pelos caldeus em uma incursão fora dos muros da cidade (597 a.C.) e acorrentado, mas morreu em decorrência de uma doença ou do abandono no acampamento do inimigo. Nos eventos que seguiram a captura da cidade, seu corpo foi desonrado, não recebendo um enterro decente. Cf. Lange, *op. cit.*, p. 202; Keil e Delitzsch, *op. cit.*, p. 341.

⁶ "Não está claro a quem as palavras de 22.20-23 são dirigidas, mas elas ratificam o mesmo princípio defendido por Jeremias" (Kuist, *op. cit.*, p. 70).

⁷ IB, V (Exeg.), p. 985.

⁸ *Ibid,* p. 987.

⁹ Binns, *op. cit.*, p. 173.

¹⁰ A palavra **maldição** (hb., '*alah*) pode ser traduzido por "juramento", mas no contexto "maldição" se encaixa melhor.

[11] Kuist, *op. cit.*, p. 73.

[12] Peake, *op. cit.*, p. 269.

[13] Kuist, *op. cit.*, *ad loc.*

[14] Peake, *op. cit.*, p. 271.

[15] Precisamos admitir que existem dificuldades cronológicas concernentes à aparição de Nabucodonosor em Jerusalém em 606-605 a.C. Vários argumentos são apresentados. Para uma apresentação dos diferentes pontos de vista, consulte as seguintes obras: E. J. Young, *Introduction to the Old Testament* (Grand Rapids: Eerdmans Publishing Co., 1949); G. L. Archer, *A Survey of Old Testament Introduction* (Chicago: Moody Press, 1964), pp. 369ss; J. E. H. Thomson, "The Book of Daniel", *Pulpit Commentary* (Grand Rapids: Eerdmans Publishing Co., 1950), XIII, p. i e seguintes; R. H. Pfeiffer, *Introduction to the Old Testament* (Nova York: Harper and Brothers, 1948), p. 765.

[16] IB, V (Expos.), p. 999.

[17] Kuist, *op. cit.*, p. 79.

[18] Paterson, *op. cit.*, pp. 538, 545.

[19] Kuist, *op. cit.*, p. 80.

[20] Paterson, *op. cit.*, p. 545.

[21] IB, V, (Exeg.), p. 1012.

[22] *Op. cit.*, p. 70.

[23] Binns cita Cheyne, *op. cit.*, p. 210.

[24] Paterson, *op. cit.*, p. 554.

[25] **Neelamita** significa "morador de Neelão", mas não temos notícia desse lugar no AT. Sua etimologia sugere "sonhar", o que deu origem a uma nota marginal: "sonhador" (ISBE).

SEÇÃO VI

[1] Keil and Delitzsch, *op. cit.*, II, 2; IB, V (Expos.), p. 1043; G. C. Morgan, *op. cit.*, p. 160.

[2] *Op. cit.*, p. 160.

[3] Alguns estudiosos acreditam que o **livro** mencionado aqui encerra apenas os capítulos 30—31, enquanto que outros incluem os capítulos 32—33. Esse escritor concorda com a segunda posição. A palavra hebraica para **livro** (*sepher*) pode ser usada tanto para uma carta curta ou um livro volumoso como é o caso do livro de Gênesis, ou Isaías.

[4] Morgan, *op. cit.*, p. 162.

[5] *Ibid.*

[6] T. K. Cheyne, "The Book of Jeremiah" (Expos.), *The Pulpit Commentary*, XI (Grand Rapids: Wm. B. Eerdmans, [reedição], 1950), p. 600.

[7] Keil e Delitzsch, *op. cit.*, II, p. 6.

[8] Kuist, *op. cit.*, p. 89.

[9] Morgan, *op. cit.*, p. 170.

[10] No Oriente Médio até o dia de hoje, o primogênito tem um lugar especial no coração do pai. 1 Crônicas 5.1 diz que, visto que Rúben profanou a cama do pai, o direito de primogenitura foi dado aos filhos de José. Isso explica a referência a Efraim, filho de José, no versículo 9 acima.

[11] Fred M. Wood, *Fire in My Bones* (Nashville: Broadman Press, 1959), p. 152.

[12] Paterson, *op. cit.*, p. 556.

[13] Keil e Delitzsch, *op. cit.*, II, p. 39.

[14] Kuist, *op. cit.*, p. 97.

[15] James Fleming, *Personalities of the Old Testament* (Nova York: Chas. Schribner's Sons, 1946), p. 329.

[16] Binns, *op. cit.*, p. 240; também James, *op. cit.*, p. 1.

[17] J. F. Graybill, *op. cit.*, p. 679.

[18] Keil e Delitzsch, *op. cit.*, II, p. 46.

[19] O **pátio da guarda**, ou "pátio da prisão" (v. 2) fazia parte do palácio do rei. Parece ter sido um pátio aberto ao redor do qual ficavam as barracas dos guarda-costas do rei. Esse pátio era "usado para prisioneiros políticos que não precisavam de um confinamento rigoroso" (IB, V, [Exeg.], p. 1043. Evidentemente as pessoas podiam ver o que se passava no pátio (vv. 10, 12). Veja Binns, *op. cit.*, p. 245.

[20] IB, V (Exeg.), p. 1045; John Bright, *op. cit.*, p. 239.

[21] Paterson, *op. cit.*, p. 556.

[22] *Op. cit.*, pp. 193ss.

[23] Paterson, *op. cit.*, p. 628.

[24] F. Cawley, "Jeremiah", *The New Bible Commentary*, ed. Francis Davidson, *et al.* (Grand Rapids. Mich.: Wm. B. Eerdmans Publishing Co., 1956), p. 628.

[25] Kuist, *op. cit.*, p. 102.

[26] Binns, *op. cit.*, p. 253.

[27] Cf. a exegese de G. C. Morgan, *op. cit.*, pp. 200ss.

[28] Ibid., p.204.

[29] Keil e Delitzsch, *op. cit.*, II, p. 72; Morgan, *op. cit.*, p. 201.

[30] Keil e Delitzsch, *op. cit.*, II, p. 73; Paterson, *op. cit.*, p. 557.

[31] Cawley, NBC, P. 628.

SEÇÃO VII

[1] Laquis (veja mapa 2) era uma cidade fortificada a cerca de trinta e cinco quilômetros de Jerusalém, que controlava a estrada que ia da planície costeira (Sefelá) a Jerusalém. Antes que a capital pudesse ser forçada a se render, essa fortaleza teria de ser tomada. Em escavações realizadas nessa área foram descobertas as *Cartas de Laquis* escritas durante o período que estamos considerando. Veja na Introdução a discussão da importância das *Cartas de Laquis* para compreender melhor a vida e época de Jeremias. Azeca ficava entre Laquis e Jerusalém.

[2] Cf. Keil e Delitzsch, *op. cit.*, p. 81.

[3] IB, V (Exeg.), p. 1054; também veja Peake, *op. cit.*, II, p. 137; Graybill, *op. cit.*, p. 680.

[4] Binns observa: "O número de escravos deve ter sido muito grande visto que as freqüentes invasões tinham destruído os pequenos proprietários de terra, que eram oprimidos pela ganância dos grandes proprietários e na sua pobreza reduzidos à escravidão" (*op. cit.*, p. 260).

⁵ Nos tempos antigos, uma aliança entre duas partes era confirmada pela morte de um animal, preferencialmente um bezerro, cortando-o em duas metades. As duas partes passavam entre esses pedaços, concordando "que se uma das duas partes quebrasse a aliança ocorreria com ela a mesma coisa que havia acontecido com o animal cortado em duas metades" (*Unger's Bible Dictionary*, p. 224).

⁶ Acerca de "arrependimento superficial" veja Jeremias 34.8-11, *Pulpit Commentary*, XI, p. 87.

⁷ Merrill F. Unger, *Unger's Bible Dictionary* (Chicago: Moody Press, 1957), p. 913; IB, V, (Exeg.), p. 1062; Paterson, *op. cit.*, p. 557.

⁸ *Antiquities of the Jews* X. 9.1.

⁹ IB, V (Exeg.), p. 1064.

¹⁰ Kuist, *op. cit.*, p. 110.

¹¹ Unger's *Bible Dictionary*, p. 561.

SEÇÃO VIII

¹ Alguns estudiosos vêem os versículos 1-2 como um dispositivo de tradução do editor (talvez Baruque) para comunicar ao leitor que ele está passando do reinado de Jeoaquim (cap. 3) para o reinado de Zedequias. A mudança é tão abrupta que o editor achou melhor que o leitor fosse avisado.

² Cawley, NBC, p. 630.

³ Muitas traduções modernas trazem "três homens".

⁴ *Pulpit Commentary*, XI, (II), p. 138.

⁵ **Rabe-Saris** geralmente tem sido traduzido por "eunuco chefe" e **Rabe-Mague** por "Mago chefe ou adivinhador". Essas traduções não são satisfatórias, mas provavelmente se referem a um militar graduado ou oficial diplomático. (Veja J. B. Pritchard, *Ancient Near Eastern Texts* [Princeton: Princeton University Press, 1950], pp. 307-308; também, IB, V (Exeg.), pp. 1078ss; Bright, *op. cit.*, p. 243).

⁶ **Ribla, na terra de Hamate** (veja mapa 1) era um ponto militar muito estratégico no mundo antigo. Ela ficava na encruzilhada da Ásia ocidental. De lá a estrada principal ia para o sul em direção a Damasco, Jerusalém e até as entradas do Egito; para o leste, o Eufrates e a Babilônia; para o sudoeste, Tiro e Sidom; para o norte, as planícies centrais da Ásia Menor. O faraó Neco montou seu quartel-general lá antes da batalha de Carquemis.

⁷ *Op. cit.*, p. 116.

SEÇÃO IX

¹ Essa frase aparece sete vezes nessa seção: 40.11; 42.15, 19; 43.5; 44.12, 14, 28; "resto de Judá", 40.15.

² IB, V, (Exeg.), p. 1084.

³ Bright, *op. cit.*, p. 254.

⁴ Keil e Delitzsch, *op. cit.*, p. 132.

⁵ Os caldeus evidentemente deixaram alguns membros da casa real na Palestina; Peake, *op. cit.*, p. 189.

⁶ Os arqueólogos descobriram vestígios de um excelente sistema de águas nessa região. Esse local hoje se chama Ej Jib.

⁷ "**Jezanias** aqui é conhecido como o filho de Hosaías; em 40.8 ele é conhecido como o filho de um maacatita; em 43.2 Azarias é conhecido como o filho de Hosaías. Ou havia dois Jezanias e dois Hosaías, ou houve um erro no texto" (*Lange's Commentary*, p. 342).

⁸ Peake, *op. cit.*, p. 193.

⁹ *Op. cit.*, p. 251.

¹⁰ Kuist, *op. cit.*, p. 120.

¹¹ **Estátuas de Bete-Semes** (v. 13) provavelmente eram "os obeliscos de Beth-shemesh" — Casa do Sol — um famoso templo dedicado ao sol, com uma fileira de obeliscos diante dele (Berk., nota de rodapé).

¹² Pritchard, *op. cit.*, p. 308; IB, V (Exeg.), 1095; Kuist, *op. cit.*, p. 121.

¹³ *Antiquities* X. 9.7.

¹⁴ Veja Clarke, *op. cit.*, IV, p. 367; Peake, *op. cit.*, p. 208; Binns, *op. cit.*, p. 314.

¹⁵ Veja Keil e Delitzsch, *op. cit.*, pp. 168ss.

SEÇÃO X

¹ Kuist, *op. cit.*, p. 123.

² *Pulpit Commentary*, XI, p. 201.

³ Bright, *op. cit.*, p. 186.

SEÇÃO XI

¹ Kuist, *op. cit.*, p. 125.

² Líbios e **lídios** eram pessoas da antiga Pute e Lude. Pute é provavelmente "Punt", um povo que ficava na costa leste da África, perto do Egito. Lude era provavelmente um povo líbio a oeste do Egito (Ludim ou Lubim). Veja Peake, *op. cit.*, II, p. 217; Bright, *op. cit.*, p. 306.

³ Cawley, NBC, p. 634.

⁴ No hebraico, todas as palavras estão no singular exceto "os fortes" (ASV; homens valentes, KJV). A LXX e a Vulgata além de outras versões colocam esse termo no singular.

⁵ Essa é a paráfrase de John Bright (*op. cit.*, p. 303). A ASV traduz esse texto da seguinte maneira: "Eles clamam ali: o faraó, rei do Egito, é apenas um barulho; deixou passar o tempo oportuno".

⁶ Veja uma descrição mais completa em Deil e Delitzsch, *op. cit.*, pp. 197ss.

⁷ D.J. Wiseman, *Chronicles of Chaldean Kings* (London: British Museum, 1956).

⁸ IB, V (Exeg.), p. 1112.

⁹ Os versículos 29-34 são paralelos de alguns versículos de Isaías 15—16; os versículos 43-44 são paralelos de Isaías 24.17-18; 45-46 são paralelos de Números 21.28-29 e 24.17. Cf. os comentários do CBB dessas passagens.

¹⁰ Veja opiniões mais detalhadas em Keil e Delitzsch, *op. cit.*, p. 129; IB, V (Exeg.), p. 1112; Cawley, NBC, p. 635.

¹¹ Os moabitas ainda eram culpados por depositarem sua confiança no lugar errado.

¹² Em 1868, arqueólogos encontraram a Pedra Moabita de Dibom. Essa descoberta acrescentou muito à nossa compreensão desse período da história do AT. Mesa, rei de Moabe, registra

suas vitórias sobre Israel nessa pedra. Os nomes das seguintes cidades mencionados nesse capítulo são encontrados na Pedra Moabita: Nebo, Dibom, Horonaim, Aroer, Quiriataim, Jaza, Queriote, Bozra, Bete-Meom e Bete-Diblataim.

[13] Kuist, *op. cit.*, p. 130.

[14] Veja Keil e Delitzsch, *op. cit.*, p. 226.

[15] *Antiquities* X. 9.7.

[16] Keil e Delitzsch, *op. cit.*, p. 233.

[17] A natureza dupla dos amonitas é revelada no seguinte: "Nos tempos de Jeremias eles (*a*) aparecem como aliados da Babilônia (2 Rs 24.2); (*b*) aliam-se contra a Babilônia (Jr 27.3); (*c*) oferecem refúgio para os fugitivos judeus (Jr 40.14); (*d*) tramam matar Gedalias (Jr 40.14)", Binns, *op. cit.*, p. 343.

[18] Bright, *op. cit.*, p. 335.

[19] Veja Peake, *op. cit.*, pp. 239ss; Keil e Delitzsch, *op. cit.*, pp. 237ss.

[20] É claro que isto levanta a questão da data de Obadias. Alguns estudiosos acreditam que Obadias não foi escrito antes de 585 a.C. Se isso é verdade, então tanto Jeremias quanto Obadias citam um oráculo que é mais antigo do que eles.

[21] Dedã era uma cidade árabe próxima da fronteira de Edom. Os negociantes de Dedã costumavam negociar com os comerciantes de Temã e Bozra.

[22] Peake, *op. cit.*, p. 244.

[23] Keil e Delitzsch, *op. cit.*, II, p. 244.

[24] Esse versículo tem apresentado dificuldades para os tradutores. O texto literal: "no mar há angústia" não faz muito sentido. A RSV (a NVI apresenta uma tradução semelhante) traduz melhor o significado desse texto.

[25] J. W. Swain, *The Ancient World* (Nova York: Harper and Borthers, 1950), I, pp. 187ss.

[26] *Ibid*, p. 178.

[27] Bright, *op. cit.*, p. 328; também veja Ezequiel 32.24.

[28] Os elamitas evidentemente foram forçados a se estabelecer em Samaria, de acordo com Esdras 4.9, e os judeus do Elão estavam presentes em Pentecostes (At 2.9).

[29] Bright, *op. cit.*, p. 359.

[30] E. J. Young, *op. cit.*, p. 228; também NBC, pp. 636-637.

[31] Há um jogo de palavras das raízes hebraicas *mrh* e *pqd*. *Mar marrati* era um distrito que ficava ao sul da Babilônia. O *Puqudu* era um povo da Babilônia oriental. *Mrh* significa "rebelar" e *pqd* significa "castigar".

[32] Bright, *op. cit.*, p. 212.

SEÇÃO XII

[1] Este comentarista acredita que podem ter havido diversas deportações além daquelas que os estudiosos normalmente postulam. Ele acha que as deportações relacionadas nos versículos 28-30 estão incluídas aqui porque não tinham sido registradas em outra parte das Escrituras.

[2] IB, V (Expos.), p. 1142.

Bibliografia

I. COMENTÁRIOS

BALL, C. J. "The Prophecies of Jeremiah". *The Espositor's Bible*. Editado por W. Robertson Nicoll. Nova York: George H. Doran, s.d.

BINNS, L. Elliot. "The Book of the Prophet Jeremiah", *Westminster Commentaries*, Londres: Methuen and Co., Ltd., 1919.

CALVIN, John. "The Book of the Prophet Jeremiah". *Calvin's Commentaries*. Trad. John Owen. Grand Rapids, Mich.: Wm. B. Eerdmans Publishing Co., 1950 (reed.).

CAWLEY, F. "Jeremiah". *The New Bible Commentary*. Ed. Francis Davidson, *et al*. Grand Rapids. Mich.: Wm. B. Eerdmans Publishing Co., 1956.

CHEYNE, T. K. "The Book of Jeremiah" (Exposition). *The Pulpit Commentary*. Ed. H. D. M. Spence e Joseph Exell. Nova Edição. Chicago: Wilcox e Follet, s.d.

CLARKE, Adam. *The Holy Bible with a Commentary and Critical Notes*, Vol. IV. Nova York: The Methodist Book Concern, s.d.

GRAYBILL, J. F. "Jeremiah". *The Wycliffe Bible Commentary*. Ed. Charles Pfeiffer e E. F. Harrison. Chicago: Moody Press, 1962.

HOPPER, Stanley R. "The Book of Jeremiah" (Exposition). *The Interpreter's Bible*. Ed. George A. Buttrick, *et al.*, Vol. V. Nova York: Abingdon-Cokesbury Press, 1951.

HYATT, J. P. "The Book of Jeremiah" (Exegese). *The Interpreter's Bible*. Ed. George A. Buttrick, *et al.*, Vol. V. Nova York: Abingdon-Cokesbury Press, 1951.

KEIL, C. F., e DELITZSCH, F. "Jeremiah". *Biblical Commentaries on the Old Testament*. Trad. D. Patrick. Grand Rapids. Mich.: Wm. B. Eerdmans Publishing Co., 1956 (reed.).

KUIST, H. T. "Jeremiah". *Layman's Bible Commentaries*. Londres: SCM Press, Ltd., 1961.

MORGAN, G. Campbell. *Studies in the Prophecy of Jeremiah*. Nova York: Fleming H. Revell Co., 1931.

NAEGELSBACH, C. W. Eduard. "The Book of the Prophet Jeremiah". *A Commentary on the Holy Scriptures*. Ed. John Peter Lange. Trad. Philip Schaff. Nova York: Charles Schribner's Sons, 1915.

PATERSON, John. "Jeremiah". *Peake's Commentary on the Bible*. H. H. Rowley, ed. Antigo Testamento. Nova York: Thomas Nelson and Sons, 1962.

PEAKE, A. S. "Jeremiah". *The New Century Bible*. Edimburgo: T. C. and E. C. Jack, 1910.

SMITH, George Adam. *Jeremiah*. Nova York: George H. Doran and Company, 1922.

II. OUTROS LIVROS

Archer, Gleason L. *A Survey of Old Testament Introduction*. Chicago: Moody Press, 1964.

Brown, F., Driver, S. R., Briggs, C. A. (eds.). *A Hebrew and English Lexicon of the Old Testament*. Oxford: Clarendon Press, 1907; reed., 1953, 1957.

Hyatt, J. P. *Prophetic Religion*. Nova York: Abingdon Press, 1947.

James, Fleming. *Personalities of the Old Testament*. Nova York: Charles Schribner's Sons, 1946.

Jefferson, Charles Edward. *Cardinal Ideas of Jeremiah*. Nova York: The Macmillan Company, 1928.

Jones, E. Stanley. *Christian Maturity*. Nova York: Abingdon Press, 1947.

Josephus, Flavius. *Antiquities of the Jews*. "The Works of Flavius Josephus". 2 volumes. Filadélfia: J. B. Lippincott Co., 1895.

PATERSON, John. *Goodly Fellowship of the Prophets*. Nova York: Charles Schribner and Sons, 1948.

PFEIFFER, R. H. *Introduction to the Old Testament*. Nova York: Harper and Brothers, 1948.

PRITCHARD, J. B. *Ancient Near Eastern Texts Relating to the Old Testament*. Princeton: Princeton University Press, 1950.

ROBINSON, A. A. *Ancient History*. Nova York: The Macmillan Company, 1951.

SKINNER, John. *Prophecy and Religion*. Cambridge: University Press, 1951.

SWAIN, J. W. *The Ancient World*. Nova York: Harper and Brothers, 1950.

THOMPSON, J. H. "The Book of Daniel". *The Pulpit Commentary*. Editado por H. D. M. Spence e Joseph S. Excell, vol. 13. Grand Rapids. Mich.: Wm. B. Eerdmans Publishing Co., 1950 (reed.).

TORCZYNER, Harry, (ed.). *Lachish Letters*. Londres: Oxford University Press, 1938.

UNGER, Merrill F. *Unger's Bible Dictionary*. Chicago: Moody Press, 1957. Wesley, John. *Wesley's Works*. Kansas City, Missouri: Beacon Hill Press, 1958 (reed.).

WISEMAN, D. J. *Chronicles of the Chaldean Kings*. Londres: British Museum, 1956.

WOOD, Fred M. *Fire in My Bones*. Nashville: Broadman Press. 1959.

YATES, Kyle M. *Preaching from the Prophets*. Nashville: Broadman Press, 1942.

YOUNG, E. J. *Introduction to the Old Testament*. Grand Rapids, Mich.: Wm. B. Eerdmans Publishing Co., 1949.

III. ARTIGOS

ALBRIGHT, W. F. "A Supplement to Jeremiah: The Lachish Ostraca". *Bulletin of the American Schools of Oriental Research*, Nº 61 (fev. 1936), pp. 15-16.

_____. "A Re-examination of the Lachish Letters". *Bulletin of the American Schools of Oriental Research*, Nº 73 (fev. 1939), p. 16.

O Livro de
LAMENTAÇÕES
DE JEREMIAS

C. Paul Gray

Introdução

A. Pano de Fundo Histórico

A catástrofe terrível que ocorreu com o país de Judá e a cidade de Jerusalém em 587-586 a.C. constitui a cortina de fundo desse pequeno livro. O exército babilônico de Nabucodonosor tinha sitiado Jerusalém por dezoito longos meses. Quando a cidade afetada pela fome e doença foi finalmente tomada, ela foi totalmente demolida e incendiada. Foi uma ocasião trágica e muito sofrida para o povo judeu. A segurança de Jerusalém era vista como uma doutrina preciosa pelos habitantes da cidade desde os tempos de Isaías (701 a.C.). Agora, os que estavam vivos para ver a cidade em ruínas e o Templo completamente destruído tinham dificuldades em acreditar naquilo que viam. A aflição deles era quase insuportável. Nos meses e anos que se seguiram, suas mentes foram importunadas com muitas perguntas não respondidas acerca da sua história passada e do seu destino futuro.

Esses cinco poemas são resultado da dor atormentadora daqueles dias atribulados que seguiram a destruição da cidade, a captura do rei Zedequias e a deportação do povo para a Babilônia. "A torrente de emoções" que pode ser detectada nesse livro revela a profundidade do desânimo que havia tomado conta do povo. Esses poemas são uma expressão de toda aflição e sofrimento que estavam acumulados em seus corações. Esses sentimentos são agora derramados por meio da descrição da sua situação miserável, misturados com a confissão de pecados e acompanhados de um clamor angustiante de penitência. Sua aflição era realmente profunda demais para ser colocada em palavras, mas uma compulsão interior os impeliu a expressar sua tristeza de alguma forma. Como ocorre em todas as épocas, a poesia e o cântico eram a forma mais natural de dar vazão às suas emoções.

B. Título e Lugar no Cânon

No texto hebraico o livro não recebe título, mas semelhantemente aos livros do Pentateuco, ele era conhecido pela sua primeira palavra: "Como!", *'eykah* (também a primeira palavra dos capítulos 2 e 4). No entanto, de alguma forma, no decorrer dos séculos os rabinos começaram a referir-se a esse livro como "lamentações" ou "hinos fúnebres" (*qinot*), e ele aparece com esse nome no Talmude babilônico. Os tradutores da Septuaginta, a versão grega do Antigo Testamento, seguiram os rabinos ao usar o termo grego para lamentações, *Threnoi*. Eles foram um passo adiante e atribuíram o livro a Jeremias. Conseqüentemente, as versões gregas posteriores, a siríaca, a antiga versão latina, a Vulgata de Jerônimo e as versões em inglês e português têm colocado o seguinte título: "As Lamentações de Jeremias".

Na Bíblia Hebraica atual o livro de Lamentações não faz parte dos Livros Proféticos, mas, sim, dos Escritos (*Hagiógrafos*). Ele é um dos Cinco Rolos (*Megilloth*) daquela seção (o terceiro) das Escrituras Hebraicas. Por meio da Septuaginta e dos escritos de Josefo fica evidente que a posição desse livro nem sempre foi essa. A Septuaginta coerentemente colocou Lamentações junto com a profecia de Jeremias. Em um comentário acerca do número e natureza das Sagradas Escrituras,[1] Josefo faz o mesmo. Ao se referir aos livros do Antigo Testamento, Josefo afirma que são vinte e dois, e os divide em três grupos. Embora não mencione Lamentações pelo nome, para chegar ao número vinte e dois, ele precisava juntar Lamentações com Jeremias e Rute com o livro de Juízes. Ele evidentemente seguiu a Septuaginta ao posicionar Lamentações entre os Livros Proféticos e não entre os Escritos.

Melito, bispo de Sardes (180 d.C.), semelhantemente chegou aos mesmos vinte e dois livros, no que foi seguido por Orígenes (250 d.C.), Agostinho (420 d.C.) e Jerônimo (405 d.C.). Isso significa que todos esses homens acreditavam que o livro de Lamentações pertencia aos Livros Proféticos e não aos *hagiógrafos*. Jerônimo, no entanto, menciona que "alguns incluíam Rute e Lamentações nos *hagiógrafos* e, dessa forma, acreditavam existir vinte e quatro livros no Antigo Testamento".[2] Esses estudiosos podiam estar se referindo a 2 Esdras e ao Talmude. Dessa forma eles acreditavam existir vinte e quatro livros e colocavam Lamentações entre os Escritos. Podemos concluir que durante o período intertestamental e nos primeiros séculos da Igreja Cristã não existia uma posição oficial e unânime em relação aos livros das Escrituras. O livro de Lamentações em um catálogo era encontrado nos Escritos e em outro nos Livros Proféticos. As nossas Bíblias seguem a ordem da Septuaginta e relacionam o livro de Lamentações com Jeremias.

C. Autoria e Data

O texto hebraico não menciona ninguém especificamente como autor do livro de Lamentações. Mas uma longa tradição coloca Jeremias como autor desse livro. Não se pode negar que o livro é escrito no espírito de Jeremias e apresenta muitas similaridades com suas profecias. A Septuaginta, no entanto, é a fonte mais antiga que atribui esses poemas a Jeremias. Embora 2 Crônicas 35.25 tenha sido citado, com freqüência, como referência bíblica para a autoria de Jeremias do livro de Lamentações, essa passagem meramente menciona que Jeremias escreveu um lamento acerca da morte do rei Josias que ficou conhecido pelos cantores do Templo em uma época posterior. Ele conecta Jeremias com esse tipo de literatura, mas isso apenas confirma o que já sabemos acerca do próprio livro do profeta. Não é possível saber se esse versículo se refere ao livro de Lamentações, porque o repertório coral do Templo devia conter muitos hinos de lamentação.

A Septuaginta é bastante explícita em sua posição quanto à autoria do livro. Essa versão grega do livro apresenta uma nota introdutória (evidentemente baseada em um original hebraico) que claramente atribui o livro a Jeremias. Essa nota diz o seguinte: "Depois que Israel foi levado cativo e Jerusalém foi destruída, Jeremias chorou e se lamentou com esta lamentação a respeito de Jerusalém, e disse". Em seguida vem o primeiro versículo do texto hebraico. A Vulgata apresenta essa nota introdutória com uma pequena variante; o texto em árabe o reproduz com exatidão, e o Targum (paráfrase) de Jônatas, a substitui com esta linha: "Jeremias, o profeta e sumo sacerdote disse". Essas autoridades são seguidas pelo Talmude e pelos Pais da Igreja, dando a entender que Jeremias era o autor de Lamentações. Por séculos a autoria de Jeremias nunca foi questionada.

Hoje, no entanto, muitos estudiosos renomados rejeitam a autoria de Jeremias. Eles o fazem com base na estrutura, estilo e atitude em relação à destruição de Jerusalém admitida pelo autor. Eles alegam que a forma acróstica bastante precisa, a presença de muitos termos novos e de frases que não são encontradas na profecia de Jeremias, a atitude desnorteada do escritor em relação à destruição de Jerusalém, são discrepantes com o pensamento de Jeremias. Esses estudiosos apresentam um número impressionante de *diferenças* com a profecia, e estão bastante seguros de que esses poemas não vêm da pena de Jeremias.

Por outro lado, estudiosos tão bem qualificados quanto aqueles citados acima defendem com bastante propriedade a visão tradicional. Eles baseiam sua opinião nas *similaridades* que existem entre os dois livros. A idéia de que o castigo tinha vindo sobre Israel por causa do seu pecado persistente e sua dependência de aliados vulneráveis e desleais é comum nos dois livros. A mesma atitude em relação aos falsos profetas e sacerdotes caracteriza os dois volumes. Palavras e frases similares apontam para um autor comum. A angústia e as lágrimas do autor de Lamentações refletem vividamente a personalidade de Jeremias. A descrição detalhada da destruição da cidade fala a favor da autoria de Jeremias. Sabemos que ele esteve presente quando a cidade caiu e permaneceu nela para observar e lamentar a destruição avassaladora. Assim, a afinidade em conteúdo, espírito, tom e linguagem falam a favor da autoria de Jeremias.

A data dos dois livros, pelo que tudo indica, é a mesma. Os eventos finais registrados no livro de Jeremias ocorreram em torno de 580 a.C., e não há nada no livro de Lamentações que demandaria uma data posterior.

D. Estrutura

Dos cinco poemas que compõem o livro, os primeiros quatro são canções tristes ou fúnebres, enquanto o quinto apresenta mais a forma de oração. No hebraico, os quatro primeiros poemas são acrósticos alfabéticos. Os poemas um, dois e quatro apresentam vinte e dois versículos, correspondendo em número e ordem ao alfabeto hebraico. Os versículos nos poemas um e dois apresentam três linhas cada, em que somente a primeira linha segue a forma acróstica. O mesmo ocorre com o poema quatro, com a exceção de apresentar apenas duas linhas em cada versículo. O poema três é singular no sentido de que todas as letras do alfabeto são repetidas três vezes sucessivamente. Por causa disso, os massoretas entendiam que cada linha era um versículo e dividiram o poema em sessenta e seis versículos. O quinto poema também apresenta vinte e dois versículos, sem um arranjo acróstico evidente.

Não se sabe por que o autor escolheu o uso da forma acróstica. Embora seja artístico e apropriado expressar a tristeza de uma nação sofrida, ela limita e obstrui o movimento livre de pensamento. Kuist sugere que essa forma acróstica foi usada como um artifício mnemônico para auxiliar a memória, ou para manter o elemento emocional explosivo sob cuidadoso controle, ou para dar "um sentido de continuidade e completitude às expressões públicas de dor e culpa e esforçando-se para manter viva a esperança que essas elegias promoviam".[3]

É importante salientar, no entanto, que o acróstico era um artifício literário conhecido[4] nos tempos bíblicos e que o autor tinha a liberdade de usá-lo em certos momentos. Nos poemas dois, três e quatro as letras *ayin* e *pe* do alfabeto hebraico estão invertidas, e o versículo 7 do poema um e o versículo 19 do poema dois têm quatro linhas em vez de três.

A estrutura métrica usada aqui é conhecida como ritmo *Qina*. Ela é a estrutura mais comumente usada para entoar canções tristes acerca dos mortos ou acerca de grandes desgraças nos tempos antigos. O uso de paralelismo, repetição, apóstrofe e seu jogo de palavras eram admiravelmente apropriados para comunicar as profundezas insondáveis do sofrimento e tristeza que a alma humana é capaz de experimentar.

E. Propósito e Uso

Esses poemas são canções tristes escritas com a expectativa de que seriam recitadas pela congregação de Israel para expressar seu grande pesar acerca da perda de sua identidade nacional. Eles consideram todos os grandes assuntos da aflição pública. O propósito deles é expressar, de forma terapêutica, as emoções mais profundas de um povo quebrantado e devastado. Os poemas permitem ao povo confessar que Deus o havia tratado com justiça, e, ao fazê-lo, encontrariam forças para suportar o peso indescritível da angústia sem desesperar-se. Eles tinham a intenção de ajudar o povo a aprender uma lição do passado e, ao mesmo tempo, conservar sua fé em Deus mesmo quando confrontados com uma desgraça avassaladora. Abrindo as portas para a oração, esses poemas apontavam o caminho para o arrependimento e fé e, deste modo, estimulavam esperança na misericórdia de Deus.

Pelo uso desses poemas podemos ver que o povo judeu reconhece o seu valor. O livro de Lamentações é incluído nos Cinco Rolos que são lidos em importantes datas no ano judaico. Esse breve livro é lido no nono dia de *Abe* (quase no final de julho), um dia de jejum que é observado na comemoração da destruição do primeiro e segundo Templos. A Igreja Romana usa partes de Lamentações para os últimos três dias da Semana Santa. Algumas passagens do livro também são incluídas em certas liturgias protestantes. Seu uso nas sinagogas e na igreja ao longo dos séculos é um testemunho permanente da sua influência na vida religiosa do mundo e mostra por que a canonicidade de Lamentações nunca foi questionada.

Esboço

I. Canção de uma Cidade em Luto, 1.1-22

    A. A Situação da Cidade, 1.1-7
    B. A Perversidade da Cidade, 1.8-11
    C. O Clamor da Cidade, 1.12-19
    D. A Oração da Cidade, 1.20-22

II. Canção de um Povo Quebrantado, 2.1-22

    A. O Adversário do Povo, 2.1-10
    B. A Agonia do Povo, 2.11-16
    C. A Resposta do Povo, 2.17-22

III. Canção de um Profeta Sofredor, 3.1-66

    A. Um Grito de Desespero, 3.1-18
    B. Uma Confissão de Fé, 3.19-39
    C. Um Apelo ao Arrependimento, 3.40-47
    D. A Dor da Intercessão, 3.48-54
    E. Uma Canção de Confiança, 3.55-66

IV. Canção de Um Reino Devastado, 4.1-22

    A. O Poder Degradante do Pecado, 4.1-12
    B. O Poder Desmoralizante do Pecado, 4.13-16
    C. O Poder Enganador do Pecado, 4.17-20
    D. O Poder Destruidor do Pecado, 4.21-22

V. A Oração de uma Nação Penitente, 5.1-22

    A. O Apelo Final, 5.1-6
    B. A Confissão Completa, 5.7-18
    C. A Única Esperança, 5.19-22

Seção I

CANÇÃO DE UMA CIDADE EM LUTO

Lamentações 1.1-22

A. A Situação da Cidade, 1.1-7

Essa canção de profunda tristeza inicia com uma descrição da cidade cativa de Jerusalém personificada por meio de uma mulher que perdeu seu marido e filhos. O infeliz estado da sua viuvez é pranteado. "**Como!**" foi a única maneira apropriada de iniciar essa canção fúnebre. Essa era a forma mais apropriada para expressar tristeza e dor para aquela ocasião. Aqui essa canção prepara o caminho para a revelação da situação trágica da cidade. A solidão da viuvez é ressaltada: **Como se acha solitária aquela cidade** (1). Ela tinha sido **tão populosa** e tão **grande entre as nações**; mas agora ela está vazia, e seus filhos estão no cativeiro. **Os seus amantes** (2; aliados políticos), depois de a humilharem, a desprezaram como um brinquedo sujo e sem valor. Traída e aflita, ela **chora de noite**, sem encontrar **descanso** (3), e **não** há **quem a console**. A expressão **nas suas angústias** também pode ser traduzida como: "no meio das suas dificuldades" (Smith-Goodspeed).

Além de tudo isso ela vive em um estado de viuvez espiritual. A vida religiosa da cidade havia cessado. O Templo havia sido destruído. **Os caminhos** (estradas) para **Sião** estão vazios; não há adoradores que compareçam para sua **reunião solene**; suas **portas estão desoladas**; e os **sacerdotes** gemem (4). Há a **amargura** do remorso, porque o dia da graça passou. Para piorar a situação, seu julgamento vem da mão divina. O Senhor a **entristeceu** (5). Mas em tudo isso o profeta reconhece a justiça divina; a tristeza de Jerusalém é **por causa da multidão das suas prevaricações**. **Foi-se toda a sua glória** (6); seus adversários estão no controle; suas famílias estão no exílio. Os **seus príncipes** estão tão destituídos de **força** que parecem corças sem **pasto**; enfraquecidos pela fome eles caminham diante dos seus perseguidores; caem para não mais levantarem.

Nessa condição debilitada e solitária, surgem lembranças assombrosas que só aumentam a tristeza da cidade. Jerusalém se lembra **das suas mais queridas coisas**, que pertenciam a ela nos **tempos antigos** (7). Isso é motivo de clamor e pranto. Mas não há alívio do seu sofrimento, porque os seus **adversários** zombam da sua miséria.

B. A Perversidade da Cidade, 1.8-11

A causa do sofrimento de Jerusalém está no fato de ela ter pecado **gravemente** (8). Seu pecado não foi uma coisa superficial. A palavra **instável** significa "impura" (NVI). **A sua imundícia está nas suas saias** (9), indicando que seu pecado era uma perversidade íntima, i.e., uma disposição interior. Jerusalém era tão impura moralmente quanto uma mulher era impura durante seu período de menstruação. Por isso, o problema básico de Jerusalém era o seu coração perverso (Jr 17.9).

Todos os que a honravam [...] **viram a sua nudez** (8) significa que sua verdadeira natureza havia sido revelada; profanada e impura, ela se afasta envergonhada. Ela **foi pasmosamente abatida** (9), i.e., "ela caiu de modo espantoso" (ARA) porque seguiu as inclinações de um coração perverso. Ela fracassou em considerar as conseqüências de uma vida perversa. Ela **nunca se lembrou do seu fim**; ela viveu somente para o presente. O versículo 10 refere-se, em primeiro lugar, à profanação do Templo. Suas **coisas mais preciosas** eram os "utensílios para as ofertas sacrificais" (Berkeley, nota de rodapé). Mas há uma implicação mais profunda. O inimigo havia entrado **no seu santuário** (10) e tinha tomado **suas coisas mais preciosas**, i.e., roubou a sua pureza; e agora **o seu povo** (11) geme debaixo da gravidade do seu pecado. Ela reconhece que se tornou **desprezível**. A tristeza da viuvez é aumentada pela compreensão da sua impureza. O significado literal do versículo 11 é deixado claro por Smith-Goodspeed: "Eles trocaram tesouros por mantimento para mantê-los vivos".

C. O Clamor da Cidade, 1.12-19

O fardo acumulado da sua condição trágica tornou-se pesado demais para carregar. Judá clama em sua angústia. **Não vos comove isso, a todos vós que passais pelo caminho?** (12). Embora o hebraico seja difícil, a ARC captou o sentido. Dirigindo-se a todos que possam ouvir seu clamor, ela implora por compaixão, insistindo que não há **dor como a minha dor**. Ela confessa que seu castigo vem do Senhor, e enumera todas as coisas que sofreu pelas mãos dele. Deus **enviou fogo** (13) aos seus **ossos**. **O qual se assenhoreou deles** provavelmente significa: "o qual os subjugou" (Berkeley). **Uma rede foi armada para os seus pés**; suas **prevaricações** foram **entretecidas** em um **jugo** intolerável ao redor do seu **pescoço** (14). Seus **valentes** (15), bem como os seus **jovens**, foram jogados no **lagar** da ira de Deus. A contemplação das suas muitas angústias traz um novo irromper de lágrimas: **Por essas coisas** [...] **os meus olhos se desfazem em águas** (16). Mas não há **consolador** para amenizar sua dor, e o **inimigo** prevaleceu contra ela.

Mesmo que ela esteja sufocada com lágrimas a ponto de não poder falar, ela parece ouvir uma voz a dizer que embora **Sião** (17) estenda **as suas mãos** em súplica compadecida, Deus **mandou** que ela fosse afligida. Depois de recompor-se, Sião reconhece que Deus agiu de maneira justa com ela. Ela confessa que se rebelou **contra os seus mandamentos** (18). Não há ressentimento em suas palavras, e nenhuma inclinação para defender-se. Ela então reconhece: **Meus amadores** (nações aliadas e deuses a quem Judá se havia voltado) [...] **me enganaram**. Por causa disso, seus filhos estão no **cativeiro**; seus **sacerdotes e** [...] **anciãos expiraram**. A tristeza da sua condição a esmaga enquanto faz um apelo final: **Ouvi, pois, todos os povos e vede a minha dor** (18-19).

D. A Oração da Cidade, 1.20-22

Traída, quebrantada e castigada, Sião agora eleva sua voz em oração: **Olha, Senhor, quanto estou angustiada** [...] **porque gravemente me rebelei** (20); **não tenho quem me console** (21). Nesse ensaio da sua situação desagradável estão todos os elementos de um coração arrependido: tristeza profunda, confissão, humilhação e fé. O povo de Judá se volta para o Senhor porque está convencido de que somente Ele pode ajudar. Não há esforço para desculpar seus pecados, e ele aceita seu castigo como sendo justo. No entanto, Judá expressa a certeza de que de alguma forma Deus o vindicará diante dos seus inimigos: **mas, em trazendo tu o dia que apregoaste,** eles (os inimigos) **serão como eu** (21). Aqui está a convicção de que em um universo moralmente ordenado nenhum transgressor ficará impune. **Venha toda a sua iniquidade à tua presença** (22) é um reconhecimento de que todo o mal será castigado. Seus inimigos também experimentarão o castigo pelo seu pecado. Um Deus soberano fará com que todas as coisas aconteçam da forma correta.

Seção II

CANÇÃO DE UM POVO QUEBRANTADO

Lamentações 2.1-22

Esse poema continua o tema geral do capítulo 1, uma lamentação pela cidade de Jerusalém. No entanto, esse capítulo parece ampliar seu escopo para incluir o povo de Israel em geral e Judá em particular. Como poema acróstico ele é quase idêntico em estilo ao capítulo 1, com a exceção de que a décima sexta e a décima sétima letra do alfabeto hebraico estão invertidas. Apesar disso, não há uma interrupção do pensamento. Esse fenômeno ocorre novamente nos capítulos 3 e 4. O capítulo 2 continua a suposição teológica de que o castigo do povo é resultado direto da sua desobediência a Deus, e que seu castigo é plenamente merecido.

A. O Adversário do Povo, 2.1-10

A terrível realidade da aflição de Sião é revelada. O relato detalhado indica que o autor foi testemunha ocular da catástrofe que ele descreve. A coisa surpreendente acerca do poema é que o Senhor é visto como o Antagonista ou Adversário de Judá. O autor descreve o que significa ter Deus como seu Inimigo. Isso ilustra a declaração do Novo Testamento: "Horrenda coisa é cair nas mãos do Deus vivo" (Hb 10.31). Isso é ainda mais espantoso quando esse aspecto é comparado com o amor contínuo de Deus pelo seu povo. Mas a admissão de que o nosso castigo vem da mão de Deus pode ser muito salutar quanto ao seu efeito. Ele pode marcar o início do arrependimento.

A ira do Senhor é uma coisa muito real e impressionante. No **dia da sua ira** (1) ocorreram inúmeros incidentes incomuns no meio do seu povo. **Nuvens** indicam uma calamidade de proporções gigantescas. Deus **derribou** [...] **a glória de Israel** (o Templo), e **não se lembrou do escabelo de seus pés** (propiciatório). Ele **derribou** [...] **as fortalezas** [...] **de Judá** e desonrou **o reino e os seus príncipes** (2). Ele **cortou** [...] **a** força de Israel (3) ao retirar **sua destra** para defendê-los. Ao mesmo tempo destruiu o que era **formoso à vista** (o Templo) e **devorou todos os seus palácios** (5). Ele multiplicou o pranto e a lamentação da **filha de Judá**.

As ações de Deus são vistas como um indicação da sua justiça. Ele não aprova o pecado em nenhum lugar; Ele **arrancou a sua cabana** (barraca) **com violência**, e acabou com o escárnio que ocorria nas festas fixas e nos sábados em Judá (6). A expressão: **como se fosse a de uma horta** parece uma figura do poder de Deus e da insegurança humana; Deus destruiu o Templo de pedra como se fosse uma barraca temporária de um jardineiro feita de galhos e folhas. Mesmo **o rei e o sacerdote** experimentaram a vara da ira divina. Ele **rejeitou o seu altar** (7) e **detestou o seu santuário**, indicando que é necessário mais do que um ritual exterior para impedir o julgamento de um Deus santo. O grito do inimigo foi ouvido no lugar santo **como em um dia de reunião solene**. O rosto de Deus estava voltado contra **Sião,** de tal forma que fez planos para destruí-la e demarcou seus propósitos com um **cordel** (8). **Antemuro** e **muro** significavam toda a defesa da cidade. Conseqüentemente, as **portas** da cidade caíram por terra (9), **seus ferrolhos** (defesas) estão quebrados, **o seu rei e os seus príncipes** estão no exílio, **os seus profetas** estão sem **visão**, e a sua **lei** é suspensa. **Os anciãos** (10) se vestem com **panos de saco**, e **lançam pó sobre a sua cabeça**, e **as virgens** abaixam **a sua cabeça** envergonhadas.

B. A Agonia do Povo, 2.11-16

Enquanto o profeta apresenta a destruição física da cidade e da nação, a maré da emoção tem se elevado em sua alma. Quando se volta para contemplar a condição dos indivíduos envolvidos, não consegue refrear sua tristeza. Ele irrompe em um lamento pessoal em relação àquilo que acabou de ver com seus próprios **olhos** (11). Essas palavras refletem o espírito compassivo do profeta (Jr 9.1; 14.17). Ele clama em voz alta em seu imenso sofrimento: **Meus olhos** [...] **minha alma** [...] **meu coração**. A ACF traz: "Meus olhos [...] minhas entranhas [...] meu fígado". Todas essas são expressões orientais de extrema angústia. Ele então relata o que seus olhos viram em relação ao sofrimento do seu povo. Com a cidade sendo destruída à sua volta, o compassivo profeta vê **meninos** e **crianças de peito** desfalecendo de fome e doença. Pode-se ouvir seu clamor comovente, suplicando por comida às **suas mães** (12); e momentos depois derramam **sua alma**, i.e., expiram nos braços de suas mães.

No meio da sua aflição, o poeta tenta pensar em alguma catástrofe semelhante com a qual possa comparar a situação atual do povo. Ele esperava trazer consolo à nação sofredora (13), mas, infelizmente, não encontra nada que sirva de comparação com essa grande tristeza. Ela é incomensurável como **o mar**.

Jeremias então coloca seu dedo na verdadeira causa do problema; a catástrofe tem uma base moral. Essa ruína esmagadora tem sua origem nas visões e oráculos enganosos dos falsos **profetas** (14). Eles não foram fiéis em expor a **maldade** do povo: "Seus profetas viram para ti vaidade e falsidade" (14, lit.). Sua falta de sinceridade em proclamar a verdade de Deus resultou em **expulsão** e exílio. Jeremias chegou à raiz do problema; a "morte" de uma nação ou de uma igreja sempre começa pelos seus líderes. Os **profetas** (cf. Jr 14.14-16; 23.9-40) são responsabilizados por toda a situação trágica, embora o povo não seja desculpado por sua disposição em se deixar desviar.

O poeta agora retrata o escárnio incontido que o povo de Judá e Jerusalém atura de todos os **que passam** (15). Mesmo os viajantes que não guardam nenhum ódio de Jerusalém expressam surpresa e desprezo pela cidade outrora orgulhosa. Eles **meneiam a cabeça e batem palmas**, dizendo: **É esta a cidade que denominavam perfeita em formosura**? Os **inimigos** dos judeus, por outro lado, não mostram nenhum tipo de constrangimento. Eles **assobiam e rangem os dentes** em um prazer cruel, gritando: **Certamente este é o dia que esperávamos** (16).

C. A Resposta do Povo, 2.17-22

Em busca de uma solução, o profeta começa a exortar o povo. Ele leva o povo a lembrar que existe um governo moral operando no universo. **Desde os dias da antiguidade** (17) o Senhor havia feito uma aliança com seu povo no Sinai. Naquele tempo Ele deu os mandamentos para o bem-estar da nação. Esses mandamentos continham tanto bênçãos quanto maldições. Ao longo dos séculos, Deus tem cumprido **a sua palavra** em todos os detalhes. Seu castigo agora era devido à falha deles em guardar seus mandamentos. Ele não poupou ou teve pena do povo, para que Israel soubesse que as leis de Deus operam inexoravelmente na vida dos homens.

Mas visto que Deus é santo, Ele pune o pecado com grande severidade, mas também perdoa a todo aquele que se arrepende com um coração quebrantado e contrito. O Deus que aflige também cura. O profeta insiste em que a resposta para a situação deles é encontrada na oração sincera e determinada. Nos versículos 18-19, ele apresenta o tipo de oração que eles devem fazer em seus corações e com seus lábios. Na KJV não fica claro quem está se dirigindo a quem. Mais provável é que Jeremias esteja se dirigindo ao povo de Jerusalém. Num estilo oriental, que parece estranho à mente ocidental, o profeta se dirige ao **muro** destruído de Jerusalém como se ele representasse a cidade e seus habitantes. Eles são conclamados a clamar **de dia e de noite** (18) em súplica a Deus, para derramar **lágrimas como um ribeiro**, não se permitindo **descanso** algum. Sua exortação é reforçada no versículo 19, em que os constrange a orar a **noite** toda e levantar as **mãos** em sua direção. Os judeus dividem a noite em três **vigílias**. A implicação é que o Deus que ouviu o clamor dos filhos de Israel no Egito (Êx 3.7) e ao longo da sua história, vai ouvi-los agora.

No versículo 20, o povo começa a suplicar ao Senhor. Eles oram: **Vê, ó Senhor, e considera a quem fizeste assim!** Então segue uma oração de lamentação na qual eles enumeram todas as coisas trágicas que ocorreram: **Hão de as mulheres comer [...] as crianças que trazem nos braços? Ou matar-se-á no santuário do Senhor o sacerdote? Jazem [...] pelas ruas o moço e o velho** (21).

É uma triste narrativa de angústia e dor. Há, no entanto, nessa narrativa um pedido inferido (prontamente entendido pela mente primitiva) para que haja misericórdia e livramento. Eles acreditavam que Deus não podia ficar indiferente com a enumeração de todas essas afrontas contra os instintos naturais (20b), a santidade religiosa (20c) e a vida humana (21-22). E a fé deles em Deus estava correta. Ele nunca é indiferente com aqueles que são verdadeiramente penitentes. Dessa forma, o capítulo termina com uma velada expressão de esperança.

Seção III

CANÇÃO DE UM PROFETA SOFREDOR

Lamentações 3.1-66

Esse poema se encaixaria perfeitamente no capítulo 20 da profecia de Jeremias, ou, melhor ainda, se seguisse o episódio da cisterna do capítulo 38. Esse capítulo tem, na verdade, a mesma extensão dos capítulos 1 e 2, mas a construção é diferente. Nesse capítulo, os versículos têm somente um terço do tamanho dos versículos dos outros dois capítulos, mas há três vezes mais versículos. Em vez de somente a primeira linha de cada estrofe começar com uma letra subseqüente do alfabeto hebraico, como nos capítulos 1 e 2, todas as três linhas de cada estrofe começam com a mesma letra. Assim, as linhas 1, 2 e 3 começam com *Álefe*, e as linhas 4, 5 e 6 começam com a letra *Bete*, etc. Diferentemente dos dois primeiros capítulos, cada linha é considerada um versículo, dessa forma, totalizando 66 versículos em vez dos habituais 22.

O poema é escrito do ponto de vista de um indivíduo, e todos os versículos estão na primeira pessoa do singular ("eu", "a mim", "meu"), exceto os versículos 40-47. Esse uso da primeira pessoa não impede o poema de ser usado como um lamento público, visto que o autor se identifica com a comunidade em sua aflição. A dificuldade deles é a dificuldade do profeta, e a tristeza deles é a sua tristeza. "Ele está organicamente associado com eles e procura levá-los a uma mesma apreensão religiosa da aflição deles, para que possam compartilhar a sua fé".[1]

A. Um Grito de Desespero, 3.1-18

O poeta identifica-se como um indivíduo que experimentou em sua própria vida todo o sofrimento que a nação tinha experimentado: **Eu sou o homem que viu a aflição** (1). Evidentemente ele se julga um exemplo simbólico da nação. Como seu representante diante de Deus, ele tem levado as tristezas e o sofrimento deles. Ele tem sentido a **vara do furor** divino repetidas vezes. Em sua dor, lamenta que Deus transformou sua **luz** em **trevas** (2), semelhantemente às trevas dos **que estavam mortos** (6; no Sheol). Deus se voltou contra ele e o castiga **de contínuo** (3). A doença tem enfraquecido o seu corpo a ponto de estar prematuramente velho (4). **Fel e trabalho** (5; amargura e pesar) fazem parte da sua vida. Não há deleite na vida, e ele precisa lutar para sobreviver.

Circunvalou-me (7), i.e., Deus o colocou dentro de uma cerca e ele perdeu sua liberdade. Ele reclama por precisar carregar os pesados **grilhões** de um prisioneiro. Embora clame na sua angústia, não há resposta para o seu **grito: ele exclui a minha oração** (8). **Pedras lavradas** (firmemente fixadas) bloqueiam o seu caminho e o fazem andar por **veredas** tortuosas (9). Em qualquer direção que procura ir, encontra dificuldades. Suas frustrações são quase insuportáveis. Como se isso já não fosse o suficiente, Deus assiduamente se volta contra ele. Como o **urso** ou o **leão** (10), Deus o espera em uma emboscada. Ele o persegue implacavelmente com **seu arco e flecha** (12), a ponto dos seus **rins** ("coração", NVI) estarem cheios de **flechas** da vingança de Deus (13).

Fui feito um objeto de escárnio (14), i.e., seu próprio **povo** zombava dele nas suas canções **todo o dia**. Ele não encontra descanso para mente ou corpo; seu coração **fartou-se de amargura**, e ele está embriagado pelo **absinto** (15; cf. Jr 23.25).² Deus **quebrou** seus **dentes** com **pedrinhas** (16), i.e., deu a ele pedras em vez de pão. **Cobriu-me de cinza** significa que ele não passou por alguma dificuldade momentânea, mas, sim, pelas profundezas da desgraça e humilhação. A **paz** (17) foi tirada do profeta há muito tempo, e ele "esqueceu-se do que é ser feliz" (RSV).

Jeremias está nas profundezas do desespero. Ele clama: **Já pereceu a minha força, como também a minha esperança** (18). Bloqueado em cada movimento, quebrantado física e emocionalmente, dilacerado com inúmeras aflições, e sofrendo as dores dos condenados, a força se foi e a esperança o abandonou. Mas o limite do homem é a oportunidade de Deus. É precisamente nesse ponto que sua fé encontra uma base sólida.

B. Uma Confissão de Fé, 3.19-39

O profeta externou sua queixa diante do Senhor. Sua força se foi, seu coração está quebrado. Ele está exausto e desamparado. Toda tensão e conflito saíram dele. Ele consegue desligar-se dos problemas. Humilde e quieto, ele espera diante de Deus. Na quietude vem a mudança. Ele começa a orar suavemente: "**Lembra-te da minha aflição** [...] **Minha alma** [...] **se abate** (se curva) **dentro de mim** (19-20). Discernimento e compreensão começam a tomar conta dele: **Disso me recordarei** (21) — ele começa a lembrar muitas coisas que havia esquecido durante sua aflição. Deus não despreza alguém com um coração quebrantado e contrito (Sl 51.17)!

Certamente aqui está "Uma Mensagem de Fé e Esperança".

1) As **misericórdias** de Deus nunca cessarão; **suas misericórdias não têm fim** (22). Mesmo quando falhamos, Ele permanece fiel! Além do mais, suas misericórdias se renovam a **cada manhã** (23). A continuidade da misericórdia de Deus é uma prova da sua fidelidade,³ por isso o profeta clama: **Grande é a tua fidelidade**⁴. Esses pensamentos provocam uma resposta sincera, e o profeta continua: **A minha porção é o Senhor**

(i.e., a soma total dos meus desejos); **portanto, esperarei nele** (24). Enquanto o profeta confessa sua fé em Deus, outras coisas tomam conta da sua mente.

2) O caminho de Deus é o melhor caminho. *a)* Ele é favorável **para a alma** (25) que busca a sua orientação. *b)* Paciência e **esperança** (26) abrem os canais da **salvação**. *c)* Disciplina na **mocidade** (27) tornam a idade adulta segura e bem-sucedida.

3) Bem-aventurado é o homem que suporta a tentação. *a)* Esse homem entregou-se completamente a Deus. *b)* Ele "pôs a **boca no pó**", em humilhação (29). *c)* Ele entregou os seus direitos e, semelhantemente a Jesus, ofereceu a sua **face** (30) aos que o queriam ferir (Is 50.6; Mt 5.39); e quando foi afrontado e injuriado, ele não injuriou (1 Co 4.12; 1 Pe 2.23).

4) O sofrimento tem um propósito moral. *a)* Deus testa seu povo, mas sua rejeição não é permanente. Ele **não o rejeitará para sempre** (31). *b)* Embora permita que venha o sofrimento, Ele ama demais a humanidade para abandoná-la ou permitir que seja provada além das suas forças (32). *c)* Ele não tem prazer nas aflições dos homens (33), mas permite que essas aflições ocorram para que algo melhor possa acontecer ao sofredor.

5) Podemos estar plenamente certos de que Deus vê e desaprova todo mal. *a)* Ele é contra todo abuso e injustiça feita contra os desamparados (34). *b)* Qualquer perversão da justiça, quer por motivos religiosos ou políticos, contará com seu desagrado e castigo (35-36).

6) Lamentar sem razão das aflições é errado. Nada é feito sem a permissão de Deus. Ele permite que exista tanto o **bem** como o **mal** (38) nesse mundo. Como agente livre, o homem não precisa escolher o **mal** com sua punição resultante (39). Portanto, ele não deveria queixar-se acerca dos sofrimentos resultantes do seu pecado, mas deveria queixar-se dos seus **pecados**, que causam seu sofrimento.

C. Um Apelo ao Arrependimento, 3.40-47

Visto que a transgressão e rebelião da parte do povo redundaram em sofrimento e castigo, o profeta faz um apelo para que esquadrinhem (examinem) e provem seus **caminhos** (40; conduta). Ele insiste em que o mínimo que poderiam fazer seria analisar a situação deles de maneira honesta. Em vez de culpar a Deus pelo sofrimento, deveriam averiguar o significado e propósito da dificuldade que veio sobre eles. O objetivo de tudo isso deveria servir para ajustar as contas entre eles e Deus, i.e., para voltarem-se novamente **para o Senhor**. No hebraico, voltar ou "retornar" (*shub*) significa "arrepender-se".

Visto que a oração é a maneira mais apropriada de aproximar-se de Deus, Jeremias os admoesta a iniciar seu exame com um pedido sincero. Eles deveriam levantar o **coração juntamente com as mãos para Deus** (41). A ênfase no coração indica que a verdadeira submissão deve ser acompanhada de atos exteriores de súplica, para que a oração seja genuína. No passado, eles haviam orado, mas seus corações não acompanharam suas **mãos** nesse exercício.

Nos versículos 42-47, o profeta fala as palavras que o povo precisa dizer. Aqui encontramos uma lamentação acerca do que a rebelião contra Deus acarretou para o povo.

Deve haver confissão de pecado: **Nós prevaricamos e fomos rebeldes** (42), e sua confissão deve ser acompanhada pela lamentação (pranto, pesar genuíno).

Nesses versículos vemos "Os Resultados de Rejeitar a Deus".

1) A rebelião corta as misericórdias de Deus; **tu não perdoaste** (42). De acordo com a sua natureza, Deus não podia perdoar até que ocorresse um arrependimento genuíno.

2) A rebelião produz um castigo imediato e implacável: **Mataste, não perdoaste** (43). O pecado é um terrível bumerangue.

3) A rebelião separa de Deus; uma nuvem fica entre o homem e Deus por causa da transgressão, de tal forma que a **nossa oração** não chega a Deus (44). Somente quando o povo se afasta da rebelião é que Deus poderá ouvir a oração (Sl 66.18).

4) A rebelião traz humilhação e pesar: "Tu nos tornaste escória e refugo entre as nações" (45, NVI).

5) A rebelião traz terror e confusão: **Temor e cova vieram sobre nós** (46-47). "O caminho dos transgressores é difícil" e o profeta roga para o povo produzir "frutos dignos de arrependimento" (Mt 3.8).

Os versículos 40-47 tratam do seguinte tema: "O que Fazer quando Vem a Condenação". 1) Admitir que estamos debaixo da condenação de Deus (42-47); 2) Examinar nossa vida de maneira honesta (40*a*); 3) Voltar-nos ao Senhor (40*b*); 4) Ser completamente sinceros em nossa oração (41) — A. F. Harper.

D. A Dor da Intercessão, 3.48-54

Quando o profeta considera o que o pecado e a rebelião fizeram com seu povo, ele irrompe em uma oração de intercessão: **Torrentes de água derramaram os meus olhos, por causa** (em favor) [...] **do meu povo** (48). O tempo passa, mas ele não para de orar. Ele está determinado a continuar sua intercessão **até que o Senhor atente e veja desde os céus** (50). Embora sua intercessão drene suas forças físicas, ele continua orando: "O meu olho (seu choro é o labutar da alma) lida severamente com a minha vida" (51, lit.). Em agonia de alma Jeremias enfrenta a morte física. Nesse momento, sua mente parece voltar-se à sua experiência na cisterna antes da queda de Jerusalém (Jr 38.6-13). O versículo 52 parece dizer que ele enfrentou a morte de uma forma semelhante naquela oportunidade. Sem motivo, seus **inimigos** o haviam caçado. Eles planejavam arrancar (53) a sua **vida**, ao lançá-lo **na cova**, e a cobriram com uma pedra. Ele afundou-se na lama, e as **águas** da morte (falando figurativamente) **correram sobre** sua **cabeça**. Em desespero ele gritou: **Estou cortado** (54), i.e., "a morte chegou". Essas palavras certamente foram escritas no estilo de Jeremias, cuja vida foi um martírio prolongado. Elas foram colocadas aqui para que a oração do profeta possa se tornar uma oração de intercessão nos lábios do povo.

A passagem mostra "A Verdadeira Oração de Intercessão". 1) Quando intercedemos por uma pessoa é como se o pecado e a culpa dela fossem nossos. 2) A intercessão envolve um sentido de desespero (48-51) semelhante à da rainha Ester: "Perecendo, pereço" (Et 4.16). 3) Não pode haver intercessão sem sofrimento e humilhação. 4) A intercessão pode, na verdade, significar a morte do intercessor — pelo menos ele deve estar disposto a dar sua vida (Êx 32.32).

E. Uma Canção de Confiança, 3.55-66

Quando o profeta olha para trás e lembra da sua experiência da cisterna e a compara com o momento presente, sua fé começa a crescer. Ele logo irrompe em uma canção de confiança e esperança: **Invoquei o teu nome, Senhor [...] Ouviste a minha voz** (55-56). Ele continua a cantar: **Tu te aproximaste e disseste: Não temas** (57). Ele agora traz todos os seus problemas, passados e presentes, diante do Senhor e clama: **Pleiteaste [...] remiste a minha vida** (58). **Viste** (59-60). **Ouviste** (61). **Tu [...] darás a recompensa** (64). O hebraico da última parte do versículo 56 não é claro. Pode significar o seguinte: "Não feches os teus ouvidos aos meus suspiros e gritos" (Berkeley). **Eu sou a sua canção** (63) significa: "Eu sou o tema das suas canções de escárnio" (Berkeley).

Essa passagem expressa a confiança do poeta de que Deus vindicará seu povo, e, no tempo oportuno, sua justiça prevalecerá. Por isso, ele se regozija pela presença do Governante moral no universo que julgará a causa do pobre e necessitado. Ele olha adiante para o dia em que o povo de Deus será vingado dos seus inimigos: **Perseguirás, e eles serão desfeitos debaixo dos céus do Senhor** (66). Naquele dia, o direito prevalecerá sobre todo o mundo, e "a terra se encherá do conhecimento do Senhor, como as águas cobrem o mar" (Is 11.9).

O tom refletido nos versículos 64-66 tem sido chamado de elemento "imprecatório" no Antigo Testamento. Esse aspecto é, às vezes, difícil de entender. As maldições que são invocadas sobre os inimigos parecem anticristãs e muito abaixo do padrão apregoado por Jesus em Mateus 5.43-48. No entanto, não podemos nos esquecer que é difícil distinguir entre as formas hebraicas: "Que isso aconteça" e "Isso acontecerá". Podemos estar certos de que pelo menos algumas das maldições são simples predições do que acontecerá como resultado da rebelião contra Deus (cf. CBB, Vol. III, "O Livro de Salmos", Int.).

Seção IV

CANÇÃO DE UM REINO DEVASTADO

Lamentações 4.1-22

Esse poema é uma canção de contrastes. Ele compara a glória antiga do reino de Judá, representada por Jerusalém, com sua infeliz condição atual. Jeremias foi uma testemunha ocular do terrível desastre em 587-586 a.C., quando Jerusalém caiu diante dos babilônios. Podemos sentir o palpitar de tristeza que preponderou durante o cerco e a subseqüente demolição da cidade. O poema é um acróstico alfabético como nos capítulos 1 e 2, com a exceção de que as estrofes aqui têm duas linhas em vez de três. O pecado de Judá é o tema predominante do capítulo. Essa idéia não está completamente ausente nos capítulos anteriores, mas nesse capítulo 4 ela aparece como o motivo principal para o colapso do reino. A extensão do pecado de Judá é tratada nos versículos 1-12, e as conseqüências do seu pecado são o tema dos versículos 13-22. Assim, os motivos morais do destino de Judá ocupam a mente do poeta.

A. O Poder Degradante do Pecado, 4.1-12

A gravidade do pecado de Judá e Jerusalém tem sua raiz na rebeldia do coração. A descrição aqui revela até que ponto uma nação pode chegar quando seus fundamentos morais são removidos. O gemido do profeta, ao lamentar acerca da glória passada de Judá e a condição devastadora na qual se encontra agora, é suficiente para quebrar o coração. "Como os poderosos caíram!".

O poeta entoa uma canção triste acerca da incrível mudança que sobreveio a essa outrora orgulhosa nação e sua capital: **Como se escureceu o ouro!** (1). Escurecida e deslustrada, a cidade dourada não passa de um monte de cinzas. Ele lamenta a completa destruição do Templo: **Como estão espalhadas as pedras do santuário ao canto de**

todas as ruas; i.e., espalhadas por toda a cidade. Os jovens da nação, a esperança da sua vida futura, estão estirados pelas ruas da cidade. Em vida eles eram comparados **a ouro** (2); agora eles não passam de um amontoado de barro, semelhante a **vasos de barro** quebrados no monte de refugo **do oleiro!**

As mães de Judá, perturbadas pelo sofrimento, tratam seus bebês pior do que o fazem os animais selvagens. Apesar do fato de os **chacais** (3) serem animais de rapina violentos, eles não se esquecem dos seus filhotes. Enquanto as **avestruzes** são conhecidas por serem negligentes e cruéis com seus filhotes (Jó 39.13-17), as mães de Judá são ainda piores; elas se tornaram cruéis (desumanas). Com a morte do seu instinto materno, elas deixam seus bebês morrerem por falta de alimento. Os **meninos** clamam por **pão** (4), mas ninguém lhes dá atenção. Mulheres que se vestiam **em carmesim** (púrpura) e comiam **iguarias delicadas** agora perambulam sem destino pelas **ruas**. Elas chegaram a um ponto degradante: **abraçam esterco** (5) em busca de comida.

Jerusalém teve um destino ainda mais triste do que **Sodoma**. Sodoma **se subverteu** [...] **em um momento** (6) pela mão de Deus, mas o castigo de Jerusalém tornou-se quase insuportável. A referência a Sodoma ressalta a dimensão da culpa de Jerusalém. Ela era a cidade que tinha o Templo, a lei e os profetas. Visto que teve tanta luz e privilégio, ela mereceu um castigo mais severo do que Sodoma. Deve ter sido difícil para um poeta judeu escrever o versículo 6. Esse versículo retrata de uma forma inesquecível a compreensão de Jeremias do poder degradante do pecado.

"Seus príncipes" — em vez de **nazireus** (7) — outrora belos em aparência, bem nutridos e populares no meio do povo, estão agora em uma condição deplorável. Seus rostos estão "mais escuros do que a escuridão" (8, lit.); seus nomes estão esquecidos; o povo não os reconhece, porque não passam de esqueletos ambulantes, mirrados e sem vida **como um pedaço de pau**.

A condição de Judá e Jerusalém é tão deplorável que os **mortos à espada** (9) são **mais ditosos** do que os vivos. O cerco à cidade havia privado os viventes das necessidades mais básicas da vida. Algumas **mulheres piedosas** (10), impelidas pela fome, **cozeram seus próprios filhos**, para servirem de alimento. Ninguém imaginaria que Jerusalém pudesse chegar a esse ponto! Mesmo **os reis da terra** (12) estão estupefatos com o destino dessa nação e dessa cidade. O pecado, depois de consumado, gera a morte (Tg 1.15).

Nos versículos 1-12, vemos "Os Efeitos Degradantes do Pecado". 1) A beleza da vida desaparece (1). 2) Os recursos da mocidade são perdidos (2). 3) A dignidade da mulher se torna pior do que a dos animais do campo (4-5, 10). 4) Os efeitos do pecado são mais amplos onde a luz foi mais brilhante (6); 5) Até os líderes se tornam confusos e quebrados (7); 6) O castigo final é pavorosamente radical (11-12).

B. O Poder Desmoralizante do Pecado, 4.13-16

A responsabilidade pela ruína de Judá é atribuída diretamente aos líderes religiosos da nação.

> Foi por causa do pecado dos seus profetas e das maldades dos seus sacerdotes (13, RSV).

É na vida desses homens que vemos o poder desmoralizante do pecado. Eles poderiam ter evitado a destruição do país. Em vez disso:
1) Seu ensinamento e seu exemplo mutilaram a vida moral da nação. *a*) Eles não eram aptos para discernir entre a voz de Deus e a voz dos seus próprios corações. *b*) Eles profetizaram falsamente, dizendo: "Paz, paz, quando não há paz" (Jr 6.14). *c*) Eles sucumbiram à pressão dos tempos e pregavam o que o povo queria ouvir; eles não expuseram os pecados do povo, para que pudessem ser sarados (2.14). *d*) Eles estavam com medo de defender o que era certo; eles colocaram a popularidade acima da justiça. *e*) Eles chegaram a crer na mentira como se fosse verdade, e na verdade como se fosse mentira. Jeremias já havia "trovejado", em oportunidades anteriores, contra esses falsos líderes do povo (Jr 5.31; 6.13; 23.11-16), mas eles frustraram todos os seus esforços para levar o povo ao arrependimento genuíno.

2) Eles eram culpados de assassinato, talvez não diretamente, mas indiretamente. Debaixo da aparência externa da religião, **derramaram o sangue dos justos no meio** da nação (13). O conselho e a influência deles resultaram na morte dos justos (veja Jr 26.20-24).

3) Chegou o dia em que o mundo deles ruiu sobre suas cabeças. Quando a cidade de Jerusalém foi destruída, eles ficaram desnorteados. Eles **erram** (perambulam ou tateiam) **como cegos nas ruas** (14). Sua confusão era resultado da cegueira dos seus corações. Eles não estavam preparados para as emergências da vida.

4) O pecado deles se revelou. Suas máscaras foram tiradas quando suas predições provaram ser falsas. O povo então reconheceu quem eles realmente eram; impostores desprezíveis e miseráveis. O castigo deles era ser tratado como leprosos morais. Os homens gritavam para eles: **Desviai-vos [...] Imundo! Desviai-vos [...] não toqueis** (15).

5) Eles foram expulsos da sua terra pelo seu próprio povo. A maldição de Caim estava sobre eles. Eles andam errantes **entre as nações** (15), mas nem lá são desejados.

6) Eles sofreram a vingança divina. **A ira do Senhor os havia espalhado** (16). Apesar do fato de serem **sacerdotes e velhos** (anciãos), nenhum favor foi concedido a eles, tanto por Deus como pelos homens. Como Governante moral do universo, Deus assumiu a responsabilidade de garantir que esses falsos líderes fossem punidos.

C. O Poder Enganador do pecado, 4.17-20

Essa seção é um reconhecimento de que a nação tinha colocado sua confiança no lugar errado. O poeta faz a confissão pelo povo. Jeremias olha para o passado — para a época do cerco da cidade (17-18), a queda da cidade (18), a fuga do rei e dos seus nobres (19), e a captura de Zedequias (20).

O profeta declara que 1) a nação foi enganada em colocar sua confiança em aliados estrangeiros. **Os nossos olhos desfaleciam, esperando vão socorro** (17). Jeremias e outros profetas haviam advertido Judá para não colocar sua confiança em homens, mas a nação tinha rejeitado a palavra do Senhor e continuou a confiar no Egito. Faraó havia feito uma tentativa, em certa ocasião, de livrar Jerusalém (Jr 37), mas todo o episódio foi um completo e lamentável fracasso. O salmista também tinha clamado: "Vão é o socorro do homem" (Sl 60.11), mas é impressionante o que atrai as pessoas quando elas estão em descompasso com Deus.

2) A nação tinha sido iludida ao acreditar que poderia resistir à Babilônia. Embora Jeremias tivesse proclamado repetidas vezes que Deus havia entregado o Oriente Médio nas mãos de Nabucodonosor (Jr 25), o povo de Judá não acreditou. Eles continuaram a rebelar-se até que a cidade caiu. **Estão cumpridos os nossos dias, porque é vindo o nosso fim** (18).

3) Eles foram ludibriados ao pensar que poderiam escapar se fugissem. **Sobre os montes nos perseguiram** (19). Isso evidentemente se refere à fuga de Zedequias e seus príncipes (Jr 39.4-7). Quando o povo começa a desobedecer a Deus, continua pensando que o próximo passo será o passo certo. Mas esse nunca é o caso.

4) A nação estava iludida ao pensar que as promessas de Deus à casa de Davi eram incondicionais. Eles interpretaram mal o caráter de Deus e seus métodos de operação. Agora lamentam: **O respiro das nossas narinas, o ungido do SENHOR, foi preso nas suas covas** (20). A referência aqui é à captura de Zedequias pelos babilônios na "floresta" do Jordão, e o fim da monarquia davídica. Os versículos revelam a lealdade do povo de Judá à casa real, mas também revelam que a confiança no homem como fonte de sabedoria e força máxima está equivocadamente fora de lugar.

D. O PODER DESTRUIDOR DO PECADO, 4.21-22

Temos aqui um exemplo de como o pecado do orgulho pode destruir uma nação. Edom (veja mapa 1), embora descendente de Abraão e parente de Judá, sempre foi arrogante e altivo em relação a Israel. Seu orgulho alcançou proporções grandiosas na sua reação à queda de Jerusalém em 587-586 a.C. Ele tinha colaborado com o inimigo, traído seus vizinhos e retido sua ajuda aos necessitados. Aproveitando-se do infortúnio do seu parente, chegou a tomar uma parte do território de Judá (Ez 35.10-12). Agora Edom se alegra de maneira perversa com o castigo de Judá e com o seu próprio livramento dos horrores da guerra. Mas no auge da sua exultação ouve-se uma voz, anunciando sua condenação.

O início do versículo 21 é repleto de ironia: **Regozija-te e alegra-te, ó filha de Edom** — i.e., divirta-se agora — **o cálice chegará também para ti**. A referência é ao cálice do furor de Deus como profetizado por Jeremias (25.15-28). **Embebedar-te-ás**: Edom experimentará todas as coisas que acompanham a embriaguez: vergonha, confusão, tristeza e destruição.

No versículo 22, o poeta confessa abertamente que Judá e Jerusalém foram castigados severamente pelas mãos do Senhor. Mas Judá sofreu seu castigo, e esse tempo acabou. **O castigo da tua maldade está consumado**. Dias melhores estão por vir para Judá. **Ele nunca mais te levará para o cativeiro**. A implicação é que Judá tem um futuro, mas Edom não. Quando chegar o dia do castigo de Edom, Ele **descobrirá** (revelará) **os seus pecados**. Edom cairá e nunca mais se levantará (Ob 18).

Seção V

A ORAÇÃO DE UMA NAÇÃO PENITENTE

Lamentações 5.1-22

Nesse poema de encerramento não há um acróstico alfabético. No entanto, temos 22 versículos, indicativos de que esses cinco poemas fazem parte de um todo. Esse capítulo se assemelha mais a uma oração do que a uma canção de lamento. Embora grande parte do texto seja um recital das misérias que o povo tem passado, eles são enumerados para clamar pela compaixão de Deus e para receber sua ajuda. Elas são usadas como uma confissão (recitadas pela congregação) para levar o povo a humilhar-se e confessar seus pecados e lançar-se nos braços misericordiosos de Deus. O poeta clama ao Senhor para olhar com misericórdia para a condição miserável deles. Ele reconhece que suas aflições são resultado do pecado (7). Há muito pesar e tristeza por causa dessas coisas, e pela condição desoladora de Sião. A única esperança deles surge do fato de que, diferentemente dos tronos da terra, o trono de Deus é eterno, e Ele é plenamente confiável na sua forma de agir com os homens.

A. O Apelo Final, 5.1-6

Lembra-te, Senhor (1). Há mais nesse **lembra-te** do que possa aparentar superficialmente. Essa expressão faz parte de uma linguagem de oração. Há nela um sentido de grande urgência. É uma linguagem que respira esperança e fé. Ela implica em que, se a atenção e a consideração de Deus podem ser obtidas, a ajuda logo estará a caminho.

Nesse apelo fervoroso, Jeremias chama a atenção de Deus para o sofrimento e **opróbrio** que seu povo escolhido tem passado. **Estranhos** e **forasteiros** (2) têm ocupado a **herdade** (terra) e as **casas** que Deus lhes tinha dado. O povo de Deus estava desamparado como **órfãos** e **viúvas** (3) que não tinham pais ou maridos para defendê-los. As coisas mais necessárias da vida precisam ser compradas dos seus captores: **nossa água por dinheiro [...] por preço vem a nossa lenha** (4). Acaso precisavam pagar pela água das suas próprias cisternas? Se esse é um quadro de Judá após a queda de Jerusalém, é possível que esse seja o caso. O jugo de servidão era especialmente doloroso: **Os nossos perseguidores estão sobre os nossos pescoços** (5). Eles eram forçados a trabalhar constantemente para os seus inimigos, e não tinham tempo para descansar. A humilhação de ter de estender **as mãos** (submeter-se) aos **egípcios** e **aos assírios** para não morrer de fome, era quase mais do que podiam suportar. A menção dos egípcios e assírios simboliza os inimigos do leste e do oeste; i.e., eles estavam cercados de inimigos por todos os lados.

Judá faz seu apelo final com um forte clamor e com lágrimas. Parece não haver ressentimento contra Deus pelo castigo sofrido, somente penitência e vergonha. O apelo é feito com a convicção de que, embora Deus tenha castigado, Ele também perdoará. Visto que obtiveram sua atenção, e Ele viu a aflição deles, seus sofrimentos não durarão para sempre. Deus também não permitirá que os opressores escapem ilesos, sem julgamento.

B. A Confissão Completa, 5.7-18

O poeta confessa que há uma razão moral para o estado em que se encontra a nação: **Nossos pais pecaram [...] nós levamos as suas maldades** (7). Ele reconhece que havia uma solidariedade na nação judaica da qual nenhuma geração podia escapar. Os filhos sofriam pelos pecados dos pais. Eles eram escravizados pelos seus antigos **servos** (8). Eles obtinham seu **pão** com o **perigo de** suas **vidas** (9), por causa dos ladrões do deserto, os beduínos selvagens, que eram semelhantes a uma **espada do deserto**. A **pele** deles estava enegrecida como **um forno** (10); i.e., quente por causa da febre decorrente da fome. Suas **mulheres** foram violentadas (11), seus **príncipes** e **velhos** (12), desonrados. Os jovens foram obrigados **a moer** nos moinhos (13), i.e., a fazer o trabalho das mulheres, e mesmo "os meninos cambaleiam sob o fardo de lenha" (NVI). Todo **gozo** (15) de viver havia desaparecido; só restava a **lamentação**. Prosperidade e honra desapareceram. **Caiu a coroa da nossa cabeça** (16); i.e., a soberania nacional e a condição de estado já não existiam mais para os judeus. A nação já não existe.

O clímax dessa passagem é alcançado quando o próprio poeta confessa no lugar da sua geração: **ai de nós, porque pecamos** (16). Finalmente, toda a verdade é confessada! Jeremias não mais permitirá que Judá coloque toda a culpa na geração passada (**nossos pais**, 7), embora fosse culpada. Sempre é um bom sinal quando os homens param de confessar os pecados dos outros e começam a reconhecer sua própria culpa. E ele completa a confissão. Por causa do pecado, "toda a cabeça está enferma", e todo **o nosso coração** desmaiou (17; Is 1.5). Por causa do pecado, **se escureceram os nossos olhos** de tanto chorar. Por causa do pecado, **Sião** está assolada e em ruínas.

C. A Única Esperança, 5.19-22

Com a sua confissão completa, a esperança começa a ressurgir no coração do povo. Não mais preocupados consigo mesmos, pensamentos da grandeza de Deus começam a dominar suas mentes. Eles exultam: **Tu, Senhor, permaneces eternamente** (19). Diferentemente dos deuses dos pagãos, o Senhor é o Eterno — o Deus Vivo. Todos os outros poderes e reinos podem desintegrar-se e cair, mas **teu trono** (seu governo moral sobre a humanidade) continua por todas as gerações. Tudo o mais pode desaparecer, mas Deus permanece! Nele encontramos refúgio para a alma! Nele nosso coração pode descansar em segurança! Nele existe uma base ampla para a esperança! "Visto que seu trono permanece eternamente no céu, Ele não deixará seu reino sucumbir na terra".[1] Portanto, para a psicologia hebraica, não parece ilógico o povo fazer um pedido por meio de uma pergunta: **Por que nos desampararias por tanto tempo?** (20). Debaixo da superfície, a pergunta está repleta de esperança, porque está baseada na concepção hebraica do caráter de Deus.

Os versículos 21-22 devem ser entendidos como uma unidade. Ela é expressa de maneira estranha para a mente moderna, mas no hebraico o significado pode ser discernido quando lido à luz do versículo 19. Visto que Deus é o eterno Governante moral do universo, seu povo pode ter esperança. É isso que ocorre nos últimos dois versículos do livro — *o povo se lança, sem reservas, nos braços misericordiosos de Deus*. Eles estão plenamente conscientes de que a submissão e a entrega são a única saída para sua difícil situação: "Converte-nos para ti, Senhor, para que sejamos convertidos [...] a não ser que já nos tenhas rejeitado inteiramente e estejas excessivamente irado contra nós" (21-22, lit.). O versículo 22 é de difícil interpretação, mas é quase certamente uma admissão de que Judá merece ser **totalmente** rejeitado. Contudo, o povo está cheio de esperança.

Dessa forma, o livro termina com a nota de uma fé despreocupada — uma fé que se lança plenamente nos braços misericordiosos de um Deus eterno.

Notas

INTRODUÇÃO

[1] *Apion*, I, p. 8.

[2] C. W. E. Naegelsbach, "Lamentations", *Lange's Commentary on Holy Scripture*. (Grand Rapids: Zondervan Publishing House, [reedição], s.d.), p. 1.

[3] H. T. Kuist, "Lamentations", *Layman's Bible Commentaries* (Londres: SCM Press, Ltd., 1961), p. 141.

[4] Veja Salmos 25; 34; 35; 111; 112; 119; 145; e Provérbios 31.10-31.

SEÇÃO III

[1] A. S. Herbert, "Lamentations", *Peake's Commentary on the Bible* (Londres: Thomas Nelson and Sons, Ltd., 1962). p. 566.

[2] O **absinto** era uma substância amarga, geralmente associada com fel. Smith-Goodspeed interpretam esse texto da seguinte forma: "Ele me saciou com angústia".

[3] W. F. Adeney, "Lamentations of Jeremiah", *Pulpit Commentary* (Grand Rapids: Wm. B. Eerdmans Publishing Company, 1950 [reedição]), p. 39.

[4] Os versículos 22-23 serviram de inspiração para o conhecido hino de Thomas Chisholm, "Tu És Fiel Senhor".

SEÇÃO V

[1] Carl F. Keil and Franz Delitzsch, "Lamentations of Jeremiah", *Commentaries on the Old Testament*, II (Grand Rapids: Wm. B. Eerdmans Publishing Co., 1956, [reedição]), p. 455.

Bibliografia

ADENEY, W. F. "Lamentations of Jeremiah". *Pulpit Commentary*, Vol. XI. Grand Rapids: Wm. B. Eerdmans Publishing Co., 1950 (reedição).

ANDERSON, G. W. *A Critical Introduction to the Old Testament*. Londres: Gerald Duckworth & Co., 1960.

CLARKE, Adam. "The Lamentations of Jeremiah". *Commentary and Critical Notes*, Vol. IV. Nova York: Abingdon-Cokesbury, s.d.

HERBERT, A. S. "Lamentations". *Peake's Commentary on the Bible*. Ed. Matthew Black e H. H. Rowley. Londres: Thomas Nelson and Sons, Ltd., 1962.

KEIL, Carl F. e DELITZSCH, Franz. "Lamentations of Jeremiah", Vol. II. *Commentaries on the Old Testament*. Grand Rapids: Wm. B. Eerdmans Publishing Co., 1956 (reedição).

KUIST, H. T. "Lamentations". *The Layman's Bible Commentaries*. Londres: SCM Press, Ltd., 1960.

MEEK, T. J. "Lamentations". *The Interpreter's Bible*. Ed. George A. Buttrick, *et al.*, Vol VI. Nova York: Abingdon Press, 1956.

NAEGELSBACH, C. W. E. "Jeremiah and Lamentations". *Lange's Commentary on Holy Scripture*, Grand Rapids: Zondervan Publishing House (reedição).

PEAKE, A. S. "Jeremiah and Lamentations", Vol. II. *The Century Bible*. Edimburgo: T. C. e E. C. Jack, Ltd., 1911.

PRICE, Ross E. "Lamentations". *Wycliffe Bible Commentary*. Ed. Charles Pfeiffer e E. F. Harrison. Chicago: Moody Press, 1962.

STEPHENS-HODGE, L. E. H. "Lamentations". *New Bible Commentary*. Grand Rapids: Wm. B. Eerdmans Publishing Co., 1963.

THOMPSON, J. G. S. S. "Lamentations". *The Biblical Expositor*. Ed. por Carl F. H. Henry. Filadélfia: A. J. Holman Co., 1960.

O Livro do Profeta
EZEQUIEL

J. Kenneth Grider

Introdução

A. O Autor

O nome Ezequiel significa "aquele que Deus sustenta". Ele foi levado cativo para a Babilônia por Nabucodonosor[1] em 597 a.C. (1 Rs 24.14). Tinha sido sacerdote em Jerusalém (1.3). Talvez ele tenha ministrado no Templo, visto que seus escritos demonstram ter ele amplo conhecimento daquele santuário. Durante o quinto ano (1.2) do seu cativeiro, em 592 a.C., foi chamado pelo Senhor para ser profeta, e exerceu esse ofício durante ao menos 22 anos (29.17).

Junto com Ezequiel na primeira grande deportação, Nabucodonosor tinha levado 10.000 dos homens mais proeminentes do país — incluindo os operários qualificados, a nobreza e o rei Joaquim. Nabucodonosor achava que, com os líderes de Judá na Babilônia, ele poderia melhor subjugar a população mais simples de Jerusalém e Judá. (Veja Quadro *B*).

No exílio, embora o rei Joaquim estivesse preso, os israelitas em geral tinham uma liberdade considerável. Ezequiel tinha sua própria casa (3.24; 20.1) e era casado (24.13). Ele vivia confortavelmente em Tel-Abibe, perto do rio Quebar. Enquanto Daniel participou dos 70 anos de cativeiro, Ezequiel deve ter morrido antes do seu fim.

Ezequiel era uma sentinela para advertir os infiéis e um homem com bálsamo para os fiéis. Diferentemente dos falsos profetas, que não haviam recebido mensagem alguma mas mesmo assim pregavam (Jr 29.31), Ezequiel recebeu seus oráculos do próprio Senhor. Talvez mais do que qualquer outro profeta, o que tinha a dizer ele sentia-se compelido a dizer.[2]

B. A Época do Profeta

Para os israelitas, ser subjugado por um outro poder e ser levado para o exílio era realmente uma desgraça. Canaã tinha sido prometida para eles, e finalmente foi entregue em suas mãos pelo poder do seu Deus. Mas de Moisés em diante eles tinham sido advertidos pelos profetas que, se eles se rebelassem contra o Senhor, seriam castigados, expulsos da terra e dispersos entre as nações (Lv 26.14-45; Dt 28.15-68). Já em 721 a.C., o Reino do Norte de Israel, composto por dez das doze tribos, havia caído diante da Assíria. Pouco antes da época de Ezequiel, Jeremias profetizou que um destino semelhante aguardava Judá, incluindo Jerusalém. Jeremias tinha predito especificamente que o exílio seria o destino de Judá e que esse exílio teria a duração de 70 anos (Jr 29.10).

Ezequiel tornou-se um importante sacerdote pouco antes de ser levado para o cativeiro. Nabucodonosor invadiu Judá pela primeira vez em 606 a.C. Ele capturou Jerusalém e levou diversos homens proeminentes, incluindo Daniel. Isso deu início aos 70 anos de cativeiro. Oito anos mais tarde, em 597 a.C., depois que Jerusalém havia se revoltado, Nabucodonosor invadiu a Cidade Santa pela segunda vez, levando, dessa vez, 10.000 homens importantes para o exílio, incluindo Ezequiel.

Zedequias foi estabelecido rei em Jerusalém. Mas depois de onze anos esperando pela ajuda do Egito, ele revoltou-se contra Nabucodonosor. O rei da Babilônia então voltou sua fúria contra Jerusalém pela terceira vez. Depois de um cerco que demorou três anos, ele destruiu a cidade, o Templo e o reino, matando ou deportando o povo em grande número.

Ezequiel viveu nesse período turbulento. Nesse período, ele anunciou suas advertências e proclamou mensagens de conforto como profeta do Senhor.

C. A Profecia

A profecia de Ezequiel forma um dos maiores livros proféticos do Antigo Testamento. Ele foi dividido em 48 capítulos, provavelmente no terceiro século d.C. Os primeiros 24 capítulos tratam do chamado de Ezequiel para ser profeta e das suas profecias em relação à queda de Jerusalém — a destruição final pela Babilônia, que ocorreu no décimo primeiro ano do reinado de Zedequias. Os capítulos 25—33 contêm as profecias de juízo contra sete nações pagãs — Amom (25.1-7), Moabe (25.8-11), Edom (25.12-14), Filístia (25.15-17), Tiro (26.1—28.19), Sidom (28.20-23) e Egito (29—32). A última seção, capítulos 33—48, contém profecias acerca da restauração de Jerusalém e profecias de esperança para o futuro de Israel.

Ezequiel deixa claro que ele era exilado na Babilônia quando foi chamado para se tornar profeta. Ele profetizou da Babilônia contra seus companheiros exilados e contra aqueles que ainda moravam em Jerusalém, antes da queda final na revolta de Zedequias (1.3; 3.11, 15, 23; 10.15, 20, 22; 11.24-25).

Alguns têm sugerido que Ezequiel não escreveu os capítulos 40—48. Outros também incluiriam os capítulos 38—39 como sendo de outro autor. Há estudiosos que sugerem que um redator acrescentou outros materiais, como os versículos que posicionam o profeta na Babilônia enquanto escreve. Mas não há evidência séria contra a visão tradicional de que a profecia como um todo vem do destemido vigia e admoestador, conhecido ao longo dos séculos como Ezequiel.

O estilo da profecia é de difícil compreensão por causa do simbolismo poético que a adorna. Esse estilo fez com que o antigo Jerônimo entrasse em desespero na sua busca pela verdade desse livro. Talvez por isso João Calvino tenha escrito um comentário somente acerca dos primeiros doze capítulos de Ezequiel, e tenha sido o motivo de Martinho Lutero ter dado tão pouca atenção a esse livro. Howie diz: "A profecia de Ezequiel, escrita num estilo apocalíptico e repleto de obscuridades em relação ao texto e ao significado, tem desconcertado um grande número de estudiosos e dado vazão a uma série de idéias estranhas, talvez mais do que qualquer outro livro da Bíblia".[3]

Apesar do mistério simbólico do livro, ele apresenta verdades de grande valor espiritual para aqueles que conseguem reduzir seu passo acelerado a fim de tirar lições preciosas desse livro.

Esboço

I. O Chamado para Ser Profeta, 1.1—3.27

    A. Prefácio para o Chamado, 1.1-28
    B. O Chamado Propriamente Dito, 2.1—3.27

II. Profecias contra Jerusalém, 4.1—24.27

    A. Quatro Atos Simbólicos, 4.1—5.17
    B. Dois Discursos acerca da Destruição de Israel, 6.1—7.27
    C. Abominações e Julgamentos, 8.1—11.25
    D. Profecias contra Jerusalém, 12.1—19.14
    E. Profecias em 590 a.C., 20.1—23.49
    F. Última Profecia antes da Queda de Jerusalém, 24.1-27

III. Profecias contra Povos Pagãos, 25.1—32.32

    A. Amom, Moabe, Edom e Filístia, 25.1-17
    B. Tiro e Sidom, 26.1—28.26
    C. Egito, 29.1—32.32

IV. Restauração e Esperança, 33.1—48.35

    A. A Restauração de Israel, 33.1—39.29
    B. Esperança: Temporal e Eterna, 40.1—48.35

Seção I

O CHAMADO PARA SER PROFETA

Ezequiel 1.1—3.27

A. Prefácio para o Chamado, 1.1-28

Ezequiel, filho de Buzi (3), havia sido sacerdote em Jerusalém. Agora, como cativo de Nabucodonosor **na terra dos caldeus**, o Senhor o chamou para ser profeta.[1] Como sacerdote, ele tinha levado os homens a Deus; como profeta, ele continuará realizando esse ministério, mas precisará estar mais próximo de Deus do que antes. Como sacerdote, estava próximo dos homens em seus sofrimentos, para poder levá-los a Deus. Como profeta, precisa estar próximo o suficiente de Deus para receber suas mensagens para os homens.

1. *O que Precipitou seu Chamado* (1.1)
As palavras de abertura da profecia de Ezequiel são: **E aconteceu** [...] **que, estando eu no meio dos cativos** [...] **eu vi visões de Deus** (1). O que apressou o chamado de Ezequiel? Falsos profetas haviam surgido entre os exilados que lhes diziam o que os israelitas queriam ouvir, que haveria um retorno rápido para sua terra natal. Naquela época, Jeremias profetizava em Jerusalém, e tinha enviado uma carta para a comunidade dos exilados, anunciando a eles que seu cativeiro duraria 70 anos e que, enquanto isso, eles deveriam submeter-se à vontade e aos caminhos de Deus (Jr 29). Nem todos gostaram de ouvir o que Jeremias tinha dito, e havia uma inquietação junto ao rio Quebar. Essa mensagem havia sido enviada no quarto ano do reinado de Zedequias (Jr 51.59), que também era o quarto ano do cativeiro. No quinto ano do cativeiro, Deus levantou Ezequiel de entre os exilados. Ele, semelhantemente a Jeremias, declararia, de maneira autêntica, a verdade de Deus ao povo.

2. O Tempo do seu Chamado (1.1-2)

a) *"No trigésimo ano"* (1.1). Ninguém sabe a qual evento ou época específica o **trigésimo ano** se refere. Tinham se passado trinta anos desde que o livro da lei havia sido localizado nos escombros do Templo, o que havia desencadeado uma renovação da adoração e do culto em Judá. Mas os eventos daquela época não são datados. Na verdade, não era costume datar acontecimentos significativos no reinado de determinado rei.

Alguns estudiosos sugerem que esse era o trigésimo ano desde que havia ocorrido o último ano do Jubileu. Mas, como já frisamos, esse método de observar datas não era comum naquela época.

Talvez estejam corretos os que sugerem que este é o trigésimo ano da vida de Ezequiel. O trigésimo ano da vida de um judeu era peculiarmente importante quanto à sua maturidade. O **quarto mês** corresponderia ao final de junho e começo de julho no nosso calendário.

b) *"No quinto ano"* (1.2). O **cativeiro do rei Joaquim** começou em 597 a.C., depois de ter reinado por apenas três meses. O chamado de Ezequiel ocorreu **no quinto ano** da prisão do rei,[2] que também era o quinto ano do exílio de Ezequiel na Caldéia.

3. O Lugar do Chamado (1.1-3)

Ezequiel estava **no meio dos cativos, junto ao rio Quebar** (1; que significa "grande rio"), na Caldéia — da qual a Babilônia era a capital. É possível que esse rio seja o mesmo que o rio Chaboras, na Mesopotâmia, que acaba desembocando no rio Eufrates perto de Kirkesion (veja mapa 1).[3]

Pelo fato de Ezequiel estar tão familiarizado com o Templo e parecer falar com freqüência ao povo de Jerusalém, alguns estudiosos acreditam que ele, na verdade, escreveu de lá e não da Babilônia. No entanto, a Babilônia é especificamente mencionada como o lugar do seu chamado. Ela também é citada repetidas vezes como o lugar do seu ministério (1.3; 3.11,15,23; 10.15,20,22; 11.24-25).

4. O Modo do seu Chamado (1.1-3)

Abriram os céus (1). Isso significa que Ezequiel começou a ver coisas que não eram reveladas a outros homens. Visto que deveria se tornar o porta-voz de Deus, o Senhor revelou a ele as coisas elevadas e santas do céu. Certamente é um dia muito especial para um homem quando os céus são abertos acima dele. Até que isso aconteça, um homem está naturalmente ligado à terra. Quando ocorre uma experiência sobrenatural como essa, ele consegue ver coisas mais elevadas que outros homens não conseguem ver pelo fato de os céus acima estarem fechados.

Ele teve **visões de Deus**. O raciocínio, a arte de encaixar o pensamento em moldes racionais, caracterizava os filósofos gregos antigos. A visão, na qual um homem olha para o centro das coisas e para o futuro, era a maior característica dos profetas hebreus. Em nenhum outro profeta isso foi tão real quanto em Ezequiel. Ele era um vidente do Deus Altíssimo, um homem místico de fé refinada, a quem Deus podia confiar visões dele mesmo e de outras verdades elevadas.

Daniel também estava na Babilônia nessa época, ocupando cargos elevados e predizendo as coisas que iriam acontecer. Ezequiel não se movimentava entre os caldeus como o fazia Daniel, mas restringiu sua ação mais aos exilados junto às margens do Quebar. Ambos eram videntes apocalípticos. Ezequiel teve visões que diziam respeito a um futuro próximo. Elas requeriam que os homens obedecessem às ordens do Senhor, ali e naquele tempo. Em comparação, as visões de Daniel eram principalmente para um futuro distante.

5. *O Propósito do seu Chamado* (1.3)

Ezequiel foi chamado não para dar sua própria opinião, nem para dizer ao povo o que eles queriam ouvir. Ele foi chamado, como todos os profetas são chamados, para declarar a verdade de Deus. É por isso que lemos: **veio** [...] **a palavra do Senhor a Ezequiel** (3). Sua função era entregar mensagens para os desamparados e esquecidos exilados, mas essas mensagens não eram suas. Não eram suas próprias idéias — verdades escolhidas por ele. Eram, na verdade, a palavra do Senhor. Essa palavra veio a ele **expressamente** (que significa: "verdadeiramente" ou "genuinamente").

6. *Segurança no Chamado* (1.3)

O relato continua: **e ali esteve sobre ele a mão do Senhor**. Não estava sendo fácil para um patriota como Ezequiel passar cinco anos no exílio. E nunca é fácil para um homem anunciar oráculos em nome do Senhor quando a mensagem é exatamente o que os homens obstinados não querem ouvir. Além disso, Ezequiel era um homem jovem, provavelmente com apenas 30 anos, e os israelitas não faziam questão de dar ouvidos a homens jovens. Pelo menos a partir da época de Moisés, os israelitas tinham um respeito especial pelas palavras de homens idosos — anciãos da terra. Mas, apesar de tudo isso — talvez por causa disso — Ezequiel esteve especialmente consciente de que **a mão do Senhor** estava **sobre ele** para guiá-lo, para fortalecê-lo e para libertá-lo dos seus medos.

A mão do Senhor estava sobre Ezequiel não somente durante esse prefácio do seu chamado. Em outras seis oportunidades está escrito que a mão de Deus estava sobre esse homem obediente junto ao rio Quebar (3.14, 22; 8.1; 33.22; 37.1; 40.1). Qualquer homem que ouvir e obedecer à palavra de Deus receberá a força necessária por parte de Deus para implementar essa palavra nas vidas de homens e nações.

"Deus Cuida dos Cativos" é o tema dos três primeiros versículos, sendo que o primeiro versículo é chave. No contexto das circunstâncias de Ezequiel como cativo junto ao Quebar, dois pontos especiais são destacados: 1) Deus lhe abre os céus e lhe dá visões (1). 2) Deus lhe dá uma perspectiva, capacitando-o a ajudar os outros com mensagens do Senhor (3). Essa passagem fala a todos que são cativos em tempos que provam a alma. Deus cuida e oferece visão e perspectiva.

7. *Resumo em uma Visão* (1.4-28)

O prefácio para o chamado de Ezequiel é concluído com um relato da primeira visão. A visão sugere algo da realidade vigente e ao mesmo tempo acerca do mistério desnorteante das revelações de Deus a respeito de si mesmo ao espírito humano.

a) *Um vento tempestuoso* (1.4). Ezequiel olha e vê primeiramente **um vento tempestuoso** (redemoinho de vento), simbolizando um julgamento que envolvia destruição.

O vento **vinha do Norte** — a direção de onde o julgamento veio em diversas épocas na conturbada história de Israel (e.g., Assíria, 721 a.C.; veja mapa 1). No tempo em que Ezequiel escreveu, 10.000 cidadãos importantes já estavam no exílio em decorrência da ação julgadora de Deus através da Babilônia. Depois de seis anos Jerusalém seria completamente destruída por esse "vento tempestuoso" **do Norte**. Os capítulos 4—24 narram detalhadamente predições sobre essa destruição.

Uma grande nuvem e **fogo** estavam no meio desse "vento tempestuoso". Esses dois símbolos significam a presença de Deus — nesse caso, sua presença é uma ação de juízo sobre Judá.

b) *As quatro criaturas viventes* (1.5-14). Em sua visão, Ezequiel viu **quatro animais** que **tinham a semelhança de um homem** (5). Isso provavelmente representa as forças de Nabucodonosor que precisavam ser liberadas com toda a sua fúria contra Jerusalém. Elas tinham **asas** (6), sugerindo habilidades peculiares que exércitos comuns, não liderados por Javé, não têm. As criaturas viventes, embora representem forças pagãs, estavam sendo enviadas pelo Senhor; portanto, não haveria força humana que as impedisse.

Suas **asas** uniam-se **uma à outra** (9; cf. v. 11), inferindo unidade de propósito; e não se viravam (cf. v. 12), sugerindo a determinação da sua intenção.

Cada uma dessas criaturas tinha quatro rostos (10): **rosto de homem**, mostrando sua identidade básica como vingadores humanos; **de leão**, indicando seu poder e terror;[4] **de boi**, sugerindo sua força constante a serviço de Deus; e **de águia**, mostrando que serão velozes para elevar-se acima da oposição mais forte que Jerusalém pudesse apresentar (veja Ap 4.7).

Essas criaturas viventes eram guiadas pelo Senhor, porque Ezequiel diz: **para onde o Espírito havia de ir, iam** (12).

c) *As rodas* (1.15-25). Ezequiel também viu algumas rodas (15ss). Ele as viu na **terra** (19). Cada criatura vivente tinha uma roda dentro da roda; e ao redor dos aros havia olhos. Essas rodas, perfeitamente redondas, representavam a presença de Deus da mesma forma que a nuvem e o fogo. Quando Ezequiel diz que **o Espírito dos animais** (criaturas viventes) **estava nas rodas** (21), ele quer dizer que o Senhor estava nelas (cf. "o Espírito os impelia", Moffatt). Os **olhos** nas **cambas** (18; "aros", NVI) das rodas significam a habilidade de Deus de olhar em todas as direções. Sua onipresença é chave por ser um Juiz plenamente sábio. **O aspecto geral das rodas e a obra** (estrutura) **delas eram como cor de turqueza** (16; "como o berilo", NVI), ou talvez como uma pedra de crisólito (RSV). A cor da jóia que se tinha em mente é incerta. Se fosse um berilo, talvez se assemelhasse a um verde escuro ou um verde azulado. Se fosse um crisólito (turqueza), talvez se assemelhasse a um verde amarelado (veja Êx 28.20; 39.13; Ez 28.13; Ap 21.20).

Sobre a cabeça (22) dessas criaturas viventes, com asas e acompanhadas de rodas, havia o que parecia um firmamento (**firmamentos**, ARC), uma expansão, o arco visível do céu. A KJV diz que o firmamento estava sobre a sua cabeça. **Por cima** ("acima", NVI) desse **firmamento** havia **uma semelhança de trono** (26), novamente significando julgamento.

d) *A menção da misericórdia* (1.26-28). O que segue nessa visão é realmente emocionante. Até esse ponto foi retratado o julgamento do Senhor; mas agora é descrita a misericórdia do Poderoso. Ezequiel profetiza a respeito do julgamento de Deus a Jerusalém (caps. 4—24) e das sete nações (caps. 25—32); mas no final o profeta pode falar de maneira confortadora ao povo a respeito de restauração e esperança (caps. 33—48). A última parte dessa visão inicial resume a mensagem final que Ezequiel profere, e encontramos esperança nela.

O profeta parece ter um vislumbre do Cristo, que um dia virá, transformando o julgamento em misericórdia. A NVI deixa isso claro: "Bem no alto, sobre o trono, havia uma figura que parecia um homem" (26). O fogo que envolve essa figura é característico dos relatos bíblicos da revelação de Deus (cf. Êx 3.2; 19.16-18; 2 Rs 18.36-39). A favor da interpretação de que essa era uma visão de Cristo, o Redentor prometido, está o fato de que o esplendor dessa "forma humana" é como **o aspecto do arco que aparece na nuvem no dia da chuva** (28). O arco-íris também tinha sido dado a Noé como uma promessa eterna (Gn 9.13-17). Evidentemente, essa inclusão do arco-íris na visão significa que a misericórdia está se aproximando. Quando Ezequiel viu a glória do Senhor, ele tomou a única postura apropriada para um homem nessas circunstâncias: **caí sobre o meu rosto**.

B. O Chamado Propriamente Dito, 2.1—3.27

O capítulo 1 é um tipo de prefácio para o chamado do profeta. Os capítulos 2 e 3 descrevem o chamado propriamente dito.

1. *A Designação do Profeta* (2.1a)

No versículo 1 e em 86 outras ocasiões, o Senhor dirige-se a Ezequiel como **Filho do homem** (cf. Nm 23.19; Jó 25.6). Somente Ezequiel, de todos os profetas, é tratado dessa forma. Essa designação é um lembrete ao homem chamado para o ministério profético de que ele continua uma criatura frágil e finita. Ele não tem valor algum como profeta, a não ser que o Senhor encha sua boca com as coisas que ele deve falar.[5] Em Salmos 8.4 e Daniel 7.13 esse termo "Filho do homem" tem um significado messiânico. É possível que exista um certo grau desse significado no seu uso em Ezequiel. Como porta-voz de Deus junto ao Quebar, ele antevê Aquele que virá mais tarde em carne para falar em nome do Pai de forma direta. É significativo que, de acordo com todos os quatro Evangelhos, o título "Filho do homem" tornou-se o nome preferido do próprio Cristo — mas ele acrescentou o artigo definido para torná-lo "*o* Filho do homem".

O fato de a designação "Filho do homem" aparecer ao longo de toda a profecia de Ezequiel testifica a favor da unidade do livro, como é o caso da repetição de outras expressões (e.g., "Senhor Deus", 21 vezes; e "a mão do Senhor estava sobre" ele: 3.14, 22; 8.1; 33.22; 37.1; 40.1).

2. *A Convocação do Profeta* (2.1b-3a)

Foi dito a Ezequiel: **põe-te em pé** (1); e ao relatar a experiência, ele diz: **Então, entrou em mim o Espírito** [...] **e me pôs em pé** (2). O propósito era que ele se levantasse e anunciasse com intrepidez em nome do Senhor, mas o Espírito Santo o ajudou a obedecer a essa ordem. Ele era declaradamente fraco, se fossem levados em conta somente os seus recursos. Mas era exatamente um homem assim que Deus poderia colocar diante dos exilados para adverti-los da necessidade de justiça pessoal.

A esse homem, recrutado para o serviço divino, o Senhor diz: **eu te envio aos filhos de Israel** (3).[6] Não parece ter havido nenhum ato de ordenação e envio como na Igreja do Novo Testamento (At 14.23). Há, no entanto, uma ordenação divina. Ezequiel foi enviado pelo Senhor para declarar mensagens firmes, mas, ao mesmo tempo, cheias de esperança para todos os filhos de Israel, tanto para os exilados como para aqueles que ainda estavam em Judá.

3. *O Povo a Quem Ele é Enviado* (2.3b-8a)

Israel é uma "nação rebelde" (3, NVI; "uma nação de rebeldes", RSV). Seu povo é de **semblante duro** (4; impudentes). Conseqüentemente, eles não choram de arrependimento ou contrição pelo pecado. Eles também são **obstinados**, i.e., teimosos. Um semblante duro significava que o coração também estava endurecido. **Seus pais** tinham se rebelado contra o Senhor, e o mesmo estava acontecendo com eles. Deus os descreve como **sarças e espinhos** (6), ou mesmo como **escorpiões**. Observe aqui a progressão da perniciosidade: de pequenas agulhadas de uma sarça, para o perfurar de espinhos, até a ferroada venenosa de escorpiões.

Como sarças, espinhos e escorpiões acabam causando dano aos homens, assim a **casa rebelde** se voltava contra Ezequiel com **suas palavras** e seu olhar cheio de rancor.

O **Senhor Jeová** (4) chamou o jovem sacerdote para um trabalho difícil. Mas o homem de Deus estava sendo enviado por Aquele que conhece tudo a respeito de rostos sem emoção e de corações teimosos. Era o próprio Deus que lhe dava as mensagens para serem transmitidas ao povo. Um homem pode ser forte quando sua mensagem tem o aval de Deus: **Assim diz o Senhor Jeová** (4).

4. *A Preparação do Profeta* (2.8b—3.3)

O verdadeiro porta-voz de Deus nunca traz uma mensagem que seja impessoal para ele mesmo, com a qual não teve de se confrontar primeiro, sobre a qual ele não chorou ou exultou. A palavra que anunciava para as pessoas primeiro passava pela sua própria alma — alegrando-o ou entristecendo-o.

Assim ocorreu com Ezequiel. Ele precisa falar por Deus, mas essa palavra deve primeiro ser internalizada. Assim, enquanto o Senhor estendia a sua mão e segurava **um rolo de livro** (9),[7] Ele disse: **abre a boca e come o que eu te dou** (8; cf. Ap 10.8-11). O **livro** estava repleto de mensagens a serem transmitidas, escritas não somente de um lado, como era de costume naqueles dias, mas **estava escrito por dentro e por fora** (10; "em ambos os lados", NVI).

O que o Senhor deu a Ezequiel pode ter sido uma representação figurada das palavras que ele deveria anunciar. Ou, como alguns pensam: ele poderia conter o livro de Jeremias. Qualquer que seja o caso, *a)* esse livro era do Senhor, e *b)* não era muito aprazível, contendo **lamentações, e suspiros, e ais** (10). Por mais que fosse amargo, Ezequiel precisava internalizar a mensagem. Não seria suficiente uma verbalização superficial da verdade. A mensagem não deveria ser anunciada sem antes tocar profundamente o seu coração. Nenhum anúncio de pesar deveria ser proclamado sem que ele primeiro sentisse esse pesar e chorasse sobre ele. Muitos têm insistido na necessidade de um encontro divino-humano, ou num relacionamento pessoal com o Senhor. Fala-se que essa é uma maneira "nova" de relacionamento; mas isso não tem nada de novo. Ezequiel tinha uma vida de encontro vivo e autêntico com o Senhor, seu Deus, e cada dimensão do seu ser foi tocada pelas coisas que deveria ensinar. Suas profecias seriam suas, e do Senhor, mesmo em aspectos em que um outro homem de Deus (como Jeremias) tivesse sido o primeiro a declarar essas verdades e tivesse influenciado Ezequiel.

No ato de receber as "visões de Deus" (1.1), foi ordenado ao profeta: **come este rolo, e vai, e fala** (3.1). Primeiro precisava haver o influxo (ou seja, a assimilação) da mensagem e, então, a proclamação. Ao receber a mensagem, Ezequiel precisava abrir sua própria **boca** (2), mas foi Deus que lhe **deu** de **comer**. A preparação do homem não ocorreu à parte do seu próprio esforço, mas também não ocorreu à parte da ajuda decisiva de Deus. Pelo fato de a preparação de Ezequiel incluir esse aspecto das "duas vias", a palavra que ele recebeu e comeu tornou-se na sua **boca doce como o mel** (3; cf. Sl 19.10; 119.103).

5. A Comissão do Profeta (3.4-15)

Como ocorreu com o Filho do Homem posterior, o grande antítipo de Ezequiel, o profeta foi comissionado a ir à **casa de Israel** (4). De maneira geral, ele precisava profetizar a todo o povo de Israel, porém mais especificamente **aos do cativeiro** (11).

Ele é lembrado de que eles não são **muitos povos** (6), nem tribos pequenas e divergentes; e que não são **de estranha fala e de língua difícil, cujas palavras** ele não conseguiria **entender**. Em vez disso, ele é enviado ao seu povo, o povo de Deus. Os gentios **certamente** teriam dado **ouvidos**, mas esse não foi o caso da casa de Israel, "que rejeitava a luz e a misericórdia" e que **é de rosto obstinado e dura de coração** (7; cf. Is 48.4).

Ezequiel enfrentará um povo obstinado, mas Deus o tornará ainda mais obstinado em relação à mensagem divina que ele irá transmitir do que o povo é contra ela. Eles são duros como a pederneira, mas Ezequiel será **como diamante** [...] **mais forte do que a pederneira** (9; cf. Jr 17.1). Ele não deve temê-los por causa dos seus olhares de pederneira, não importa a sua rebeldia. Maior é aquele que estará com Ezequiel do que aqueles que serão contra ele. Ezequiel é o mais poético de todos os profetas, um idealista que estava inclinado a ensinar por meio de atos simbólicos em que a mensagem era dramatizada. Ele não era um homem para quem a controvérsia vinha naturalmente, e ele teria a tendência de se encolher diante daqueles que fariam de tudo para alcançar aquilo que queriam. Mas da mesma forma que Jeremias recebeu forças para uma tarefa que não era natural para ele (Jr 1.18; 20.7-18), Ezequiel também recebeu.

Quer as pessoas **ouçam quer deixem de ouvir** (11), Ezequiel é comissionado e fortalecido a anunciar a ruína delas (caps. 3—24), a ruína dos seus vizinhos pagãos (caps. 25—32) e também o amanhecer de um novo dia (caps. 33—48).

Novamente **o Espírito** (12) o eleva. As **asas dos animais** (criaturas viventes) [...] **tocavam** (lit. beijavam) **umas nas outras** (13); houve um **sonido de um grande estrondo** (terremoto); e **a mão do Senhor** (14) **era forte sobre** o profeta.

O CHAMADO PARA SER PROFETA   EZEQUIEL 3.15-27

Ezequiel ficou ali por **sete dias** (15; o tempo estabelecido para o luto, Jó 2.13) no meio dos cativos em **Tel-Abibe** — a palavra significa "colina de cereais novos [de cevada]". Enquanto estava sentado ficou **pasmado**, i.e., atônito, perplexo, e em silêncio. Esse talvez tenha sido uma parte da preparação de Ezequiel para sua tarefa. Um tempo de silêncio, em um lugar solitário, foi dado a muitos no início do seu serviço (e.g.: Jesus, após o seu batismo e Paulo em Gl 1.17).

6. A Responsabilidade do Profeta (3.16-27)

Quando os sete dias de silêncio passaram, o Senhor revelou a Ezequiel o importante ofício que tinha sido dado a ele. Ele deve ser uma sentinela, um **atalaia** sobre os interesses de muitos, advertindo-os contra a insensatez (17). Habacuque também tinha sido um atalaia (Hb 2.1), bem como Isaías (Is 56.10) e Jeremias (Jr 6.17). Mas eles tinham sido principalmente vigias sobre o destino de Israel como um todo. Ezequiel, de forma semelhante, é um vigia sobre a nação; mas sua incumbência aqui era particularmente advertir indivíduos.

Considere um homem **ímpio**. Se Ezequiel não o avisasse, e ele morresse, o homem sofreria as conseqüências da sua maldade — e Ezequiel seria culpado do **seu sangue** (18), i.e., de assassinato ou homicídio. Mas se Ezequiel avisasse o homem, o profeta não seria responsável, mesmo se esse homem continuasse obstinadamente no seu pecado (19). **Livraste a tua alma** significa "salvou a sua vida" (RSV), "você estará livre dessa culpa" (NVI) ou "salvou-se a si mesmo" (Smith-Goodspeed).

Além disso, Ezequiel deveria avisar **o justo** (20) para não **se desviar da sua justiça** e fazer **maldade**. Se **eu puser diante dele um tropeço** é traduzido por Moffatt como: "quando colocar uma tentação diante dele". Somente cerca de mil anos mais tarde foram ensinadas a eleição incondicional e a segurança eterna, quando Agostinho, baseado no estoicismo e gnosticismo, tornou-se cristão e mais tarde teólogo. Calvino e o calvinismo apareceram cerca de dois mil anos mais tarde. Ezequiel teria muita dificuldade em aceitar que esses ensinamentos seriam um dia defendidos por um amplo segmento do povo de Deus. Ezequiel deixa claro que se um homem justo se desviar e morrer em seu pecado, as **suas justiças que praticara não virão em memória**. Certamente, seria necessário uma "desfiguração" do significado do texto para que se pudesse ensinar que os crentes nunca poderão perder a sua salvação, diante de ensinamentos como esse (veja também Rm 11.22).

Ezequiel, então, é chamado para ser um vigia e advertir os indivíduos de que devem voltar-se da maldade para a justiça e continuar na justiça o restante das suas vidas.

O profeta que foi chamado para anunciar palavras de advertência a Israel devia primeiramente encerrar-se na sua própria casa (24), refrear-se de anunciar os oráculos de Deus e buscar a presença de Deus. Então, no tempo oportuno, Deus abriria a sua **boca** (27), e ele anunciaria a palavra de Deus para a **casa rebelde**. Não se sabe ao certo o significado da palavra **vale** nos versículos 22-23.

"O Chamado dos Cativos de Quebar" reflete verdades relevantes para os obreiros cristãos. O texto poderia ser: "Filho do homem, eu te envio" (2.3); e a leitura bíblica poderia incluir todo o capítulo 2. 1) Os ouvintes do mensageiro (2.3b-8a). 2) A preparação do obreiro (2.8b—3.3). 3) A comissão (3.4-15). 4) A responsabilidade (3.16-27).

Seção II

PROFECIAS CONTRA JERUSALÉM

Ezequiel 4.1—24.27

Os capítulos 4—24 contêm profecias dirigidas ao povo de Jerusalém que foram anunciadas antes da destruição da cidade pelas mãos de Nabucodonosor em 586 a.C. Nessas profecias, há atos simbólicos, como também oráculos falados que são proferidos em nome do Senhor. Enigmas, alegorias e símbolos são usados como meios à mensagem que o Senhor deu a Ezequiel para transmitir a Israel. Há épocas de esperança quando se diz ao povo de Israel que ele pode receber o perdão e um novo coração. Mas o teor geral desses capítulos é de denúncia.

A. Quatro Atos Simbólicos, 4.1—5.17

Imediatamente após o chamado de Ezequiel para ser o porta-voz de Deus, o Senhor o trancou em sua própria casa (3.24), proibindo-o de abrir sua boca para falar (3.26). Em vez de lhe dar um ministério oral, Deus dirigiu-o a expressar em ações quatro mensagens especiais para a casa rebelde de Israel. Os ouvintes do profeta também incluíam aqueles que ainda viviam em Judá, porque havia uma comunicação considerável entre os exilados e a terra natal.

Para os ocidentais, as ações simbólicas de Ezequiel parecem estranhas. Mas naquela região do mundo, expressar uma mensagem através de ações não era incomum. A teologia em nossa época, depois de ter passado por muitos séculos de domínio platônico, em que se ressalta idéias abstratas, está retornando à ênfase bíblica acerca da importância da ação concreta tal como a lemos em Ezequiel. Chamamos essa ênfase de "existencial", e, para muitos, parece algo novo. Mas, na verdade, essa é a ênfase do hebraico e das

Escrituras do Novo Testamento. Deus aparece de forma concreta entre nós em Cristo, morre em uma cruz romana de verdade, ressuscita corporalmente, ascende literalmente aos céus e anuncia que vai voltar de forma visível.

1. *Um Modelo do Cerco em Argila* (4.1-3)
Ezequiel deveria tomar um **tijolo** (1), desenhar nele a cidade de Jerusalém e representar o cerco da cidade que havia profetizado no capítulo 1. O cerco começou cerca de quatro anos depois da profecia. O tijolo usado deve ter sido fabricado de argila ou barro com cerca de 40 centímetros de largura por 12 de espessura. Esse é o tipo de tijolo encontrado nos muros da Babilônia, e muitos deles podem ser vistos no Museu Britânico hoje. Era costume da época escrever nesses tijolos.

Com argila mole, Ezequiel deveria moldar uma fortificação, um acampamento e aríetes ("tranqueira") ao redor dela. Ele usou uma panela de ferro ou uma assadeira, para representar o muro fortificado entre os sitiadores e a cidade.

Os **aríetes** (2) eram colocados em torres móveis. Dessas torres podia-se observar uma cidade sitiada e atirar setas contra seus defensores. O princípio do **aríete** era o mesmo que ainda é usado para derrubar paredes de prédios que estão sendo demolidos. Uma grande viga era lançada da torre. Os homens erguiam essa viga e a deixavam pender contra os muros da cidade.

2. *Levando suas Iniqüidades* (4.4-8)
Ezequiel deveria deitar-se sobre o seu **lado esquerdo** (4) por 390 dias para levar **a maldade da casa de Judá** (6). **O teu braço descoberto** (7), ou "com braço desnudo" (NVI). Ele será amarrado com **cordas** (8) e não mudará de posição até que o cerco chegue ao fim. Provavelmente, durante a maior parte do dia, todos os dias, o profeta ficava nessa posição, e, dessa forma, instruía por meio de um ato simbólico a todos que entravam na casa desse homem estranho e silencioso. O cerco de Jerusalém terminou em 586 a.C. e durou bem mais do que 430 dias, de acordo com Jeremias 39.1 e 52.4-7 (veja também 2 Rs 25.1-2).[1] No entanto, durante esse período Nabucodonosor teve de abandonar o cerco de Jerusalém por um período e lutar contra os egípcios; dessa forma, é possível que o cerco não tenha demorado mais do que 430 dias.

Também há a sugestão nessa passagem de que cada um dos 390 dias represente um ano do pecado de Israel, e que os 40 dias representem o número de anos em que Judá tinha sido infiel a Deus. Lemos aqui que o número de dias será "equivalente ao número de anos da iniqüidade dela" (5, NVI). Os 390 dias, que se acredita representarem os anos de maldade pelos quais Israel merece o castigo do cerco de Nabucodonosor, podem referir-se aos anos que começam com o seu primeiro rei, Saul (10.8), e se estendem até a queda de Israel em 721 a.C.; mas se considerarmos essas datas, os anos seriam 350 em vez de 390. Com respeito aos 40 anos do castigo de Judá, não há um período definido na história do reino ao qual isso possa ser associado.

A Septuaginta traz 190 dias nos versículos 5 e 9 em vez de 390, e esses 190 dias incluem os 40. Nesse caso, os primeiros 150 dias podem referir-se aproximadamente aos 148 anos da deportação de Tiglate-Pileser em 734 a.C. até a queda de Jerusalém em 586 a.C. Nesse caso, os 40 dias referem-se aproximadamente ao período de 586 até o retorno de Judá à sua terra natal em 536 a.C.

A verdade significativa aqui, no entanto, é que, por meio do cerco e da queda de Jerusalém, tanto Israel quanto Judá serão punidos pelos anos da sua maldade. Ezequiel, deitado de lado, deve levar a maldade simbolicamente, prefigurando o tempo quando o Filho do Homem divino levará a iniqüidade de muitos sobre a cruz romana. Temos aqui um vislumbre do sofrimento vicário de Cristo.

3. Racionamento da sua Comida e Água (4.9-17)

Ezequiel deveria fazer **pão** (9) e comer somente uma pequena porção dele cada dia. Ele podia comer **vinte siclos cada dia**. Calcula-se que isso daria em torno de 240 gramas. Mas não está claro se o autor está se referindo a vinte siclos hebraicos ou babilônicos. A **água** que Ezequiel tinha permissão de tomar cada dia era **a sexta parte de um him** (11), ou pouco mais de meio litro. Nos versículos 16-17, Deus deixa claro a Ezequiel o significado desses símbolos na vida de Judá. Sabemos com base em Jeremias 37.21 que o pão foi racionado durante o cerco.

O pão devia ser assado com **o esterco que sai do homem** (12). Esse pão imundo era para mostrar como a religião de Israel se tornaria imunda **entre as nações** (13), onde eles seriam dispersos pela mão de Deus. Depois disso, Ezequiel se queixou, semelhantemente a Pedro (At 10.14), de que nunca havia comido qualquer coisa impura. Então o Senhor permitiu que fosse usado **esterco de vacas** (14-15) em vez de humano.

4. Rapando a Cabeça e a Barba (5.1-17)

Ezequiel foi então instruído a apanhar **uma faca afiada** (1), provavelmente uma espada curta e afiada como uma navalha, exemplares dos quais podem ser vistos no Museu Britânico. Ele deveria cortar seu cabelo e **barba**, dividindo o cabelo em três partes. O versículo 12 descreve com clareza o que cada parte representava, ou seja, o que aconteceria com os habitantes de Jerusalém quando Nabucodonosor destruísse a cidade.

Esta é Jerusalém (5) significa: Esta parte do cabelo representa Jerusalém. Os chineses se autodenominavam o Reino do Meio porque achavam que haviam sido colocados no meio do mundo; e os romanos mais tarde diziam que a sua capital era central porque "todos os caminhos levam a Roma". Da mesma forma, pensava-se que Jerusalém estava no centro das coisas. Deus a havia colocado num lugar especial. O Senhor disse a Jerusalém: **pu-la no meio das nações e terras que estão ao redor dela**.

Mas a cidade estava vivendo em pecado, mais do que as nações pagãs. Assim, Deus mudou sua atitude em relação ao seu povo e disse: **executarei juízos no meio de ti aos olhos das nações** (pagãs; 8).

As três porções do cabelo de Ezequiel (1-4) representavam aquilo que aconteceria aos habitantes de Jerusalém. Uma terça parte morreria de doença e **fome** (12); a outra terça parte cairia **à espada**; e a outra parte seria espalhada **a todos os ventos** pelo exílio. Somente alguns permaneceriam na terra, sob Gedalias, que eram representados por alguns cabelos tirados da última das três partes e que haviam sido atados nas bordas da sua **veste** (manto; 3). Mesmo esses poucos sofreriam grandemente, como foi demonstrado pelo ato em que o profeta queimou, mais tarde, os poucos cabelos que representavam os que ficariam na terra. O castigo viria sobre **toda a casa de Israel** (4).

Assim, os capítulos 4 e 5 descrevem os quatro atos simbólicos por meio dos quais o profeta revelou o que aconteceria dentro em breve a Jerusalém. Nabucodonosor, um rei pagão, executaria o castigo, mas ele o faria em nome do Deus de Israel.

Os capítulos 6—24 descrevem em detalhes os julgamentos que vão sobrevir irrevogavelmente sobre a nação que possuía todas as coisas, mas que, por causa do seu pecado, logo não teria nada.

B. Dois Discursos acerca da Destruição de Israel, 6.1—7.27

Finalmente, o silêncio do vidente é quebrado, e ele agora pode anunciar as profecias de destruição que, em breve, se cumprirão na terra de Israel. O capítulo 6 contém um discurso acerca do julgamento que ocorrerá a Israel por causa da sua idolatria, com a menção de um remanescente que será salvo. O capítulo 7 é um discurso separado, mas trata da iminência e inevitabilidade da desgraça vindoura. Os dois discursos ocorrem após a ação simbólica do capítulo 5, na qual o cabelo e a barba cortados do profeta, divididos em três partes, representam a destruição que aguarda Jerusalém. Mas, enquanto o capítulo 5 lida somente com Jerusalém, esses discursos incluem toda a terra de Israel em suas denúncias.

1. *O Primeiro Discurso* (6.1-14)

O problema de Israel era o pecado dos pecados, a idolatria. Como ocorre hoje com muitas pessoas que se comprometem com Deus somente pela metade, possuem um coração dividido que as leva a ter um desejo de ser como o mundo é, como ocorreu com Israel. Em tudo que fazia, tinha como base a adoração idólatra, especialmente a Baal, o deus-sol. E Israel constantemente caía nos caminhos do mundo que o envolvia.

Baal era adorado especialmente nos **outeiros**. Assim Ezequiel personificou **os montes** (3) e dirige suas profecias contra eles. Ele levanta a voz contra os santuários pagãos chamados de **altos** (3, 6).

Os Dez Mandamentos tinham sido dados cerca de mil anos antes, e somente alguns anos antes da época de Ezequiel, debaixo do reinado de Josias, houve um avivamento com ênfase na guarda das leis de Deus. Os israelitas, portanto, não podiam estar inconscientes de que a idolatria era um pecado grave. Mas eles cederam repetidas vezes a esse pecado.

Muitas vezes o pecado da idolatria no Antigo Testamento é retratado como o pior de todos os pecados. É por isso que Jeroboão pecou mais do que os reis que reinaram antes dele. Saul havia pecado, como foi o caso de Salomão e Davi. Mas Jeroboão[2] foi idólatra e levou o povo à adoração pagã; por isso, ele foi considerado o pior rei de todos que haviam reinado em Israel até então (1 Rs 14.9).

O motivo de a idolatria ser considerada o pior de todos os pecados é que ela é uma afronta não somente ao que Deus ordenou, mas também à pessoa do próprio Deus. A idolatria se caracteriza pela infidelidade a Deus e é, por isso, muitas vezes descrita como adultério espiritual no Antigo Testamento (cf. Os 1.2).

Nesse capítulo, Deus declara que tanto os ídolos quanto os idólatras serão quebrados (4). E os santuários de ídolos ficarão poluídos pelos **ossos** dos mortos (5). **Me que-**

brantei por causa do seu coração corrompido (9) é invertido por algumas traduções mais modernas, e.g.: "Quebrantei seus corações adúlteros" (Berkeley). Somente **um resto** (8) do povo escapará da **espada**, da **fome** e da **peste** (11). Sempre que o povo se tornava obstinado no seu pecado, havia um remanescente que não curvava seu joelho diante de Baal. Ele será misericordioso com todos aqueles que adorarem o Deus vivo e amoroso. Ezequiel era um deles, como foram Jeremias e Daniel na mesma época.

Mais assolada do que o deserto da banda de Ribla (14) recebe um significado adicional na versão Berkeley: "uma desolação e um ermo do deserto [do sul] de Ribla". Isso representava a extensão máxima do território de Israel, desde o deserto de Judá até o norte da Síria (1 Rs 8.65).

2. *O Segundo Discurso* (7.1-27)
Um discurso similar no que diz respeito à destruição segue imediatamente o discurso proclamado no capítulo 6.

a) *Extensão da destruição.* **Os quatro cantos da terra** (2), i.e., a terra em todas as direções — norte, sul, leste e oeste — sofrerá o julgamento de Deus. Nesse capítulo, não encontramos a menção de um remanescente (resto).

b) *Iminência da destruição.* **Agora** (3) é o tempo em que ocorrerá **o fim** das **abominações** de Israel ("práticas repugnantes", NVI). No Novo Testamento, o julgamento do pecado é geralmente postergado até que a alma teimosa sofra eternamente no inferno — embora haja algumas exceções, tal como o julgamento imediato que veio sobre Ananias e Safira (At 5.1-11). No Antigo Testamento, em que o castigo eterno é ensinado ocasionalmente (e.g., Dn 12.2), o método mais comum do Senhor era começar a castigar os homens pelos seus pecados ainda nesta vida. É o que ocorre nesse capítulo. Deus não permitirá que os pecadores floresçam como árvores frondosas; em vez disso, Ele os cortará no meio do seu pecado, como uma lição prática para todos, lembrando que o Senhor é, de fato, o Senhor. **Não te pouparei o meu olho** (4) significa: "Não terei misericórdia nem piedade" (Moffatt).

c) *Clareza da destruição inevitável.* A destruição vindoura será **um mal** [...] **um só mal** [final] (5). Será um mal como nunca se viu. A frase: **Chegado é o dia da turbação** (7) talvez deveria ser traduzido como: "O circuito dos teus pecados chegou ao fim".[3] Shroder pode estar certo em sugerir a seguinte tradução: "Chegou a sua hora".[4] O sentido é que a destruição certamente virá, o dia do destino está prestes a se manifestar. **Não da alegria, sobre os montes**, tem sido traduzido da seguinte maneira: "não gritos alegres sobre os montes", e é interpretado como: "nem gritos de alegria pela ceifa nem gritos pagãos de adoradores idólatras" (Berkeley, nota de rodapé). No versículo 9, Ezequiel reconhece a justiça de Deus ao declarar: **conforme os teus caminhos, assim carregarei sobre ti** [...] **e sabereis que eu, o Senhor, castigo**.

d) *Descrição da destruição.* Quando chegar a vez do sofrimento de Judá, a destruição será completa. A última parte do versículo 10 e a primeira parte do versículo 11 foram traduzidas da seguinte forma: "A arrogância floresceu. A insolência brotou. A violência tomou a forma de um rebento de maldade" (Smith-Goodspeed). Na expressão: **nem ha-**

verá **lamentação** (11), a palavra que foi traduzida por **lamentação** também pode se referir àquilo que é glorioso ou bonito. A RSV traz "preeminência", mas admite numa nota de rodapé que o hebraico não é claro. A passagem provavelmente significa que nada de importante ou de extraordinário será deixado em toda a terra.

O comprador (12) de uma terra não se alegrará com sua posse, porque não poderá aproveitá-la. Aquele **que vende** não precisa se entristecer por ter de vender a sua posse; ela não teria nenhuma utilidade para ele. **Toda a multidão** indica que todos na cidade estarão debaixo do julgamento do castigo de Deus.

Aquele **que vende não tornará a possuir o que vendeu** (13). Isso se refere à lei de propriedade entre os judeus. Na lei judaica existia a propriedade privada, mas havia restrições em relação ao acúmulo de terras por indivíduos e famílias ricas. A venda de terra era válida somente até o ano do jubileu, que ocorria a cada cinqüenta anos; nessa data todas as terras voltavam ao seu dono original. Aqui está inferido que mesmo se um vendedor continuasse vivo, o exílio se prolongaria tanto que não seria possível voltar e usufruir a sua terra. O hebraico da última parte do versículo 13 é obscuro. Moffatt o interpreta da seguinte forma: "A ira sobrevém a toda a cidade [...] e ninguém prosperará com transações iníquas".

O versículo 14 deixa claro que tentativas humanas de proteção são inúteis diante da ira de Deus. O versículo 15 indica que os que escapam de uma destruição serão apanhados em outra fase dela. Algumas pessoas **escaparão** (16) para os **montes**; mas eles não terão escapado das suas consciências. Todos estarão **gemendo, cada um por causa da sua maldade**. No versículo 17, vemos uma figura de linguagem bastante comum: fraco como água.

Ainda que possuam dinheiro com eles, **nem a sua prata nem o seu ouro os poderá livrar no dia do furor do S**ENHOR (19). Ezequiel declara que essas riquezas **não fartarão a** alma deles, e debaixo do castigo de Deus não chegarão a encher seus estômagos (**entranhas**). O versículo 18 apresenta dois símbolos comuns de lamento entre os judeus — **pano de saco** e **cabeça** calva (cabeça rapada). **Vergonha** e **terror** transparecerão nos seus **rostos**. Se os israelitas precisavam ouvir isso de Ezequiel, quanto mais os homens em nosso mundo materialista precisam ouvir esse tipo de mensagem, para quem o propósito principal de vida é acumular a máximo possível desses bens terrenos!

A NVI traduz o versículo 20 da seguinte forma: "Eles tinham orgulho de suas lindas jóias e as usavam para fazer os seus ídolos repugnantes e as suas imagens detestáveis. Por isso tornarei essas coisas em algo impuro para eles". Visto que Israel havia manchado a sua riqueza, Deus a entregará **na mão dos estranhos** [...] **por presa** (21). Mesmo **o meu lugar oculto** (22; o Templo) será saqueado e maculado. A RSV interpreta **Faze uma cadeia** (23) como "faze uma desolação". Nesse dia de calamidade, nenhum dos líderes de Israel será capaz de ajudar — nem **profeta** (26), nem **sacerdote**, nem **anciãos**, nem **rei** (27), nem **príncipe**.

C. ABOMINAÇÕES E JULGAMENTOS, 8.1—11.25

Os capítulos 8—11 formam uma unidade no que diz respeito às profecias da queda de Jerusalém. Eles brotam da visão dada a Ezequiel, e tem a ver com as abominações que estavam acontecendo na terra de Judá — assim como aos julgamentos que ainda ocorreriam.

1. A Data (8.1)

Nenhum outro profeta é tão cuidadoso em relação a datas quanto Ezequiel. Quando começa a apresentar essa série de profecias, ele nos relata o dia em que foram proferidas. O **sexto ano** (1) é 591 a.C., ou seja, o sexto ano da prisão do rei Joaquim. Ezequiel especifica que é o **mês sexto** e o **quinto dia do** mês, ou seja, o início de setembro, 591 a.C.[5] O tempo dessas profecias, portanto, ocorreu catorze meses depois dos oráculos anteriores (1.2; 3.16) que relatam a primeira visão de Ezequiel e seu chamado. O profeta não apresenta outra data até o capítulo 20.1, e a data nesse texto é agosto de 590 a.C.. Assim podemos presumir que o que se encontra escrito nos capítulos 8 a 19 foi proferido entre setembro de 591 e agosto de 590 a.C.

2. Formas da Adoração Falsa (8.1-18)

Naquele dia de setembro de 591 a.C., Ezequiel estava **assentado** em sua **casa** com **os anciãos de Judá** (1; os líderes do exílio na Babilônia) diante dele. A descrição da **aparência** de Deus (2) se assemelha com o que Ezequiel viu em 1.26-27 (veja comentários desse texto). **A forma de uma mão** (3) parecia tomar o profeta pelo cabelo e transportá-lo para **Jerusalém**. Que ele foi levado lá espiritualmente, não fisicamente, é sugerido pela declaração de que foi trazido **a Jerusalém em visões de Deus**. Em vez **da porta do pátio de dentro** a RSV traz: "a entrada da porta do pátio interno", que está de acordo com a descrição do Templo em 1 Reis 7.12 e 2 Rs 20.4 (veja Quadro C).

a) *"A imagem do ciúme"*. Essa imagem era um ídolo que ficava no Templo em Jerusalém provocando **o ciúme de Deus** (3). O profeta pode estar se referindo à imagem que estava lá no reinado de Manassés, pouco antes da reforma do rei Josias. Essa imagem havia sido levado embora, mas pode ter retornado na época de Ezequiel (veja 2 Cr 33.7, 15).

b) *Ídolos na forma de animais*. A figura do **buraco na parede** (7) pode sugerir o meio de descobrir o que estava acontecendo em segredo atrás da parede. Os ídolos na forma de animais **pintados na parede em todo o redor** (10), da parte interior do Templo, eram adorados **nas trevas** (12). Os homens que participavam dessa adoração de ídolos certamente sabiam o quanto estavam profanando o Templo. Eles eram os **setenta homens dos anciãos da casa de Israel** (11) que deviam estar confiantes em sua sabedoria humana. **Jazanias, filho de Safã**, é desconhecido. Eles estavam enganados quando disseram: **O Senhor não nos vê** (12). O que era feito às escondidas naqueles dias foi visto pelo Senhor, da mesma forma como ocorre hoje. Paredes espessas e escuridão espessa não atrapalham em nada a visão de raio-x do Senhor que vê todas as coisas.

c) *Tamuz*. Esse deus era adorado abertamente à **porta da Casa do Senhor, que está da banda do norte** (14; veja Quadro C) por **mulheres** idólatras. Não só os homens estavam longe de Deus, mas as mulheres, que muitas vezes parecem se adaptar melhor na fé do que os homens, eram igualmente infiéis a Deus. **Tamuz**, diante de quem elas se dobravam, era um deus que os babilônios tinham herdado dos sumérios, povo que havia prosperado anteriormente naquela área. Tamuz era o deus da vegetação e fertilidade.[6]

O sol também era adorado por 25 homens dentro do Templo. **Entre o pórtico e o altar** seria o lugar santo do Templo. Eles ficavam **de costas para o templo** (16), com o rosto para o sol. A adoração do sol havia sido praticada pelos cananeus e tinha sido introduzida pouco antes pelos poderosos assírios. Parece que houve um crescimento nessas abominações, tornando a adoração do sol a pior de todas (15). Isso pode ser porque o sol, não feito por mãos humanas e uma fonte misteriosa de luz e vida, era mais prontamente aceito do que o igualmente misterioso Deus.

Ei-los a chegar o ramo ao seu nariz (17) é uma tradução literal, mas deixa o leitor com dúvidas quanto ao seu significado. Moffatt interpreta em sua tradução: "Eles estão enchendo minhas narinas com seu mau cheiro!". Isso faz sentido, como é o caso da interpretação de Smith-Goodspeed: "Veja! Eles estão forçando suas obscenidades contra minhas narinas". Por todas essas práticas abomináveis de adoração o Senhor procederá **com furor** (18) em relação a Judá.

3. *A Matança dos Pecadores* (9.1-11)

No capítulo 9, Ezequiel passa da descrição das abominações de Judá para uma profecia de julgamento de Deus. **Seis homens** do **norte** (2), que evidentemente são anjos, devem executar a matança de todas as pessoas que escolhem ídolos em lugar de Deus. Sua vinda do norte é típica, visto que a missão é de julgamento (veja 1.4). É possível que Ezequiel esteja vendo a matança que Nabucodonosor em breve executará, e que esses seis anjos, com o sétimo (que marca com um sinal as testas daqueles que serão poupados), representem o exército do rei da Babilônia.

Em sua visão Ezequiel viu **a glória do Deus de Israel** (3) em seu lugar de habitação no Templo. Sua presença assegura que em toda essa matança há um acompanhamento de misericórdia; os justos serão poupados. Antes que os seis anjos destruidores entrem, um sétimo anjo passará pela cidade e marcará o povo que será poupado. Esse anjo estava **vestido de linho** (3), a roupa de pureza daquela época — diferente da lã, que causava muita transpiração. Ele deveria marcar **com um sinal as testas dos homens que suspiram e que gemem por causa de todas as abominações** (4). Aqueles que foram marcados dessa forma, e somente esses, deveriam ser poupados. Essa imagem é semelhante à imagem que João viu em Apocalipse 7.3-4 e 22.4.

Há épocas em que o julgamento moral se torna mais importante do que a justiça cerimonial. No Antigo Testamento, as pessoas se tornavam impuras quando tocavam em um corpo morto. Por outro lado, a pessoa podia estar a salvo se ela se refugiasse em um lugar santo (cf. 1 Rs 1.51-52). No entanto, no tempo do julgamento de Deus, seus servos chegam a ser instruídos a contaminar **a casa** (7) para que a justiça pudesse prevalecer. De acordo com essa profecia, Deus está pronto a mostrar misericórdia sempre que for possível. Há momentos, como os que são retratados aqui, em que o povo de Deus é libertado do sofrimento, além de desfrutar da redenção. Há outros momentos em que seu povo experimenta apenas a redenção, e a dor do sofrimento é experimentada tanto por eles como pelos injustos. É Deus quem decide se serão eximidos do sofrimento ou se sofrerão para o bem de outros. O justo deve ser grato pela redenção, quer seja poupado de situações que provam a sua alma ou não. O cristão que está completamente rendido à vontade de Deus e que tem uma visão ampla das coisas espirituais não se preocupa em passar pelos chamados desertos nessa vida. Ele sofre com Cristo, se for o caso, para ser glorificado num dia de esplendor futuro. No versículo 9, fica claro que a falta de fé era o grande pecado de Israel. **Eles dizem: O Senhor deixou a terra, o Senhor não vê.**

4. *O Fogo e a Glória* (10.1-22)

Nessa visão, Ezequiel vê novamente uma grande parte do que viu no capítulo 1 (veja comentários lá). Mas aqui são introduzidos alguns detalhes novos. O **querubim**, as **brasas acesas** (2) e a **nuvem** (3) nos lembram de Isaías 6.1-6. Embora se refiram a um julgamento que se aproxima, o julgamento é uma purificação do pecado da terra. É o mesmo anjo que no capítulo 9 tem a incumbência de marcar um sinal nas testas dos justos para que possam ser poupados. Ele aqui cumpre a ordem de colocar fogo na **cidade** (2).

Três vezes nesse capítulo (vv. 15, 20, 22) o profeta nos relata que os **animais** (seres viventes) que ele observa na visão, e que ele identifica com **os querubins** (15), são os que ele viu nas suas visões anteriores quando estava próximo do rio Quebar. A nova visão daquilo que deve acontecer simplesmente confirma a visão anterior, embora venha com novos detalhes. O significado dos símbolos vistos por Ezequiel nem sempre é tão claro quanto gostaríamos que fosse. Talvez exatamente esse fato aponte para o elemento essencial do mistério na revelação que Deus nos dá. Quem consegue descrever adequadamente as maravilhas daqueles momentos em que a presença de Deus é mais claramente sentida?

5. *Redenção para o Remanescente* (11.1-23)

O capítulo 11 fala de julgamento, como é o caso da maioria dos capítulos dessa seção de Ezequiel. Em sua visão, o profeta viu 25 líderes de Jerusalém no Templo. Eles tinham aconselhado o povo a se rebelar contra Nabucodonosor e a se unir ao Egito, que era um país menos poderoso do que a Babilônia. Eles não queriam que o povo concordasse com o seu destino. Em vez disso, se rebelaram contra as ordens babilônicas. No versículo 3, esses líderes estavam obviamente procurando refutar as profecias de Ezequiel de que o tempo da destruição estava próximo. Eles acreditavam que Jerusalém era uma **panela** protetora (11) na qual seu povo seria preservado. Por meio de Ezequiel, Deus os refuta dizendo: "Esta cidade não será uma panela para vocês, nem vocês serão carne dentro dela; eu os julgarei nas fronteiras de Israel" (v. 11, NVI). Entre esses 25 homens havia dois **príncipes do povo**: **Jazanias** e **Pelatias** (1). Em sua visão, Ezequiel viu **Pelatias** cair morto enquanto ele, Ezequiel, estava anunciando sua profecia contra esses idólatras (13).

O aspecto tão imediato desse julgamento desanimou o profeta, e ele perguntou ao Senhor se todos teriam o mesmo destino, ou se o Senhor olharia de modo favorável **ao resto** (remanescente) **de Israel**, que era justo. A resposta que Ezequiel recebeu é uma das mensagens mais esperançosas e nobres encontradas nos 48 capítulos dessa profecia.

A RSV explica o significado do versículo 15 desta forma: "Filho do homem, seus irmãos, sim, seus irmãos que estão no exílio, toda a casa de Israel, são aqueles de quem o povo de Jerusalém tem dito: 'Eles estão longe do Senhor. É a nós que esta terra foi dada, para ser nossa propriedade'". Mas esses rumores que circulavam em Jerusalém eram falsos.

Sim, Ezequiel cria coragem. Nem todos os israelitas são semelhantes aos 25 líderes falsos que anunciaram ao povo aquilo que eles queriam ouvir. Nem todos os israelitas concordaram com esses falsos líderes. Havia pelo menos alguns, um remanescente de exilados, que escapariam da destruição. A maioria deles estava no cativeiro, "companheiros de exílio" de Ezequiel, que não concordaram com essas esperanças falsas e lisonjeiras. Esse era o povo que dava ouvidos aos verdadeiros profetas como Jeremias e Ezequiel. Os profetas fiéis queriam que o povo aceitasse o julgamento de Deus e suportasse a opressão de Nabucodonosor. Eles aconselharam Judá a não se revoltar esperando que um Egito já enfraquecido se uniria a eles e seria capaz de subjugar a poderosa Babilônia. Jeremias tinha dito que a opressão duraria 70 anos (Jr 25.11-12). Não resultaria em nenhum benefício procurar escapar desse jugo depois de alguns anos — como Israel procurou fazer debaixo do reinado de Zedequias.

Jerusalém seria **a panela** para muitos, e seu povo, de modo geral, seria **a carne**, cozinhada na panela (7). Mas aqueles que foram espalhados para longe e que serviam o Senhor receberiam a misericórdia de Deus. Deus seria "um santuário para eles por breve tempo nas terras para onde foram" (v. 16, RSV).

Várias coisas boas aconteceriam a esse remanescente. A profecia do versículo 18 foi cumprida precisamente depois do retorno da Babilônia. Israel nunca mais voltou à idolatria após o seu exílio. Também havia um paralelo impressionante entre o que aconteceria a eles e o que haveria de acontecer ao povo de Deus na futura dispensação do Espírito Santo (cf. 36.25-29).

"A Redenção do Remanescente" é um tema ilustrado nesse capítulo. O pensamento central pode ser encontrado na pergunta: **Ah! Senhor Jeová! Darás tu fim ao resto de Israel?** (13); e a resposta é: **lhes servirei de santuário, por um pouco de tempo** (16). 1) **Um mesmo coração** (19a). 2) **Um espírito novo** (19b). 3) **Um coração de carne** (19d).

a) *Um coração* (11.19). Eles não serão mais divididos entre a idéia de servir ou não ao Senhor. Eles não serão mais irresolutos, com seus corações divididos, e, conseqüentemente, inconstantes em seu viver para o Senhor. Eles terão um coração puro; isto é, eles serão motivados por apenas uma coisa — fazer a vontade de Deus. Eles serão capazes de dizer, como Paulo disse nos tempos do Novo Testamento: "Uma coisa eu faço, e é que, esquecendo-me das coisas que atrás ficam [...] prossigo para o alvo, pelo prêmio da soberana vocação de Deus em Cristo Jesus" (Fl 3.13-14). O que o remanescente de Israel receberia era o que a Igreja Primitiva recebeu mais tarde. Dela foi dito: "E era um o coração e a alma da multidão dos que criam" (At 4.32).

b) *Um novo espírito*. O remanescente trocará o espírito de murmuração pelo espírito de louvor. Novamente temos uma predição do que foi percebido de modo mais completo na dispensação futura. Depois de voltarem para Jerusalém, os judeus reconstruíram o Templo e logo retornaram para as ciladas exteriores do cerimonialismo. Isso levou Cristo, que dirigia suas declarações mais duras contra os fariseus voltados para as exterioridades, a enfatizar o **espírito novo** *dentro* dos homens.

c) *Um coração de carne*. Os israelitas tinham muitas vezes apresentado um coração de pedra, resistindo aos profetas, e "cada um se desviava pelo seu caminho" (Is 53.6). Mas por meio de Ezequiel, Deus aqui promete tirar deles o **coração de pedra,** endurecido pela teimosia, e colocar no seu lugar **um coração de carne**. Esse novo coração se arrepende quando peca e tem compaixão pelos outros; é um coração que prontamente realiza a vontade de Deus. Centenas de anos antes, uma promessa semelhante havia sido feita para o povo de Deus: "E o SENHOR, teu Deus, circuncidará o teu coração e o coração de tua semente, para amares ao SENHOR, teu Deus, com todo o coração" (Dt 30.6).

Essas promessas foram cumpridas até certo ponto em diversas épocas durante a história de Israel, mas não completamente até que a plenitude dos tempos chegasse. Essa plenitude dos tempos chegaria quando o Sol da Justiça surgisse com a cura em suas asas — o Desejado de todas as nações, uma Luz para iluminar os gentios, e uma Glória para Israel. Ezequiel aqui, e em 36.26-27, procura dizer que a fé interior do coração será percebida no remanescente que voltará e será restaurado em Jerusalém. Mas Jeremias, que proclama uma profecia semelhante na mesma época, deixa claro que seu cumprimento mais elevado aguarda uma época redentora futura. "Eis que dias vêm, diz o SENHOR, em que farei um concerto novo com a casa de Israel [...] porei a minha lei no seu interior e a escreverei no seu coração" (Jr 31.31-33). Isso é mais plenamente cumprido no batismo com o Espírito Santo dos crentes no Pentecostes, "purificando o seu coração pela fé" (At 15.9; cf. At 2.4). Tanto Ezequiel quanto Jeremias profetizaram sobre o que estava por vir, embora vivessem numa época do "não ainda", na qual os homens buscavam uma libertação de um modo novo.

Apesar da ardente promessa para o remanescente, Deus estava trazendo julgamento para Jerusalém. **A glória do Deus de Israel** (22) que esteve no Templo no início da visão (9.3) agora retirou-se de Jerusalém para **o monte que está ao oriente da cidade** (23; "monte das Oliveiras", Berkeley, nota de rodapé).

6. *Novamente na Caldéia* (11.24-25)

Com a mensagem para Jerusalém terminada, Ezequiel volta em sua visão para a **Caldéia** (24). Esse é um nome bíblico comum para a terra do exílio de Judá. Os caldeus eram inicialmente uma tribo que se desenvolveu a sudeste da Babilônia. Eles mais tarde se tornaram a tribo principal da Babilônia. Por isso, às vezes, todo o país era chamado de Caldéia. Era a terra para onde Ezequiel e muitos outros foram levados cativos. O homem de visões estava agora relatando as coisas que havia visto (25) aos seus companheiros cativos.

D. Profecias contra Jerusalém, 12.1—19.14

Ezequiel era um homem de muitas visões (1.1-28; 8.1ss; 11.24; 12.27; 37.1-14; 40.1-4; 47.1-12). Os quatro capítulos anteriores (8—11) contêm um registro de um tipo especial de visão — uma visão na qual o homem de Deus foi transportado em espírito para um local diferente e pôde ver o cerne das coisas naquele ambiente.

Também há visões conectadas com o que Ezequiel vê nos capítulos 12—19. Mas nesses capítulos a visão se restringe àquilo que o profeta vê na Babilônia. Seu assunto é o mesmo dos capítulos 8—11. Ele vê o dia da destruição se aproximando para a cidade rebelde e irrequieta de Jerusalém. O povo não aceitará o jugo babilônico, de acordo com o conselho de Ezequiel e Jeremias. Isso é porque eles não vêem a gravidade do seu pecado. Eles não aceitarão a proximidade de um julgamento tão terrível como a destruição total da cidade. Eles se rebelarão contra Nabucodonosor em 588 a.C. E isso de fato aconteceu, no nono ano do reinado de Zedequias (2 Rs 17.15-18; 24.20). Nabucodonosor marcha contra eles imediatamente e começa a sitiar a cidade. O cerco durou dois anos e meio. Ele teria terminado antes se o Egito não tivesse finalmente lançado seu exército contra Nabucodonosor. O rei babilônico retirou suas forças de Jerusalém por um tempo para atacar e derrotar o novo inimigo. Jerusalém tinha motivo para estar esperançosa. Mas isso foi por pouco tempo. Logo Nabucodonosor estava de volta diante dos seus portões e Jerusalém caiu em 596 a.C. Tudo isso Ezequiel vê e sabe que ocorrerá em breve; portanto, nos capítulos 12—19, ele profetiza contra a **casa rebelde** — uma frase encontrada em 12.2-3, e em outras partes na profecia de Ezequiel (cf. Is 6.9-10; Mt 13.13-15).

1. *Mais Atos Simbólicos* (12.1-28)
Ezequiel não é como um outro profeta qualquer. Outros podem se contentar em anunciar a mensagem, mas Ezequiel deve freqüentemente interpretar ou representar sua profecia. Ele calculou que o povo rejeitaria o que dissesse, mas seria mais difícil esquecer suas profecias dramatizadas. Foi o que aconteceu. Eles desconsideraram sua mensagem proclamada, bem como a sua mensagem dramatizada. Mas, pelo menos a sua alma estava livre. Ele havia usado os recursos da boa pedagogia e psicologia ao dramatizar o que iria acontecer, permitindo aos espectadores chegarem às suas próprias conclusões. Nos capítulos 4—5, ele tinha se valido de atos simbólicos, e agora ele volta a usá-los no capítulo 12.

a) *Ezequiel dramatiza o exílio* (12.1-16). O povo **tem olhos para ver e não vê** (2) — tendo rejeitado suas profecias dramatizadas nos capítulos 4—5. Eles têm **ouvidos para ouvir e não** ouvem — tendo feito pouco caso das suas profecias anunciadas a partir do capítulo 6. Assim, o Senhor novamente conduz Ezequiel a dramatizar o exílio diante de Jerusalém. **Prepara mobília para mudares** (3) é literalmente: "prepare recipientes para o exílio". A NVI traduz: "Arrume sua bagagem para o exílio". Ezequiel deve se mudar **de dia** [...] **à vista deles**; i.e., simulando que está indo para o exílio enquanto o povo observa. Talvez isso os faça compreender a situação. Ele deve arrumar sua bagagem durante o dia. **À vista deles** (4) ele deverá fazer um buraco na parede de tijolos secos pelo sol da sua casa e levar as coisas para fora pelo buraco. Isso sempre deverá acontecer **à vista deles**; essa frase aparece sete vezes nos versículos 3-7. **Cobrirás a face** (6): para simbolizar a cegueira futura do rei Zedequias.

O povo curioso fez exatamente o que Deus sabia que iria fazer; os espectadores perguntaram a Ezequiel: **Que fazes tu?** (9). A **carga** ("esta advertência", NVI) aplica-se a **toda a casa de Israel** (10), mas principalmente **ao príncipe de Jerusalém**. Essa frase refere-se ao rei, a quem Ezequiel sempre chama de príncipe. Talvez o motivo seja porque Zedequias fora escolhido por Nabucodonosor, embora Ezequiel soubesse que o verdadeiro rei era o aprisionado Joaquim. O príncipe escapará, mas será capturado e não **verá** (v. 13) a **Babilônia** porque será cegado (cf. 17.20; 2 Rs 25.4-7; Jr 52.7-11). O versículo 14 foi traduzido da seguinte maneira na NVI: "Espalharei aos ventos todos os que estão ao seu redor, os seus oficiais e todas as suas tropas, e os perseguirei com a espada em punho". Nos versículos 15 e 16 é dada a razão para a ação de Deus. Ela é como um refrão para a mensagem do profeta: **e saberão que eu sou o Senhor**.

b) *A vida sob o cerco* (12.17-20). Ezequiel em seguida dramatizou como seria a vida durante o cerco e o período do exílio. A parte central do versículo 19 foi traduzida da seguinte forma: "Eles comerão sua comida com ansiedade e beberão sua água desesperados" (NVI).

c) *Ezequiel contrapõe um ditado* (12.21-28). Era costume em Israel dizer que o dia do julgamento de Deus estava distante (27) e que **toda visão** (22) dos profetas acaba não se materializando. Ao descuidado e cínico, Deus declara que o povo deixará de usar **este ditado** (23), porque o julgamento se cumprirá em breve (28). **Adivinhação** (24) é predizer o futuro ao ler os presságios ou a sorte. O aparente sucesso desse falso tipo de profecias logo chegará ao fim.

A casa rebelde de Israel não agia como um povo diferente ao descartar o dia da ira de Deus. Pecadores de todas as gerações têm sido propensos a cometer esse erro. É uma esperança fútil à qual um coração pecador tende a se agarrar.

2. *Falsos Profetas São Denunciados* (13.1-23)

O capítulo 13 consiste em denúncias contra falsos profetas (1-16) e falsas profetisas (17-23). Eles profetizam **o que vê o seu coração** (2; "mentes", RSV; "própria imaginação" NVI; cf. Jr 23.9-40). Eles seguem "o que sentem" (3, Moffatt) e, na verdade, não tiveram nenhuma visão. Eles são tão inúteis quanto **raposas nos desertos** (4). Eles dizem que viram a **paz** (10) e que "tudo está bem" (Moffatt). Era isso que o povo queria ouvir, mas não era o que Deus tencionava dizer-lhes. O destino dos falsos profetas era ser excluído do povo de Deus: "Eles [...] não estarão inscritos nos registros da nação de Israel" (v. 9, NVI).

Os falsos profetas constroem uma parede frágil de esperança para o povo e a **rebocam** com **cal** (10). Parece bonita por um tempo, mas logo todos saberão como esses construtores estavam errados e foram desonestos.

Também havia profetisas que diziam coisas agradáveis que o povo queria ouvir (17-23). Elas adivinhavam em troca de **punhados de cevada e por pedaços de pão** (19). A falsidade aqui estava em confundir a verdade. Elas diziam que as almas destinadas a viver haveriam de morrer e que aquelas destinadas a morrer haveriam de viver. Em vez de **almofadas** (18), deveríamos imaginá-las colocando "feitiços" (Berkeley) sobre o povo. Elas também faziam **travesseiros para cabeça de toda estátua**, ou "véus de vários comprimentos ao redor das cabeças das pessoas" (Berkeley). Esses travesseiros ou véus deveriam lembrar o povo das coisas belas que as profetisas diziam. A maldade das suas ações era entristecer **o coração do justo** (22) e dar ao injusto um falso sentimento de segurança de que nenhum julgamento estava por vir — prometendo-lhe vida.

É triste quando os que simulam falar em nome do Senhor simplesmente dizem o que as multidões pecadoras querem ouvir. É triste quando essas pessoas distorcem a verdade, a ponto de enaltecer os ímpios e desfavorecer os justos. Isso ocorreu nos dias de Ezequiel, mas, infelizmente, também ocorre em nossos dias — e.g., nos dias de Hitler, quando um forte segmento da Igreja Cristã na Alemanha apoiava suas teorias de superioridade racial e nacional e concordava com o seu programa de extermínio em massa. Mas a Alemanha também tinha os seus Martin Niemoeller e Dietrich Bonhoeffer. E Israel, nos tempos do exílio, teve o seu Ezequiel e o seu Jeremias.

3. Anciãos Idólatras (14.1-11)

Certos **anciãos de Israel** (1), líderes na comunidade do exílio, **vieram e se assentaram diante** de Ezequiel como se estivessem desejando ouvir algum oráculo da sua parte. Talvez eles estivessem simplesmente curiosos ou, mais provavelmente, desejassem dar a impressão de estarem desejosos em ouvir a mensagem de Deus. Na verdade, eles eram idólatras, Deus disse a Ezequiel; **estes homens levantaram os seus ídolos no seu coração** (3). A palavra do Senhor para eles era: **Convertei-vos, e deixai os vossos ídolos, e [...] todas as vossas abominações** (6). Nos versículos 4-5, Deus declara que Ele mesmo vai responder a esses homens: "para apanhar a casa de Israel em seus próprios pensamentos" (v. 5, Berkeley), i.e., convencê-los do seu pecado. Esses homens e os falsos profetas que os enganaram (9) serão castigados (10). Contra tal homem idólatra Deus diz: "Farei dele um exemplo e um objeto de zombaria" (v. 8, NVI). Isso ocorrerá para impedir que Israel se desvie ainda mais; **então eles serão o meu povo, e eu serei o seu Deus** (11).

4. Justiça Pessoal Recompensada (14.12-23)

Ezequiel nada sabia sobre o tipo de justiça social enfatizada, na virada do século 19, por Walter Rauschenbusch e outros teólogos. Para Ezequiel, o que realmente importava era se a pessoa servia a Deus. Nos versículos 12-23, ele diz que o Senhor deve julgar Israel por meio da **fome, animais** selvagens, a **espada** e **uma peste**, e que ninguém será poupado, a não ser que seja justo. **Tornarei instável o sustento do pão** (13) tem sido interpretado como: "o sustento do seu pão é quebrado, e faltará alimento" (*Basic Bible*). Mesmo se uma pessoa for justa como **Noé, Daniel**[7] e **Jó** (14, 20), sua justiça será suficiente somente para o seu próprio livramento. **Nem a filhos nem a filhas livrariam** (16).

Ezequiel pensava como um "Arminiano", muitos séculos antes que houvesse arminianos como os conhecemos hoje. Cada pessoa precisava arrepender-se e voltar-se (6) para Deus, e permanecer em obediência moral a Ele, senão seria objeto da ira do Senhor Deus. Não era suficiente ser israelita, ou filho do melhor israelita. Não passava pela mente de Ezequiel a idéia de que uma pessoa é aceita por Deus por causa de algum decreto de eleição da parte de Deus. Um indivíduo é justo somente se ele de fato for justo. Com ou sem aliança, o Senhor olha por indivíduos cujos corações estão verdadeiramente rendidos a Deus e lhe obedecem.

Mesmo assim, alguns israelitas sobreviverão aos **quatro maus juízos** (21) do Senhor. A KJV os denomina de "remanescentes" (v. 22 "resto") mas eles deveriam ser chamados de "sobreviventes", de acordo com a NVI, visto que não são justos, como "um remanescente" no sentido bíblico geralmente é considerado. Eles não sofrem a morte porque o Senhor quer deixar que esses sobreviventes da pecaminosidade de Jerusalém revelem a outras pessoas através de suas vidas corruptas quão justo Ele foi ao castigar a maioria deles (22-23).

5. Israel é como uma Videira Silvestre (15.1-8)

O povo de Deus muitas vezes é comparado com uma videira (Gn 49.11; Is 5.1-7; Jr 2.21; Os 10.1). Provavelmente alguns estavam dizendo que Jerusalém era a videira plantada por Deus, e, portanto, Ele não a destruiria. Mas a comparação geralmente é entre o povo de Deus e a videira cultivada com seu fruto delicioso. Aqui é entre Israel e **a videira** que está entre **as árvores do bosque** (2). Essas videiras são infrutíferas e nem mesmo a sua madeira pode ser aproveitada. O versículo 3 pergunta: "Alguém corta uma estaca dela para nela pendurar alguma vasilha?" (Moffatt). À parte da função de produzir fruto, a videira é inútil. Israel é agora semelhante a uma videira silvestre infrutífera, e logo será queimada. Mas, como sempre, a ação de Deus tem um propósito redentor: **e sabereis que eu sou o Senhor, quando tiver posto a minha face contra eles** (7).

6. *A Esposa Infiel* (16.1-63)

Esse capítulo consiste em uma alegoria detalhada de Jerusalém como filha rejeitada (1-7) de quem o Senhor cuidou na infância e com quem se casou na sua juventude, mas que se torna uma esposa infiel. Teríamos dificuldades de ler partes desse capítulo em público. No entanto, ele pode servir como ilustração para o pecado da ingratidão e do amor contínuo de Deus por aqueles que o abandonam e vão atrás de outros amantes. A figura de Deus como Marido não era usada com freqüência naquela época, mas temos alguns exemplos dessa situação; e.g., em Oséias e em Cantares de Salomão**,** se forem interpretados de forma alegórica.

O profeta traça a história de Israel e explica por que o povo precisa ser julgado. Sua ascendência é mista (3) e, portanto, considerada de categoria inferior. Como era comum fora de Israel, especialmente no caso de bebês do sexo feminino, essa criança (o povo) foi levada ao campo, para ali morrer. **Nem tampouco foste esfregada com sal** refere-se a um costume, ainda praticado no Oriente, de esfregar o recém-nascido com sal, significando a dedicação a Deus. Mas o Senhor viu essa criança e teve compaixão dela. Quando ela se tornou uma bela donzela, Ele se casou com ela. **Alcançaste grande formosura** (7) significa: "alcançou a condição de mulher" (Moffatt). **E te calcei com pele de texugo** (10) provavelmente significa "colocou sapatos de couro em seus pés" (*Basic Bible*). Depois do seu casamento ela se tornou ainda mais gloriosa quanto à sua beleza e força — uma possível referência à glória de Israel durante os reinados de Davi e Salomão.

Mas pasmem! Depois de todo esse amor derramado sobre ela, e depois de crescer em beleza e *status*, ela abandonou Aquele que a havia resgatado como uma criança rejeitada. A natureza essencial do pecado, do "eu em lugar de Deus", é descrita nos versículos 14-15: **A tua fama [...] era perfeita, por causa da minha glória [...] Mas confiaste na tua formosura**. Ela se prostituiu (15), i.e., voltou-se para a idolatria e fez **imagens** das suas **jóias**, do **ouro** e da **prata** (17) que tinham sido dados a ela. Ela tornou-se ainda pior do que a prostituta profissional que vende o seu corpo para ganhar a vida (31). Israel não tinha motivo para adorar ídolos depois de toda revelação que havia recebido de Deus. A natureza da adoração falsa de Israel chegava a ponto de sacrificar os próprios filhos (20-21) e edificar altares pagãos em lugares altos (24-25, 31). Ela havia adotado das nações vizinhas toda adoração pagã pela qual se sentia atraída: dos **filhos do Egito** (26), dos **filhos da Assíria** (28) e dos cananeus (29). Mesmo os **filisteus** pagãos se envergonhariam do seu **caminho depravado** (27). Toda essa pecaminosidade se espalhou até a **Caldéia** (29), não se restringindo apenas à cidade de Jerusalém, que cairia em breve.

Por causa de todo esse **dinheiro** (36; "lascívia", ARA) derramado, Deus derramará sobre ela a fúria da sua ira santa (37-41). Essa figura para o castigo de Judá é o castigo imposto à esposa infiel em Israel. Visto que seus pecados eram maiores do que os de **Sodoma**, sua **irmã** (48), seu castigo será maior que o de Sodoma. Seus pecados eram mais graves que os de Sodoma, em parte porque foram cometidos apesar do grande amor que havia sido derramado sobre ela. A nota geográfica do versículo 46 tem em mente o leitor parado em Jerusalém com seu rosto voltado para a Babilônia que ficava ao leste de Jerusalém. Nessa posição, **Samaria** ficava ao norte **à esquerda** e **Sodoma** ficava ao sul à **mão direita**. Sodoma provavelmente ficava na adjacência do mar Morto. Acredita-se que hoje ela está encoberta pela água (veja mapa 1).

Mas Deus é um Deus de misericórdia. Ele é santo. Ele é justo e requer justiça do seu povo. No entanto, ele mostrará misericórdia quando Israel se envergonhar (61, "confundir") do seu grande pecado. Nessa época, ele restabelecerá seu **concerto** [...] **e saberás que eu sou o Senhor** (62). O seu perdão será tão completo que, depois que Israel receber esse perdão, nunca mais precisará abrir **a** sua **boca** para dizer qualquer coisa acerca da **vergonha** que sentia (63). Isso provavelmente significa que hoje, depois que uma pessoa recebe o perdão, ela não deveria contar em seu testemunho qualquer detalhe negativo ou vergonhoso dos pecados dos quais foi perdoada.

7. Zedequias Rompe o Tratado (17.1-21)

Ezequiel era um poeta, um homem que trabalhava melhor com símbolos. Ele às vezes dramatizava o que queria dizer ou, como nesse caso, se expressava por meio de uma alegoria — um enigma ou parábola. Ele às vezes apresentava sua parábola e deixava que seus ouvintes tirassem conclusões por si mesmos. Ou, como nesse caso, ele procura intrigá-los primeiramente por meio de uma parábola (1-10) e em seguida explica o seu significado (11-21). Ezequiel aqui descreve e interpreta acontecimentos que estão ocorrendo na Palestina, embora estivesse na Babilônia.

Nessa alegoria, a **grande águia** (3) é o **rei da Babilônia** (12), que tem **várias** (diferentes) **cores** (3), significando os vários países debaixo do seu domínio. Ele vem para o **Líbano**, i.e., Jerusalém, e apanha **o mais alto ramo de um cedro** (rei Joaquim). A **terra de mercancia** e a **cidade de mercadores** (4) representavam a Babilônia, onde Joaquim estava sob custódia. No lugar de Joaquim, Nabucodonosor plantou **da semente da terra** (5, Zedequias) num **campo de semente** ("solo fértil", NVI), esperando que florescesse como salgueiro (cf. KJV, ARA, NVI), i.e., prosperasse em paz em relação à nação dominante. Essa semente brotou e **tornou-se numa videira** de **pouca altura**, não muito forte em comparação com a Babilônia, **virando-se** (6) para ela em obediência.

Também havia **mais uma grande águia** (7; Egito), e a videira **lançou para ela as suas raízes**. A videira "estendeu seus ramos para ela em busca de água" (NVI). Essa videira não **prosperará** porque o Senhor não quer que Judá se volte para o Egito, mas aceite o seu castigo por meio da Babilônia. Na verdade, o Senhor a **arrancará** pelas **suas raízes** (9) e ela **secará** completamente (10). **Fará coisa alguma com ele em guerra** (17) significa "não fará nada por ele no dia da batalha" (Smith-Goodspeed). Ao quebrar o juramento feito **com aperto de mão** (18) com Nabucodonosor, Zedequias estava se opondo ao Senhor. Essa era a compreensão de Ezequiel, e essa também era a compreensão de Jeremias (cf. Jr 21.1-10).

8. Mensagem acerca do Messias (17.22-24)

Depois dessa alegoria sobre Zedequias, Ezequiel foi inspirado a também falar de alguém maior que Zedequias — um renovo mais **tenro** que será plantado **sobre um monte alto e sublime**, i.e., o monte de Sião. **E produzirá ramos, e dará fruto, e se fará um cedro excelente** (23). Essa é, sem dúvida, uma das vezes em que homens do antigo testamento se referem ao Messias (cf. Sl 2.6; Is 53.2; Jr 23.5; Mq 4.1-3).

9. Responsabilidade Individual (18.1-20)

Aqui Ezequiel se torna um teólogo. Ele é geralmente um pastor, preocupado com o cuidado e a cura das almas; ou ele é um profeta, que declara conselhos de Deus com franqueza e determinação. Mas aqui ele trata de doutrina.

Ele faz uso de uma falsa **parábola** ("provérbio", ARA) e a anula. Esse dizer comum, também mencionado em Jeremias 31.29-30, era o seguinte: **Os pais comeram uvas verdes, e os dentes dos filhos se embotaram** (2). O significado do provérbio é que, por causa dos pecados dos pais, seus filhos sofrerão as conseqüências. Algo semelhante a isso é ensinado em Lamentações 5.7: "Nossos pais pecaram e já não existem; nós levamos as suas maldades". Também em Êxodo 20.5, lemos: "Eu, o SENHOR, teu Deus, sou Deus zeloso, que visito a maldade dos pais nos filhos até a terceira e quarta geração daqueles que me aborrecem". A experiência também mostra que a justiça ou a injustiça dos pais afeta seus filhos.

O que Ezequiel diz é que, mesmo que os filhos possam sofrer por causa dos pecados dos seus pais em uma ordem natural de causa e efeito, Deus não vai castigar um filho pelos pecados de seu pai e também não considerará justo o filho injusto porque seu pai foi justo. Duas vezes nesse capítulo Ezequiel diz: **a alma que pecar, essa morrerá** (4, 20). A palavra **alma** (*nephesh*) é usada como um sinônimo para toda a personalidade. Nos dias de Ezequiel, os israelitas estavam usando o provérbio para justificar-se e para culpar seus pais pelo infortúnio nacional. Mas existe uma verdade universal nessa transparente declaração da atitude de Deus em relação ao que é certo e errado. Há nela uma clara nuança da eterna morte espiritual.

Ezequiel segue principalmente Deuteronômio e Levítico ao arrolar o que uma pessoa deveria deixar de fazer e o que ela deveria fazer. Os pecados que ele especifica eram pecados comuns em Israel. As expressões **tornando ao devedor o seu penhor** e **não roubando** (7) é elucidado na *Basic Bible* da seguinte forma: "devolve ao devedor o que é dele, e não toma os bens de alguém pela força". Comer **sobre os montes** (6, 11, 15; cf. Is 65.7) significa participar de festas idólatras ali. **Não recebendo demais** (8, 13, 17) provavelmente refere-se à **usura**, i.e., lucros excessivos por meio de juros abusivos (cf. 22.25; Lv 25.36; Dt 23.19; Sl 15.5). **Desviar do aflito a mão** (17) é interpretado como: "retém a mão para não cometer crime" (Smith-Goodspeed).

O tema dessa passagem é: "Os Requisitos da Retidão Individual". A chave está no versículo 20: **A alma que pecar, essa morrerá**. 1) Você não pode honestamente culpar seus antepassados (2); 2) Você não pode sinceramente culpar seu meio (6-8); 3) Você não deve culpar a Deus, porque Ele é justo e misericordioso (20, 23).

10. Os Justos Podem Cair da Graça (18.21-32)

Ezequiel explica que **se o ímpio se converter de todos os seus pecados** [...] **certamente viverá** (21). Deus tem prazer em dar-lhe vida (23). Por outro lado, o profeta pergunta: **desviando-se o justo da sua justiça [...] porventura viverá?** (24). A resposta é: "Não". **De todas as suas justiças [...] não se fará memória** ("Nenhum de seus atos justos será lembrado", NVI) [...] **e no seu pecado com que pecou, neles morrerá** (24). O profeta explica mais adiante: **Desviando-se o justo da sua justiça e cometendo iniqüidade, morrerá por ela; na sua iniqüidade que cometeu, morrerá** (26). Essa pessoa realmente foi justa e realmente caiu da graça. Se ela não voltar para Deus, mas morrer em seu estado caído, sofrerá a ira santa de Deus.

A idéia, aceita tão amplamente no Protestantismo, de que se alguém tornar-se um cristão não pode cair da graça e perder-se vai contra o ensino desse texto. Isso foi ensinado por João Calvino (1509-1564), pelos calvinistas nos tempos de Jacó Armínio, e continua sendo ensinado por muitos teólogos calvinistas, que, mesmo assim, aceitam o arminianismo em outros pontos importantes — e.g. que qualquer pessoa pode ser salva. É difícil entender como alguém pode conciliar a teologia de "uma vez na graça, sempre na graça" com o claro ensino bíblico dessa passagem.

O uso do termo **direito** (igual) nos versículos 25 e 29 soa estranho para os leitores do século 21. Ele significa "justo". Moffatt traduz o versículo 29 da seguinte forma: "Israel reclama: 'O Senhor não está agindo com justiça!' São injustos os meus métodos, ó Israel? Não são, na verdade, os seus métodos injustos e incorretos?". Ezequiel conclui o capítulo com um chamado para os pecadores se converterem das suas **transgressões** e receberem **um coração novo e um espírito novo; pois por que razão morreríeis, ó casa de Israel?** (31).

11. *Uma Lamentação sobre os Príncipes de Israel* (19.1-14)

Ezequiel aqui apresenta uma **lamentação sobre os príncipes** (reis) **de Israel** (1). A **mãe** deles (2) é a nação, e seus **filhotinhos** (3) são evidentemente Jeoacaz e Joaquim. Jeoacaz (1-4), depois de um reinado de apenas três meses, foi levado cativo para o Egito pelo faraó Neco (veja 2 Rs 23.21; Lm 4.20). Joaquim (5-9) foi levado para a Babilônia e aprisionado em 597 a.C. (cf 2 Rs 24.8-16). O uso da figura de um leão para representar a família real é apropriado, porque o leão era usado pela linhagem de Davi (Gn 49.9; Nm 23.24; Mq 5.8; Ap 5.5). Os tronos dos reis de Judá também eram decorados com leões (1 Rs 10.18-20). **Apanhado na sua cova** (4, 8) significa pego na sua armadilha. **E conheceu os seus palácios** (7) provavelmente significa: "Arrebentou suas fortalezas" (NVI).

A figura da videira, um outro símbolo familiar do Antigo Testamento, é usada aqui (10-14) em relação a Judá. O significado do versículo 11 é esclarecido pela NVI: "Seus ramos eram fortes, próprios para o cetro de um governante. Ela cresceu e subiu muito, sobressaindo à folhagem espessa". Esse estilo nos faz lembrar que Ezequiel era um poeta. O capítulo inteiro deveria ser lido como uma narrativa em forma de poema (cf. seu estilo em outras traduções mais recentes, e.g., ARA, NVI). Lemos nesse capítulo acerca da destruição iminente da Cidade Santa e a captura de Zedequias (cf. 2 Rs 25).

A canção triste termina com a declaração de que é uma **lamentação** (14) e que seu propósito é fazer com que o leitor lamente o que havia acontecido com os reis de Judá e o que aconteceria em breve com Judá. Por causa das ações perversas do seu governante, a vara forte de Judá, Ezequiel escreve:

*O fogo espalhou-se de um dos seus ramos principais
e consumiu toda a ramagem.
Nela não resta nenhum ramo forte
que seja próprio para o cetro de um governante* (v. 14, NVI).

E. PROFECIAS EM 590 a.C., 20.1—23.49

As profecias dessa seção pressupõem a data de 1º de setembro de 590 a.C. Isso seria o **sétimo ano** (20.1) depois da deportação de Ezequiel para a Babilônia em 597 a.C. Era aproximadamente um ano depois da última data anunciada por Ezequiel (8.1). Esses capítulos contêm outras acusações e denúncias contra a casa rebelde de Israel — tanto aos que estavam no exílio quanto aos que se encontravam na terra natal.

1. *As Apostasias de Israel e a Misericórdia de Deus* (20.1-44)

a) *A ocasião* (20.1-4). Os **anciãos de Israel** (1) vieram a Ezequiel **para consultarem o SENHOR**. Moffatt os chama de "os xeiques de Israel". Esses eram homens maduros e supostamente sábios que viviam no exílio com Ezequiel. Não sabemos o assunto da consulta deles. De acordo com uma interpretação antiga, eles pediram para erguer um templo na Babilônia onde os ídolos seriam adorados. Essa interpretação está baseada na resposta de Ezequiel, onde parece dizer que o que está na mente deles, uma intenção de servir "ao madeiro e à pedra" (32), nunca poderá acontecer. Uma outra interpretação mais plausível é que eles pediram para erguer um templo na Babilônia para a verdadeira adoração. Mesmo esse pedido foi contrariado por Ezequiel.

b) *As apostasias* (20.5-30). Ezequiel respondeu suas perguntas ao relatar os pecados de Israel do passado e do presente. Ele deixa claro para eles que um templo na Babilônia está fora de cogitação porque a perda da sua terra natal e do Templo é um castigo do Senhor. Construir um novo templo seria uma tentativa humana de evitar um castigo justo. Ele os lembra da sua franca desobediência e da sua rebelião contra o Senhor no **Egito** (5-9), no **deserto** (10-26) e em Canaã (27-30).

Nessa passagem, Deus diz repetidas vezes que foi misericordioso com Israel embora tivessem pecado. Seu **olho lhes perdoou** (17). Ele retirou sua **mão** para não castigar (22). Eles haviam profanado seus **sábados** (24), mas Ele foi misericordioso. E eles **faziam passar pelo fogo tudo o que abre a madre** (26, cf. v. 31) — uma referência ao sacrifício de crianças ao deus Moloque (16.20-21; 2 Rs 16.3).

Gramaticamente é possível traduzir os versículos 25-26 como se fosse Deus que os tivesse induzido a esses sacrifícios. A NVI provavelmente chega mais próximo da verdade quando interpreta esse texto da seguinte maneira: "Também os abandonei a decretos que não eram bons e a leis pelas quais não conseguiam viver; deixei que se contaminassem por meio de suas ofertas, isto é, pelo sacrifício de cada filho mais velho". Se Deus de alguma forma faz os homens pecar, certamente isso ocorre de maneira indireta — ao deixá-los ser livres e ao permitir que continuem nos seus caminhos perversos por um tempo sem serem castigados. Repetidas vezes, o Senhor diz que foi misericordioso e não castigou Israel imediatamente, para que os homens **soubessem que eu sou o Senhor** (26; cf. vv. 9, 14, 22).

Nessa seção, **levantei a mão** (15, 23, 28) refere-se ao ato de fazer um juramento. A NVI traz: "jurei a eles". Ezequiel aqui "coloca grande ênfase na guarda do sábado [vv. 12, 13, 16, 20, 21, 24]. Sua importância como instituição religiosa seria aumentada no exílio. Profanar os sábados do Senhor significava esquecer a promessa da aliança [cf. Êx 24.3; Am 8.5]" (Berkeley, nota de rodapé). **Bamá** (29) significa "Lugar Alto".

c) *A misericórdia de Deus* (20.31-44). Nos versículos 9, 14, 22 e 26, a misericórdia do Senhor é manifestada por amor do seu nome. Quando Israel pecou, não foi castigado da forma como poderia ter sido. Isso ocorreu para deixar claro que o Senhor é um Deus de misericórdia. No texto presente, Ezequiel responde à pergunta dos anciãos que vieram consultar o Senhor. Ele diz que o Senhor não será consultado por pessoas tão depravadas que fazem passar **pelo fogo** os seus próprios **filhos** (31) e que são culpadas de outros pecados graves. Aquilo que eles tinham "em mente" (v. 32, NVI), talvez a construção de um templo na Babilônia, não irá acontecer.

Mas Deus tem um plano em mente, e ele será colocado em prática. O que Ele tem em mente é a restauração de Israel, através de atos de misericórdia, apesar dos seus pecados passados. Ele congregará o povo **das terras nas quais** andam **espalhados, com mão forte, e com braço estendido** (34). Ele os levará para fora das nações pagãs à terra da promessa e, como Ele diz: **ali entrarei em juízo convosco face a face** (35). Pense isso! Israel peca sem parar; mas Deus propõe entrar em juízo continuamente, se talvez o povo reconhecer a loucura do seu pecado e voltar-se a Ele de todo o seu coração. Ele diz: **E ali vos lembrareis [...] de todos os vossos atos com que vos contaminastes e tereis nojo de vós mesmos** (43). **E sabereis que eu sou o Senhor, quando eu proceder para convosco por amor do meu nome, não conforme os vossos maus caminhos** (44).

Passar debaixo da vara (37) é a figura de um pastor que traz suas ovelhas para o aprisco à noite, cuidando para que cada uma passe debaixo do seu cajado para que ele se certifique de que todas entraram. O **vínculo do concerto** é "o jugo da misericórdia de Deus e o trabalho do homem" (Berkeley, nota de rodapé).

2. *O Fogo e a Espada* (20.45—21.32)

Há uma mudança brusca entre os versículos 44 e 45, porque o versículo 45 inicia um novo assunto. A Bíblia hebraica começa o capítulo 21 em 20.45 das versões em português.

a) *O fogo* (20.45-49). Esses versículos contêm uma parábola acerca da destruição de Judá com **fogo** (47). Os primeiros versículos do capítulo 21 apresentam uma espécie de interpretação dessa parábola, mas com a espada como símbolo principal de destruição.

O profeta deve "derramar" suas **palavras** (46). A palavra **derrama** também pode ser traduzida como "censure" (Smith-Goodspeed) ou mesmo "pregue" (NVI). Ele deve enviar sua palavra **contra o Sul** (46). No hebraico, há três palavras que designam três áreas de Judá, mas essas três palavras são simplesmente traduzidas por **Sul**. Todas elas simbolizam Judá. Ezequiel estava escrevendo do lado oeste da Babilônia (veja mapa 1), mas ao Sul da direção de onde Nabucodonosor invadiria a região. Essa é uma parábola (49) ou, como a palavra hebraica pode ser traduzida, uma alegoria. Ela tem a ver com a destruição iminente de Jerusalém e de Judá como um todo.

b) *A espada* (21.1-32). A espada de destruição será a de Nabucodonosor, o rei pagão, mas o Senhor a chama de **minha espada** (3-4). O **justo e o ímpio** (3), **toda carne** (4) sofrerá, e, por meio disso, **o SENHOR** (5) trará julgamento contra eles. É claro que isso se refere à tragédia temporal e secular e não ao destino pessoal. Bons homens, muitas vezes, sofrem com homens perversos nessa vida, mas o ajuste de contas final de Deus traça uma linha clara entre eles. A espada **nunca mais voltará** à bainha até que a destruição seja completa. Os homens agora suspirarão (6) com a descrição de horror, porque **todas as mãos se enfraquecerão, e todo espírito se angustiará, e todos os joelhos se desfarão em água** (7). Esses versículos interpretam o que o profeta quis dizer com sua parábola em 20.45-49.

O **quebrantamento dos teus lombos** (6) significa "com o coração partido" (NVI). A espada de Deus será **afiada e também açacalada** (9; "polida", ARA) — afiada para cortar, e polida para "reluzir como relâmpago" (v. 10, ARA). **A vara do meu filho é que despreza todo madeiro** pode ser entendido de acordo com a versão Berkeley: "Você desprezou a vara, meu filho, e qualquer tipo de madeira". Tendo recusado o benefício dos julgamentos menores, eles seriam destruídos pelo julgamento maior. **Bate, pois, na tua coxa** (12) é "um gesto de desespero oriental, muitas vezes usado após receber notícias devastadoras [cf. Jr 31.19]" (Berkeley, nota de rodapé). O versículo 13 é elucidado por Smith-Goodspeed:

> *É certo que a prova virá;*
> *E quem pode desprezar a vara da minha ira?*

Bate com as mãos uma na outra (14; cf. 17) era um sinal de que a ação deveria começar.

Os amonitas pagãos também sofrerão com a espada do Senhor (20, 28-32; 25.1-7; Jr 49.1-6). **O rei da Babilônia** (19) se dirigirá contra Jerusalém e contra os amonitas. **Rabá** (20), capital de Amom, é a Amã de hoje. Nabucodonosor usa as artes pagãs de **adivinhações** (21) para determinar quem ele deverá atacar primeiro. Ainda achando que a sua cidade está segura, os israelitas entendem que a decisão babilônica é uma **adivinhação vã** (23). Mas a sua destruição está selada, e Zedequias, o **ímpio príncipe de Israel** (25), é exortado de que não há como escapar. Os amonitas também serão destruídos (28-32).

3. Uma Listagem dos Pecados de Jerusalém (22.1-31)

Visto que o Senhor vê todos os pecados que os homens cometem às escuras, Ele inspira Ezequiel a catalogá-los nesse capítulo (cf. 18.5-18; Rm 1.18—2.1). Três vezes **a palavra do SENHOR** veio ao profeta (1, 17, 23) por meio de três oráculos separados (1-16, 17-22, 23-31). No primeiro oráculo, os pecados de Jerusalém são mencionados um por um. No segundo, Jerusalém é destruída, não passando de refugo. No terceiro, os **profetas** (25), os **sacerdotes** (26) e os **príncipes** (27) são acusados de conspirar contra o Senhor. Esses três grupos são comparados em nosso tempo com os pregadores, os líderes

religiosos e os oficiais políticos. Com esses três grupos de influência concordando em opor-se a Deus, não é de admirar que toda Jerusalém os tenha seguido nos caminhos do pecado. O povo comum — **povo da terra** (29) — imitou seus anciãos na prática do mal.
O versículo 6 é esclarecido da seguinte maneira na NVI: "Veja como cada um dos príncipes de Israel que aí está usa o seu poder para derramar sangue". **Homens caluniadores** [...] **para derramarem o sangue** (9) são aqueles "que matam seus companheiros por meio de falsas evidências" (Moffatt). Os que **sobre os montes comeram** são aqueles que se engajam em festas idólatras ali. **Humilharam no meio de ti** a que **estava impura, na sua separação** (10) referindo-se às "mulheres menstruadas" (Moffatt). **Presentes** [...] **para se derramar sangue** (12) refere-se à idéia de receber suborno para matar. A primeira parte do versículo 16 é obscura. A RSV a traduz da seguinte forma: "E serei profanada por seu intermédio aos olhos das nações". O versículo 24 indica a tragédia da situação de Judá: não foi purificado do pecado, e, portanto, foi castigado com estiagem.

A pecaminosidade havia se tornado tão grave que Deus buscou uma pessoa de oração que intercedesse pela cidade pecadora, mas não achou ninguém (30). Visto que não achou ninguém para orar, Ele continuará com o seu plano de castigar o povo. Não há outro lugar na Bíblia em que a importância da oração de intercessão é colocada de forma mais clara do que nos versículos 30-31. Mesmo uma única pessoa, **um homem** (30), pode, por meio da oração, trazer a suspensão do santo julgamento de Deus contra o pecado. E Deus ainda procura esse tipo de homem para destacar no horizonte da história humana. Nesse caso Ele esperou em vão.

Nos versículos 23-31 vemos: "O Magnífico Privilégio da Oração Intercessória". 1) A necessidade desse tipo de oração (23-29). 2) A diferença que esse tipo de oração faz (30b-31). 3) Deus está à busca de intercessores (30).

4. *Os Pecados de Duas Irmãs* (23.1-49)

Essas profecias, datadas em 590 a.C. (cf. 20.1), são concluídas pela descrição dos pecados de **Samaria** (Reino do Norte) e **Jerusalém** (representando todo o povo de Judá). As duas regiões são descritas como duas irmãs: **Oolá** e **Oolibá** (4).[8] Esse capítulo narra as inclinações e alianças que elas tinham com nações tais como o Egito, a Assíria e a Babilônia. Uma parte significativa da perversidade das alianças era a tendência de Israel de aceitar a adoração pagã dos seus aliados.

Essa profecia descreve a aliança em termos de prostituição carnal que não seria apropriada para a leitura pública. Parece que houve um esforço da parte de Ezequiel para descrever o pecado de Israel em uma linguagem tão repugnante quanto possível. Ele talvez tenha tentado criar uma repugnância contra esses pecados.

Os versículos 9-10 claramente se referem à queda de Samaria em 722 a.C. Os versículos 11-21 se referem à aliança de Judá com a Babilônia (2 Rs 20.12-21; 24.1). Judá (**Oolibá**) é avisada que **os filhos da Babilônia** e seus mercenários arameus (**todos os caldeus de Pecode, e de Soa, e de Coa**), junto com os associados assírios (23), vão executar o julgamento de Deus contra ela (24-26).

O versículo 27 foi literalmente cumprido. É um fato da história que, depois do exílio na Babilônia, Israel nunca mais caiu no pecado da idolatria. O **copo de espanto** (33) é "um copo de horror" (RSV). Acerca desse copo o versículo 34 diz:

> Você o beberá,
> engolindo até a última gota;
> Depois o despedaçará e mutilará os próprios seios.
> Eu o disse (NVI).

Há muitas lições importantes aqui. Não podemos esquecer que o pecado tende a transformar-se em uma bola de neve. As **impudicícias** (prostituição) aumentaram (14) e se multiplicaram (19).

Uma outra lição acerca do pecado contida aqui é que os aliados se indispuseram uns contra os outros. Deus diz a Oolibá: **Eis que eu suscitarei contra ti os teus amantes, dos quais se tinha apartado a tua alma** (22). Deus também fala dos amantes dela como aqueles **que aborreces** (28).

Ainda um outro aspecto é que o pecado simplesmente não compensa. Mesmo aqueles com quem Judá pecou a **tratarão com ódio** (29), e a **deixarão nua e despida**, e contarão aos outros os pecados que ela cometeu. As duas irmãs servirão de **riso e escárnio** (32). Nos versículos 38-40, Deus mostra até onde alguém pode decair quando a religião é divorciada da retidão. Esses homens violavam quase todos os mandamentos de Deus e então **vinham ao meu santuário no mesmo dia** (39) para adorar.

Mais cedo ou mais tarde ficará claro o descontentamento do Deus santo e que Ele visitará com julgamento aqueles que não se arrependerem (46-49). Deus está dizendo por meio de Ezequiel que Ele usará o parceiro de pecado de Israel, a Babilônia, para atacar sua cidade e suas cidadelas com fogo e fúria, de uma forma como o mundo jamais tinha visto.

F. Última Profecia antes da Queda de Jerusalém, 24.1-27

Em torno de 15 de janeiro de 588 a.C., dois anos e cinco meses depois da última data registrada (20.1), Ezequiel apresentou uma parábola. A NVI interpreta de forma clara o versículo 2: "Filho do homem, registre esta data, a data de hoje, porque o rei da Babilônia sitiou Jerusalém exatamente neste dia" (Cf. 2 Rs 25.1; Jr 52.4). A interpretação da parábola da panela (3-5) encontra-se nos versículos 6-14. A panela é a cidade e a carne cozida é **a casa rebelde** de Israel. Mesmo as melhores pessoas sofreriam, ou seja, os **bons pedaços** (4) e o **melhor do rebanho** (5). O profeta deveria tirar pedaço por pedaço, sem sorteá-los (6). Isso significava que ninguém teria a chance de escapar do julgamento que viria sobre Israel. A NVI traduz o versículo 7 da seguinte forma: "Pois o sangue que ela derramou está no meio dela; ela o derramou na rocha nua; não o derramou no chão, onde o pó o cobriria". Dizia-se que o sangue derramado de forma violenta e deixado descoberto clamaria do solo. Não está claro o significado da expressão: **tempera-a com especiarias** (10). O versículo parece indicar que o povo seria completamente consumido. A NVI traduz esse versículo da seguinte maneira: "Por isso amontoem a lenha e acendam o fogo. Cozinhem bem a carne, misturando os temperos; e reduzam os ossos a cinzas". O versículo 11 continua descrevendo a figura. "Ponham depois a panela vazia sobre as brasas para que esquente até que o seu bronze fique incandescente, as suas impurezas se derretam e o seu resíduo seja queimado e desapareça" (NVI). Temos aqui o símbolo da purificação do pecado pelo fogo. Apesar de ser realizado por meio de um rei pagão, não há dúvidas de que o julgamento vem do Senhor (14).

Na tarde daquele dia **morreu a mulher** de Ezequiel (18). Mas ele continuou profetizando na manhã seguinte sem qualquer demonstração oriental costumeira de luto. Sua esposa tinha sido **o desejo dos seus olhos** (16), mas ele deveria colocar o seu **turbante** (17) na cabeça, para não mostrar o cabelo despenteado de um pranteador. Ele deveria colocar **sapatos**, visto que pranteadores ficavam descalços. Ele não esconderia o seu rosto, como faziam os pranteadores, e não comeria **o pão dos homens**, que costumeiramente era preparado para as pessoas que pranteavam (veja Jr 16.5-7).

Ezequiel deveria suportar seu sofrimento pessoal sem prantear para mostrar aos exilados como eles deveriam suportar a notícia que receberiam em breve acerca da destruição da sua terra natal. Ele deveria guardar silêncio, talvez com a exceção de profetizar contra as nações pagãs (capítulos 25-32), até que as novas da queda de Jerusalém alcancem a comunidade de Quebar, ou seja, até que **algum que escapar** (26) venha contar a notícia. Isso ocorreu cerca de dois anos mais tarde (veja 33.21). O cumprimento da profecia de Ezequiel virá a ser **para eles um sinal maravilhoso, e saberão que eu sou o Senhor** (27).

Ao longo dos séculos, homens de Deus têm sido chamados para levar cargas pesadas; e, ao longo dos séculos, homens de Deus têm suportado essas cargas. É por isso que o evangelho foi proclamado apesar dos martírios durante o glorioso primeiro século da história cristã. É por isso que Lutero e seus semelhantes levantaram a voz para apregoar algo revolucionário e revitalizante no século XVI. É por esse motivo que o instruído e santo João Wesley não se abalou com seus apedrejamentos no século XVIII. É por isso que cinco missionários morreram nas mãos dos índios Aucas no século XX.

SEÇÃO **III**

PROFECIAS CONTRA POVOS PAGÃOS

Ezequiel 25.1—32.32

O cerco contra Jerusalém havia agora chegado ao fim. A época era cerca de dois anos após as profecias e acontecimentos descritos (cf. 24.1-2; 26.1). Mas antes de Ezequiel profetizar sobre a queda da cidade, ele registra como Deus julgará as nações e cidades gentias que rodeavam Judá. As nações vizinhas mais próximas (Amom, Moabe, Edom e Filístia) são as primeiras a serem denunciadas (25.1-17). Então Tiro e Sidom, duas orgulhosas cidades comerciais, são condenadas por meio de declarações detalhadas (26.1—28.26). A descrição de como Deus pretende julgar o Egito recebe os maiores detalhes (29.1—32.32). Ao todo são mencionadas sete nações; o número sugere perfeição no julgamento.

É o próprio Senhor que julgará essas nações, e Ele o fará de modo particular porque se aproveitaram de Israel em seu infortúnio. A Babilônia, espantosamente, não faz parte da lista de Ezequiel. Seu julgamento e queda, que de fato ocorreram depois dos seus anos de glória, não são mencionados. A inclusão da Babilônia teria encorajado os israelitas que estavam bastante seguros de que a Babilônia não era instrumento nas mãos de Deus.

A. Amom, Moabe, Edom e Filístia, 25.1-17

Podemos ver pelos mapas 1 e 2 que essas nações ficavam bem próximas de Judá. As quatro nações, ao longo dos séculos, haviam sido espinhos na vida de Judá e Israel.

1. *Amom* (25.1-7)

Amom, que ficava a nordeste de Jerusalém, havia escarnecido de Israel (3) quando Nabucodonosor finalmente invadiu e conquistou Jerusalém, profanou o **santuário** e deixou a terra assolada. A nação de Amom chegou a bater palmas e bater **com os pés** e se alegrar **de coração** (6) com a calamidade de Jerusalém. Sem dúvida, sua oposição anterior aos hebreus (Jz 10.9—11.49) também pesou no destino de Amom. Depois que o Reino do Norte foi derrotado pela Assíria em 721 a.C., Amom tomou posse de Gade (Jr 49.1; veja mapa 2). Ela atacou Judá em 600 a.C. Tudo isso, além de se regozijar com a queda de Judá diante de Nabucodonosor, trouxe o julgamento de Deus — **e sabereis que eu sou o Senhor** (5). O povo **do Oriente** (4) que iria conquistar Amom eram os babilônios que haviam acabado de destruir Judá. **Rabá** (5; veja mapa 2) era a cidade principal de Amom. **Um curral de ovelhas** também pode ser traduzido como "um local de descanso para ovelhas" (NVI). **Estenderei a mão** (7) é uma figura para descrever o exercício do poder de Deus. O estender da mão de Deus pode ser um paralelo literário ao bater das **mãos** dos filhos de Amom (6).

2. *Moabe* (25.8-11)

Moabe ficava a sudeste de Jerusalém (veja mapa 1), um outro inimigo antigo de Judá. Esse povo se regozija com o fato aparente de que **Judá é como todas as nações** (8), não recebendo a proteção especial de Deus que havia desfrutado tantas vezes. Deus também executará **juízos em Moabe** (11). **Seir** (8) pertencia a Edom e não a Moabe. Esse local não é incluído no texto grego de Ezequiel na Septuaginta.[1] Isso sugere que esse fato pode ter sido acrescentado ao manuscrito hebraico depois da tradução do hebraico para o grego. **Eis que abrirei o lado de Moabe desde as cidades** (9) tem sido traduzido da seguinte maneira: "abrirei o flanco de Moabe, começando por suas cidades fronteiriças" (NVI). As cidades mencionadas sobreviveram até os nossos tempos. **Bete-Jesimote** hoje é conhecida por Tel el-'Azelmeh, a cerca de quatro quilômetros a nordeste do mar Morto; **Baal-Meom** hoje é conhecida por Ma'in, a cerca de quinze quilômetros do mar Morto e **Quiriataim** hoje é chamada de el-Qereiyat, a dezesseis quilômetros de Ma'in. Os **filhos de Amom** (10) moravam ao norte de Moabe.

3. *Edom* (25.12-14)

A hostilidade entre Edom (veja mapa 1) e os judeus tinha sido real e duradoura. Edom não havia permitido que os israelitas passassem pela sua terra para ir a Canaã na época de Moisés, e os israelitas tiveram de dar uma grande volta para chegar ao seu destino. A breve profecia de Obadias, às vezes chamada de "um hino de aversão",[2] reflete a profunda hostilidade entre esses dois povos. Esse sentimento talvez tenha sido acentuado visto que Edom descendia de Esaú, o irmão gêmeo de Jacó, o predecessor dos israelitas (Gn 35.22—36.43). Edom participou ativamente da destruição de Jerusalém, matando os judeus que conseguiram escapar e fugiam para o sul (veja Obadias). Edom sofrerá pelos seus pecados de séculos. **Temã** e **Dedã**, duas das suas cidades, se tornarão **em deserto** (13). Essa profecia foi tão completamente cumprida que ninguém sabe onde elas estão localizadas (cf. 35.1—36.5 para mais comentários).

4. *Filístia* (25.15-17)

Os filisteus tinham entrado na terra da promessa muitos séculos antes, e foi deles que surgiu o nome Palestina. Os profetas muitas vezes denunciaram os filisteus (Is 14.29-32; Jr 25.20; Am 1.6-8). Seus conflitos com os judeus tinham uma longa história (cf. Jz 3.31; 14.1-16; 1 Sm 4.1-6; 2 Cr 26.6-7). Eles queriam ver Judá destruído devido à **perpé-**

tua inimizade (15). Deus diz que arrancaria os **quereteus** (16) — um outro nome para os filisteus, talvez por serem originários da ilha de Creta, ou Caftor, como eram conhecidos no Antigo Testamento (Dt 2.23; Jr 47.4; Am 9.7).

B. Tiro e Sidom, 26.1—28.26

Tiro e Sidom não são propriamente nações, mas cidades costeiras (veja mapa 2), conhecidas pelos seus interesses comerciais. Tiro recebe uma denúncia longa e impetuosa (26.1—28.19), e Sidom é denunciada rapidamente em apenas quatro versículos (28.20-23).

1. *Tiro* (26.1—28.19)
Tiro possuía uma longa história como um centro comercial renomado. Mesmo no tempo da profecia de Ezequiel era um centro de grande poder mercantil, embora, como Jerusalém, fosse nominalmente sujeita à Babilônia. Tiro foi uma cidade **afamada** (26.17), **forte no mar**. Ela tinha ciúmes de Jerusalém, porque havia sido um centro comercial entre a Babilônia e o Egito, e, portanto, **a porta dos povos** (26.2). A queda de Jerusalém significaria que o comércio se voltaria para Tiro e ela prosperaria. Tiro foi egoísta. O seu interesse material era grande, mas sua alma, pequena.

Tiro tinha ao redor dela pequenas cidades, **filhas** no **campo** (26.8), que eram influenciadas por ela. E ela negociava com inúmeras nações e cidades que foram alistadas cuidadosamente no capítulo 27.

O rei de Tiro (28.12), Itobaal II, foi um rei muito orgulhoso. Seu **coração** se elevou (28.2) a ponto de dizer: **Eu sou Deus e sobre a cadeira de Deus me assento**. A rica e egoísta Tiro, produtora de Jezabel (1 Rs 16.31) e muitas outras pessoas desse tipo, seria humilhada, junto com seu rei.

Em torno da época da queda de Jerusalém, Nabucodonosor (26.7) sitiou Tiro por treze anos, de acordo com Josefo.[3] Os navios de Tiro foram completamente destruídos a ponto de nunca mais se tornarem uma grande frota. Hoje, Tiro é uma cidade insignificante de cerca de 6.000 pessoas.[4]

Eu varrerei o seu pó (26.4) e **farei de ti uma penha descalvada** (26.14) — pode ser uma alusão à falta de terra para cultivo em Tiro. Cerca de quatrocentos anos antes Salomão tinha trocado grãos e óleo por madeira de lei para edificar o Templo (1 Rs 5.11). Uma alusão comparável ocorre no versículo 12: "Despojarão sua riqueza [...] e lançarão ao mar sua terra fértil" (Berkeley). **Os príncipes do mar** (26.16) provavelmente eram os governantes das nações marítimas com quem Tiro realizava negócios. O versículo 17 começa com um breve poema. Ele é traduzido da seguinte forma pela NVI:

> *Como você está destruída,*
> *ó cidade de renome,*
> *povoada por homens do mar!*
> *Você era um poder nos mares,*
> *você e os seus cidadãos;*
> *você impunha pavor*
> *a todos os que ali vivem.*

Também encontramos em forma poética os seguintes textos: 27.3-9, 25-36 e 28.2-19 (cf. ARA). A extensão do comércio de Tiro é graficamente mostrada pela lista de lugares mencionados em 27.5-25, percorrendo desde a Espanha no Ocidente (**Társis**, 12) até a Mesopotâmia no Oriente (**Harã**, 23).

Társis negociava contigo (27.12ss) significa uma nação com quem Tiro fazia negócios. **Os arrabaldes** (27.28) também é traduzido por "zona campestre" (RSV). **Inteiramente calvos** e **panos de saco** (27.31) referem-se a rapar a cabeça e a vestir panos de saco como sinal de luto. Moffatt traduz **cheios de espanto** (27.35; 28.19) assim: "Todo povo do mar ficará chocado com o que aconteceu com você". **Assobiaram sobre ti** (27.36) significa "fazer sons de surpresa" (*Basic Bible*). **Daniel** (28.3) — cf. 14.14, comentário e nota de rodapé. O significado do **querubim ungido** (28.14) e do **querubim protetor** (28.16) é incerto. Ezequiel evidentemente está pensando na conduta soberana de Deus em relação aos outros povos. Foi Deus quem os fez prosperar e foi Deus quem os castigou de acordo com sua base moral. A RSV traduz esse texto da seguinte forma: "Você foi ungido como um querubim guardião, pois para isso eu o designei. Você estava no monte santo de Deus [...] até que se achou maldade em você. [...] Por isso eu o lancei para longe do monte de Deus, como uma coisa profana, e o querubim guardião o expulsou".

O declínio de Tiro é um exemplo do que acontece a uma nação que ama mais o ouro do que a Deus. Aqui está o destino de todos que se alegram com o sofrimento dos outros desde que esse sofrimento encha seus cofres com bens desse mundo presente. O historiador Arnold Toynbee entende que o materialismo é um dos fatores principais da queda de civilizações passadas. O exemplo de Tiro continua sendo seguido no século XX (e princípio do século XXI), com seu pensar quantitativo, que produziu a "era a jato" e a "era do ganho". Há dois séculos, Goethe escreveu que "o espírito tende a atrair para si um corpo". Ele estava falando de seres humanos, para quem as coisas materiais, tantas vezes, são o que mais importa.

"O Erro da nossa Era" pode ser o título de uma mensagem baseada em 28.1-8. 1) O erro: uma motivação errada (28.1-5). 2) Resultados do erro: os efeitos sobre Tiro, e sobre nós, de uma grande ênfase na prosperidade material (28.6-8). 3) Corrigindo o erro *a*) por meio da visão vertical mantida por Ezequiel; *b*) ao elevar a nossa visão para as coisas do alto (Cl 3.1-2); e *c*) ao colocar ordem nas prioridades (Mt 6.33).

2. *Sidom* (28.20-23)

Nos tempos antigos, Sidom pode ter sido uma cidade ainda maior do que Tiro. Os estudiosos chegam a essa conclusão pelo fato de Sidom ser mencionada em Gênesis 10.19 sem qualquer referência a Tiro. Com certeza, não era uma cidade insignificante (Js 19.28). Tinha seus próprios reis (Jr 25.22; 27.3). Muitas vezes, ela é mencionada junto com Tiro (Is 23.1-2; Mc 7.24-26; At 12.20). Nos dias de Ezequiel, as duas cidades eram parceiras litorâneas do pecado.

Deus é **contra** (22) Sidom e enviará **contra ela a peste e o sangue** (23), ou seja, a doença e a **espada**. Fica claro mais uma vez, com base nos versículos 22 e 23, que o poder de Deus, derramado em julgamento, tem o propósito de ser uma revelação de si mesmo para os homens: **e saberão que eu sou o Senhor**.

3. *A Restauração de Israel* (28.24-26)

Em uma breve previsão de três versículos daquilo que o profeta tratará em detalhes nos capítulos posteriores (33—48), Ezequiel diz que chegará o tempo em que nenhuma nação circunvizinha será para Israel um **espinho que a pique** (24). Naquele tempo Deus vai **congregar a casa de Israel dentre os povos entre os quais estão espalhados e** se **santificar entre eles, perante os olhos das nações** (25). O **santificar** de Deus, conforme esse versículo, é uma indicação de que a palavra "santificação" não apenas se refere à pureza moral, como ocorre com freqüência no NT (e.g., Ef 5.25-27; 1 Ts 4.3; 5.23), mas também (particularmente no AT) a separar-se de tudo. Nesse caso, depois de julgar Tiro e Sidom por causa dos seus pecados, e depois de fazer Israel voltar para a sua própria terra, **o Senhor, seu Deus**, será reconhecido como o Deus do verdadeiro poder e cuidado. Dessa forma Ele será santificado.

C. Egito, 29.1—32.32

Com mais detalhes do que no caso de Tiro, Ezequiel denuncia o **Egito** e anuncia a destruição que essa nação logo sofrerá. Somente o Egito, das sete nações pagãs mencionadas por Ezequiel, era um verdadeiro império da sua época. Ao lado da Babilônia, era um poder a ser considerado. Achados arqueológicos em anos recentes confirmam a força política dessa nação que se estendia ao longo do rio Nilo e não se curvava diante de ninguém. Os israelitas infiéis tinham a esperança de que o Egito viria ajudá-los e derrotaria a Babilônia. Mas Ezequiel e Jeremias profetizaram que isso não aconteceria.

Para deixar bem claro o que Deus iria fazer na terra do Nilo, Ezequiel devota sete oráculos ao destino e à queda desse país mitológico. Cada um dos sete oráculos começa com a frase: **veio a mim a palavra do Senhor, dizendo** (29.1, 17; 30.1, 20; 31.1; 32.1, 17). O primeiro oráculo ocorreu no **décimo ano** do exílio (29.1); e o último oráculo, que é o segundo da série, tem a data mais recente de uma profecia proferida por Ezequiel: **no ano vinte e sete, no mês primeiro, no primeiro dia do mês** (29.17). Este é o ano vinte e sete do cativeiro de Joaquim — provavelmente em abril de 571 a.C.

1. *Primeiro Oráculo* (29.1-16)

Esse oráculo, proferido durante o sítio de Jerusalém (veja 24.1), é dirigido principalmente contra **Faraó** (2). Em seu orgulho e prosperidade, ele achava que tinha as coisas sob controle. Diferentemente de outros reis que, às vezes, diziam que eram descendentes dos deuses, esse faraó afirmava que ele mesmo era deus.

E quanto orgulho ele tinha do seu rio Nilo! Ele afirmou: **O meu rio é meu, e eu o fiz para mim** (3). Hoje, junto com o Amazonas e o Mississipi, o Nilo continua sendo um dos grandes rios do mundo. Enquanto esse comentário estava sendo escrito o seu curso foi mudado para que uma represa pudesse ser concluída, o que o tornará mais útil ainda. Mesmo nos tempos de Ezequiel, o Nilo era um benefício para o país. Ele era tão vasto que, às vezes, era chamado de mar, tão comprido que uma grande extensão de terra se tornava fértil pelo lodo e produtivo pelas suas águas. Os camelos podiam sentir a diferença que ele produzia no ar mesmo estando a meio dia de jornada do rio.

Faraó não reconheceu a Deus como o Criador de todas as coisas e que no uso das bênçãos da natureza os homens devem ser gratos pela provisão dele. Em vez disso, o rei do Egito, o **grande dragão** (3; monstro marinho), chafurda na prosperidade do seu rio, proclamando que foi ele que o fez para si mesmo.

Ezequiel narra como Deus vai se colocar **contra Faraó** [...] **e contra todo o Egito** (2). O rei será tirado da proteção do seu rio; **o peixe** (4), i.e., as pessoas do Egito, que são pequenas mas parecidas, ficarão presas às **escamas** (4) do grande peixe Faraó. Todos serão deixados **no deserto** (5), e morrerão sem sepultamento — o que era considerado desastroso pelos egípcios e outros povos antigos. Diversas traduções trazem "sepultado" (cf. ARA e NVI) no versículo 5 em vez de **ajuntado**. A ARA traduz: "não serás nem recolhido, nem sepultado". O fato de **animais da terra** e **aves** comerem seus corpos também sugere que não haverá sepultamento.

O Egito tinha se tornado **um bordão de cana para a casa de Israel** (6). Os israelitas tinham se apoiado no Egito como alguém se apóia em uma bengala, mas o Egito dera pouco suporte. Na verdade, ele não passava de um junco frágil em vez de madeira maciça. O versículo 7 recebeu a seguinte tradução: "Quando eles o pegaram com as mãos, você rachou, e os ombros deles se rasgaram; quando eles se apoiaram em você, você se quebrou, e todos os músculos deles sofreram torção" (*Basic Bible*).

O Egito se tornará deserto do norte até o sul (10; cf. 30.6). Migdol, que significa "torre", é uma cidade (veja Êx 14.2; Nm 33.7) ao norte, e Sevene, a moderna Assuã, onde hoje se encontra uma enorme represa, fica no extremo sul, perto da Etiópia (veja mapa 3). **Desde Migdol até Sevene** no Egito se compara com a conhecida frase "de Dã a Berseba" ao se referir à Terra Santa.

O Egito será castigado por **quarenta anos** (12), interessantemente o mesmo período da peregrinação de Israel no deserto após ter escapado do jugo egípcio (Nm 14.33; Sl 95.10). Esse é um número arredondado, visto que a ocupação persa no Egito ocorreu de 525 a 487 a.C.

Então ocorrerá a volta para a **terra de Patros** (14), i.e., o Alto Egito (veja Is 11.11; Jr 44.1). Mas o sul será negligenciado, e, de modo geral, o Egito será **um reino baixo** (14). Visto que o Egito não será mais uma grande potência, a **casa de Israel** (16) não será mais tentada a colocar sua **confiança** na força do seu vizinho do sul. O oráculo fecha com o propósito eterno de Deus para o homem, e o refrão profético de Ezequiel é: **saberão que eu sou o Senhor JEOVÁ**.

2. O Segundo Oráculo (29.17-21)

Esse oráculo deixa claro que os despojos do Egito são como pagamento (18-19) pelo grande **serviço** (18) prestado por Nabucodonosor — um esforço de treze anos contra Tiro. A campanha contra Tiro havia resultado em um despojo insignificante, visto que a cidade parece ter retirado seus tesouros antes da sua queda diante de Nabucodonosor.

O oráculo termina com uma referência à restauração por meio do **poder na casa de Israel** (21). Visto que a frase está ligada ao **abrimento da boca** (ou lábios), o **poder** (chifre) pode referir-se a uma situação daquele momento. É bem possível que o texto esteja se referindo aos lábios de Ezequiel, visto que sua boca tinha sido selada pelo Senhor, para que não falasse por um período às nações estrangeiras nem à Israel. No entanto, "a palavra 'chifre' sugere poder e prosperidade. [...] A visão pode estar fazendo alusão à esperança messiânica" (Berkeley, nota de rodapé).

3. O Terceiro Oráculo (30.1-19)

Essa mensagem não datada é uma lista poética[5] das calamidades que sobrevirão ao Egito no seu **dia nublado** (3), **o dia do Senhor**, quando Deus visitará essa nação com julgamento. Essas calamidades também afetarão as nações co-irmãs gentias. **O tempo dos gentios** significa "uma época de condenação para as nações" (NVI). **Cube** (5) aparece somente aqui na Bíblia, e não sabemos a que área a Bíblia está se referindo. A Septuaginta traz Lude ou Líbia. A exclamação: **Gemei: Ah! Aquele dia!** (2) é traduzida com vivacidade por Moffatt: "Gemem em voz alta; ai daquele dia". **Desde Migdol até Sevene** (6) veja comentário em 29.10. No versículo 9, a **Etiópia descuidada** é mencionada especificamente como uma nação vizinha que será julgada junto com o Egito.

A declaração: **E os rios farei secos** (12), é traduzida de forma mais literal por outras versões: "Eu secarei o Nilo" (Moffatt e RSV). O texto provavelmente quer dizer que o Nilo não transbordaria, e, conseqüentemente, suas águas não escoariam para os canais para irrigar a terra. **Escurecerá o dia** (18) é um outro exemplo da linguagem figurada usada para descrever os males que sobreviriam ao Egito.

As cidades mencionadas nos versículos 13-18 eram as principais cidades do antigo Egito. **Nofe** (13) era Mênfis, a capital do Baixo Egito. **Patros** (14) era o Alto Egito (veja 29.14). **Zoã** era Tanis, na região nordeste do delta do Nilo. **Nô**, também conhecida como Tebas, no Alto Egito, chegou a ser uma das capitais mais esplêndidas do país, hoje conhecida como Carnaque. **Sim** (15) mais tarde ficou conhecida pelo nome grego Pelúsio, hoje conhecida como Tell Farama, na região litorânea, a cerca de 30 quilômetros a sudeste do Porto Said. **Áven** (17) ou Om ficou conhecida mais tarde como Heliópolis, uma cidade devotada à adoração do sol. **Pi-Besete** é Bubastis, uma antiga cidade à beira do Nilo, no Alto Egito, a quarenta e cinco quilômetros a sudoeste de Zoã. Essa cidade havia edificado um templo famoso dedicado à deusa-gato. **Tafnes** (18) ficava na região oriental do delta, perto de Migdol (veja mapa 3).

4. Quarto Oráculo (30.20-26)

Essa é uma breve profecia em prosa contra o faraó, e é datada em abril de 586 a.C., do **ano undécimo** do exílio (20). Ezequiel antevê que o poder do faraó será quebrado e dado a outro rei, isto é, o rei Nabucodonosor — com o propósito de declarar que Javé é **o Senhor** (26). **O braço de Faraó** (21) representa o seu poder. **Ligaduras para o atar** representa uma bandagem para apoiar e fortalecer o seu braço.

5. Quinto Oráculo (31.1-18)

Essa palavra contra o faraó, datada menos de dois meses depois do oráculo anterior (cf. 30.20), compara o rei do Egito a **um cedro** (3), a árvore típica da Assíria, que havia florescido, mas que agora não florescerá mais.

A KJV deixa entender que há uma mudança, passando do faraó para o rei da **Assíria** (3). A longa descrição do **cedro** parece não se aplicar ao faraó, mas a outra pessoa. Todavia, o oráculo é dirigido ao **Faraó** no versículo 2, e concluído com referência a ele pelo nome no versículo 18. É possível que tenha havido um pequeno erro de algum copista;

por isso é possível que haja uma pequena discrepância entre o texto que conhecemos hoje e o manuscrito original. Com o acréscimo de uma letra, além da troca de uma outra letra com uma que é quase idêntica, o texto pode ser traduzido da seguinte forma: "Te compararei a um cedro". A referência às **águas** (4) como fonte da prosperidade do cedro provavelmente tinha uma implicação direta sobre a situação do faraó no Egito, visto que as águas do Nilo formavam a base para a agricultura da nação (cf. 29.3, 9-10).

O **jardim de Deus** (8-9) parece referir-se ao jardim do Éden. A palavra **inferno** (16-17; *sheol*, lugar dos mortos) refere-se a um lugar de destruição ou de esquecimento. Este não é o lugar de castigo eterno, porque o texto refere-se ao destino da nação em vez de às pessoas. A última parte do versículo 16 é de difícil interpretação. Ela pode significar que outras nações que haviam temido o Egito e haviam sido destruídas, talvez pelo próprio exército egípcio, se regozijariam com a sua queda. Moffatt traduz esse texto da seguinte forma: "As melhores árvores do Líbano, bem regadas pela água, foram todas consoladas pelo seu destino". Estar **no meio dos incircuncisos** (18) seria uma indignidade muito grande para os egípcios. Eles praticavam a circuncisão e consideravam as pessoas que não a praticavam como "fora do âmbito da civilização" (Berkeley, nota de rodapé).

6. *Sexto Oráculo* (32.1-16)

Novamente temos um oráculo datado (1). Esse oráculo foi proferido em março de 585 a.C., cerca de um ano e nove meses após a profecia de 31.1. Nele o Senhor lamenta sobre o faraó e descreve o que vai acontecer a ele. O rei é comparado com **um filho de leão** (2), o mais feroz dos animais selvagens da terra; e a **um dragão**, ou talvez a um crocodilo, o animal mais feroz nas águas.[6] Moffatt traduz esse texto da seguinte forma: "Você é como um monstro nas correntezas, bufando água das suas narinas, agitando o rio com seus pés, enlameando as correntezas".

Os versículos 3-5 são quase uma duplicação de 29.3-5. Veja os comentários ali. No versículo 5, **altura** não deixa o significado claro. As traduções mais recentes trazem "carcaça" (RSV) ou "vermes" (ASV, nota de rodapé). Nos versículos 7-8, a destruição da terra é comparada com as luzes que estão se apagando e **as brilhantes luzes do céu** (8) sendo enegrecidas. Os versículos 13-14 comparam o julgamento do Egito ao gado que é destruído, e o rio Nilo, outrora cheio de lodo correndo serenamente **como o azeite**, ou "claro" (Berkeley), sem seu lodo fertilizante.

7. *Sétimo Oráculo* (32.17-32)

O último dos sete oráculos contra a sétima nação pagã, o Egito, é datado no **ano duodécimo, aos quinze do mês** (17). Não é mencionado o mês, mas o mês e o ano provavelmente são os mesmos do oráculo anterior, ou seja, em 585 a.C. Nenhum profeta foi tão cuidadoso em registrar datas quanto Ezequiel.

Esse oráculo descreve o lugar do Egito entre as várias nações incircuncisas[7] (vv. 19, 21, 24-30, 32), i.e., os gentios, descendo para o Sheol, ou **à cova** (18). Tanto no início (cf. 17) quanto no seu final o oráculo afirma que o faraó **jazerá no meio dos incircuncisos** (32) junto com **toda a sua multidão**, i.e., o povo do Egito. O faraó e seu povo não terão um lugar melhor na **terra mais baixa** (18) do que outras nações. Isso ocorrerá mesmo que alguns deles tenham sido embalsamados e colocados em grandes tumbas como múmias. Talvez por causa disso se faça a pergunta: **A quem sobrepujas** (superas, RSV) **tu em beleza?** (19).

No versículo 21, esse mundo inferior é chamado de **inferno**. A palavra no hebraico é *sheol*, que significa simplesmente o lugar dos mortos para todas as pessoas (veja comentários em 31.17). *Sheol* aqui não deve ser identificado com o lugar de castigo eterno mencionado tantas vezes e tão claramente no Novo Testamento (e.g., Mt 18.9; Ap 20.10-15).[8] Embora o livro de Daniel (12.2) ensine acerca das recompensas e castigos eternos, o Antigo Testamento, como um todo, não ensina como será a existência após essa vida. Foi necessário o ensino de Cristo acerca da ressurreição (Jo 11.25-26) e a sua própria ressurreição dos mortos (cf. 1 Co 15), para incutir nos cristãos uma forte convicção acerca da vida no porvir — com admoestações aos teimosos acerca do destino que lhes aguarda (Ap 20.8).

Assur (22) é, nas versões mais recentes, traduzido por "Assíria" (veja mapa 1). A Assíria havia sido conquistada pela Babilônia em 612 a.C. "Depois da Assíria, Elão [v. 24] era o país com maior poder bélico. [...] Eles habitavam a região leste do rio Tigre e se uniram ao exército assírio contra Jerusalém na época de Isaías (Berkeley, nota de rodapé; cf. Is 22.6). **Meseque** e **Tubal** (26) "eram remanescentes da antiga população dos heteus, filhos de Jafé"). Os versículos 26 e 27 parecem referir-se a Meseque e Tubal, e o versículo 28 chama a atenção para um destino semelhante que aguarda o Egito. A tradução de Moffatt ajuda a esclarecer esse aspecto: "Meseque e Tubal estão ali, com toda a sua população, nos túmulos ao seu redor, todos jazendo em uma morte vergonhosa, vítimas da espada, porque eram um terror na terra dos viventes; eles não se acharão ao lado dos antigos guerreiros valentes, que desceram à sepultura com suas armas, cujas espadas foram colocadas debaixo das suas cabeças, e seus escudos sobre seus esqueletos, porque eram um terror na terra dos viventes. (E, Faraó, você jazerá entre os derrotados, que foram vítimas da espada)".

Seção **IV**

RESTAURAÇÃO E ESPERANÇA

Ezequiel 33.1—48.35

Não somente muda a cena nesse ponto na profecia de Ezequiel, mas também mudam o assunto, a atmosfera e o espírito. As profecias não são mais dirigidas diretamente às nações estrangeiras, embora recebam alguma atenção em 36.7; 38—39. Na maior parte das vezes, o homem de Deus concentra a sua atenção no povo de Deus, Israel. A destruição já não está na ordem do dia em relação ao futuro de Israel. Lemos agora a respeito de restauração e esperança, percepção e providência.

A. A Restauração de Israel, 33.1—39.29

Nessa seção, há referências breves à destruição que aguarda alguns israelitas (e.g., 33.23-29) e as nações pagãs vizinhas (36.7). Mas, de modo geral, esses sete capítulos descrevem dias bons que aguardam o povo de Deus na terra do Senhor.

1. *Reafirmação do Ofício de Ezequiel como Atalaia* (33.1-9)
Sempre **a palavra do Senhor** (1) vem a Ezequiel. A palavra nunca vem da mente ou imaginação do próprio profeta. Ele nunca é como o sol, emitindo luz do seu interior. Em vez disso, ele se parece mais com a lua. Como a lua não tem luz própria, Ezequiel não poderia emitir luz se não fosse pel**a palavra do Senhor** vindo a ele.

Mais uma vez Ezequiel é chamado de **filho do homem** (2; veja comentários em 2.1). À medida que a palavra do Senhor vem ao seu **povo** de Israel (2), por meio de Ezequiel, ele primeiro declara simplesmente que qualquer profeta é um **atalaia** para advertir o desavisado. Esse assunto foi tratado em 3.16-21. Além de Ezequiel, a figura do profeta como atalaia aparece em Isaías 21.6, Jeremias 6.17 e Habacuque 2.1. O que é dito nessa seção está suficientemente claro: a responsabilidade do atalaia é avisar o **ímpio** (8), e a responsabilidade do **ímpio** é converter-se **do seu caminho** (9). **Um homem dos seus termos** (2) significa "um compatriota" (NVI). **O seu sangue será sobre a sua cabeça** (4); i.e., "esse homem é responsável pela sua própria morte" (Moffatt). **Livraste a tua alma** (9) significa: "Você salvou a sua vida" (RSV) da condenação de Deus.

2. *Responsabilidade Individual* (33.10-20)

Ezequiel cria na liberdade moral do homem, ressaltando a responsabilidade individual. Ele ficaria chocado com a sugestão de uma predestinação incondicional do indivíduo, de acordo com o ensinamento de João Calvino e seus seguidores.

Num capítulo anterior, Ezequiel havia mencionado a responsabilidade pessoal do indivíduo diante de Deus, ressaltando que se uma pessoa justa se afastar de Deus e pecar, ela certamente morrerá. De uma pessoa justa que se desvia de Deus, e do seu castigo resultante, Ezequiel diz que "no seu pecado com que pecou, neles morrerá" (18.24; veja comentários em 18.21-32).[1]

Aqui Ezequiel retorna à mesma ênfase. É como se, debaixo da orientação do Espírito Santo, ele conseguisse ver uma época em que o "Agostinianismo" e o Calvinismo causariam um profundo dano ao nervo do empenho espiritual, ao defenderem que o que uma pessoa faz (como arrependimento ou fé) ou deixar de fazer, não tem nenhuma influência no seu destino eterno, visto que são eleitos ou condenados antes de nascerem. O profeta, pensando como Armínio dois mil anos antes do nascimento desse teólogo, diz: **A justiça do justo não o fará escapar no dia da sua prevaricação** (12; "quando ele transgredir", RSV). O fato de uma pessoa ser justa, ou justificada diante de Deus, não a ajudará em nada, se propositadamente transgredir a lei de Deus. Ezequiel então explica que se o justo **confiando na sua justiça, praticar iniqüidade, não virão em memória todas as suas justiças, mas na sua iniqüidade, que pratica, ele morrerá** (13). Isso parece em franca oposição com a doutrina que propaga "uma vez salvo, sempre salvo", muitas vezes também chamada de doutrina da "segurança eterna", ou da "salvação eterna".

Um outro aspecto dessa doutrina é novamente enfatizado por Ezequiel. Ele trata da situação do ímpio que se converte da sua iniqüidade. O destino desse indivíduo não foi decidido em um decreto eterno promulgado antes de ele nascer. A decisão depende desse indivíduo, quer ele se desvie do seu pecado e volte para Deus, quer não. Deus declara: **Quando eu também disser ao ímpio: Certamente morrerás; se ele se converter do seu pecado [...] e não praticar iniqüidade, certamente viverá, não morrerá** (14-15).

As pessoas estavam dizendo: **Não é reto** (justo; 17) **o caminho do SENHOR**. Ezequiel explica que os caminhos de Deus são absolutamente justos e cada indivíduo é tratado de acordo com a sua justiça. Deus afirma: **julgar-vos-ei a cada um conforme os seus caminhos, ó casa de Israel** (20).

Alguns estudiosos afirmam que o ensino do Antigo Testamento está em discrepância com a verdade do Novo Testamento. Precisamos dizer duas coisas a essas pessoas: Primeiro, o Novo Testamento segue o ensino de Ezequiel (Mt 10.22; Cl 1.23; Hb 3.6; 2 Pe

1.10). Segundo, os proponentes da eleição e perseverança incondicional não apresentam qualquer argumento para uma mudança da responsabilidade individual, como vista no Antigo Testamento, em outro ensino que anule essa exigência, no Novo Testamento.

3. Chega a Notícia da Queda de Jerusalém (33.21-22)

Jerusalém havia caído diante de Nabucodonosor; e uma descrição detalhada da queda foi anunciada por Ezequiel **no ano duodécimo, no décimo mês, aos cinco do mês do nosso cativeiro** (21; veja 24.26). As notícias não viajavam com a rapidez da mídia cibernética desse dias e, mesmo assim, as notícias da queda devem ter alcançado a comunidade de Quebar em um curto espaço de tempo. Uma testemunha ocular vem e conta a Ezequiel os acontecimentos em primeira mão.

O fugitivo pode ter sido detido pelos seus captores, porque de acordo com a maioria dos estudiosos, sua vinda parece ter ocorrido um ano e meio após o acontecimento. No entanto, se a teoria de que o ano começava no outono está certa, então haveria um intervalo de menos de seis meses entre o acontecimento e as notícias do mesmo.[2] De acordo com Esdras 7.9, levou 108 dias para um grupo de pessoas fazer o mesmo percurso.

Ezequiel tinha dito que quando "algum que escapar" (24.26) naquele dia lhe trouxesse a notícia da queda da cidade, a sua boca se abriria "para com aquele que escapar" (24.27). A boca de Ezequiel estava fechada para falar aos israelitas, embora falasse durante esse tempo contra as nações pagãs (caps. 25—32). Com a chegada do fugitivo lemos: **Ora, a mão do SENHOR estivera sobre mim pela tarde, antes que viesse o que tinha escapado; abriu a minha boca, até que veio a mim pela manhã;** [...] **e não fiquei mais em silêncio** (22).

4. As Primeiras Profecias Após a Queda de Jerusalém (33.23-33)

Uma das primeiras profecias de Ezequiel relacionava-se com o castigo daqueles que haviam fugido para os **lugares desertos da terra de Israel** (24) quando a cidade caiu diante de Nabucodonosor (23-20). Essas pessoas concluíam que a terra era delas de acordo com a promessa. Elas disseram que Deus dera a terra a Abraão e que se Deus fizera isso a **um** homem (24), certamente os **muitos** descendentes de Abraão deveriam possuir a terra. Mas eles não se lembravam dos seus pecados e do fato de que as promessas de Deus sempre têm condições atreladas a elas.

Ezequiel aqui cataloga os pecados deles. Primeiro: **Com sangue comeis** (25). Isso, sem dúvida, significa que comiam carne que ainda continha sangue, devido à falha em matar o animal da maneira certa. A abstenção de sangue foi uma regra que continuou sendo mantida nos tempos do Novo Testamento (At 15.20). Também lhes é dito: **Vós vos estribais sobre a vossa espada** (26). A NVI traz: "Vocês confiam na espada". Adam Clarke comenta: "Vocês vivem de saques [...] e matança".[3] Outros pecados são arrolados, incluindo **abominação** (26), que estava relacionada com a idolatria. Esses fugitivos rebeldes **cairão à espada, e** [...] **morrerão de pestilência** (27), e **a terra** será tornada em **assolação** (28).

Uma outra profecia anunciada logo após a notícia da queda de Jerusalém relacionava-se com a atitude do povo em relação a Ezequiel. Eles gostavam dele, como lemos no versículo 30: **os filhos do teu povo falam de ti** (cf. Septuaginta).[4] Eles contam um ao outro que o profeta é um homem de quem eles podem ouvir **a palavra que procede do**

SENHOR (30). Ezequiel é para eles **uma canção de amores** (32), especialmente quando profetiza sobre restauração e esperança, como ele agora está fazendo. Ele chega a ter "uma bela voz e que sabe tocar um instrumento" (NVI). Ele se tornou um pregador realmente popular! Puro engano! Eles **ouvem** as suas **palavras, mas não as põem por obra** (31). No entanto, **quando vier isto** (33), o que Ezequiel estava profetizando, **então, saberão que houve no meio deles um profeta** (33).

5. *Promessas de Restauração (34.1—39.29)*

a) *Restauração sob um bom pastor* (34.1-31). Enquanto o profeta é chamado de atalaia, os governantes de Israel são aqui chamados de **pastores** (2). Estão incluídos os reis, os príncipes e os magistrados. Clarke inclui também os sacerdotes e levitas.[5] Esses têm sido pastores infiéis para com o povo de Deus. Eles não têm sustentado o rebanho do Senhor (2), Israel. Em vez disso, eles estão mais preocupados em alimentar-se a si mesmos e a estar bem vestidos (3). Eles não tiveram misericórdia para com a ovelha **doente** nem com a que estava ferida. Eles não buscaram a **perdida** (4), como Cristo, o Bom Pastor, fez anos mais tarde (Jo 10.11, 14).

As coisas que Deus promete fazer pelo seu rebanho, como o Bom Pastor, são belas e graciosas (11-31). Ele buscará as **ovelhas dispersas** (12). Isso, evidentemente, refere-se aos israelitas que estavam dispersos em muitos países. Sendo uma promessa eterna do Deus Eterno, ela sem dúvida se refere à graça de Deus que continua buscando o pecador e o constrangendo a voltar para o rebanho. O **dia de nuvens e de escuridão** é uma figura para um tempo de incerteza e medo.

A palavra para **gordos** (14) pode significar diversas coisas. No versículo 14 se refere a pastos "ricos" (Berkeley). Nos versículos 16 e 20 temos uma clara nuança de uma prosperidade egoísta, obtida à custa de outros. O Senhor diz o seguinte acerca desses líderes egocêntricos: **eu julgarei entre gado pequeno e gado pequeno** (17). "Os bodes são os homens fortes e líderes da comunidade, que ignoram os direitos do povo comum" (Berkeley, nota de rodapé). Deles, Deus diz: **Eis que eu, eu mesmo, julgarei entre o gado gordo e o gado magro** (20). A responsabilidade pelo exílio é desses líderes: "Suas criaturas gordas, vocês afastaram as ovelhas fracas, com o corpo e com os ombros, chifrando essas criaturas fracas até que as espalharam para longe" (21, Moffatt).

Deus não mostrará misericórdia a esses malfeitores, mas tem planos gloriosos para o seu povo. Sobre eles Ele levantará **um só pastor** (23), **e ele as apascentará; o meu servo Davi é que há de apascentar**. Essa profecia messiânica está relacionada com a vinda de Cristo da linhagem de Davi. Ele pastoreará todas as ovelhas que o seguirem (Jo 10.4).

A clara mensagem messiânica dos versículos 23-25 harmoniza com a promessa mais próxima da volta de Israel para Jerusalém. **Meu outeiro** (26) provavelmente refere-se ao monte Sião, sobre o qual o Templo havia sido edificado. Junto com a redenção espiritual por meio de **um só pastor** da linhagem de Davi (23), Deus promete cuidar das suas necessidades físicas (25b-29). Em vez de: **Eu lhes levantarei uma plantação de renome** (29), que pode ter uma conotação messiânica, a frase pode ser traduzida também como: "Levanter-lhes-ei plantação memorável" (ARA).[6] Essas ovelhas não mais seriam **consumidas pela fome**. Também não **mais levarão sobre si opróbrio dos gentios**, que achavam que o Deus de Israel deixava seu próprio povo na mão toda vez que Israel estava em grandes dificuldades. **Dos que se serviam delas** (27) significa "daqueles que as escravizavam" (Berkeley). A afirmação: **Saberão, porém, que eu, o SENHOR, seu Deus, estou com elas** (30) claramente se refere às bênçãos materiais prometidas nos versículos 25b-29. Mas será que não se refere também à revelação de Deus por meio do Messias (23-25) e a cada manifestação pessoal àqueles que o servem? Todos os que sinceramente caminham com Deus, de tempos em tempos sentem uma forte segurança interior da Presença Divina.

b) *A Restauração de Israel* (35.1—36.15). O capítulo 35 e a metade do capítulo 36 referem-se a um outro assunto. Quando se fez a divisão dos capítulos no século XIII d.C. teria sido mais correto iniciar o novo capítulo em 36.16 em vez de 36.1. O assunto dessa seção trata da restauração que Deus promete a Israel, e a mensagem é dirigida principalmente aos companheiros de exílio de Ezequiel na Babilônia. Na maior parte das vezes, é dito que a restauração virá aos **montes** de Israel (36.1, 4, 8), que servem para personificar a nação. Mas também estão incluídas as **correntes** e os **vales** (36.4), os lugares solitários e as **cidades** (veja 36.3) — i.e., toda a terra. Essa é a promessa que o profeta faz em nome do Deus que vive e que, portanto, pode cumprir as promessas (35.6).[7]

Mas, de forma contrastante com o que Deus se propõe a fazer pelos montes de Israel, o julgamento que Ele trará sobre o **monte Seir** (2; o nome poético para Edom) está delineado (35.1-15). **Estenderei a mão** (3) significa: Exercerei o meu poder.

Já foi anunciada a admoestação do Senhor contra Edom (25.12-14). Descendente de Esaú,[8] esse vizinho de Israel (veja mapa 1) tinha sido um espinho na sua carne por muito tempo. Ele guardava uma **inimizade perpétua** (35.5) contra Israel.

Quando Moisés e os filhos de Israel estavam a caminho da Terra Prometida, pediram permissão para passar por Edom e ir diretamente a Canaã. A permissão foi negada (Nm 20.18), e Israel teve de dar uma grande volta. Essa atitude de Edom foi lembrada por muito tempo pelos israelitas. Séculos após a época de Ezequiel, Edom "produziu" Herodes, o rei que foi tão cruel com o Salvador.

Mas pouco antes de Ezequiel anunciar a "profecia dos contrastes" entre Edom e Israel, Edom opôs-se a Israel e apoiou a Babilônia. No dia mais difícil de Jerusalém, quando ela caiu diante de Nabucodonosor, e quando estranhos entravam pelas suas portas, Edom era um deles (Ob 11). Quando não era mais possível defender a cidade, alguns dos israelitas fugiram para o país vizinho. Edom era vizinho, mas não hospitaleiro. Com ódio de inimigo, esse povo parou nas encruzilhadas para exterminar "os que escapassem [de Judá]" (Ob 14). Seus guerreiros ficavam nas principais encruzilhadas na entrada de Edom e matavam os fugitivos dispersos. Depois que Obadias lembrou-lhes que haviam exterminado os fugitivos, ele diz que Edom não deveria ter entregue os sobreviventes "no dia da angústia" (Ob 14). Após derramarem muito sangue, decidiram capturar os outros fugitivos e observá-los debaterem-se angustiados ao ser entregues na mão do inimigo. Ezequiel diz de Edom: **abandonaste os filhos de Israel à violência da espada** (35.5). **No tempo da extrema iniqüidade** é mais simples e corretamente traduzido como: "no tempo da sua destruição final" (Berkeley).

Edom examinou a situação e alegrou-se "sobre os filhos de Judá, no dia da sua ruína" (Ob 12). Além disso, ele se orgulhava de que esse tipo de humilhação não tinha vindo sobre ele. Obadias conclui o versículo, referindo-se a Edom: "não devia ter falado com arrogância no dia da sua aflição" (NVI).⁹ Além disso, os edomitas entraram "pela porta" da cidade destruída, olharam com satisfação "para o seu mal" e saquearam os seus bens (Ob 13). Deus disse a Edom: "Uma vez que você não detestou o espírito sanguinário, este o perseguirá" (35.6, NVI). Em 35.11 vemos algo da justiça divina. Deus declara: **usarei conforme a tua ira e conforme a tua inveja**. Paulo escreve: "Minha é a vingança; eu recompensarei, diz o Senhor" (Rm 12.19).

Antes que Rebeca gerasse os gêmeos Jacó e Esaú, o Senhor lhe disse: "Duas nações há no teu ventre, e dois povos" (Gn 25.23). **Os dois povos** (35.10) referem-se ao monte Seir e a Canaã. Israel teve seus desvios e pecados, mas sua história estava sob a mão de Deus. Edom, por outro lado, era pequena entre as "nações" (Ob 2). Esaú havia sido um "profano" (Hb 12.16) e havia gerado um povo profano. O Antigo Testamento não menciona que eles adoraram outros deuses, embora os arqueólogos tenham encontrado resíduos das suas deidades. Eles eram profanos — materialistas, comerciantes astutos com muitas nações, sábios no que se refere à sabedoria humana, esquecendo-se de Deus. John Paterson diz: "Edom estava interessado somente em comprar e vender coisas: principalmente gado e [outros] animais domésticos. Era uma civilização comercial e se orgulhava da sua perspicácia em fazer negócios e da sua astúcia comercial".¹⁰

A pequena extensão territorial de Edom pode ter contribuído para a sua atitude. O comprimento era de apenas 160 quilômetros e sua largura não passava de 30 quilômetros — uma mera partícula no mapa. Mas, sua arrogância se elevou, principalmente por causa da sua posição geográfica supostamente invencível. Sua capital, Selá (hb., "rocha"), estava localizada no alto das rochas, em que havia se erguido uma fortaleza. Seu nome foi mais tarde mudado para Petra, uma palavra grega de significado semelhante. Ela estava situada dos dois lados de um desfiladeiro profundo que serpenteia como um rio por cerca de dois quilômetros e meio. De cada lado da garganta havia rochedos íngremes, onde havia cavernas naturais e lavradas, em que as pessoas moravam. Os habitantes mais antigos daquela área, então denominada de **monte Seir** (35.2-3, etc.), eram chamados habitantes de cavernas (ou "os horeus", veja Gn 14.6; Dt 2.12, 22). Naqueles dias em que o exército era formado pela infantaria e por carruagens, era extremamente difícil para qualquer inimigo derrotar o povo de Petra. Todo o país, de modo geral, era facilmente fortificado.

O pomposo e orgulhoso Edom, também chamado Iduméia (35.15, KJV), se tornará em **assolações perpétuas** (35.9). Moffatt traduz esse texto da seguinte forma: "Você ficará arrasado para todo sempre". Por outro lado, os humildes israelitas espalhados por toda parte voltarão para o seu país e serão abençoados. Em 36.8, Deus promete frutificação para os montes de Israel e explica a razão: A frutificação será **para o meu povo de Israel; porque estão prestes a vir**.

c) *A restauração dos corações pecaminosos dos homens* (36.16-38). Se a profecia de Ezequiel alcança um cume que é mais alto do que todos os outros, então é a última parte desse capítulo. Nesse texto Ezequiel conta o que Deus propõe fazer para os corações dos israelitas; mas ele introduz essa palavra ao explicar o verdadeiro motivo de Ele propor redimir os homens dessa forma. Ele quer tornar os homens santos porque Ele é santo.

Primeiro, o profeta aponta os pecados do povo. Eles **contaminaram** a terra **com as suas ações** (17).

Então o Senhor diz que **como a imundícia de uma mulher em sua separação** (impura), **tal era o caminho** deles **perante o** seu **rosto**. Pessoas pecadoras deveriam ficar afastadas da comunhão com Deus. O povo tinha os **seus ídolos** (18); e quando Deus os havia espalhado (19) por causa dos seus ídolos eles **profanaram** seu **santo nome** (20). Eles arrastaram o nome de Deus no pó entre os gentios. No Antigo Testamento o **nome** de Deus é, muitas vezes, sinônimo da sua natureza. Assim, Deus está profundamente preocupado em que o seu nome não seja profanado, i.e., que a sua natureza não seja mal-entendida; porque se os homens não entenderem Deus da forma correta, não podem amá-lo e adorá-lo da forma correta. É significativo observar que a profanação de Israel não estava em amaldiçoar a Deus — mas em não obedecê-lo.

Observe que é o seu **santo nome** (20) que eles profanaram. Quando Deus é chamado de santo, isto quer dizer que Ele existe em uma categoria própria, tanto metafísica quanto moralmente. A palavra para "santidade" (hb., *kodesh*) originalmente relacionava-se com separação ou remoção.[11] Quando aplicada a determinada coisa, essa palavra quer dizer que ela é separada do uso comum a fim de ser usada para Deus. Assim, os sacrifícios e os dízimos eram santos (Êx 29.33ss; Lv 21.11; 22.10; Nm 18.25-32; Dt 12.26). Quando aplicada às pessoas, a santidade do Antigo Testamento geralmente significava que elas eram separadas para uma obra especial de Deus, e.g., o sacerdócio. Mas mesmo nessa ocupação, eles maculavam seu santo nome se não estivessem moralmente puras de coração (18-24). Quando aplicada a anjos, a santidade significa que compartilham da natureza do Criador e são dedicados ao seu serviço (Dn 8.13; Mt 25.31).

Quando aplicada a Deus, a santidade geralmente significa que Ele é separado de todos os outros chamados deuses dos homens. Ele é absolutamente Santo. Por isso lemos em 1 Samuel 2.2: "Não há santo como é o Senhor". Isaías com freqüência usa "o Santo" como sinônimo para Deus (e.g., Is 40.25). Todos os atributos de Deus, metafísicos e morais, são incluídos na sua santidade.[12] É isso que Ele é — Santidade. Assim, Amós pode falar de Deus em certa ocasião jurando "pela sua santidade" (Am 4.2) e em outra ocasião jurando "pela sua alma" (Am 6.8). O **grande nome** (23) de Deus é aqui usado como sinônimo do seu **santo nome** (22).

Em nosso texto presente, é a santidade moral de Deus que exige vidas santas (cf. vv. 17-23). Veja também comentários em Ezequiel 43.7, em que um Deus santo requer vidas santas.

A santidade é, então, o que Deus é, ou seja, a sua própria natureza. Sua santidade é absoluta, por isso ela está num nível muito mais elevado do que a santidade dada ao homem. Esse Deus santo espera que o homem seja santo tanto no Antigo quanto no Novo Testamento. Em Levítico 11.44 lemos: "sereis santos, porque eu sou santo" (cf. Lv 11—18).[13] E o apóstolo Pedro diz: "mas, como é santo aquele que vos chamou, sede vós também santos em toda a vossa maneira de viver, porquanto escrito está: Sede santos, porque eu sou santo" (1 Pe 1.15-16). Essa santidade nos homens inclui a pureza de coração — uma singeleza de espírito na qual um homem ama fazer a vontade de Deus e trabalha sem a oposição interior que tem suas raízes na natureza carnal ou no pecado original. Essa pureza de coração é essencialmente o que os discípulos receberam no dia de Pentecostes (At 2.4; 15.8-9).

Ezequiel vê, talvez mais claramente do que qualquer outro autor do Antigo Testamento, a pureza de coração tornada acessível no dia de Pentecostes e depois disso.[14] O profeta naturalmente não expressa seus vislumbres da santidade de coração na linguagem da teologia sistemática. Mas o que ele vê é o que está cumprido na dispensação da nova aliança — e de modo particular naqueles que são completamente santificados (1 Ts 5.23).[15]

Falando em nome do Senhor, o profeta diz: **Então** (algum tempo depois da volta do povo de Israel ao seu país), **espalharei água pura sobre vós, e ficareis purificados** (25). Adam Clarke comenta: "A *verdadeira água purificadora*; a influência do Espírito Santo tipificada pela *água*, cuja característica é *limpar, alvejar, purificar, refrescar*, tornar *saudável* e *frutífero*".[16]

O Senhor então promete: **E vos darei um coração novo** (26). Isso significa com novos apetites e uma vontade renovada de servir a Deus. "Coração" no hebraico tem implicações volitivas, e não simplesmente emocionais como ocorre em nossa língua. **Um espírito novo** também será colocado **dentro** das pessoas — um novo anelo para realizar a vontade de Deus mesmo que isso signifique sacrifício pessoal. E perceba que tudo isso ocorrerá **dentro**. A religião estava basicamente voltada para o exterior, quando Israel era guiado pelos caminhos de Deus. Na nova obra que Deus fará, a fé será internalizada. A justiça será tão interiorizada que o que se sugere aqui é a justiça "comunicada", de acordo com o ensino wesleyano-arminiano, em vez da justiça meramente "imputada" (considerando uma pessoa justa porque é de Cristo, quando ela, na realidade, não é justa).[17]

Esse ponto alto da profecia do Antigo Testamento continua com a promessa de que o **coração de pedra** será tirado, e, em seu lugar, será colocado um **coração de carne**. Israel havia sofrido terríveis conseqüências devido ao seu **coração de pedra**. Muitas vezes, o povo teimava em andar nos seus próprios caminhos. Quanto mais andarmos de acordo com os nossos caminhos, mais endurecido ele fica; mais e mais nosso coração fica endurecido em relação ao chamado de Deus. Ezequiel vislumbra o tempo quando Deus, por meio de uma cirurgia, removerá o coração de pedra da mesma forma que um cirurgião extirpa um câncer. Então Deus colocará em seu lugar um coração que é responsivo aos seus desejos.

Para tudo isso é necessário uma capacitação. Essa capacitação é suprida pelo Espírito do Senhor, o Espírito Santo, habitando na alma confiante. Deus, portanto, diz: **E porei dentro de vós o meu espírito e farei que andeis nos meus estatutos** (27). Isso parece a mesma coisa que Joel havia visto (Jl 2.28-29), que se cumpriu no Pentecostes (At 2) e teve sua reverberação em dezenas de milhares de pessoas no moderno movimento de santidade, liderado por John Wesley, no século XVIII. Acerca do versículo 27, Adam Clarke diz: "Aqui está a salvação que é um direito de primogenitura de todo *crente em Cristo: a completa destruição de todo pecado na alma e a completa renovação do coração*; não há lugar para o *pecado do lado de dentro*, e para a *injustiça do lado de fora*".[18]

Em 36.25-38 observamos o "Pentecostes na Profecia de Ezequiel". **Então, espalharei água pura sobre vós, e ficareis purificados** (25). 1) **Um coração novo** (26). 2) **Um espírito novo** (26). 3) Isso será possível por causa da habitação dinâmica do Espírito Santo: **E porei dentro de vós o meu espírito** (27).

O restante deste capítulo (28-38) trata especialmente da forma como o povo de Deus, restaurado em seus corações, será abençoado abundantemente, mesmo que de forma temporária, na terra da promessa. Nos versículos 37-38, Deus promete o seguinte à terra de Israel escassamente habitada: **multiplicar-lhes-ei os homens, como a um rebanho**.

Mas a promessa não se refere apenas a números. Deus promete aumentá-los com homens **como o rebanho santificado**. A comparação é com o rebanho especial consagrado para Deus. Semelhança gera semelhança. Quando seu povo é consagrado — dedicado a um propósito santo — Deus promete que crescerão **como o rebanho de Jerusalém**.

d) *A restauração dos ossos secos* (37.1-14). Esses versículos são provavelmente os mais conhecidos de toda a profecia de Ezequiel, graças à interpretação espiritual viva e popular dos ossos secos.

Aqui nos regozijamos com o homem de Deus que tem uma outra visão. Dessa vez é a respeito de ossos **sequíssimos** (2). Ele os vê em um **vale** (1), mas essa visão tem colocado muitos cristãos no topo do monte, espiritualmente falando. Os ossos secos representam os israelitas espalhados. A expressão: **nós estamos cortados** (11) é dramaticamente traduzida da seguinte maneira: "estamos completamente arruinados" (Berkeley). A conexão dos nervos ou tendões, o aparecimento da **carne** (6) e a colocação do **espírito** (sopro) por Deus, é uma forma poética de dizer que os israelitas retornarão para a sua terra amada (12, 14).

A figura da abertura das **sepulturas** feita por Deus e da saída das pessoas dessas sepulturas (13) deve ser entendida de maneira simbólica. No entanto, o simbolismo provavelmente não teria sido usado se não tivesse havido, mesmo naquela época, algum tipo de fé na ressurreição do corpo; a convicção nessa ressurreição irrompe em completa glória no Novo Testamento (e.g., 1 Co 15).

Se aplicarmos o simbolismo dessa passagem de maneira espiritual, podemos encontrar uma mensagem evangelística com o seguinte título: "A Visão de Ezequiel no Vale". 1) O estado lastimável da pecaminosidade — os ossos secos dos que estão mortos em pecados e transgressões (1-2). 2) A ocasião da pregação: **Ossos secos, ouvi a palavra do Senhor** (4). 3) O poder de Deus em dar vida a ossos secos (5-14).

e) *A restauração da antiga unidade de Israel* (37.15-28). Ezequiel preferia apresentar um exemplo em lugar de uma definição. Esse profeta, sendo tanto um realizador quanto um pensador, pega dois pedaços de madeira e com eles apresenta uma lição ilustrada. Com isso ele capta a atenção das pessoas, e, quando o significado da verdade fica claro, ela fixada na memória. Ele escreveu **Por Judá** (16) em um dos pedaços do dinheiro, e **Por José**, no outro. Então, ele uniu os dois pedaços para que **se tornassem um só** pedaço (17), e relatou aos cativos desanimados que da mesma forma Deus uniria e restauraria o Reino do Sul de Judá e o Reino do Norte conhecido como **Israel**, **José** ou **Efraim**. Com a morte de Salomão em 931 a.C., o reino tinha sido dividido. Em 721 a.C., o Reino do Norte havia caído, e em 586 a.C., o Reino do Sul também foi desmantelado. Agora os dois reinos serão restaurados e unidos. Deus diz: **E deles farei uma nação** [...] **nos montes de Israel, e um rei será rei de todos eles** (22). Esse rei é **Davi** (24), e ele **será seu príncipe eternamente** (25). Essa é uma referência a Cristo, o Príncipe da linhagem de Davi que reinará eternamente sobre os corações redimidos dos homens.

f) *A restauração apesar dos poderes perversos* (38.1—39.29). Nesses dois capítulos, há uma profecia contra **Gogue, da terra de Magogue** (38.2). **Gogue** é o **príncipe e chefe** (38.2), ou rei, de **Magogue**, uma área bem ao norte, que incluía as áreas menores de **Meseque e de Tubal**. Gogue e seu bando, **no fim dos anos** (38.8), vão guerrear contra a terra restaurada de Israel e eles serão completamente derrotados. Os persas, etíopes e os de Pute (Líbia ou africanos do leste) se aliarão a Gogue (5). **Gomer** (38.6) refere-se aos "cimérios, que originalmente moravam ao norte do mar Negro" (Berkeley, nota de rodapé). **Sabá, e Dedã** (38.13) eram grandes centros de comércio na Arábia. **Gogue** parece simbolizar todos os poderes maus que serão enfileirados contra o povo de Deus no futuro. E, mesmo assim, **Magogue** também parece um país real ou um grupo de países; esse nome é incluído na lista das nações em Gênesis 10.2 e 1 Crônicas 1.5, junto com Meseque e Tubal.

Vários comentaristas bíblicos sugerem que Gogue representa os principais inimigos de Israel desses capítulos. Para outros, Alexandre,[19] o Grande — general macedônio que devastou a Palestina no final do quarto século a.C. — parece se encaixar na descrição dada aqui. Outros acreditam que Gogue é Antíoco Epifânio, rei da Síria, que maculou o culto de Israel no início do segundo século a.C. Semelhantemente, diversos estudiosos sugerem que Magogue representava vários países: Pérsia, Síria, Cítia, Rússia.

Após estudar esses capítulos cuidadosamente, com toda a ajuda das descobertas arqueológicas recentes, a identidade de Gogue e Magogue continua incerta. Alguns sugerem que mesmo para o próprio escritor inspirado a identidade desses nomes não estava inteiramente clara. Adam Clarke fala do "oceano de conjecturas" que os envolve, e diz: "Essa parece a profecia mais difícil do Antigo Testamento".[20]

Mas mesmo que Gogue seja um opositor futuro específico e Magogue seja um país específico ou uma coalizão de países, esse não é o aspecto principal aqui. O fato significativo é que Deus está do lado do seu povo e promete impedir as tentativas dos seus inimigos de feri-lo. Quem quer que seja Gogue, Deus protegerá seu povo e, conseqüentemente, seu próprio **santo nome** (39.7). Em 38.16, Deus declara: **quando eu me houver santificado em ti os seus olhos, ó Gogue**. Moffatt descreve esse significado de maneira gráfica: "Trarei você contra a minha terra, para que as nações conheçam quem eu sou, quando mostrar a elas a minha divindade temível ao tratar de você, ó Gogue".

Multidão de Gogue (39.11) é a tradução de Hamom-Gogue. Smith-Goodspeed esclarece 39.14 da seguinte maneira: "E separarão uma comissão de homens que passará pela terra, procurando aqueles que continuam sem ser desenterrados. [...] No final de sete meses eles deverão começar a busca".

João, autor de Apocalipse, deve ter aludido à profecia de Ezequiel acerca das forças inimigas quando se referiu a Gogue e Magogue (Ap 20.8). O apóstolo parece referir-se a Gogue como uma nação, em vez de um rei. Mas ele pode ter interpretado Gogue e Magogue de maneira simbólica — como representando as nações que Satanás vai enganar no final dos tempos e que vão então guerrear contra Deus e o povo de Deus (veja Ap 20.7-9).

B. Esperança: Temporal e Eterna, 40.1—48.35

Os capítulos 40—48 são cânticos elevados de esperança. Eles expressam esperança com a reconstrução do templo (40.1—42.20), a glória divina no templo (43.1-12), ordenanças do santuário restauradas (43.13—46.24), um ministério direcionado a outros (47.1-12) e uma herança para essa vida e a próxima (47.13—48.35).

1. Pano de Fundo da Esperança (40.1-4)

Essas profecias, tão repletas de esperança, ocorreram no **ano vigésimo quinto do nosso cativeiro** (1), ou 572 a.C. Elas vieram ao profeta **no décimo dia do mês, no princípio do ano**.[21] Essa última frase pode significar "no princípio do mês", de acordo com a Septuaginta.[22] Isso ocorreu **catorze anos depois que a cidade** de Jerusalém caiu.

As profecias surgiram das novas visões que Ezequiel teve. Em espírito ele foi levado **à terra de Israel [...] sobre um monte muito alto** (2),[23] e foi-lhe permitido ter uma visão daquilo que mesmo o povo menos privilegiado de Deus também verá mais cedo ou mais tarde. **Havia sobre ele um como edifício de cidade para a banda do sul** também é traduzido da seguinte maneira: "sobre o qual havia um edifício que tinha a aparência de uma cidade diante de mim" (Moffatt).

Um homem (3), i.e., um anjo, está perto dele, com **um cordel de linho** em sua mão (cf. Ap 21.15-27), que diz para ele olhar e ouvir e anunciar **à casa de Israel** (4) tudo o que vê.

2. Esperança com a Reconstrução do Templo (40.5—42.20)

Ezequiel viu uma **casa** (40.5), o templo, semelhante ao Templo de Salomão, que havia sido destruído. As diversas medidas desse Templo são dadas em côvados. O "côvado longo" — **um côvado e quatro dedos** (5) — que Ezequiel usou era de cerca de 53 centímetros. O guia angelical usou **um cordel de linho** (3), um tipo de uma fita usada para medidas longas; e **uma cana de medir** (cerca de três metros e vinte centímetros), usada para medidas curtas.

Um quadro mais claro de 41.6-7 e 42.5-6, aparece na Berkeley Version. O **lugar separado** (41.12-15; 42.1, 10, 13) era "o pátio" (RSV).

No entanto, nesses capítulos há aspectos muito mais importantes do que medidas. Um dos aspectos fundamentais é que na sua visão ele vê o templo restaurado. Aquele que tinha sido construído havia cerca de quatro séculos estava em ruínas. Israel continua precisando de um templo, e Deus deixa claro que eles voltarão a ter esse templo.

Com um lugar central para sacrifício e adoração, Israel voltará a se conscientizar de que há um só Deus. Com o sacrifício completo e cabal de Cristo distante ainda cerca de meio milênio, Israel necessitava dos ministérios temporários de sacrifícios repetidos de animais. Chegaria o tempo em que os homens adorariam o Pai em espírito (espiritualidade) e em verdade (vivendo pela fé) em qualquer lugar, no templo e fora dele (Jo 4.23-24). E visto que Tito destruiu o Templo em 70 d.C., mesmo os judeus deixaram de ter o seu Templo. Mas esse tempo ainda não havia chegado. Entrementes, um outro Templo será construído logo após o retorno de Israel para a Palestina. E um terceiro templo, chamado Templo de Herodes, será construído antes do período do início do Novo Testamento.

O templo que Ezequiel consegue ver durante a sua visão era um pouco diferente do Templo de Salomão, como pode ser visto por meio de uma comparação dos detalhes em Ezequiel com a descrição em 1 Reis 6—7. O templo que Ezequiel vê também era um tanto diferente dos dois templos que ainda haveriam de ser construídos. Por exemplo, o muro ao redor do **templo interior** é de **quinhentas canas** (42.15-19) em cada direção, cerca de 1.500 metros. Essas distâncias eram maiores do que as dimensões dos templos verdadeiros, tão grandes que não caberiam no monte Sião. Muito do que Ezequiel viu provavelmente se cumpriria literalmente, no entanto, uma parte deveria ser entendida simbolicamente. O templo de Ezequiel parece referir-se a um templo "não feito por mãos humanas, mas eterno nos céus". Isso corrobora a idéia de Deus prometer habitar **para sempre** (43.9) nesse templo.

3. *Esperança por intermédio da Glória Divina* (43.1-12)
A aparência da glória divina é um fenômeno impressionante no Antigo Testamento. Ela pode ser definida como a manifestação visível da santidade de Deus. O três vezes santo Senhor das hostes angelicais enche toda a terra com sua glória (Is 6.3). Às vezes, essa manifestação da sua santidade se revela por meio do seu poder manifestado na natureza e na história, como em Isaías 2.10. Em outros momentos, ela é quase uma aparência física da Presença Divina. Como tal, é percebida na visão profética em Ezequiel 1.26-28; 8.1-2; 9.1-3; 10.4 e 11.23; 44.4. Nessa ocasião, Ezequiel diz que a aparência era semelhante à **visão que eu tinha visto** (3) em duas ocasiões anteriores (8.1-2; 9. 1-3 e 1.26-27). A presença visível de Deus também era observada, de tempo em tempo, por pessoas que não eram profetas (e.g., Êx. 16.10; 24.16-18; 29.43; 40.34).

Em 43.1-12, essa glória de Deus, essa manifestação exterior da santidade de Deus, vem morar no templo visto por Ezequiel. Aqui essa glória pode ser "vista" (v. 2, NVI). O profeta vê que a glória **vinha do caminho do oriente**. Essa manifestação da presença de Deus **entrou no templo pelo caminho da porta** (4) "que dava para o lado leste" (NVI).

A glória de Deus, tão perceptível, não será misturada com nenhum tipo de profanação, porque a glória está intimamente ligada à santidade de Deus. Prostituição e idolatria são pecados morais. As **prostituições** (7) contaminariam o seu **nome santo**. O mesmo ocorreria com **os cadáveres dos seus reis, nos seus altos**. Essa expressão pode significar os ídolos dos reis, visto que os reis, pelo que se sabe, não eram sepultados dentro do Templo.[24]

Existe uma indiferença tão grande no que se refere a Deus como o Santo que a sua glória não se misturará com pessoas comuns em suas vidas comuns, mesmo separadas do seu pecado. Deus diz que Israel contaminou o santo nome dele ao construir casas próximas demais do Templo. A acusação é: **pondo o seu umbral ao pé do meu umbral e a sua ombreira junto à minha ombreira, e havendo uma parede entre mim e entre eles; e contaminaram o meu santo nome** (8). Isso se torna mais claro quando acrescentamos a palavra "apenas", de acordo com a NVI: "[há] apenas uma parede fazendo separação entre mim e eles". Mesmo na nossa dispensação, deveríamos manter uma verdadeira reverência para com Deus, que é elevado e santo; também não deveríamos secularizar ou profanar "lugares santos", usando-os para atividades seculares.

4. *Esperança por meio de Ordenanças Restauradas* (43.13—46.24)
Algumas coisas acerca do Templo visto por Ezequiel o tornam celestial, e.g., como foi mencionado anteriormente, o fato de que Deus habitará nele para sempre. Mas, a maior parte daquilo que ele viu seria cumprido nos dois templos terrenos construídos a seguir. Resumindo, ele vê uma restauração dos procedimentos do Templo conectada aos sacrifícios e uma divisão da terra.

a) *Requisitos dos sacerdotes* (43.13—44.31). Lemos nessa passagem instruções para a construção do altar com suas diversas medidas. Aqui também, o côvado longo é usado como padrão de medida (veja comentário em 40.5). A **listra de baixo** (43.14) é a borda inferior do altar, sobre a qual os sacerdotes caminhavam. **Quatro chifres** (43.15, 20) apontavam para cima dos quatro cantos do altar. Em conexão com as ofertas oferecidas no altar, os sacerdotes deveriam pôr **sal sobre eles** (43.24). "O sal significava guardar a aliança. 'Há sal entre nós', diz o árabe, depois de comer com outra pessoa" (Berkeley, nota de rodapé).

Os sacerdotes são **levitas, que são da semente de Zadoque** (43.19; cf. 44.15; também 1 Rs 1.7-8 em relação a Zadoque com 2 Sm 8.17; 15.24 ss). Os outros levitas **não se chegarão a mim, para me servirem no sacerdócio** (44.13). Em vez disso, eles serão serventes: **guardas da ordenança da casa, em todo o seu serviço** (44.14). Esse era o castigo pelas **suas abominações** (44.13). A escolha dos filhos de Zadoque era porque **guardaram a ordenança do** [...] **santuário, quando os filhos de Israel se extraviaram de mim** (44.15). Deus tem maneiras de lembrar a fidelidade!

Os sacerdotes deveriam vestir roupas **de linho** (44.17) e eram proibidos de usar lã durante as ministrações no **átrio interior**. Há aqui uma implicação de que eles não usavam as vestes sacerdotais o tempo todo. Lã causaria **suor** (44.18); também era um produto animal, e tocá-lo os tornaria impuros para os atos cerimoniais. Linho, como sabemos, é um produto vegetal.

Os sacerdotes apenas **tosquiarão a sua cabeça** (44.20) — isto é, não a **raparão**; eles apenas manterão o cabelo aparado. Eles podiam beber vinho moderadamente, mas não quando estivessem ministrando (44.21). Somente os nazireus faziam o voto de total abstinência.

Os sacerdotes se casavam, dentro de Israel, é claro, com uma virgem ou a **viúva** de um **sacerdote** (44.22). Profetas e sacerdotes casavam, como ocorria com os apóstolos nos tempos do Novo Testamento. O celibato do sacerdócio não tem sua origem na tradição hebraica ou cristã, mas foi influenciado pelo pensamento grego, que dizia que a natureza em geral e o corpo humano em particular eram considerados maus.

Os sacerdotes não deveriam comer **nenhuma coisa que tenha morrido** (44.31), visto que o sangue não teria escoado de maneira apropriada. A proibição de comer sangue se estende aos tempos do Novo Testamento (At 15.28-29).

b) *Repartição da terra* (45.1-7). Nessa passagem, temos uma farta simbologia que rompe fronteiras históricas e lógicas e fala em termos celestiais. Na restauração, a terra deverá ser repartida ao **santuário**, aos **sacerdotes**, ao **príncipe** (rei) e à própria cidade. A **terra** deve ser repartida **por sortes** (1); a ordem das divisões mostra que **sorte** aqui não tem a idéia de acaso. Mas essa divisão da terra não foi usada em nenhum tempo antes de Ezequiel, nem depois dele. Como muitas das visões que o profeta observa, isso tem um cumprimento espiritual no reino eterno de Deus.

Podemos aprender diversas lições dessa passagem. Uma delas é que, da forma como a parte de terra para o **santuário** de Deus (2) vem em primeiro lugar nessa repartição, assim a parte de Deus sempre vem em primeiro lugar na questão de posses. E isso não é apenas uma obrigação. O que nós separamos para Deus é uma **oferta** (1, 6-7).

Uma outra lição é que os santuários de Deus são santos. Devemos dar a eles respeito e reverência, diferente de locais humanos comuns. Deveria haver uma área ao redor do templo, **um arrabalde** (45.2; terreno aberto), onde nem os sacerdotes poderiam construir suas casas. Essa área deveria ter **cinqüenta côvados** ou cerca de 25 metros de largura.

Outro aspecto é que, da forma como Deus cuidava dos **sacerdotes** naqueles dias ao separar uma terra para eles (45.4), assim ele proverá pelos seus ministros em nossos dias. A última parte do versículo 5 é obscura e tem sido traduzida da seguinte forma: "essa será a propriedade deles para ali viverem" (NVI).

c) *Imparcialidade e medidas coerentes* (45.8-12). Uma outra lição é que Deus cuida dos pobres, que são tantos nesse mundo (em todas as épocas). Deus diz: **os meus príncipes nunca mais oprimirão o meu povo** (8; cf. 34.1-31). Deus não estava dormindo quando Hitler e seus soldados escreveram uma página negra na história da humanidade. Ele não está sonolento nos dias de hoje enquanto o seu povo é escarnecido na China e em tantos outros países. Deus nunca está contente quando os príncipes das nações oprimem algum povo. Ele tem uma maneira de cuidar dos seus — se não nesta vida, então na próxima — e em sujeitar os líderes mundiais à sua vontade final.

O interesse de Deus pelos pobres é mostrado mais adiante quando Ele diz aos príncipes: **afastai a violência e a assolação** ("opressão", NVI), **e praticai juízo e justiça, e tirai as vossas imposições do meu povo, diz o Senhor Jeová. Balanças justas** [...] **tereis** (9-10). Os pobres não são mencionados diretamente, mas é bem provável que aqui o Senhor os tivesse em mente. Em seguida, são mencionadas diversas medidas, sendo que os equivalentes modernos de algumas são desconhecidos para nós.[25]

d) *Uma ordem para adorar* (45.13—46.24). Essa seção trata da ordem do sacrifício e adoração a ser restaurada no templo e na comunidade ideal. Não haverá separação entre religião e estado. O príncipe recebe terra e oferece **holocaustos** [...] **e as ofertas de manjares, e** [...] **fará a expiação pelo pecado** [...] da **casa de Israel** (45.17; veja também 46.1-12). A separação da igreja e estado na tradição americana não significa que o estado como tal deva estar separado da religião. Nós fazemos menção de Deus em nossa moeda e na saudação à nossa bandeira; templos religiosos são favorecidos por estarem isentos de impostos; também cedemos capelães às forças armadas. Mas a nação não tem nenhuma religião oficial. A liberdade de religião é a garantia do Artigo Um da constituição americana.

Provisões regulares eram estabelecidas para a purificação ritual do **santuário** (18). Isso deveria ser feito duas vezes ao ano, no início do **primeiro** (18) e do **sétimo mês** (25), correspondendo aproximadamente ao início do mês de abril até o primeiro dia de outubro do nosso ano. Tanto no Antigo como no Novo Testamento, o **sangue** (19) era o agente purificador.

A porta do átrio interior, que olha para o oriente (46.1), deveria estar **fechada durante os seis dias**, mas aberta **no dia de sábado** e **no dia da lua nova**; i.e., no primeiro dia de cada mês. Tanto o **príncipe** (2) quanto o **povo** (3) deveriam fazer parte da adoração (2-8). Havia uma precaução interessante no sentido de que aqueles que entravam por uma **porta** saíssem por outra (9). Porventura, isso não sugere que a adoração é uma atividade transformadora de vida? Não deveríamos sair como entramos, mas com o coração animado e confiante. Ofertas e sacrifícios eram uma parte integrante da adoração (10-15).

Deveria haver um cuidado especial em preservar a propriedade do **príncipe** (16-18), provavelmente para salvaguardar as terras do regente bem como para prevenir que ele tomasse as propriedades do povo. Ezequiel vê os locais estabelecidos para a preparação dos sacrifícios (19-24).

5. *Esperança por meio de Águas Vivas* (47.1-12)

A repartição da terra que começou a ser descrita em 45.1-8 continua em 47.13—48.35. Mas aqui encontramos um interlúdio poético acerca de **águas** refrescantes para as nações. Elas vinham **de debaixo do umbral da casa** (Templo), **para o oriente** (1); essa água da redenção vinha de baixo, **da banda do sul do altar**. Em sua visão, Ezequiel foi levado para observar a corrente de água fluindo através do Templo. Visto que a água estava fluindo do lado sul, o profeta foi levado para fora **pelo caminho da porta do norte** [...] **até a porta exterior** (2), e então para o leste, seguindo a correnteza das águas.

O rio se torna cada vez mais largo, mas sem que afluentes despejassem suas águas nesse rio — algo evidentemente milagroso e simbólico. O guia angelical faz o profeta testar a profundidade do rio num intervalo de mil côvados (cerca de quinhentos metros) à medida que o rio deixa o Templo e vai em direção ao topo do monte Sião. Na primeira vez, as águas batiam nos **tornozelos** (3), depois **davam pelos joelhos** (4), em seguida na altura dos **lombos**; e, finalmente, **as águas eram profundas, águas que se deviam passar a nado, ribeiro pelo qual não se podia passar** (5). A visão nos faz lembrar da redenção. Havia **uma grande abundância de árvores** [...] **de uma e de outra banda** (7), sugerindo a árvore da vida descrita no jardim de Adão; e **toda criatura vivente que vier por onde quer que entrarem esses dois ribeiros viverá** (9).

A **região oriental** e a **campina** (8) referem-se ao vale profundo do Jordão, especialmente a área entre o mar da Galiléia e o mar Morto. As **águas** do **mar** referem-se às águas salgadas do mar Morto. **En-Gedi** e **En-Eglaim** (10) referem-se a pontos de pescaria nas margens ao norte e noroeste do mar Morto (Berkeley, nota de rodapé). O **mar Grande** seria o Mediterrâneo. O versículo 11 é traduzido da seguinte forma: "Mas os charcos e os pântanos não ficarão saneados; serão deixados para o sal" (NVI).

Outros profetas também viram rios simbólicos. Joel havia dito: "todos os rios de Judá estarão cheios de águas; e sairá uma fonte da Casa do Senhor e regará o vale de Sitim" (Jl 3.18). Não muito tempo depois da época do ministério de Ezequiel, Zacarias, o profeta da paz que sonhava durante os dias da reconstrução do Templo, diz: "Naquele dia, também acontecerá que correrão de Jerusalém águas vivas, metade delas para o mar oriental, e metade delas até ao mar ocidental" (Zc 14.8). Bem depois, o João do Apocalipse, evidentemente se referindo ao rio de Ezequiel, vê o "rio puro da água da vida" (Ap 22.1). Sem dúvida, o que Ezequiel vê, e o que outros profetas viram, é o reinado crescente de Deus nos corações dos homens, a crescente redenção que flui de Cristo e refresca todos os que são atingidos por ela.

Os profetas nem sempre compreendiam o significado pleno das coisas que viam. Mas da nossa vantajosa posição podemos ver que muitos deles estavam se referindo a Cristo. Em Atos lemos: "A este dão testemunho todos os profetas, de que todos os que nele crêem receberão o perdão dos pecados pelo seu nome" (At 10.43). Ele era "a Luz de tudo que viam".[26] Kirkpatrick diz: "A função da profecia era preparar o povo para a sua chegada. A função da profecia era testemunhar a respeito dele".[27] Acerca desse assunto Andrew Blackwood diz: "Os profetas alcançaram o ponto mais elevado quando apontaram os olhos cansados dos homens para o Redentor".[28] E acrescenta: "O grande motivo para estudarmos os profetas é que eles prepararam o caminho para a vinda de Cristo".[29] Acerca dos profetas de Deus até mesmo o liberal A. C. Knudson diz: "Esses homens não eram meramente pregadores de arrependimento. Eles eram arautos da vinda do reino de Deus".[30] A maioria dos judeus deixou de reconhecer o Messias quando Ele veio, mas no seu Talmude consta: "Todos os profetas profetizaram acerca dos dias do Messias".[31]

Esse sonho nunca morre. Ele nem ao menos desvanece. Malaquias, o último profeta do Antigo Testamento, o Sócrates hebraico, que fazia perguntas e as respondia em seguida, está tão certo quanto todos os outros de que "o sol da justiça se levantará trazendo cura em suas asas" (Ml 4.2, NVI). Ele é "o Desejado de todas as nações" em Ageu 2.7; "luz para alumiar as nações", e certamente a "glória de [todo] Israel" (Lc 2.32). Esse era basicamente o motivo do fogo ardente nos ossos dos profetas (Jr 20.9). Esse era o aspecto mais importante do precioso legado que eles deixaram. Cristo sabia que Ezequiel e todos os outros haviam falado a respeito dele, porque "começando por Moisés e por todos os profetas, explicava-lhes o que dele se achava em todas as Escrituras" (Lc 24.27).

"O Rio da Redenção de Deus" é o assunto de 47.1-12. Esse rio simbólico é semelhante a outros rios de redenção nas Escrituras (Jl 2.18; Zc 14.18; Ap 22.1). 1) Esse rio flui do Templo — e hoje da Igreja (1, 2). 2) Ele continua aumentando (3-5), incluindo sempre mais pessoas à medida que as gerações passam. 3) Ele é plenamente refrescante, incluindo **toda criatura vivente que** entrar nesses **dois ribeiros**; há também subprodutos: **toda sorte de árvore** de uma banda e de outra dará fruto e haverá **muitíssimo peixe** (9-12).

6. *Lições Oriundas de Situações Temporais* (47.13—48.35)

Ezequiel era realmente um homem de muitas visões (1.1-28; 3.1-3; 8.1; 11.25; 12.27; 37.1-14; 40.1-4; 47.1-12). E uma visão podia lhe ocorrer quase em qualquer tempo. A visão acerca do crescente ribeiro da redenção parece tê-lo apanhado no meio do seu esboço prosaico da divisão da terra no tempo da restauração. Essa visão nos leva a uma das passagens mais sublimes do Antigo Testamento. Após a descrição dessa visão, no entanto, ele desce do ápice do êxtase e volta a se ocupar com o mesmo assunto costumeiro.

Talvez quiséssemos que ele fosse "removido" enquanto estava no monte Evereste da glória. Mas a vida não é composta apenas de visões. E como muitas vezes a vida não é "removida" quando uma pessoa está no ápice de uma experiência com Deus, assim Ezequiel desce do monte e retorna para a vida corriqueira e conclui o que havia começado anteriormente. O sentido desse texto final é bastante evidente, não requerendo explicações exegéticas detalhadas para torná-lo mais claro.

Na Babilônia, Ezequiel visualizou a restauração na terra de Israel e aqui apresenta um possível reassentamento das doze tribos. Em 47.13 ele diz: **José terá duas partes**. Isso se refere às duas tribos, ou seja, os dois filhos de José, Efraim e Manassés. Nos versículos 14-20, Ezequiel descreve detalhadamente as fronteiras gerais da Terra Prometida. A fronteira ao norte ficava próxima de **Damasco** (17). No lado leste, a fronteira desce até **Gileade** ao longo do rio **Jordão** e do lado leste do mar Morto (18). A fronteira ao sul se voltava para o oeste passando por **Cades** (19) e dali para o **mar**

Grande (mar Mediterrâneo). A costa mediterrânea era a fronteira ocidental. Ezequiel viu que as bênçãos materiais de Deus não estavam limitadas a Israel, e que esse povo não deveria ser egoísta — aos **estrangeiros que peregrinam no meio de vós** [...] **dareis a sua herança** (22-23).

Em 48.1-7 e nos versículos 23-27, lemos acerca da divisão tribal. A listagem vai do norte para o sul. Uma comparação dessa divisão com a que predominava nos tempos dos juízes mostra um paralelismo geral. Ezequiel vê **Dã** na banda do norte e **Issacar, Zebulom** e **Gade** na banda do sul.

Os versículos 8-22 expandem a descrição de Ezequiel em 45.1-8 acerca das áreas a serem repartidas para o Templo, os sacerdotes, os levitas e o rei.

Nos versículos 30-35, Ezequiel teve uma visão da Cidade Santa que é um vislumbre da visão que João teve da cidade "quadrangular" (Ap 21.9-16), com três portas em cada um dos quatro lados.

Alguns significados não podem passar despercebidos nesses versículos finais. Um aspecto importante é que mesmo que Deus demore em cumprir as suas promessas, elas se cumprirão no tempo dele se os homens submeterem os seus caminhos à vontade dele. Além do mais, essas promessas serão cumpridas de tal maneira que ninguém será negligenciado; o interesse de Deus pelo estrangeiro e pelas tribos individuais confirma isso.

Outra lição importante a ser aprendida é que embora Deus seja um Deus de redenção no sentido eterno, Ele também é um Deus que se importa com as questões temporais. A fé judaico-cristã não é uma fé que nega o mundo, que olha para as necessidades comuns dos homens e as considera sem importância. A religião bíblica é realista. Ela afirma que a pessoa que se volta para Deus neste mundo e o serve com fidelidade é aquela que viverá com o Criador na eternidade.

Notas

INTRODUÇÃO

[1] O nome desse rei aparece freqüentemente no livro de Ezequiel. Os babilônios pronunciavam seu nome com um *r*, Nabucodorozor; por esta razão, vários comentários mais recentes usam o *r*. Ele pode ser encontrado nas duas formas no texto hebraico de Ezequiel, mas, certamente, o rei da Babilônia é mais amplamente conhecido como Nabucodonosor.

[2] R. B. Y. Scott, do Seminário Princeton, certamente teria incluído Ezequiel quando disse: "Os profetas eram impelidos por uma determinação irresistível de dizer aquilo que eles talvez não gostariam de dizer" (Discurso do reitor à Society of Biblical Literature and Exegesis no Union Seminary na cidade de Nova York, 1960).

[3] Carl Gordon Howie, *The Date and Composition of Ezequiel* (Filadélfia: Society of Bib. Lit., 1950), p. 1.

SEÇÃO I

[1] A palavra *profeta* significa "alguém que fala por outro". Cf. Êxodo 7.1: "Arão, teu irmão, será o teu profeta". Arão era o porta-voz de Moisés. Também lemos: "Ele [Arão] te [Moisés] será por boca" (Êx 4.16). O prefixo *pro* na palavra *profeta* não significa "de antemão" ou "antecipadamente", como em "prólogo", mas "em vez de", como em "pronome". O profeta é o porta-voz de Deus que fala aos homens em lugar de Deus. Veja A. C. Knudson, *The Beacon Lights of Prophecy* (Nova York: Eaton and Mains, 1914), p. 30.

[2] O **cativeiro do rei Joaquim** foi, na verdade, uma detenção, e não houve um relaxamento dessa prisão até 561 a.C.

[3] O **Quebar** pode ter sido um canal, e os cativos tiveram a tarefa de cavá-lo.

[4] O leão era o emblema nacional da Babilônia. No Museu do Louvre em Paris, podemos ver leões de argila da Babilônia antiga, em vários graus de ferocidade.

[5] Veja uma discussão completa da expressão "Filho do homem" em HDB. Nesse artigo lemos: "Ezequiel tem uma profunda percepção da majestade de Javé; e a expressão tem, sem dúvida, a intenção de demarcar a distância que separava o profeta, como um ser humano, dEle" (James Hastings, ed., *Dictionary of the Bible* [N.Y.: Schribner's Sons, 1923]), vol. IV, p. 579.

[6] Deveria ser lembrado que depois que Israel, as dez tribos do Norte, caíram diante da Assíria em 721 a.C., Judá, freqüentemente, foi chamada de Israel, como nesse caso.

[7] Esse livro foi feito de peles de animais costuradas em longas tiras de papiro, em forma de rolo. O fato de o papiro ser usado com freqüência é um dos motivos de tão poucos manuscritos antigos terem sobrevivido. Quando o papiro não podia ser obtido, era usada a pele. O que era difícil para os homens nos tempos antigos tornou-se uma bênção para nós pela melhor sobrevivência das peles usadas.

SEÇÃO II

[1] Pelo que tudo indica o cerco durou desde 15 de janeiro de 588 até 19 de julho de 586 a.C.

[2] Houve dois reis com o mesmo nome. Esse foi o primeiro Jeroboão que reinou no Reino do Norte de Israel.

[3] Veja F. Gardiner, "Ezequiel", *An Old Testament Commentary*, ed. Chas. Ellicott (N.Y.: Cassell & Co., 1844), V, 220

⁴ W. J. Shroder, "Ezekiel", *A Commentary on the Holy Scriptures*, ed. John P. Lange (Edimburgo: T. & T. Clark, 1876), *loc. cit.*

⁵ Ninguém sabe se os hebreus nessa época estavam iniciando o ano na primavera ou no outono. Datas são estipuladas de acordo com a teoria de que estavam usando o calendário mais antigo, em que o ano iniciava no fim de março ou início de abril. Isso parece se confirmar em 45.21, que coloca a Páscoa no "primeiro mês".

⁶ Veja W. L. Wardle, "Ezequiel", *The Abingdon Bible Commentary*, eds. F. C. Eiselen, Edwin Lewis e D. G. Downey (N.Y.: Abingdon, 1929), p. 719.

⁷ Esse é provavelmente o Daniel que, como Ezequiel, estava cativo na Babilônia. Contra esse ponto de vista, veja G. R. Beasley-Murray, "Ezekiel", *The New Bible Commentary*, ed. F. Davidson (Grand Rapids: Wm. B. Eerdmans Publishing Co., 1953), p. 653.

⁸ **Oolá** significa "sua tenda"; **Oolibá**, "minha tenda está nela". "Os árabes freqüentemente davam nomes com sons parecidos aos seus filhos" (Berk., nota de rodapé).

SEÇÃO III

¹ Essa divergência com o texto hebraico, além de muitas outras, pode ser verificada pelo estudante da Bíblia que não conhece a língua grega, em uma tradução inglesa da Septuaginta feita por Charles Thompson e editada por C. A. Muses (*The Septuagint Bible*, Indian Hills, Colorado: The Falcon's Wing Press, 1960).

² John Paterson, *The Goodly Fellowship of the Prophets* (Nova York: Charles Schribner's Sons, 1948), p. 178.

³ *Against Apion*, I, p. 21.

⁴ Para uma leitura mais abrangente acerca de Tiro e outros lugares bíblicos, veja a *International Standard Bible Encyclopedia*, editada por James Orr.

⁵ Veja a forma poética em uma versão moderna.

⁶ Acerca desse contraste veja Adam Clarke, *A Commentary and Critical Notes* (Nova York: Abingdon, sem data), *loc. cit.*

⁷ Veja comentários em 31.18.

⁸ No NT *hades*, o submundo, tem o mesmo significado (Lc 10.15; At 2.27).

SEÇÃO IV

¹ Uma declaração muito profunda é feita em relação a esse assunto por Walter Roeher: "...não há seguro contra o julgamento de Deus" ("Ezekiel", *The Biblical Expositor* [Filadélfia: Holman Co., 1960], vol. II, p. 251).

² Veja Herbert G. May, *op. cit.*, vol. VI, pp. 247-248.

³ *Op. cit.*, vol. IV, p. 512.

⁴ Veja Alfred Rahlfs, ed., *Septuaginta* (Nova York: Societate Biblica Americana, 1949), vol. II, p. 831.

⁵ *Op. cit.*, vol. IV, p. 513.

⁶ Veja discussão em F. Gardiner, *op. cit.*, p. 301.

⁷ É o Deus vivo, em vez dos ídolos sem vida, feitos pelo homem, que está por trás de todas essas promessas de restauração — e que, portanto, é capaz de cumprir as promessas. É por isso que a expressão **vivo eu** aparece diversas vezes nessa seção (33.11, 27; 34.8; 35.6). Veja uma

discussão primorosa de Deus como o Deus vivo em Otto Baab, *The Theology of the Old Testament* (Nova York: Abingdon, 1949), pp. 24-28. Baab diz: "Talvez a palavra mais comum para identificar o Deus do Antigo Testamento é a palavra 'vivo' (p. 24)". Veja Js 3.10; Sl 42.4; 84.1-2. Acerca do juramento "vive o Senhor", veja Jz 8.19; Rt 3.13; 1 Sl 19.6; 20.21.

[8] É por isso que Judá (Israel) é chamado de "irmão" de Edom (Ob 10, 12).

[9] Veja uma descrição gráfica dessa e de outras frases nessa passagem em "Obadiah", *Biblical Commentary on the Old Testament*, por C. F. Keil e D. Delitzsch, *Minor Prophets*, vol. II, p. 364.

[10] *Op. cit.* p. 178.

[11] Veja uma discussão mais completa desse assunto em A. C. Knudson, *The Religious Teachings of the Old Testament* (Nova York: Abingdon, 1918), pp. 137-153.

[12] As Escrituras, é claro, conectam a santidade de Deus à sua natureza moral (e.g., no texto que está sendo tratado e muito explicitamente em Ez 43.7). Mas a Bíblia também liga sua santidade aos seus atributos metafísicos. Ela é conectada com seu poder e majestade, e.g., em muitos lugares. Em Isaías 6.3 lemos: "Santo, Santo, Santo é o Senhor dos Exércitos" — os exércitos angelicais aqui. Isso também é mostrado em Salmos 47.8: "Deus reina sobre as nações; Deus se assenta sobre o trono da sua santidade". Deus é "Alto e Sublime, que habita na eternidade e cujo nome é Santo" (Is 57.15).

[13] Embora haja muita santidade cerimonial nesses capítulos, as chamadas questões cerimoniais muitas vezes têm conotações morais — e.g. as proibições contra relações impróprias com vários parentes (Lv 18.6-24).

[14] Jeremias 31.31-34 é uma passagem similar. Essa passagem em Jeremias é citada em Hebreus 8 e 10. Veja comentários em H. Orton Wiley, *The Epistle to the Hebrews* (Kansas City, Mo.: Beacon Hill Press, 1965), pp. 382ss.

[15] Acerca de um dos estudos bíblicos e históricos mais completos da doutrina e experiência da santidade, de acordo com John Wesley, veja George Allen Turner, *The Vision Which Transforms* (Kansas City, Mo.: Beacon Hill Press, 1965), pp. 352ss.

[16] *Op. cit.*, vol. IV, p. 521.

[17] Essa profecia é uma fonte peculiarmente fértil do que hoje é conhecido como arminianismo. Acerca de um resumo dessa posição teológica, veja Gerald O. McCulloh, *Man's Faith and Freedom* (Nova York: Abingdon, 1962), pp. 128ss. Romanos 8.4 é uma clara passagem de "justiça comunicada". Os calvinistas, muitas vezes, têm ensinado que as exigências de Deus são cumpridas somente em Cristo, e não no cristão como indivíduo. Mas Paulo diz nesse texto: "a fim de que o preceito da lei se cumprisse em nós, que não andamos segundo a carne, mas segundo o Espírito" (Rm 8.4, ARA). Veja o comentário de Daniel Steele acerca desse texto em seu livro *Half Hours with St. Paul* (Chicago: The Christian Witness Co., 1909), p. 71.

[18] *Op. cit.*, vol. IV, p. 521. Também é importante notar que esse é o único texto no Antigo Testamento incluído nos famosos "Trinta Textos" que ele usou para ensinar a perfeição cristã.

[19] *Op. cit.*, IV, p. 526.

[20] *Ibid.*

[21] Isso pode significar o Dia do Ano Novo. De acordo com Levítico 25.9, o décimo dia do sétimo mês era o Dia do Ano Novo, embora essa ocasião especial fosse deslocada para o primeiro dia do sétimo mês (Lv 23.24; Nm 29.1). Cf. G. A. Cooke, "The Book of Ezekiel", *The International Critical Commentary* (Nova York: Charles Schribner's Sons, 1937), vol. II, p. 429.

[22] Veja Alfred Rahlfs, ed., *op. cit.*, p. 843.

²³ Esse provavelmente era o monte Sião (veja Sl 48.1; Is 2.2).

²⁴ Keil conclui: "Os cadáveres dos reis, são, portanto, os ídolos mortos, para os quais os reis (por exemplo, Manassés) tinham erguido altares ou lugares altos no santuário, i.e., nos átrios do Templo (2 Rs 21.4, 5-7)" (*Prophecies of Ezekiel*, vol. II, p. 281).

²⁵ Veja em Herbert G. May, *op. cit.*, p. 317, um estudo das medidas. As aproximações em algumas versões bíblicas mais recentes (como a Versão Berkeley) ajudam: **efa** equivale a uma arroba (as estimativas variam entre 20 e 40 litros, NVI); **bato**, equivalia a cerca de dez galões; o **ômer** era um pouco mais da metade de uma onça (as estimativas variam entre 200 e 400 litros, NVI) e a gera (v. 12; "mina", NVI) equivalia à vigésima parte de um siclo (um siclo correspondia a cerca de 6 gramas). O **arrátel** ("mina") seria o equivalente a uma libra e meia (em torno de um quilo e meio).

²⁶ Citado sem referência por Edwin Lewis, *The Drew Gateway* (Madison, Nova York: University), edição da primavera, 1958.

²⁷ *The Doctrine of the Prophets* (Nova York: Macmillan, 1907), p. 521.

²⁸ *The Prophets: Elijah to Christ* (Chicago: Fleming H. Revell, 1917), p. 35.

²⁹ *Ibid.*, p. 46.

³⁰ *The Beacon Lights of Prophecy*, p. vii.

31 Sanhedrin XXXIV, coluna 2.

Bibliografia

I. COMENTÁRIOS

BEASLEY-MURRAY, G. R. "Ezekiel". *The New Bible Commentary*. Ed. Francis Davidson, *et al*. Grand Rapids: Wm. B. Eerdmans Publishing Co., 1956.

CALVIN, John. "Ezekiel", *Calvin's Commentary*. Edinburgo: T. Constable, 1846.

CLARKE, Adam. *A Commentary and Critical Notes*. Nova York: Abingdon Press, sem data.

COOKE, G. A. "A Critical and Exegetical Commentary on the Book of Ezekiel", *The International Critical Commentary*. Nova York: Charles Schribner's Sons, 1937.

GARDINER, F. "Ezekiel", *Commentary on the Whole Bible*. Ed. J. Ellicott, vol. V. Nova York: Cassell and Co., s.d.

HARTFORD, John B. *Studies in the Book of Ezekiel*. Cambridge: University Press, 1935.

KEIL, Carl Friedrich. "Biblical Commentary on the Prophecies of Ezekiel", *Biblical Commentary on the Old Testament*. Ed. C. F. Keil e F. Delitzsch. Grand Rapids: Wm. B. Eerdmans Publishing Co., 1950.

MAY, Herbert G. "The Book of Ezekiel" (Exegesis). *The Interpreter's Bible*. Ed. George A. Buttrick, *et al*., vol. VI. Nova York: Abingdon Press, 1951.

REDPATH, Henry A. "The Book of the Prophet Ezekiel", *Westminster Commentaries*. Ed. Walter Lock. Londres: Methuen and Co., 1907.

ROEHRS, Walter R. "Ezekiel", *The Biblical Expositor*, vol. II. Ed. Carl F. H. Henry. Filadélfia: Holman Co., 1960.

SHRODER, W. J. "Ezekiel", *Commentary on the Holy Scriptures*. Ed. John Peter Lange. Grand Rapids: Zondervan Publishing House, s.d.

SMITH, James. *The Book of Ezekiel: A New Interpretation*. Nova York: Macmillan Co., 1931.

WARDLE, W. L. "Ezekiel", *The Abingdon Bible Commentary*. Ed. F. C. Eiselein, *et al*. Nova York: Abingdon-Cokesbury, 1929.

II. OUTROS

AALDERS, Jan Gerrit. *Gog and Magog in Ezekiel*. Amsterdã: J. H. Kok, N. V. Kampen, 1951.

BAAB, Otto J. *The Theology of the Old Testament*. Nova York: Abingdon Press, 1949.

BLACKWOOD, Andrew. *The Prophets: Elijah to Christ*. Chicago: Fleming H. Revell, 1917.

BROWNE, Lawrence E. *Ezekiel and Alexander*. Londres: S.P.C.K., 1952.

BURROWS, Millar. *The Literary Relations of Ezekiel*. Filadélfia: Jewish Publication Society Press, 1925.

CARNELL, E. J. *Christian Commitment*. Nova York: The Macmillan Company, 1957.

_____. *The Kingdom of Love and the Pride of Life*. Grand Rapids: Wm. B. Eerdmans Publishing Co., 1960.

HOWIE, Carl Gordon. *The Date and Composition of Ezekiel*. Filadélfia: Society of Biblical Literature, Monograph Series, vol. VI, 1950.

KIRKPATRICK, A. F. *The Doctrine of the Prophets*. Nova York: The Macmillan Co., 1907.

KNUDSON, A. C. *The Beacon Lights of Prophecy*. Nova York: Eaton and Mains, 1914.

_____. *The Religious Teaching of the Old Testament*. Nova York: Abingdon Press, 1918.

PATERSON, John. *The Goodly Fellowship of the Prophets*. Nova York: Charles Scribner's Sons, 1948.

RAHLFS, Alfred (Editor). *Septuaginta*, 2 vols. Nova York: Societate Biblica Americana, 1949.

ROBINSON, H. Wheeler. *The Hebrew Prophets*. Lutterworth Press, 1948.

THOMSON, Charles (trad.). *The Septuagint Bible*. Ed. C. A. Muses. Indian Hills, Colorado: The Falcon's Wing Press, 1960.

III. ARTIGOS

DRIVER, S. R. "The Son of Man", *Hastings Dictionary of the Bible*. Ed. James Hastings. Nova York: Charles Scribner's Sons, 1923.

LAURIN, Robert, B. "Sheol", *Baker's Dictionary of Theology*. Ed. E. F. Harrison. Grand Rapids: Baker Book House, 1960.

O Livro de
DANIEL

Roy E. Swim

Introdução

O livro de Daniel é conhecido como "O Apocalipse do Antigo Testamento". A palavra *apocalipse* significa um desvendamento, uma manifestação de coisas ocultas, uma revelação de mistérios divinos.[1]

O livro de Daniel e o livro de Apocalipse têm muito em comum, embora em certos aspectos importantes eles sejam diferentes. As crises dramáticas, o choque de forças em uma escala cósmica e a ênfase acerca do fim dos tempos aparecem nos dois livros. Muitas das imagens simbólicas de Daniel estão refletidas no livro de Apocalipse. Os animais com chifres em Daniel, representando poderes terrenos, encontram seu correlativo nos animais do Apocalipse. Nos dois livros encontramos uma visão do Glorioso cuja presença impressiona o espectador. Em ambos os livros lemos a respeito de tronos e do trono em que está assentado o ancião de dias. Ambos retratam o clímax da história, quando os reinos dos homens se submetem ao reino triunfante e eterno de Deus.

Daniel e Apocalipse não são os únicos a tratar de aspectos apocalípticos. Uma série de outros livros, tanto no Antigo quanto no Novo Testamento, contém seções conhecidas como apocalípticas. Isaías 24—27 tem sido chamado de "Apocalipse de Isaías". Zacarias contém elementos apocalípticos distintos, como as visões dos símbolos místicos de cavalos e carruagens, de castiçais e de pergaminhos que voam. A prefiguração do Messias, como Sacerdote e Rei, é deduzida dos dois "ungidos", Josué e Zorobabel. E o julgamento final das nações descrito em Zacarias 14 é mais claramente apocalíptico.

No Novo Testamento, cada um dos três Evangelhos Sinóticos contém seções apocalípticas. Essas são encontradas em Mateus 24.1—25.46, Marcos 13.1-37 e Lucas 21.5-36. A seção em Marcos tem sido chamada "O Pequeno Apocalipse". Um apocalipse paulino é encontrado em 2 Tessalonicenses 1.7—2.12. Cada uma dessas seções claramente reflete elementos encontrados no livro de Daniel.

A literatura apocalíptica tem uma série de características distintas, ilustradas no livro de Daniel. Em primeiro lugar, existe o elemento de mistério manifestado por meio de visões e símbolos singulares. Também há o elemento da revelação. O aspecto apocalíptico está relacionado primariamente com o futuro e com a consumação do plano de Deus. Diferentemente da função da profecia, que proclama a palavra de Deus mais imediata dentro do contexto histórico, o apocalipse ultrapassa a história. Ele descreve acontecimentos do fim dos tempos por meio de cataclismos e julgamentos. O apocalipse revela o propósito final de Deus que se cumpre por meio de uma manifestação divina que rompe a ordem histórica. Mais importante de tudo, o elemento messiânico aparece claramente no apocalipse.

O livro de Daniel tornou-se durante o período intertestamentário, e por mais de um século na era cristã, um modelo e estímulo para um impressionante número de escritos apocalípticos. Nenhum desses escritos foi aceito no cânon das Escrituras, porque deixam de apresentar as marcas essenciais de inspiração que Daniel possui. Mas esses escritos revelam o anelo e a esperança do povo de Deus em tempos de intensa provação.[2]

A. Lugar no Cânon

O lugar de Daniel nas Escrituras do Antigo Testamento nunca foi seriamente contestado. Entre os judeus, bem como entre os cristãos ao longo dos séculos, esse livro tem sido altamente estimado. Ele contém as marcas da inspiração divina e as qualidades superiores requeridas dos escritos reconhecidos como Escrituras. Esse livro traz a mensagem de Deus e claramente apresenta a revelação de Deus sobre a vida e a história. Ele traz inculcada a qualidade do eterno e do imutável.

Na Bíblia Hebraica, Daniel não aparece entre os Profetas (*Nebhiim*), mas entre os Escritos (*Kethubhiim*). Alguns têm se queixado de que isso foi feito para diminuir a autoridade de Daniel devido ao testemunho claro que o livro dá acerca do Messias. Mas esse motivo não parece plausível em vista do lugar de autoridade que o livro recebe no cânon sagrado. Se, de fato, havia o intento sério de diminuir a autoridade de Daniel, ele teria ficado fora do cânon. Pusey explica que Daniel, na verdade, não era técnica nem profissionalmente um profeta, mas um estadista. Ele não possuía o ofício profético. Por isso ele não constava entre os profetas nas Escrituras hebraicas.[3] Mas Daniel cumpriu a função profética. Por isso, seu livro está no cânon das Escrituras Sagradas e sua mensagem é reconhecida nas próprias Escrituras como profecia. Young segue uma linha de raciocínio parecida, respeitando a posição de Daniel nas Escrituras hebraicas.[4]

B. Autoria

Ao longo dos séculos, tanto entre os judeus quanto entre os cristãos, o livro tem sido tradicionalmente atribuído a Daniel. Em diversas seções importantes o texto é atribuído diretamente a Daniel. A primeira pessoa do singular: "Eu, Daniel", é usada repetidas vezes. O capítulo 7 começa da seguinte forma: "teve Daniel, na sua cama, um sonho e visões da sua cabeça; escreveu logo o sonho e relatou a suma das coisas" (Dn 7.1).

Mas nos últimos cento e cinqüenta anos a autoria do livro de Daniel tem se tornado um grande campo de batalha. Tornou-se um hábito atribuir o livro a um autor desconhecido que viveu na época de Antíoco Epifânio, 175-169 a.C. De acordo com essa posição supõe-se que o livro de Daniel é uma alegoria escrita parcialmente em códigos para encorajar e inspirar os judeus que estavam sofrendo debaixo da tirania e perseguições de Antíoco. As histórias do livro, portanto, não deveriam ser entendidas de forma literal, mas simbolicamente. O livro, portanto, deveria figurar na categoria de pseudepígrafes (escritos posteriores que adotavam nomes de grandes homens do passado), devido a algumas semelhanças com essa categoria.

Para aqueles que entendem existir uma inspiração divina e, portanto, sobrenatural, não há motivo justificável para rejeitar a fé cristã tradicional acerca da integridade do livro de Daniel. Procurar possíveis motivos para uma outra autoria do livro que leva o seu nome é injustificável. Se levarmos em conta todos os questionamentos que foram levantados contra a sua autoria, concluímos que é necessário mais do que credulidade. É necessário fé. Essa fé busca aquietar-se e ouvir o que Deus tem a nos dizer em nossos dias acerca do firme propósito que Ele estabeleceu para o presente e nas eras futuras.

Daniel não está sozinho e indefeso na Bíblia. Sem dúvida, a referência mais impressionante e de maior autoridade é sobre Daniel 9.27. Jesus faz referência a esse texto na sua mensagem apocalíptica: "Quando, pois, virdes que a abominação da desolação, de que falou o profeta Daniel..." (Mt 24.15; também cf. Mc 13.14). Jesus parece claramente dar o seu endosso para a legitimidade de Daniel como profeta e para a veracidade da sua mensagem.

Referências relacionadas por dedução à profecia de Daniel são também bastante numerosas nos ensinamentos de Jesus, particularmente em seu uso da expressão "Filho do homem". Em Mateus 24.30, lemos: "verão o Filho do Homem vindo sobre as nuvens do céu, com poder e grande glória". Essas palavras parecem ecoar o que lemos em Daniel 7.13-14: "Eu estava olhando nas minhas visões da noite, e eis que vinha nas nuvens do céu um como o filho do homem [...] E foi-lhe dado o domínio, e a honra, e o reino" (cf. Mt 16.27-28).

Quando Paulo escreve sobre o "homem do pecado, o filho da perdição, o qual se opõe e se levanta contra tudo o que se chama Deus ou se adora" (2 Ts 2.3-4), ele está se referindo claramente a Daniel 11.36: "e se levantará, e se engrandecerá sobre todo deus; e contra o Deus dos deuses falará coisas incríveis".

Referências de Daniel refletidas no livro de Apocalipse são suficientemente numerosas para justificar a inferência de que a autoridade desse livro do Novo Testamento sustenta a integridade do seu correlato do Antigo Testamento.

É interessante notar que os integrantes da comunidade de Qumrã, que produziram os manuscritos bíblicos mais antigos conhecidos atualmente, tinham um interesse especial pelo livro de Daniel. Com base nos fragmentos recuperados das suas cavernas fica claro que possuíam inúmeras cópias desse livro. Devido aos tempos turbulentos em que viviam, logo após o reinado de Antíoco até a destruição de Jerusalém em 71 d.C., eles tinham um profundo interesse na esperança apocalíptica.[5]

C. O Ambiente Histórico

O próprio livro de Daniel descreve de maneira precisa o ambiente histórico e a época quando foi escrito. O cerco e a invasão que levou Daniel e seus companheiros príncipes ao exílio ocorreu no terceiro ano de Jeoaquim. Isso aconteceu nos primeiros dias da ascensão do império babilônico. Nabopolassar tinha se livrado do jugo da Assíria e, junto com seu filho, Nabucodonosor, estava subjugando todos os países do Oriente Próximo, além do Egito. Judá também caiu debaixo do poder da Babilônia. Desde 606 a.C., o ano do exílio de Daniel, até 536 a.C., o ano da queda da Babilônia diante de Ciro, da Pérsia, o reino babilônico ascendeu e entrou em decadência. Grande parte desse período foi ocupada pelo reinado do poderoso Nabucodonosor (606 até 561 a.C.). Nesse período, e no início do período persa, Daniel viveu e serviu. É provável que ele tenha ultrapassado a idade de noventa anos.

O período da vida e de serviço de Daniel coincidiu com uma época de muita turbulência internacional. A Assíria, que havia assolado as terras do Oriente Médio durante séculos, foi banida para sempre pelas forças conjuntas dos seus antigos súditos, os babilônios, os medos e os citas. O Egito, que por mil anos havia procurado controlar não somente a África mas as terras do Mediterrâneo oriental, foi reduzido à sujeição. A Babilônia ascendeu de forma meteórica. Sob o comando de Nabucodonosor, um líder militar, organizador político e construtor cívico, a terra dos caldeus assumiu uma posição de poder, prosperidade e liderança mundial muito além do que se tinha conhecido até então.

Mas, enquanto os antigos impérios estavam desaparecendo e um novo império escrevia sua breve mas brilhante história, o próprio povo de Daniel, o povo da promessa, estava passando por uma noite escura de provação. Exilados e longe da terra da promessa, servos em uma terra pagã, eles penduravam suas harpas nos salgueiros e aguardavam pelo romper do dia.

Embora o livro de Daniel apresente uma perspectiva mundial em suas implicações e que alcança o fim dos tempos, seu foco principal está nas terras do Oriente Médio e do Mediterrâneo. O livro não menciona os reinos e civilizações que precederam a época de Daniel. Ele não tem nada a dizer acerca de civilizações e da ascensão e queda de dinastias do Extremo Oriente, da China e da Índia. Seu foco principal é a terra onde o drama da redenção deveria ser representado com seu evento-alvo, a vinda do Messias e a consumação do seu Reino.

D. Mensagem do Livro

O livro de Daniel é o desvendar de um mistério. E, se por um lado desvenda o mistério, por outro, o envolve em surpresa e admiração, deixando grande parte do mistério da revelação em aberto.

Daniel era um homem de extraordinária sabedoria e percepção. Vivendo no meio de grandes e repentinas mudanças mundiais, ele foi capaz de manter seu equilíbrio e sanidade, observando o que estava acontecendo com um olhar atento. Ele serviu a reis. Ele foi um valoroso conselheiro de governantes. Porém, mais importante de tudo, ele tinha um relacionamento íntimo com o Deus dos céus. Ele estava com os seus pés firmemente plantados na terra, entre os acontecimentos terrenos. Mas, a sua cabeça ficava numa atmosfera mais clara; ele vivia diante da realidade de coisas eternas.

Algumas verdades tornam-se claras na mensagem de Daniel, revelando o plano de Deus para a Terra e seus habitantes. *Em primeiro lugar*, poderes terrenos e circunstâncias são temporários. As tiranias mais poderosas ficam no poder durante um curto período. *Em segundo lugar*, Deus faz com que a ira do homem acabe se transformando em louvor a Ele e faz com que todo o resto seja impedido. Tanto Nabucodonosor, o déspota enfurecido, quanto Ciro, o soberano sábio e cordial, testificaram dessa verdade. *Em terceiro lugar*, Deus mantém as suas promessas para o seu povo; Ele não esquece. *Em quarto lugar*, Deus tem seu próprio tempo para realizar a sua obra. Ele nunca se adianta nem se atrasa. *Em quinto lugar*, os reinos desse mundo são designados para dar lugar ao reino do nosso Senhor e do seu Cristo. *Em sexto lugar*, embora Deus tenha uma visão eterna e cósmica, Ele tem um interesse amoroso em relação aos afazeres mais insignificantes de um indivíduo.

O livro de Daniel foi um livro para Daniel e para o atribulado povo remanescente de Deus dos seus dias. Esse também é um livro para todas as gerações, designado para manter a história em perspectiva. O livro continua sendo relevante para os nossos dias. Certamente, estamos mais próximos do tempo da consumação do Reino de Deus do que qualquer povo que viveu antes de nós. Em dias de profunda escuridão e conflitos cruciais, vamos extrair esperança e coragem da mensagem transmitida a Daniel.

Esboço

I. A História do Exílio de Daniel, 1.1-21
    (Uma Seção Hebraica)

    A. Prelúdio Histórico, 1.1-2
    B. Jovens Provados, 1.3-16
    C. Integridade Vindicada, 1.17-21

II. O Apocalipse Caldeu, 2.1—7.28
    (Uma Mensagem para as Nações em Aramaico)

    A. O Sonho de Nabucodonosor, 2.1-49
    B. A Estátua Colossal de Nabucodonosor, 3.1-30
    C. O Julgamento Pessoal de Nabucodonosor, 4.1-37
    D. A Queda do Império Caldeu, 5.1-31
    E. O Reinado de Dario, o Medo, 6.1-28
    F. Impérios Ascendem e Minguam até a Consumação, 7.1-28

III. O Apocalipse Hebraico, 8.1—12.13
    (Uma Mensagem para o Povo Escolhido, em Hebraico)

    A. A Visão de Daniel de Impérios em Guerra, 8.1-27
    B. A Intercessão de Daniel por Israel, 9.1-27
    C. Uma Visão celestial de Conflitos Terrenos, 10.1—12.13

Seção I

A HISTÓRIA DO EXÍLIO DE DANIEL
(Uma Seção Hebraica)

Daniel 1.1-21

A. Prelúdio Histórico, 1.1-2

O livro de Daniel é introduzido por um ambiente histórico claramente focado. Interessantemente, essa breve seção está na língua hebraica, enquanto que a parte seguinte do livro (2.4—7.28) encontra-se na língua aramaica ou na língua dos caldeus. Depois, a seção final do livro volta a ser em hebraico. Intérpretes têm diferido em relação aos motivos desse aspecto incomum. A explicação mais plausível para isso é que essa seção e a parte final do livro foram escritas na língua dos judeus, referindo-se especialmente ao povo de Deus no exílio. A parte escrita na língua dos caldeus refere-se às nações gentias, tendo a Babilônia como alvo imediato. As duas línguas eram comuns nos tempos de Daniel e ambas eram entendidas pelo povo do exílio e dos séculos subseqüentes. O uso dessas duas línguas semelhantes ajudava a manter em relação estreita o ambiente histórico do livro e sua relevância ao povo a quem foi escrito.

O livro de Daniel registra: **No ano terceiro do reinado de Jeoaquim, rei de Judá, veio Nabucodonosor, rei da Babilônia, a Jerusalém e a sitiou** (1; veja Quadro A). Isso seria menos do que três anos após Neco ter indicado Jeoaquim como rei. Os destinos políticos estavam mudando rapidamente.

Enquanto Nabopolassar era, na verdade, o monarca do novo reino da Babilônia, seu vigoroso filho, Nabucodonosor, era seu herdeiro reconhecido e co-regente com ele. Nabucodonosor acabara de ajuntar seu despojo e os reféns quando uma chamada emergencial veio da Babilônia. Seu pai havia falecido e ele precisava se apressar para ocupar o trono.

Dessa forma, Daniel e seus três companheiros, com outros jovens príncipes da corte de Judá, foram levados para uma terra estranha a 800 quilômetros de casa. E junto com eles vieram alguns tesouros sagrados **da Casa de Deus** (2) em Jerusalém para adornar o Templo de Bel na Babilônia. **Sinar** era a principal planície da Babilônia.

B. Jovens Provados, 1.3-16

1. *A Política do Rei* (1.3-5)

Acumulando vitórias e orgulhoso com o seu recente poder, o jovem soberano do novo reino da Babilônia agia com astúcia para consolidar o seu reino. De que forma melhor ele podia fortalecer sua autoridade do que escolher os príncipes mais dotados dos seus recém-conquistados territórios e treiná-los para a liderança política? Não temos nenhuma notícia acerca dos outros príncipes de Judá. Todos foram escolhidos devido ao seu talento e bela aparência. Eles receberam o melhor treinamento que a corte babilônica poderia oferecer. Esses eram jovens **da linhagem real, e dos nobres** (3) [...] **em quem não houvesse defeito algum, formosos de aparência, e instruídos em toda a sabedoria, e sábios em ciência, e entendidos no conhecimento, e que tivessem habilidade para viver no palácio do rei** (4).

O programa de educação requeria que **fossem ensinados nas letras e na língua dos caldeus**, num curso intensivo de treinamento de três anos. Seu bem-estar físico incluía o melhor que o reino podia oferecer, ou seja, as iguarias da mesa imperial.

2. *Jovens de Caráter* (1.6-16)

Os quatro heróis do livro de Daniel se sobressaíram entre todos os vencedores do rigoroso exame. Esses que pertenciam aos **filhos de Judá** tinham a reputação de serem da linhagem de Davi. Eles eram **Daniel, Hananias, Misael e Azarias** (6).

Esses quatro jovens de Judá, por intermédio dos seus nomes, testemunhavam do único e verdadeiro Deus. Quaisquer que tivessem sido as limitações do seu ambiente religioso em Judá, seus pais lhes deram nomes que serviam de testemunho ao Deus que serviam. **Daniel** significava: "Deus é meu juiz"; **Hananias** significava: "O Senhor tem sido gracioso ou bondoso"; **Misael** significava: "Ele é alguém que vem de Deus" e **Azarias** declarava: "O Senhor é meu Ajudador". A continuação da história claramente indica que, embora outros pais em Judá pudessem ter falhado em relação à educação dos seus filhos, os pais desses meninos tinham dado a eles uma base sólida em relação às convicções e responsabilidades dignas do significado dos seus nomes. Seu treinamento piedoso havia cultivado profundas raízes de caráter.

Em consideração ao rei e seus deuses pagãos, o chefe dos eunucos designou novos nomes aos quatro jovens. **Beltessazar** (7) significava "o tesouro (ou segredos) de Bel". **Sadraque** significava "a inspiração do sol". **Mesaque** sugeria: "aquele que pertence à deusa *Sesaque*". E **Abede-Nego** significava "servo de Nego (a estrela da manhã)". A pouca importância que esses jovens deram aos seus novos nomes pode ser vista nas narrativas que se seguem.

Com convicção inabalável, ousadia santa e cortesia refinada, Daniel e seus companheiros revelaram seus dons extraordinários de sabedoria e caráter. A decisão de não comer das iguarias do rei era muito mais do que uma questão de conveniência ou saúde. Isso estava relacionado com a integridade dos seus votos de consagração como hebreus ao Deus de Israel. O significado cerimonial do alimento, puro ou impuro, significava tudo para descendentes profundamente comprometidos de Abraão. Ingerir alimentos dedicados a deuses pagãos da Babilônia constituiria uma ruptura de fé com Jeová. Eles não vêem outra saída senão arriscar o perigo da recusa. Mas eles devem fazer isso de maneira afável e atenciosa com aqueles que são responsáveis em cumprir as ordens do rei.

Quando o **chefe dos eunucos** (8, 10) recusou o pedido, uma sugestão sensata dada ao **despenseiro** (11), encarregado direto dos jovens, tirou a pressão do oficial superior e abriu caminho para uma solução. O período de prova de **dez dias** (12) era justo e suficiente para prover uma demonstração adequada do bom senso higiênico do pedido e dar oportunidade a Deus para vindicar seus jovens servos. **Legumes** significa, literalmente, "sementes", mas incluía vegetais em geral.

C. INTEGRIDADE VINDICADA, 1.17-21

Não está claro se o exame final dos seus estudos previsto para o fim de três anos foi concluído ou se o tempo foi encurtado. O resultado da prova foi uma clara vindicação na presença do rei da autodisciplina e do esforço diligente seguido pelos **quatro jovens** (17). E o próprio **rei falou com eles** (19). Não sabemos quanto o rei sabia acerca do compromisso religioso deles. Mas Daniel e seus companheiros estavam plenamente convencidos de que Deus os havia sustentado em todas as suas decisões e esforços. Podemos estar certos de que esse fato da fidelidade de Deus serviu para ratificar suas convicções e sua coragem. A designação deles para lugares de proeminência e responsabilidade era um reconhecimento óbvio do seu conhecimento e capacidade superior. **Por isso, permaneceram diante do rei** (19). Acerca de **magos e astrólogos** (20), veja comentários em 2.2.

A afirmação de que **Daniel esteve até ao primeiro ano do rei Ciro** (21; 539 a.C.) claramente não tem a intenção de limitar o período da sua vida, mas de mostrar sua extensão geral. Em 10.1 somos informados de que Daniel continuava vivo no terceiro ano de Ciro.

Seção II

O APOCALIPSE CALDEU
(Uma Mensagem para as Nações em Aramaico)

Daniel 2.1—7.28

A. O Sonho de Nabucodonosor, 2.1-49

1. *Sonhos Assombrosos Impossíveis de Lembrar* (2.1-3)
Os três primeiros versículos dessa seção continuam a narrativa em hebraico. Após as palavras: **E os caldeus disseram ao rei em siríaco** (4) começa a seção em aramaico que continua até o final do capítulo 7.
A maior parte dos expositores evangélicos identifica esse capítulo e seu correlato, o capítulo 7, como os textos-chave do livro. Aqui vemos o Deus dos céus revelando a um rei pagão o plano divino ao longo das épocas e estágios da história até a consumação no Reino de Deus.
Nabucodonosor (1) era ainda bastante jovem e acabara de herdar o trono. O poder que estava em suas mãos estava crescendo rapidamente. Além disso, por meio de um programa criativo e ousado de construção de cidades em seu próprio país ele estava conquistando a confiança dos líderes religiosos e da população que apoiavam entusiasticamente a sua liderança.
Nessa fase da sua carreira, o rei mostrou uma qualidade marcante de grandeza. Em vez de seguir em um frenesi crescente de realizações, ele buscou acalmar-se para poder pensar acerca do significado da sua própria vida e do poder que estava em suas mãos. Qual seria o seu destino? E qual seria o destino do império que havia ajudado tão recentemente a fundar? Enquanto ponderava, começou a sonhar. Embora seus sonhos fossem confusos, serviram para provocar pensamentos e perguntas ainda mais profundos acerca do destino e significado da vida. **O seu espírito se perturbou, e passou-se-lhe o seu sono** (1). Deus estava por trás desses questionamentos e sonhos.

Esse assunto se tornou tão urgente para Nabucodonosor que tomou medidas extremas para resolver seus problemas. Seus próprios esforços intelectuais não eram suficientes para responder às suas perguntas. Ele chamou os eruditos e especialistas em ciência, filosofia e religião para uma consulta. A função especial de cada um dos quatro grupos mencionados não está inteiramente clara. Mas parece que **os magos** (2) eram peritos nas artes ocultas, **os astrólogos** deveriam ter acesso ao conhecimento sobrenatural por meio do estudo dos céus, **os encantadores** eram manipuladores de poderes sobrenaturais por meio da feitiçaria, e **os caldeus** eram os líderes de uma casta sacerdotal na sociedade babilônica.

Surge naturalmente uma pergunta: Por que Nabucodonosor não incluiu Daniel e seus amigos em sua primeira convocação? É bem provável que esses recém-chegados ainda não houvessem conquistado um lugar reconhecido entre os conselheiros sábios e profissionais. Além disso, esses hebreus, apesar de serem altamente dotados, não haviam sido aceitos na casta sacerdotal.

2. *As Exigências Impossíveis do Déspota* (2.4-13)

O rei apresentou a esses homens sábios o problema da sua profunda preocupação acerca do sonho que o havia acordado e fizera seus pensamentos fluir em uma correnteza inquietante. Os representantes sacerdotais, **os caldeus** (4), tornaram-se os porta-vozes para o restante do grupo e pediram uma descrição mais exata do problema. Eles pediram detalhes específicos do sonho antes de aventurar uma interpretação. Esse pedido irritou o rei. Ele os acusou de falar **até que se mude o tempo** (9), i.e., simplesmente protelando para conseguir mais tempo. Se a habilidade sobrenatural deles era genuína, eles deveriam garantir sua interpretação ao contar-lhe o sonho. Isso, obviamente, tirou a máscara da sua hipocrisia, porque não tinham meios de contar-lhe o sonho.

Visto que o rei tinha tornado isso uma questão de vida ou morte para todos os sábios, eles começaram desesperadamente a procurar uma forma de sobrevivência. Quando descobriram que nem mesmo o rei poderia ajudá-los porque havia esquecido seu sonho, eles perceberam como a sua situação era desesperadora. Postos contra a parede, eles foram impelidos à verdade. **Porquanto a coisa que o rei requer é difícil, e ninguém há que a possa declarar diante do rei, senão os deuses, cuja morada não é com a carne** (11).

Keil[1] insiste em que o rei, na verdade, não tinha esquecido o sonho, mas estava determinado a testar a veracidade das habilidades desses denominados sábios. Se eles pudessem relatar os detalhes do seu sonho, ele estaria certo de que a interpretação deles teria validade. Mas se eles não tinham a habilidade nem mesmo de descrever o sonho, a professa habilidade sobrenatural deles era uma farsa e o castigo horrendo com que o rei os havia ameaçado seria o seu justo destino. Quer o sonho tenha sido esquecido, quer não, a situação dos sábios havia se tornado desesperadora.

O castigo decretado por Nabucodonosor era bastante comum entre os babilônios (veja 3.29). A despedaçamento de cativos de guerra havia sido praticado até pelos hebreus (1 Sm 15.33) como uma manifestação de julgamento extremo. Nabucodonosor acrescentou a esse horror o confisco de propriedade e a profanação das casas das vítimas, tornando-as **um monturo** (5), i.e., depósitos de lixo públicos.

3. *Deus Concede a Daniel a Interpretação* (2.14-23)

Embora Daniel e seus companheiros tivessem escapado da convocação do rei, não escaparam da inclusão no decreto de **matar os sábios** (14). Eles também estavam entre aqueles que seriam executados. Quando Daniel ficou sabendo da natureza do decreto e do motivo da sua severidade, imediatamente se dirigiu ao rei. O fato de ter esse tipo de acesso testemunha a alta posição que havia herdado nos exames ocorridos tão recentemente (1.19-20). Na presença de Nabucodonosor, Daniel corajosamente prometeu que daria **a interpretação** (16), se **lhe desse tempo**. O rei, antes tão furioso com as manipulações desesperadas dos sábios, estava evidentemente impressionado com a sinceridade, firmeza e confiança de Daniel.

A própria ação de Daniel foi coerente com o homem de Deus que era. Ele chamou seus três companheiros para juntos com ele passar um tempo em oração intercessora fervorosa. A resposta a essa oração não demorou a chegar. Quando Daniel recebeu o sonho em uma visão noturna, ele irrompeu em um hino de louvor exultante a Deus.

> *Louvado seja o nome de Deus para todo o sempre;*
> *a sabedoria e o poder a ele pertencem.*
> *Ele muda as épocas e as estações;*
> *destrona reis e os estabelece.*
> *Dá sabedoria aos sábios*
> *e conhecimento aos que sabem discernir.*
> *Revela coisas profundas e ocultas;*
> *conhece o que jaz nas trevas,*
> *e a luz habita com ele* (20-22, NVI).

4. *A Apresentação de Daniel ao Rei* (2.24-30)

A confiança de Daniel em Deus e na resposta que havia recebido era completa: **darei ao rei a interpretação** (24). A visão que Deus tinha lhe dado era idêntica à do rei, porque o mesmo Deus tinha concedido as duas visões. Sendo assim, ele nem precisou inquirir o rei para testá-la.

A alegria de Arioque em ver que Daniel estava pronto para dar a resposta ao rei ficou evidente em suas ações: **Arioque depressa introduziu Daniel na presença do rei** (25). Quando o incrédulo rei perguntou se Daniel poderia cumprir sua difícil exigência, ele se deparou com um homem que estava firmado sobre um fundamento mais sólido do que o solo da Babilônia. Daniel humildemente declarou que sua fonte de conhecimento era uma revelação do **Deus nos céus, o qual revela os segredos** (28). Ele negou qualquer revelação própria. Além disso, essa revelação particular foi dirigida de Deus para o próprio rei, para que soubesse os pensamentos do seu próprio coração e **o que há de ser no fim dos dias**.

5. *A Interpretação de Daniel* (2.31-45)

Tu, ó rei, estavas vendo, e eis aqui uma grande estátua; essa estátua, que era grande, e cujo esplendor era excelente, estava em pé diante de ti; e a sua vista era terrível (31; "sua aparência era amedrontadora", RSV). Essa visão imensa e deslumbrante havia deixado o rei perplexo e confuso. Embora fosse apenas uma única imagem, ela era um composto. Ela começava com **ouro** brilhante na **cabeça** (32) e gradualmente deteriorava em qualidade com o **peito** e os **braços de prata**, o **ventre** e as **coxas de cobre**, as **pernas de ferro** (33), e os **pés** com uma mistura de **ferro e barro** quebradiço. Então foi cortada **uma pedra** ("uma pedra soltou-se", NVI) sem auxílio evidente de uma **mão** (34). Quando a pedra **esmiuçou a imagem** na sua base, toda estrutura ruiu e ela foi reduzida a pó **como a pragana** (35) e levado pelo **vento**. **A pedra** se transformou em **um grande monte**.

Daniel instantaneamente identificou o rei com a imagem que havia visto. **Tu, ó rei, és rei de reis, pois o Deus dos céus te tem dado o reino, e o poder, e a força, e a majestade** (37). E Daniel acrescentou especificamente: **tu és a cabeça de ouro** (38).

Não é difícil imaginar o espanto e a alegria que esse rei deve ter sentido ao ouvir essa revelação marcante. Nabucodonosor ouviu em detalhes o sonho do qual vagamente se lembrava. Isso trouxe uma garantia acerca da verdade da mensagem sobrenatural para Nabucodonosor. Enquanto ouvia, Nabucodonosor percebeu que ele era o primeiro de uma sucessão de impérios. Todos esses impérios tinham um alvo na história — a dissolução debaixo do triunfo e domínio do Reino do Deus dos céus, que nunca será destruído. O reino de Deus **esmiuçará e consumirá todos esses reinos e será estabelecido para sempre** (44).

Então Daniel reiterou o propósito do sonho ao rei e lembrou-lhe que vinha de Deus. **O Deus grande fez saber ao rei o que há de ser depois disso** (45). Os questionamentos mais profundos do rei haviam sido respondidos. O significado do destino para ele e para todos os governantes terrenos era que a mão de Deus está sobre o curso da história. O alvo final não é o governo do homem em esplendor crescente mas o governo de Deus sobre as ruínas da loucura do homem.

Embora os intérpretes não tenham chegado a um consenso na identificação dos cinco reinos do sonho de Nabucodonosor, a tradição e a interpretação evangélica tem concordado quase que unanimemente. O primeiro reino (38) é expresso de forma clara; o **cabeça de ouro** é o Império Babilônico. O quinto (44) também está claro; trata-se do Reino de Deus. O segundo (39a) é geralmente reconhecido como o Império Medo-Persa. O terceiro (39b) e o quarto (40) têm recebido interpretações divergentes, principalmente entre aqueles que entendem que o quarto reino representa o governo grego ou o governo que sucedeu Alexandre. Isso concentraria as últimas mensagens do livro de Daniel no reino de Antíoco Epifânio. Mas, para a maioria, desde os dias de Jerônimo, o terceiro reino tem sido identificado como o reino da Grécia, fundado por Alexandre e o quarto como o reino de Roma. O versículo 43 reflete as fraquezas de casamentos mistos ou o rápido declínio da sociedade no colapso do quarto reino (Berkeley, nota de rodapé). Visto que a imagem do sonho de Nabucodonosor e a visão de Daniel no capítulo são obviamente paralelas, a interpretação do sonho deve ser restringida pelo conteúdo da visão.

6. *A Exaltação de Daniel* (2.46-49)

A reação de Nabucodonosor diante da notável revelação foi impressionante. Como pagão, ele reagiu da única maneira conhecida por ele. Nabucodonosor caiu em adoração diante de Daniel, que ele acreditava ser uma manifestação personificada do sobrenatural. Ele ordenou que fosse feita uma **oferta de manjares** (46) e de **incenso**. Então ele louvou o Deus de Daniel, o **Deus dos deuses, e o Senhor dos reis, e o revelador dos**

segredos (47). Para mostrar sua gratidão de maneira prática ele deu muitos presentes a Daniel e o colocou como **governador de toda a província de Babilônia** (48). A pedido de Daniel, seus três companheiros receberam importantes cargos políticos. **Mas Daniel estava às portas do rei.**

B. A Estátua Colossal de Nabucodonosor, 3.1-30

1. *Um Auto-endeusamento do Imperador* (3.1-7)
J. A. Seiss faz uma defesa vigorosa de Nabucodonosor e de seu intento. Ele argumenta que o conceito audacioso da grande imagem era resultado direto do sonho do rei. Ele próprio não tinha caído em adoração diante do homem que transmitiu a mensagem do Deus dos céus?

Agora todo o seu reino se curvaria diante dessa maravilhosa idéia revelada a ele. Em sua mente pagã confusa esse era um tributo maravilhoso ao Deus de Daniel e seus amigos hebreus. Isso tornaria a recusa deles (em se curvar diante da estátua) ainda mais irracional e irascível.

Diante da luz da revelação clara e completa e dos princípios divinos que Nabucodonosor não tinha, fica evidente que ele cometeu um grande equívoco que não pode ser justificado ou desculpado de acordo com os padrões bíblicos. Mas o erro estava no método e não nos motivos. Era o erro da educação defeituosa, não da intenção. Ele honestamente queria reconhecer e glorificar o Deus dos céus que tinha se comunicado com ele de forma tão marcante. Ele desejava que o seu império, por meio de todos os seus representantes reunidos, reconhecesse que Deus era a cópia tangível da imagem dada a ele em sonho. A profundidade da sua natureza religiosa, das suas experiências e convicções se intensificaram no sentido de fazer obedecer ao que ele havia arranjado e ordenado de maneira tão devota e honesta".[2]

Mas é provável que esse esforço em defender o rei pagão da Babilônia não cubra todos os pontos. Não parece provável que Nabucodonosor tenha erigido uma imagem a um dos antigos deuses da Babilônia, visto que a terra estava cheia de deidades e templos competindo entre si. É possível, no entanto, que esse sonho tivesse marcado profundamente o rei, em relação ao seu lugar no mundo e na história. Afinal, não era ele a cabeça de ouro? Não era ele o primeiro e maior de todos os reis da terra? Não é difícil imaginar a crescente vaidade desse déspota oriental, cuja mente pagã falhou em sondar o verdadeiro significado das percepções espirituais que Deus havia tentado compartilhar com ele. Essa estátua de dois metros e sessenta de largura e vinte e sete metros de altura, que se elevava acima do **campo de Dura** (1), sendo visível a quilômetros de distância, proclamava a todos o esplendor do homem que a havia projetado e a glória do rei que ela simbolizava. O **campo de Dura** certamente ficava próximo de Babilônia, mas sua localização exata é desconhecida.

Qualquer que tenha sido o motivo de Nabucodonosor, o decreto que convocava todos os líderes políticos do reino, grandes e pequenos (3), não deixava dúvida quanto à exigência do rei. Instantaneamente, após o sinal combinado de antemão æ o som da orquestra imperial (5), cada homem deveria prostrar-se em adoração diante da imagem.

2. *Conspiração Contra os Hebreus* (3.8-18)

Não deveria nos surpreender que os três hebreus, recentemente promovidos a cargos de liderança política, despertassem uma certa inveja entre os outros funcionários púbicos. A ausência de Daniel da convocação pode ser explicada pelo fato de estar cumprindo alguma tarefa especial para o rei. **Alguns homens caldeus** (8), não a casta sacerdotal, mas cidadãos babilônios, tomaram as devidas precauções para que os três hebreus não escapassem. Quando o rei ficou sabendo da atitude dos três hebreus, ficou furioso (13) e convocou os três imediatamente. Sem dar-lhes chance de se defenderem, deu-lhes mais uma oportunidade de prestar adoração após o som especial da música. A recusa em fazê-lo significaria a imediata execução do decreto irreversível — eles seriam lançados **dentro do forno de fogo ardente; e quem é o Deus que vos poderá livrar das minhas mãos?** (15), vociferou o rei.

O equilíbrio e a calma dos três servos do Deus Altíssimo estavam em claro contraste com a fúria incontida do rei. A ousadia da fé deles era equiparada à sua serenidade. Os três responderam ao rei Nabucodonosor: **Não necessitamos de te responder** ("defender-nos", NVI) **sobre este negócio. Eis que o nosso Deus, a quem nós servimos, é que nos pode livrar; ele nos livrará do forno de fogo ardente e da tua mão, ó rei. E, se não, fica sabendo, ó rei, que não serviremos a teus deuses nem adoraremos a estátua de ouro que levantaste** (16-18).

A verdadeira fé não está ligada às circunstâncias nem às conseqüências. Ela está fundada na imutável fidelidade de Deus. E a fé é decisiva no que tange à questão da fidelidade no crente. Poderia ter parecido algo de menor valor racionalizar apenas um pouco. Afinal, eles não deviam uma certa consideração ao rei? Porventura, eles não poderiam dobrar seus joelhos, mas ficar em pé em seus corações? Uma pequena concessão à limitada compreensão das coisas divinas por parte do rei seria uma questão insignificante.

Mas não! A reputação do caráter do Deus vivo e verdadeiro dependia desse momento. Multidões de pagãos de muitos países estavam observando. Quer Deus os libertasse das chamas, quer não, eles deveriam ser fiéis em honrar o seu nome.

3. *Provados pelo Fogo* (3.19-25)

O castigo ameaçador foi executado quase que imediatamente. O rei ficou tão furioso que **se mudou o aspecto do seu semblante** (19), e o fogo foi aquecido **sete vezes mais**. Deu-se ordem a um grupo de soldados fortes para amarrar (20) os três prisioneiros, que estavam "vestidos com seus mantos, calções, turbantes e outras roupas" (21, NVI), e lançá-los na fornalha. Quando Sadraque, Mesaque e Abede-Nego caíram no fogo, seus executores morreram diante deles, por causa do intenso calor.

Nabucodonosor estava endurecido de ver tantos homens morrerem, mesmo de formas horrendas. Mas o que aconteceu o espantou. Ele **se levantou depressa** e falou com seus conselheiros: **Não lançamos nós três homens atados dentro do fogo? [...] Eu, porém, vejo quatro homens soltos, que andam passeando dentro do fogo, e nada há de lesão neles; e o aspecto do quarto é semelhante ao filho dos deuses** (24-25).

Seiss,[3] seguindo Keil e muitos outros, também traduz a última frase do versículo 25 como: "semelhante ao filho dos deuses".[N. do t.:] Keil[4] explica:

N. do T.: a versão inglesa *King James* traz "semelhante ao Filho de Deus".

O quarto homem que Nabucodonosor viu na fornalha era semelhante [...] a um filho dos deuses, i.e., alguém da raça dos deuses. No versículo 28, o mesmo personagem é chamado de um anjo de Deus. Sem dúvida, Nabucodonosor estava seguindo a concepção dos judeus, devido à conversa que teve com os três que foram salvos. Aqui, por outro lado, ele fala dentro do espírito e significado da doutrina babilônica acerca dos deuses...

Nabucodonosor se aproximou da porta da fornalha e gritou aos três homens para saírem, chamando-os de servos do Deus Altíssimo. Essa expressão não vai além do âmbito das idéias pagãs. Ele não chama o Deus de Sadraque, Mesaque e Abede-Nego de o único e verdadeiro Deus, mas somente de Deus Altíssimo, o principal entre os deuses.

Independentemente da profundidade de discernimento que Nabucodonosor tinha em relação à identidade do **quarto** que caminhava entre as chamas, fica claro que aqui havia uma manifestação do sobrenatural, e o rei não era cego para deixar de enxergar isso. Deus estava lá na fornalha da aflição com seus servos. E a presença de Deus, o Criador da luz e do calor, era suficiente para controlar o efeito dessas forças naturais sobre esses homens que ousaram confiar nele.

4. *O Tributo de Nabucodonosor ao Deus Verdadeiro* (3.26-30)

As palavras de Nabucodonosor aos seus três servos hebreus ao saírem ilesos da "boca do inferno" continham um tributo espontâneo ao Deus poderoso em quem eles confiavam. E nesse tributo o rei reconheceu que eles serviam um Senhor maior do que ele. **Servos do Deus Altíssimo, saí e vinde** (26). O assombro do rei e dos seus oficiais foi instantâneo e evidente. De que forma três homens indefesos jogados nas chamas poderiam escapar não somente ilesos, mas sem ao menos apresentar o cheiro de fumaça nas suas roupas? No entanto, a evidência estava lá, bem diante dos seus olhos! O sobrenatural estava em ação.

Esse era um momento intenso de revelação. O rei elevou a voz em louvor a esse Deus vivo cuja obra poderosa ele acabara de testemunhar. **Bendito seja o Deus de Sadraque, Mesaque e Abede-Nego, que enviou o seu anjo e livrou os seus servos, que confiaram nele** (28).

Nabucodonosor, em seguida, deu um testemunho marcante da fidelidade e coragem desses três servos de Deus. Eles haviam confiado em Deus, não obstante as conseqüências. Eles ousaram não **cumprir a palavra do rei, preferindo entregar os seus corpos, para que não servissem nem adorassem algum outro deus, senão o seu Deus** (28).

O Senhor, nosso Deus, é mais claramente conhecido quando resolve revelar sua glória por meio dos seus servos humildes. Para o rei, esse era **o Deus**, não do cosmo nem da eternidade, mas de **Sadraque, Mesaque e Abede-Nego** (29). E no desamparo deles, na prova da fornalha da aflição, o poder e a glória de Deus foram manifestos.

Além do mais, foi na fornalha que **o aspecto do quarto** foi revelado. Aqui, meio milênio antes do milagre da Encarnação, o eternamente preexistente Filho de Deus veio e caminhou com aqueles que eram seus no meio da aflição. Aqui brilhou a glória da Palavra que iria tornar-se carne e morar entre nós (Jo 1.14). Mais tarde, a mesma glória brilhou e reluziu no meio dos **castiçais** (Ap 1.13).

O rei ficou profundamente comovido com essa experiência. Em todo o seu reino, ele ordenou que houvesse respeito e reverência ao **Deus de Sadraque, Mesaque e Abede-Nego**. A ameaça horrenda de despedaçamento e destruição da propriedade que acompanhou o édito caracterizava a crueldade pagã desse rei, para quem a religião via coerção e medo era uma maneira natural de pensar. Há pouca evidência de que o rei Nabucodonosor tenha se convertido, mesmo que fosse forçado a admitir que **não há outro deus que possa livrar como este** (29). Os deuses da Babilônia não foram renunciados, mas naquele momento o Deus Altíssimo estava sendo exaltado como o maior entre todos os deuses.

Como resposta prática ao apreço que dirigiu às três fiéis testemunhas, o rei, sem demora, **fez prosperar a Sadraque, Mesaque e Abede-Nego, na província de Babilônia** (30).

C. O Julgamento Pessoal de Nabucodonosor, 4.1-37

1. *Atribuição de Louvor ao Deus Altíssimo* (4.1-3)

O quarto capítulo de Daniel tem sido descrito como o documento governamental mais marcante dos tempos antigos. Iniciando com a inscrição **Nabucodonosor, rei** (1), esse documento falava com autoridade imperial a **todos os povos, nações e línguas**. Sem expressar vergonha ou apresentar desculpas, essa proclamação exaltava a **Deus, o Altíssimo** (2). Poucos líderes mundiais em qualquer época têm sobrepujado Nabucodonosor em dar glória a Deus ou em expressar de forma correta seu sublime caráter. Esse capítulo bem poderia ser chamado de "Teodicéia do Imperador" — uma vindicação sublime dos julgamentos de Deus e sua justiça.

> *Como são grandes os seus sinais,*
> *como são poderosas as suas maravilhas!*
> *O seu reino é um reino eterno;*
> *o seu domínio dura de geração em geração* (3, NVI).

2. *Um Sonho Perturbador* (4.4-18)

Não há uma indicação clara acerca do período no reinado de Nabucodonosor em que essa experiência humilde e esclarecedora veio a ele. Keil sugere que ela ocorreu "no período final do seu reinado, depois de ter participado de muitas guerras para a fundação e estabelecimento do seu império mundial, mas também, após concluir a maior parte das suas construções esplêndidas".[5]

Não havia nada em seu ambiente que trouxesse profunda satisfação ao rei. Ele havia varrido o mundo com suas conquistas. Ele tinha sido altamente bem-sucedido como projetista e construtor, tanto na Babilônia como em todo seu vasto império. Agora, em casa, **estava sossegado [...] e florescente no seu palácio** (4). Mas sua paz e satisfação foram quebradas por um sonho que o perturbou profundamente. Como ele havia feito anteriormente em uma ocasião semelhante, convocou **todos os sábios de Babilônia** (6). Mas, apesar de toda sua sabedoria e ostentação eles não **fizeram saber** (7) o mistério ao rei. Não está inteiramente claro se Daniel foi chamado nessa primeira convocação.

Talvez ele tenha sido propositadamente excluído pelo rei até que a maioria dos sábios tivesse a oportunidade de provar o que eles eram capazes de fazer. **Mas, por fim, entrou na minha presença Daniel** (8). Dele, o rei testificou: **eu sei que há em ti o espírito dos deuses santos** (9).

O rei tinha visto em seu sonho **uma árvore** (10) que crescia cada vez mais **de maneira que a sua altura chegava até ao céu** (11) e parecia cobrir toda a **terra**. Sua **folhagem** era tão formosa e o fruto tão abundante que provia alimento e sombra **para todos** (12) — homens, aves e animais do campo. Então, um ser celestial chamado de **vigia, um santo** (13) apareceu e quebrou o silêncio com uma ordem poderosa: **Derribai a árvore, e cortai-lhe os ramos, e sacudi as suas folhas, e espalhai o seu fruto** (14).

O mensageiro celestial continuou a mostrar detalhes específicos do sonho amedrontador, o qual soava como um presságio de julgamento. E, na verdade, era um julgamento, mas um julgamento temperado com misericórdia. Porque Nabucodonosor estava em rota de colisão, mas Deus seria fiel a ele.

Keil[6] sugere que é possível que na identificação do rei do **decreto dos vigiadores** (17) haja uma alusão à antiga teologia babilônica. Na hierarquia das deidades havia trinta deuses conselheiros servindo cinco grandes deuses planetários. Quinze deles eram encarregados pelo mundo superior e quinze pelo mundo inferior. A cada dez dias um mensageiro de cada conselho visitava o outro mundo e trazia uma palavra. Mas, independentemente da limitação teológica que Nabucodonosor tivesse tido, ele veio a conhecer um Deus superior, **o Altíssimo**, que **tem domínio sobre os reinos dos homens**.

3. *A Interpretação de Daniel* (4.19-27)

Quando os filósofos e cientistas pagãos da corte desistiram de interpretar o sonho e estavam em completa confusão, Daniel foi introduzido e saudado pelo rei com deferência respeitosa, reveladora de sua alta estima por esse servo de Deus. **Tu podes; pois há em ti o espírito dos deuses santos** (18), disse o rei. Mas Daniel, quando ouviu o sonho, foi dominado por um grande espanto e ficou sem falar durante uma hora. Então, encorajado pelo rei, ele expressou o motivo do seu espanto: **Senhor meu, o sonho seja contra os que te têm ódio, e a sua interpretação, para os teus inimigos** (19).

A enorme árvore era, na verdade, o próprio rei. Seu crescimento e força estupenda apresentavam um quadro exato do seu grande poder. **A tua grandeza cresceu e chegou até ao céu, e o teu domínio, até à extremidade da terra** (22). Mas o resultado trágico era que essa grandeza estava com os dias contados. O rei, conhecido em toda a terra pela sua capacidade, perderia a razão e se arrastaria pelo chão como um animal do campo. Ele, que era honrado como o maior entre os seres humanos, perderia sua condição de humano e se tornaria como um boi que se alimenta de ervas. **Até que passem sobre ele sete tempos** (23) indicava sete anos de insanidade para o rei.

Mas no meio desse presságio chocante de julgamento, que para o rei deve ter soado mais terrível do que a morte, veio a garantia da infinita fidelidade e misericórdia de Deus. Embora a árvore fosse cortada, **o tronco** (23; "toco", NVI) foi deixado para reviver e crescer novamente. Além disso, ele foi cercado de **cadeias de ferro e de bronze**, um símbolo da firmeza e constância da promessa de Deus de sobrevivência e restauração. No final da sua interpretação, Daniel estava parado diante do rei rogando para que ele se arrependesse dos seus **pecados** de injustiça e opressão, a fim de que Deus prolongasse a sua **tranqüilidade** (27).

4. *Cumprimento e Destronização* (4.28-33)

A falha de Nabucodonosor em prestar atenção e voltar-se para Deus por meio de um arrependimento genuíno é um reflexo ilustrativo da fraqueza e perversidade humanas. **Doze meses** (29) se passaram e a visão apavorante desvaneceu-se. Talvez a visão não viesse a se tornar realidade.

Certo dia, em um momento de glorificação própria, o rei começou a se exultar pelas suas grandes realizações. Enquanto caminhava pelo "terraço do palácio real" (NVI), debaixo dos seus pés estava o edifício mais esplêndido que a Babilônia já tinha visto, adornado em ouro com ladrilhos lustrosos de cores brilhantes. Próximo do palácio ficava a montanha artificial e os mágicos jardins suspensos construídos para a sua rainha das montanhas da Média. Esta era a **grande Babilônia** (30). De uma pequena cidade de um lado do rio Eufrates o rei havia dobrado sua área para os dois lados do rio. Ele a havia enchido com novas construções e templos com uma arquitetura distinta. Ele a havia cercado com muros conhecidos pela sua altura e largura. Parelhas de carruagens podiam correr lado a lado sobre esses muros. Cerca de 210 quilômetros desses muros cercavam a cidade. Cem aberturas, com portões de bronze, controlavam o acesso à cidade. Do lado de fora dos muros ficava um reservatório de cerca de 220 quilômetros de circunferência, conservando e controlando as águas do Eufrates. Canais para navegação e irrigação cobriam toda a área. Diques e represas alinhavam o Eufrates até o mar, e diversos quebra-mares tornavam o Golfo Pérsico seguro para a navegação.

Com esse tipo de visão enchendo a sua mente, podemos imaginar a soberba do rei. Aquele que já tinha tudo glorificou-se a si mesmo: **Não é esta a grande Babilônia que eu edifiquei [...] para glória da minha magnificência?** (30). Inflado de amor-próprio, a ponto de explodir, ele ruiu em um abismo de trevas espirituais e mentais.

O interlúdio de insanidade de Nabucodonosor aqui relatado não é conhecido em nenhuma outra fonte, como bem podemos entender. Qualquer referência a esse fato nas fontes babilônicas seria cuidadosamente apagada depois que o rei recuperou a sua sanidade e posição. O orgulho extremo do monarca foi castigado por meio de um julgamento fulminante e humilhante. A forma específica de demência que atingiu o rei Nabucodonosor é conhecida como licantropia.

5. *Restauração* (4.34-37)

Esse capítulo encerra de maneira apropriada a narração do rei acerca da sua recuperação e sua declaração de louvor ao Deus **Altíssimo**. Como Deus havia prometido, seu reino foi preservado. Seu ministério de conselheiros, do qual Daniel provavelmente fazia parte, administrou o reino durante os "sete tempos" (32) da incapacidade do rei. Se esses sete tempos representavam sete anos, como a maioria dos comentaristas interpreta, isso mostra algo da consideração e estima que os subordinados do rei tinham por ele, bem como a providência fiel de Deus em inclinar os seus corações nesse sentido.

Talvez alguns se perguntem: Por que Deus permitiu a restauração? Ou, então: Por que Deus garantiu essa restauração a um autocrata tão egocêntrico como Nabucodonosor? Não foi para que Deus pudesse revelar a sua glória por meio desse homem?

Deus tinha planejado essa experiência como uma disciplina especial de aprendizado para Nabucodonosor. Seu propósito especial era, nas palavras de Daniel: **até que conheças que o Altíssimo tem domínio sobre o reino dos homens e o dá a quem quer** (25). E nós lemos que a recuperação ocorreu quando **eu, Nabucodonosor, levantei os meus olhos ao céu** (34).

O rei tinha aprendido bem a sua lição. Tudo que sabia acerca de Deus até então, muito ou pouco, ele agora expressa por meio de um louvor profundo. A natureza do Deus Altíssimo distingue-se em claro contraste ao paganismo e superstição daqueles dias. Nesse texto vemos revelados: 1) *A eternidade de Deus* — **ao que vive para sempre** (34). 2) *Sua soberania* — **cujo domínio é um domínio sempiterno, e cujo reino é de geração em geração**. 3) *Sua onipresença* — **segundo a sua vontade, ele opera com o exército do céu e os moradores da terra** (35). 4) *Sua onipotência* — **não há quem possa estorvar a sua mão e lhe diga: Que fazes?**. 5) *Sua justiça* — "Porque tudo o que ele faz é certo, e todos os seus caminhos são justos" (37, NVI).

D. A Queda do Império Caldeu, 5.1-31

A primeira metade do livro de Daniel é o registro de uma série de encontros cruciais entre o orgulho e poder de homens insignificantes e o grande e bondoso Deus. Este, em última análise, dirige as ações dos homens quer eles reconheçam isso, quer não. O incidente desse quinto capítulo serve como clímax da jornada meteórica ao longo da história do reino Babilônico.

Após a morte de Nabucodonosor, o seu filho, Evil-Merodaque, o sucedeu no trono. Esse é o rei que deu honra especial ao rei Joaquim, depois de 37 anos de exílio, ao soltá-lo da prisão e designar-lhe uma pensão (Jr 52.31-34; 2 Rs 25.27-30).

Depois de dois anos, Neriglissar, o cunhado de Evil-Merodaque, liderou uma revolta e o assassinou. Neriglissar tinha se casado com uma das filhas de Nabucodonosor e reivindicava um certo direito real, especialmente por meio do seu filho, Labashi-Marduque. Mas o jovem não recebeu apoio e logo foi morto pelos seus amigos de confiança. Os generais e líderes políticos escolheram Nabonido, outro genro de Nabucodonosor, um auxiliar experimentado e de confiança durante a maior parte do seu reinado. Nitocris, filha de Nabucodonosor, deu um filho a Nabonido. Seu nome era Belsazar. Por causa do seu sangue real, Belsazar, três anos após a ascensão de Nabonido ao trono, foi feito co-regente com seu pai. Ele tinha a incumbência de governar a cidade e província da Babilônia. Esse foi o rei Belsazar descrito por Daniel, como os caracteres cuneiformes têm revelado após décadas de confusão sobre a sua identidade, mesmo entre estudiosos conservadores.[7]

1. *A Orgia Profana de Belsazar* (5.1-4)

Além de toda a herança real do grande Nabucodonosor, seu avô, Belsazar tornou-se conhecido por causa da sua devassidão e crueldade. Atribui-se a Xenofonte a história em que um dos nobres de Belsazar venceu o rei numa caçada. Por esse motivo, Belsazar matou o nobre na mesma hora. Mais tarde, em uma festa, um dos convidados foi elogiado por uma das mulheres. O rei ordenou que o convidado fosse mutilado para eliminar qualquer possibilidade de ser elogiado novamente.[8] Criado em um ambiente de luxo, em que o poder e a adulação fizeram parte da sua vida já em tenra idade, ele tinha poucas chances de não se tornar um egoísta insensato e um autocrata cruel.

Mas agora, catorze anos como segundo no comando do reino, Belsazar precisava encarar grandes responsabilidades. Nabonido, seu pai, estava no campo de batalha com o exército caldeu tentando rechaçar os ataques das forças conjuntas dos Medos e Persas. Uma província após outra do império da Babilônia tinha caído. Agora, os exércitos de Ciro cercavam a capital como o último obstáculo a ser vencido.

Mas não era essa a grande Babilônia inconquistável? Seus muros podiam resistir a qualquer assalto. Sua fartura em mantimentos e seu suprimento de água inesgotável poderiam sobreviver a qualquer cerco. Para demonstrar seu desdém pela ameaça persa, Belsazar decretou uma festa para toda a cidade. Por meio de um convite especial para **mil dos seus grandes** (1), ele preparou uma festa no palácio real. Ele convidou as mulheres do harém real para acrescentar diversão à festa. Então o próprio rei liderou a festa oferecendo bebida para todos. Em dado momento, "inflamado pelo muito vinho" (2, Berkeley), Belsazar se deixou levar por um impulso imprudente. Ele ordenou que fossem buscados **os utensílios** sagrados que seu avô tinha trazido de **Jerusalém** para a Babilônia (3) cinqüenta anos atrás. Eles beberam dessas taças, coisa que nenhum outro ousara fazer até então. Belsazar e seus companheiros de festa beberam dessas taças e **deram louvores aos deuses** (4) da Babilônia. Xenofonte relata que a festa se tornou tão barulhenta que o general de Ciro, Gobrias, declarou: "Não deveria me surpreender se as portas do palácio estivessem abertas agora, porque parece que toda a cidade se entregou à folia".[9]

2. *A Aparição do Julgamento* (5.5-9)

Subitamente, sem aviso prévio, a festança deu lugar a um silêncio chocante. Na parede rebocada apareceram alguns dedos de **mão de homem** (5) que lentamente começaram a escrever uma mensagem. Mas o rei não conseguiu entender uma única palavra do que tinha sido escrito, nem seus convidados de honra. **Então, se mudou o semblante do rei, e os seus pensamentos o turbaram; as juntas dos seus lombos se relaxaram, e os seus joelhos bateram um no outro** (6). Quando Belsazar conseguiu falar, ele começou a gritar e chamar os peritos na sabedoria, **os astrólogos, os caldeus e os adivinhadores** (7), para explicar esse mistério. O rei prometeu todo tipo de recompensa e promoção para qualquer um que pudesse ler a escrita na parede e interpretar a sua mensagem. Esse homem seria **vestido de púrpura** (púrpura real), uma **cadeia de ouro** seria colocada ao redor do seu pescoço e ele se tornaria o terceiro em importância no governo do seu reino. Esse era o posto mais elevado disponível, visto que Nabonido ocupava o posto mais elevado, e Belsazar, o segundo.

Quando os sábios não conseguiram decifrar a escrita, o rei e todos os convidados ficaram outra vez aterrorizados. O termo aramaico usado aqui, *mishettabbeshiyn*, significa muito mais do que perplexidade. Na verdade, havia "confusão e grande comoção na assembléia".[10]

3. *Daniel é Chamado* (5.10-12)

Enquanto os homens clamavam e as mulheres gritavam, **a rainha** (10; rainha-mãe, Nitocris), que havia se ausentado da festa, entrou na sala do banquete do palácio. Assumindo o comando da situação histérica com postura e dignidade, ela gentilmente admoestou o rei, seu filho, e o instruiu na ação a ser tomada. Ela lembrou-o de um **homem que tem o espírito dos deuses santos** (11). Esse homem havia provado sua capacidade extraordinária inúmeras vezes ao desvendar os segredos sobrenaturais nos dias do seu avô Nabucodonosor. Era o próprio **Daniel,** chamado **Beltessazar** (12), que Nabucodonosor havia constituído chefe dos sábios da Babilônia.

4. *A Interpretação de Daniel* (5.13-29)
Então, Daniel foi introduzido à presença do rei (13). Negligenciado havia muito tempo e completamente esquecido, agora tinha chegado a hora do homem de Deus. A mesma recompensa extravagante que o rei havia prometido previamente lhe foi proposta (16), mas Daniel não deu importância às "ninharias" do rei (17) e foi direto à crise que o rei embriagado e sua cidade estavam enfrentando. Daniel o confrontou de forma cortês mas sem rodeios com uma mensagem de Deus. Daniel recordou as lições que Belsazar deveria ter aprendido da história, especialmente em como Deus tratara a vida do seu avô. Ele conduziu a atenção para o orgulho de Nabucodonosor e sua trágica humilhação (18-22). Então veio uma estocada na própria consciência de Belsazar: **E tu, seu filho Belsazar, não humilhaste o teu coração, ainda que soubeste de tudo isso. E te levantaste contra o Senhor do céu** (22-23).

A escrita na parede havia terminado. Quatro palavras misteriosas brilhavam na parede. Elas foram escritas na língua dos caldeus, mas qual era o seu significado? **MENE, MENE, TEQUEL e PARSIM** (25). Daniel explicou cada palavra com um significado duplo. **MENE, MENE** significava "contado, contado": **Contou Deus o teu reino e o acabou** (26); **TEQUEL** — "pesado": **Pesado foste na balança e foste achado em falta** (27). *PARSIM* — "fragmentos quebrados" (no aramaico: UPARSIM; o U significa "e"). Usando a forma do particípio singular, **PERES** — fragmentado, Daniel pronunciou o julgamento final: **Dividido** (ou quebrado em pedaços) **foi o teu reino e deu-se aos medos e aos persas** (28).

5. *Colapso do Império* (5.30-31)
Mal haviam acabado de colocar os adornos de honra em Daniel, quando os soldados de Gobrias e Ciro invadiram o palácio com gritos de guerra. A tradição diz que os engenheiros de Ciro desviaram o rio e entraram na cidade pelo canal seco. Mas evidências mais sólidas parecem indicar que insurretos de dentro da cidade abriram as portas e deixaram o exército persa entrar. A cidade caiu com pouco derramamento de sangue, além de Belsazar. Quando o exército do rei Nabonido foi completamente derrotado, Ciro deu a ele uma residência permanente em Carmânia, uma província não muito distante, onde viveu o restante dos seus dias.

Mas em relação a Belsazar, filho de Nabonido, quão pateticamente fútil foi a oração do pai registrada em um enorme rolo com caracteres cuneiformes encontrado no zigurate em Ur! Endereçado a Sin, o Deus-Lua, lê-se o seguinte: "Quanto a mim, Nabonido, o rei da Babilônia, o venerador da sua grande divindade, que eu possa ser satisfeito com a plenitude da vida, e quanto a Belsazar, o primeiro filho dos meus lombos, alongue os seus dias; não permita que se volte para o pecado".[11]

No capítulo 5, tendo como pano de fundo o julgamento do versículo 27, encontramos o tema: "Deus Proclama a Destruição". 1) Quando os homens não querem aprender da experiência de outros (17-22); 2) Quando os homens ignoram e desprezam Deus (22-23). 3) Quando os homens vivem em sensualidade (1-3). 4) Quando os homens adoram outros deuses (23). Também cf. Seiss.[12]

E. O REINADO DE DARIO, O MEDO, 6.1-28

O versículo final do capítulo 5 e o primeiro versículo do capítulo 6 nos introduzem ao novo governo. Embora Ciro fosse o conquistador, Dario, o medo, é apresentado como o monarca no poder na Babilônia. Parece que a política de Ciro era deixar a administração do governo nas mãos de outros, enquanto seguia em frente com novas conquistas.

Durante muitos anos um dos problemas cruciais do livro de Daniel tem sido a identidade de Dario, o medo, o filho de Assuero (5.31; 9.1). A história secular não fornece nenhum tipo de ajuda para solucionar esse problema. O mesmo se podia dizer de Belsazar, até que as inscrições cuneiformes começaram a revelar seus segredos. Josefo acreditava que Dario era filho de Astiages, conhecido pelos gregos por outro nome.[13] Isso significaria que ele era neto de Ciaxeres, o grande aliado medo de Nabucodonosor.

Alguns têm tentado identificar Dario com Gobrias, o general do exército de Ciro que venceu a Babilônia. Acredita-se que seu reinado foi breve. Mas, sua morte dentro de dois meses após a captura da Babilônia dificilmente apoiaria essa teoria.

Em seu livro *Darius the Mede* (Dario, o medo), John C. Whitcomb oferece fortes indícios que identificam Dario, o medo, com um Gubaru, cujo nome estava separado nos registros cuneiformes. Esse Gubaru é chamado de "Governador da Babilônia e do Distrito Além do Rio". Debaixo da autoridade de Ciro, Gubaru nomeou governadores para governar com ele na ausência de Ciro, que residia por longos períodos em sua capital em Ecbatana. Gubaru recebeu um poder praticamente ilimitado sobre a imensa satrapia da Babilônia. Mesmo no governo de Cambises, o filho de Ciro, Gubaru continuou a exercer sua autoridade.[14]

1. *Avanço Político de Daniel* (6.1-3)

Na reorganização do governo, Dario seguiu a política liberal de Ciro e logo dividiu a responsabilidade da administração. A nomeação de 120 **presidentes** (1), sobre os quais foram colocados **três príncipes** (2), pode ter sido um arranjo temporário para assegurar a coleta regular dos impostos e manter um sistema de arrecadação e contabilidade. A breve explicação do versículo 2 parece indicar isso: **aos quais esses presidentes dessem conta, para que o rei não sofresse dano**.

Dos três presidentes, **Daniel se distinguiu**. E Dario encontrou nele **um espírito excelente** (3) e planejava estender sua autoridade sobre todo o reino.

Daniel devia ter em torno de 85 anos ou talvez se aproximasse dos 90 anos. Ele tinha passado por diversas crises políticas. Agora, a sua reputação de homem íntegro e honesto chegara ao conhecimento dos novos governantes. Talvez informantes tenham aconselhado os novos governantes acerca da posição de Daniel na noite fatal da queda de Belsazar. Quaisquer que fossem as circunstâncias, o homem de Deus estava pronto para servir onde fosse necessário.

2. A Trama dos Presidentes (6.4-9)

Um homem de fidelidade e honestidade é desconcertante para maquinadores desonestos. Ver Daniel prestes a receber uma promoção que o colocaria acima deles era mais do que **os príncipes e os presidentes** podiam tolerar. Eles precisavam destruir Daniel a qualquer custo. O fracasso em encontrar falhas na administração de Daniel os fez buscar uma maneira de atacá-lo no seu ponto mais forte — sua religião e a **lei do seu Deus** (5).

O rei foi ingênuo no que tange à sugestão dos inimigos de Daniel. Era bastante comum para os governantes dos medos e persas colocar-se no lugar de um dos seus deuses e requerer a adoração do povo. Dario sentiu-se lisonjeado em ser o centro da devoção religiosa por um mês, assim, **assinou esta escritura e edito** (9).

3. A Devoção Corajosa de Daniel (6.10-24)

A resposta de Daniel foi inequívoca. Alterar seus hábitos de devoção ou tornar secreta a sua relação com o seu Deus seria uma negação básica. Ele **se punha de joelhos, e orava, e dava graças, diante do seu Deus, como também antes costumava fazer** (10). Essa era uma lei que não tinha o direito de estar nos livros dos estatutos. Tornar uma questão de profunda consciência uma ilegalidade é uma grande traição contra o Deus dos céus. A questão da autoridade do estado e do direito da consciência individual tem se tornado crucial muitas vezes em nosso século iluminista. E, semelhantemente a Daniel, homens têm sido traídos por causa de uma posição de consciência. Os presidentes conspiradores relataram a Dario: "Daniel, um dos exilados de Judá, não te dá ouvidos, ó rei, nem ao decreto que assinaste. Ele continua orando três vezes por dia" (13; NVI).

O rei ficou triste quando percebeu as implicações da sua ação. Ele **propôs dentro do seu coração livrá-lo** (14) da armadilha legal na qual ambos haviam sido apanhados por intermédio dessa trama abominável. Os maquinadores pressionaram o rei de maneira cruel e desavergonhada (15). Eles pressionaram o rei a fazer o que sentia repugnância em fazer, ou seja, lançar Daniel **na cova dos leões** (16).

A cova foi selada com o **anel** do rei (17), de tal modo que não havia chance de escapar. O rei retornou ao palácio, mas não para comer ou dormir. Dario **passou a noite em jejum** (18) e, sem dúvida, em oração a todos os deuses que conhecia. Ao amanhecer, o rei se apressou em ir à cova dos leões. A NVI traduz o versículo 20 da seguinte maneira: "Quando ia se aproximando da cova, chamou Daniel com voz que revelava aflição: 'Daniel, servo do Deus vivo, será que o seu Deus, a quem você serve continuamente, pôde livrá-lo dos leões?' " (20).

Desconsolado, ele tinha dito a Daniel na noite anterior: "Que o seu Deus, a quem você adora tão fielmente, o livre!" (16, Berkeley).

A resposta de Daniel do fundo da cova foi o som mais maravilhoso que o rei desejava ouvir. **Ó rei, vive para sempre! O meu Deus enviou o seu anjo e fechou a boca dos leões** (21-22).

A alegria do rei revela a estima que ele tinha por Daniel. E seu sentido de justiça é percebido em seu esforço para corrigir o erro que havia cometido, pela reversão imediata do édito e o castigo resoluto dos maquinadores perversos.

4. O Decreto de Dario (6.25-28)

Embora a reação imediata de Dario tenha sido de corrigir a injustiça que havia feito a Daniel e punir os verdadeiros ofensores, ele foi muito além disso. Ele reconheceu que a verdadeira injustiça tinha sido cometida contra o Deus de Daniel. Na verdade, o decreto que havia colocado Daniel na cova dos leões tinha proscrito a lei do **Deus vivo** (26) no reino dos medos e persas. Esse édito precisava ser neutralizado por um outro, amplo em seu alcance e específico em suas implicações. Assim, onde o primeiro édito proibia fazer uma oração a qualquer outro a não ser ao rei, o segundo ordenava reverência ao Deus de Daniel em todo o reino. Provavelmente, a verdadeira adoração não pode ser assegurada por um édito real, mas ela certamente pode ser encorajada. A ordem do rei e a declaração de louvor expõem a glória de Deus em termos quase tão abrangentes e claros quanto aquelas proclamadas pelo grande Nabucodonosor, o caldeu. **O Deus de Daniel [...] ele é o Deus vivo e para sempre permanente, e o seu reino não se pode destruir; o seu domínio é até ao fim. Ele livra, e salva, e opera sinais e maravilhas no céu e na terra** (26-27).

O reconhecimento de Dario acerca do caráter sobrenatural do livramento de Daniel é manifesto em dois termos aramaicos usados no versículo 27 para descrever a obra de Deus — *'athiyn* e *thiymhiyn*, **sinais e maravilhas**. O substantivo singular *'ath* sugere "um sinal ou farol", ou seja, "um prodígio, um milagre ou sinal". A segunda palavra, *temah*, sugere "assombro, perplexidade, admiração", ou seja, "milagre, maravilha". O fato de aqueles animais selvagens famintos ficarem com as bocas fechadas, a ponto de deixar o homem de Deus ileso é, de fato, um milagre. Pouco tempo depois, aqueles mesmos animais, libertos do poder que os impedia de atacar, esmigalharam os ossos daqueles que haviam desafiado a Deus. Esse tipo de milagre é totalmente inaceitável para aqueles que insistem em uma explanação natural para cada acontecimento. Mas para aqueles que aceitam a revelação de um Deus que é livre para agir dentro do seu próprio universo criado, esse milagre não é mais impossível do que qualquer outro ato que Ele escolheu para cumprir o seu propósito. Tanto o Antigo quanto o Novo Testamento estão repletos desse tipo de acontecimentos. Dessa forma podemos ver o tipo de Deus que servimos, **o Deus vivo [...] para sempre permanente** (26).

No capítulo 6, podemos ver a "Coragem e suas Conseqüências". 1) Coragem para ser fiel (1-10). 2) Coragem testada (11-17). 3) Coragem vindicada (18-23). 4) O Reino de Deus fomentado (25-27) A. F. Harper.

O versículo 28 relaciona os reinos de **Dario**, o medo, e **Ciro, o persa** com Daniel, que serviu aos dois monarcas. A história deixa claro que esses monarcas eram co-regentes: Dario, o medo, servia na Babilônia sob o reinado de Ciro, que havia consolidado os reinos dos medos e persas e era seu governante reconhecido. Parece que Dario reinou no máximo dois anos. Outras referências mencionam apenas o primeiro ano de Dario (9.1; 11.1).

F. Impérios Ascendem e Minguam até a Consumação, 7.1-28

Daniel 7 conclui a seção aramaica do livro (veja comentários em 1.1-2) e encerra as mensagens relacionadas aos poderes pagãos mundiais. Em certo sentido, esse capítulo serve de ponte entre a seção gentia e a seção judaica seguinte. A primeira seção, expressa na língua das terras onde Israel e Judá estavam exilados, levou a palavra de Deus aos imperadores e impérios dos gentios. A segunda, na língua da promessa ao povo da promessa, levou a palavra infalível de Deus ao remanescente de Israel. A perspectiva da primeira é a ordem mundial gentia. A perspectiva da segunda seção apresenta o Reino de Deus em primeiro plano, ainda que em conflito com as forças do mundo. Assim, esse sétimo capítulo faz convergir as duas perspectivas, a terrena e a celestial. Junto com o capítulo 2, ele tem sido definido como o coração da mensagem de Daniel.

1. Os Quatro Animais (7.1-8)

a) *Os animais e a imagem de Nabucodonosor* (7.1-3). **No primeiro ano de Belsazar** (1) seria quatorze anos antes da queda do reino Babilônico. O **sonho** de Daniel sobre a ordem das coisas futuras lançou a vista do tempo em que o profeta se encontrava, mais de cinco séculos antes do nascimento de Cristo, até a nossa era e até o fim dos tempos. Da sua perspectiva, rodeado por uma escuridão silenciosa da **noite** (2), emergiu uma figura violenta e furiosa — tempestuosos **ventos do céu**, **animais** rugindo (3) subindo das águas, espalhando-se pela terra, um após o outro.

Os ventos do céu agitando o mar é uma figura ilustrativa das duas dimensões da realidade na história. Há a existência terrena de pessoas e nações representada pelo mar agitado e a terra sólida. Há a ordem celestial, sobrenatural. Os dois domínios estão envolvidos no curso dos afazeres humanos, e entre eles e dentro deles há um conflito dinâmico de forças.

Há um paralelo impressionante entre a visão de Daniel descrita aqui e a visão de Nabucodonosor da grande imagem. Na verdade, elas claramente retratam as mesmas realidades históricas, embora de pontos de vista diferentes. O capítulo 2 retrata a história como Deus permitiu que um monarca pagão a vislumbrasse. A imagem continha elementos da própria situação de Nabucodonosor. Na visão de Daniel compartilhamos da concepção de um homem de Deus que consegue captar um vislumbre da perspectiva de Deus.

Nabucodonosor viu a ordem mundial elevando-se em uma magnificência esplendorosa, um colosso dourado cintilante, mas Daniel viu a mesma substância em forma de animais temerosos e vorazes.

Stevens percebe a relevância do símbolo da bestialidade sendo aplicado aos tiranos da história. "Devemos nos curvar em respeito diante dessa manifestação avaliadora divina sobre o caráter do governo imperial do mundo. Quais são os atributos dos animais? Guardar o que é seu a qualquer custo; brigar por aquilo que não têm, mas que querem ter; voar e procurar a violência, sedentos de sangue a qualquer provocação [...] inclinados a sentir o máximo de satisfação no sangue, na agonia, na perda e na morte dos objetos da sua fúria [...] Deus anteviu esse espírito predominante nos impérios mundiais até o fim. Na verdade, esse é o verdadeiro espírito do império mundial. E o militarismo é o seu instrumento indispensável".[15] Verdadeiramente, "o SENHOR não vê como vê o homem" (1 Sm 16.7).

b) *O leão com asas* (7.4). A identificação dos três primeiros animais parece claramente um paralelo com a interpretação de Daniel da imagem do capítulo 2. O **leão** com **asas de águias** [...] **foi levantado** [...] **e posto em pé como um homem** e recebeu **um coração de homem**. Essa imagem provavelmente representa Nabucodonosor como a grande personificação do império babilônico. Sua degradação é sugerida pelo despojar das asas, e sua restauração pelo presente de **um coração** e a postura ereta de um **homem**. O rei dos animais é representado pela força e ferocidade, e o rei das aves, pela graça, agilidade e voracidade; combinados retratam o poder e a grandeza régia desse rei e de seu reino.

c) *O urso desajeitado* (7.5). O **segundo animal, semelhante a um urso**, "tendo sua pata levantada, pronto para atacar" (Berkeley), era o segundo animal mais feroz. As **três costelas** em sua boca e a ordem: **Levanta-te, devora muita carne**, descrevem seu instinto predatório. Os reinos da Babilônia, Lídia e Egito podem representar as costelas entre os dentes do urso.[16]

Pusey descreve de maneira vívida a impassibilidade desajeitada do império persa — imponente e pesado na sua estratégia militar, devastador de vidas e recursos humanos. A campanha militar de Xerxes contra a Grécia, que experimentou sua derrota inicial na batalha de Maratona, mais se assemelhava à migração de imensos bandos do que à ação de um exército. Estima-se em mais de dois milhões e meio de soldados em ação.[17]

d) *O leopardo com suas asas velozes* (7.6). O **leopardo** com **quatro asas de ave** é um símbolo apropriado do grego Alexandre, cuja velocidade impressionante e poder admirável rapidamente colocaram a Pérsia e o mundo aos seus pés. A divisão em quatro partes do seu reino logo após a sua morte é sugerida pelas **quatro cabeças**.

e) *O monstro indescritível* (7.7-8). O quarto animal torna-se o tópico especial da interpretação do anjo nos versículos 15-28. Essa criatura espantosa mas indefinível lembra fortemente o caráter heterogêneo da parte inferior da imagem de Nabucodonosor com as pernas de ferro e os pés e dedos formados de uma mistura de ferro e barro (2.40-43).

1) *Poder, saque e terror* (7). O caráter distinto do quarto animal é o terror que provoca no observador; ele era **terrível e espantoso e muito forte, o qual tinha dentes grandes de ferro**. "Ele devorava e dilacerava suas vítimas em pedaços e pisoteava o que sobrava com seus pés" (Berkeley). Sua diferença marcante em relação aos outros animais antes dele era especificamente notada.

2) *Dez chifres* (7). Da sua cabeça cresciam **dez pontas** ("chifres", ARA). Símbolos de poder militar, esses chifres representam dez reis ou reinos (cf. v. 24). Saindo da mesma cabeça eles apresentavam uma unidade na diversidade, como partes de um mesmo animal. Eles também pertenciam ao mesmo período histórico em contraste com as sucessivas aparições dos animais.

3) *O temeroso chifre pequeno* (8). Saindo da mesma cabeça e desalojando **três das pontas primeiras** subiu **outra ponta pequena**. Mais devastador do que qualquer um dos seus predecessores, esse chifre torna-se o assunto principal do restante do capítulo. Um ser humano, dotado de inteligência e sagacidade extraordinárias, com um imenso orgulho, é sugerido pelos **olhos de homem, e uma boca que falava grandiosamente**.

2. *O Ancião de Dias Senta para Julgar* (7.9-14)

a) *Os tronos de julgamento* (7.9-10). Quando a fúria do quarto animal alcançou seu clímax, Daniel viu tronos sendo estabelecidos,[18] e o **ancião de dias** toma seu assento de julgamento. Coberto por uma luz inefável, cercado por milhares de milhares que o serviam, o Juiz iniciou o **juízo** [...] **e abriram-se os livros**. Esse quadro é claramente refletido em Apocalipse 20.4.

b) *O julgamento do animal e dos animais* (7.11-12). O quarto animal encontra seu fim no julgamento de Deus. **O animal foi morto, e o seu corpo, desfeito e entregue para ser queimado pelo fogo**. Com ele foi o pequeno chifre (**ponta**). Os **outros animais** receberam uma **prolongação de vida**, todavia, foi-lhes removida sua autoridade e foram colocados debaixo do domínio divino.

c) *Um novo rei e um novo reino* (7.13-14). A seguir vem uma bela visão de **um como o filho do homem** (13), que vem **nas nuvens do céu** e recebe **um domínio eterno** (14). **Todos os povos, nações e línguas** tornam-se sujeitos a Ele. A escolha do título "Filho do homem" por Jesus inevitavelmente identifica o novo Rei. E a proclamação de Jesus acerca do Reino identifica o novo domínio.

A relação dessa visão com a visão de 2.44 é evidente. Ali a pedra que foi cortada da montanha substitui os reinos (cf. Mt 24.30 e Ap 1.7).

3. *A Interpretação do Anjo* (7.15-28)

a) *A explicação dos animais* (7.15-18). Não é de admirar que Daniel estava perplexo e **abatido** (15) com a visão que acabara de ter. Devido a sua sabedoria em relação aos caminhos de Deus, ele tinha percepção suficiente para compreender algo do significado do panorama que havia se estendido diante dele. Mas a amplitude disso e as implicações sombrias para as pessoas da terra e para o seu próprio povo eram mais do que Daniel podia absorver calmamente.

Deus é bom em prover ajuda aos seus filhos quando mais precisam dela. O anjo de Deus estava lá para socorrer Daniel, para que ele compreendesse melhor o que estava acontecendo. Os quatro **animais**, ele explicou, eram **quatro reis** (17) ou reinos. Mas a conseqüência final da história é o quinto reino, o governo dos **santos do Altíssimo** (18).

b) *O quarto animal* (7.19-26). Esse animal era a preocupação maior de Daniel, como tem sido no caso dos estudantes do livro de Daniel. Assim, o anjo concentrou-se nesse aspecto e deu-lhe uma atenção maior.

Esse **animal** com grandes **dentes** [...] **de ferro** e garras de **metal** ("bronze", ARA) era indescritivelmente horrível. Ele era mais devasso na sua capacidade de destruir e sua crueldade do que qualquer um dos seus predecessores. Embora no início tivesse **dez pontas** (chifres), um pequeno chifre surgiu para desalojar três outros e distinguir-se no seu vigor e crescimento. Em ferocidade e ostentação esse chifre **era mais firme do que o das suas companheiras**. No final, esse chifre atacou o próprio Deus, o Altíssimo, e **fazia guerra contra os santos e os vencia** (21).

Esse **quarto animal**, explica o anjo, **será o quarto reino na terra, o qual será diferente de todos os reinos; e devorará toda a terra, e a pisará aos pés, e a fará em pedaços** (23).

1) *Que império é esse?* Que reino na história pode ser identificado com o quadro pavoroso desse quarto animal? Seguindo a interpretação adotada no capítulo 2, esse

seria o Império Romano, embora a maioria dos intérpretes modernos discorde desse ponto de vista. O parecer popular é que o animal em forma de dragão representa os gregos, cujos dez chifres representam os dez governantes que sucederam Alexandre. O pequeno chifre seria Antíoco Epifânio.[19]

2) *Roma identificada*. Young, apoiando a posição de que esse quarto animal representava o Império Romano, diz: "É provavelmente correto concordar com a visão tradicional de que esse quarto império é Roma. Isso já era expresso na época de Josefo, e tem sido amplamente aceito. Podemos citar Crisóstomo, Jerônimo, Agostinho, Lutero, Calvino como alguns dos comentaristas que concordam com essa posição, ou que são, pelo menos, partidários da mesma. Em tempos posteriores, estudiosos como E. W. Hengstenberg, H. Ch. Hävernick, Carl Paul Caspari, Karl Friedrich Keil, Edward Pusey e Robert Dick Wilson [apoiaram essa teoria]".[20]

Young apresenta duas razões de a teoria romana ter obtido a supremacia no Novo Testamento e ter sido aceita pelos intérpretes desde então.

a) "Nosso Senhor identificou-se como o Filho do Homem, a figura celestial de Daniel 7, e conectou a 'abominação da desolação' com a futura destruição do Templo (Mt 24)".

b) "Paulo usou a linguagem de Daniel para descrever o Anticristo, e o livro de Apocalipse empregou o simbolismo de Daniel 7 para referir-se aos poderes que existiam naquela época e aos poderes futuros.

"A razão de a teoria do Império Romano tornar-se tão predominante na igreja primitiva é porque ela é encontrada no Novo Testamento, não porque os homens pensavam que tinham achado uma saída simples para a dificuldade".[21]

3) *O que significa a "ponta pequena"* ("pequeno chifre", vv. 8, 11, 20-22, 24-26)? Intérpretes conservadores concordam quase de maneira universal em que o pequeno chifre de Daniel 7 é o Anticristo, que deverá vir no final dos tempos. Jerônimo insistia nesta teoria, contrariando Porfírio.[22] Poucos que aceitam a inspiração sobrenatural de Daniel têm questionado a argumentação de Jerônimo. No entanto, inúmeros estudiosos insistem em que o pequeno chifre nesse capítulo não deve ser identificado com o pequeno chifre (ponta pequena) do capítulo 8. Quanto ao pequeno chifre — a audácia profana —, o egoísmo crescente desse ser humano que surge do solo político da história humana o distingue como a culminação da iniqüidade e impiedade. Sua caracterização como tendo **olhos de homem** (8) sugere que ele é um homem de caráter extraordinário, possuindo inteligência, sagacidade e uma percepção muito além da dos seus contemporâneos. Ele vencerá o mundo pela racionalidade e lógica tanto quanto pela força armada. A expressão **boca que falava grandiosamente** (8) indica habilidade na eloqüência, persuasão, um poder de comunicação que serve como arma de guerra contra Deus e o homem.

Esse é o "homem do pecado, o filho da perdição, o qual se opõe e se levanta contra tudo o que se chama Deus ou se adora; de sorte que se assentará, como Deus, no templo de Deus, querendo parecer Deus" (2 Ts 2.3-4). Esse é o "mistério da injustiça" (2 Ts 2.7), "o iníquo" (2 Ts 2.8). É impossível que esse perverso seja identificado com Antíoco Epifânio. Esse tirano estava morto havia cerca de duzentos anos na época de Paulo. Ele pode simbolizar "o iníquo", mas Paulo colocou o Anticristo no fim dos tempos, na culminação do conflito entre Deus e o Anti-Deus.

A frase: **E proferirá palavras contra o Altíssimo** (25) é regida pela preposição **contra**. A palavra aramaica *letsadh* significa "ao lado de, contra". "Ela denota que ele usará uma linguagem na qual colocará Deus de lado, e dará atenção a outro. Ele se colocará na posição de Deus, fazendo-se semelhante a Deus, e destruirá os santos de Deus".[23]

c) *Os reinos dos homens e o Reino de Deus* (7.13-14,18,22,27-28)

1) *Teorias divergentes*. O que é esse **reino** (18) que o Altíssimo deverá entregar ao **filho do homem** (13) e, por meio dele, aos **santos do Altíssimo** (22)? Onde esse reino está localizado? Quem são seus cidadãos? Quando virá? Inúmeras teorias têm proliferado em torno desse tema importante. Talvez não haja nenhum aspecto da revelação mais importante, além da própria redenção, do que o Reino de Deus. Tampouco há assunto mais essencial para a compreensão de todas as implicações da redenção e do significado do evangelho no seu cenário universal.

a) Israel é o "ungido" de Deus e provê o cerne do Reino. Essa é a visão liberal e está intimamente ligada à teoria de que o quarto reino é a Grécia e que o pequeno chifre é Antíoco Epifânio. Não há o reconhecimento de um Messias pessoal e sobre-humano. Alguns chegam a afirmar que Onias, o sumo sacerdote que resistiu a Antíoco e foi morto por ele, poderia ser "o ungido". Argumenta-se que o autor de Daniel não poderia ter nenhum tipo de conhecimento acerca de um Messias pessoal, e certamente não saberia nada acerca de um Messias que se tornaria o Rei do reino de Deus.

b) Uma visão espiritualizada. Essa visão é creditada primeiro a Orígenes e tem sido seguida por muitos intérpretes ao longo dos séculos. Desse ponto de vista, não precisa haver um tempo de um julgamento final e crucial. Cristo é o Juiz agora e tem sido desde o seu primeiro aparecimento. O Reino já está aqui e onde quer que o domínio de Deus estenda sua influência sobre os corações dos homens. A maioria dos escritores católicos, seguindo Agostinho, defende esse ponto de vista, com algumas ressalvas, identificando o Reino com a Igreja. *A Cidade de Deus,* de Agostinho, é um exemplo clássico dessa apresentação. A neo-ortodoxia, na sua escatologia, tende à interpretação espiritualizada do encontro contínuo dos homens e nações com o justo Juiz e seu julgamento.

c) Israel na Palestina. Essa teoria é defendida pela maioria dos intérpretes dispensacionalistas e fundamentalistas da profecia. Gabelin, Ironside, Blackstone, Larkin e muitos outros têm habilmente fomentado essa "visão de intervalo".[24] Ela é denominada dessa forma por causa do longo intervalo ou hiato requerido pela teoria entre a Primeira e a Segunda Vindas. A era da Igreja ou da dispensação é vista como um "espaço de tempo" na profecia, um tempo de espera até que Deus possa cumprir seus propósitos e trazer Israel de volta do banimento para a Terra da Promessa, a Palestina. A aliança do Antigo Testamento é feita com o Israel literal e somente pode ser cumprida por ele.

O Reino é visto como um reino político do qual Cristo é o rei e Israel o governo. O local é a terra, na verdade, um pequeno ponto na terra, a Palestina. O tempo dessa era dourada é um período de mil anos no fim dos tempos, o milênio.

d) O Reino em continuidade até a consumação. Essa teoria associa duas das teorias precedentes, formando uma síntese maior. Ela afirma que o Reino de Deus é o mesmo governo de Deus que Jesus instituiu em seu ministério, morte e ressurreição. Foi isso que Ele proclamou quando disse: "O Reino de Deus chegou". Era isso que Ele queria que seus discípulos orassem: "Venha o teu Reino. Seja feita a tua vontade, tanto na terra como no céu" (Mt 6.10).

Mas o Reino de Deus é mais do que isso. Jesus proclamou o crescimento e progresso do Reino em parábolas como a do semeador. Ele também deixou claro em parábolas de julgamento que deveria haver uma culminação do Reino no fim dos tempos. Essa culminação ocorreria na tribulação e no julgamento, porém, mais importante que isso, ela resultaria na vitória total de Deus e seu povo em um reino de justiça e paz na terra.

Jesus não disse nada sobre o milênio. O mesmo ocorreu com Daniel. O Reino deve ser um Reino eterno, e seu governo deve cobrir todas as nações. Young ressalta que no segundo (como também no sétimo) capítulo de Daniel "o reino messiânico é representado como sendo de duração eterna. Por essa razão, não podemos identificá-lo com um milênio de somente mil anos de duração".[25]

A apresentação das Escrituras de que o Reino deve ser eterno é um argumento forte contra a hipótese de que deva durar somente mil anos.[26]

Além disso, o Reino de Deus é mais do que um regime político limitado a uma pequena raça, oprimida como tem sido, exercendo um controlo autocrático sobre todos os outros povos. O Reino de Deus vindouro não se oporá aos princípios da graça que Jesus estabeleceu. O caráter essencial da salvação, do relacionamento pessoal em um viver santo, não será deixado de lado no tempo da consumação. Em vez disso, esse será um tempo em que a mensagem do anjo anunciando o nascimento do Messias se cumprirá — "paz na terra aos homens aos quais ele concede o seu favor" (Lc 2.14, NVI).

Então, Aquele que Isaías chamou de "Príncipe da Paz" (Is 9.6), reinará com justiça, e "a terra se encherá do conhecimento do SENHOR, como as águas cobrem o mar" (Is 11.9; Hc 2.14).

2) *O Reino e os reinos*. Um dos problemas mais controversos desse capítulo é a relação do Reino de Deus e sua consumação com os reinos dos homens no fim dos tempos. A teoria do "intervalo" requer a hipótese de um Império Romano "restaurado", encabeçado por dez reis e finalmente pelo próprio Anticristo, que desaloja três reis. O procedimento desse perverso (iníquo) será especificamente com um Israel reconstituído que o considerará o Messias e se comprometerá com ele por meio de uma aliança. O rei quebra essa aliança irresponsavelmente e volta sua fúria contra Israel. Esses são os **santos** com quem essa pequena **ponta** (chifre) **fazia guerra [...] e os vencia** (21); na verdade, ele **destruirá os santos do Altíssimo** (25); e os aniquilaria se não houvesse uma intervenção divina.

Tanto Keil quanto Young discordam dessa interpretação.[27] Ao interpretar o segundo capítulo e esse, Young ressalta que o Deus dos céus estabelece seu Reino, não depois, mas "nos dias desses reis". Na verdade, o capítulo 2 requer, e o capítulo 7 permite, que esses reinos, de alguma forma, resistam até a consumação final. A imagem do capítulo 2 permanece intacta até que no último estágio é golpeada nos pés. Em 7.12 lemos: **E, quanto aos outros animais, foi-lhes tirado o domínio; todavia, foi-lhes dada prolongação de vida até certo espaço de tempo**. E, em Apocalipse 11.15 lemos: "Os reinos do mundo vieram a ser de nosso Senhor e do seu Cristo". Lemos mais adiante: "e os reis da terra trarão para ela a sua glória e honra" (a Nova Jerusalém, Ap 21.24). Poderia parecer que a existência humana na terra não cessa no tempo da consumação, nem desaparecem as estruturas sociais da lei e da ordem. Poderíamos concluir que na vinda do verdadeiro Rei à Terra o que é bom no viver humano seria, antes, realçado, em vez de desalojado ou destruído.

Mas, precisamos ir adiante. O reino messiânico não apenas tem um início; ele também chega a uma consumação! Não podemos deixar de reconhecer a importância da unidade essencial dos reinos sucessivos nos símbolos de Daniel.

Há um elo cultural essencial ao longo de todas as eras subseqüentes. Só o fato do destronamento de um imperador não significa que seu povo tenha desaparecido da face da Terra. Eles também não esqueceram as coisas boas e úteis que aprenderam dos seus pais. A pompa e a grandeza da Babilônia foram absorvidas pelo gigantismo da Pérsia, e a civilização sensual e materialista da Pérsia se fundiu com a Grécia. Igualmente notamos que o esplendor da literatura, da arte e da filosofia grega torna os romanos mais gregos do que os próprios gregos. E até o dia de hoje a firmeza das leis romanas e suas estruturas políticas fazem parte da base da civilização ocidental.

Em relação aos dez reis, descritos como dez chifres (partes) do quarto animal, Keil e Young mostram que o número dez não deve ser entendido matematicamente, mas simbolicamente. O número dez significa perfeição e suficiência.[28]

Uma importante informação acerca desse discurso é provida pela figura do animal no fim dos tempos descrito no Apocalipse. "E eu pus-me sobre a areia do mar e vi subir do mar uma besta que tinha sete cabeças e dez chifres, e, sobre os chifres, dez diademas, e, sobre as cabeças, um nome de blasfêmia. E a besta que vi era semelhante ao leopardo, e os seus pés, como os de urso, e a sua boca, como a de leão; e o dragão deu-lhe o seu poder, e o seu trono, e grande poderio" (Ap 13.1-2).

Obviamente, esse animal é uma combinação dos quatro animais de Daniel 7. Todos os elementos de poder, cultura e perversidade estão combinados em um. Parece claro que a manifestação política no fim dos tempos surgirá diretamente das civilizações mundiais e se tornará uma manifestação extremamente perversa.

Mas os santos do Altíssimo receberão o reino e possuirão o reino para todo o sempre e de eternidade em eternidade (18). O fim da história não deverá ocorrer em decorrência de uma explosão atômica ou da destruição do que é bom. O alvo do projeto de Deus é o reino de Deus e a consumação e preservação de tudo o que é bom e belo e verdadeiro e santo.

Seção III

O APOCALIPSE HEBRAICO
(UMA MENSAGEM PARA O POVO ESCOLHIDO, EM HEBRAICO)

Daniel 8.1—12.13

Keil considera o capítulo 8 o início da segunda parte do livro de Daniel. Ele sugere o seguinte título para essa parte: "O Desenvolvimento do Reino de Deus".[1] Isso está de acordo com a análise anterior do livro (veja comentários em 1.1-2 e o parágrafo introdutório em 7.1-28).

A. A VISÃO DE DANIEL DE IMPÉRIOS EM GUERRA, 8.1-27

A visão do capítulo 8 retrata o povo de Deus diante da ascensão e queda do segundo e do terceiro império mundial descritos no capítulo 7.

1. *A Guerra do Carneiro e do Bode* (8.1-12)

a) *Ocasião e lugar da visão* (8.1-12). **No ano terceiro do reinado do rei Belsazar.** Haviam passado dois anos (cf. 7.1) desde a visão de Daniel a respeito dos quatro reinos mundiais. Se o exílio de Daniel ocorreu quando ele tinha entre quinze e vinte anos, ele deveria ter agora em torno de 75 anos. Ele havia servido sua geração de forma distinta debaixo do grande rei Nabucodonosor. No governo dos reis subseqüentes, Daniel parece não ter tido a mesma notoriedade pública. Mas ele continuava sendo um homem de Deus e com o passar dos anos havia se tornado mais maduro e sábio. Deus estava prestes a desvendar-lhe os segredos mais preciosos do seu plano para Israel e para a humanidade. O local era **Susã** (2), a **cidadela** (palácio) de verão dos reis da Pérsia, que ficava a cerca de 300 quilômetros a leste da Babilônia (veja mapa 1). O **rio Ulai** era um canal que conectava os rios Kerkha e Karun.

b) *O carneiro medo-persa* (8.3-4). Na primeira visão de Daniel no capítulo 7, os animais que simbolizavam o poder mundial eram animais selvagens. Agora a disposição da visão muda e dois desses mesmos poderes mundiais aparecem como animais domesticados — um carneiro e um bode. Será que é possível que o Espírito de Deus esteja retratando aqui mais uma importante fase da vida humana e da história, ou seja, o aspecto cultural? Enquanto o capítulo 7 ressalta o poder político das nações, o capítulo 8 destaca as influências culturais. Se concordarmos com essa hipótese, é possível imaginar que esses dois aspectos, provenientes de dois reinos diferentes, convirjam em dado momento em uma manifestação culminante do mal, ou seja, no surgimento do Anticristo.

Qualquer que seja o significado da mudança da natureza dos animais, o carneiro e o bode logo estavam furiosamente em guerra. O **carneiro** aparece primeiro, dando **marradas para o ocidente, e para o norte, e para o meio-dia** ("para o sul", NVI; v. 4). Keil sugere que a direção das marradas parece indicar que os avanços para o oriente não eram tão estrategicamente importantes comparados com os feitos em outras direções. Tanto Ciro quanto Dario lideraram campanhas bem-sucedidas para o Oriente, em direção à Índia, mas é o seu impacto ocidental que mais seriamente afetou a história.[2]

O animal de duas pontas (dois chifres), com a segunda crescendo mais que a primeira, claramente sugere a história medo-persa. Ciaxerxes, da Média, era um líder poderoso que se aliou ao caldeu Nabopolassar e seu filho, Nabucodonosor, para derrubar o império assírio em 612 a.C. Ao lado da Babilônia, a Média era um poder dominante dos seus dias. Mas a bravura do talentoso Ciro (que a tradição diz ser o neto de Astiages, rei dos medos) logo se tornou evidente, e ele rapidamente ascendeu até o topo da aliança medo-persa.

A palavra **animais** (*chayywoth*) significa criaturas viventes em geral e podem ser tanto selvagens quanto domesticados. "Nenhuma criatura vivente podia ficar diante dele, e não havia quem pudesse livrar-se do seu poder; e ele fazia o que bem desejava e tornou-se grande" (4, lit.). **E se engrandecia** (*higddil*) não significa aqui "tornar-se arrogante" mas, sim, "fazer grandes coisas". Isso se repete no versículo 8; cf. Sl 126.2-3: "Grandes coisas fez o Senhor por nós".[3]

c) *O bode grego* (8.5-12). Um novo elemento entra na história com essa cena. Até aqui o centro gravitacional do poder mundial era no Oriente. Agora, pela primeira vez, o Ocidente entra em cena. **Eis que um bode vinha do ocidente sobre toda a terra** (5). O ataque do bode sobre o carneiro foi rápido e avassalador. **E vi [...] irritar-se contra ele [...] e feriu o carneiro** (7); i.e.: "em furor chifrou-o" (Berkeley). **Não houve quem pudesse livrar o carneiro da sua mão.**

1) *O chifre quebrado e seus quatro sucessores*. No apogeu do poder do bode, a **grande ponta foi quebrada** (8) e no seu lugar **quatro** outros chifres (pontas) subiram. O significado aqui claramente se refere a quatro reis e seus reinos que os sucederam.

2) *O pequeno chifre que se tornou grande*. Enquanto Daniel observava, uma coisa impressionante começou a acontecer. Um dos quatro chifres fez brotar **uma ponta mui pequena, a qual cresceu muito** (9). **A terra formosa** era "a terra de Israel" (LP). A

mesma palavra "cresceu muito" (*gaddal*) é usada aqui como nos versículos 4 e 8. Mas o contexto descreve outro tipo de crescimento, um crescimento maligno. O orgulho crescente do desprezível chifre pequeno o faz se exaltar até mesmo contra o **príncipe do exército** (11). Ele procura atacar a Deus ao destruir **alguns do exército** e **estrelas** (10; seus santos).

Muita divergência envolve a identificação do **príncipe do exército**. Alguns têm conjecturado que esse príncipe se refere ao sumo sacerdote Onias, no tempo de Antíoco Epifânio. Outros acreditam ser o Israel de Deus. Será que não poderia ser que aqui vemos mais uma vez o eterno Cristo pré-encarnado, que apareceu a Josué, dizendo: "mas venho agora como príncipe ['capitão'] do exército do SENHOR" (Js 5.14)? **O príncipe** se refere claramente à autoridade divina que governa sobre os santos de Deus. Quem melhor poderia preencher o papel do Príncipe Ungido preordenado do povo de Deus do que a Segunda Pessoa da Trindade divina?

Para executar seus propósitos profanos, o chifre pequeno pára o **sacrifício** diário e viola a santidade do **santuário** (11). Esse era um tempo em que as restrições contra o mal e os malfeitores foram removidas. "Como resultado, a verdade e a justiça pereceram e o mal triunfou e prosperou" (12, LP).

2. O Significado da Visão (8.13-27)

a) *"Quanto tempo?"* (8.13-14). Deus revelou a Daniel por meio da conversa de seres santos que o tempo do mal não seria prolongado. A pergunta era: **Até quando durará a visão do contínuo sacrifício e da transgressão assoladora, para que seja entregue o santuário e o exército, a fim de serem pisados?** (13). E a resposta veio: **Até duas mil e trezentas tardes e manhãs; e o santuário será purificado** (14). De que maneira devemos entender essa simbologia de números? Jerônimo apresenta uma interpretação muito simples e sensata:

> Se lermos os livros dos Macabeus e a história de Josefo, vamos encontrar registrados lá que [...] Antíoco entrou em Jerusalém e, depois de provocar uma devastação geral, voltou novamente no terceiro ano e ergueu a estátua de Júpiter no Templo. Até o tempo de Judas Macabeu [...] Jerusalém ficou devastada por um período de seis anos, e por três anos o Templo ficou maculado — totalizando dois mil e trezentos dias mais três meses.[4]

b) *Gabriel, o mensageiro de Deus* (8.15-19). Daniel ficou profundamente assombrado com a visão que teve, mas ele rapidamente encontrou uma resposta quando se apresentou diante dele um ser na **semelhança de homem** (15) — um mensageiro especial enviado por Deus. Era **Gabriel** (16) que apareceu, anunciado pela **voz de homem**. Acerca de **margens do Ulai,** cf. comentários do versículo 2.

Gabriel (hb., "Deus mostrou-se poderoso") é bastante conhecido nas Escrituras. Ele era o mensageiro de Deus para Daniel (8.16; 9.21) e o mensageiro da anunciação do nascimento de João Batista, bem como do nascimento de Jesus (Lc 1.9, 26). Ao idoso Zacarias, Gabriel explica sua posição: "Eu sou Gabriel, que assisto diante de Deus, e fui enviado a falar-te e dar-te estas alegres novas" (Lc 1.19).[5]

Em seu terror diante da presença do anjo, Daniel escreve: "caí prostrado [...] Enquanto ele falava comigo, eu, com o rosto em terra, perdi os sentidos. Então ele tocou em mim e [...] disse: 'Vou contar-lhe o que acontecerá depois [...] pois a visão se refere ao tempo do fim'" (17-19, NVI).

c) *A interpretação* (8.20-27).

1) *O carneiro — medo-persa* (8.20). A identificação dessa criatura turbulenta é direta e inequívoca. Trata-se da **Média** e da **Pérsia** (20), em sua ascensão ao poder. Ciaxerxes, o grande líder medo dos dias de Nabucodonosor, tinha levado seu país ao poder e prestígio. Com a Lídia a noroeste, a Média tinha sido um dos aliados vitoriosos dos babilônios na subjugação da Assíria. Na época da queda de Nínive, em 612 a.C., a Pérsia era um pequeno e insignificante país ao sul e leste da Média e do Elão. Mas quando o jovem gênio Ciro surgiu, ele se moveu rapidamente para controlar toda a terra. Seus aliados e parentes eram os medos.

Jerônimo compartilha o que sabe acerca do relacionamento entre os persas e os medos citando Josefo:

> Dario, que destruiu o império dos babilônios com a cooperação do seu parente Ciro — porque ambos conduziram a guerra como aliados — estava com sessenta e dois anos quando capturou a Babilônia [...] Quando a Babilônia foi derrotada, Dario retornou ao seu próprio reino na Média e levou Daniel na mesma posição de honra que recebera de Belsazar. Não há dúvidas de que Dario ouviu falar do sinal e prodígio que havia ocorrido com Belsazar, e também da interpretação de Daniel e como ele tinha profetizado acerca do governo dos medos e persas. Assim, ninguém deveria se preocupar com o fato de estar escrito em um texto que Daniel viveu no reinado de Dario e em outro que ele viveu no reinado de Ciro. A Septuaginta traz Artaxerxes em vez de Dario [...] E assim, foi no governo desse Dario que matou Belsazar que ocorreram os eventos aos quais estamos nos referindo.[6]

2) *O bode peludo da Grécia* (8.21-22). **O bode peludo é o rei da Grécia; e a ponta grande que tinha entre os olhos é o rei primeiro** (21). Essa descrição parece a de Alexandre, o Grande, da Macedônia. Sua estratégia brilhante o ajudava a derrotar seus inimigos rapidamente. Em Tebas, ele conquistou o Egito. Em Jerusalém, o sumo sacerdote e sua comitiva abriram as portas para ele e receberam um tratamento favorável pela ação prudente deles. Duas vezes no seu caminho para o norte e leste encontrou-se com os exércitos da Pérsia. Finalmente, na planície de Arbela, na Síria, ele matou Dario III e espalhou seus exércitos. Aonde Alexandre ia, era bem recebido, ou por aclamação ou por meio de vitórias fáceis, até que, finalmente, se encontrou na fronteira da Índia, à beira do rio Indo. Nesse primeiro encontro agressivo do Oeste com o Leste, o Oeste saiu vitorioso de maneira gloriosa e mudou a face da história e as correntes da cultura por dois milênios e meio.

O império de Alexandre foi o mais frágil e o de menor duração. Semelhantemente a um meteoro, esse império lampejou pelo céu da história e explodiu em fragmentos. Esses fragmentos eram **quatro reinos** visíveis (22) ocupados por quatro dos seus generais mais rígidos. A Macedônia e a Grécia foram tomadas pelo meio-irmão de Alexandre, Filipe Arideu.

A Ásia Menor ficou com Antígono. O Egito foi para Ptolomeu, filho de Lagos. E a Síria, a Babilônia e todos os reinos ao leste até a Índia se tornaram o domínio de Seleuco Nicanor.

3) *O impetuoso e vil "pequeno chifre"* (8.9-12, 23-25). A maior parte dos intérpretes tem notado a diferença evidente entre a **ponta mui pequena** ("pequeno chifre", ARA, NVI) desse capítulo e a do capítulo 7. Esse chifre surge de um dos quatro chifres enormes. O pequeno chifre do capítulo 7 surge entre os dez e abate três. Esse chifre é um produto do terceiro reino. O chifre pequeno do capítulo 7 provém do quarto reino.

Quase que sem exceção os intérpretes concordam em que, independentemente de quem seja o pequeno chifre do capítulo 7, se o Anticristo ou outro, o pequeno chifre do capítulo 8 é Antíoco Epifânio.

Mas, tão clara quanto é a imagem de Antíoco aqui, oculta-se no pano de fundo uma outra, a do temerário Anticristo. Jerônimo aponta para esse fato e sugere que Antíoco é um tipo do Anticristo, como Salomão era de Cristo, o Ungido.

A interpretação de Gabriel apóia essa posição. Lemos: **Esta visão se realizará no fim do tempo** (17). **No determinado tempo do fim** (19). **Mas, no fim do seu reinado, quando os prevaricadores acabarem** (23). Essa última passagem nos lembra da referência de Paulo ao "homem do pecado, o filho da perdição" (2 Ts 2.3), que identificará o tempo do fim.

4) *O segredo de Daniel* (8.26-27). A reação do profeta revela o profundo impacto espiritual e emocional que essa revelação tem sobre ele. **E eu, Daniel, enfraqueci e estive enfermo alguns dias** (27). Em seu coração queimava o segredo que ele deve "trancar" para tempos futuros. Mas esse servo de Deus tinha um chamado. Ele não se deixou esmorecer diante desses sonhos. **Então, levantei-me e tratei do negócio do rei; e espantei-me acerca da visão, e não havia quem a entendesse** (27).

B. INTERCESSÃO DE DANIEL POR ISRAEL, 9.1-27

Já próximo do término da sua jornada terrena vemos Daniel empenhado em uma das batalhas cruciais da sua vida. Lembramo-nos da declaração de Paulo acerca da natureza da oração: "Porque não temos que lutar contra carne e sangue, mas, sim, contra os principados, contra as potestades, contra os príncipes das trevas deste século, contra as hostes espirituais da maldade, nos lugares celestiais" (Ef 6.12).

1. *A Ocasião da Oração de Daniel* (9.1-3)

Uma mudança no governo trouxe à mente de Daniel a convicção aguda de que alguma mudança providencial de grandes proporções estava para acontecer com o remanescente do seu povo no exílio. O reino dos caldeus tinha chegado ao fim com a queda da Babilônia (5.30-31). O governo dos persas e seus aliados medos o tinha destituído. Se **Dario, que foi constituído rei sobre o reino dos caldeus** (1), era, na verdade, o parente idoso do persa Ciro, a situação política continuava instável. O equilíbrio do poder estava passando da Média para a Pérsia. Ciro, dentro de dois anos, assumiria a liderança civil e militar.

Mas Daniel estava acima do cenário secular. Ele entendeu **pelos livros** [...] **que falou o** SENHOR (2). Daniel estava ciente de quão minuciosamente exato havia sido o cumprimento das advertências que Deus tinha dado ao seu povo. Ele tinha passado pelos dias angustiantes de calamidade descritos detalhadamente em Levítico 26.14-35. O castigo imposto por causa da negligência dos anos sabáticos estava ficando claro. A promessa de Deus de misericórdia e restauração baseadas na aliança que Ele havia feito com os pais (Lv 26.40-45), com a condição indispensável de arrependimento, continuava valendo. Deus estava aguardando a reação do povo. Então Daniel lembrou da referência profética alarmante de Jeremias em relação a uma série de ciclos sabáticos que culminava naqueles dias: "Porque assim diz o SENHOR: Certamente que, passados setenta anos na Babilônia, vos visitarei e cumprirei sobre vós a minha boa palavra, tornando-vos a trazer a este lugar" (Jr 29.10; cf. 29.11-13; 2 Cr 36.12). Ele sabia que o tempo estava próximo e sabia exatamente o que deveria fazer. Na profecia de Jeremias, Daniel descobriu o plano de Deus para a época em que vivia.

A seriedade da luta na oração de Daniel pode ser percebida na seguinte frase: **E eu dirigi o meu rosto ao Senhor Deus, para o buscar com oração, e rogos, e jejum, e pano de saco, e cinza** (3).

Aqui estava um homem empenhado em uma busca profunda e sincera pela ajuda divina. Calvino observa que "quando Deus promete algo singular e valioso, devemos estar alertas e sentir essa expectativa como um estímulo aguçado". Calvino então ressalta que o uso do pano de saco, da cinza e do jejum por Daniel, foi usado, não como obras meritórias para alcançar o favor de Deus, mas como auxílio para aumentar o ardor na oração. "Assim, observamos que Daniel fez o uso correto do jejum, não desejando agradar a Deus por meio dessa disciplina, mas em conferir-lhe mais seriedade em suas orações".[7]

Em Daniel 9.1-3, encontramos os "Fatores da Oração Eficaz": 1) Um coração aberto para "a palavra do SENHOR" (2*a*, NVI). 2) Uma convicção esmagadora de que o tempo de Deus é agora (2*b*). 3) A observância das disciplinas da oração insistente (3).

3. *Oração de Confissão de Daniel* (9.4-14)

Quando Daniel se engajou nesse ministério da intercessão ele fez o que cada verdadeiro intercessor deveria fazer. Ele identificou-se com aqueles por quem estava intercedendo. Os pecados do seu povo eram os seus pecados. A aflição deles era a sua aflição. O castigo deles era o seu castigo, plenamente merecido. Ele não se colocou acima do seu povo, julgando-o de uma posição exaltada. É verdade que Daniel pessoalmente não era um rebelde idólatra contra Deus. Mas ele escolheu descer ao vale da humilhação onde estava seu povo errante e tomou a culpa e vergonha deles sobre si. Isso ilustra de forma vívida o estado do nosso Senhor ao levar sobre si os pecados de um mundo perdido! Quão claramente isso sugere a todos que entram na comunhão do seu sofrimento que devemos de uma maneira real identificar-nos com o pecador que apresentamos diante do trono da graça!

Ao aproximar-se de Deus, Daniel teve uma clara visão da natureza do caráter de Deus, cuja face buscava. Deus era pessoal e acessível, porque Daniel se dirigiu a Ele como **meu Deus** (4). Ele também era soberano e santo, **Deus grande e tremendo**. Deus era fiel, que guarda **o concerto e a misericórdia para com os que** o **amam**.

A confissão de Daniel era mais do que generalizações e chavões. Ele foi específico ao abrir os horrores do pecado do seu povo. Existe um significado profundo nos quatro termos hebraicos que Daniel usa para descrever o mal de Israel. **Pecamos** (5; *chata*) significa dar um passo em falso ou afastar-se do que é justo. **Cometemos iniqüidade** (*'awah*) se aprofunda nos motivos; **iniqüidade** implica em ser perverso. **Procedemos impiamente** (*rasha'*) significa proceder mal em rebelião contra Deus. **Fomos rebeldes, apartando-nos dos teus mandamentos**, serve para reforçar esse terceiro termo. **Confusão do rosto** (7 e 8) significa vergonha ou ignomínia.

O pecado de Israel era muito mais sério do que algum tipo de erro superficial. Era uma maldade profundamente enraizada que controlava as ações de maneira perversa. Essa maldade tinha fechado os ouvidos e cegado os olhos e endurecido os corações do rei e do povo de tal forma que os esforços de Deus para influenciá-los por meio dos seus servos, os profetas, foram em vão. Deus é justo e santo. Os homens são maus e corruptos. Deus é misericordioso e gracioso. O povo é rebelde e teimoso. Os julgamentos de Deus são justos. A adversidade de Israel é merecida; ela é simplesmente o cumprimento exato do **juramento que está escrito na Lei de Moisés, servo de Deus** (11). A maldade do homem serve para ressaltar a justiça de Deus.

3. *A Oração de Súplica de Daniel* (9.15-19)

À luz da santidade não ofuscada de Deus e diante da crescente maldade do seu povo, restava a Daniel apelar para a misericórdia divina. Qualquer esperança que Israel pudesse ter para restauração ou salvação não podia estar baseada no mérito. Ela deveria estar fundamentada somente na graça. Assim, mesmo antes da era da graça, temos um vislumbre da manifestação da graça divina. **Ó SENHOR, segundo todas as tuas justiças, aparte-se a tua ira e o teu furor [...] por causa dos nossos pecados e por causa das iniqüidades de nossos pais, tornou-se Jerusalém e o teu povo um opróbrio para todos os que estão em redor de nós** (16).

Então a impertinência de Daniel quebra todas as barreiras e transborda os canais do poder da palavra. **Inclina, ó Deus meu, os teus ouvidos e ouve; abre os teus olhos e olha [...] Ó SENHOR, ouve; ó SENHOR, perdoa; ó SENHOR, atende-nos e opera sem tardar; por amor de ti mesmo, ó Deus meu** (18-19).

Certamente temos aqui um exemplo em que "a oração feita por um justo pode muito em seus efeitos" (Tg 5.16).

Nos versículos 15-19, encontramos "Abordagens Apropriadas na Oração de Petição". 1) Lembre-se das antigas bênçãos de Deus (15*a*). 2) Confesse sua própria indignidade (15*b*, 16*b*). 3) Ore persistentemente (19*a*). 4) Peça em nome da bondade de Deus e no interesse do seu Reino (16 *a*, 17-18, 19*b*) — A. F. Harper.

4. *A Resposta de Deus* (9.20-27)

a) *O anjo mensageiro Gabriel* (9.20-23). Semelhantemente à luz clara que ilumina o pano de fundo sombrio de uma nuvem tempestuosa sobrecarregada, a resposta de Deus irrompeu sobre Daniel no meio da sua oração desesperada. Um dos mensageiros de Deus, cujas ministrações Daniel já havia experimentado (8.16), veio velozmente até ele. Esse era **Gabriel** (21), o mensageiro das revelações especiais de Deus (Lc 1.19, 26).

O coração de Daniel deve ter experimentado um conforto indescritível ao ouvir a promessa de Deus: "Daniel, agora vim para dar-lhe percepção e entendimento" (22, NVI). Então Gabriel informou-o que desde o início da sua oração Deus estava ouvindo e respondendo. As "rodas" da história já estavam começando a girar para cumprir aquilo que Daniel estava pedindo — e mais. Então, para fazer culminar a mensagem de conforto, ele deu a Daniel um testemunho do interesse pessoal de Deus: **porque és mui amado** (23). Nesse contexto, somos lembrados da narrativa de Lucas acerca de um Intercessor maior em sua agonia no jardim chamado Getsêmani, ao qual, em sua agonia, "apareceu-lhe um anjo do céu, que o confortava" (Lc 22.43).

b) *A revelação das setenta semanas* (9.24-27). De modo estranho, a mensagem de explicação que Gabriel trouxe a Daniel parece não se restringir ao assunto imediato da oração do profeta. Ele havia refletido acerca da profecia de Jeremias dos setenta anos e sobre o fato de que o término desse tempo estava próximo. Esse cumprimento, de fato, ocorreu por intermédio do decreto de Ciro, não muito tempo depois. Os judeus estavam livres para voltar a Jerusalém. Mas na mensagem que Gabriel trouxe, mais uma porta de percepção profética se abre em uma dimensão mais ampla em torno do propósito de Deus, não somente para Israel, mas para o mundo. Essa dimensão mais ampla de revelação diz respeito à obra e ao reino do Messias. Esse assunto tinha sido introduzido em visões e sonhos anteriores, como na grande imagem de Nabucodonosor (2.44-45) e na visão dos quatro animais por Daniel (7.13-14). Mas aqui a mensagem vem de outro anjo e em maiores detalhes.

1) *O ministério e o tempo do Messias* (9.24-25). Alguns intérpretes limitam o escopo das **setenta semanas** ao povo de Israel, à terra da Palestina e à cidade de Jerusalém. Parece que para essa terra e esse povo há uma relevância especial nessa mensagem porque a primeira parte da frase diz: **Setenta semanas estão determinadas sobre o teu povo e sobre a tua santa cidade** (24). Mas, à medida que a mensagem se desenvolve, torna-se claro que essa frase tem uma conotação inclusiva e não exclusiva. O plano de Deus por meio do Messias é, de fato, para Israel, e os eventos da redenção ocorrem na Palestina e em Jerusalém. Mas na salvação de Israel está incluída a salvação de todos (Rm 11.1, 11-12, 25-26). Porque a salvação somente ocorre por meio de Cristo, quer seja judeu, quer gentio.

a) A sêxtupla obra do Messias (24). Dentro da totalidade das **sete semanas** simbólicas deve ocorrer uma obra completa de redenção. Parece que em relação ao tempo, essa obra se estenderá mesmo além das desolações, "até a consumação" (27), isto é, até o fim desse mundo. Além disso, visto que a chave dessa passagem é o Messias, é evidente que essa obra é a obra do Messias.

Encontramos seis aspectos da obra de redenção do Messias no versículo 24:

1. **Acabar com a transgressão**
2. **Dar fim ao pecado**
3. **Operar a reconciliação devido à iniqüidade**
4. **Trazer uma justiça eterna**
5. **Selar a visão e a profecia**
6. **Ungir o Santo dos santos**

Os três primeiros aspectos têm que ver com a conquista do pecado. Os últimos três têm que ver com os aspectos positivos em completar a redenção; trazer todas as coisas para todo sempre debaixo do governo justo de Deus; **selar a visão e profecia** ao cumpri-las; e **ungir o Santo dos santos**, o santuário celestial que é o antítipo do Santo dos santos terreno.

Keil afirma o seguinte:

> Também devemos associar esse sexto aspecto (ungir o Santo dos santos) ao tempo da consumação e entendê-lo como o estabelecimento do novo Santo dos santos que foi mostrado ao vidente santo em Patmos como "o tabernáculo de Deus com os homens", no qual Deus habitará com eles, "e eles serão o seu povo, e o mesmo Deus estará com eles e será o seu Deus" (Ap 21.1-3). Nessa cidade santa, não haverá templo, porque o Senhor, o Deus Todo-poderoso, e o Cordeiro serão o seu templo e a glória de Deus a iluminará (22-23). Nela não entrará coisa alguma que contamine ou cometa abominação (27), porque o pecado então será fechado e selado; lá habitará a justiça (2 Pe 3.13), e a profecia cessará (1 Co 13.8) com o seu cumprimento.[8]

b) O advento do Messias e a expectativa profética (25). Mesmo sendo as palavras entendidas de diversas maneiras, **desde a saída da ordem** [...] **até ao Messias, o Príncipe,** serão **sete semanas e sessenta e duas semanas**. Existe concordância no seguinte: No tempo da primeira vinda de Cristo havia uma expectativa sem precedentes pela vinda do Messias. Os documentos da comunidade de Qumrã encontrados nas cavernas próximas ao mar Morto, com sua elevada ênfase no aspecto apocalíptico, confirmam isso. João Batista não foi o primeiro da sua época a chamar a atenção do povo para que se preparasse para a vinda do Messias. E, de onde será que os magos do Oriente souberam que nasceria um Rei em Judá em um tempo determinado? A estrela sozinha dificilmente teria sido suficiente sem uma certa tradição ou ensino que serviria de base para um tempo aproximado para a vinda do Rei. Esses homens vieram do país onde habitava Daniel, no qual essas semanas e anos eram conhecidos e discutidos.

Assim, podemos estar certos de que a mensagem mística de Gabriel, expressa em termos de tempos e números, fez com que corações anelassem com esperança e expectativa pelo seu cumprimento, muito tempo após a morte de Daniel. Porque o Príncipe-Messias, o Sacerdote e Líder Ungido, era a Esperança de Israel e do mundo.

2) *As semanas simbólicas* (9.25-27). As setenta semanas de Daniel têm gerado uma interminável sucessão de sistemas de interpretação. Talvez não haja outro assunto nas Escrituras que tenha ocasionado maior variedade de opiniões.

Young esboça quatro escolas de interpretação principais, fato revelador da divergência de pontos de vista:

a) A Interpretação Messiânica Tradicional. Essa teoria afirma que as setenta semanas profetizam acerca da primeira vinda de Cristo, especialmente sua morte, e culmina com a destruição de Jerusalém. Agostinho foi o primeiro que descreveu essa interpretação. Alguns dos estudiosos conhecidos que concordam com essa interpretação são: Pusey, Wright e Wilson. Young também apóia essa teoria.

b) A Interpretação Liberal. Essa teoria considera que as setenta semanas não são exatamente uma profecia mas uma descrição dos dias de Antíoco Epifânio e sua derrota para os macabeus. O Messias é identificado como o sumo sacerdote Onias, que foi morto por causa da sua rebeldia contra Antíoco.

c) A Interpretação da Igreja Cristã. Essa teoria entende que o número sete não dever ser entendido como um número exato de semanas de anos, mas, sim, números simbólicos que cobrem o período desde o decreto de Ciro para repatriar os judeus até o primeiro advento e morte do Messias, chegando até o tempo do Anticristo e sua destruição no tempo da consumação.

d) A Interpretação do Intervalo. Nesse caso, setenta setes de anos são divididos em períodos de sete setes, sessenta e dois setes e um sete final separado do restante por um intervalo indefinido ou hiato. Os sessenta e nove setes cobrem o período até a primeira vinda e a morte do Messias e a destruição de Jerusalém. O último sete é o período do Anticristo no final dos tempos.[9]

A maioria dos intérpretes desde os dias de Jerônimo, exceto aqueles da escola liberal, entendem os 70 setes como semanas de anos, totalizando 490. Jerônimo escreveu: "O próprio anjo especificou setenta semanas de anos, isto é, 490 anos desde a publicação da palavra para que a petição seja concedida para a reconstrução de Jerusalém. O intervalo específico começou no vigésimo ano de Artaxerxes, rei da Pérsia, porque foi seu copeiro Neemias que [...] pediu ao rei e obteve sua permissão para a reconstrução de Jerusalém".[10]

Se aceitarmos o ano 454 a.C., como o vigésimo ano do reinado de Artaxerxes e calcularmos os sete mais 62 setes, isto é, 69 setes ou 483 anos, chegamos ao ano 29 d.C. Esse é o ano do apogeu do ministério de Jesus. Na primavera daquele ano Ele apareceu em Jerusalém como Messias e Príncipe, montado num jumento acompanhado por uma multidão eufórica (Zc 9.9; Mt 21.5).

Mas Calvino insiste em que a contagem deve começar com o decreto de Ciro para o retorno dos exilados a Jerusalém, dessa forma conectando a profecia de Jeremias de 70 anos às 70 semanas de Daniel.[11] Dessa forma, Calvino identifica o batismo de Cristo como o tempo da sua manifestação. Isso quer dizer que o total dos anos não é coincidente, visto que mais de 530 anos ficam entre o decreto de Ciro em 536 a.C. e o nascimento de Jesus em 4 a.C., além de 30 anos adicionais até o seu batismo. Até a morte de Jesus em 29 d.C., o tempo seria estendido para 565 anos. Calvino não acha que isso seja importante.

Young concorda com Calvino e acredita que o número exato de anos não é importante visto que são simbólicos e não cronológicos. Ele diz:

> "Setenta grupos de sete" — 7 x 7 x 10 — é o período no qual a obra divina de importância maior é trazida à perfeição. Conseqüentemente, visto que esses números representam períodos de tempo, a duração dos quais não é mencionada, e visto que são simbólicos, não é justificável procurar descobrir a duração exata dos setes. Portanto, não é possível descobrir ou determinar a duração de tempo nesse caso, nem em qualquer um dos outros grupos de sete...
>
> Uma coisa, no entanto, deve ficar clara. De acordo com Daniel, a questão importante não é o início e o fim desse período, mas os eventos marcantes que ocorreram durante o mesmo.

...Nós acreditamos [...] que quando os setenta setes foram completados, os seus propósitos do versículo 24 também foram cumpridos. E é isso que realmente importa. Quando Jesus Cristo ascendeu ao céu, a salvação poderosa que Ele veio realizar foi, na verdade, cumprida.[12]

Keil também apóia a interpretação simbólica dessa medida de tempo. "Pela definição desses períodos de acordo com a medida simbólica de tempo, o cálculo da duração real dos períodos citados vai além do alcance da nossa compreensão humana finita, e a definição dos dias e horas do desenvolvimento do Reino de Deus até a sua consumação é reservado para Deus, o Regente do mundo e o Soberano do destino humano".[13]

Mas onde Keil entende que as setenta semanas cobrem a história do Reino de Deus até a consumação no fim dos tempos, Young acredita que a morte do Messias (26) culmina não somente com as 69 semanas mas também com a septuagésima semana. O **concerto** que é firmado **com muitos** (27) é o evangelho que Cristo proclamou, e sua crucificação **na metade da semana** coloca um fim à validade de todos os outros sacrifícios e ofertas. Além disso, tornou o Templo que era dedicado a esse sacrifício uma abominação. A desolação que veio sobre o Templo e a cidade de Jerusalém sob o comando de Tito foi apenas uma ratificação exterior da desolação interior que já se havia apossado deles.

No entanto, outros insistem em que os anos das 70 semanas devem ser entendidos de forma literal. Pusey entende que o ano 457 a.C. é a base de onde ele começa seus cálculos e interpretações da semana 7 até a 62, 483 anos. Essa data, diz ele, é o tempo da primeira autorização de Artaxerxes Longimanus dada a Esdras para retornar a Jerusalém.[14] Isso nos levaria até o início do ano 27 d.C., o tempo do batismo de Jesus no Jordão e a ocasião da sua unção pelo Espírito Santo. A primeira parte da septuagésima semana de anos é ocupada com o ministério público de Jesus. Sua "morte" vem no meio dessa semana crucial depois de três anos e meio. Por mais três anos e meio o evangelho é pregado exclusivamente aos judeus até que na casa de Cornélio a porta da oportunidade é aberta aos gentios e termina o privilégio especial de Israel. No devido tempo seguem a destruição do Templo e a devastação de Jerusalém.

Seiss, Gabelein e outros da escola dispensacionalista também encontram uma perspectiva exata para as 70 semanas. A característica particular dessa interpretação é o hiato ou intervalo entre o término da semana 69, quando o Messias é morto e o início da septuagésima semana, que é reservada para o fim dos tempos e o reino do Anticristo. O **príncipe [...] que virá** (26) não é o **Messias, o Príncipe** (25), mas o "pequeno chifre" do capítulo 7. O **concerto** que ele confirma (27) é um pacto traiçoeiro por meio do qual ele consegue o favor do povo judeu. Depois de três anos e meio, **na metade da semana**, ele rejeita o pacto, bane a religião e abre as comportas para uma torrente de maldade desenfreada que constitui o "tempo de angústia" (12.1).

C. Uma Visão Celestial de Conflitos Terrenos, 10.1—12.13

A maioria dos intérpretes concorda em que os últimos três capítulos do livro de Daniel constituem uma unidade. Keil descreve os conteúdos dessa seção como "A Revelação das Aflições do Povo de Deus Infligidas pelos Governantes do Mundo até a

Consumação do Reino de Deus".[15] Essa seção não está em forma de sonho ou visão. Ela é uma revelação, que vem diretamente a Daniel por intermédio de um Ser celestial que age como o Mediador da verdade. A expressão **foi revelada uma palavra a Daniel** (10.1) contém a palavra *niglah*, a forma passiva do verbo que significa "desvendar, manifestar, revelar". Essa manifestação culminante experimentada por Daniel veio a ele na forma mais elevada de revelação, através do encontro direto com a deidade. Keil descreve essa experiência como uma teofania, uma manifestação ou aparição de Deus.

O desvendar que Daniel viu trouxe uma realização gloriosa do poder divino. Ao mesmo tempo revelava uma cena de conflito trágico ao longo das épocas. Moffatt traduz o primeiro versículo do capítulo 10 da seguinte forma: "Uma revelação foi feita a Daniel [...] a verdadeira revelação de um grande conflito". A KJV traduz essa parte assim: "a coisa era verdadeira, mas o tempo era prolongado".

Essa revelação em um sentido especial pertence ao povo de Israel, estendendo-se mesmo até o fim dos tempos. Em 10.4 lemos: **Agora, vim para fazer-te entender o que há de acontecer ao teu povo nos derradeiros dias.**

1. *A Visão de Daniel do Ser Celestial* (10.1—11.1)

a) *A vigília de Daniel* (10.1-3). Pelo menos quatro anos haviam se passado desde a experiência de Daniel com Gabriel. Naquela época, Dario, o medo (veja comentários em 6.1-28), estava servindo como rei interino na Babilônia. Agora **Ciro, rei da Pérsia** (1; veja Quadro *B*) estava no seu terceiro ano. Daniel, que a essa altura devia estar com mais de noventa anos, passou um longo período em oração. Novamente, ele estava se dedicando à oração, mas também ao jejum. **Eu, Daniel, estive triste por três semanas completas** (2). "Não comi nada saboroso, não provei carne ou vinho, nem me ungi" (3, Moffatt). Esse tipo de persistência não falharia em abrir os portais dos lugares celestiais.

b) *A aparência do Ser celestial* (10.4-11). O que se segue é o desvendar de um Ser glorioso a Daniel que nos faz lembrar o que o Apóstolo João viu na ilha de Patmos (Ap 1.10-20). Ao lado do rio **Hidéquel** (4; Tigre), Daniel viu um **homem vestido de linho** (5). Ali em Patmos, João viu alguém semelhante a um Filho do Homem vestido até aos pés de uma veste comprida. Ambos estavam **cingidos com ouro**. Ambos brilhavam da cabeça aos pés com uma luz sobrenatural. Ambos tinham **olhos** como chamas que brilhavam e falavam **como a voz de uma multidão** (6). A Pessoa que João viu identificou-se da seguinte forma: "Sou Aquele que Vive. Estive morto mas agora estou vivo para todo o sempre" (Ap 1.18). Quem poderia duvidar que Daniel viu em uma situação diferente o mesmo Ser, a Palavra Eterna?[16] **E só eu, Daniel, vi aquela visão** (7), embora seus companheiros estivessem atemorizados por causa da luz e do som.

O efeito sobre Daniel e João foi idêntico. **Não ficou força em mim** (8), Daniel confessou. "Caí a seus pés como morto" (Ap 1.17), registra João. O limite da capacidade de absorver a revelação celestial excedeu em ambos os casos. "Ao ouvir o som das suas palavras caí inconsciente com o meu rosto em terra" (9, Berkeley). Embora o profeta desmaiasse com **a voz** da mensagem, ele foi restabelecido à plena consciência quando a mensagem de Deus foi transmitida a ele. **E eis que uma mão me tocou** (10), testemunha Daniel. Além do toque fortalecedor, ele ouviu uma palavra confortadora: **Daniel, homem mui desejado** ("muito amado", ARA). Que palavra mais encorajadora poderia vir dos lábios divinos?

c) *O Príncipe da Paz e os príncipes terrenos* (10.2—11.1). Mais uma palavra confortadora vem da experiência de Daniel. O Senhor que cuida presta atenção às nossas orações. Três semanas Daniel esteve orando em santo desespero. Porventura Deus o tinha ouvido? O Ser resplandecente fala: **Não temas, Daniel, porque, desde o primeiro dia [...] são ouvidas as tuas palavras; e eu vim por causa das tuas palavras** (12).

Enquanto João viu o Filho do Homem no meio do castiçal, no âmbito da Igreja, Daniel viu o "homem vestido de linho" no meio de uma batalha com governos terrenos. O mesmo Cristo eterno, que veio para ser revelado à Igreja e por meio dela, também tem se preocupado com o curso da história humana.

Não sabemos exatamente o que significavam as três semanas de luta com **o príncipe do reino da Pérsia** (13) e qual foi a possível conseqüência dessa luta. Deve ter sido difícil e intensa para que **Miguel** viesse ajudá-lo. A maioria dos intérpretes entende que **príncipe** (*sar*) usado nesse texto refere-se a seres sobrenaturais que tinham uma influência importante sobre as nações. **Visto que o príncipe dos persas** bem como **o príncipe da Grécia** (20) estavam em conflito com o Ser glorioso e seu ajudante, Miguel, parece evidente que pelo menos alguns desses não são anjos.

Uma das responsabilidades especiais do arcanjo Miguel é o bem-estar do povo de Israel. Chamado em 10.13 como **um dos primeiros príncipes**, ele é conhecido em 10.21 como **Miguel, vosso príncipe**. Judas 9 nos relata que foi "o arcanjo Miguel" que "contendia com o diabo e disputava a respeito do corpo de Moisés". Novamente João nos conta que Miguel e suas hostes celestiais batalharão contra o dragão e o expulsarão das regiões celestiais (Ap 12.7-9). Esse príncipe, um dos príncipes mais elevados do céu, sujeito ao Redentor de Israel, tem um importante papel sobre o destino de Israel. Daniel o viu nessa ocasião como "alguém que parecia um homem mortal" (16, Moffatt).

Além de o Anjo de Javé revelar uma batalha que trava pela vontade e as decisões de Ciro e antever um conflito com **o príncipe da Grécia** (20), Ele revela que **no primeiro ano de Dario**, rei dos medos, Ele levantou-se para **animar e fortalecer** Daniel (11.1). Dessa forma, o Príncipe da Paz luta com os príncipes da terra para alcançar seus propósitos.

Em 10.2-19, observamos "O Toque de Deus", com ênfase no versículo 19. 1) O toque de Deus vem quando o buscamos de todo coração (2-3). 2) O toque de Deus vem quando Ele se torna mais real para nós (5-6, 10-12). 3) O toque de Deus traz uma visão nova para a nossa tarefa (14). 4) O toque de Deus nos anima e fortalece (15-19) — A. F. Harper.

2. O Conflito das Eras (11.2—12.3)

Essa seção de Daniel tem sido objeto de disputa desde os dias de Porfírio. A descrição detalhada dos eventos que ocorreram nos anos seguintes após a morte de Alexandre, o Grande, tem levado os críticos a especular uma data bem posterior para todo o livro de Daniel, mais precisamente na época dos reis selêucidas (312-64 a.C.), particularmente nos dias de Antíoco Epifânio.

a) *As lutas entre a Pérsia e a Grécia* (11.2-4). A sucessão de reis brevemente descritas nessa seção da mensagem vai desde o reinado de Ciro, passando pelo ápice e queda do império persa, até Alexandre e o desmoronamento do seu reino.

Embora doze reis persas tivessem reinado (incluindo um impostor, Pseudo-Smirdes), **três** foram escolhidos, antes que se levantasse um **quarto** rei de grande prosperidade. Esse rei geralmente é identificado como Xerxes I (Assuero, Et 1.1), o marido de Ester e um dos monarcas persas mais prósperos. Foi ele que instigou **todos contra o reino da Grécia** (2). Ele reuniu uma gigantesca força de infantaria, cavalaria, carros de guerra e navios. Estima-se que cerca de cinco milhões de homens se engajaram nessa guerra. Apesar desse imenso poderio bélico, os valentes gregos os venceram nas batalhas cruciais de Termópilas e Salamina. Embora outras campanhas militares tenham acontecido, nenhuma se igualou a essa e o poder da Pérsia declinou até sua derrota final sob Dario III.

A identificação de Alexandre, o **rei valente** (3), que se levanta e reina **com grande domínio**, é bastante clara. Daniel anteviu que **seu reino será quebrado e será repartido para os quatro ventos do céu** (4) e ele não deixará **posteridade** para segui-lo. Os quatro generais de Alexandre dividiram o reino e propagaram a helenização nas terras que governavam, a ponto de a cultura grega prevalecer por toda parte.

Dessa forma, essa seção da profecia é claramente uma ampliação da visão do capítulo 8. Mas nesse ponto o foco muda drasticamente para uma visão precisa do conflito nas terras que circundavam a terra da aliança.

b) *As tribulações de Israel e as nações* (11.5-35). A profecia até aqui tem se concentrado grandemente nos reinos gentílicos. Nesse ponto, o povo de Deus torna-se o foco principal em um tempo de intenso sofrimento. As profecias dizem respeito basicamente ao período intertestamentário, entre o retorno do exílio e o nascimento de Jesus. Primeiramente, Israel é apanhado no meio de duas forças oposicionistas, os reis do Sul e os reis do Norte (5-28). Então, de maneira trágica, o remanescente de Israel torna-se o alvo de um ataque concentrado feito por um rei vil e traiçoeiro (29-35).

Os reis **do Sul** (5) eram os ptolomeus, sucessores de Ptolomeu Soter, o general de Alexandre no Egito (veja mapa 1). Desde o colapso do império alexandrino, em 323 a.C., esses reis lutaram pelo poder e territórios com os seus vizinhos mais próximos. Esses eram os reis **do Norte** (6), os selêucidas, sucessores de Seleuco I, que governou grande parte da Ásia Menor, Síria e os antigos territórios babilônicos e persas (veja mapa 1). Por 125 anos a Palestina e a Fenícia estiveram debaixo do poder dos ptolomeus. O casamento de um selêucida, Antíoco II, com **a filha do rei do Sul** (6; Berenice, filha de um Ptolomeu) levou apenas a mais guerras, ao assassinato de Berenice e seu filho e à vingança sangrenta promovida pelo seu irmão (7-9). A subjugação da Palestina pelos selêucidas veio por intermédio de Antíoco III (o Grande) em 198 a.C. (10-19). Mais tarde, **um homem vil** (21), Antíoco IV, Epifânio, por meio de um subterfúgio, destituiu o herdeiro legítimo do trono e tomou o controle. Acredita-se que os versículos 21-35 se referem às tramas e tirania de Antíoco Epifânio. Com grande energia e astúcia ele rapidamente expandiu seu poder (21-24) e lançou operações militares contra seu vizinho, Ptolomeu VI, Filométor (25-28).

As perseguições e a tirania insana que Antíoco exerceu sobre os judeus e sua religião (29-35) o tornaram um dos monstros da história. Sua indignação **contra o santo con-**

certo (30), tirando o **contínuo sacrifício** e **estabelecendo a abominação desoladora** (31; a imagem de Zeus do Olimpo) no Templo são exemplos da sua fúria profana. Ele baniu todas as leis, costumes e cultos judaicos. Antíoco matou à espada as mães e crucificou os pais que circuncidavam seus filhos. Embora tenha queimado uma grande parte de Jerusalém, assassinado boa parte dos homens e escravizado mulheres e crianças, ele não conseguiu destruir a resistência. Embora muitos tenham apostatado e se submetido a Antíoco, outros ousaram resistir (32-35). Um exército de fiéis e corajosos judeus se reuniu sob o comando de Matatias para resistir ao exército de Antíoco.

Quando Matatias morreu, seu filho Judas ficou à frente do exército rebelde. Suas táticas de guerrilha (de ataques e fugas repentinos) tornaram-se famosas e lhe deram o nome de "Martelo" ou Macabeu. Em três anos os macabeus tinham dividido e derrotado os exércitos sírios de Antíoco e recapturado Jerusalém. O Templo foi restaurado, o altar purificado e a adoração restituída (em 25 de dezembro de 165 a.C.). Até o dia de hoje a Festa da Dedicação ou *Hanukkah* é observada pelos judeus, comemorando esse evento. A família dos macabeus, chamada Hasmoneana, tornou-se a reconhecida linhagem de governantes até que os romanos conquistaram a Palestina sob o comando de Pompeu, em 63 a.C.[17]

Em meio à escuridão do quadro profético amedrontador apresentado nesse capítulo, uma clara luz de fé e heroísmo começa a brilhar. **O povo que conhece ao seu Deus se esforçará e fará proezas** (32). Aqui é sugerido "Um Programa de Ação para uma Minoria Piedosa". 1) Eles conhecem a **Deus**. 2) Eles são fortes. 3) Eles fazem **proezas**. Eles agem com um claro sentido de direção. 4) Sua batalha está no alto nível do espírito, uma batalha de idéias santas. Eles **ensinarão a muitos** (33). 5) Sua causa triunfa. **Para serem provados, e purificados, e embranquecidos, até ao fim do tempo** (35).

c) *O rei obstinado — o Anticristo* (11.36-45). Jerônimo deu uma dupla interpretação a essa parte (11.21-45): a primeira, em referência a Antíoco Epifânio, e a segunda, ao Anticristo.[18] Mas muitos comentaristas conservadores, incluindo Young[19] e Seiss,[20] entendem que os versículos 21-35 se referem de maneira apropriada a Antíoco e secundariamente ao Anticristo, e os versículos 36-45 devem referir-se a alguém maior, mais profano e ímpio do que Antíoco.

E esse rei fará conforme a sua vontade, e se levantará, e se engrandecerá sobre todo deus; e contra o Deus dos deuses falará coisas incríveis e será próspero (36). Aqui a figura clara de Antíoco começa a desvanecer no meio da escuridão e um aspecto disforme do Anticristo começa a tomar forma nas sombras do pano de fundo. Lembramo-nos das advertências de Paulo acerca do "homem do pecado" (2 Ts 2.3-4) e da visão de João acerca da "besta" (Ap 13.5-8). Vemos claramente refletido o "pequeno chifre" dos capítulos 7 e 8 de Daniel. Uma diferença interessante aparece quando comparamos os dois pequenos chifres com esse rei furioso do capítulo 11. Enquanto o pequeno chifre do capítulo 8 e o rei furioso do capítulo 11 estão relacionados ao terceiro reino da profecia de Daniel, a Grécia, o pequeno chifre do capítulo 7, surge do quarto reino, Roma. Talvez isso nos deve lembrar que o Anticristo vai procurar tomar para si toda a glória e poder do empreendimento humano e combinar a cultura da Grécia e a glória de Roma. Não nos deveria surpreender que o caráter culminante do mal buscará usurpar para si toda a bondade humana bem como a adoração divina.

Mas virá o seu fim (45). O poder e a fúria impressionantes do Anticristo estão destinados a um fim rápido. "Um tempo, e tempos, e metade de tempos" (7.25), a metade da semana (9.27), "um tempo, de tempos e metade de um tempo" (12.7) correspondem com Apocalipse 12.14 no sentido de que os dias do Anticristo estão contados pelo Todo-poderoso. Paulo declara que "o Senhor desfará pelo assopro de sua boca e aniquilará pelo esplendor da sua vinda" esse "ímpio" (2 Ts 2.8). Então, embora arme **as tendas do seu palácio entre o mar grande e o monte santo**, ele verá o seu fim no "ardente lago de fogo e de enxofre" (Ap 19.20). No mesmo lugar onde o Anticristo firma sua posição, ali o Cristo de Deus descerá em sua glória. "E o SENHOR sairá e pelejará contra estas nações, como pelejou no dia da batalha. E, naquele dia, estarão os seus pés sobre o monte das Oliveiras, que está defronte de Jerusalém" (Zc 14.3-4; At 1.10-12).

d) *A Grande Tribulação e o Grande Triunfo* (12.1-3). **Haverá um tempo de angústia** (1). O reino do Anticristo está em toda parte nas Escrituras retratado como uma crise do mal. As palavras de Gabriel sucintamente o descrevem como um tempo "quando a rebelião dos ímpios tiver chegado ao máximo" (8.23, NVI). Um tema recorrente nas Escrituras é o ensino que um tempo de grande angústia será o clímax da era da rebeldia do homem contra Deus e conduzirá ao ponto culminante do Reino de Deus. Jeremias se refere ao "tempo da angústia para Jacó" (Jr 30.7). Jesus em seu discurso descreve esse tempo de angústia como "dias de vingança" (Lc 21.22) e "grande aflição, como nunca houve desde o princípio do mundo [...] nem tampouco haverá jamais" (Mt 24.21; Mc 13.19-20). A interpretação futurista considera uma boa parte do livro de Apocalipse um retrato desse período, especialmente os capítulos 6—19.

Mas a Grande Tribulação traz consigo muito mais do que o clímax do mal; ela introduz o triunfo de Deus. Um dos aspectos importantes que o livro de Daniel ensina é que os poderes do mundo celestial estão profundamente interessados e engajados nos afazeres dos homens na terra. **E, naquele tempo, se levantará Miguel, o grande príncipe, que se levanta pelos filhos do teu povo**. Esse é o arcanjo convocado para socorrer o Ser glorioso em 10.13. Vemos o clímax dramático em Apocalipse 12.7-8: "E houve batalha no céu: Miguel e os seus anjos batalhavam contra o dragão; e batalhavam o dragão e os seus anjos, mas não prevaleceram".

Fica claro que o povo de Israel está envolvido no clímax da história. Seguidas vezes encontramos em Daniel as seguintes expressões: **o teu povo** ou **os filhos do teu povo**. Ao mesmo tempo é necessário guardar uma perspectiva. Deus tem uma preocupação com toda a humanidade. Os eventos que marcam o clímax das eras são cósmicos; seu impacto é internacional e mundial. A Palestina é, sem dúvida, um estágio da ação divina. Mas toda a terra e os céus constituem a cena da operação final de Deus nessa era. O ponto para o qual a história está se movendo é a culminação do Reino de Deus.

E muitos dos que dormem no pó da terra ressuscitarão (2). Essa é a revelação mais clara da doutrina da ressurreição no Antigo Testamento. Ela nos lembra que é *Cristo* que "trouxe à luz a vida e a incorrupção" (2 Tm 1.10). Alguns intérpretes acreditam que a ressurreição mencionada aqui é uma ressurreição parcial relacionada somente aos judeus que morreram na tribulação. Calvino insiste em que esse estreitamento do escopo é injustificável. Para ele, esse texto ressalta o aspecto do mal e do bem, ou seja, alguns serão separados para a vida eterna e outros para vergonha e condenação eterna. Ele entende que a palavra **muitos** significa "os muitos" ou "todos" e que aqui se tem em mente a ressurreição geral.[21]

Os sábios, pois, resplandecerão como o resplendor do firmamento [...] como as estrelas, sempre e eternamente (3). Esses sábios são abençoados com a "sabedoria que vem do alto" (Tg 3.17). A palavra **sábios** (*chappim*), usada mais freqüentemente em Daniel (14 vezes), significa aqueles que possuem a sabedoria humana, ou seja, os magos. Nesse texto é usado *hamaskkilim*, palavra que vem da raiz *sakal*, que significa ser prudente, inteligente, ter entendimento, ensinar. Por isso, lemos na nota de rodapé da KJV: "aqueles que ensinam". D. L. Moody disse: "Não são os grandes desse mundo que brilharão mais. Sabemos muito pouco a respeito de Nabucodonosor e outros reis, exceto pelo fato de preencherem a história desses humildes homens de Deus [...] Mas os homens de Deus resplandecem [...] Já passaram mais de 2.500 anos desde a época de Daniel, mas milhões de pessoas continuam lendo acerca da sua vida e ações. E assim será até o fim. Ele será mais conhecido e mais amado; ele resplandecerá mais à medida que o mundo envelhece".[22]

3. A Conclusão da Missão Profética de Daniel (12.4-13)

a) *Características dos últimos dias* (12.4). A mensagem final do glorioso Mensageiro a Daniel foi: **fecha estas palavras e sela este livro, até ao fim do tempo** (4). Que as palavras foram fechadas e o livro está selado fica evidente pela imensa confusão que tem caracterizado a interpretação desse livro nesses mais de dois milênios. Adam Clarke escreve: "A profecia não será entendida até que seja cumprida. Então, a profundidade da sabedoria e da providência de Deus sobre essas questões será claramente percebida".[23]

Mas, fechar o livro não significa o fim das coisas. Haverá um tempo de intensa atividade na área de transporte, educação e comunicação. Então, esses acontecimentos do fim compelirão os sábios a procurar uma sabedoria mais profunda acerca da revelação deste livro. Dificilmente podemos evitar em identificar a breve descrição de Daniel com os nossos dias. **Muitos correrão de uma parte para outra, e a ciência se multiplicará**. O transporte de massas e a velocidade são marcas da nossa era. A mobilidade ininterrupta dos povos do mundo, a comunicação de massa quase instantânea, a demanda insistente e universal por educação pelas massas, são características dos nossos tempos.

b) *Quanto tempo durará?* (12.5-13). Enquanto Daniel estava parado **à beira do rio** (5, Tigre, veja mapa 1), ele recebeu uma mensagem final concernente aos mistérios que tinha visto. Completamente consciente, ele estava vendo além do véu da visão humana. O mesmo Ser glorioso, **vestido de linho** (7), que havia aparecido no início dessa manifestação, estava presente para confortá-lo e dar entendimento. Young diz: "A descrição parece indicar que a Pessoa Majestosa aqui presente não é outro senão o próprio Senhor. A revelação, portanto, é uma teofania, uma aparição pré-encarnada do Filho Eterno".[24]

Um anjo disse ao outro: **Que tempo haverá até ao fim das maravilhas?** (6). O Ser glorioso respondeu com suas mãos levantadas para o **céu** (7) em um gesto dramático de afirmação solene. O Filho Eterno estava jurando em nome do Deus vivo e verdadeiro que os tempos estavam nas mãos de Deus. Eles estavam determinados para **um tempo, de tempos e metade de um tempo, e quando tiverem acabado de destruir o**

poder do povo santo, todas essas coisas serão cumpridas. A NVI traduz essa frase da seguinte maneira: "Quando o poder do povo santo for finalmente quebrado, todas essas coisas se cumprirão". Quando "os tempos dos gentios" forem cumpridos, o esmagamento de Jerusalém e a quebra do povo da aliança de Deus cessarão. Isso será cumprido no julgamento do Anticristo, conforme foi discutido anteriormente.

Daniel continuava intrigado, impulsionado por uma curiosidade santa que o caracterizava desde sua mocidade. Mas Deus não deu um conhecimento perfeito ao seu servo — por ora. Os **mil duzentos e noventa dias** (11), além dos 45 dias do versículo 12, são uma repetição de **tempo, de tempos e metade de um tempo** (7). Eles são a garantia de Deus de que o tempo de desolação é limitado pelo decreto de Deus. Daniel precisa contentar-se com isso. **Estas palavras estão fechadas e seladas até ao tempo do fim** (9). Deus fará sua obra entre os homens. **Muitos serão purificados, e embranquecidos, e provados [...] os ímpios procederão impiamente [...] mas os sábios entenderão** (10). Aqueles que confiam em Deus não devem se preocupar. "Daquele Dia e hora ninguém sabe" (Mt 24.36), mas no tempo apropriado de Deus, o significado ficará claro. **Bem-aventurado o que espera** (12).

Assim, veio a palavra a Daniel: **vai até ao fim; porque repousarás e estarás na tua sorte, no fim dos dias** (13; cf. v. 9).

Adam Clarke apresenta uma palavra confortadora: "Temos aqui um conselho apropriado para cada pessoa. 1) Você tem um *caminho* — um *caminho na vida*, que Deus determinou para você; *ande neste caminho*; este é o *seu caminho*. 2) Haverá um *fim* para você de todas as coisas terrenas. A morte está diante da porta e a eternidade está muito próxima; *vá até o fim* — seja fiel até a morte. 3) Há um *descanso* preparado para o povo de Deus. Você *descansará*; seu corpo no túmulo; sua alma no favor divino aqui e, finalmente, no paraíso. 4) Como na Terra Prometida, havia *muito* para cada pessoa do povo de Deus, assim haverá *muito* para *você*. Não se feche para essa promessa, não a negocie, não permita que o inimigo a *roube* de você. Esteja determinado a *se levantar para receber a herança, no fim dos dias*. Cuide para guardar a fé; morra no Senhor Jesus, para que você possa ressuscitar e reinar com Ele por toda a eternidade".[25]

Alexander Maclaren sugere uma Mensagem para o Ano Novo com os seguintes pensamentos do versículo 13: 1) A Jornada — **Vai** ("siga o seu caminho", NVI). 2) O Lugar de Descanso do Peregrino — **porque descansarás**. 3) O Lar Final — **estarás na tua sorte, no fim dos dias**.[26]

Daniel recebeu a clara confirmação da sua esperança em relação à imortalidade. Séculos, e até milênios, passariam antes do seu cumprimento integral. Mas no **fim dos dias**, quando a consumação chegar, Daniel estará lá reunido com as multidões dos remidos da terra e do céu. Então ele será, não um espectador de visões, mas um participante dos tremendos acontecimentos na introdução da plena glória do Reino de Deus. No arrebatamento ele observará a glória, a sabedoria e a honra Daquele que desde o princípio determinou o cumprimento da história do Reino de Deus. Ele participará do grande "Aleluia" dos redimidos. Então os "reinos do mundo vieram a ser de nosso Senhor e do seu Cristo. E ele reinará para todo o sempre" (Ap 11.15).

Notas

INTRODUÇÃO
[1] Henry George Liddel and Robert Scott, *A Greek-English Lexicon*. Revisado em 1940 (Londres: Oxford University Press, 1951), p. 201.

[2] Entre esses apocalipses, freqüentemente chamados de pseudepígrafes, estão 1 e 2 Enoque, O Livro de Noé, O Testamento dos Doze Patriarcas, Assunção de Moisés, Apocalipse de Baruque, Apocalipse de Abraão, Apocalipse de Elias, Testamento de Jó, Oráculos Sibilinos, Apocalipse de Pedro, Apocalipse de Paulo, Apocalipse de Bartolomeu e muitos outros.

[3] *Daniel the Prophet* (Nova York: Funk and Wagnalls, 1885), pp. 308-310.

[4] *The Prophecy of Daniel* (Grand Rapids: Wm. B. Eerdmans Publishing Co., 1949), *ad loc*.

[5] Harold H. Rowley, *Jewish Apocalyptic and the Dead Sea Scrolls* (Londres: Athlone Press, University of London, 1957), pp. 17, 23; Miller Burrows, *The Dead Sea Scrolls* (New Haven: American Schools of Oriental Research, 1950), pp. 28, 63.

SEÇÃO II
[1] "The Book of the Prophet Daniel", *Biblical Commentary on the Old Testament*, C. F. Keil and F. Delitzsch, traduzido por M. G. Easton (Edimburgo: T. and T. Clark, 1862), pp. 89-90.

[2] *Voices from Babylon* (Filadélfia: The Castle Press, 1879), pp. 96-105.

[3] *Ibid*, p. 342.

[4] *Op. cit.* pp. 131-132.

[5] *Op. cit.*, p. 138.

[6] *Ibid.*, pp. 149-151.

[7] R. P. Dougherty, *Nabonidus and Belshazzar* (New Haven: Yale University Press, 1929), pp. 42-27, 59-66, 134, 192-200.

[8] Seiss, *op. cit.*, p. 141.

[9] *Ibid*, pp. 141ss.

[10] Keil, *op. cit.*, p. 185.

[11] R. P. Dougherty, *op. cit.*, p. 94.

[12] *Op. cit.*, p. 139ss.

[13] *Antiquities of the Jews*, Book X. 11. p. 4.

[14] *Darius the Mede* (Grand Rapids: Wm. B. Eerdmans Publishing Co., 1959), pp. 66ss.

[15] *The Book of Daniel*, (Los Angeles: Bible House of Los Angeles, 1943), pp. 97-98.

[16] Keil apóia essa interpretação e cita Hofmann, Ebrard e Kliefoth que concordam com essa posição; *op. cit.*, p. 226.

[17] E. B. Pusey, *op. cit.*, pp. 123-125.

[18] A NVI traduz: "tronos foram colocados" em vez de: "tronos foram lançados para baixo" (cf. KJV).

[19] *The Oxford Annotated Bible*, ed. Herbert G. May and Bruce M. Metzger (Nova York: Oxford University Press, 1962), p. 1078.

[20] E. J. Young, *The Messianic Prophecies of Daniel* (Grand Rapids: Wm. B. Eerdmans Publishing Co., 1954), pp. 17.

[21] E. J. Young, *The Prophecy of Daniel* (Grand Rapids: Wm. B. Eerdmans Publishing Co., 1949), pp. 293-294.

[22] *Commentary on Daniel*, traduzido por Gleason L. Archer (Grand Rapids: Baker Book House, 1938), p. 129.

[23] C. F. Keil, *op. cit.*, p. 241.

[24] Arno C. Gaebelein, *The Harmony of the Prophetic Word* (Nova York: Fleming H. Revell Co., 1907, p. 70.

[25] E. J. Young, *The Messianic Prophecies of Daniel*, p. 30.

[26] *Ibid.*, pp. 31ss.

[27] Keil, *op. cit.*, pp. 269-270; E. J. Young, *The Messianic Prophecies of Daniel*, pp. 27-28.

[28] Young, *ibid.*, pp. 40-41.

SEÇÃO III

[1] *Op. cit.*, p. 283.

[2] *Ibid.*, p. 291.

[3] *Ibid.*

[4] *Commentay on Daniel*, traduzido por Gleason L. Archer, *op. cit.*, p. 86.

[5] Veja uma discussão interessante do lugar dos anjos no plano divino em Arno C. Gaebelein, *Gabriel and Michael the Archangel* (Nova York: Our Hope Publications, 1945).

[6] Jerônimo, *op. cit.*, p. 63.

[7] *Commentaries on the Book of Daniel*, vol. II, traduzido por Thomas Myers (Grand Rapids: Wm. B. Eerdmans Publishing Co., 1948 [reedição]), pp. 137-138.

[8] *Op. cit.*, p. 349.

[9] E. J. Young, *The Prophecy of Daniel*, pp. 192-194.

[10] *Op. cit.*, pp. 95-96.

[11] *Op. cit.*, pp. 212-213.

[12] E. J. Young. *The Messianic Prophecies of Daniel*, pp. 56, 82.

[13] *Op. cit.*, p. 400.

[14] *Op. cit.*, pp. 184ss.

[15] *Op. cit.*, pp. 402-403.

[16] C. F. Keil identifica o Ser que apareceu a Daniel como O Anjo de Javé, o divino Logos, e alude a Apocalipse 1.13 (*op. cit.*, p. 410).

[17] A tradução na versão *Berkeley*, junto com as notas de rodapé, será de grande ajuda na compreensão desse texto (11.5-35).

[18] *Op. cit.*, pp. 129-131.

[19] *The Prophecy of Daniel*, p. 241.

[20] *Op. cit.*, pp. 279-286.

[21] *Op. cit.*, II, p. 374.

[22] *Daniel the Prophet* (Nova York: Fleming H. Revell Co., s.d.), p. 58.

[23] *A Commentary and Critical Notes* (Nashville: Abingdon Press, s.d.), vol. IV, p. 618.

[24] *The Prophecy of Daniel*, pp. 225, 258.

[25] *Op. cit.*, vol. IV, p. 619.

[26] *Expositions of Holy Scripture* (Grand Rapids, Mich.: Wm. B. Eerdmans Publishing Co., 1938), vol. IV, pp. 84-93.

Bibliografia

I. COMENTÁRIOS

BARR, James P. "Daniel", *Peake's Commentary on the Bible*. Ed. Mateus Black e H. H. Rowley. Nova York: Nelson and Sons, 1962.

CALVIN, John. *Commentaries on the Book of Daniel*. 2 volumes. Trad. Thomas Myers. Grand Rapids: Wm. B. Eerdmans Publishing Co., 1948.

CLARKE, Adam. "The Book of the Prophet Daniel", *A Commentary and Critical Notes*, Vol. IV. Nova York: Abingdon Press, s. d.

DAVIES, G. Henton; RICHARDSON, Alan; WALLIS, Charles (editores). *The Twentieth Century Bible Commnetary*. Nova York: Harper and Brothers, 1955.

DRIVER, S. R. *The Book of Daniel*, "Cambridge Bible for Schools and Colleges". Editado por A. F. Kirkpatrick. Cambridge: Cambridge University Press, 1900.

FARRAR, F. W. *The Book of Daniel*, "The Expositor's Bible". Ed. W. Robertson Nicoll. Nova York: Funk and Wagnalls, 1900.

FAUSSET, A. R. "The Book of Daniel", *Critical and Experimental Commentary*, Vol. IV, por Robert Jamieson, A. R. Fausset, David Zrown. Grand Rapids: Wm. B. Eerdmans Publishing Co., 1948.

HEATON, E. W. "Daniel", *The Twentieth Century Bible Commentary*. Ed. G. Henton Davies, Alan Richardson. Charles L. Wallis. Nova York: Harper and Brothers, 1956.

JEFFERY, Arthur. "The Book of Daniel" (Introduction, Exegesis). *The Interpreter's Bible*. Ed. G. A. Buttrick, *et al.*, vol. VI. Nova York: Abingdon Press, 1956.

JERÔNIMO. *Commentary on Daniel*. Traduzido por Gleason L. Archer. Grand Rapids: Baker Book House, 1958.

KEIL, C. F. "The Book of the Prophet Daniel", *Biblical Commentary on the Old Testament*. Por C. F. Keil e F. Delitzsch. Trad. M. G. Easton. Edimburgo: T. and T. Clark, 1872.

KENNEDY, Gerald. "The Book of Daniel" (Exposição). *The Interpreter's Bible*. Ed. George A. Buttrick, et al., vol VI. Nova York: Abingdon Press, 1956.

MACLAREN, Alexander, *Exposition of Holy Scripture*. Grand Rapids: Wm. B. Eerdmans Publishing Co., 1938.

MONTGOMERY, James A. *A Critical and Exegetical Commentary on the Book of Daniel*. "The International Critical Commentary". Ed. Samuel S. Driver, *et al.* Nova York: Charles Schribner's Sons, 1927.

YOUNG, Edward J. "Daniel", *The New Bible Commentary*. Ed. Francis Davidson, Alan M. Stibbs, Ernest F. Kevan. Grand Rapids: Wm. B. Eerdmans Publishing Co., 1963.

Young, G. Douglas. "Daniel", *The Biblical Expositor*. Ed. Carl F. H. Henry, vol. II. Filadélfia: The Holman Co., 1960.

Zockler, O. "The Prophet Daniel", *Commentary on the Holy Scriptures*. Ed. John Lange. Trad. e ed. Philip Schaff. Nova York: Charles Schribner's Sons, 1915.

II. OUTROS LIVROS

Burrows, Miller, (ed.). *The Dead Sea Scrolls of St. Mark's Monastery*. New Haven: American Schools of Oriental Research, 1950.

____. *More Lighjt on the Dead Sea Scrolls*. Nova York: Viking Press, 1953.

Chapman, James B. *The Second Coming of Christ*. Kansas City: Nazarene Publishing House, s. d. Dougherty, Raymond Phlillip. *Nabonidus and Belshazzar*. New Haven: Yale University Press, 1929.

Gaebelein, Arno C. *Gabriel and Michael the Archangel*. Nova York: Our Hope Publications, 1945.

____. *The Harmony of the Prophetic Word*. Nova York: Fleming H. Revell Co., 1907.

____. *The Prophet Daniel*. Grand Rapids: Kregel Publications, 1955.

Josephus, Flavius. *The Works of Flavius Josephus*. Trad. William Whiston. Filadélfia: J. P. Lippencott and Co., 1895.

Liddel, Henry George e Scott, Robert. *A Greek-English Lexikon*. Rev., 1940. Londres: Oxford University Press, 1951.

Moody, Dwight L. *Daniel the Prophet*. Chicago: Fleming H. Revell Co., 1884.

Oxford Annotated Bible, The. Ed. Herbert G. May e Bruce M. Metzger. Nova York: Oxford University Press, 1962.

Pusey, Edward B. *Daniel the Prophet*. Nova York: Funk and Wagnalls Co., 1885.

Rowley, Harold H. *Jewish Apocalyptic and the Dead Sea Scrolls*. Londres: Athlone Press, 1957.

Seiss, Joseph A. *Voices from Babylon*. Filadélfia: The Castle Press, 1879.

Stevens, W. C. *The Book of Daniel*. Los Angeles: Bible House of Los Angeles, 1943.

Whitcomb, John C. Jr. *Darius the Mede*. Grand Rapids: Wm. B. Eerdmans Publishing Co., 1959.

Young, Edward J. *The Prophecy of Daniel*. Grand Rapids: Wm. B. Eerdmans Publishing Co., 1949.

____. *The Messianic Prophecies of Daniel*. Grand Rapids: Wm. B. Eerdmans Publishing Co., 1954.

Mapa 1

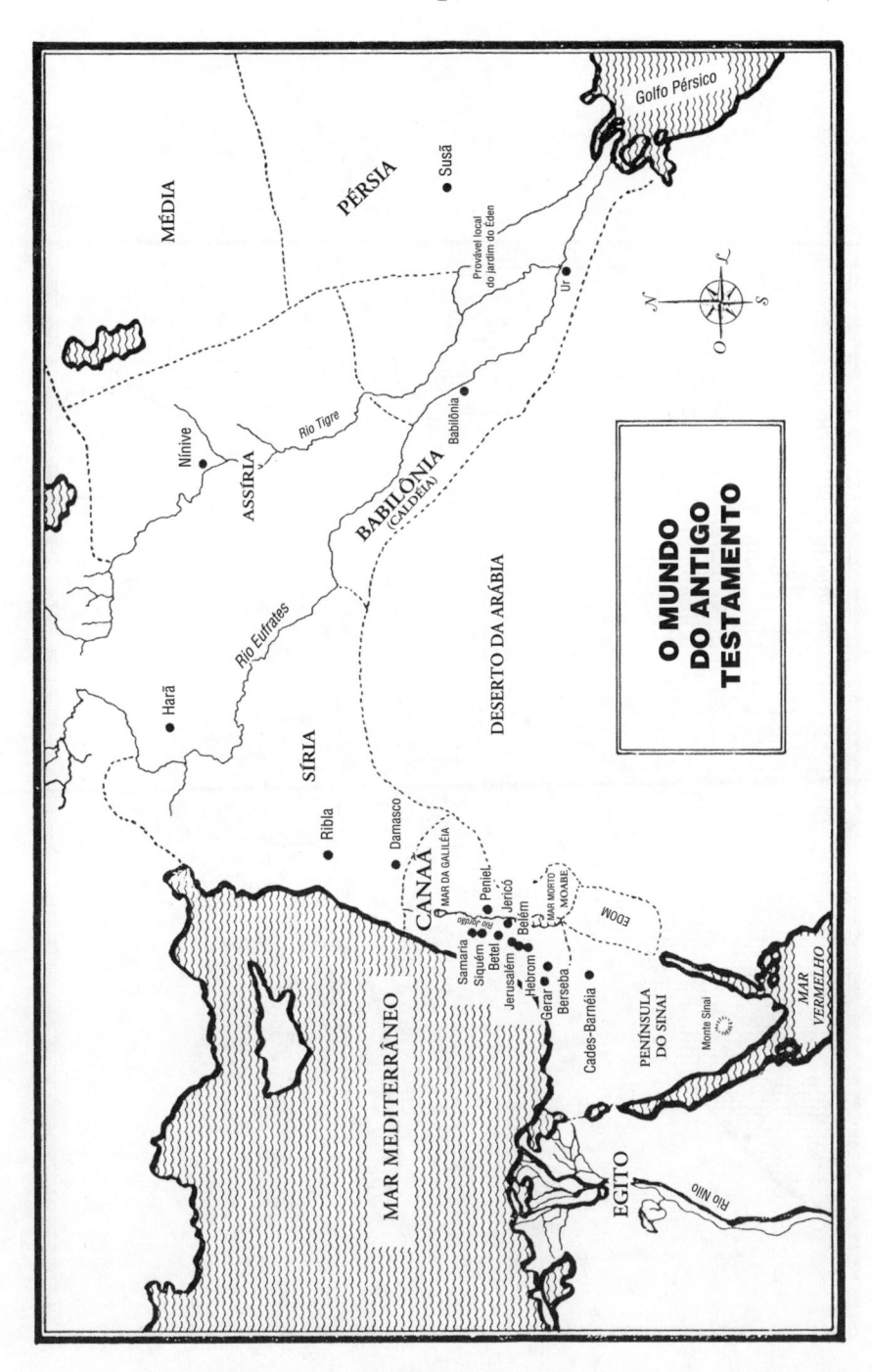

Mapa 2

Mapa 3

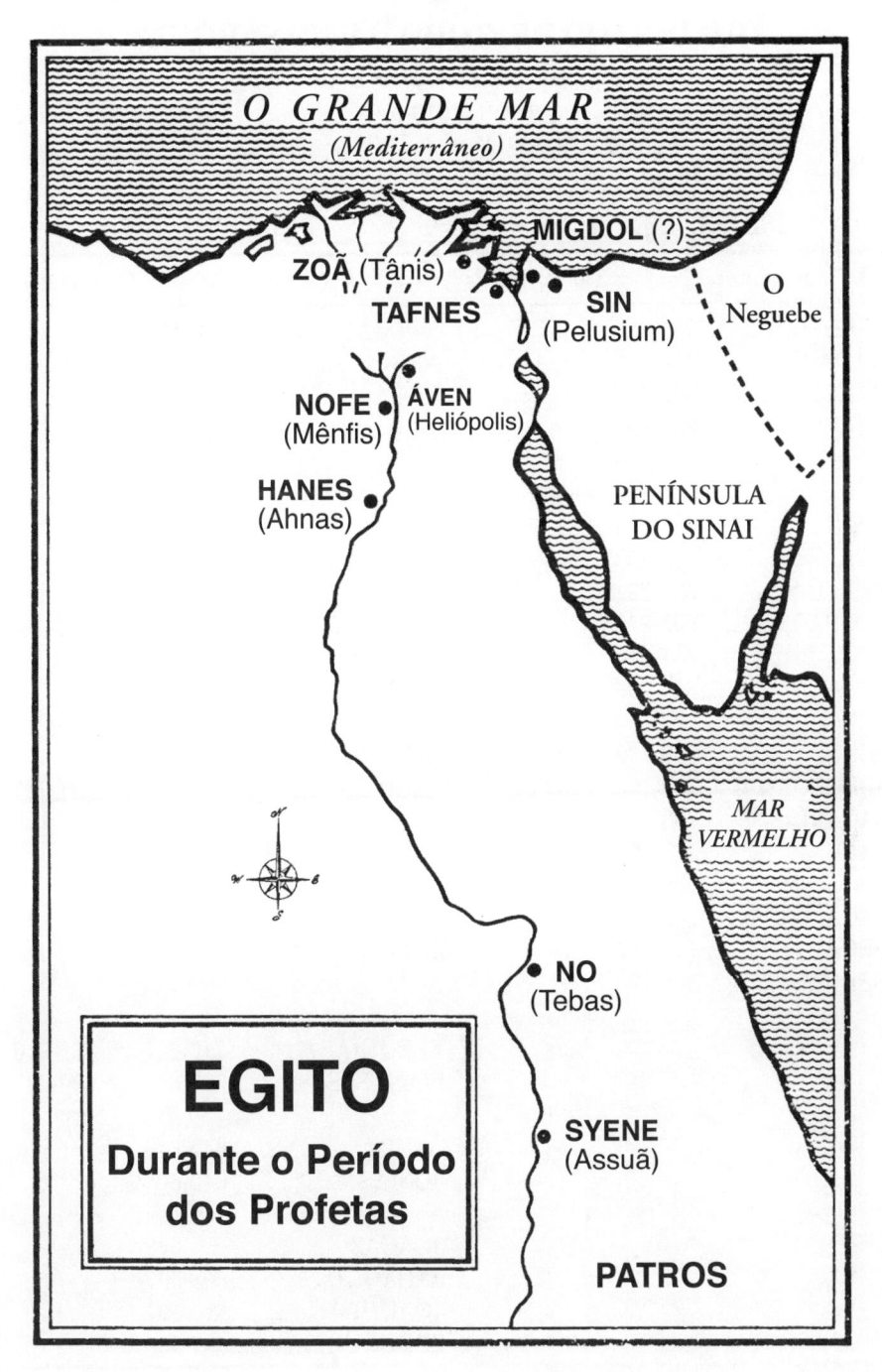

O GRANDE MAR
(Mediterrâneo)

MIGDOL (?)
ZOÃ (Tânis)
TAFNES
SIN (Pelusium)
O Neguebe

NOFE (Mênfis)
ÁVEN (Heliópolis)

HANES (Ahnas)

PENÍNSULA DO SINAI

MAR VERMELHO

NO (Tebas)

EGITO
Durante o Período dos Profetas

SYENE (Assuã)

PATROS

Quadro A
QUADRO DO PERÍODO DA MONARQUIA
DE 1010 A 586 a.C.

DAVI (1010-971)
SALOMÃO (971-931)
DIVISÃO (931)

ISRAEL (Reino do Norte)		JUDÁ (Reino do Sul)	
Regentes	Co-regências	Regentes	Co-regências
JEROBOÃO 931-910		ROBOÃO 931-913	
NADABE 910-909		ABIAS 913-911	
BAASA 909-886		ASA 911-870	
ELA 886-885			
ZINRI 885			
TIBNI 885-880	885-880		
ONRI 885-874	885-880		
ACABE 874-853		JOSAFÁ 870-848	873-870
ACAZIAS 853-852			
JEORÃO 852-841		JORÃO 848-841	853-848
JEÚ 841-814		ACAZIAS 841	
JEOACAZ 814-798		ATÁLIA 841-835	
		JOÁS 835-796	
JEOÁS 798-782		AMAZIAS 796-767	
JEROBOÃO II ... 782-753	793-782	AZARIAS (Uzias) 767-740	791-767
ZACARIAS 753-752			
SALUM 752			
MANAÉM 752-742			
PECAÍAS 742-740			
PECA 740-732		JOTÃO 740-732	750-740
OSÉIAS 732-733, 722		ACAZ 732-716	
		EZEQUIAS 716-687	729-716
		MANASSÉS 687-642	696-687
		AMOM 642-640	
		JOSIAS 640-608	
		JOACAZ 608	
		JEOAQUIM 608-597	
		JOAQUIM 597	
		ZEDEQUIAS 597-586	

Quadro B
O EXÍLIO E O RETORNO

Período do Exílio: O Cativeiro (606-536 a.C.)

605-561	Nabucodonosor na Babilônia
608-597	Jeoaquim, Rei de Judá (2 Reis 23.34—24.6)
	Vassalo do Egito
	Vassalo da Babilônia
606	Primeiro Cativeiro - Daniel (2 Reis 24.1; Daniel 1.1–2.6)
600	Rebelião contra a Babilônia
597	Joaquim, Rei de Judá (2 Reis 24.8-17)
	Jerusalém Sitiada
	Segundo Cativeiro 10.000
	Incluindo Joaquim e Ezequiel
597-586	Zedequias, Rei de Judá (2 Reis 24.18—25.21)
592-570	Profecias de Ezequiel
588	Revolta contra a Babilônia
586	Jerusalém é Destruída
	Terceiro Cativeiro
585	Profecias de Obadias
555	Gedalias é Assassinado (Jeremias 40—44)
	Jeremias vai para o Egito (Jeremias 42—44)
550-535	Profecias de Daniel
538	Queda da Babilônia (Daniel 5)

Período Pós-Exílio: O Retorno (536-400 a.C.)

539-530	Ciro da Pérsia (Is 44.26; 45.1; 2 Cr 36.22; Esdras 1.1)
537	Decreto do Retorno (Esdras 1.1-4)
536	Primeiro Retorno - Zorobabel (Esdras 1.4–2.67)
	O início da reconstrução (Esdras 2.68–3.13)
	Os impecilhos dos samaritanos (Esdras 4.1-24)
522-486	Dario da Pérsia (Esdras 4.24; 6.1; Ageu 1.1; Zacarias 1.1)
520	Ageu e Zacarias (Esdras 5; Ageu; Zacarias)
516	Reconstrução e Dedicação do Templo (Esdras 6)
485-465	Assuero (Xerxes da Pérsia) (Ester 1.1)
	Ester e Mardoqueu (Livro de Ester)
458	Segundo Retorno - Esdras (Esdras 7-8)
	Reformas de Jerusalém (Esdras 9-10)
450-430	Profecias de Malaquias
444	Terceiro Retorno - Neemias (Neemias 1.1–2.8)
	Reconstrução do Muro (Neemias 2.9–6.19)
	Instrução na Lei (Neemias 8—10)
432	Neemias Volta a Jerusalém (Neemias 13)
	As medidas reformistas
	Período Intertestamentário

Quadro C

Reconstrução do Templo de Salomão (de Stevens-Wright):

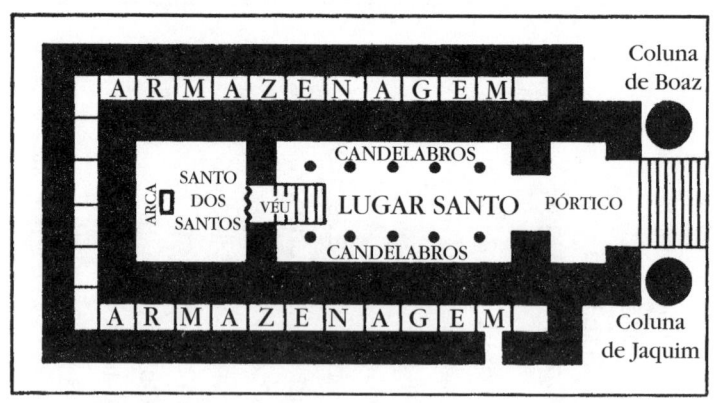

Planta Baixa do Templo (*adaptada de Watzinger*)

Autores deste volume

ROSS E. PRICE
Professor de Teologia em Pasadena College, Pasadena, Califórnia. A.B., Northwest Nazarene College; M.A., B.D., Pasadena College; M.Th., McCormick Theological Seminary; Ph.D., University of Southern Califórnia; D.D., Pasadena College.

C. PAUL GRAY
Presidente da Divisão de Filosofia e Religião, Pasadena College, Pasadena, Califórnia. Th.B., Bethany Nazarene College; M.A., Pasadena College; B.D., Ph.D., Vanderbilt University.

J. KENNETH GRIDER
Professor de Teologia no Nazarene Theological Seminary, Kansas City, Missouri. Th.B., A.B., Olivet Nazarene College; B.D., Nazarene Theological Seminary; B.D., M.A., Drew University; Ph.D., Glasgow University, Escócia.

ROY E. SWIM
Editor Associado de Periódicos para Escolas de Igrejas e Diretor de Obras Infantis, Departamento de Escolas de Igrejas, Igreja do Nazareno. Conferencista de Educação Religiosa no Nazarene Theological Seminary. A.B., Northwest Nazarene College; B.D., Central Baptist Theological Seminary; D.D., Northwest Nazarene College; Doutorado no Central Baptist Theological Seminary.

COMENTÁRIO BÍBLICO BEACON

Em Dez Volumes

Volume I. Gênesis; Êxodo; Levítico; Números; Deuteronômio

Volume II. Josué; Juízes; Rute; 1 e 2 Samuel; 1 e 2 Reis; 1 e 2 Crônicas; Esdras; Neemias; Ester

Volume III. Jó; Salmos; Provérbios; Eclesiastes; Cantares de Salomão

Volume IV. Isaías; Jeremias; Lamentações de Jeremias; Ezequiel; Daniel

Volume V. Oséias; Joel; Amós; Obadias; Jonas; Miquéias; Naum; Habacuque; Sofonias; Ageu; Zacarias; Malaquias

Volume VI. Mateus; Marcos; Lucas

Volume VII. João; Atos

Volume VIII. Romanos; 1 e 2 Coríntios

Volume IX. Gálatas; Efésios; Filipenses; Colossenses; 1 e 2 Tessalonicenses; 1 e 2 Timóteo; Tito; Filemom

Volume X. Hebreus; Tiago; 1 e 2 Pedro; 1, 2 e 3 João; Judas; Apocalipse